SUN roller))) '95

UN SALTO A LA NATURALEZA!

de Tordera a Hostalric, Km. 7,5 - 08490 FOGARS DE TORDERA (Barcelona) - Salida nº 10 Autopista A-7 de Barcelona - Tel. (972) 86 44 01 - Fax (972) 86 47 15

SI ERES CAMPISTA
O CARAVANISTA...

¡Afíliate a un Club adherido a la Federación Española de Camping y Caravaning¡

FECC

Con ello conseguirás...
- El Carnet Internacional de Camping, con seguro de R.C. incorporado.
- La GUIA OFICIAL FECC de Terrenos de Camping.
- Participar en acampadas sociales, provinciales, interprovinciales, nacionales e internacionales.
- Entrar de lleno en la familia campista y caravanista.

Solicite Información a los Clubs Federados de su zona, cuya relación encontrará en las páginas 58, 59 60.

Rellene, corte y envíe este cupón al Club de su zona.

Nombre . . . .

Domicilio . . . .

Población . . . . C.P. . . . .

Provincia . . . .

☒ Deseo conocer las condiciones para afiliarme a ese Club.

De nuevo hoy, hemos de sentirnos lógicamente satisfechos por los resultados que naturalmente se obtienen de todo trabajo bien hecho. Y un claro ejemplo de un magnífico esfuerzo y sus indudables consecuencias positivas, han de aplicarse a nuestra Guía de Campamentos Turísticos (Campings).

Cada año, nuestra estupenda publicación es, por su indudable utilidad, una ideal obra de consulta para cuantos deseamos saber todo lo que más nos conviene a la hora de elegir el lugar en el que pasar nuestras vacaciones, o nuestros mejores días de ocio a lo largo del año.

Motivo de especial contento es el hecho —ya lo he dicho otras veces— de que, son cada vez más los Clubes, Asociaciones, Federaciones y hasta campistas de toda Europa que nos solicitan les hagamos llegar nuestra ya muy pretigiada Guía. Estamos seguros de que, la aceptación de la misma se debe al muy importante hecho de que, juntamente con la inclusión de los Campings españoles, estemos proporcionando a nuestros campistas una cifra de seleccionados Terrenos europeos que ya rebasa el millar de ellos.

Como ya es natural, cada día insistimos en nuestra labor y en el esfuerzo necesario para lograr que nuestra Guía llegue a conseguir mejorar todo lo posible, y con ello, proporcionar a nuestros fieles campistas de la F.E.C.C. el mejor servicio. Trabajamos en ello puesto que así lo merecen.

Estas líneas, cuya redacción viene a producirse hacia finales de diciembre, me permiten y; por ello me siento muy honrado; hacer llegar a todos los Clubes, campistas, familiares y amigos de los mismos, mis mejores deseos de felicidad en las fiestas navideñas ya muy cercanas y de un positivo año 1995, todo ello en paz y bienestar. Desde esta Guía; también nuestro mejor medio de difusión; con mis sinceros deseos, mi amistad, mi afecto y un fuerte abrazo para todos.

Francisco Simón Lara
Presidente

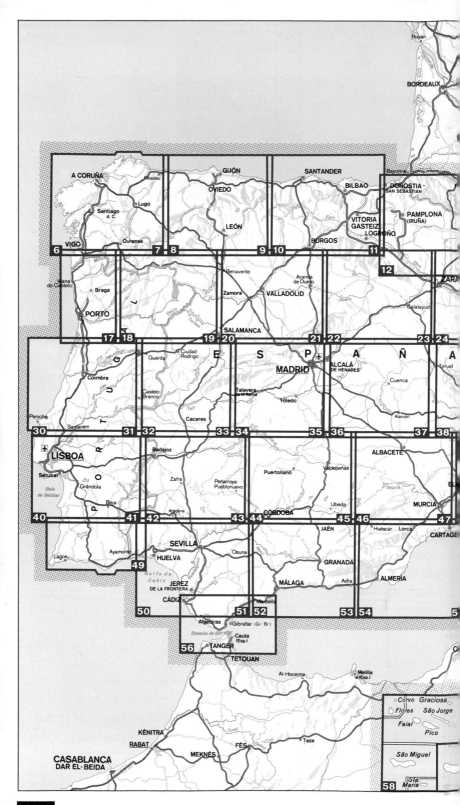

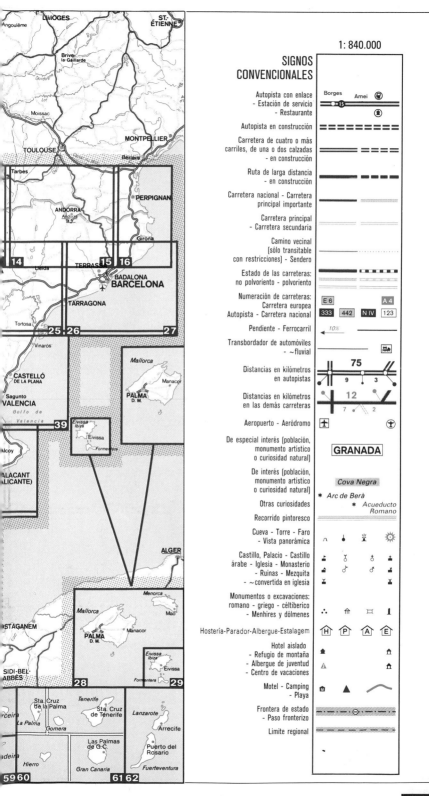

SIGNOS CONVENCIONALES

1: 840.000

Autopista con enlace - Estación de servicio - Restaurante	Borges Amei
Autopista en construcción	
Carretera de cuatro o más carriles, de una o dos calzadas - en construcción	
Ruta de larga distancia - en construcción	
Carretera nacional - Carretera principal importante	
Carretera principal - Carretera secundaria	
Camino vecinal (sólo transitable con restricciones) - Sendero	
Estado de las carreteras: no polvoriento - polvoriento	
Numeración de carreteras: Carretera europea Autopista - Carretera nacional	E 6 A 4 333 442 N IV 123
Pendiente - Ferrocarril	10%
Transbordador de automóviles - ~fluvial	
Distancias en kilómetros en autopistas	75 9 3
Distancias en kilómetros en las demás carreteras	12 7 2
Aeropuerto - Aeródromo	
De especial interés (población, monumento artístico o curiosidad natural)	GRANADA
De interés (población, monumento artístico o curiosidad natural)	Cova Negra
Otras curiosidades	* Arc de Berà * Acueducto Romano
Recorrido pintoresco	
Cueva - Torre - Faro - Vista panorámica	
Castillo, Palacio - Castillo árabe - Iglesia - Monasterio - Ruinas - Mezquita - ~convertida en iglesia	
Monumentos o excavaciones: romano - griego - céltiberico - Menhires y dólmenes	
Hostería-Parador-Albergue-Estalagem	H P A E
Hotel aislado - Refugio de montaña - Albergue de juventud - Centro de vacaciones	
Motel - Camping - Playa	
Frontera de estado - Paso fronterizo	
Límite regional	

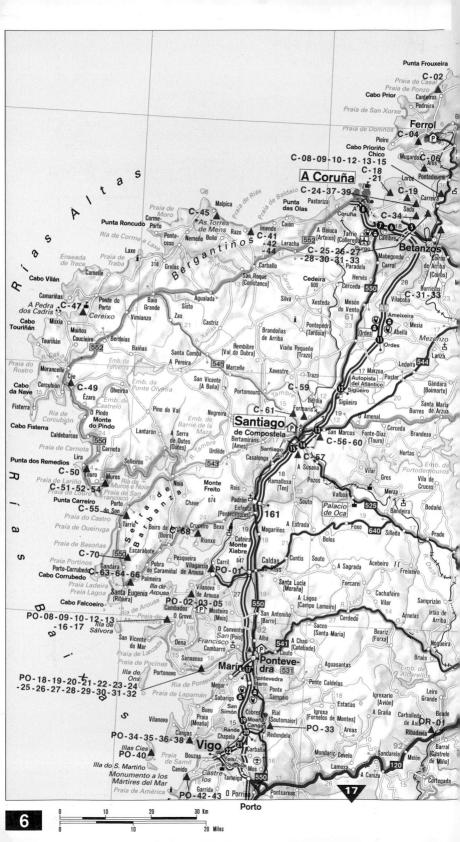

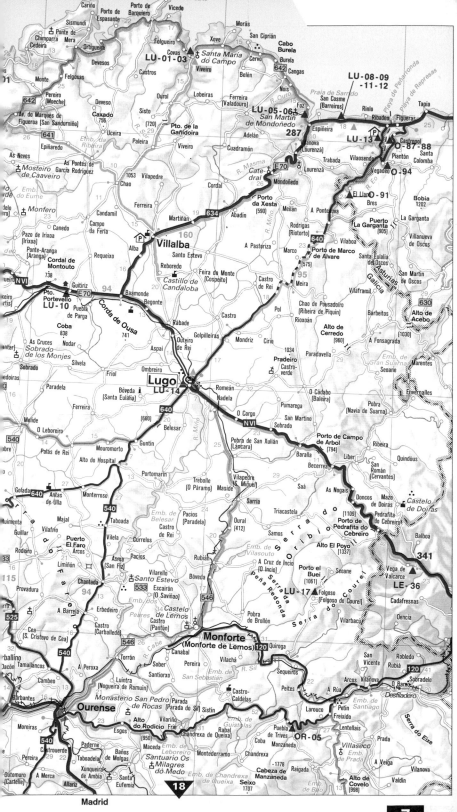

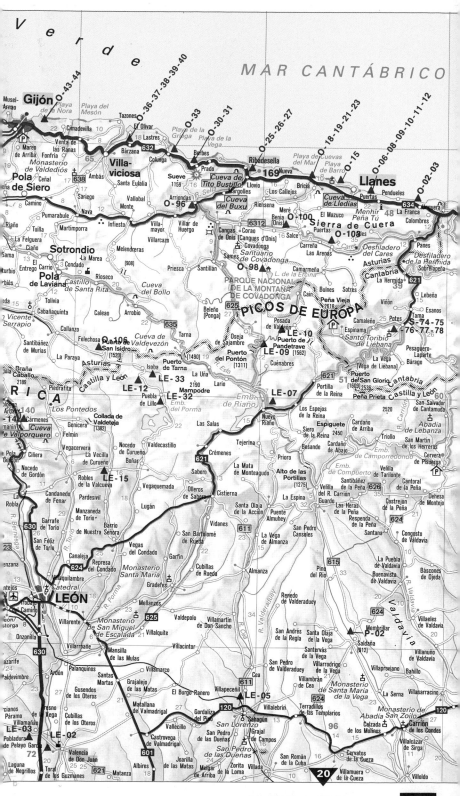

Zaragoza

13

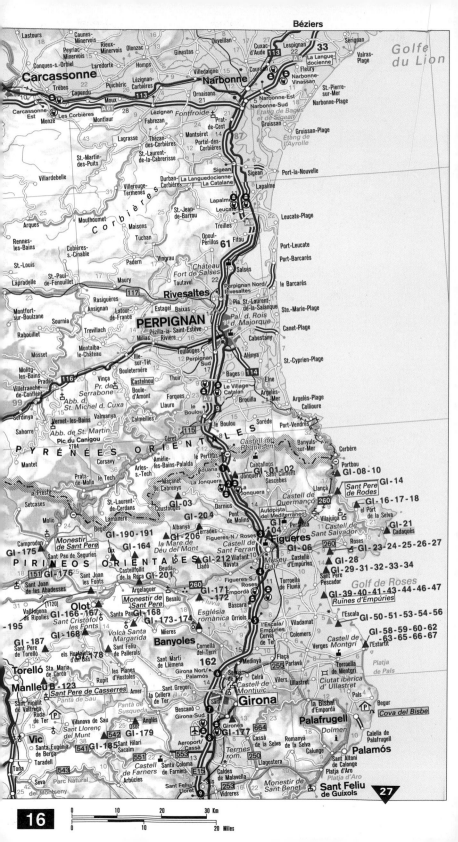

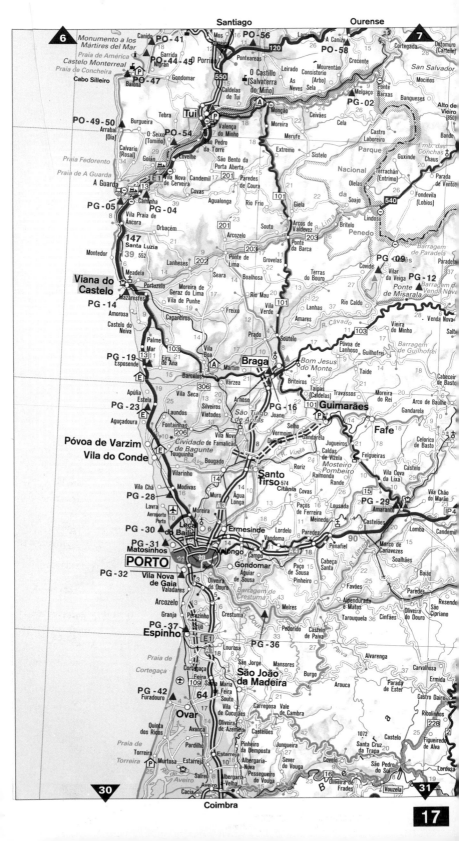

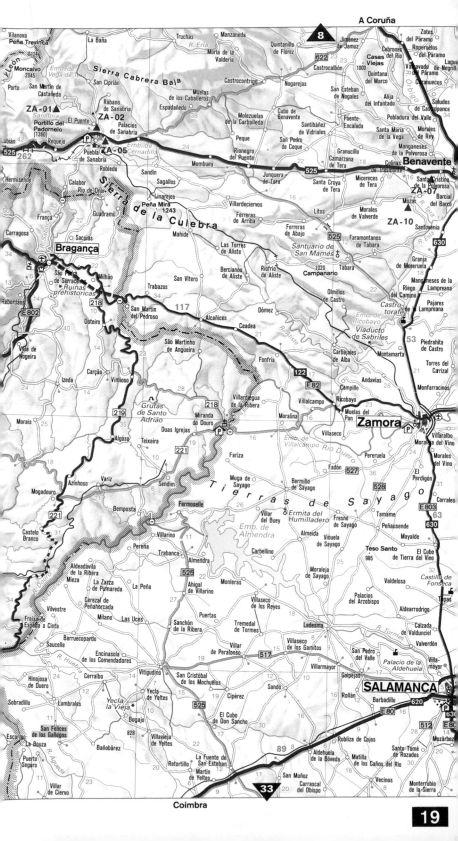

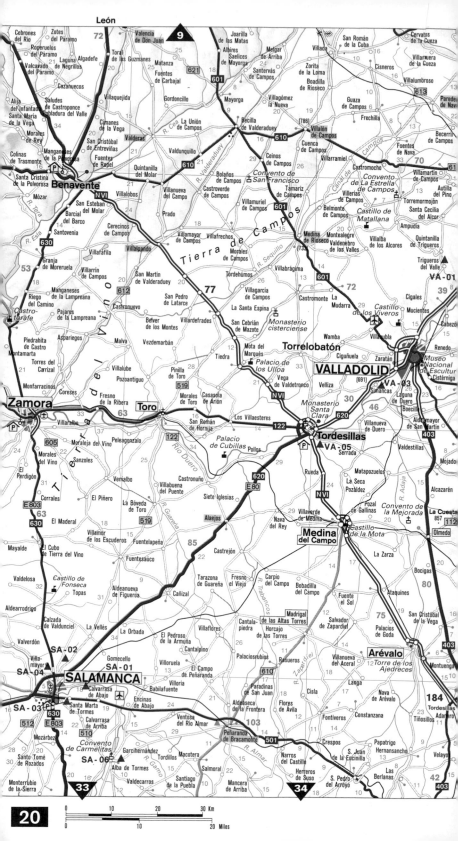

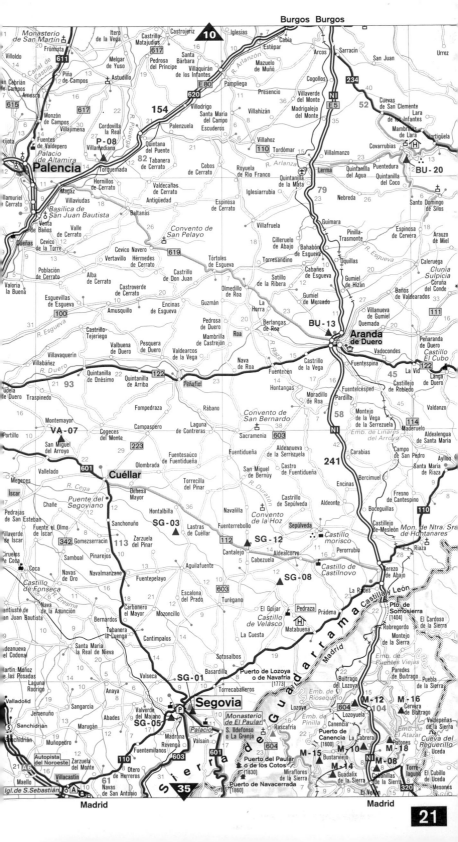

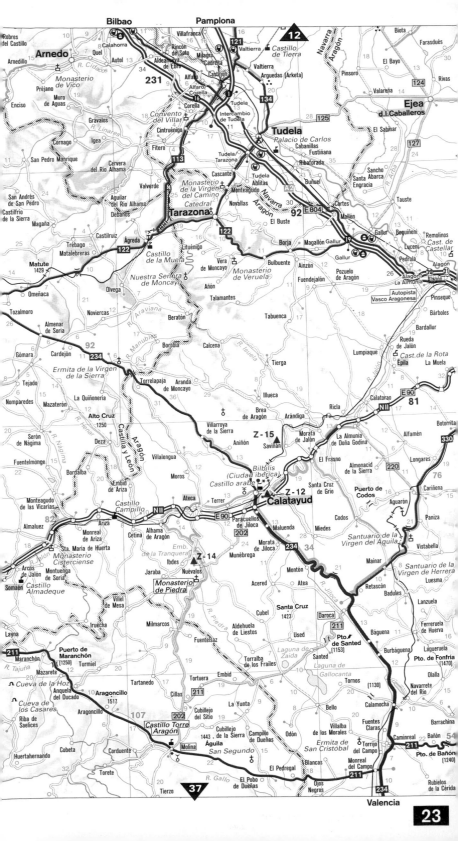

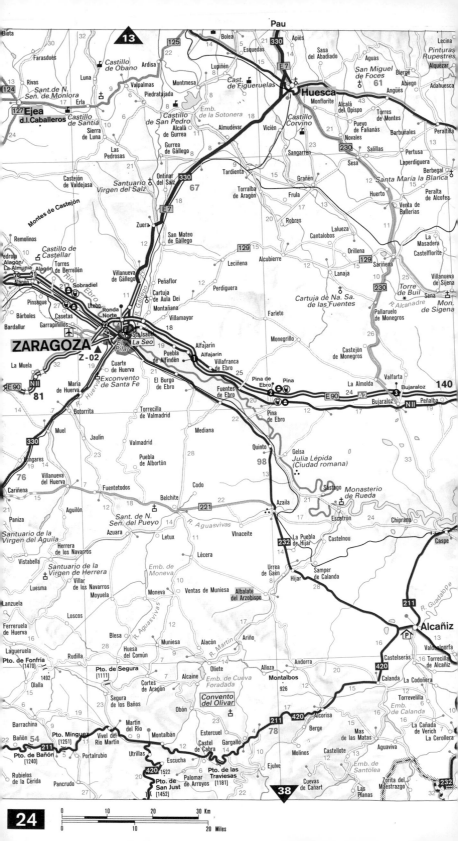

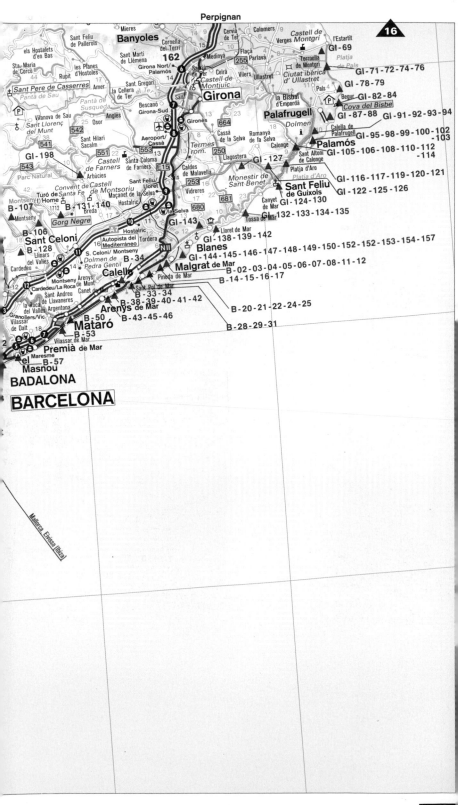

16

els Hostalets
d'en Bas
Sta.-Maria
de Corço
44
Sant Feliu
de Pallerols
Banyoles
Sant Martí
de Llémena
Mieres
les Planes
d'Hostoles
Rupit
les Planes
d'Hostoles
Osor
Cornellà
del Terri
Cervià
de Ter
Colomers
Girona Nord/
Palamós
Medinyà
Flaçà
Parlavà
Pals
Vilers
Castell de
Montgrí
l'Estartit
GI-69
Platja
de Pals
Torroella
de Montgrí
Ciutat ibèrica
d'Ullastret
GI-71-72-74-76

162

Sant Pere de Casserres
Pantà de Sau
Pantà de
Susqueda
Vilanova de Sau
Sant Llorenç
del Munt
542
Sant Hilari
Sacalm
541

GI-198
543
Parc Natural

Castell
de Farners
Arbúcies

Convent de Castell
Turó de Santa Fe de Montsoriu
Montseny l'Home
1712
Breda
B-107
Montseny

B-131-140

Gorg Negre

B-106
Sant Celoni
Llinars
del Vallès
Cardedeu

Hostalric
Autopista del
Mediterráneo
Dolmen de
Pedra Gentil
B-34

S. Celoni/ Montseny
Montseny Arenys
de Munt
Sant Andreu
de Llavaneres

Cardedeu/La Roca del Vallès
la Roca
del Vallès
Granollers/Vic
Vilassar
de Dalt
Argentona

Calella
Canet de Mar

Arenys de Mar
B-50
Mataró
B-53
Premià de Mar
el Maresme
Masnou

BADALONA

BARCELONA

GI-78-79

Begur
Cova del Bisbe
Palafrugell
Dolmen
GI-87-88
GI-82-84

GI-91-92-93-94

Calella de
Palafrugell
GI-95-98-99-100-102
-103
Palamós
Sant Altoni
de Calonge
GI-105-106-108-110-112
-114
GI-127
Platja d'Aro

GI-116-117-119-120-121
GI-122-125-126
Sant Feliu
de Guixols
GI-124-130
GI-132-133-134-135

Tossa de Mar

GI-138-139-142

Blanes
GI-144-145-146-147-148-149-150-152-152-153-154-157

Malgrat de Mar
B-02-03-04-05-06-07-08-11-12
B-14-15-16-17

B-20-21-22-24-25

B-28-29-31

Mallorca Eivissa (Ibiza)

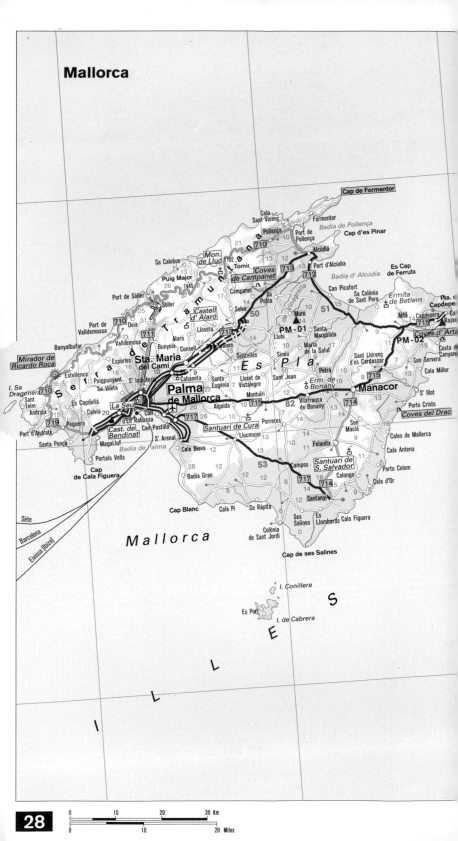

Mallorca

Cap de Formentor

Cap d'es Pinar

Es Cap
de Ferrutx

Pta. c
Capdepe
Cal
Rajac

Coves d' Arta

Costa de
Canyan

Cala Millor

S' Illot

Porto Cristo

Coves del Drac

Cales de Mallorca

Cala Antena

Porto Colom

Cala d'Or

Cala Figuera

Badia de Pollença

Cala
Sant Vicenç

Pollença

Port de
Pollença

Alcúdia

Port d'Alcúdia

Badia d' Alcúdia

Can Picafort

Sta. Colónia
de Sant Pere

Ermita
de Betlem

Artà

Capdepera

Son Servera

Sant Llórenç
d'es Cardassar

Manacor

Vilafranca
de-Bonany

Petra

Erm. de
Bonany

Son
Macià

Felanitx

Santuari de
S. Salvador

Calonge

Campos

Santanyí

Ses
Salines

Es
Llombards

Colónia
de Sant Jordi

Cap de ses Salines

Sa Calobra

Mon.
de Lluc

Tomir

Coves
de Campanet

Campanet

Selva
a

Lloseta

Alaró

Castell
d' Alaró

Bunyola

Consell

Santa
Maria

Sa
Pobla

Muro

PM-01

Llubí

Santa
Margalida

Maria
de la Salut

Sineu

Sencelles

Santa
Eugénia

Lloret de
Vistalegre

Sant Joan

Montuïri

Algaida

Llucmajor

Porreres

Vilatranca

PM-02

Coll
d'En Rabassa

Es Pla

50

51

53

82

Puig Major

Port de Sóller

Sóller

Port de
Valldemossa

Deià

Valldemossa

Banyalbufar

Esporles

Puigpunyent

Sa Vileta

Estellencs

Sant
Telm

Andratx

Peguera

Santa Ponça

Port d'Andratx

Cap
de Cala Figuera

Portals Vells

Magaluf

Cala
Major

Badia
Gran

Cala Blava

S' Arenal

Can Pastilla

Badia de Palma

Cast. del
Bendinat

Calvià

Sa Vileta

Es Capdellà

Mirador de
Ricardo Roca

I. Sa
Dragonera

Serra de Tramuntana

Serra de Tramuntana

Sta. Maria
del Camí

Palma
de Mallorca

La Seu

S' Indioteri

Cabaneta

Santuari de Cura

Cap Blanc

Cala Pi

Sa Ràpita

Mallorca

I. Conillera

Es Port

I. de Cabrera

I L L E S

710
713
712
710
711
710
711
713
713
715
715
714
717
714
717
715
714
719
719
719

26
13
1445
25
31
18
20
36
15
12
12
13
21
13
12
10
13
14
14
16
10
9
15
11
11
9
7
16
9
7
8
9
13
11
10
12
82
13
14
18
11
11
8
10
12
5
12
12
12
26
9
9
7
7
7
12
28
8
10
13
24
14
102

0   10   20   30 Km

0   10   20 Miles

Sète

Barcelona

Eivissa (Ibiza)

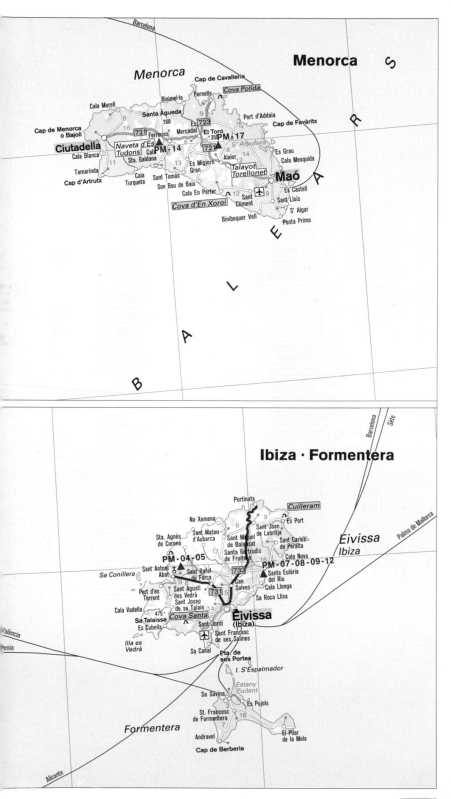

Menorca

Menorca

Barcelona

S

R

A

E

A

L

A

B

Cap de Cavalleria
Fornells
Cova Polida
Binimel·la
Cala Morell
Santa Agueda
Port d'Addaia
Cap de Menorca o Bajoli
260
Es 723
Cap de Favàritx
Ciutadella
Ferreries
El Toro 350
PM-17
S' Albufera
16
721
Mercadal
Cala Blanca
Naveta d'Es Tudons
PM-14
721
Alaior
14
Es Grau
Cala Mesquida
Tamarinda
Sta. Galdana
13
Es Migjorn Gran
12
Talayot Torellonet
Cap d'Artrutx
11
Cala Turqueta
Sant Tomàs
Maó
Cala En Pòrter
12
Sant Climent
Es Castell
Sant Lluís
Son Bou de Baix
Cova d'En Xoroi
9
S' Algar
Binibequer Vell
Punta Prima

Ibiza · Formentera

Barcelona

Séte

Palma de Mallorca

Portinatx
Cuilleram
Na Xemena
9
Es Port
Sta. Agnès de Corona
Sant Mateu d'Aubarca
6
Sant Joan de Labritja
Sant Carles de Peralta
Sant Miquel de Balansat
Eivissa
Ibiza
Santa Gertrudis de Fruitera
12
PM-04-05
16
Cala Nova
Sant Antoni Abat
Sant Rafel de Forca
733
Santa Eulària del Riu
PM-07-08-09-12
Sa Conillera
Can Salvos
Cala Llonga
Port d'es Torrent
731
Sant Agustí des Vedrà
5
Sa Roca Llisa
Cala Vadella
Sant Josep de sa Talaia
14
Cova Santa
475
Sa Talaissa
Es Cubells
Sant Jordi
Eivissa
(Ibiza)
València
Illa es Vedrà
Sant Francesc de ses Salines
enia
Sa Canal
Pta. de ses Portes
I. S'Espalmador
Estany Pudent
Sa Savina
3
Es Pujols
St. Francesc de Formentera
18
El Pilar de la Mola
Formentera
Andravel
7
Cap de Berberia

Alicante

29

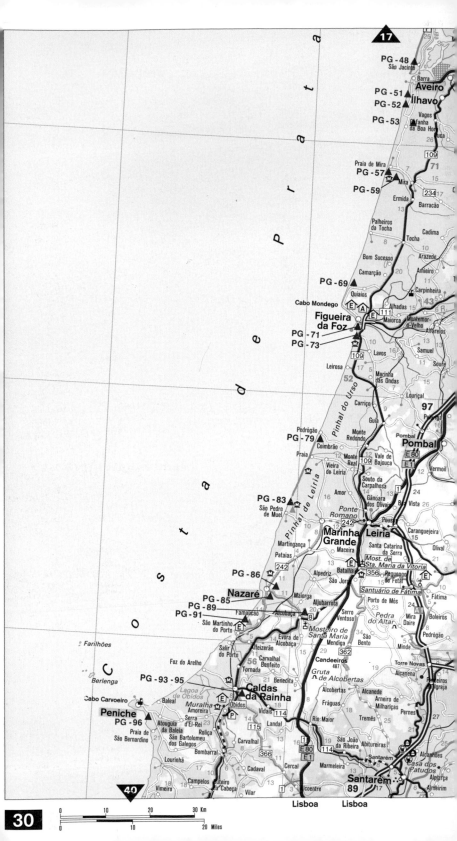

PG-48
São Jacinto

PG-51
PG-52 **Ílhavo**
Aveiro
Barra
PG-53
Vagos
Gafanha
da Boa Hora

109
71

Praia de Mira
PG-57
PG-59
Mira
Ermida
234
Barracão

Palheiros
da Tocha
Tocha
Cadima

Bom Sucesso
Arazede
Aimeiro

PG-69
Camarção
Carpinheira

Quiaios
43

Cabo Mondego
Alhadas
111
**Figueira
da Foz**
Maiorca
Montemor-o-Velho
Alfeireis

PG-71
PG-73
Lavos
Samuel
Soure

109
Leirosa
Marinha
das Ondas

52
Carriço
Louriçal

Guia
97

Pedrógão
PG-79
Coimbrão
Monte
Redondo
Pombal
E80
E1
Vermoil

Praia
Monte
Real
109
Vale de
Bajouca

Vieira
de Leiria
Souto da
Carpalhosa
Gândara
dos Olivais
Boa Vista

PG-83
São Pedro
de Muel
Amor
Ponte
Romano

242
**Marinha
Grande**
Leiria
Caranguejeira

Martingança
Santa Catarina
da Serra

Pataias
Maceira
Most. de
Sta. Maria da Vitória

PG-86
242
Alpedriz
Batalha
356
Reguengo
do Fetal

Nazaré
São Jorge
Santuário de Fátima
Fátima

PG-85
Maiorga
Porto de Mós
PG-89
Aljubarrota
Serro
Ventoso
Pedra
do Alta
Mira
Daire
Boleiros

PG-91
Famalicão
Alcobaça
São
Bento
Pedrógão

São Martinho
do Porto
Mosteiro de
Santa Maria
Mendiga
Minde

Farilhões
Salir
do Porto
Alfeizerão
Carvalhal
Benfeito
362
Candeeiros
Torre Novas
Alcanena

Berlenga
Foz do Arelho
Tornada
Benedita
Gruta
de Alcobertas
Ferreira
do Zêzere

PG-93-95
Lagoa
de Óbidos
Alcobertas
Alcanede
Arneiro de
Milhariças
Pernes

Cabo Carvoeiro
Baleal
Muralha
Amoreira
Óbidos
**Caldas
da Rainha**
Fráguas

Peniche
PG-96
Atouguia
da Baleia
Serra
d'El-Rei
Vidais
114
Rio Maior
Tremês

Praia de
São Bernardino
São Bartolomeu
dos Galegos
Roliça
Landal
115
São João
da Ribeira
Abitureiras
Alcanhões

Lourinhã
Bombarral
Carvalhal
366
Marmeleira
Santarém
Casa dos
Patudos
Alpiarça

Campelos
Outeiro
da Cabeça
Cadaval
Cercal
Santarém
89
Almeirim

Vimeiro
Vilar
Alcoentre
Lisboa   Lisboa

0   10   20   30 Km
0   10   20 Miles

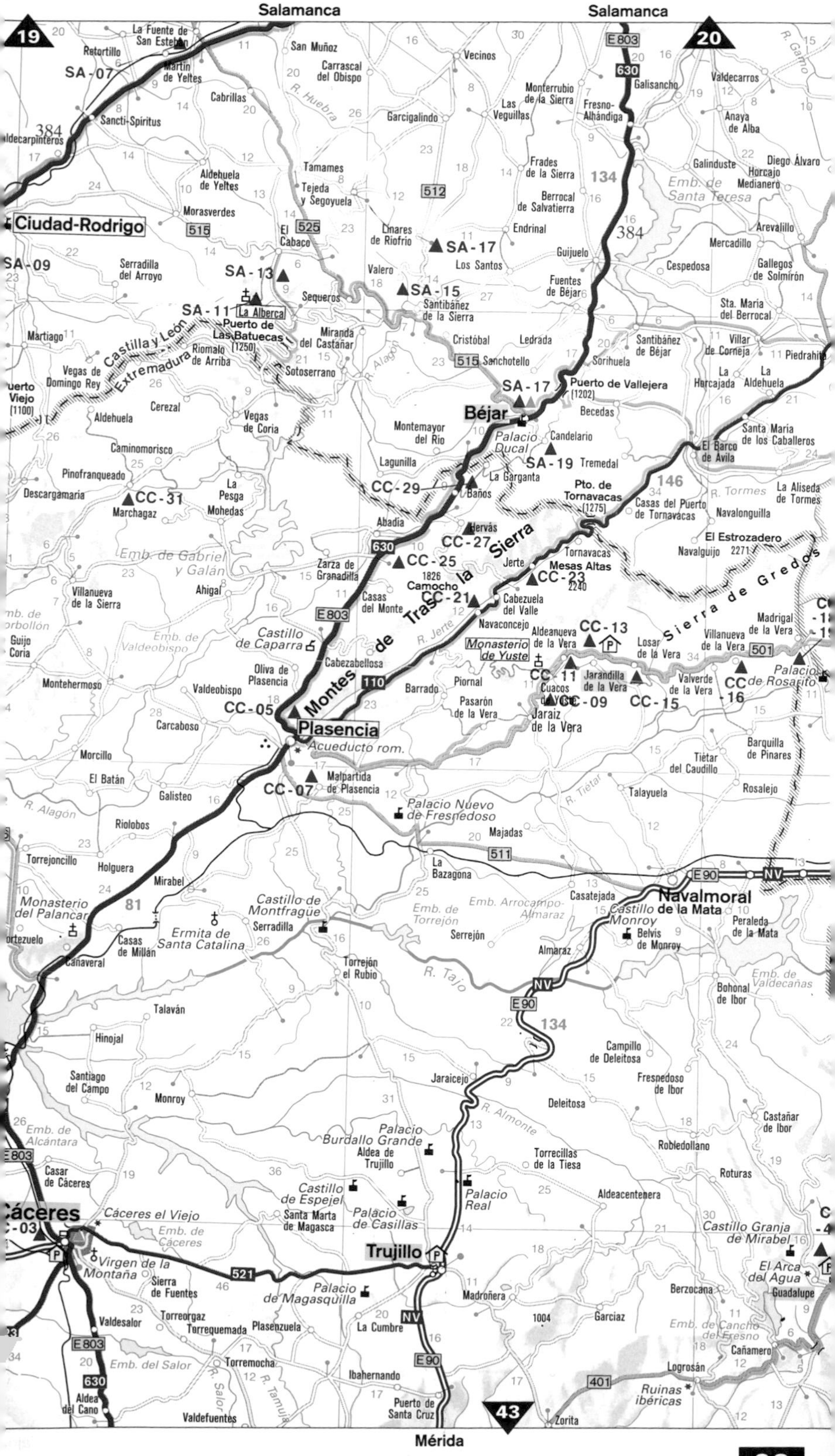
Salamanca
Salamanca
19
20
La Fuente de San Esteban
Retortillo
SA-07
Martín de Yeltes
Cabrillas
Sancti-Spíritus
San Muñoz
Carrascal del Obispo
R. Huebra
Garcigalindo
Vecinos
Monterrubio de la Sierra
Las Veguillas
Fresno-Alhándiga
E 803
630
Galisancho
Valdecarros
Anaya de Alba
R. Gamo
Aldehuela de Yeltes
Morasverdes
Tamames
Tejeda y Segoyuela
512
525
515
El Cabaco
Linares de Riofrío
SA-17
Frades de la Sierra
Berrocal de Salvatierra
Endrinal
Guijuelo
Los Santos
134
384
Emb. de Santa Teresa
Galinduste
Diego Álvaro
Horcajo Medianero
Arevalillo
Mercadillo
Cespedosa
Gallegos de Solmirón
Ciudad-Rodrigo
SA-09
Serradilla del Arroyo
SA-13
SA-11
La Alberca
Puerto de Las Batuecas
[1250]
Sequeros
Valero
SA-15
Santibáñez de la Sierra
Fuentes de Béjar
Sta. María del Berrocal
Castilla y León
Extremadura
Martiago
Vegas de Domingo Rey
Puerto Viejo
[1100]
Riomalo de Arriba
Miranda del Castañar
Sotoserrano
R. Alagón
Cristóbal
515
Sanchotello
Ledrada
Santibáñez de Béjar
Sorihuela
Villar de Corneja
Piedrahita
La Horcajada
La Aldehuela
Puerto de Vallejera
[1202]
Béjar
Becedas
Aldehuela
Cerezal
Vegas de Coria
Montemayor del Río
Palacio Ducal
Candelario
Santa María de los Caballeros
El Barco de Ávila
Caminomorisco
Pinofranqueado
Descargamaría
CC-31
Marchagaz
La Pesga
Mohedas
Lagunilla
CC-29
Baños
La Garganta
SA-19
Tremedal
Pto. de Tornavacas
[1275]
146
Casas del Puerto de Tornavacas
R. Tormes
La Aliseda de Tormes
Navalonguilla
Abadía
Hervás
CC-27
El Estrozadero
2271
Navalguijo
Emb. de Gabriel y Galán
Zarza de Granadilla
630
CC-25
1826
Camocho
Jerte
Tornavacas
Mesas Altas
CC-23
2240
Sierra de Gredos
Montes de Traslasierra
Villanueva de la Sierra
Ahigal
Casas del Monte
CC-21
Cabezuela del Valle
Navaconcejo
E 803
Guijo de Coria
Emb. de Valdeobispo
Castillo de Caparra
R. Jerte
Monasterio de Yuste
Aldeanueva de la Vera
CC-13
Losar de la Vera
Villanueva de la Vera
Madrigal de la Vera
501
Cabezabellosa
Montehermoso
Oliva de Plasencia
Valdeobispo
110
Barrado
Piornal
CC-11
Cuacos de Yuste
CC-09
Jarandilla de la Vera
CC-15
Valverde de la Vera
CC-16
Palacio de Rosarito
CC-05
Carcaboso
Pasarón de la Vera
Jaraiz de la Vera
Plasencia
Acueducto rom.
Morcillo
Barquilla de Pinares
El Batán
Tiétar del Caudillo
Malpartida de Plasencia
CC-07
Galisteo
R. Alagón
R. Tiétar
Talayuela
Rosalejo
Palacio Nuevo de Fresnedoso
Riolobos
Majadas
Torrejoncillo
Holguera
511
La Bazagona
E 90
NV
Mirabel
Navalmoral de la Mata
81
Monasterio del Palancar
Castillo de Monfragüe
Emb. de Torrejón
Emb. Arrocampo-Almaraz
Casatejada
Castillo de Monroy
Peraleda de la Mata
Serradilla
Serrejón
Belvis de Monroy
Casas de Millán
Ermita de Santa Catalina
Cañaveral
Almaraz
Torrejón el Rubio
R. Tajo
Emb. de Valdecañas
Bohonal de Ibor
NV
E 90
Talaván
134
Hinojal
Campillo de Deleitosa
Santiago del Campo
Jaraicejo
Fresnedoso de Ibor
Monroy
Deleitosa
R. Almonte
Emb. de Alcántara
Palacio Burdallo Grande
Aldea de Trujillo
Castañar de Ibor
Robledollano
E 803
Casar de Cáceres
Torrecillas de la Tiesa
Castillo de Espejel
Palacio Real
Roturas
Aldeacentenera
Cáceres
CC-03
Cáceres el Viejo
Emb. de Cáceres
Santa Marta de Magasca
Palacio de Casillas
Castillo Granja de Mirabel
Virgen de la Montaña
Trujillo
Sierra de Fuentes
521
El Arca del Agua
Guadalupe
Palacio de Magasquilla
Madroñera
Berzocana
Valdesalor
Torreorgaz
Torrequemada
Plasenzuela
La Cumbre
NV
1004
Garciaz
Emb. de Cancho del Fresno
E 803
Cañamero
Emb. del Salor
Torremocha
R. Salor
R. Tamuja
Ibahernando
E 90
Logrosán
401
Ruinas ibéricas
630
Aldea del Cano
Puerto de Santa Cruz
43
Valdefuentes
Zorita
Mérida

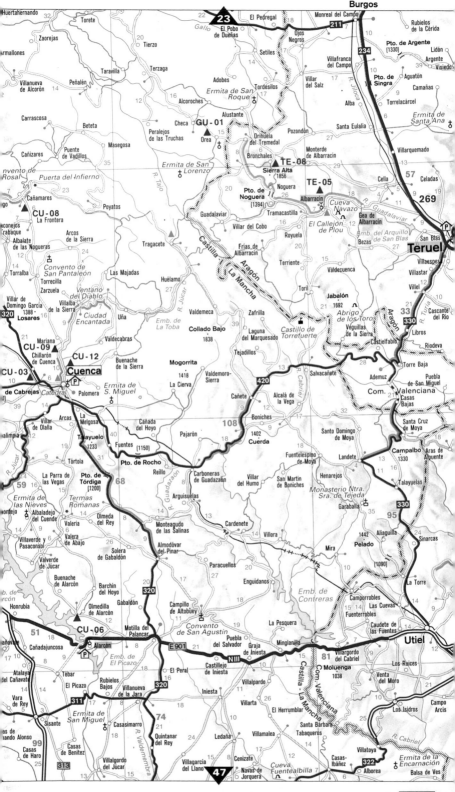

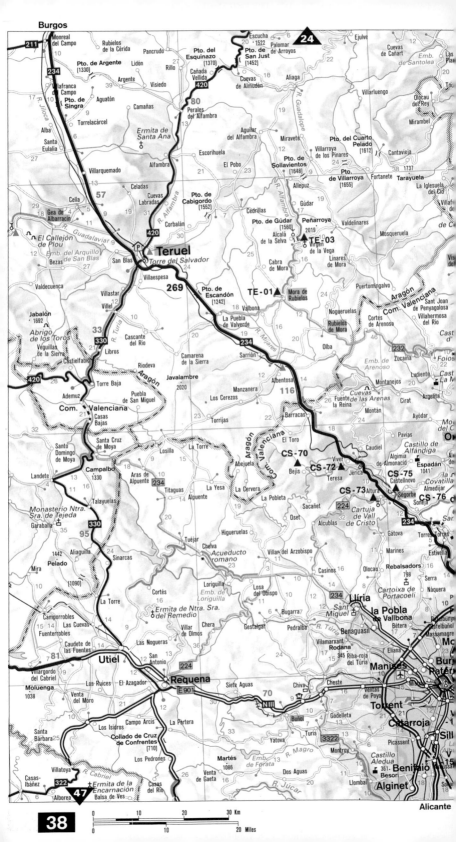

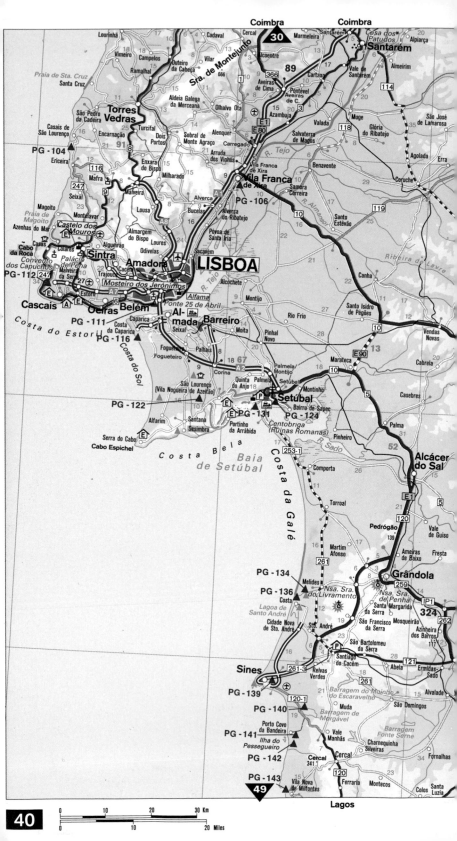

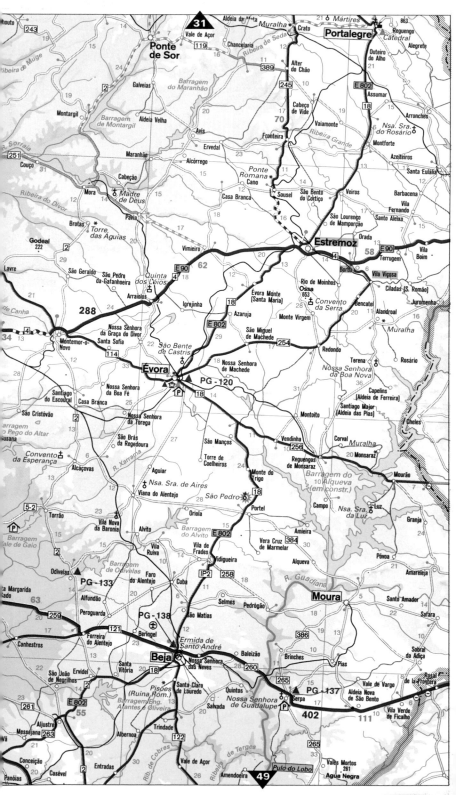

41

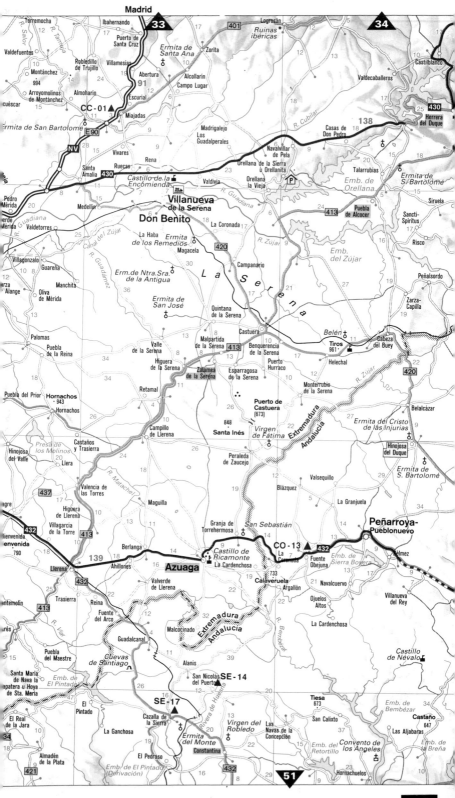

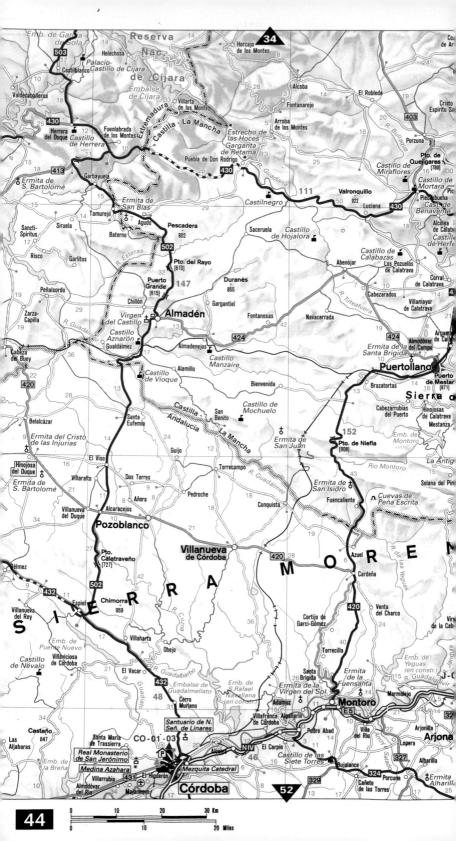

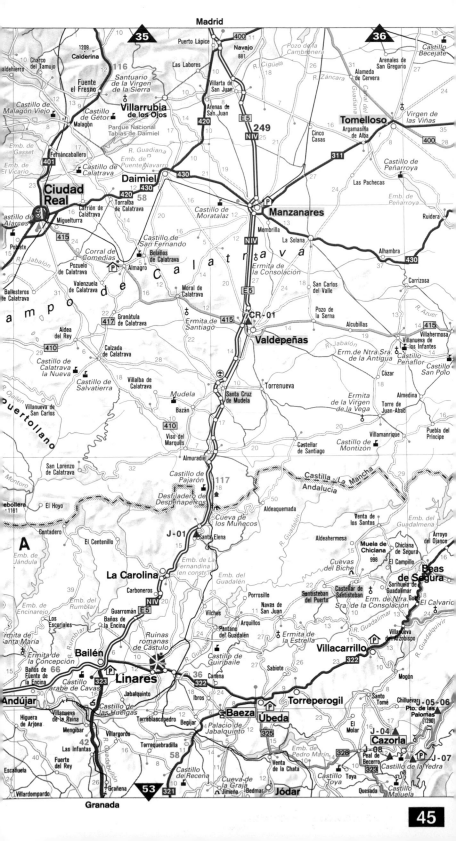

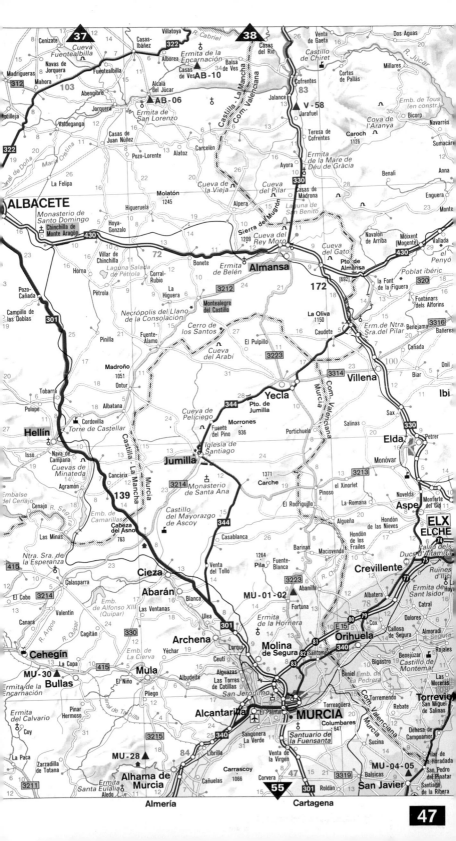

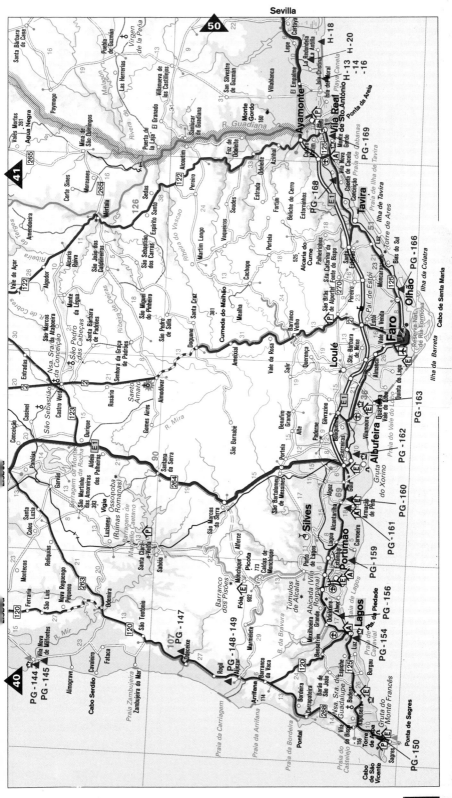

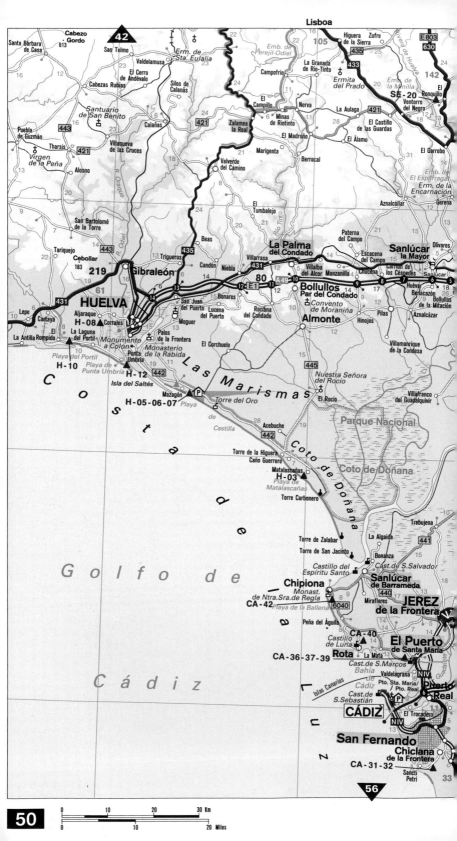

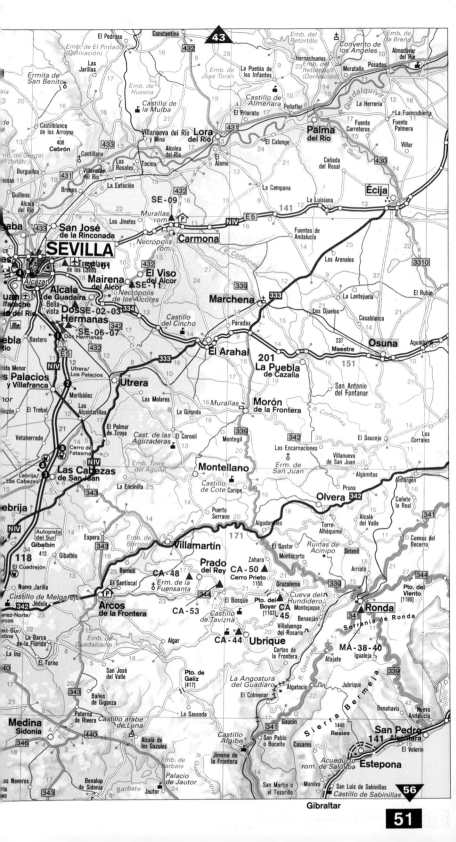

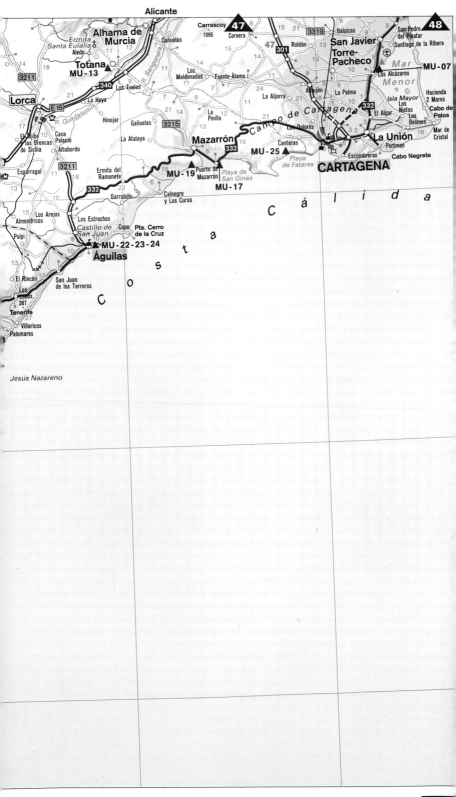

Alicante

Alhama de Murcia
Ermita Santa Eulalia
Aledo
11
12
Cañuelas

Totana
MU-13
3211
14
18
340
Los Tuelas

Lorca
E 15
21
La Hoya
R. Guadalentín
Hinojar
Gañuelas

El Aljibe
las Brencas de Sicilia
17
10
Casa Palacio
Altobordo
La Atalaya

Esparragal
3211
11
18
Ermita del Ramonete
13
332
Garrobillo

15
Los Arejos
Almendricos
Los Estrechos

Pulpi
Castillo de San Juan
Cope
Pta. Cerro de la Cruz

MU-22-23-24
Águilas
10

13
El Rincón
12
San Juan de los Terreros

Los Lobos
367
Tenerife
27

Villaricos
Palomares

Jesús Nazareno

Carrascoy
1066
47
Corvera
15
21
3319

Los Maldonados
14
Fuente-Álamo

8
7
La Aljorra

La Pinilla
12

Mazarrón
332
16
Canteras

MU-25
Playa de Fatares

MU-19
Puerto de Mazarrón
Playa de San Ginés

MU-17

Calnegre y Los Curas

C   o   s   t   a   c   á   l   i   d   a

San Pedro del Pinatar
48
Santiago de la Ribera

San Javier
Torre-Pacheco
301
Roldán
13
Balsicas

Alujón
La Palma
Mar Menor
MU-07
Los Alcázares
Isla Mayor
Los Nietos
Hacienda 2 Mares
Cabo de Palos

332
El Algar
Los Beloñes
Mar de Cristal

Los Dolores
La Unión
Portman

CARTAGENA
Escombreras
Cabo Negrete

Camino de Cartagena

55

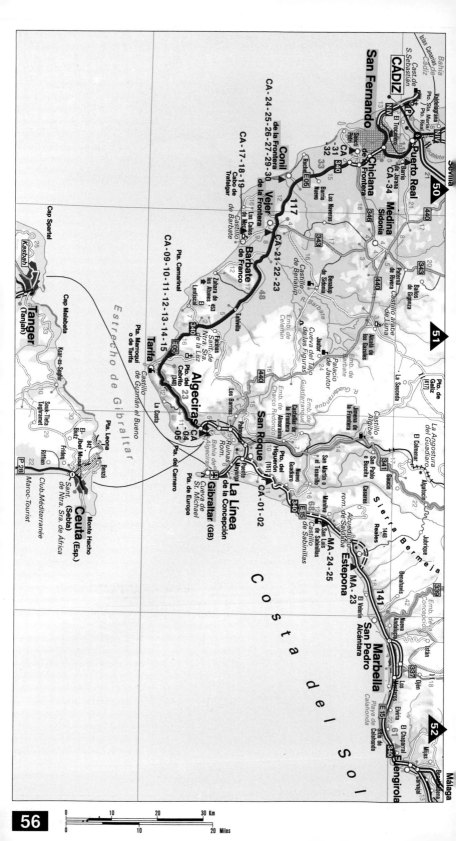

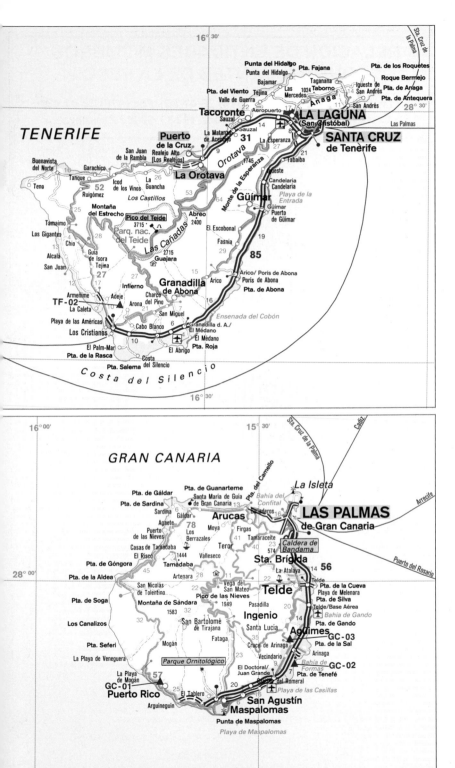

TENERIFE

Sta. Cruz de la Palma

Punta del Hidalgo
Punta del Hidalgo
Pta. Fajana
Pta. de los Roquetes
Roque Bermejo
Taganana
Taborno
Bajamar
Pta. del Viento
Tejina
Las
1024
Iguste de
Pta. de Anaga
Mercedes
San Andrés
Pta. de Antequera
Valle de Guerra
Anaga
28° 30'
Aeropuerto
11
San Andrés
Tacoronte
14
LA LAGUNA
Las Palmas
Sauzal
(San Cristóbal)
La Matanza
La Esperanza
SANTA CRUZ
de Acentejo
31
SANTA CRUZ
Puerto
de Tenerife
de la Cruz
San Juan
Realejo Alto
de la Rambla
(Los Realejos)
Orotava
27
21
9
Igueste
La Orotava
1745
Tabaiba
Buenavista
del Norte
16
Garachico
Candelaria
Tanque
La
26
Candelaria
Teno
Icod
La Guancha
53
Playa de la
52
de los Vinos
Los Castillos
Entrada
Ruigómez
64
Güímar
Montaña
Abreo
Güímar
del Estrecho
2400
Puerto
25
Pico del Teide
de Güímar
Tamaimo
3715
El Escobonal
Parq. nac.
19
Los Gigantes
28
del Teide
Fasnia
Chio
Las Cañadas
29
Alcalá
Guía
2715
85
de Isora
San Juan
Tejina
Guajara
27
15
Arico/ Porís de Abona
Granadilla
Arico
Porís de Abona
Infierno
de Abona
Pta. de Abona
Armeñime
Adeje
Charco
La Caleta
Arona
del Pino
16
TF-02
San Miguel
Playa de las Américas
Ensenada del Cobón
Cabo Blanco
6
Los Cristianos
Granadilla d. A./
10
El Médano
El Palm-Mar
El Médano
Pta. de la Rasca
El Abrigo
Pta. Roja
Costa
del Silencio
Pta. Salema
Costa del Silencio

16° 30'

GRAN CANARIA

Sta. Cruz de la Palma
Cádiz

Pso. del Carmelo
La Isleta
Bahía del
Confital
Pta. de Gáldar
Pta. de Guanarteme
Santa María de Guía
Arrecife
Pta. de Sardina
de Gran Canaria
13
Sardina
Gáldar
Bañaderos
16
Agaete
Los
LAS PALMAS
Puerto
Berrazales
Moya
Firgas
de Gran Canaria
de las Nieves
78
Arucas
Casas de Tamadaba
Tamaraceite
Caldera de
Puerto del Rosario
El Risco
1444
Teror
41
Bandama
28° 00'
Valleseco
23
574
Pta. de Góngora
Tamadaba
40
Sta. Brígida
56
Pta. de la Aldea
45
Artenara
28
11
La Atalaya
14
San Nicolás
22
Vega de
Pta. de la Cueva
de Tolentino
San Mateo
Telde
Playa de Melenara
Los Canalizos
Montaña de Sándara
Pico de las Nieves
Pta. de Silva
1583
1949
Pasadilla
Telde/Base Aérea
32
Ingenio
Bahía de Gando
32
San Bartolomé
14
Pta. Seferi
de Tirajana
Santa Lucía
Pta. de Gando
La Playa de Veneguera
Fataga
35
Agüimes
Mogán
Cruce de Arinaga
GC-03
Parque Ornitológico
Vecindario
Pta. de la Sal
57
23
Arinaga
La Playa
El Doctoral/
9
Bahía de
GC-02
de Mogán
Juan Grande
Formas
Pta. de Tenefé
GC-01
25
Barranco del Romeral
Playa de las Casillas
Puerto Rico
El Tablero
20
Arguineguín
San Agustín
Maspalomas
Punta de Maspalomas
Playa de Maspalomas

16° 00'
15° 30'

RELACION DE ENTIDADES MIEMBROS CONSTITUYENTES DE LA FECC

c/ La Coruña 29, 2º B · Tel. (976) 25 47 33 · Fax (976) 38 07 47
Correspondencia: Apdo. Correos 1133 • 50080 Zaragoza

ANDALUCIA

ALMERIA
CLUB CAMPING ALMERIA
Apartado de Correos 620
Tel. (951) 27 48 47
04080 - Almería

CLUB CARAVANING DE ALMERÍA
Prolongación de la c/ de la Curva, nº 2
Tel. (950) 23 13 77
04007 Almería

PEÑA CAMPISTA "COSTA DE ALMERIA"
Camping Roquetas-Ctra. de los Parrales s/n
Tel.(951) 22 22 94/ 34 38 09
Apdo. Correos 252. 04080 - Almería

CLUB AIRE LIBRE DE ALMERIA
Nazaret, 3
Tel. (951) 26 49 46
04008 - Almería

CADIZ
CAMPING CARAVANING CLUB
"AIRE LIBRE DE CADIZ"
Apartado de Correos 2321
Tel. (956) 85 31 63
11080 - Cádiz

C. C. "NUEVOS HORIZONTES"
Plaza Angel de la Guarda 1 2º D
11008- Cádiz
Apartado de Correos, 455
11080 - Cádiz
Tel. (956) 25 03 31

CORDOBA
CAMPING CARAVANING CLUB
"AIRE LIBRE DE CORDOBA"
Apartado de Correos 1024
Tel. (957) 27 63 12
14080 - Córdoba

GRANADA
CLUB AIRE LIBRE "MULHACEN"
Apartado de Correos 743
Tel. (958) 12 06 17
18080 - Granada
Lavadero de las Tablas, 1
18002 - Granada

HUELVA
CLUB CAMPISTA "AIRE LIBRE DE HUELVA"
C./Marqués de Dosfuentes, 2 A - 1º B
Tel. (955) 26 23 42
21004 - Huelva
Apartado de Correos 1190
21080 - Huelva

JAEN
ASOCIACION CAMPISTA "AIRE LIBRE DE JAEN"
Apartado de correos 480
Tel. (953) 25 75 64
23080 - Jaén

MALAGA
CLUB "AIRE LIBRE CARAVANING CAMPING
MARBELLA"
Apartado de Correos, 425
Tel. (952) 26 07 19
29080 - Marbella

CLUB CAMPISTA AIRE LIBRE COSTA DEL SOL
Apdo. Correos nº 128
Tel. (95) 286 32 97
29600 - Marbella (Málaga)

SEVILLA
CAMPING CARAVANING CLUB DE ANDALUCIA
Francisco Carrión Mejías, 13
Tel (95) 422 77 66
41003-Sevilla

CLUB CAMPISTA "AIRE LIBRE DE SEVILLA"
C./Torrigiano, 27
Tel. (95) 65 52 65
41009 - Sevilla
Apartado de Correos 3071
41080 - Sevilla

PEÑA CAMPISTA "LA GIRALDA"
Niebla, 27 (Copistería)
Tel. (95) 423 28 21
41080 - Sevilla

ARAGON

ASOCIACION CAMPISTA Y CARAVANISTA
ARAGONESA
Plaza del General Muñoz Grandes, 3 - 8º A
Tel. (976) 27 91 36
50007 - Zaragoza

ARAGON CARAVANING CLUB
Domingo Ram, 72 bajo
Tel. (976) 33 51 61
50010 - Zaragoza

CLUB CAMPISTA HUESCA
Ingeniero Montaner 6 bajos
22004 Huesca
Apartado de Correos 346
22080-Huesca

ASTURIAS

CAMPING CARAVANING CLUB DE ASTURIAS
Camino de Rubín, 5, bajos
Tel. (985) 31 30 24
33212 - Gijón. (Principiado de Asturias)

CLUB CAMPISTA "EL HORREO"
Alonso Ojeda, 13 (Cafetería Donald)
Tel. (985) 14 84 60
33008 - Gijón (Principiado de Asturias)

ASOCIACION DE CAMPISMO "EL CARBAYON"
C./ González Besada, 23 (Cafetería "El Gabitu")
Tel. (985) 25 66 90
33007 - Oviedo (Principiado de Asturias)

CLUB CAMPING "LAS PARCELAS"
Padre Suárez, 29, 3º P
Tel. (985) 21 75 53/20 44 94
33009 - Oviedo (Principiado de Asturias)

BALEARES

MALLORCA
CAMPING CARAVANING CLUB DE MALLORCA
Apartado de Correos 10186
Tel. (971) 20 15 66
07080 - Palma de Mallorca

CLUB BALEAR DE CAMPING Y CARAVANING
Ctra. de Puigpunyent, 28
Tel. (971) 20 77 50
07011-Palma de Mallorca

MENORCA
CARAVANING CLUB DE MENORCA
Doctor Camps, 16, 3º A
Tel. (971) 36 58 58
07703- Maó (Menorca)

CANARIAS

LAS PALMAS DE GRAN CANARIA
ASOCIACION RECREATIVA CARAVANING
CLUB AIRES DE LIBERTAD
Fernando Guanarteme, 227
Tel. (922) 20 65 99
35010 - Las Palmas de Gran Canaria
Apartado de Correos 2934
35080 - Las Palmas de Gran Canaria

CLUB DE CAMPING Y CARAVANING
"GRAN CANARIA"
Carretera de Rincón, 37
35010 - Las Palmas de Gran Canaria

SANTA CRUZ DE TENERIFE
CARAVANING CLUB "TINERFE"
Apartado de Correos 509
Tel. (922) 65 06 66
33080 - Santa Cruz de Tenerife

CANTABRIA

CARAVANING CLUB SANTANDER
Cádiz, 19 Entlo. 2ª
Tel. (942) 21 28 52/22 01 65
39002 Santander
Apartado de Correos 890
39080 Santander

CLUB CANTABRO DE CAMPISMO
Coro Ronda Garcilaso 16 bajos
Tel. (942) 88 88 83
39300 Torrelavega (Cantabria)
Apartado de Correos 147
39300 Torrelavega (Cantabria)

CASTILLA Y LEON

BURGOS
CLUB CAMPING Y CARAVANING
ARANDINO
Apartado de Correos 123
Tel. (947) 50 97 91
09400 - Aranda de Duero (Burgos)

CLUB CAMPISTA BURGALES
Apartado de Correos 2149
Tel. (974) 23 79 20
09080 - Burgos

LEON
CARAVANING CLUB "EL BIERZO"
Apartado de Correos 149
Tel. (987) 41 83 88
24400 - Ponferrada (León)

CAMPING Y CARAVANING CLUB DE LEON
Villafranca 8, 3º3ª
Tel. (987) 20 41 21
24001-León
Apartado de Correos 307 - 24080 - León

SALAMANCA
CAMPING Y CARAVANING CLUB DE SALAMANCA
Apartado de Correos 781
Tel. (923) 24 92 32
37080 - Salamanca

PALENCIA
CLUB C. CAMPISTA "EL OTERO"
Apartado de Correos 252
Tel. (988) 78 40 79
34080 - Palencia

SORIA
CAMPING CARAVANING SORIANO
Apartado de Correos 53
Tel. (975) 22 66 88
42080 - Soria

VALLADOLID
CAMPING CARAVANING CLUB "DUERO"
Apartado de Correos 4122
Tel. (983) 47 35 64
47080 - Valladolid

CLUB CAMPISTA JUVENIL PISUERGA
Maestranza 4 esc. dcha. 5º D
Telf. (983) 47 35 64
47080 - Valladolid

CASTILLA-LA MANCHA

ALBACETE
CLUB CAMPISTA "LA MANCHA"
Muelle, 7 Entlo.
Tel. (967) 23 05 74
02001 - Albacete
Apartado de Correos 882
02080 - Albacete

GUADALAJARA
CAMPING Y CARAVANING CLUB "LA ALCARRIA"
Centro Social Adoratrices/Defensa. Adoratrices s/n
Tel. (911) 88 70 91
19002 - Guadalajara

CLUB CAMPISTA INFANTADO
Toledo 42 7º B
Tel. (911) 22 49 94
19 002 Guadalajara

CATALUNYA

BARCELONA
ASOCIACION RECREATIVA DE CARAVANISTAS
Cal Ferraguet
Tel. (93) 7 71 60 87
08791 - Sant Llorenç d'Hortons (Barcelona)

CAMPING CARAVANING CLUB DE CATALUÑA
Sant Pere Martir, 2, 1º 3ª
Tel (93) 2 18 12 79
08012 - Barcelona

C.C.C. AIRE LLIURE DE CATALUNYA
Apartado de Correos 77
08380 Malgrat de Mar

LLEURE CAMPER CLUB DE CATALUNYA
Josep Serrano, 8
Tel. (93) 219 92 56
08024 BARCELONA

CARAVANING CLUB D'OSONA
La Geleda, 3, 1º
Tel. (93) 886 19 35
08500 - Vic (Barcelona)

UNION MUNTANYENÇA DEL ERAMPRUNYA
Rambla Lluch, 4, 1, Izq.
08850 - Gavà (Barcelona)

ASSOCIACIO CARAVANISTA DEL BAGES
Sabatería, 3 y 5 (Els Carlins)
Tel. (93) 8 72 75 31
08240 - Manresa (Barcelona)

LLEIDA
CLUB CAMPISTES LLEIDA
c/. Alcalde Costa 10, 1º 2ª
Tel. (973) 28 15 19 - 25002 Lleida

COMUNIDAD VALENCIANA

ALICANTE
CAMPING CARAVANING CLUB DE ALCOY
Oliver, 36
Tel. (96) 5 33 79 60 - 03800 - Alcoy

CAMPING CARAVANING CLUB ALICANTE
El Pilar, 30, bajos
Tel. (96) 5 12 00 13
03005 - Alicante

ELCHE CLUB DE CAMPING Y CARAVANING
Avda. de la Libertad, 87, bajos
03201 - Elche (Alicante)

CASTELLON
CAMPING CARAVANING CLUB DE CASTELLON
Dean Martí, 12, bajo
Tel. (964) 25 35 21
12004 - Castellón de la Plana

VALENCIA
CAMPING CARAVANING CLUB DE VALENCIA
Plaza Músico López Chavarri, 5, bajo
46003 - Valencia
Tel. (96) 391 47 20
Apartado de Correos 2219
46080 - Valencia

CLUB CAMPISTA SUECA
Apartado de Correos 213
Rda. Pais Valencià, 38
Tel. (96) 170 37 79
46410 - Sueca (Valencia)

EXTREMADURA

CACERES
CLUB C.C. EXTREMADURA
Apartado de Correos 486
Tel. (927) 23 03 44
10080 - Cáceres

PLASENCIA CLUB CAMPING CARAVANING
Avd. José Antonio 18 6º
Tel. (927) 41 24 94
10600 - Plasencia (Cáceres)
Apartado de Correos 83
10080 - Plasencia (Cáceres)

GALICIA

LA CORUÑA
CAMPING CARAVANING CLUB DE GALICIA
"LA CORUÑA"
c/ Meira, 18 - Bajos
Tel. (981) 14 10 78
15010 - La Coruña

ORENSE
CAMPING CARAVANING CLUB GALICIA -"ORENSE"
Avda. de Marín, 7 - 3º C
Tel. (988) 21 60 05
32001 - Orense

PONTEVEDRA
CAMPING CARAVANING CLUB GALICIA -"VIGO"
Marqués de Valladares, 23, 6º .Of. 5
Tel. (986) 22 23 23
36201 - Vigo
Apdo. de correos 1483 / 36808 - Vigo

MADRID

CAMPING CARAVANING CLUB "ALCALA DE
HENARES"
Apartado de correos 39
Tel. (91) 888 43 12
28803 - Alcalá de Henares

CLUB CARAVANISTA MADRID
Santa Polonia, 4, bajos
Tel. (91) 4 29 52 23
28014 - Madrid
Apartado de Correos 9095
28080 Madrid

CLUB DE CAMPING Y CARAVANING DE MADRID
Cámping "Los Herrenes"
Borrico Parra, s/n
Tels. (91) 8 57 75 11 - 8 57 60 19
28411 - Moralzarzal

C. CAMPING AMIGOS MADRILEÑOS
C./ Lavapiés, 16
Lavapies 16 (Cafetería "La Tenaza")
Tel. (908) 62 90 56
28012 - Madrid

MURCIA

CARTAGENA CAMPING CLUB
Apartado de Correos, 20
Tel. (968) 52 51 34
30208 - Cartagena (Murcia)

MURCIA CAMPING CLUB
Apdo. Correos nº 18
Tels. (968) 74 25 29 / 74 01 89
30430 CEHEGIN (Murcia)

ASOCIACION CAMPISTA PERCHELES
Ctra. de la Fuensanta 36 (Patiño)
Tel. (968) 26 52 46
30010 - Murcia

NAVARRA

CAMPING Y CARAVANING CLUB DE NAVARRA
Pedro Bidagor 7 6º C
Tel. (984) 25 79 32
31010 Pamplona

PAIS VASCO

ALAVA
CLUB CAMPING CARAVANING ALAVA
Frontones de Mendizorroza "Beti Jai" (Planta. baja)
Tel. (945) 13 45 45 — Apdo. Correos 3.279
01080 - Vitoria/Gasteiz

GUIPUZCOA
CLUB KRESALA - SECCION CAMPING
Euskal Erria, 9
20003 - San Sebastián

CAMPING CLUB TXIKI
Arragua Ausoa
Tel.(943) 49 21 21
Oyarzun (Guipúzcoa)

CLUB VASCO DE CAMPING
San Marcial, 19
Tel. (943) 42 84 79
20005 - San Sebastián
Apdo. de correos 229 / 20080 - San Sebastián

VIZCAYA
CARAVANING CLUB BIZKAIA
Bailén, 7
Tel. (94) 415 55 56 - Fax. (94) 415 55 56
48003 - Bilbao
Apdo. de Correos 6181 / 48080 - Bilbao

LA RIOJA

CAMPING CARAVANING CLUB RIOJA
Apartado de Correos 1591
Tel. (941) 22 47 92
26080 - Logroño

FEDERACIONES AUTONOMICAS

FEDERACION CAMPISTA
DE CASTILLA Y LEON
Avda. General Vigón, 79, 9º D
Tel. (947) 48 06 37 / 09006 - Burgos

FEDERACION MADRILEÑA
DE CAMPING Y CARAVANING
Santa Polonia, 4, bajos derecha
Tel. (91) 4 29 52 23 / 28014 - Madrid

FEDERACION VASCA DE CAMPING
Y CARAVANING
Frontones Mendizorrotza (Beti Jai)
01007 VITORIA-GASTEIZ (ALAVA)

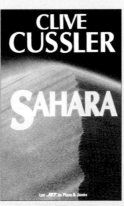

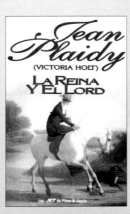

REGLAMENTO DE RÉGIMEN INTERIOR

FEDERACIÓN ESPAÑOLA DE CAMPINGS Y CIUDADES DE VACACIONES

General Oraa 52 2º D
Teléfono 2629994
28006 Madrid

CENTRAL DE RESERVAS GRATUITA

Disposiciones generales. — Todas las personas que penetren en el campamento vienen obligadas a cumplir las disposiciones de este Reglamento y la Legislación Española que regula la acampada turística.

Información. — En la Oficina del Campamento se encuentra expuesta la información reglamentaria y aquella que se juzga de interés para el campista.

Horario de recepción. — Las horas de funcionamiento de la Oficina de Recepción son:
DESDE LAS....... DE LA MAÑANA, HASTA LAS.......... DE LA TARDE

Derecho a Admisión e Instancia. — No se admitirá en el Campamento, o se expulsará del mismo con el auxilio de los agentes de la autoridad si fuera preciso, cuando exista presunción fundada de que vayan a incumplir las normas de convivencia, moralidad o decencia, o pretendan entrar o entren en aquél con el fin distinto al de realizar las actividades propias del Establecimiento. En este sentido se entenderá —*Reservado el Derecho de Admisión*—.

También se Reserva el Derecho de Admisión, de quienes con sus pertenencias ocupen o vayan a ocupar espacios manifiestamente desproporcionados para el número de personas que se sirvan de ello.

"No se admitirá la entrada a quienes sean deudores a la Empresa por razón de servicios prestados con anterioridad y cuyos importes no se hubiesen hecho efectivos en su día".

Registro de entrada. — Para penetrar en el Campamento es OBLIGATORIO la presentación del correspondiente Documento Nacional de Identidad o Pasaporte, así como rellenar la documentación en cada momento exigida para ello por las autoridades españolas. (Ver nota pág. 78)

Ubicación de tiendas-caravanas y similares. — La instalación de tiendas, caravanas y vehículos, sólo podrá realizarse en hora de funcionamiento de las Oficinas de Recepción, y en los lugares que señale la Dirección del Campamento. Los cambios de localización deberán ser autorizados.

Entrada de animales. — Queda prohibida la entrada de animales que, manifiestamente, supongan peligro o causen molestias a los acampadores. Si los animales no reunieran tales características, la Empresa y el cliente podrán pactar las condiciones de todo tipo para que la introducción pueda ser realizada.

Tarifas. — Las Tarifas de Precios por todos los conceptos serán satisfechas, según corresponda, en la Oficina de Recepción del Campamento o en el lugar de la utilización de los servicios complementarios

Con independencia del tiempo de permanencia pactado, la Empresa podrá exigir a los clientes el abono, en cualquier momento, de los servicios ya prestados. También se lo podrá exigir, en los casos de permanencia pactada, el que el cliente satisfaga por adelantado, en concepto de depósito, hasta el 50 por ciento del importe a que vayan a ascender las estancias convenidas.

Los pagos por las distintas tarifas de permanencia se computarán por jornada, con arreglo al número de pernoctaciones, devengándose en todo caso, como mínimo, el importe correspondiente a una jornada, y entendiéndose que la última, o el día de salida, termina a las DOCE HORAS.

Si el cliente proyectará ausentarse del Camping y dejar la tienda, caravana o vehículo en el Campamento, vendrá obligado a poner el hecho en conocimiento de la Oficina de Recepción, que podrá aceptar la ausencia en condiciones que, atendidas las circunstancias que al efecto se convengan, u obligar al cliente a la salida del terreno con todas sus pertenencias.

Quienes tengan la intención de efectuar su partida antes de la hora de apertura de la Oficina de Recepción, deberán liquidar su cuenta la víspera.

El Campamento está clasificado por la autoridad competente en una determinada categoría para la que normativa vigente exige la prestación de unos determinados servicios. Las tarifas de entrada o permanencia de personas, caravanas, tiendas y vehículos, dan derecho a acampada realizada conforme a este Reglamento, y a la utilización por el cliente de los citados servicios, conforme al siguiente detalle:

Sin pago complementario:

Sala de estar (salvo consumición)	Botiquín de Primeros Auxilios	Consumo de agua potable en fuente
Alumbrado Público	Tomas de corriente en lavabos	Duchas con agua fría
Lavabos	Evacuatorios	Utilización de sombras
Lavaderos	Basureros y su recogida	Parque infantil
Correos	Vigilancia del campamento	

Con pago complementario según tarifas expuestas al cliente:

Restaurante-Bar-Cafetería	Tienda-Supermercado	Salones de Peluquería
Duchas de agua caliente	Tomas de corriente en tiendas	Utilización de juegos
Piscina de niños	Piscina de adultos	Asistencia médico-farmacéutica
Teléfono	Lavandería	Lavado de coches
Custodia de valores en caja fuerte	Venta de prensa	Perros

Cualquier servicio que la Empresa preste, sin que le exija la vigente Ordenación Turística a la categoría que el Camping tenga asignada, tiene carácter de absoluta voluntariedad. Podrá, en consecuencia, suspender su prestación total o parcialmente, en cualquier momento; y originará mientras tal suspensión no tenga lugar el abono por parte del usuario, del importe de la correspondiente contraprestación que aparecerá cifrada en cada momento en el cuadro o cuadros de precios expuestos al cliente, cuanto menos en la Oficina de Recepción.

Horas de descanso y silencio.- Son declaradas horas de descanso en este campamento las siguientes:
DE............ A.......... DE LA MAÑANA, Y DE.......... A........DE LA NOCHE

Durante estas horas, el cliente evitará toda clase de ruidos, voces, discusiones, regulando los aparatos sonoros de manera que no causen molestias a sus vecinos. Son declaradas horas de silencio las siguientes: DESDE LAS..........HORAS DE LA NOCHE, HASTA LAS..........DE LA MAÑANA. Durante estas horas el silencio se intensificará, llegándose, incluso a la prohibición de la circulación de vehículos por el interior del recinto..

Prohibición de visitas. — La entrada al terreno queda exclusivamente reservada a los usuarios del mismo. En los casos realmente excepcionales, la Dirección, a petición del cliente y bajo su absoluta responsabilidad, podrá autorizar la entrada, siempre por tiempo limitado previamente señalado, de familiares y amigos que quedarán obligados, en todo caso, a entregar en la Oficina de Recepción, documento acreditativo de su identidad, que recogerán a su salida. El rebasamiento del tiempo prefijado implicará, a todos los efectos, que el visitante sea considerado como cliente por una jornada.Lo mismo ocurrirá cuando el visitante hiciera uso de cualquier servicio del Campamento.

Circulación y estacionamiento de vehículos. — En el interior del Camping los vehículos limitarán su velocidad a 10 Km/h. No podrán circular otros vehículos que aquellos que sean propios de los clientes. Dentro del recinto, la utilización del vehículo de todas clases quedará limitado al acceso y salida de los clientes, evitándose, en consecuencia, el uso deportivo o de esparcimiento de aquellos, en especial en lo que se refiere a bicicletas y motocicletas.

La circulación de vehículos quedará en suspenso durante las horas de silencio nocturno.

Los clientes observarán las prohibiciones de aparcamiento y evitarán estacionar en zonas que entorpezcan la circulación y acceso de vehículos y personas.

Obligación de los campistas:

a) Someterse a las prescripciones particulares de la Empresa Titular del Campamento, encaminadas a mantener el orden y el buen régimen del mismo.

b) Respetar las plantas e instalaciones con el buen uso de las mismas.

c) Observar las normas elementales de convivencia, moralidad, decencia y orden público.

d) Comunicar a la Dirección del Camping, los casos de enfermedad febril o contagiosa de que tengan conocimiento.

e) Abandonar el Campamento una vez terminado el tiempo pactado, salvo que éste sea prorrogado de mutuo acuerdo entre la Empresa y el cliente.

f) Recoger las basuras y desperdicios de todo tipo en bolsas de plástico, que depositarán, debidamente cerradas, en los recipientes que la empresa distribuya a tal fin por el interior del Camping.

g) Dejar parte del terreno en que la tienda o caravana se haya instalado, en las mismas condiciones en que se encontró, cuidando muy especialmente, de hacer desaparecer cualquier zanja o movimiento de tierra que hubiera realizado.

Prohibiciones. — Queda prohibido a los campistas usuarios de este Campamento:

a) Perturbar el descanso de los demás campistas durante horas señaladas.

b) Practicar juegos o deportes que puedan molestar a otros acampados

c) Encender fuego de carbón o leña, o hacerlo fuera del lugar que se señale para ello.

d) Hacerse acompañar por animales que manifiestamente supongan un peligro o molestia para los campistas.

e) Llevar armas u objetos que puedan causar accidentes

f) Abandonar residuos de basura fuera de los recipientes destinados para ello, y especialmente arrojarlos a arroyos, fuentes o vías públicas.

g) Introducir en el Campamento a personas no alojadas en él, sin la previa autorización de la Dirección del Camping.

h) Tener prendas de vestir en lugares no autorizados

I) Instalar cualquier clase de cercados o vallas en la parcela del terreno utilizada por el acampador.

j) Realizar cualquier clase de actos que puedan perjudicar a la propiedad, higiene y aspecto de camping.

Sanciones. — El campista que contraviene alguna de estas prohibiciones, no cumpla las instrucciones de la Dirección del Camping, falte a las elementales normas de educación y convivencia social y, en general, no respete todos los principios de la vida civilizada, SERA INVITADO A ABANDONAR EL TERRENO, y, si no lo realizase pacíficamente, podrá ser EXPULSADO del Camping por el Director, de acuerdo con la Ordenación Turística vigente. Todo ello sin perjuicio de las acciones pecuniarias y de todo tipo que le pudieran ser impuestas por la autoridad competente.

Responsabilidad. — Cumpliendo el Campamento con cuanto sobre guardería y vigilancia del mismo exige la normativa vigente sobre la materia, la Empresa tampoco se hace responsable de los daños que puedan producirse como consecuencia de incendio, ocasionados por los propios acampadores, o de incidencias atmosféricas.

Visado. — El presente Reglamento tiene carácter de Documento Oficial, una vez visado por las Dependencias del Ministerio correspondiente.

Publicamos el Reglamento de Régimen Interior establecido por la Federación Española de Campings y Ciudades de Vacaciones que es la Federación de Propietarios de Terrenos de Camping. La F.E.C.C. no ha intervenido en el mismo y nos permitimos dar algunos consejos adicionales.

REGISTRO DE ENTRADA

En la recepción aconsejamos inicialmente y por sistema, presentar el Carné Internacional de Camping, provisto de la viñeta del año en curso. Sólo en caso de insistencia por parte del empleado del Camping, y sin discusión por parte del usuario, presentar el Documento Nacional de Identidad o el Pasaporte, sin dejarlo en ningún caso. Debemos mostrar en principio nuestra condición de campista asociado presentando, como decimos, el Carné Internacional de Camping que expiden la Federación Internacional de Camping y Caravaning, la Alianza Internacional de Turismo y la Federación y la Federación Internacional de Automovilismo.

TARIFAS

Las tarifas de precios, si bien son libres, deben figurar en lugar visible en la Entrada del Terreno de Camping o en la Recepción del mismo, en los carteles oficiales visados por la Secretaría de Turismo o por los Departamentos de Turismo de los distintos Entes Autonómicos.

Los precios mencionados en nuestra Guía son puramente indicativos. No pueden prestarse a discusión, siendo válidos, repetimos, sólo los indicados en dichos carteles visados.

RECLAMACIONES

En la Recepción del Terreno de Camping deben tener unas Hojas Oficiales de Reclamación donde el usuario puede hacer constar las reclamaciones o quejas que considere oportunas. El propietario del Terreno de Camping está obligado a remitir una copia de las mismas a la Delegación de Turismo en el plazo de veinticuatro horas, o en su defecto al usuario. Si el usuario lo cree oportuno puede comunicar a esta Federación Española de Camping y Caravaning el hecho o los hechos reclamados, siempre y cuando figuren en dicho Libro de Reclamaciones.

NORMAS DE COMPORTAMIENTO

Pedimos a todos respetar las normas de convivencia que figuran en dicho Reglamento y que todas las Asociaciones comunican a sus asociados y que se resumen en dejar los emplazamientos, instalaciones y servicios en el mismo estado en que uno mismo desea encontrarlos.

EL CARNÉ INTERNACIONAL
DE CAMPING

En 1993 las asociaciones fundadoras de la Federación Internacional de Camping y Caravaning se habían propuesto ante todo objetivos de orden sentimental. Pero se tenía también el deseo de facilitar a sus miembros su estancia al otro lado de las fronteras nacionales, a través de unos acuerdos de ayuda mutua. Inmediatamente comprendieron estas asociaciones que esta ayuda no podría tener más amplitud que la simple utilización, decidida en 1935, de una Carta Internacional de Presentación. Como tal nombre indica, su utilidad era la de introducir a los miembros de las asociaciones afiliadas a la F.I.C.C. ante los gerentes de los campings organizados en el extranjero por los clubes amigos. Hasta la II Guerra Mundial y en los primeros años que la siguieron, este "antepasado" del "Carné de Camping Internacional" permitía de esta forma a su titular valerse de la recomendación del Presidente o, al menos, del club emisor.

Por su parte la Alianza Internacional de Turismo, organización del siglo anterior, empezó a interesarse por los problemas del camping a partir de 1947, con la intención de facilitar su práctica a sus miembros. Fue su Comisión de Camping quien en 1950 lanzó el primer Carné de Camping Internacional con unas características aproximadas a las que tiene hoy día.

A principios de 1951 una Comisión de Enlace F.I.C.C.-A.I.T. emiten un carnet prácticamente idéntico al concebido por la A.I.T. Los dos organismos concluyen un acuerdo de reciprocidad por el que se acoge a los miembros de los clubes respectivos sobre los terrenos controlados por el otro.

De 1951 a 1966 este acuerdo conocerá una fortuna más diversa que la inclusión de un simple tercer aliado: La Federación Internacional del Automóvil, convertida, entre tanto, en parte receptora. Pero a partir de 1967 las tres grandes organizaciones firman un acuerdo en toda regla para la emisión de un carnet único.

El antiguo heredero de la "Carta Internacional de Presentación", el Carné de Camping Internacional, con varios millones de ejemplares en circulación, es ante todo un testimonio. Naturalmente, el Presidente de un club en la actualidad no conoce personalmente a todos sus afiliados. Por ello no puede testificar sobre su honorabilidad, y lo mismo ocurre en las asociaciones donde la adhesión está subordinada al compromiso escrito de practicar "el buen camping". Sin embargo, en la mayor parte de los casos, la adhesión a un club, implica por parte de aquel que se compromete, el deseo de integrarse a una colectividad, y por tanto, con la predisposición para comprender el interés de un reglamento y aceptarlo.

Los trámites al objeto de obtener un Carné de Camping Internacional equivalen a una reiteración de las formalidades de adhesión, pudiéndose afirmar, en cierta medida, que las probabilidades para que un usuario respete la naturaleza y a sus vecinos, es mayor en los poseedores del carnet. Los gerentes de los campings, los mejor informados, lo saben, y una gran parte del público lo presiente. Aquellos que sienten inquietud por el mantenimiento del silencio en el camping, por la limpieza, y el respeto y consideración debidos a los demás y en lo tocante a la naturaleza, prefieren, pues, rodearse de campistas pertrechados con el Carné de Camping Internacional.

Saben también, que el portador de tal documento tiene asegurada su responsabilidad civil, en condiciones nada equívocas, por lo daños que tanto él como cualquier miembro de su familia pudieran causar a terceros. Y es una obligación para ellos garantizar de esta forma a cada uno de sus clientes contra los riesgos relacionados con la presencia de los demás usuarios. En aquello que le concierne personalmente, el administrador de un camping, encuentra en el carnet una garantía contra otro riesgo. La experiencia prueba -por desgracia- que ciertos campistas aficionados a "colarse", roban a la administración y se van sin pagar con la tranquilidad de poner rápidamente un buen número de fronteras de por medio. Si el campista irresponsable es titular de un carnet, el administrador defraudado dispone a través de su asociación emisora y subsidiariamente de la Federación Nacional, de un recurso mucho más simple y menos aleatorio que un proceso judicial, donde nunca se sabe cómo abordarlo y en qué acabará, tanto en el propio país, pero con mayor razón, localizar a una persona extranjera.

Lo más corriente es por otra parte, debido al temor de ver su nombre puesto en el índice ante sus amigos y conocidos, que baste para desanimar a aquél a quien le tiente la idea. En menos medida, el campista que tenga la tendencia a comportarse incorrectamente es frenado igualmente por el temor a que su nombre sea dado a conocer a su asociación al objeto de no renovarle el carnet. En el plano administrativo es costumbre que las autoridades comuniquen a los administradores de los campings sobre el resultado de su examen minucioso de las personas presentes en el mismo. A este fin les exigen que pidan a los campistas un carnet de identidad o un pasaporte. Aunque tales documentos no puedan ser retenidos puesto que les son necesarios a los campistas durante el día y fuera del camping. A su vez, por disponer de un fichero adaptado a la ocupación del camping, y para obligar al usuario a pasar por la oficina antes de su partida (percepción de derechos, arreglo de otros asuntos y conocer los emplazamientos disponibles), es necesario, entretanto, que el guarda conserve algún documento perteneciente al campista. Por razón de homogeneidad se prefiere el Carné de Camping Internacional, y si no rechaza a los campistas desguarnecidos de él, los acoge con mal humor porque le complican su trabajo y no le dan garantías suficientes bajo ningún aspecto.

Tranquilidad, seguridad, facilidades administrativas, esto es lo que explica que muchos campings de las zonas de mucha afluencia estén reservados a los portadores del carné.

CLAUDE FONTAINE
Presidente de Honor de la F.I.C.C.
Marzo de 1977

SEGURO DE RESPONSABILIDAD CIVIL
DE LA F.I.C.C.

RIESGOS CUBIERTOS
En el seno de una asociación adherida a la F.I.C.C., este seguro tiene por objeto pagar -hasta los límites máximos establecidos y que más adelante se señalan -las sumas que legalmente debería abonar todo campista miembro de esta asociación en relación a reclamaciones efectuadas en su contra, en razón de daños corporales o materiales causados A TERCERAS PERSONAS como resultado de accidente ocurrido durante la práctica del campismo fuera de su residencia habitual.

Se entiende la expresión "fuera de su residencia habitual" como el período comprendido entre la salida de su domicilio para ir a practicar campismo y su retorno al mismo.

Queremos destacar un hecho, que entendemos debe quedar muy claro. Este seguro cubre daños a terceras personas, nunca daños propios.

Igualmente cubre a todos los miembros de la familia que habitualmente viven bajo el mismo techo que el asegurado, y a todas las personas que con él viajan, en el mismo vehículo, y practicando campismo con él.

EXTENSIÓN TERRITORIAL
El seguro es válido en todo el mundo.

DURACIÓN DE LA GARANTÍA
El seguro cubre períodos de tiempo coincidentes con años naturales, es decir, desde el día primero de enero hasta el último de diciembre.

MONTANTE DEL SEGURO
El titular y acompañantes y los acompañantes que practican el campismo y/o caravanismo, quedan asegurados con excepción de los daños producidos o con el coche o con la caravana enganchada al mismo, contra riesgos hacia terceros (heridas corporales a personas, daños a la propiedad causados por accidentes) hasta un máximo de 2,5 millones de francos suizos (175 millones de pesetas). Si el titular de un carné internacional de camping es válido y en vigor se marcha del Camping sin haber pagado su estancia, la entidad emisora indemniza al Camping abonándole la estancia para hasta siete pernoctaciones.

PAGO DE LAS CANTIDADES
- Hasta la cifra de 5000 francos suizos, la F.I.C.C. reembolsa directamente los siniestros, en la medida que éstos estén debidamente asegurados.
- Los siniestros de más de 500 francos suizos son enviados por la F.I.C.C: a la compañía Lloyd's de Londres, con el fin de que ésta efectúe el debido peritaje y posterior pago. La liquidación es entonces efectuada desde Londres por la propia Lloyd's.

EXCLUSIONES
Esta póliza no cubre la responsabilidad civil:
1. Ocurrida en razón de daños corporales o enfermedad, o daños materiales:
- causados directa o indirectamente por cualquier vehículo de propulsión mecánica.
- causados directa o indirectamente por cualquier barco, embarcación, o avión, o resultante de todo trabajo efectuado a bordo o por cuenta de la asociación asegurada o del miembro de ésta asegurado.
- resultantes de intoxicación alimentaria o de la presencia en bebidas o alimentos de materias extrañas o en malas condiciones.
- resultantes de la polución del aire, del agua, o del sol, a menos que sea demostrado que alguna de estas causas sea la consecuencia inmediata del accidente.
- ocasionados directa o indirectamente por los siguientes hechos, u ocurridos a consecuencia de los mismos, a saber: guerra, invasión, actos de enemigo extranjero, hostilidades (esté o no declarada la guerra), guerra civil, rebelión, revolución, insurrección, poder militar o usurpación del poder.
- ocasionados directa o indirectamente como consecuencia de la organización de cualquier acontecimiento que constituya un espectáculo de gran envergadura y de pago. Esto no concierne a las pequeñas manifestaciones organizadas por los campistas con única finalidad de entretenimiento.
2. Ocurrida en razón de daños materiales surgidos en el curso de la actividad profesional, o resultados de la misma, por toda persona empleada al servicio de la asociación asegurada o del miembro de ésta asegurado, en virtud de un contrato de trabajo o de aprendizaje establecidos entre ambos.
3. Ocurrida en razón de daños materiales causados a los bienes en que un miembro asegurado, o persona encargada por él, sea propietario u ocupante, o del que tenga la guardia o el control -o de los bienes que se encuentran bajo la guardia o control de un miembro de la familia del asegurado o de la persona encargada por él que efectúe camping conjuntamente con él.
Ocurrida en razón de todo acto de mala vigilancia cometido por personas aseguradas.
Por ejemplo: en razón de los daños causados en terrenos de cultivo por el paso repetido de campistas o por instalación de tiendas o caravanas.
- en razón del abandono sobre el terreno de detritus o de basuras domésticas.
- en razón de daños causados a canalizaciones de agua, de gas, o de cables eléctricos subterráneos.
5. Si el asegurado efectúa una declaración a sabiendas de que ésta es falsa o fraudulenta en lo que respecta a la cantidad o a cualquier otro punto de la misma, este seguro pierde su validez, anulándose todas las prestaciones previstas.

SUSCRIBASE A
PANORAMA DEL SECTOR CARAVANING

¡LE SACAREMOS DE DUDAS¡

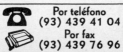

FECC

**FEDERACION ESPAÑOLA
DE CAMPING Y CARAVANING**

TERRENOS DE CAMPING DE

ESPAÑA
PORTUGAL

VACACIONES CONFORTABLES
EN UN MOBIL-HOME
EN LOS MEJORES CAMPINGS
DE LA COSTA MEDITERRANEA
CATALANA

CAMPING
TREUMAL
1ᴬ CATEGORÍA
CALONGE • GIRONA
COSTA BRAVA

CAMPING
INTERNACIONAL DE CALONGE
1ᴬ CATEGORÍA
CALONGE • GIRONA
COSTA BRAVA

CAMPING
ALBATROS
1ᴬ CATEGORÍA
BARCELONA • GAVÀ

CAMPING
PARK PLAYA BARA
1ᴬ CATEGORÍA
RODA DE BERA • TARRAGONA
COSTA DAURADA

CAMPING
TORRE DEL SOL
1ᴬ CATEGORÍA
MONTROIG • TARRAGONA
COSTA DAURADA

Información y reservas:
Anglí, 31 2º - 2º
08017 Barcelona
Tel. (93) 417 06 71
Fax (93) 212 13 18

vactur s/a

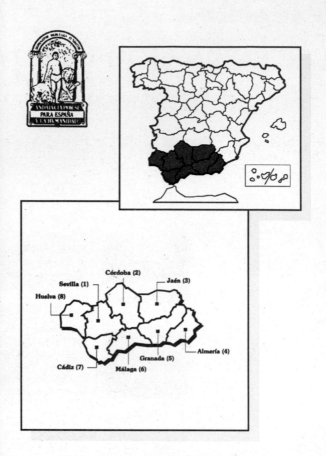

	SERVICIOS TERRITORIALES DE TURISMO	CRUZ ROJA ESCUCHA 24 h.	GUARDIA CIVIL TRÁFICO	GUARDIA CIVIL PATRULLAS
(1) Sevilla	(95) 4277722	4350135	4258786	4331100
(2) Córdoba	(957) 239100	293411	233753	251100
(3) Jaén	(953) 215500	211540	356421	221100
(4) Almería	(951) 230858	220900	256421	221100
(5) Granada	(958) 227520	263277	273604	251100
(6) Málaga	(952) 347300	211358	272400	221100
(7) Cádiz	(956) 227505	234270	231539	221100
(8) Huelva	(955) 245092	241291	244703	221100

CORDOBA

| CORDOBA | 14012 | Mapa pág. 44 |

CO-01 ⚲ T **CAMPAMENTO MUNICIPAL** Tel. 957-472000 1/1-31/12

1 Ha ■ 100 🚻 ⊙ ⊖ ⌐ WC 🧺 ♨ ⚲ ✕ ⌐ ⚱ ⊃ 🚗

Situado en la ctra. de El Brillante. Terreno en varios niveles y dividido en dos zonas por un arroyo.
Acceso: Por la N-IV (Madrid-Sevilla) en dirección a la ciudad, cerca de la estación. Seguir indicaciones

| P/N | 519 | N/N | 377 | A/N | 519 | M/N | 330 | C/N | 519 | T/N | 519 | AC/N | 825 | EL | 307 | PC | | | ACI |

CO-03 **LOS VILLARES** Tel. 957-261408 1/2-15/12

3 Ha ■ 180 (50) 🚻 ⊙ ⊖ ⌐ WC 🧺 ♨ ⚲ 🍸 ✕ ⚱

Area de Acampada. Situada en la ctra. de Los Villares, km 7,5.

| P/N | 350 | N/N | 250 | A/N | 300 | M/N | 250 | C/N | 400 | T/N | 500 | AC/N | 500 | EL | 250 | PC | |

| SANTAELLA | 14547 | Mapa pág. 52 |

CO-05 ⚲ T **LA CAMPIÑA** Tel. 957-315158 Fax 957-315158 1/1-31/12

0.7 Ha ■ 47 (60) 🚻 ▭ ⊙ ⊖ ⌐ WC 🧺 ♨ ⚲ 🍸 ✕ ⌐ ⚱ ⊙ ⌐ ⊃ 🚗

🏠 2

Dejando la N-IV en el Km 424, dirección La Victoria o por el Km 441, dirección La Rambla. Seguir indicaciones.

| P/N | 380 | N/N | 350 | A/N | 375 | M/N | 325 | C/N | 400 | T/N | 380 | AC/N | 575 | EL | 300 | PC | | | PI | ACI |

| LA CARLOTA | 14100 | Mapa pág. 52 |

CO-06 ⚲ R **CARLOS III** Tel. 957-300697 Fax 957-300697 1/1-31/12

5 Ha. ■ 300 (64) 🚻 ▭ ▭ ⊙ ⊖ ⊖ ⌐ ⌐ WC 🧺 ♨ ⚲ 🔲 🍸 ✕ ⌐ ⚱ GAS

⊃ ⊃ ➕ 🏠 15

En el Km 429,5 de la N-IV, antiguo trazado o por la salida de La Carlota.

| P/N | 425 | N/N | 340 | A/N | 425 | M/N | 380 | C/N | 450 | T/N | 430 | AC/N | 670 | EL | 350 | PC | | | PI | ACI |

| CARCABUEY | 14810 | Mapa pág. 52 |

CO-10 PT **LAS PALOMAS** Tel. 957-401110 SS+1/7-30/9

2 Ha ■ 20 (60) 🚻 ▭ ⊙ ⊖ ⌐ ⌐ WC 🧺 ♨ 🍸 ✕ ⊃

Camping Cortijo.

| P/N | 300 | N/N | 250 | A/N | 300 | M/N | 250 | C/N | 500 | T/N | 350 | AC/N | 500 | EL | 250 | PC | | | PI | ACI |

| FUENTE OBEJUNA | 14290 | Mapa pág. 43 |

CO-13 **POZO CANITO** Tel. 957-584048 1/1-31/12

■ 60 🚻 ⊙ 🚐 ⊖ ⌐ WC 🧺 ♨ 🍸 ✕ ⌐ ⚱ ⊃ ⚱ 🏠 16

| P/N | 400 | N/N | 300 | A/N | 350 | M/N | 300 | C/N | 450 | T/N | 400 | AC/N | 600 | EL | | PC | | | 400 |

JAEN

SANTA ELENA   23213   Mapa pág. 45

J-01 RPT **EL ESTANQUE** Tel. 953-623093 15/5-15/9

1.5 Ha ⚫ ___ ⚏ ☉ ⚗ ⛺ ⌐ ⌐ WC 🍽 ⚷ ⚲ 🖥 🍸 ✕ 🚿 ⚒ ⊞
Terreno llano, junto a una antigua granja. Acceso: a 100 m de la N-IV. Km 260.

P/N	300	N/N	250	A/N	300	M/N	250	C/N	300	T/N	300	AC/N	400	EL	250	PC	

COTO RIOS   23478   Mapa pág. 45

J-04 P **FUENTE DE LA PASCUALA** Tel. 953-721228 Fax 953-713005 1/3-30/10

0.6 Ha ⬛ 167 ⚫ ___ 🏊 0,01 km ☉ ⛺ ⌐ ⌐ WC 🍽 ⚷ ⚲ 🖥 🍸 ✕ 🚿 ⚒ ⛽ 🚗 🚙 ⬛
En la ctra. de Cazorla a Coto Rios Km 22.

P/N	255	N/N	175	A/N	555	M/N	200	C/N	365	T/N	365	AC/N	450	EL	275	PC	

J-05 P **CHOPERA DE COTO RIOS** Tel. 953-721905 Fax 953-713005 1/1-31/12

0,4 Ha ⬛ 150 ⚫ ___ 🏊 0,01 km ☉ ⛺ ⌐ ⌐ WC 🍽 ⚷ ⚲ 🖥 🍸 ✕ 🚿 ⚒ ⛽ 🚗 🚙
Acceso por la ctra. Sierra de Cazorla a Beas de Segura, Km 22. Junto al río Guadalquivir.

P/N	255	N/N	175	A/N	255	M/N	200	C/N	365	T/N	365	AC/N	450	EL	275	PC	

J-06 RPT **LLANOS DE ARANCE** Tel. 953-713139 Fax 953-713139 1/1-31/12

5 Ha ⬛ 170 ⚫ ___ 🏊 0,2 Km ☉ ⛺ ⌐ WC 🍽 ⚷ 🍸 ✕ ⚒ ⛽ 🚗 ⚽
A 36 Km de Cazorla, dirección pantano de El Tranco, en el centro del Parque Natural de Cazorla. Acceso por la ctra. del Tranco, Km. 22.

P/N	255	N/N	175	A/N	255	M/N	200	C/N	365	T/N	365	AC/N	450	EL	275	PC	

LA IRUELA   23476   Mapa pág. 45

J-07 **LOS ENEBROS** Tel. 953-727110 Fax 953-727110 1/1-31/12

2.4 Ha ⬛ 120 ⚫ ☉ ⛺ ⌐ WC 🍽 ⚷ ⌐ 🍸 ✕ 🏠 🏘 🚿 🏊 ⛳ 💳
En al sierra de Cazorla, ctra. al Tranco, Km 6,9.

P/N	375	N/N	310	A/N	375	M/N	260	C/N	480	T/N	375	AC/N	590	EL	275	PC		ACI

CAZORLA   23470   Mapa pág. 45

J-08 ⚠ PT **PUENTE DE LAS HERRERIAS** Tel. 953-720609 SS-15/10

10 Ha. ■ 420 (60)  WC

Situado en El Vadillo del Castril a pocos km del nacimiento del río Guadalquivir, en la orilla de éste.
VER ANUNCIO.

P/N	N/N	A/N	M/N	C/N	T/N	AC/N	EL	PC	
375	275	375	350	475	375	525	225		

POZO ALCON   23485   Mapa pág. 45

J-09 ⚠ **HOYO DE LOS PINOS** Tel. 953-739005 1/1-31/12

3 Ha ■ 140 (100) WC ... 11

Situado cerca del pantano de Bolera.

P/N	N/N	A/N	M/N	C/N	T/N	AC/N	EL	PC	
290	185	265	160	370	370	400	265		

SILES   23380   Mapa pág. 46

J-11 ⚠ PT **FUENTE DE LA CANALICA** Tel. 953-491004 15/3-15/10

6,3 Ha ■ 131 (70) 4 Km ... WC

Situado en la ctra. de Acebeas, Km 6, en el Parque Natural de Cazorla.

P/N	N/N	A/N	M/N	C/N	T/N	AC/N	EL	PC			PI	ACI
375	300	375	225	375	375	600	375			1300		

J-12 ⚠ **RIO LOS MOLINOS** Tel. 953-491003 Fax 953-490067 SS+15/6-15/9

1,8 Ha ■ 88 (65) 1,5 Km ... WC X

Situado en la ctra. de Las Acebeas.

P/N	N/N	A/N	M/N	C/N	T/N	AC/N	EL	PC		PI	ACI
300	225	300	225	375	325	375	225				

HORNOS DE SEGURA   23292   Mapa pág. 46

J-16 PT **MONTILLANA** Tel. 953-495119 1/3-31/12

2,3 Ha ■ 150 (70) 0,01Km ... WC

Situado en el Parque Natural de Cazorla, Segura y Las Villas. A 4 km de la presa del pantano del Tranco,
dirección Hornos, rodeado de montañas y pinares de gran belleza.VER ANUNCIO.

P/N	N/N	A/N	M/N	C/N	T/N	AC/N	EL	PC		PI
255	175	255	200	365	365	450	275			

SEGURA DE LA SIERRA   23379   Mapa pág. 46

J-18 P **GARROTE GORDO** Tel. 953-494244 15/3-30/9

1 Ha ■ 96 (60) ... WC X

Situado en Arroyo Maguillo, junto al cauce del río Madera.

P/N	N/N	A/N	M/N	C/N	T/N	AC/N	EL	PC	
300	200	275	175	375	375	425	275		

SEVILLA

SEVILLA   41008   Mapa pág. 51

SE-01  R **SEVILLA** Tel. 95-4514379 Fax 95-4514379 1/1-31/12

2 Ha ■ 90 (70) 🌲 __ ☉ 🚐 ⛺ ⌂ WC 🧺 🚿 🚰 ⌂ ▽ ☀ ✕ ⤵ ⚷ 🏧 ⤵
🏊 ➕ ⛑ 🔧 🅿️ ⌂ 16
Terreno llano a 2 Km del aeropuerto y cerca de la ctra. Acceso: a 100 m de la N-IV en el Km 534. Dirección via de servicio Parque Alcosa.VER ANUNCIO.

P/N	N/N	A/N	M/N	C/N	T/N	AC/N	EL	PC									
450	350	450	300	425	395	725	275								1250	ACI

ALCALA DE GUADAIRA   41500   Mapa pág. 51

SE-02  T **LOS NARANJOS** Tel. 95-5630354 Fax 95-4661905 1/1-31/12

26 Ha. ■ 1767 (60) 🌲 __ ☉ 🚐 ⛺ ⌂ ⌂ WC 🧺 🚿 ▽ ✕ 🏠 ⤵ 🏧 ⤵
🏊 ➕ ⛑ ⌂ 100 💳
Situado en la nueva ctra. de circunvalación de Sevilla, que une la N-IV con la N-334.

P/N	N/N	A/N	M/N	C/N	T/N	AC/N	EL	PC								
550	200	450	350	700	650	700	275				1	1	1	1800	PI	ACI

ALCALA DE GUADAIRA   41500   Mapa pág. 51

SE-03 RPT **C.V.ARCO IRIS** Tel. 95-5686163 Fax 95-5686061 1/1-31/12

5 Ha ■ 77 (120)

Complejo vacacional situado junto al Parque Natural de Guadaira. Parcelado según tipo dearbolado. Bungalows con techo de brezo y estructura rústica.VER ANUNCIO. Precios 94

P/N	N/N	A/N	M/N	C/N	T/N	AC/N	EL	PC		PI	ACI
500	345	400	300	510	490	650	250				

C.V. ARCOIRIS (Pinares de Oromana) Camping - Caravaning - Bungalows

Situado en los Pinares de Oromana, en el Parque Natural del Guadaira, a solo 15 minutos por autovía de Sevilla capital, aeropuerto y estación del AVE.

Además del continuo contacto con la naturaleza les ofrecemos los servicios de: Recepción, cafetería - restaurante, servicio telefónico, piscina, solarium, vigilante permanente, etc.

Todo ello entre hermosos pinos piñoneros, palmeras y una variedad abundante de plantas y flores.

Camino del Maestre, ALCALA DE GUADAIRA (Sevilla)

Telfs. 95/568 61 63 - 568 60 65

DOS HERMANAS   41700   Mapa pág. 51

SE-06 **CLUB DE CAMPO** Tel. 95-4720250 1/1-31/12

0.6 Ha ■ 60

Situado en el Km. 5 de la ctra. Sevilla-Dos Hermanas. Autovía Sevilla-Cadiz, dirección Dos Hermanas.

P/N	N/N	A/N	M/N	C/N	T/N	AC/N	EL	PC		ACI
450	350	450	360	550	525	600	375		1500	

SE-07 **VILLSON** Tel. 95-4720828 1/1-31/12

2,3 Ha ■ 127 (61)

Terreno ajardinado con palmeras y naranjos. Se accede por el Km 554,8 de la N-IV(Sevilla-Cadiz), por la bifurcación de la Isla Menor.VER ANUNCIO.

P/N	N/N	A/N	M/N	C/N	T/N	AC/N	EL	PC		PI	ACI
435	385	450	380	475	450	560	275				

CAMPING-CARAVANING-VILLSOM

En Autovía Sevilla-Cádiz km. 554.8 (N-IV), cruce Dos Hermanas-carretera Isla Menor. 24.000 m² parcelados, agua caliente, piscina gratis. Instalaciones recientemente renovadas. Solo a 10 kms. de Sevilla.

CARMONA 41410 Mapa pág. 51

SE-09 **CORTIJO ROVIRA** Tel. 95-4513814 1/1-31/12

11 Ha. 500 ☀

Situado en la autovía N-IV, Km. 515. Sombrajos.

P/N	N/N	A/N	M/N	C/N	T/N	AC/N	EL	PC	

MAIRENA DEL ALCOR 41510 Mapa pág. 51

SE-11 **MAIRENA** Tel. 95-5745050 Fax 95-5745031 1/4-31/12

27 Ha 1024 (60) 200 20

Acceso por las salida 28 de la A-92 o por el Km. 521 de la ctra. N-4. Arbolado de naranjos.

P/N	N/N	A/N	M/N	C/N	T/N	AC/N	EL	PC	

SAN NICOLAS DEL PUERTO 41388 Mapa pág. 43

SE-14 PT **BATAN DE LAS MONJAS** Tel. 95-5886598 1/1-31/12

0,4 Ha 20 (110)

Camping Cortijo. Situado en la ctra. de la estación de Cazalla, Km. 7.

P/N	N/N	A/N	M/N	C/N	T/N	AC/N	EL	PC	ACI
350	275	325	250	350	400	450			

CAZALLA DE LA SIERRA 41370 Mapa pág. 43

SE-17 RPT **RESERV.VERDE DEL HUEZNAR** Tel. 95-4884934 Fax 95-4884802 1/1-31/12

23 Ha 30 5

Acceso desde el cruce de la estación FFCC Cazalla-Constantina, tomando la ctra de San Nicolás del Puerto.

P/N	N/N	A/N	M/N	C/N	T/N	AC/N	EL	PC	PI	ACI
425	215	350	275	500	500	750	300			

EL RONQUILLO 41210 Mapa pág. 50

SE-20 RPT **SIERRA BRAVA** Tel. 95-4131165 Fax 95-4131165 1/1-31/12

10 40 (60) 0,1 Km 20 20

Situado en Los Lagos del Serrano. Acceso por la ctra. N-630, desviación en la travesía del pueblo. Precios 94

P/N	N/N	A/N	M/N	C/N	T/N	AC/N	EL	PC	PI	ACI
450	325	400	325	500	450	1500	250			

HUELVA

MATALASCAÑAS 21760   Mapa pág. 50

H-03 ⚠ MPT **ROCIO PLAYA** Tel. 959-430238 Fax 959-448072 1/1-31/12

25 Ha ■ 1250 🌲 ⊙ 🚿 ⛲ ⌐ WC 🍽 ♿ 📶 ⚓ 🍸 ✕ 🔌 🗼 ⛽ 🔀 ➕ 🎣

⌐ 36

Ubicado en Matalascañas, ctra. de Huelva, Km 45.

| P/N 475 | N/N 400 | A/N 475 | M/N 400 | C/N 475 | T/N 475 | AC/N 950 | EL 450 | PC 🚗 🚐 3 ⍾ | 2350 |

MAZAGON 21130   Mapa pág. 50

H-05 ⚠ **DOÑANA PLAYA** Tel. 959-536281 Fax 959-536313 1/1-31/12

24 Ha ■ 2000 (70) 🌲 ⛷ 0,3 Km ⊙ ⛲ ⌐ ⌐ WC 🍽 ♿ 🖥 🍸 ✕ 🏠 🗼

⛽ 🔀 🏊 ➕ 🎣 ⌐ 80 💳

Acceso por la A-49 (Sevilla-Huelva), en la salida de S. Juan del Puerto girar hacia Moguer. Pineda situada sobre una duna.

| P/N 525 | N/N 425 | A/N 525 | M/N 475 | C/N 525 | T/N 525 | AC/N 1050 | EL 425 | PC 🚗 🚐 2 ⍾ | 2100 |

H-06 ⚠ RPT **PLAYA DE MAZAGON** Tel. 959-376208 1/1-31/12

8 Ha ■ 700 🌲 ⛷ 0.20Km ⊙ ⛲ ⌐ ⌐ WC 🍽 ♿ 🖥 🍸 ✕ 🗼 ⛽

🔀 ➕

Terreno llano, entre pinares. Acceso por la A-49 (Sevilla-Huelva), en el cruce de S.Juan del Puerto girar en dirección a Mazagón. Squash. Precios 94

| P/N 450 | N/N 375 | A/N 450 | M/N 400 | C/N 450 | T/N 450 | AC/N 875 | EL 452 | PC 🚗 🚐 2 ⍾ | 1800 |

H-07 ⚠ **FONTANILLA PLAYA** Tel. 959-536227 1/1-31/12

3.3 Ha ■ 200 🌲 ⛷ 0.10Km ⊙ ⛲ ⌐ ⌐ WC 🍽 ♿ 🍸 ✕ 🗼 ⛽ 🔀 💳

Situado en la playa de Fontanilla.

| P/N 450 | N/N 375 | A/N 450 | M/N 375 | C/N 450 | T/N 450 | AC/N 850 | EL 350 | PC 🚗 🚐 2 ⍾ | 1800 ACI |

ALJARAQUE 21110   Mapa pág. 50

H-08 ⚠ **LAS VEGAS** Tel. 959-318141 1/1-31/12

1.5 Ha ■ 50 (60) 🌲 ⊙ ⛲ ⌐ WC 🍽 ⚓ 🍸 🗼 ⛽ 🏊 🚐

Situado en un bosque de pinos. Acceso: cruzando el puente sobre el río Odiel, en Huelva, seguir unos 8 Km en dirección Punta Umbría. Km 7.

| P/N 377 | N/N 330 | A/N 377 | M/N 283 | C/N 377 | T/N 377 | AC/N 566 | EL 377 | PC | PI ACI |

CARTAYA 21450   Mapa pág. 50

H-10 ⚠ M **CATAPUM** Tel. 959-399165 1/1-31/12

13 Ha 🌲 ⊙ ⛲ ⌐ ⌐ WC 🍽 ♿ 🍸 ✕ 🗼 ⛽ 🔀 ➕ 🚐

Ubicado en Rompido, ctra. Punta Umbría, Km 3. Próximo al Monasterio de la Rabida. Gruta de las Maravillas, en Aracena.

| P/N 475 | N/N 400 | A/N 475 | M/N 400 | C/N 475 | T/N 475 | AC/N 950 | EL 451 | PC 🚗 🚐 2 ⍾ | 2000 |

PUNTA UMBRIA 21100   Mapa pág. 50

H-12 ⚠ PT **DERENA-MAR** Tel. 955-312004 Fax 955-315096 1/1-31/12

12 Ha ■ 200 🌲 ⛷ 0.10Km ⊙ 🚐 ⛲ ⌐ ⌐ WC 🍽 🖥 🍸 ✕ 🏠 🗼

🗼 ⛽ 🔀 ➕ ⛺ 20 💳

Situado en la ctra. de Huelva, paraje La Bota.

| P/N 525 | N/N 425 | A/N 475 | M/N 350 | C/N 500 | T/N 500 | AC/N 800 | EL 450 | PC | 2300 ACI |

| LA REDONDELA | 21430 | Mapa pág. 42 |

H-13 **PLAYA TARAY** Tel. 959-341102 15/5-15/9

5 ha ■ 250 (72) ⛺ ⅁ 0,1 km ☉ ⊖ ⌐ ⌐ WC ♨ ♨ ♿ ▣ ☒ ✗ ➘ ⬚ ⬚

➴ ⌂ ⚐ ⟼ 3 ⬚

Acceso por la ctra. La Antilla-Isla Cristina Km. 9.

| P/N 500 | N/N 370 | A/N 500 | M/N 350 | C/N 500 | T/N 500 | AC/N 900 | EL 600 | PC | | ACI |

| ISLA CRISTINA | 21410 | Mapa pág. 50 |

H-14 ⚠ **LUZ** Tel. 959-434114 1/1-31/12

3.3 Ha ■ 280 ⛺ ⅁ 0.20Km ☉ ⊖ ⌐ WC ⌐ ♿ ▣ ✗ ⌂ ➘ ⬚ ◉ ➴ ➕ ⌂

| P/N | N/N | A/N | M/N | C/N | T/N | AC/N | EL | PC | |

H-16 RPT **GIRALDA** Tel. 959-343318 Fax 959-343284 1/1-31/12

15 Ha ■ 572 (50) ⛺ — ⅁ 0,15 Km ☉ 🚐 ⚗ ⊖ ⌐ ⌐ WC ♨ ♨ ▣ ✗ ⬚

(GAS) ➴ ➘ ➕ ⌂

Situado en el Km 1,5 de la ctra. Isla Cristina-La Antilla.

| P/N 472 | N/N 330 | A/N 472 | M/N 373 | C/N 600 | T/N 472 | AC/N 849 | EL | PC | | ACI |

| LEPE | 21440 | Mapa pág. 50 |

H-18 ⚠ **LA ANTILLA** Tel. 959-480829 1/1-31/12

2.5 Ha ■ 243 (70) ⛺ ⅁ 0.50Km ☉ ⊖ ⌐ WC ♨ ♨ ♿ ▣ ☒ ✗ ➘ ⬚ (GAS) ➴

➘ ➕ ⌂ ⚐ ⟼ 3

Situado en la ctra. de La Antilla a El Terrón. Playa de la Antilla.

| P/N 480 | N/N 425 | A/N 480 | M/N 430 | C/N 480 | T/N 480 | AC/N 950 | EL 430 | PC 🚐 | 1 ⌐ | 2100 | PI ACI |

H-20 ⚠ **LA BARCA** Tel. 959-390294 Fax 955-391125 1/1-15/9

1 Ha. ■ 42 ⛺ ☉ ⊖ ⌐ WC ♨ ♨ ▣ ✗ ⌂ ➘ ⬚ (GAS) ➴ ➘ ➕ ⌂ 🚐

Situado en la ctra. Huelva-Ayamonte.

| P/N 400 | N/N 250 | A/N 400 | M/N 250 | C/N 400 | T/N 400 | AC/N 800 | EL 250 | PC | | PI ACI |

| SANLUCAR DEL GUADIANA | 21595 | Mapa pág. 49 |

H-26 **ACAMPADA MUNICIPAL** Tel. 959-388071

0,15 ha ■ 40 ⊖ ⌐ WC ♨ ♨

| P/N 150 | N/N 100 | A/N 200 | M/N 100 | C/N | T/N 300 | AC/N | EL | PC | 150 |

| CORTERRANGEL | 21208 | Mapa pág. 42 |

H-30 **EL BARRIAL** Tel. 959-692562 30/6-1/9

■ 20 ⛺ ⊖ ⌐ WC ♨ ♨ ✗ ⌂ ➘ ⟼ 8

Camping-Cortijo.

| P/N 472 | N/N 377 | A/N 377 | M/N 330 | C/N | T/N 472 | AC/N | EL | PC |

CADIZ

SAN ROQUE   11360   Mapa pág. 56

CA-01 �automnT **SAN ROQUE** Tel. 956-780100 Fax 956-780100 1/1-31/12

1.5 Ha ■ 150 (60) 🌲 __ ☉ ♨ ⌐ ⌐ WC 🧺 🚿 🔗 🍴 🍽 ⌫ ⚓ GAS ⟋ ✚

🚗 🏠 37

Ubicado en San Roque, ctra. N-340 , Km. 121. Muchos residentes.

P/N	320	N/N	220	A/N	290	M/N	220	C/N	430	T/N	420	AC/N	540	EL	300	PC			PI	ACI

CA-02 ⚲ **LA CASITA** Tel. 956-780031 1/1-31/12

5,5 Ha ■ 110 🌲 ☉ 🚐 ♨ ⌐ WC 🧺 🚿 🔗 ⬜ 🍴 🍽 ⌫ ⚓ GAS ⟋ ⟋ ⟋ ✚

🎡 ⛳

Situado en el Km. 126,2 de la ctra. N-340.

P/N	325	N/N	250	A/N	325	M/N	150	C/N	450	T/N	375	AC/N	650	EL	275	PC			PI	ACI

ALGECIRAS   11206   Mapa pág. 56

CA-04 ⚲ **COSTASOL** Tel. 056-660219 1/1-31/12

1.5 Ha ■ 100 🌲 __ 🏂 1.50Km ☉ ♨ ⌐ ⌐ WC 🧺 🔗 🍴 ⌫ ⚓ ⟋ ⟋ ✚ 🚗

🏠 16

Terreno llano con zonas ajardinadas. Situado en el Km. 108 de la ctra. N-340. Precios 94

P/N	400	N/N	300	A/N	300	M/N	300	C/N	400	T/N	350	AC/N	600	EL	300	PC			PI	ACI

CA-05 ⚲ M **BAHIA** Tel. 956-661958 1/1-31/12

1.1 Ha ■ 73 (60) 🌲 __ __ ☉ ♨ ⌐ ⌐ WC 🧺 🚿 🔗 ♿ ⬜ 🍴 ⌫ ⚓ GAS 🏠 12

Terreno llano. Acceso: al norte de Algeciras en el Km 107,9 de la N-340. Situado girando hacia el mar 1,2 Km.
Paraje El Rinconcillo. Precios 94

P/N	375	N/N	300	A/N	375	M/N	300	C/N	375	T/N	400	AC/N	450	EL	275	PC		

TARIFA   11380   Mapa pág. 56

CA-09 ⚲ **PALOMA** Tel. 956-684203 1/1-31/12

4,9 Ha ■ 353 (60) 🌲 __ 🏂 0.50Km ☉ ♨ ⌐ ⌐ WC 🧺 🚿 🔗 ♿ ⬜ 🍴 🍽 ⛪

⌫ ⚓ GAS ⟋ ⟋ ✚ 🎾 🏌

Ubicado en Tarifa, Km 70 de la ctra. Cádiz-Málaga. Terreno llano, techos de caña. Bonita vista de las montañas.

P/N	525	N/N	475	A/N	375	M/N	300	C/N	425	T/N	375	AC/N	700	EL	375	PC		750	PI

CA-10 ⚲ **RIO JARA** Tel. 956-680570 1/1-31/12

2.5 Ha ■ 264 (60) 🌲 🏂 0.10Km ☉ 🚐 ♨ ⌐ ⌐ WC 🧺 🚿 🔗 ♿ ⬜ 🍴 🍽 ⛪

⌫ ⚓ GAS ⟋ ✚

Terreno llano. Zonas ajardinadas entre la playa de arena fina y el rio Jara. Acceso: girando hacia el mar en
el Km 80 de la N-340. Precios 94

P/N	500	N/N	450	A/N	350	M/N	300	C/N	400	T/N	350	AC/N	700	EL	350	PC		500	ACI

CA-11 ⚲ MP **TORRE DE LA PEÑA I** Tel. 956-684903 Fax 956-681565 1/1-31/12

3 Ha ■ 200 (60) 🌲 ☉ ♨ ⌐ ⌐ WC 🧺 🔗 ⬜ 🍴 🍽 ⛪ ⌫ ⚓ GAS ✚ 🏠 2

🚗

Terreno distribuido en terrazas a ambos lados de la carretera. La parte inferior junto a la playa. Situado en
el Km.78 de la N-340.

P/N	525	N/N	475	A/N	375	M/N	300	C/N	425	T/N	375	AC/N	725	EL	350	PC			ACI

TARIFA   11380   Mapa pág. 56

CA-12   P   **TORRE DE LA PEÑA II**   Tel. 956-684174   Fax 956-681898   1/1-31/12

5 Ha ■ 198 (70) ... 0.30Km ... WC ... X ... 10

Situado en el Km. 75,5 de la ctra. N-340.

| P/N | 525 | N/N | 475 | A/N | 375 | M/N | 300 | C/N | 425 | T/N | 375 | AC/N | 725 | EL | 375 | PC | | 2 | | 2200 | PI | ACI |

CA-13   MR   **TARIFA**   Tel. 956-684778   1/1-31/12

3,2 Ha ■ 300 (60) ... 0,01 Km ... WC ... X

Situado en el Km 78,87 de la N-340. Precios 94

| P/N | 500 | N/N | 450 | A/N | 350 | M/N | 300 | C/N | 400 | T/N | 350 | AC/N | 700 | EL | 350 | PC | | 2 | | 2500 | ACI |

CA-14   M   **BAHIA DE LA PLATA**   Tel. 956-439040   1/1-31/12

1.5 Ha ■ 169 (70) ... 0,1 Km. ... WC ... X ...

Situado en la ctra. de Atlanterra. Precios 94

| P/N | 450 | N/N | 350 | A/N | 375 | M/N | 375 | C/N | 550 | T/N | 550 | AC/N | 625 | EL | 275 | PC | | | | 1000 | ACI |

CA-15   R   **EL JARDIN DE LAS DUNAS**   Tel. 956-684267   Fax 956-684267   1/1-31/12

2 Ha ■ 187 (60) ... 0,05 Km ... WC ... X ... 4

Se accede girando hacia el mar en el Km 70 de la ctra. N-340. Precios 94

| P/N | 500 | N/N | 450 | A/N | 350 | M/N | 300 | C/N | 700 | T/N | 350 | AC/N | 800 | EL | 335 | PC | | 2 | | 2300 | ACI |

BARBATE   11160   Mapa pág. 56

CA-17   RPT   **CAÑOS DE MECA**   Tel. 956-450405   Fax 956-450405   1/3-15/10

2,2 Ha ■ 239 (70) ... 0.60Km ... WC ... X

Ubicado en Barbate, junto al cabo de Trafalgar. Sombras de pinos y eucaliptos. A 600 m de playa apta para niños, protegida, vigilada y poco concurrida.

| P/N | 450 | N/N | 390 | A/N | 410 | M/N | 325 | C/N | 475 | T/N | 475 | AC/N | 750 | EL | 275 | PC | | | | 1350 | ACI |

CA-19   **FARO DE TRAFALGAR**   Tel. 908-650833   1/1-31/12

2,0 Ha. ■ 200 (60) ... 0,1Km ... WC ... X ... 14

Situado en las inmediaciones del Faro de Trafalgar.

| P/N | 425 | N/N | 325 | A/N | 425 | M/N | 350 | C/N | 425 | T/N | 425 | AC/N | 800 | EL | 375 | PC | | 3 | | 2125 | ACI |

VEJER DE LA FRONTERA   11150   Mapa pág. 56

CA-21   PT   **VEJER**   Tel. 956-450098   1/7-11/9

0,8 Ha ■ 135 (100) ... WC ... X ...

Situado en una pineda. Acceso: girar hacia el mar en el Km 39,5 de la N-340.

| P/N | 1150 | N/N | 775 | A/N | | M/N | | C/N | | T/N | | AC/N | | EL | 350 | PC | | | | | PI | ACI |

CA-22   PT   **LOS MOLINOS**   Tel. 956-450988   1/1-31/12

4,5 Ha ■ 96 (70) ... WC ... X ...

Acceso por la ctra. N-340, Km. 34,5. Pago Los Molinos, algo difícil para caravanas grandes. Situado en un entorno muy agradable. Precios 94

| P/N | 450 | N/N | 400 | A/N | 400 | M/N | 225 | C/N | 525 | T/N | 525 | AC/N | 600 | EL | 300 | PC | | | | 2400 | PI | ACI |

Hágase socio de una asociación de campistas y/o caravanistas para ser miembro de la FECC.

| CONIL DE LA FRONTERA | 11140 | Mapa pág. 56 |

CA-24 FARO Tel. 956-440187 1/6-30/9

2 Ha ■ 196 ... 0,5 km

Situado en el km. 2 de la ctra. al puerto pesquero. Precios 94

P/N	N/N	A/N	M/N	C/N	T/N	AC/N	EL	PC
425	350	375	295	450	395	650	300	

CA-25 RPT **FUENTE DEL GALLO** Tel. 956-440137 15/3-15/10

2.5 Ha ■ 190 (60) ... 0.30Km

Acceso por la N-340, desvío a Conil de la Frontera en el Km. 21,6. Desvío a la urbanización Fuente del Gallo.

P/N	N/N	A/N	M/N	C/N	T/N	AC/N	EL	PC		
425	350	375	295	450	395	650	300	3		2045

CA-26 RPT **CALA DEL ACEITE** Tel. 956-440972 Fax 956-440972 1/1-31/12

2,6 Ha ■ 170 (60) ... 0,25 Km

Acceso por la N-340, desvío a Conil de la Frontera y seguir en dirección puerto. Precios 94

P/N	N/N	A/N	M/N	C/N	T/N	AC/N	EL	PC
425	350	375	295	425	395	650	300	

CA-27 **PINAR TULA** Tel. 956-445500 1/1-31/12

2 Ha ■ 140 (60)

Situado en una pineda. Acceso: por la N-340, girando hacia el mar al norte de Conil, seguir el camino unos 800 m.

P/N	N/N	A/N	M/N	C/N	T/N	AC/N	EL	PC		
368	330	368	330	368	368	708	330			PI

| VEJER DE LA FRONTERA | 11150 | Mapa pág. 56 |

CA-28 **EL PALMAR** Tel. 956-449009 Fax 956-449009 SS+15/6-15/9

1,7 Ha. ■ 137 (60) ... 0,9 Km.

Situado en la playa de El Palmar.

P/N	N/N	A/N	M/N	C/N	T/N	AC/N	EL	PC	
400	375	350	300	500	500	775	300		PI

| CONIL DE LA FRONTERA | 11140 | Mapa pág. 56 |

CA-29 PT **ROCHE** Tel. 956-442216 Fax 956-440170 1/1-31/12

2.9 Ha 303 (60) ... 1,5 Km.

Situado en el llamado Pago del Zorro. Acceso: por la N-340, Km 19, dirección Cadiz-Algeciras pasado Residencial Roche, tomar desvío a la derecha.

P/N	N/N	A/N	M/N	C/N	T/N	AC/N	EL	PC			
425	340	370	300	450	395	660	318	3		1934	ACI

CA-30 PT **LOS EUCALIPTOS** Tel. 956-441272 1/6-30/9

1.8 Ha ■ 190 (60) ... 0,70Km

Acceso por la ctra. N-340, desvío a Conil y seguir por la ctra. del Puerto 0,2 Km.

P/N	N/N	A/N	M/N	C/N	T/N	AC/N	EL	PC			
425	350	375	295	450	395	650	300	3		2045	ACI

| CHICLANA | 11130 | Mapa pág. 50 |

CA-32 R **LA RANA VERDE** Tel. 956-494348 1/4-31/12

3,5 Ha ■ 264 (60) ... 3 Km

En Chiclana desvío de la N-340 por la ctra. de La Barrosa.

P/N	N/N	A/N	M/N	C/N	T/N	AC/N	EL	PC		
450	350	400	350	520	450	700	300		PI	ACI

| PUERTO REAL | 11510 | Mapa pág. 50 |

CA-34 T **EL PINAR** Tel. 956-830897 1/4-31/10

1.3 Ha ■ 129 (60) ... 1,0 Km

Terreno ligeramente inclinado con vistas a la bahia de Cadiz. Acceso: a 1 Km del pueblo en el Km 666,2 de la N-IV.

P/N	N/N	A/N	M/N	C/N	T/N	AC/N	EL	PC
325	275	325	275	325	325	600	250	

PTO.DE SANTA MARIA   11500   Mapa pág. 50

CA-36   **GUADALETE**   Tel. 956-861749   1/1-31/12

3 Ha ■ 300 (60)   0.90Km   WC

Acceso: Por la N-IV, en el Km 655. También se puede acceder por la salida de la autopista en El Puerto de Santa Maria. Precios 94

P/N	N/N	A/N	M/N	C/N	T/N	AC/N	EL	PC	
425	350	350	300	425	425	600	275		1500

CA-37   T **PLAYA LAS DUNAS**   Tel. 956-872210   Fax 956-872210   1/1-31/12

13.2 Ha ■ 400 (70)   0.05 Km   BEBÉ WC

20

Acceso por la N-IV y salida autopista El Puerto de Sta. Maria. Situado en el Parque Periurbano Dunas de San Anton, en la playa de La Puntilla, junto a la Ciudad Deportiva Municipal.

P/N	N/N	A/N	M/N	C/N	T/N	AC/N	EL	PC	
515	445	440	355	555	555	745	370		ACI

ROTA   11520   Mapa pág. 50

CA-39   MPT **AGUADULCE**   Tel. 956-230050   1/1-31/12

3 Ha ■ 149 (70)   WC

Situado en el km 8 de la ctra. Rota-Chipiona.

P/N	N/N	A/N	M/N	C/N	T/N	AC/N	EL	PC					
497	424	446	362	525	497	695			2	1		2785	ACI

CA-40   T **PUNTA CANDOR**   Tel. 956-813303   Fax 956-813211   1/1-31/12

2.5 Ha ■ 191 (70)   0,05 Km   WC

Situado en la ctra. de Chipiona a Rota, Km 13.

P/N	N/N	A/N	M/N	C/N	T/N	AC/N	EL	PC					
497	424	446	362	525	497	700	410		2	1		2785	ACI

CHIPIONA   11550   Mapa pág. 50

CA-42   R **PINAR DE CHIPIONA**   Tel. 956-372321   1/1-31/12

3,2 Ha ■ 275 (60)   0.80Km   WC   5

Situado en el Km 3 de la ctra. Chipiona-Rota.

P/N	N/N	A/N	M/N	C/N	T/N	AC/N	EL	PC	
497	424	445	365	520	497	695	409		ACI

UBRIQUE   11600   Mapa pág. 51

CA-44   **TAVIZNA**   Tel. 956-463011   1/1-31/12

1,5 Ha ■ 55   WC   5

Situado en el Km. 49 de la ctra. C-3331, Puente de Tavizna. Precios 94

P/N	N/N	A/N	M/N	C/N	T/N	AC/N	EL	PC	
540	420	450	425	660	900	780	360		600 ACI

GRAZALEMA   11610   Mapa pág. 51

CA-45   **TAJO RODILLO**   Tel. 956-372321   1/1-31/12

1,8 Ha. ■ 20   WC

Situado en el Parque Natural Sierra de Grazalema.

P/N	N/N	A/N	M/N	C/N	T/N	AC/N	EL	PC	
300	225	300	250		375	400	300		ACI

PRADO DEL REY   11660   Mapa pág. 51

CA-48   **LA JAIMA**

0,3 ha ■ 20   WC

Camping Cortijo situado en la ctra. Prado del Rey-Arcos, Km 1,3. Precios 94

P/N	N/N	A/N	M/N	C/N	T/N	AC/N	EL	PC	
375	200	350	200			350			375 ACI

Los clubs están a su disposición para proporcionarle toda la información referente a la práctica del camping y caravaning.

ZAHARA DE LA SIERRA   11688   Mapa pág. 51

CA-50   **ARROYOMOLINO**   Tel. 956-123114   1/1-31/12

0,1 ha ⊙ WC

Camping Cortijo. Precios 94

| P/N | 250 | N/N | 200 | A/N | 265 | M/N | 200 | C/N | | T/N | 250 | AC/N | 400 | EL | | PC | | | 250 | ACI |

EL BOSQUE   11670   Mapa pág. 51

CA-53 PT **LA TORRECILLA**   Tel. 956-716095   1/1-31/12

0,9 Ha ■ 55 (65)   1 Km ⊙   BEBÉ WC   20   5

Situado en el centro del Parque Natural de Brazalema. Acceso por la ctra. comarcal 524.

| P/N | 450 | N/N | 350 | A/N | 225 | M/N | 225 | C/N | 480 | T/N | 300 | AC/N | 480 | EL | 300 | PC | | | | ACI |

El algunos campings no se prestan todos los servicios indicados, en temporada baja.

GRANADA

PELIGROS 18210   Mapa pág. 53

GR-01 PT **GRANADA**

⊙ 🚐 ⚓ 🚽 🛁 Γ WC 🧺 🛒 🗑 🍸 ✕ ⤳ ⤳

Acceso por la autovía Jaén-Granada, salida 123 dirección Peligros.

P/N	N/N	A/N	M/N	C/N	T/N	AC/N	EL	PC		ACI

ALBOLOTE 18220   Mapa pág. 53

GR-02 🏕 PT **CUBILLAS** Tel. 958-453408   Fax 958-340097   1/1-31/12

5 Ha 🌲 ___ 🏞 ⚘ 0,05 Km ⊙ ⚓ 🚽 Γ Γ WC 🧺 🛒 🗑 🛁 🍸 ✕ ⤳ ⛽ ⤳ ⤳

Ubicado en la orilla del pantano de Cubillas. Acceso: en el Km 117 de la ctra. N-323, al norte de Granada.

P/N	N/N	A/N	M/N	C/N	T/N	AC/N	EL	PC		PI	ACI
377	330	377	354	377	377	519	283				

GRANADA 18014   Mapa pág. 53

GR-03 🏕 T **SIERRA NEVADA** Tel. 958-150062   Fax 958-150954   1/3-1/11

3,1 Ha 🔲 62 (70) 🌲 ___ ⊙ ⚓ 🚽 🚽 Γ Γ BEBÉ WC 🧺 🛒 🗑 🛁 🚿 🗑 ⚫
⤳ 🍸 ✕ 🏠 ⤳ ⛽ ⤳ ➕ 🚗 ⚘ ‖✕ 30 ⌂ 23

Acceso por la circunvalación norte de la capital, ctra. N-323, salida 126 (Granada-Almanjayar. Situado junto a la estación de autobuses y frente a una gran área comercial.

P/N	N/N	A/N	M/N	C/N	T/N	AC/N	EL	PC		ACI
485	385	485	385	525	485	600	315			

GR-04 🏕 **LOS ALAMOS** Tel. 958-208479   1/4-30/10

1.3 Ha 🔲 100 (40) 🌲 ___ ⊙ 🚽 Γ Γ WC 🧺 🛒 🗑 🗑 🍸 ⤳ ⛽ ⤳ 🏠 6

Ubicado en Granada, ctra. de Jerez a Cartagena, Km 439. Chopos con mucha sombra en plena vega granadina.

P/N	N/N	A/N	M/N	C/N	T/N	AC/N	EL	PC		755
330	283		283		330			🏠🚐		755

GR-05 🏕 **MARIA EUGENIA** Tel. 958-200606   1/1-31/12

1,7 Ha 🔲 30 (60) 🌲 ⊙ 🚐 🚽 Γ Γ WC 🧺 🛒 🗑 🍸 ✕ ⤳ ⛽ ⤳ ➕

🏠 10

Situado al lado de la ctra. Vistas a Granada y Sierra Nevada. Acceso: en el Km 436,5 de la N-323, desvío

P/N	N/N	A/N	M/N	C/N	T/N	AC/N	EL	PC		PI	ACI
400	300	400	300	550	400	550	300				

ZUBIA 18140   Mapa pág. 53

GR-07 🏕 T **REINA ISABEL** Tel. 958-590041   1/3-31/10

0.5 Ha 🔲 50 (60) 🌲 ___ ⊙ 🚽 Γ WC 🛒 🗑 🗑 🍸 ✕ ⤳ ⛽ ⤳ ➕

🏠 2

Terreno ajardinado al pié de Sierra Nevada. Acceso: por la N-323 a Motril, girando hacia el oeste en el Km 433,8, 4 Km al sur de Granada.

P/N	N/N	A/N	M/N	C/N	T/N	AC/N	EL	PC		1100	PI
425	300						300	🏠🚐		1100	

GUEJAR-SIERRA 18160   Mapa pág. 53

GR-08 RPT **CORTIJO BALDERAS** Tel. 958-340550   Fax 958-340550   1/1-31/12

17 Ha 🔲 20 (60) 🌲 ___ 🚽 Γ 🗑 🛁 🍸 🏠 ⛽ 🤸 ‖✕ 20 ⛰ 10 ⌂ 4 🚲

Camping Cortijo. Situado en el Km 5 del Camino Padules.

P/N	N/N	A/N	M/N	C/N	T/N	AC/N	EL	PC		600	ACI
300	250	600	200	600	600	600		🏠🚐		600	

GÜEJAR-SIERRA   18160   Mapa pág. 53

GR-09 ⌂ PT   **LAS LOMAS**   Tel. 958-484742   1/1-31/12

1.6 Ha ■ 100 (70)

Situado en la ctra. de Güejar-Sierra, Km 6,5.

P/N	475	N/N	375	A/N		M/N		C/N		T/N		AC/N		EL	300	PC			1200	PI	ACI

OTURA   18630   Mapa pág. 53

GR-10 ⌂ **EL JUNCAL**   Tel. 958-576175   1/1-31/12

1,5 Ha ■ 150 (80)

Acceso por el Km. 142 de la ctra. N-323, salida Alhendin.

P/N	400	N/N	375	A/N	400	M/N	350	C/N	500	T/N	400	AC/N	600	EL	350	PC			PI	ACI

GR-11 ⌂ PT   **SUSPIRO DEL MORO**   Tel. 958-555411   Fax 958-555105   1/1-31/12

1 Ha ■ 76 (60)

Situado en el Km 11 de la ctra. N-323.

P/N	450	N/N	350	A/N		M/N		C/N		T/N		AC/N		EL	250	PC			850	PI	ACI

MONACHIL   18193   Mapa pág. 53

GR-12   **RUTA DEL PURCHE**   Tel. 958-340407   1/1-31/12

0,9 Ha ■ 24

P/N	400	N/N	375	A/N		M/N	375	C/N		T/N	450	AC/N		EL	300	PC			1000	ACI

PITRES   18414   Mapa pág. 53

GR-13 ⌂ RPT   **EL BALCON DE PITRES**   Tel. 958-766111   1/3-31/10

4 Ha ■ 200 (50)

Situado en el Km 51 de la ctra. comarcal Orgiva-Ugijar. A 500 m del pueblo de Pitres y Cabeza de Taha, en el corazón de la Alpujarra.

P/N	450	N/N	350	A/N	325	M/N	300	C/N	500	T/N	400	AC/N	600	EL	250	PC			ACI

LAROLES   18493   Mapa pág. 53

GR-14   PT   **PUERTO DE LAS ESPUMAS**   Tel. 958-760231   Fax 958-760106   1/1-31/12

2 Ha ■ 80 (50)

Se accede desde Guadix por la ctra. de Almeria, desvío en la Calahorra y desde Almeria por la N-340 desvío en Adra hasta Berja dirigirse hacia Ugijar hasta Chevin.

P/N	400	N/N	300	A/N	350	M/N	250	C/N	450	T/N	400	AC/N	500	EL	205	PC			ACI

TREVELEZ   18417   Mapa pág. 53

GR-15 ⌂ **TREVELEZ**   Tel. 958-858575   Fax 958-858658   1/1-31/12

1,3 Ha ■ 20

Situado en el Km.1 de la ctra. Trévelez-Orgiva.

P/N	425	N/N	325	A/N	375	M/N	275	C/N	450	T/N	450	AC/N	550	EL	225	PC			1000	PI	ACI

MOTRIL   18600   Mapa pág. 53

GR-17 ⌂ **PLAYA DE PONIENTE**   Tel. 958-820303   Fax 958-820303   1/1-31/12

2,4 Ha ■ 211 (80)   0.20Km

Acceso: por el desvío a Motril-Puerto de la N-340. Seguir dirección Playa de Poniente.

P/N	425	N/N	400	A/N		M/N		C/N		T/N		AC/N		EL	250	PC			850	PI

GR-18 ⌂ **PLAYA GRANADA**   Tel. 958-822716   1/1-31/12

0.6 Ha ■ 40   0.10Km

Acceso por el desvío a Motril-Puerto de la ctra. N-340. Seguir dirección playa de Poniente.

P/N	300	N/N	280	A/N		M/N		C/N		T/N		AC/N		EL	260	PC			680

SALOBREÑA 18680 Mapa pág. 53

GR-22 ⛺ **EL PEÑON** Tel. 958-610207 1/4-31/10

1 Ha 🌲 __ 🏖 0,02 Km ⊙ 🚿 WC 🚰 🍽 🍴 🔌 🛁 📷 ⛺ 13

Ubicado en el Paseo Marítimo de Salobreña, en la playa junto a una vega tropical.Se accede por la N-340, Km. 345,5.

P/N	N/N	A/N	M/N	C/N	T/N	AC/N	EL	PC		ACI
430	380	430	380	560	430	700	270			ACI

ALMUÑECAR 18690 Mapa pág. 53

GR-24 ⛺ PT **EL PARAISO** Tel. 958-632370 Fax 958-632370 1/1-31/12

0,7 Ha ■ 80 (60) 🌲 __ 🏖 0,05 Km ⊙ 🚐 TV 🚿 🛁 WC 🚰 🍽 🔌 📷 🛁
🍴 ✕ 🛒 ⛽ 🚗

Acceso: por el Km. 317,5 de la ctra. N-340 y seguir unos 800 m. en dirección al mar. Girar hacia la urbanización en el Km 317,5 y seguir unos 400 m en dirección al mar. Acceso algo difícil para caravanas

P/N	N/N	A/N	M/N	C/N	T/N	AC/N	EL	PC		1545
575	485	575	390	785	925	925	225			1545

GR-25 ⛺ P **LA HERRADURA** Tel. 958-640056 1/4-30/9

0,6 Ha ■ 120 (52) 🌲 🏖 0,05 Km ⊙ 🛁 WC 🚰 🔌 🚿

Situado en La Herradura, Paseo Marítimo Andres Segovia. Sombrajos. Acceso por el desvío hacia La Herradura de la ctra. N-340. Ligeramente difícil para caravanas grandes.

P/N	N/N	A/N	M/N	C/N	T/N	AC/N	EL	PC	
354	307	387	236	472	354	566	236		

CARCHUNA 18730 Mapa pág. 53

GR-27 ⛺ RP **DON CACTUS** Tel. 958-623109 Fax 958-624294 1/1-31/12

4 Ha ■ 320 (70) 🌲 __ 🏖 0,05 Km ⊙ 🚐 TV 🚿 🛁 WC 🚰 🚰 🍽
🔌 🛁 📷 🍴 ✕ 🏠 🚻 🚿 🛁 ⛽ ➕ 🚗 📷 🏓 ‖×80 🎾 💳

Terreno llano. Acceso por la N-340, Km 343, en Carchuna, junto a la playa.

P/N	N/N	A/N	M/N	C/N	T/N	AC/N	EL	PC		ACI
440	400	440	400	440	440	830	235			ACI

CASTELL DE FERRO 18740 Mapa pág. 53

GR-29 ⛺ **EL CORTIJO** Tel. 958-656083 SS-30/9

0,4 Ha ■ 40 (60) 🌲 __ 🏖 0,02 Km ⊙ 🛁 🔌 WC 🚰 🍽 🚿 🛁 📷

Acceso por el Km. 352,2 de la ctra. N-340. Precios 94

P/N	N/N	A/N	M/N	C/N	T/N	AC/N	EL	PC		1200
403	350	413	350	466	466	572	318	🚗		1200

GR-30 ⛺ **EL SOTILLO** Tel. 958-656078 1/6-30/9

0,6 Ha ■ 64 🌲 🏖 0,05 Km ⊙ 🛁 WC 🚰 🍽 🔌 🍴 ✕ 🚿 🛁 ⛽ 💳

Ubicado junto a la playa de Castell de Ferro.

P/N	N/N	A/N	M/N	C/N	T/N	AC/N	EL	PC		1200
375	350		350		475		300	🚗		1200

GR-32 ⛺ T **HUERTA ROMERO** Tel. 958-656453 Fax 958-656001 1/1-31/12

1 Ha ■ 150 (60) 🌲 __ 🏖 0,05 Km ⊙ 🔌 🛁 🍽 WC 🚰 🍴 ✕ 🚿 🛁
⛽ ⛺ 5 ⛺ 6

Situado en el Paseo Marítimo El Sotillo. Acceso: Por el Km. 352,2 de la ctra. N-340.

P/N	N/N	A/N	M/N	C/N	T/N	AC/N	EL	PC		1670
390	340	395	350	495	400	550	300	🚗		1670

CASTILLO DE BAÑOS 18750 Mapa pág. 53

GR-34 ⛺ MRT **CASTILLO DE BAÑOS** Tel. 958-829528 Fax 958-829768 15/6-15/9

3 Ha ■ 240 (70) 🌲 __ ⊙ 🚐 🔌 🛁 🍽 WC 🚰 🍴 🛁 📷 🍴 ✕ 🏠
🚿 🛁 ⛽ ➕ ‖×90 💳

Situado en el Km 36O de la N-340, entre la carretera y la playa.

P/N	N/N	A/N	M/N	C/N	T/N	AC/N	EL	PC		850
400	375						235	🚗		850

Las asociaciones de campistas y caravanistas organizan acampadas durante todo el año.
Estos encuentros constituyen una buena ocasión para establecer relaciones amicales y de vivir nuevas experiencias.
Infórmese en los clubs federados.

MALAGA

TORROX-COSTA   29793   Mapa pág. 51

MA-01   PT   **EL PINO**   Tel. 95-2530154   Fax 95-2532140   1/1-31/12

2,5 Ha ■ 195 (25) 🌲 ___ 🏠 ⚡ 0,8 km ☺ 🚿 🚽 🚻 WC 🚰 ⛲ ♿ 🖨 🍴 ✕ 🏊 🔫 ⛽ 🚗 🏊 ➕ 🚙 ⛵

Situado en el km 285,3 de la ctra. N-340.

| P/N | 350 | N/N | 250 | A/N | 400 | M/N | 350 | C/N | 450 | T/N | 400 | AC/N | 500 | EL | 250 | PC | | | | PI | |

NERJA   29787   Mapa pág. 52

MA-02   ⛰   PT   **NERJA**   Tel. 95-2529714   1/1-31/12

0,7 Ha ■ 53 (60) 🌲 ___ ⚡ 2 Km ☺ 🚽 🚻 WC 🚰 ⛲ 🍴 ⛽ 🚙 ⛵

Acceso por la Ctra. N-340, Km. 296. situado a 1 Km. de la Cueva de Nerja junto al Paraje Natural "Acantilados de Maro Cerro Gordo".

| P/N | 450 | N/N | 350 | A/N | 450 | M/N | 350 | C/N | 600 | T/N | 600 | AC/N | 700 | EL | 300 | PC | | | | PI | ACI |

TORRE DEL MAR   29740   Mapa pág. 52

MA-03   MRT   **LAGUNA PLAYA**   Tel. 95-2540631   Fax 95-2540484   1/1-31/12

2 Ha ■ 159 (70) 🌲 ___ ☺ 🚽 🚽 🚻 WC 🚰 ⛲ 🏠 🖨 🍴 ✕ 🔫 ⛽ 🏊 ➕ 🚙 🏠 1 🛒

En la prolongación del Paseo Marítimo, zona de poniente, a 400 metros del casco urbano. VER ANUNCIO.

| P/N | 520 | N/N | 390 | A/N | 520 | M/N | 400 | C/N | 550 | T/N | 520 | AC/N | 850 | EL | 300 | PC | 🚗 🚐 | 4 | 🍴 | 3500 | PI | ACI |

MA-04   ⛰   **TORRE DEL MAR**   Tel. 95-2540224   1/1-31/12

2.4 Ha ■ 199 (60) 🌲 ⚡ 0,05 Km ☺ 🚽 🚻 WC 🚰 ⛲ 🍴 ✕ 🔫 ⛽ 🏊 ➕ 🚙

Terreno llano, rodeado parcialmente de edificaciones en el Paseo Marítimo. Acceso por la N-340.

| P/N | 520 | N/N | 400 | A/N | 520 | M/N | 400 | C/N | 550 | T/N | 525 | AC/N | 850 | EL | 300 | PC | 🚗 🚐 | 3 | 🍴 | 2900 | PI | ACI |

El hecho de pertenecer a un club facilita las relaciones con los demás campistas.

FECC

ALMAYATE   29749   Mapa pág. 52

MA-06   M   **ALMAYATE-COSTA**   Tel. 95-2540272   Fax 95-2544812   1/4-30/9

1.9 Ha ■ 169 (80)

Situado en el Km 267 de la N-340.VER ANUNCIO.

P/N	N/N	A/N	M/N	C/N	T/N	AC/N	EL	PC		1500	ACI
495	395	495	395	595	550	875	424				

BENAJARAFE   29790   Mapa pág. 52

MA-07   **VALLE NIZA**   Tel. 95-2513181   1/1-31/12

3 Ha 250 (80)   0,05 Km

Ubicado en el Km 264,1 de la N-340.

P/N	N/N	A/N	M/N	C/N	T/N	AC/N	EL	PC		1750	PI	ACI
530	375	530	375	650	530	800	350					

TORREMOLINOS   29620   Mapa pág. 52

MA-11   **TORREMOLINOS**   Tel. 95-2382602   1/1-31/12

1.5 Ha   0.60Km

Situado junto a la carretera, rodeado de edificios. Duchas de agua caliente sólo en invierno. Acceso: Por la N-340,a 3 Km al noroeste de Torremolinos.

P/N	N/N	A/N	M/N	C/N	T/N	AC/N	EL	PC
585	189	585	260	613	585	613	330	

ALHAURIN DE LA TORRE   29130   Mapa pág. 52

MA-12   **MORALES**   Tel. 95-2410283   1/5-31/10

0.5 Ha ■ 65 (45)

En el paraje Arroyo Hondo.

P/N	N/N	A/N	M/N	C/N	T/N	AC/N	EL	PC
425	283	283	165	425	330	425	212	

MIJAS   29750   Mapa pág. 52

MA-13   T   **CALAZUL**   Tel. 95-2493219   Fax 95-2493219   1/1-31/12

4 Ha ■ 360 (60)   0.10Km

Terreno con ligera pendiente hacia la carretera, con plátanos, rodeado de colinas y algunas edificaciones. Acceso: en el Km 200 de la N-340, entre Fuengirola y Marbella.

P/N	N/N	A/N	M/N	C/N	T/N	AC/N	EL	PC		1500	PI	ACI
450	350	450	400	550	600	650	350					

MA-14   **LA DEBLA**   1/7-15/9

0.6 Ha ■ 60 (60)

Terreno llano con pinos y chopos,situado junto a la carretera y a la Colonia San Pablo. Acceso: en el Km 200 de la N-340.

P/N	N/N	A/N	M/N	C/N	T/N	AC/N	EL	PC		1600	ACI
500	400										

FUENGIROLA   29640   Mapa pág. 52

MA-15   **FUENGIROLA**   Tel. 95-2474108   1/1-31/12

3.3 Ha ■ 224 (60)   0,05 Km   WC

Situado en el Km 207 de la ctra. N-340.

P/N	N/N	A/N	M/N	C/N	T/N	AC/N	EL	PC		PI	ACI
425	350	425	350	425	425	690	302		1650		

MA-16   PT   **LA ROSALEDA**   Tel. 95-2460191   Fax 95-2581966   1/1-31/12

1 Ha ■ 120 (60)   0.80Km   WC

Acceso por la N-340, a la entrada del pueblo desvío a la altura del mercado hacia el norte, dirección Los Boliches, seguir por Av. Las Salinas.VER ANUNCIO.

P/N	N/N	A/N	M/N	C/N	T/N	AC/N	EL	PC		PI	ACI
550	275			600	600	600	250		1650		

CALAHONDA   29647   Mapa pág. 52

MA-18   RPT   **LOS JARALES**   Tel. 95-2830003   Fax 95-2830003   1/1-31/12

2.2 Ha ■ 175 (60)   0.20Km   TV   WC

Terreno totalmente reformado situado en el Km. 197 de la ctra. N-340.VER ANUNCIO.

P/N	N/N	A/N	M/N	C/N	T/N	AC/N	EL	PC		2		PI	ACI
450	350	400	350	550	550	650	350			2	1700		

MARBELLA 29600 Mapa pág. 56

MA-19 PT **CABOPINO** Tel. 95-2828891 1/1-31/12

5 Ha ■ 470 (76)

Acceso por la N-340 en el Km 194,8, salida a Cabopino. Pinar frondoso a 100 m de la playa con acceso peatonal o en coche. Deportes naúticos. Puerto deportivo. Playas arenosas. Piscina climatizada. VER ANUNCIO.

| P/N | 500 | N/N | 405 | A/N | 517 | M/N | 435 | C/N | 800 | T/N | 708 | AC/N | 934 | EL | 330 | PC | | | 1038 | PI | ACI |

MA-20 M **MARBELLA 191 PLAYA** Tel. 95-2778391 1/4-31/10

1.3 Ha

Ubicado en Marbella, ctra. N-340 Km 184,5. Arbolado de eucaliptos, zonas ajardinadas con vistas a la Serranía de Ronda. Playa particular, abierta y arenosa.

| P/N | 467 | N/N | 354 | A/N | 467 | M/N | 425 | C/N | 755 | T/N | 708 | AC/N | 1038 | EL | 350 | PC | | | | 2830 | ACI |

MA-21 **LA BUGANVILLA** Tel. 95-2831973 Fax 95-2493219 1/7-31/8

4.3 Ha ■ 300 (50)

Terreno en terrazas rodeado de pinedas, colinas y alguna edificación. Zona de recreo infantil bien equipada. Acceso: en el Km 188,8 de la N-340.

| P/N | 475 | N/N | 425 | A/N | 475 | M/N | 425 | C/N | 800 | T/N | 750 | AC/N | 975 | EL | 350 | PC | | | 1500 | PI | ACI |

MA-22 MRP **MARBELLA PLAYA** Tel. 95-2833998 Fax 95-2823999 1/1-31/12

6.8 Ha ■ 429 (60)

Terreno llano, entre la carretera y el mar, al lado de una urbanización. Acceso: por el 192,8 de la N-340. VER ANUNCIO.

| P/N | 490 | N/N | 420 | A/N | 490 | M/N | 450 | C/N | 830 | T/N | 830 | AC/N | 1160 | EL | 355 | PC | | | | PI | ACI |

ESTEPONA 29680 Mapa pág. 56

MA-23 PT **PARQUE TROPICAL** Tel. 95-2793618 Fax 95-2803386 1/1-31/12

1,2 Ha ■ 116 (60)

Acceso por la N-340 en el cambio de sentido del Km 162. Parcelas con cerramiento vegetal. Piscina cubierta, con orquideas y plantas exóticas.

| P/N | 401 | N/N | 330 | A/N | 425 | M/N | 330 | C/N | 425 | T/N | 448 | AC/N | 802 | EL | 330 | PC | | | | PI | ACI |

MANILVA 29691 Mapa pág. 56

MA-24 M **CHULLERA III** Tel. 95-2890320 15/6-15/9

3 Ha ■ 250 (60)

Terreno ligeramente inclinado y rodeado de colinas. Acceso: por el Km 142,2 de la N-340.

| P/N | 425 | N/N | 330 | A/N | 425 | M/N | 330 | C/N | 425 | T/N | 425 | AC/N | 802 | EL | 307 | PC | | | 849 |

MANILVA   29691   Mapa pág. 56

MA-25   ⚠   M   **CHULLERA II**   Tel. 95-2890196   Fax 95-2890196   1/1-31/12

4 Ha ■ 100 (60) ♣ ⚏ ☉ ♨ ⌐ ⌐ WC 🛒 🚿 🚻 🗑 💧 🍴 ✕ ⚓ ⛽ ⛵ ✚

🛁

Terreno ligeramente inclinado situado entre la carretera y el mar.   Sombrajos. Acceso: por el Km. 142 de la N-340.

P/N	N/N	A/N	M/N	C/N	T/N	AC/N	EL	PC				
425	330	425	330	425	425	802	307		🚗	🚙		849

MOLLINA   29532   Mapa pág. 56

MA-30   ⚠   **SAYDO**   Tel. 95-2740475   Fax 95-2740466   1/1-31/12

2.4 Ha ■ 71 ♣ ⚡ 1.00Km ☉ ♨ ⌐ WC 🛒 🚿 ⚓ ⛵ 🏊 ✚ 🛁

En la ctra. N-334, Km 146. Precios 94

P/N	N/N	A/N	M/N	C/N	T/N	AC/N	EL	PC		PI	ACI
550	350	650	350	650	500		350				

ARDALES   29550   Mapa pág. 56

MA-35   ⚠   **PARQUE ARDALES**   Tel. 95-2458087   Fax 95-24058169   1/3-31/10

0,6 Ha ■ 95 ☉ ♨ ⌐ WC 🚻

Situado junto al embalse Conde de Guadalhorce.

P/N	N/N	A/N	M/N	C/N	T/N	AC/N	EL	PC		ACI

RONDA 29400   Mapa pág. 51

MA-38 PT **EL SUR** Tel. 95-2875939 Fax 95-2875939 1/1-31/12

4 Ha ■ 80 🎋 ☺ ⛺ ⌐ WC 🍴 🚿 🚻 💧 📷 ⌂ ⌐ 🍴 ✗ ↘ ⚱ 🔫 🚶 ⊹ ✚

⌐ ⚑ ⚠ 3 ╎╌ m 3/4 🗃

Situado en el Km. 1,5 de la ctra. Ronda-Algeciras.

| P/N | 400 | N/N | 300 | A/N | 400 | M/N | 300 | C/N | 400 | T/N | 400 | AC/N | 800 | EL | 350 | PC | | | PI | ACI |

MA-40 **EL ABOGADO** Tel. 95-2875844 1/1-31/12

0,3 Ha ■ 30 🎋 ☺ ⛺ ⌐ 🚿 🍴 🚻 ✗ ↘ ⊹

Camping Cortijo situado en el Km 5 de la ctra. a Campillos.

| P/N | 354 | N/N | 189 | A/N | 118 | M/N | | C/N | 377 | T/N | 377 | AC/N | 425 | EL | 283 | PC | | | ACI |

ALMERIA

VERA   04620   Mapa pág. 54

AL-03 ⌂ M **ALMANZORA** Tel. 950-467425 1/1-31/12

15 Ha ■ 540 (50) 🌲 _ ☺ 😀 ⌐ ⌐ WC 🛒 🍴 ◉ 𝟙′ ✗ ⤸ 🏛 ☺ ⤳ ⤴

🚗 🏸 ⊞

Terreno extenso junto a la playa, con cañas, setos, arbustos y palmeras. Tiene zona nudista independiente.
Acceso: desvío de la N-340, en Vera. Tomar ctra. Garrucha-Villaricos, Km 3.6

| P/N 585 | N/N 425 | A/N 450 | M/N 400 | C/N 675 | T/N 675 | AC/N 1000 | EL | PC | | PI | ACI |

LOS GALLARDOS   04280   Mapa pág. 54

AL-05 ⌂ PT **LOS GALLARDOS** Tel. 950-528324 1/1-31/12

3,5 Ha. ■ 114 (65) 🌲 _ ☺ 😀 ⌐ WC 🛒 🍴 ◉ 𝟙′ ✗ ⤸ 🏛 ☺ ⤳ ⤴ 💳

Situado en el Km.525 de la ctra.N-340, a 5 Km. de Mojacar.

| P/N 378 | N/N 265 | A/N 378 | M/N 283 | C/N 378 | T/N 378 | AC/N 660 | EL 283 | PC | | PI | ACI |

MOJACAR   04638   Mapa pág. 54

AL-07 ⌂ **EL CANTAL DE MOJACAR** Tel. 950-478204 1/1-31/12

1.8 Ha ■ 120 (50) 🌲 ⅃ 0.1 Km ☺ 😀 ⌐ WC 🛒 🍴 𝟙′ ✗ ⤸ 🏛 ☺ 🚗 🔵

Situado a medio camino entre el pueblo y el mar, en un bosque de eucaliptos. Se accede desde la ctra.
Garrucha-Carbonera.

| P/N 450 | N/N 350 | A/N 500 | M/N 350 | C/N 550 | T/N 550 | AC/N 750 | EL 250 | PC | 1400 |

LAS NEGRAS   04116   Mapa pág. 54

AL-08 PT **NAUTICO LA CALETA** Tel. 950-525237 1/1-31/12

6 Ha. ■ 150 (70) 🌲 _ ⅃ 0.1 Km ☺ 😀 😀 ⌐ ⌐ WC 🛒 🍴 𝟙′ ✗ ⤸ 🏛 ☺

⤴

Situado en el Parque Natural del Cabo de Gata. Deportes náuticos. Acceso por la ctra.N-340, salida 487,
dirección Cadiz o 481, dirección Barcelona

| P/N 400 | N/N 350 | A/N 350 | M/N 300 | C/N 450 | T/N 400 | AC/N 750 | EL 400 | PC | | PI | ACI |

LOS ESCULLOS   04118   Mapa pág. 54

AL-10   RPT   **LOS ESCULLOS**   Tel. 950-389811   1/1-31/12

4,5 Ha ■ 250 (70)   0,8 Km   WC 10

Acceso por la ctra. Almería-San José, Km.32 o por la autovía Murcia-Almería, salida porCampohermoso. VER ANUNCIO.

P/N	413	N/N	368	A/N		M/N		C/N		T/N		AC/N		EL	368	PC					1123	PI	ACI

SAN JOSE   04118   Mapa pág. 54

AL-12   RPT   **TAU**   Tel. 950-380166   1/4-1/10

1 Ha ■ 125 (60)   0,25 Km   WC

Terreno llano,junto a un cortijo. Acceso: Por la ctra. comarcal Almeria-San José, Km.39. Por la ctra.comarcal Nijar-San José, Km. 25. Situado en una sierra, próximo al mar. Arbolado de eucaliptos y mimosas.

P/N	425	N/N	375	A/N	425	M/N	300	C/N	600	T/N	650	AC/N	600	EL	300	PC			ACI

EL CABO DE GATA   04150   Mapa pág. 49

AL-13   RPT   **ECOCAMPING CABO DE GATA**   Tel. 950-160443   1/1-31/12

4 ■ 250 (70)   0,5 Km   WC   35

Acceso por la ctra. Almería - Cabo de Gata. Parque Natural. Precios 94

P/N	425	N/N	325	A/N	425	M/N	325	C/N	425	T/N	425	AC/N	700	EL	325	PC		

ALMERIA   04002   Mapa pág. 54

AL-14   MRPT   **LA GARROFA**   Tel. 950-235770   1/1-31/12

2 Ha ■ 80   WC

Situado en un valle y distribuido en terrazas que llegan hasta el mar, bajo el viaducto.Sombrajos de palma.Se accede desde el Km 435,4 de la N-340, 4 Km al oeste de Almeria.

P/N	450	N/N	400	A/N	450	M/N	400	C/N	500	T/N	450	AC/N	730	EL	380	PC		ACI

ROQUETAS DE MAR   04770   Mapa pág. 54

AL-15   RT   **ROQUETAS**   Tel. 950-343809   1/1-31/12

8 Ha. ■ 731 (60)   0,2 Km   WC

Acceso por la N-340,Km 428,6 en la ctra. entre Aguadulce y Roquetas de Mar.

P/N	440	N/N	275	A/N	440	M/N	340	C/N	440	T/N	440	AC/N	725	EL	300	PC		PI	ACI

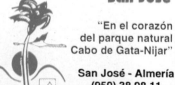

Si es usted miembro de un club, encontrará amigos en todas partes.

EL EJIDO	04700	Mapa pág. 54

AL-17   MRT **MAR AZUL**   Tel. 950-481535   Fax 950-481535   1/4-30/9

22 Ha ■ 891 (80)

Palmeral de gran extensión con sombrajos. Acceso: desde la N-340, Km 81, pasar El Ejido en dirección Motril y continuar unos 9 Km girando en dirección al mar. Señalizado.VER ANUNCIO.

P/N 575	**N/N** 500	**A/N** 575	**M/N** 500	**C/N** 575	**T/N** 575	**AC/N** 950	**EL** 425	**PC**		**PI** **ACI**

BALERMA	04712	Mapa pág. 54

AL-19   **BALERMA PLAYA**   Tel. 950-407005   15/3-15/9

1.5 Ha ■ 92 (60)

A 200 m. de la población de Balerma, en la misma playa. Acceso: desde la N-340 por Balanegra o por Tarambana.

P/N 390	**N/N** 310	**A/N** 420	**M/N** 320	**C/N** 640	**T/N** 420	**AC/N** 800	**EL**	**PC**	**ACI**

ADRA	04770	Mapa pág. 53

AL-22   MRT **LA HABANA**   1/1-31/12

1.5 Ha ■ 103 (60)

Terreno llano con eucaliptos, entre campos de caña y cultivos. Acceso: desde la N.340 saliendo por el Km 64 en dirección al mar. Cabinas individuales con pago suplementario.

P/N 360	**N/N** 300	**A/N** 360	**M/N** 300	**C/N** 360	**T/N** 360	**AC/N** 720	**EL** 233	**PC**	4	2165 **ACI**

AL-23   M **LA SIRENA LOCA**   Tel. 950-400920   15/6-15/9

0.7 Ha ■ 60

Situado entre la ctra.y la playa al oeste de Adra, en el Km 60 de la N-340.

P/N 350	**N/N** 250	**A/N** 350	**M/N** 150	**C/N** 350	**T/N** 350	**AC/N** 500	**EL** 175	**PC**	**ACI**

ADRA	04770	Mapa pág. 53

AL-24   ⚠   PT **LAS GAVIOTAS**   Tel. 950-400660   Fax 950-400660   1/1-31/12

2 Ha ■ 137 (60) ... 0,05 Km ...

Situado en una colina frente al mar, con parcelas distribuidas en terrazas. Acceso: Salida de Adra de la autovia E-15. El camping está situado 2 Km. al oeste de Adra, en el antiguo trazado de la N-340.

P/N	415	N/N	365	A/N	415	M/N	365	C/N	425	T/N	415	AC/N	590	EL	250	PC			PI	ACI

AL-25   ⚠   **LAS VEGAS**   1/1-31/12

0.1 Ha ■ 40 (40) ... 0,02 Km ...

Paraje La Habana. En la ctra. Málaga-Almeria, Km 64.

P/N	302	N/N	264	A/N	302	M/N	283	C/N	302	T/N	302	AC/N	566	EL	307	PC			ACI

VELEZ-BLANCO	04830	Mapa pág. 54

AL-27   **EL PINAR DEL REY**   Tel. 950-654052

0,3 Ha ■ 40 (24) ...

Situado en el paraje Pinar del Rey.

P/N	250	N/N	150	A/N	250	M/N	250	C/N	500	T/N	300	AC/N	500	EL		PC			PI	ACI

SERON	04890	Mapa pág. 54

AL-30   **LAS MENAS**   1/1-31/12

1 Ha ■ 39 (60) ...

Area de acampada. Situada en el Km 10 de la ctra. Serón-Gérgal

P/N	100	N/N	50	A/N	50	M/N	25	C/N	150	T/N	150	AC/N		EL		PC			ACI

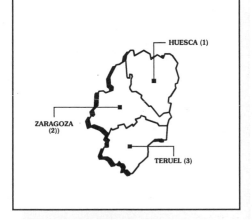

HUESCA (1)

ZARAGOZA (2))

TERUEL (3)

1	2	3
SERVICIOS TERRITORIALES DE TURISMO		
(974) 221377	(976) 224300	(974) 601191
CRUZ ROJA ESCUCHA PERMANENTE		
(974) 221186	(976) 440749	(974) 602609
GUARDIA CIVIL DE TRAFICO		
(974) 213149	(976) 217138	(974) 602055
GUARDIA CIVIL PATRULLAS		
(974) 221100	(976) 221100	(974) 601100

A R A G O N

HUESCA

LA PUEBLA DE CASTRO — 22435 — Mapa pág. 14

HU-02 ⛺ PT **LAGO DE BARASONA** Tel. 974-545148 Fax 974-545148 1/4-30/9

3 Ha ■ 130 (70)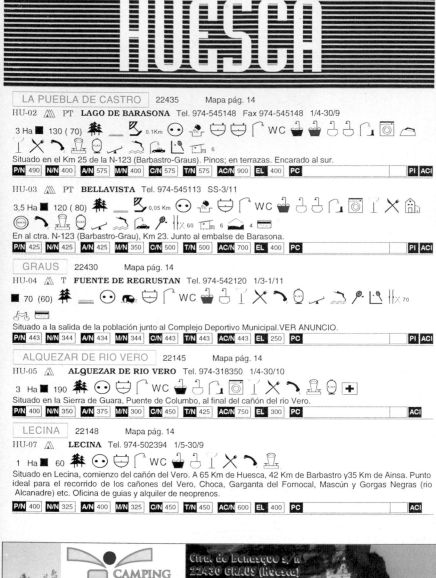

Situado en el Km 25 de la N-123 (Barbastro-Graus). Pinos; en terrazas. Encarado al sur.

P/N	N/N	A/N	M/N	C/N	T/N	AC/N	EL	PC		PI	ACI
490	400	575	400	575	575	900	400				

HU-03 ⛺ PT **BELLAVISTA** Tel. 974-545113 SS-3/11

3,5 Ha ■ 120 (80)

En al ctra. N-123 (Barbastro-Grau), Km 23. Junto al embalse de Barasona.

P/N	N/N	A/N	M/N	C/N	T/N	AC/N	EL	PC		PI	ACI
425	425	425	350	500	500	700	400				

GRAUS — 22430 — Mapa pág. 14

HU-04 ⛺ T **FUENTE DE REGRUSTAN** Tel. 974-542120 1/3-1/11

■ 70 (60)

Situado a la salida de la población junto al Complejo Deportivo Municipal.VER ANUNCIO.

P/N	N/N	A/N	M/N	C/N	T/N	AC/N	EL	PC		PI	ACI
443	344	434	344	443	443	443	250				

ALQUEZAR DE RIO VERO — 22145 — Mapa pág. 14

HU-05 ⛺ **ALQUEZAR DE RIO VERO** Tel. 974-318350 1/4-30/10

3 Ha ■ 190

Situado en la Sierra de Guara, Puente de Columbo, al final del cañón del rio Vero.

P/N	N/N	A/N	M/N	C/N	T/N	AC/N	EL	PC		ACI
400	350	375	300	450	425	750	300			

LECINA — 22148 — Mapa pág. 14

HU-07 ⛺ **LECINA** Tel. 974-502394 1/5-30/9

1 Ha ■ 60

Situado en Lecina, comienzo del cañón del Vero. A 65 Km de Huesca, 42 Km de Barbastro y35 Km de Ainsa. Punto ideal para el recorrido de los cañones del Vero, Choca, Garganta del Fornocal, Mascún y Gorgas Negras (rio Alcanadre) etc. Oficina de guias y alquiler de neoprenos.

P/N	N/N	A/N	M/N	C/N	T/N	AC/N	EL	PC		ACI
400	325	400	325	450	450	600	400			

RODELLAR   22144   Mapa pág. 14

HU-09 ⛺ PT **MASCUN** Tel. 974-318367 Fax 974-318367 1/4-15/10

1,7 Ha ■ 72 ⛺ ___ ⚡ 1 Km ☺ 🚻 ⌐ WC 🍽️ 🚿 🚽 🪑 🍴 ✕ ↘ ⚓ ◉ ↙

♂ ⛺ 10 ⌷ m 10 🚲

Situado en plena sierra de Guara, a 60 Km de Huesca y a 50 Km de Barbastro. Acceso por la ctra. N-240,, desvío Rodellar 30 Km.

P/N	400	N/N	375	A/N	375	M/N	350	C/N	425	T/N	425	AC/N	650	EL	400	PC			ACI

HU-10 ⛺ PT **EL PUENTE** Tel. 974-318312 Fax 974-318312 1/4-30/9

3,6 Ha ■ 96 (70) ⛺ ___ ☺ 🚻 ⌐ BEBÉ WC 🍽️ 🚿 🔲 🍴 ✕ 🏠 ↘ ⚓ ◉ 🚗

⛺ 3 ⬚

Situado en el Parque Natural de la Sierra y Cañones de Guara. Acceso por la ctra. N-240, de Huesca a Barbastro, desvío a Rodellar, a 28 Km. Desvío en el Km.22,825 de la ctra. HU-341, de Abiego a Rodellar, izquierda a 800 m. hacia el puente Pedruel.

P/N	425	N/N	375	A/N	375	M/N	325	C/N	425	T/N	425	AC/N	575	EL	400	PC			ACI

HU-11 ⛺ PT **EXPEDICIONES** Tel. 974-343008 Fax 91-3264024 1/6-31/9

2 Ha ■ 40 ⛺ ___ 🚻 ⌐ ⌐ WC 🍽️ 🚿 🍴 ✕ ↘ ⚓

Situado en la reserva natural de la Sierra de Guara, en el Km.17 de la ctra. de Rodellar. No recomendable para caravanas.

P/N	377	N/N	283	A/N	307	M/N	142	C/N	495	T/N	401	AC/N	495	EL		PC			ACI

BENABARRE   22580   Mapa pág. 14

HU-12 PT **BENABARRE** Tel. 974-543572 Fax 974-542432

0,6 Ha ■ 38 ☀ ___ ☺ 🚻 ⌐ ⌐ WC 🍽️ 🚿 🚽 ⬚ ↘ 〰️ ‖✕ 85 ⚽

Situado en la misma población.

P/N	300	N/N	250	A/N	300	M/N	200	C/N	300	T/N	300	AC/N	450	EL		PC		PI	ACI

CASTEJON DE SOS	22466	Mapa pág. 14

HU-13 ⚠ PT **ALTO ESERA** Tel. 974-553456 SS-30/9

5 Ha. ■ 163 (80) 🌲 __ __ ⊙ ⛶ ⌐ WC 🍽 🚿 📺 ↑ ✕ ➔ ⌐ 🔌 🔧
🚲 ‖✕ 20 ⬚ △ 6 🏇

Situado en la margen izquierda del rio Esera junto a las instalaciones deportivas municipales. VER ANUNCIO.

P/N 425	N/N 375	A/N 375	M/N 375	C/N 425	T/N 425	AC/N 745	EL 375	PC		ACI

LASPAULES	22471	Mapa pág. 14

HU-15 ⚠ PT **LASPAULES** Tel. 974-553320 1/1-31/12

1.4 Ha ■ 90 (8) 🌲 __ ⊙ ⌐ ⛶ ⌐ BEBE WC 🍽 🚿 📺 ↑ ✕ ➔ 🏛 ⌐
➔ ⛵ 🔌 🚗 💳

Situado en el Km 369 de la ctra. N-260. Precios 94

P/N 360	N/N 320	A/N 360	M/N 320	C/N 360	T/N 360	AC/N 600	EL 370	PC		PI ACI

BONANSA	25524	Mapa pág. 14

HU-17 ⚠ PT **BALIERA** Tel. 974-554016 Fax 973-680888 1/1-31/12

5 Ha ■ 300 (70) 🌲 __ ⊙ ⌐ ⛶ ⌐ BEBE WC 🍽 🚿 📺 ↑ ✕ 🏠 ➔ ⌐
🔌 ⛵ ‖✕ 45 🔧 8 💳

Acceso por la ctra. N-260 cruce ctra. Castejon de Sos a 2 Km del cruce con la N-230. Situado cerca de los valles de Boi, Benasque, Val d'Aran y Isabena.

P/N 472	N/N 425	A/N 472	M/N 425	C/N 472	T/N 472	AC/N 472	EL 401	PC		PI ACI

VILLANOVA · 22467 · Mapa pág. 14

HU-19 · PT **YETI** · Tel. 974-553147 · 1/6-30/9

1.2 Ha · 73 (70) · X 16

Acceso desde el Km 51,4 de la ctra. A-139 (Barbastro-Benasque). Mucha sombra y zona verde. Situado en el centro geográfico del valle de Benasque, en un bello paisaje junto al río Esera.

P/N	N/N	A/N	M/N	C/N	T/N	AC/N	EL	PC		PI	ACI
400	375	400	375	400	400	750	400				

BENASQUE · 22440 · Mapa pág. 14

HU-22 · **IXEIA** · Tel. 96-1546809 · SS-12/10

1 Ha

Ctra. Barbastro-Francia, Km.100. Acceso casi imposible para caravanas. Precios 94

P/N	N/N	A/N	M/N	C/N	T/N	AC/N	EL	PC		ACI
400	350	400	265	400	400	600	400			

HU-23 · RPT **ANETO** · Tel. 974-551141 · 1/1-31/12

5.8 Ha · 150 (60)

Camping de alta montaña. A 3,5 Km de Benasque. VER ANUNCIO.

P/N	N/N	A/N	M/N	C/N	T/N	AC/N	EL	PC		ACI
400	350	400	350	425	400	640	400			

HU-24 · **CHUISE** · 20/6-30/8

5,5 Ha · 133

Acceso por la ctra. comarcal 139, Km 99,6.

P/N	N/N	A/N	M/N	C/N	T/N	AC/N	EL	PC

AINSA · 22330 · Mapa pág. 14

HU-26 · T **AINSA** · Tel. 974-500260 · Fax 974-500260 · 5/5-30/9

3 Ha · 1.00Km · m 12

Se accede por la ctra. de Ainsa-Campo, desvío a 1 Km de Ainsa en dirección Pueyo de Aragüas.

P/N	N/N	A/N	M/N	C/N	T/N	AC/N	EL	PC		PI	ACI
475	400	475	400	500	475	825	465				

LIGÜERRE DE CINCA · 22393 · Mapa pág. 14

HU-27 · RPT **LIGÜERRE DE CINCA** · Tel. 974-500800 · Fax 974-500830 · 1/1-31/12

88 (60) · 1 km · m 20

Situado en la ctra. N-138, junto al pantano de El Grado.

P/N	N/N	A/N	M/N	C/N	T/N	AC/N	EL	PC		PI	ACI

MORILLO DE TOU   22395   Mapa pág. 14

HU-28   RP   **1º DE MAYO**   Tel. 974-500793   1/1-31/12

Situado en el Km 43 de la ctra. 138, Barbastro-Francia, junto al embalse Mediano.

| P/N | 377 | N/N | 283 | A/N | 377 | M/N | 283 | C/N | 472 | T/N | 377 | AC/N | 543 | EL | 425 | PC | | | PI | ACI |

LABUERDA   22360   Mapa pág. 14

HU-29   RPT   **PEÑA MONTAÑESA**   Tel. 974-500032   Fax 974-500032   1/1-31/12

10   Ha   552 (70)

Situado en Labuerda-Ainsa, en pleno Pirineo Aragonés, en la ctra. a Francia a 7 Km del Parque Nacional de Ordesa. Prado muy arbolado, pinos, chopos, abetos, acacias y zonas ajardinadas. VER ANUNCIO.

| P/N | 580 | N/N | 525 | A/N | 580 | M/N | 525 | C/N | 610 | T/N | 580 | AC/N | 1025 | EL | 525 | PC | | | PI | ACI |

SARAVILLO   22366   Mapa pág. 14

HU-30   PT   **LOS VIVES**   Tel. 974-506171   SS+15/6-20/9

2.5 Ha   160 (75)

Situado a 30 Km de Ainsa dirección Bielsa tomando desvío hacia el valle de Chistan en Salinas.

| P/N | 400 | N/N | 375 | A/N | 400 | M/N | 375 | C/N | 400 | T/N | 400 | AC/N | 700 | EL | 390 | PC | | | | ACI |

BIELSA   22351   Mapa pág. 14

HU-32   PT   **PINETA**   Tel. 974-501089   SS+15/6-15/9

6 Ha   190 (70)

Carretera del Parador, Km 7. VER ANUNCIO.

| P/N | 450 | N/N | 360 | A/N | 450 | M/N | 380 | C/N | 500 | T/N | 450 | AC/N | 680 | EL | 450 | PC | | | | ACI |

PANORAMA caravaning

REVISTA RECOMENDADA POR LA FECC Y LA UCC.
PORTAVOZ DE CREMCAR.

400 Ptas.
Nº94 FEBRERO MARZO'95

4

¿Qué diferencias existen entre una caravana y un autocaravana?

Pirineo Aragonés

Camping-Caravaning-Bungalows

Peña Montañesa

Ctra. Ainsa-Bielsa, km.2
Tel. (974) 50 00 32
Fax (974) 50 00 32
LABUERDA - AINSA (Huesca)

Cerca del parque natural de
ORDESA y MONTE PERDIDO, y a
2km. de un gran lago navegable. A la
orilla del río Cinca (Kanu-Kayak)

ALQUILER DE MOBIL HOMES

BUNGALOWS

ABIERTO
TODO
EL AÑO

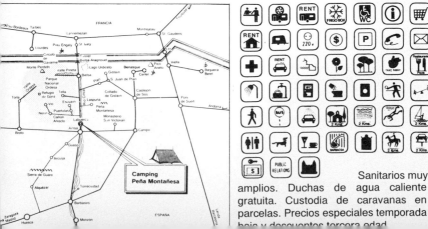

Sanitarios muy
amplios. Duchas de agua caliente
gratuita. Custodia de caravanas en
parcelas. Precios especiales temporada
baja y descuentos tercera edad.

Camping
Peña Montañesa

BOLTAÑA   22340   Mapa pág. 14

HU-34 RPT **LA GORGA** Tel. 974-502357 1/3-10/10

1,8 Ha ■ 78 (45) ... TV ... BEBÉ WC ...

Acceso por el Km 444 de la ctra. N-260. Junto al rio. Actividades de montaña. Ambiente tranquilo y familiar.
VER ANUNCIO.

| P/N 400 | N/N 350 | A/N 400 | M/N 375 | C/N 425 | T/N 400 | AC/N 650 | EL 400 | PC | | ACI |

telf:(974)502357

La GORGA 2ª CAMPING

boltaña huesca españa

Situado en el pueblo de Boltaña, a 600m de altura. Paraje arbolado
en la orilla del rio ARA. Próximo a los valles de Pineta y Ordesa, del
Cañón de Añisclo y de Guara. Es un buen punto de partida para
excursiones a pie, en bici, a caballo, o en coche.

LA GORGA

HU-35 PT **BOLTAÑA** Tel. 974-502347 Fax 974-502023 1/1-30/12

6 Ha ■ 300 (97) ... 0,3 Km. ... BEBÉ WC ... x 55 ... m 7

Acceso por la ctra. N-260, Km.442, desvio en dirección Arcosa.VER ANUNCIO.

| P/N 425 | N/N 375 | A/N 450 | M/N 375 | C/N 450 | T/N 450 | AC/N 750 | EL 390 | PC | | PI ACI |

FISCAL   22373   Mapa pág. 13

HU-37 PT **RIBERA DEL ARA** Tel. 974-503035 1/3-31/10

2.6 Ha ■ 160 (60) ... 0,05 km ... BEBÉ WC ... x 60 ...

Acceso por la ctra. N-26O, km 463.

| P/N 400 | N/N 380 | A/N 400 | M/N 320 | C/N 420 | T/N 420 | AC/N 725 | EL 400 | PC | | PI ACI |

FISCAL — 22373 — Mapa pág. 13

HU-38 PT **EL JABALI BLANCO** Tel. 974-503074 Fax 974-503032 1/1-31/12

0.6 Ha 50 (70) 0.10Km

Se accede en el Km 463 de la ctra. N-260, en el pueblo de Fiscal.

P/N	N/N	A/N	M/N	C/N	T/N	AC/N	EL	PC		PI	ACI
400	380	400	320	420	400	725	400			PI	ACI

OTO — 22370 — Mapa pág. 13

HU-40 PT **OTO** Tel. 974-486075 1/4-15/10

2,3 Ha 215 (75) BEBÉ WC

Situado en una zona verde muy arbolada. Se accede desde Broto por camino vecinal hasta Oto. Para llegar a Broto tomar la N-260.

P/N	N/N	A/N	M/N	C/N	T/N	AC/N	EL	PC		ACI
400	375	400	375	425	400	675	400			ACI

TORLA — 22376 — Mapa pág. 13

HU-42 PT **ORDESA** Tel. 974-486146 Fax 974-486381 1/4-31/10

3.5 Ha 235 (60) BEBÉ WC

Situado a la salida del valle de Arazas. Está distribuido en tres terrazas bordeadas con setos. Se accede desde la N-260 (Barbastro-Ordesa) en dirección norte a 2 Km de Torla.

P/N	N/N	A/N	M/N	C/N	T/N	AC/N	EL	PC		PI	ACI
500	460	525	450	525	525	800	500			PI	ACI

HU-43 P **RIO ARA** Tel. 974-486248 1/4-31/10

1.1 Ha BEBÉ WC

Acceso atravesando el río Ara.

P/N	N/N	A/N	M/N	C/N	T/N	AC/N	EL	PC		ACI
400	375	400	375	475	475	700	400			ACI

HU-44 PT **VALLE DE BUJARUELO** SS-15/10

1.2 Ha 65 (60) WC

Se accede desde la ctra. al Parador de Ordesa. Desvío a Bujaruelo en el puente de los Navarros. No accesible para caravanas.

P/N	N/N	A/N	M/N	C/N	T/N	AC/N	EL	PC		ACI
400	365	400	250		475	625	450			ACI

HU-46 PT **SAN ANTON** Tel. 974-486063 SS-12/10

1,5 Ha WC

Situado en ctra. Torla-Ordesa. Terreno aterrazado. Precios 94

P/N	N/N	A/N	M/N	C/N	T/N	AC/N	EL	PC		ACI
350	300	350	300	474	350	500	350			ACI

VIU DE LINAS — 22378 — Mapa pág. 13

HU-48 PT **VIU** Tel. 974-486301 Fax 974-486301 1/1-31/12

1,2 Ha 100 (70) 0,1 Km WC

Acceso por la ctra. N-260, desvío a Viu.

P/N	N/N	A/N	M/N	C/N	T/N	AC/N	EL	PC		ACI
400	365	400	250	475	475	625	450			ACI

SABIÑANIGO — 22600 — Mapa pág. 13

HU-50 RPT **AURIN** Tel. 974-480231 Fax 974-483280 1/1-31/12

4 Ha 188 (90) WC

Situado en las afueras de Sabiñánigo en la ctra. N-330.

P/N	N/N	A/N	M/N	C/N	T/N	AC/N	EL	PC	
500	460	525	450	525	525	825	500		

El hecho de pertenecer a un club facilita las relaciones con los demás campistas.

BIESCAS   22630   Mapa pág. 13

HU-51   PT **EDELWEISS** Tel. 974-485084 15/6-15/9

4 Ha ■ 365

Situado en un prado muy arbolado. Se accede desde la C-136 en el Km 7 en dirección Ordesa. Coger un camino vecinal hacia el puerto de Cotefablo hasta el puente sobre el Gállego.

P/N	N/N	A/N	M/N	C/N	T/N	AC/N	EL	PC		ACI
500	460	525	450	525	525	875	500			

HU-52   RPT **LAS NIEVES** Tel. 974-485200 Fax 974-485200 1/1-31/12

3.2 Ha ■ 250 (80)   0,2 Km

Km 506 de la N-260, a 1 Km de Biescas, en el centro geográfico de Ordesa, Jaca, Formigal y Panticosa. Dto.20% en camping y estaciones de esquí, en temporada baja. Equipado para caravaning-nieve.VER ANUNCIO.

P/N	N/N	A/N	M/N	C/N	T/N	AC/N	EL	PC		PI	ACI
570	570	570	500	680	680	975	375				

ESCARRILLA   22660   Mapa pág. 13

HU-54   PT **ESCARRA** Tel. 974-487128 1/1-31/12

4.5 Ha ■ 240 (80)

Se encuentra en el Km 85 de la ctra. de Huesca a Francia.

P/N	N/N	A/N	M/N	C/N	T/N	AC/N	EL	PC		PI	ACI
500	475	525	475	525	525	850	500				

HUESCA   22004   Mapa pág. 13

HU-56   T **SAN JORGE** Tel. 974-227416 1/4-15/10

0.7 Ha ■ 71 (70)

Situado en un bosque claro pero de árboles frondosos. Las zonas se dividen por setos. Se accede por la variante entrada Sur, junto a las Piscinas Municipales.

P/N	N/N	A/N	M/N	C/N	T/N	AC/N	EL	PC		PI	ACI
425	375	425	375	450	450	725	375				

JACA   22700   Mapa pág. 13

HU-61   PT **PEÑA OROEL** Tel. 974-360215 15/6-15/9

5 Ha ■ 700 (80)

Situado en un prado rodeado de chopos, acacias, pinos, abetos y setos. En la ctra.C-134(Sabiñánigo-Jaca), a 25 Km de la frontera francesa y a 3 Km de Jaca. En pleno Pirineo.

P/N	N/N	A/N	M/N	C/N	T/N	AC/N	EL	PC		PI	ACI
500	450	525	450	525	525	875	500				

Si es usted miembro de un club, encontrará amigos en todas partes.

CANFRANC 22888 Mapa pág. 13

HU-64 **CANFRANC** Tel. 976-384762 1/6-30/9

2 Ha ■ 30 🌲 ☺ 🚻 WC 🍽 🛁 🍴 🏠 🔌

Situado en Canal Roya, ctra. N-330, Km 670. Precios 94

| P/N 390 | N/N 315 | A/N 390 | M/N 315 | C/N 390 | T/N 390 | AC/N 550 | EL 200 | PC | | ACI |

STA.CILIA DE JACA 22791 Mapa pág. 13

HU-66 ⛰ PT **PIRINEOS** Tel. 974-377351 1/4-30/9

5 Ha ■ 300 (80) 🌲 🏊 0,3 Km ☺ 🚿 🚻 🚼 WC 🍽 🛁 🍴 ♿ 🔌

🍴 ✕ 🔌 🏊 🛒 ➕ 🎾 ‖✕ 45

Situado en un bosque de robles junto a la ctra. N-240, Km 300. A 17 Km de Jaca y a 2 de Puente de la Reina.

| P/N 500 | N/N 460 | A/N 525 | M/N 430 | C/N 525 | T/N 525 | AC/N 850 | EL 490 | PC | | PI ACI |

HECHO 22720 Mapa pág. 13

HU-67 PT **BORDA BISALTICO** SS+1/7-31/8

5 Ha 🌲 🚻 WC 🍽 🛁 🍴 🔌

Situado en el valle de Hecho. Acceso por la ctra. a Oza, desvío a Gabardito. Precios 94

| P/N 300 | N/N 200 | A/N 100 | M/N 100 | C/N 300 | T/N 100 | AC/N | EL | PC | |

HU-68 ⛰ PT **SELVA DE OZA** Tel. 974-375168 Fax 974-375168 SS-15/6-15/9

2 Ha 🌲 🏊 0,02Km ☺ 🚻 🚼 WC 🍽 🛁 🍴 🔌 🍴 ✕ 🔌 ➕

Situado en un prado enmarcado por un camino y un arroyo, junto al hotel del mismo nombre. Se accede por la N-240 hasta Puente de la Reina. Desvío hacia Hecho, a 12,5 Km. Precios 94

| P/N 500 | N/N 500 | A/N 566 | M/N 450 | C/N 630 | T/N 565 | AC/N 720 | EL 500 | PC | 1900 | ACI |

HU-69 ⛰ PT **VALLE DE HECHO** Tel. 974-375361 Fax 974-375361 1/1-31/12

3 Ha ■ 200 (70) 🌲 🏊 0,35 Km ☺ 🚿 🚻 🚻 🚼 WC 🍽 🛁 🍴 ✕

🔌 🏠 🔌 ➕

Situado junto a la población de Hecho. Refugio con literas. Precios 1993. VER ANUNCIO.

| P/N 425 | N/N 325 | A/N 425 | M/N 325 | C/N 425 | T/N 425 | AC/N 600 | EL 425 | PC | 425 | PI ACI |

6

¿Conoce ya el lugar idóneo para sus vacaciones?

ZARAGOZA

ZARAGOZA 50007 Mapa pág. 24

Z-02 △ **CASABLANCA** Tel. 976-330322 1/1-31/12

7 Ha ■ 576

Situado en la ctra. Canal Imperial. Terreno vallado distribuido en varios niveles. Acceso por la N-II, salir en el Km 316-317 y seguir en dirección Valdefierro.

P/N	N/N	A/N	M/N	C/N	T/N	AC/N	EL	PC		PI	ACI
540	440	540	490	540	540	865	400			PI	ACI

SIGÜES 50682 Mapa pág. 13

Z-04 △ **PT MAR DEL PIRINEO** Tel. 948-887009 Fax 948-887177 1/5-30/9

2.9 Ha ■ 189

Situado en Tiermas, ctra. N-240, Km 318. Junto al pantano de Yesa. Posibilidad de deportes náuticos. Playa de

P/N	N/N	A/N	M/N	C/N	T/N	AC/N	EL	PC		PI
472	425	472	425	519	519	778	377			PI

Z-05 △ **SIGÜES** Tel. 948-887194 Fax 948-887177 SS+1/6-30/9

3.4 Ha ■ 167 (70)

En la ribera del pantano de Yesa, Km 321 de la N-240, cerca del Balneario de Tiermas. Club náutico. Escuela de vela. Amarres.

P/N	N/N	A/N	M/N	C/N	T/N	AC/N	EL	PC
377	330	377	330	401	401	566		

MEQUINENZA 50170 Mapa pág. 25

Z-08 △ **OCTOGESA** Tel. 976-464431 15/6-15/9

0.2 Ha ■ 20

Camping Municipal, situado en el casco urbano.

P/N	N/N	A/N	M/N	C/N	T/N	AC/N	EL	PC		PI	ACI
430	320	320	270	540	455	590	430			PI	ACI

CASPE 50700 Mapa pág. 24

Z-10 △ **RPT LAKE CASPE** Tel. 976-632486 Fax 976-632486 17/3-5/11

2,5 Ha ■ 166 (70)

Acceso desde la N-211, tramo de Caspe a Mequinenza. Junto al embalse de Mequinenza y a 14 Km. de Caspe. Pesca. Alquiler de barcas a motor.

P/N	N/N	A/N	M/N	C/N	T/N	AC/N	EL	PC		PI	ACI
400	325	350	300	495	450	595	450			PI	ACI

CALATAYUD 50300 Mapa pág. 23

Z-12 △ **CALATAYUD** Tel. 976-880592 15/3-15/10

1.7 Ha ■ 150

Situado en la ctra. N-II, Madrid-Barcelona, Km 239, a 3 Km de Calatayud y a 30 del Monaso de Piedra.

P/N	N/N	A/N	M/N	C/N	T/N	AC/N	EL	PC		PI	ACI
415	345	425	290	425	415	685	425			PI	ACI

NUEVALOS 50210 Mapa pág. 23

Z-14 △ **RPT LAGO PARK** Tel. 976-849038 1/4-30/9

3 Ha ■ 250 (70)

Situado cerca del Monasterio de Piedra. Acceso por la autovia Madrid-Zaragoza, salida Alhama de Aragón-Calatayud, dirección Nuévalos.

P/N	N/N	A/N	M/N	C/N	T/N	AC/N	EL	PC		PI	ACI
500	475	550	475	550	550	1100	500			PI	ACI

SAVIÑAN · 50299 · Mapa pág. 23

Z-15 · PT **SAVIÑAN PARC** · Tel. 976-825423 · Fax 976-825423

6 Ha ■ 218

Acceso por la autovía Madrid-Barcelona, Km 255, desvío a la ctra. El Frasno-Illueca, Km. 7. VER ANUNCIO.

P/N	N/N	A/N	M/N	C/N	T/N	AC/N	EL	PC		PI	ACI
415	330	415	330	415	415	660	415				

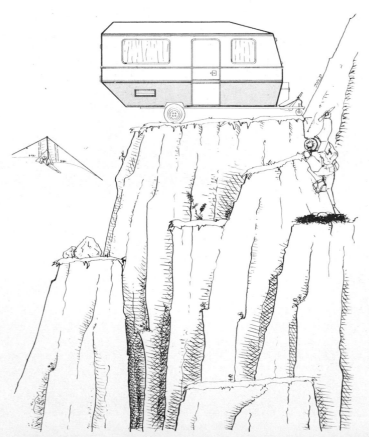

TERUEL

VIRGEN DE LA VEGA   44431   Mapa pág. 38

TE-03   RPT **LOS IGLUS**   Tel. 974-801167   1/1-31/12

4.5 Ha ■ 100 (70) _ ⊙ 🚐 🚻 🧼 WC 🪣 🚿 🛁 Ⓣ 🏠 ➰ ⊕ ‖✗ 7

🔥 4

Acceso por la N-234, salida Mora de Rubielos. Pistas de esquí de Valdelinares a 7 Km. con cañones de nieve artificial. Bungalows en forma de iglú. Juegos de supervivencia.

P/N	N/N	A/N	M/N	C/N	T/N	AC/N	EL	PC		ACI
300	275	300	275	475	350	600	500			

ALBARRACIN   44100   Mapa pág. 37

TE-05   T **CIUDAD DE ALBARRACIN**   Tel. 978-710197   1/4-30/10

0,8 Ha ■ 67 (60) _ ⊙ 🍽 🧺 BEBÉ WC 🪣 🚿 🌀 Ⓣ ➰ GAS 💳

Situado en las afueras de la ciudad.

P/N	N/N	A/N	M/N	C/N	T/N	AC/N	EL	PC		ACI
350	250	350	275	350	350	600	300			

BRONCHALES   44367   Mapa pág. 37

TE-08   **EL CIERVO**   1/7-15/9

■ 45 ⊙ 🍽 🧺 WC 💧

Area de Acampada.

P/N	N/N	A/N	M/N	C/N	T/N	AC/N	EL	PC	
236	142	330	95	330	330	377	189		

Asturias

SERVICIOS TERRITORIALES DE TURISMO
(985)   5242527

CRUZ ROJA ESCUCHA PERMANENTE
(985)   215447

GUARDIA CIVIL DE TRAFICO
(985)   281797

GUARDIA CIVIL PATRULLAS
(985)   221100

ASTURIAS

| LA FRANCA | 33590 | Mapa pág. 9 |

O-002 MRPT **LAS HORTENSIAS** Tel. 98-5412442 Fax 98-5412153 9/6-10/9

2.8 Ha ■ 185 (65) 🌲 ⊙ 🚿 🗑 WC 🍴 🚿 🛒 🖼 ⌂ ⊺ ✕ ⤏ ⛽

Acceso por la N-634, Km 286. Desvío playa de La Franca, al final de la ctra.VER ANUNCIO.

| P/N | 495 | N/N | 485 | A/N | 485 | M/N | 475 | C/N | 645 | T/N | 485 | AC/N | 875 | EL | 350 | PC | | |

O-003 MR **PLAYA DE LA FRANCA** Tel. 98-5412222 1/1-31/12

1.5 Ha ■ 140 (60) 🌲 ⊙ 🗑 WC 🛒 🖼 ✕ ⤏ ⛽ ➕ ⛺ 1 4
Ctra. N-634, Km 79. Desvío playa de La Franca. Precios 94

| P/N | 400 | N/N | 300 | A/N | 400 | M/N | 300 | C/N | 400 | T/N | 400 | AC/N | 550 | EL | | PC | | | ACI |

| VIDIAGO | 33597 | Mapa pág. 9 |

O-006 M **LA PAZ** Tel. 98-5411012 Fax 98-5411235 1/6-17/9

10.7 Ha ■ 434 🌲 ⊙ 🗑 ⌂ WC 🍴 🚿 🛒 🖼 ⊺ ✕ ⌂ ⤏ ⛽ ➕

🚗
Situado en una pendiente y distribuido en terrazas con una hermosa vista sobre el mar. Acceso por la ctra. Irun-A Coruña, Km 293.

| P/N | 495 | N/N | 445 | A/N | 495 | M/N | 425 | C/N | 610 | T/N | 495 | AC/N | 860 | EL | 350 | PC | | | |

| LLANES | 33500 | Mapa pág. 9 |

O-008 PT **RIO PURON** Tel. 98-5417199 Fax 98-5417199 15/6-15/9

2.8 Ha ■ 300 (50) 🌲 🏖 0.60Km ⊙ 🚿 🗑 ⌂ BEBÉ WC 🍴 🚿 🛒 🖼 ⌂ ⊺
✕ ⤏ ⛽ ⛲ ➕ 🚲
Situado a 5 Km de Llanes, junto a la ctra. N-634 (Santander-Oviedo), Km 296.VER ANUNCIO.

| P/N | 470 | N/N | 375 | A/N | 375 | M/N | 340 | C/N | 500 | T/N | 500 | AC/N | 725 | EL | 345 | PC | | PI | ACI |

O-009 **LAS BARCENAS** Tel. 98-5401570 Fax 98-5408175 SS-1/6-30/9

2 Ha ■ 175 🌲 🏖 0.70Km ⊙ 🗑 ⌂ WC 🍴 🛒 🖼 ⌂ ⤏ ⛽
➕ 🏕 8
Situado a la entrada del casco urbano, rodeado de arbolado y en la orilla del río Camacedo.

| P/N | 400 | N/N | 300 | A/N | 375 | M/N | 250 | C/N | 650 | T/N | 600 | AC/N | 700 | EL | 275 | PC | | 1500 | ACI |

| LLANES | 33500 | Mapa pág. 9 |

O-010   PT   **EL BRAO**   Tel. 98-5400014   15/3-30/9

2.7 Ha ■ 400 (60) 🏕   0.7 Km   WC

Acceso por la ctra. N-634 en dirección Oviedo por el Km 301 y continuar hasta Llanes. Desviarse 200 m en dirección a Cue.

P/N	400	N/N	350	A/N	400	M/N	350	C/N	550	T/N	550	AC/N	900	EL	250	PC		ACI

O-011   M   **ENTRE PLAYAS**   Tel. 98-5400888   SS+1/6-1/10

0.4 Ha ■ 122 (50) 🏕 WC

Situado entre las playas de Puerto Rico y Toro.

P/N	365	N/N	350	A/N	365	M/N	325	C/N	475	T/N	365	AC/N	700	EL	275	PC		1600

O-012   RPT   **PALACIO DE GARAÑA**   Tel. 98-5410487   Fax 98-5410487   1/5-15/9

1.8 Ha ■ 165 (50) 🏕   1 Km   WC

Acceso por la ctra. N-634 Santander-Oviedo, Km 319, dirección mar. En la Ruta Jacobea.

P/N	525	N/N	475	A/N	475	M/N	400	C/N	625	T/N	525	AC/N	850	EL	300	PC		PI	ACI

| POO DE LLANES | 33509 | Mapa pág. 9 |

O-015   **LAS CONCHAS**   Tel. 98-5402290   1/1-31/12

2.9 Ha ■ 234 (60) 🏕   0.10Km   WC

Situado en la ctra. de Posada, Km. 2.

P/N	350	N/N	275	A/N	350	M/N	250	C/N	500	T/N	500	AC/N	750	EL	300	PC	

| CELORIO | 33595 | Mapa pág. 9 |

O-018   M   **MARIA ELENA**   Tel. 98-5400028   1/4-30/9

2.7 Ha ■ 207 🏕 WC

Acceso por la ctra. N-634 en el Km 102, desvío a la dcha. hacia Celorio, cruzar la población y girar a la izqda., dirección mar.

P/N	445	N/N	355	A/N	355	M/N	320	C/N	475	T/N	475	AC/N	675	EL	320	PC	

O-019   MPT   **PLAYA DE TROENZO**   Tel. 98-5401672   SS-31/10

2.5 Ha ■ 300 🏕   WC

Situado junto a un cerro, en la playa de Troenzo y a 200 m de la playa del Borizo, entre Barro y Celorio.

P/N	440	N/N	400	A/N	390	M/N	250	C/N	515	T/N	415	AC/N	665	EL	300	PC		1800	ACI

RIBADESELLA   33560   Mapa pág. 9

O-021   T   **LOS SAUCES**   Tel. 98-5861312   SS+15/6-25/9

2 Ha ■ 128   0.50Km   8

Ubicado en el valle S. Pedro. Rodeado de bosques. Acceso por la ctra. de la playa a 600 m de la playa de Sta. Marina y a 1,5 Km del puente del Sella.

P/N	N/N	A/N	M/N	C/N	T/N	AC/N	EL	PC		ACI
425	380	380	310	475	425	725	275			

NUEVA DE LLANES   33592   Mapa pág. 9

O-023   **CALORES**   Tel. 98-5410336   SS+15/6-15/9

1.2 Ha ■ 50   1.20Km

Situado en Nueva de Llanes.

P/N	N/N	A/N	M/N	C/N	T/N	AC/N	EL	PC		ACI
283	236	236	142	330	283	425	236			

BARRO   33595   Mapa pág. 9

O-025   MPT   **SORRAOS**   Tel. 98-5401161   1/4-30/9

1.25 H ■ 130 (60)

Prado llano, junto a la playa. Acceso desde Oviedo por la N-634 en el Km 104, en dirección Celorrio.

P/N	N/N	A/N	M/N	C/N	T/N	AC/N	EL	PC		
325	250	350	300	400	400	600	250			1650

RIBADESELLA   33560   Mapa pág. 9

√ 26/8/99 - 30/8/99

O-026   PT   **PLAYA DE VEGA**   1/7-15/9

0.9 Ha ■ 77 (40)   0.4 Km

Acceso por la N-632, Km 7, desvío a la playa de Vega a 7 Km. de Ribadesella dirección Gijon.

P/N	N/N	A/N	M/N	C/N	T/N	AC/N	EL	PC		
300	250	250	250	450	450	600	200			1000

O-027   PT   **RIBADESELLA**   Tel. 98-5858293   SS-30/9

4 Ha ■ 125 (70)   1 Km   BEBE   WC

Acceso por la ctra. de Gijon, cerca de la población de Sebreño.

P/N	N/N	A/N	M/N	C/N	T/N	AC/N	EL	PC	PI	ACI
500	400	400	350	575	500	790	300			

CARAVIA   33343   Mapa pág. 8

O-030   PT   **CARAVIA**   Tel. 98-5853216   1/6-15/9

1.2 Ha ■ 90 (60)   0.20Km

Situado en Caravia Baja. Acceso por la ctra. N-632, Km. 19 desvío a la playa La Espasa.

P/N	N/N	A/N	M/N	C/N	T/N	AC/N	EL	PC		ACI
465	400	465	400	675	465	930	350			

CARAVIA ALTA   33344   Mapa pág. 8

O-031   PT   **ARENAL DE MORIS**   Tel. 98-5853097   Fax 98-5853050   SS+1/6-19/9

5 Ha ■ 397 (70)   0.15Km

Acceso: Por la ctra. N-632, Km. 14, desvío 1,5 Km. en dirección mar, entre Ribadesella y Mirador del Fitu.

P/N	N/N	A/N	M/N	C/N	T/N	AC/N	EL	PC	PI	ACI
440	390	390	300	490	440	750	290			

COLUNGA   33320   Mapa pág. 8

O-033   MPT   **COSTA VERDE**   Tel. 98-5856373   SS+1/6-30/9

2.1 Ha ■ 93 (64)

Puerto pesquero y playa segura. Acceso por la ctra. N-632, km 24. Precios 94

P/N	N/N	A/N	M/N	C/N	T/N	AC/N	EL	PC	
410	350	350	300	460	410	725	250		

VILLAVICIOSA   33300   Mapa pág. 8

O-036   M   **FIN DE SIGLO**   Tel. 98-5876535   SS+15/6-15/9

0,9 Ha ■ 91 (50)

Situado en Rodiles. Acceso por la N-632 con desviación señalizada en la playa.

P/N	N/N	A/N	M/N	C/N	T/N	AC/N	EL	PC		
450	335	450	335	520	520	850	325			2000

VILLAVICIOSA   33300   Mapa pág. 9

O-037   PT   **LA ENSENADA** Tel. 98-5890157 1/1-31/12

0.6 Ha 58 (60) 0,03 Km WC

Playa de Rodiles. Ctra. N-632.

P/N	N/N	A/N	M/N	C/N	T/N	AC/N	EL	PC
250	160	200	100	420	350	420	100	

O-038   **PORREU DE LA BARCA** Tel. 985-890361 15/5-15/9

0,03 Km 15 (48) 0,03 Km WC

P/N	N/N	A/N	M/N	C/N	T/N	AC/N	EL	PC	
350	200	300			450				1100

O-039   **NERY** 1/6-30/9

0.2 Ha 17 0,2 Km WC

Acceso por la N-634, desvío playa de Rodiles.

P/N	N/N	A/N	M/N	C/N	T/N	AC/N	EL	PC
425	377	200	142	520	377	472	236	

O-040   M   **PLAYA ESPAÑA** Tel. 98-5894273 1/3-30/9

1.8 Ha 99 (50) WC

Acceso por la ctra. N-632, desviación a Quintes. Rodeado de arbolado y grandes praderas.

P/N	N/N	A/N	M/N	C/N	T/N	AC/N	EL	PC
450	325	300	250	425	425	650	300	

GIJON   33394   Mapa pág. 9

O-043   RPT   **CAMPING MUNICIPAL DEVA** Tel. 98-5133848 Fax 98-5133889 SS+1/6-30/9

7,7 Ha. 423 (70) WC

Situado en el barrio de Deva, a 4 Km de la playa de S. Lorenzo. Acceso por N-632 Gijon-Villaviciosa, km 64,875.

P/N	N/N	A/N	M/N	C/N	T/N	AC/N	EL	PC		
495	450	495	400	590	485	800	300		PI	ACI

O-044   **GIJON** Tel. 98-5365755 1/6-30/9

1 Ha 83 (52) 0,5 Km WC

Ubicado en Gijon. Las Caserías-Somio.

P/N	N/N	A/N	M/N	C/N	T/N	AC/N	EL	PC		
425	300	325	200	450	450	450	250		1500	ACI

PERLORA   33491   Mapa pág. 8

O-046   PT   **BUENAVISTA** Tel. 98-5871793 15/6-15/9

2,5 159 (60) 0.05Km TV WC

Ubicado en Candas. Dormon-Perlora. Del 1/10 al 30/9, sólo fines de semana. Acceso por la ctra. Gijon-Avilés.

P/N	N/N	A/N	M/N	C/N	T/N	AC/N	EL	PC		
445	315	375	275	475	475	775	300		1500	ACI

CANDAS   33430   Mapa pág. 8

O-048   PT   **PERLORA** Tel. 98-5870048 1/1-31/12

1.4 Ha 88 0.20Km WC

Ubicado en Candas, ctra. Gijon-Candas, Km 12. Acceso por la autopista de Avilés, salida Candas. Bello paisaje típico de la región. Playa de arena.

P/N	N/N	A/N	M/N	C/N	T/N	AC/N	EL	PC
450	200	375	225	450	400	690	265	

LUANCO   33440   Mapa pág. 8

O-050   PT   **EL PEÑOSO** Tel. 98-5880164 15/5-15/9

0,5 Ha 48 WC

Situado en la ría de Antromero Gozón, Km 2 de la ctra. de Candas. Praderas y acantilados. Zonas arboladas con eucaliptos. Playas rocosas.

P/N	N/N	A/N	M/N	C/N	T/N	AC/N	EL	PC
360	290	315	265	420	395	735	250	

BAÑUGUES   33448   Mapa pág. 8

O-052   MRPT   **EL MOLINO**   Tel. 98-5880785   15/5-15/9

3,3 Ha ■ 274 (60)   0,2 Km   ... WC ... 16

Acceso por la ctra. Avilés-Luanco, Km 12. Desvío a la izqda. dirección cabo Peñas a 1,5Km de Luanco.

P/N	N/N	A/N	M/N	C/N	T/N	AC/N	EL	PC
425	320	350	300	460	440	690	350	

STA.MARIA DEL MAR   33457   Mapa pág. 8

O-054   **LAS GAVIOTAS**   Tel. 98-5507161   Fax 98-5533123   SS+15/6-15/9

3,4 Ha ■ 231 (70)   0.20Km   ... WC ...

Situado en el Paseo Marítimo.

P/N	N/N	A/N	M/N	C/N	T/N	AC/N	EL	PC
425	375	375	325	475	475	800	275	

CASTRILLON   33727   Mapa pág. 8

O-057   T   **BAHINAS**   Tel. 98-5519678   1/6-15/9   2

0.7 Ha ■ 39 (52)   ... WC ...

Ubicado en Castrillón, playa de Bahinas, Km 5. Ramal Piedras Blancas a Carcedo.

P/N	N/N	A/N	M/N	C/N	T/N	AC/N	EL	PC
275	200	210	200	325	325	600		

O-058   **LAS LUNAS**   Tel. 98-5519771   SS+1/6-30/9

2,7 Ha ■ 176   0.40Km   ... WC ...

Ubicado en Castrillón, Sta. Maria del Mar-Naveces.

P/N	N/N	A/N	M/N	C/N	T/N	AC/N	EL	PC		
303	278	278	195	425	373	561	236		472	PI

CUDILLERO   33150   Mapa pág. 8

O-061   PT   **L'AMURAVELA**   Tel. 98-5590995   Fax 98-5590995   SS+1/6-18/9

2.5 Ha ■ 165 (70)   2,5 Km   ... WC ... 6

Situado en la N-632 a la entrada de El Pito-Cudillero, en un tranquilo recinto amurallado. Muy cerca de Cudillero y de la playa de Aguilar.

P/N	N/N	A/N	M/N	C/N	T/N	AC/N	EL	PC		
425	375	425	300	475	450	775	300			ACI

O-062   RPT   **CUDILLERO**   Tel. 98-5590663   Fax 98-5590663   SS+1/6-20/9

2 Ha ■ 146 (60)   1 Km   ... BEBÉ WC ... 4

Acceso por la N-632, entrada por El Pito (Cudillero), con desviación a la playa de Aguilar. Totalmente parcelado y ajardinado. Programa de rutas y actividades.

P/N	N/N	A/N	M/N	C/N	T/N	AC/N	EL	PC		
400	375	425	300	475	450	750	300		2000	ACI

O-063   PT   **C.DE ARTEDO LOS PRADONES**   Tel. 98-5591108   SS+20/6-20/9

1,5 Ha ■ 75   0.60Km   ... WC ...

Acceso por la ctra. N-632, dirección playa de Artedo.

P/N	N/N	A/N	M/N	C/N	T/N	AC/N	EL	PC
274	189	274	189	354	283	425	212	

O-064   **YOLIMAR**   Tel. 98-5590472   SS+1/6-30/9

0.6 Ha ■ 40 (50)   1.00Km   ... WC ...

En el Km. 126 de la ctra. N-632. Playa de Artedo.

P/N	N/N	A/N	M/N	C/N	T/N	AC/N	EL	PC	
245	150	225	225	300	300	300			200

SOTO DE LUIÑA   33156   Mapa pág. 8

O-067   PT   **SAN PEDRO DE BOCAMAR**   Tel. 98-5597258   SS+1/6-30/9

2.6 Ha ■ 203 (50)   0,05 Km   ... WC ...

Acceso desde Soto de Luiña (Cudillero). Tomar dirección a la playa de S. Pedro de Rocamar (2 Km) junto a la playa.

P/N	N/N	A/N	M/N	C/N	T/N	AC/N	EL	PC	
354	330	354	259	425	354	566	236		1500

CADAVEDO 33788   Mapa pág. 8

O-069   PT **LA REGALINA**   Tel. 98-5645056   1/6-30/9

1 Ha 80 (60)   1 Km   WC   10   1

Ubicado en la ctra. playa de Cadavedo. Se accede por la N-632 a la altura del Km 154.

P/N	395	N/N	335	A/N	345	M/N	250	C/N	495	T/N	400	AC/N	685	EL	275	PC			ACI

LUARCA 33700   Mapa pág. 8

O-072   RPT **LOS CANTILES**   Tel. 98-5640938   1/1-31/12

2,3 Ha 138 (50)   .0,70Km   WC

Acceso por la N-634, Km 502,7, junto a gasolinera. Dirección al mar por la O-754 a Luarca por el faro.

P/N	375	N/N	300	A/N	375	M/N	200	C/N	475	T/N	375	AC/N	650	EL	250	PC			ACI

O-073   RPT **PLAYA DE TAURAN**   Tel. 98-5641272   Fax 98-5641272   SS+1/5-30/9

4 Ha 150 (70)   0.2 Km   WC   2   5

Situado sobre el acantilado, a 2,5 Km de Luarca. Acceso por la ctra. N-634, desvío en el Km 508. Camping rural con espacios silvestres.

P/N	350	N/N	325	A/N	350	M/N	200	C/N	475	T/N	400	AC/N	650	EL	275	PC			PI	ACI

O-074   PT **PLAYA DE OTUR**   Tel. 98-5640117   Fax 98-5640117   1/4-30/9

1,35 Ha 112 (70)   0.50Km   WC   3

Acceso por el Km. 511 de la ctra. N-634.

P/N	350	N/N	300	A/N	350	M/N	200	C/N	475	T/N	375	AC/N	650	EL	250	PC			ACI

NAVIA 33710   Mapa pág. 8

O-077   **CALIMA**   Tel. 98-5631408   1/6-30/9

0,7 Ha. 44   0,15 Km   WC

Situado en la playa de Navía.

P/N	375	N/N	325	A/N	375	M/N	250	C/N	500	T/N	400	AC/N	575	EL	225	PC		1500	ACI

AVIN 33556   Mapa pág. 9

O-079   **PICOS DE EUROPA**   Tel. 98-5844070   1/1-31/12

1.5 Ha 82   WC   X

Situado en la ctra. de Cangas de Onis a Cabrales, Km. 16.VER ANUNCIO. Precios 94

P/N	450	N/N	400	A/N	400	M/N	350	C/N	550	T/N	550	AC/N	650	EL	350	PC			PI	ACI

TAPIA DE CASARIEGO   33740   Mapa pág. 8

O-081   PT **EL CARBAYIN** Tel. 98-5623709 1/1-31/12

0.7 Ha ■ 65   0.9 Km WC

Situado a 3 Km de Tapia de Casariego. Se accede por la desviación a la playa de Serantes en el Km 547 de la ctra. N-634.

| P/N 330 | N/N 283 | A/N 307 | M/N 260 | C/N 425 | T/N 354 | AC/N 425 | EL 236 | PC | | ACI |

O-082   **PLAYA DE TAPIA** Tel. 98-5472721 1/6-15/9

1.6 Ha ■ 126 (80)   0.10Km WC

| P/N 410 | N/N 360 | A/N 395 | M/N 295 | C/N 540 | T/N 440 | AC/N 675 | EL 330 | PC | | ACI |

VALDEPARES   33746   Mapa pág. 8

O-084   **A GRANDELLA** 15/6-15/9

  0,6 Km WC

| P/N 375 | N/N 325 | A/N 400 | M/N 225 | C/N 475 | T/N 400 | AC/N 675 | EL | PC | | |

LA CARIDAD   33750   Mapa pág. 8

O-085   **CASTELLO** Tel. 98-5478277 1/6-30/9

0,3 Km ■ 25 (60) WC

Situado en el Km 532 de la ctra. N-634, Santander-A Coruña.

| P/N 375 | N/N 300 | A/N 350 | M/N 200 | C/N 500 | T/N 400 | AC/N 700 | EL 250 | PC | | ACI |

CASTROPOL   33794   Mapa pág. 9

O-087   PT **PLAYA DE PEÑARRONDA** Tel. 98-5623022 1/4-30/9

1.4 Ha ■ 125 (60) 0.20Km WC

Acceso por la N-640 en el Km 40, cruce de Bares. Seguir por la N-634. Situado en las proximidades del puente de Los Santos, dirección Figueras.

| P/N 410 | N/N 360 | A/N 395 | M/N 295 | C/N 530 | T/N 440 | AC/N 675 | EL 330 | PC | 1500 | ACI |

O-088   **LA VIÑA** Tel. 98-5623280 1/7-30/9

0.5 Ha ■ 36 (70) 2 Km WC

Situado junto a la ctra. N-640, Km. 0, margen derecho, dirección Lugo.

| P/N 375 | N/N 330 | A/N 375 | M/N 283 | C/N 520 | T/N 375 | AC/N 660 | EL 330 | PC | | ACI |

SAN TIRSO DE ABRES   33774   Mapa pág. 7

O-091   PT **AMAIDO** Tel. 98-5476394 1/1-31/12

1,5 Ha ■ 80 (60)   1 Km WC

Acceso por la ctra. N-640 desvío hacia El Llano a la altura de San Tirso. Situado en zona rural, a orillas del río Eo.VER ANUNCIO.

| P/N 425 | N/N 375 | A/N 400 | M/N 300 | C/N 400 | T/N 475 | AC/N 700 | EL 300 | PC | 450 | ACI |

PUERTO DE VEGA   33790   Mapa pág. 9

O-094   **EL ANCLA** Tel. 98-5648205 SS-25/6-20/9

0.7 Ha ■ 51 (70) 2 Km WC

Se accede por el Km 515 de la N-634.

| P/N 360 | N/N 300 | A/N 400 | M/N 260 | C/N 475 | T/N 475 | AC/N 475 | EL 275 | PC | | ACI |

ARRIONDAS 33540 Mapa pág. 9

O-096 ⚠ **SELLA** Tel. 98-5840968 SS+15/6-15/9

11 Ha ■ 126 (60) 🌲 ⊙ 🛁 ⌐ WC 🧺 🚿 ⌣ Ⴤ ✕ ⛏ 🔥 ⛽ ⛴

Acceso por la N-634, Arriondas. A media distancia entre los lagos de Covadonga, Picos de Europa y playa de Ribadesella.

P/N	480	N/N	400	A/N	400	M/N	330	C/N	610	T/N	610	AC/N	700	EL	325	PC		

SOTO DE CANGAS 33589 Mapa pág. 9

O-098 ⚠ PT **COVADONGA** Tel. 98-5940097 SS+1/6-30/9

2 Ha ■ 145 (50) 🌲 ▭ 🚗 0,05 Km ⊙ 🚐 🛁 ⌐ WC 🧺 🧺 🚿 Ⴤ ✕ ⛪ 🔥 🔥
➕ 🚶 🚲

Situado en el Km. 4 de la ctra. Cangas de Onis-Panes, a 100 m cruce de Covadonga.

P/N	525	N/N	425	A/N	400	M/N	375	C/N	700	T/N	535	AC/N	600	EL	350	PC			ACI

ARBON 33718 Mapa pág. 8

O-100 ⚠ **LA CASCADA** 1/1-31/12

1.1 Ha ■ 118 (50) 🌲 ⊙ 🛁 ⌐ ⌐ WC 🧺 🚿 Ⴤ ✕ 🔥 ⛽ 🛶 🏊

Acceso por la ctra. Navia-Villayon, a 11 Km de Navia. A 50 m hay un pantano, entre montañas apto para deportes náuticos.

P/N	250	N/N	200	A/N	225	M/N	200	C/N	350	T/N	250	AC/N	425	EL	200	PC		PI	ACI

ARENAS DE CABRALES 33554 Mapa pág. 9

✓ 30/8/99 -

O-103 ⚠ RPT **NARANJO DE BULNES** Tel. 98-5846578 1/3-31/10

2 Ha. ■ 275 (60) 🌲 ▭ ⊙ 🚗 🛁 ⌐ BEBÉ WC 🧺 🚿 🚿 📷 Ⴤ ✕ ⛪ 🔥 🔥
🛶 🏠 1 🚲 💳

Ubicado en Arenas (Las Vegas). Acceso por la ctra. 6312 (Cangas de Onis-Panes), Km 32,3. En el margen del río Cares (truchero y salmonero) y en pleno corazón de los Picos de Europa.

P/N	575	N/N	520	A/N	520	M/N	425	C/N	650	T/N	575	AC/N	800	EL	330	PC			ACI

CABAÑAQUINTA 33686 Mapa pág. 9

O-106 ⚠ PT **LA BRAÑA** Tel. 98-5487377 1/1-31/12

0.5 Ha ■ 72 (45) 🌲 ▭ ⊙ 🛁 ⌐ WC 🧺 🚿 Ⴤ ✕ 🔥 🔥 ⛽ ➕ 🎾

Situado junto a la estación invernal de S. Isidro.

P/N	300	N/N	250	A/N	250	M/N	300	C/N	300	T/N	300	AC/N	300	EL		PC		300	ACI

POLA DE SOMIEDO 33840 Mapa pág. 8

O-110 ⚠ PT **LAGOS DE SOMIEDO** Tel. 98-5228027

0,9 Ha ■ 60 🌲 ▭ 🛁 ⌐ ⌐ WC 🧺 🚿 Ⴤ ✕ 🔥 ⛽ 🤸 ⚽ ⛺ 3

Situado en el Parque Natural de Somiedo.

P/N	345	N/N	292	A/N	371	M/N	265	C/N		T/N	371	AC/N	624	EL		PC			ACI

B A L E A R S

Balears

SERVICIOS TERRITORIALES DE TURISMO
(971)   712022
CRUZ ROJA ESCUCHA PERMANENTE
(971)   295000
GUARDIA CIVIL DE TRAFICO
(971)   292562
GUARDIA CIVIL PATRULLAS
(971)   221100

BALEARS

| MALLORCA-MURO | 07440 | Mapa pág. 28 |

PM-01 ◬   **PLATJA BLAVA** Tel. 971-537863 1/1-31/12

4,4 Ha. ■ 250 (72) 🌲 ⛺ 0.20Km ☺ ⛉ ⌐ ⌐ WC 🚿 🚰 🛁 🚽 🍴 🏠 ⚓ ⚓ 🔥 🚑 🛶 ✚ 🚐 ⚲ ⚿ ⛁ 75 ▭

Llano, con chopos y álamos. Acceso en el Km 23,4 de la C-712 (Alcudia-Artà). A 1,5 Km de Can Picafort. Reserva natural próxima. Pájaros.

| P/N 400 | N/N 250 | A/N 500 | M/N 350 | C/N | T/N | AC/N | EL 550 | PC | | 2275 | PI |

| MALLORCA-ARTA | 07570 | Mapa pág. 28 |

PM-02 ◬   **C.C.SAN PEDRO** Tel. 971-589033 1/4-30/9

2 Ha ■ 204 (36) 🌲 ☺ ⛉ ⌐ ⌐ WC 🚿 🚰 🍴 ✕ 🏠 ⚓ ⚓ ⛁ 🛶 ✚ ⚿ ⚲ ⛁ 126

Situado en la Colonia de San Pedro. Precios 94

| P/N 470 | N/N 300 | A/N 625 | M/N 400 | C/N | T/N | AC/N | EL 330 | PC | | 1200 | ACI |

| IBIZA-SAN ANTONIO | 07820 | Mapa pág. 29 |

PM-04 ◬ PT   **CALA BASSA** Tel. 971-344599 1/5-30/9

0.8 Ha 🌲 ⛺ 0.10Km ☺ ⛉ ⌐ ⌐ WC 🚿 🛁 🚽 🍴 ✕ 🏠 ⚓ ⛁ ⚲ ⚿

| P/N 375 | N/N 235 | A/N 375 | M/N 225 | C/N 375 | T/N 375 | AC/N 450 | EL 300 | PC | | | ACI |

PM-05 ◬   **SAN ANTONIO** Tel. 971-340536 1/4-30/9

0,9 Ha 🌲 ⛺ 0.20Km ⛉ ⌐ ⌐ WC 🚿 🚰 🍴 ✕ ⚓ ⛁ ⚲ 🛶 ⚿ ⛁ 34

Junto a la población, en el Km 14 de la ctra. Ibiza-S. Antonio, Sólo para tiendas. Alamos y pinos.

| P/N | N/N | A/N | M/N | C/N | T/N | AC/N | EL | PC | | PI | ACI |

| IBIZA-STA.EULALIA | 07840 | Mapa pág. 29 |

PM-07 ◬   **FLORIDA** Tel. 971-331774 1/4-31/10

0,6 Ha 🌲 ⛺ 0.10Km ☺ ⛉ ⌐ WC 🚿 🚰 🛁 🍴 ✕ ⛁ ⚿ ✚

Situado en la playa de Cala Nova. Se accede por la ctra. Sta. Eulalia-Es Cana. Dentro de esta población, desvío a la izquierda en dirección Cala Nova.

| P/N | N/N | A/N | M/N | C/N | T/N | AC/N | EL | PC | |

7

¿Qué ventajas ofrece una Mobil-Home?

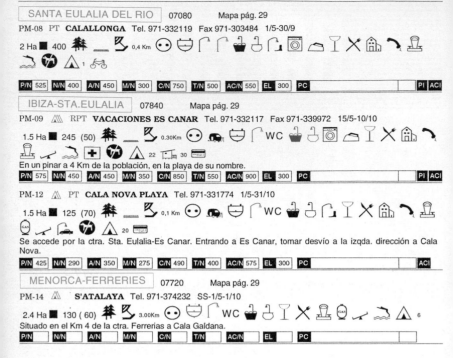

| SANTA EULALIA DEL RIO | 07080 | Mapa pág. 29 |

PM-08   PT   **CALALLONGA**   Tel. 971-332119   Fax 971-303484   1/5-30/9

2 Ha ■ 400   0,4 Km

| P/N 525 | N/N 400 | A/N 450 | M/N 300 | C/N 750 | T/N 500 | AC/N 550 | EL 300 | PC | | PI | ACI |

| IBIZA-STA.EULALIA | 07840 | Mapa pág. 29 |

PM-09   RPT   **VACACIONES ES CANAR**   Tel. 971-332117   Fax 971-339972   15/5-10/10

1.5 Ha ■ 245 (50)   0.30Km   WC   22   30

En un pinar a 4 Km de la población, en la playa de su nombre.

| P/N 575 | N/N 450 | A/N 450 | M/N 350 | C/N 850 | T/N 550 | AC/N 900 | EL 300 | PC | | PI | ACI |

PM-12   PT   **CALA NOVA PLAYA**   Tel. 971-331774   1/5-31/10

1.5 Ha ■ 125 (70)   0,1 Km   WC   20

Se accede por la ctra. Sta. Eulalia-Es Canar. Entrando a Es Canar, tomar desvío a la izqda. dirección a Cala Nova.

| P/N 425 | N/N 290 | A/N 350 | M/N 275 | C/N 490 | T/N 400 | AC/N 575 | EL 300 | PC | | | ACI |

| MENORCA-FERRERIES | 07720 | Mapa pág. 29 |

PM-14   **S'ATALAYA**   Tel. 971-374232   SS-1/5-1/10

2.4 Ha ■ 130 (60)   3.00Km   WC   6

Situado en el Km 4 de la ctra. Ferrerias a Cala Galdana.

| P/N | N/N | A/N | M/N | C/N | T/N | AC/N | EL | PC |
| | | | | | | | | |

Los clubs están a su disposición para proporcionarle toda la información referente a la práctica del camping y caravaning.

PANORAMA del mundo del **caravaning**

REVISTA RECOMENDADA POR LA FECC Y LA UCC.
PORTAVOZ DE OREMCAR.

400 Ptas.
Nº 94 FEBRERO MARZO'95

⑤

¿Quiere conocer los campings de su comarca?

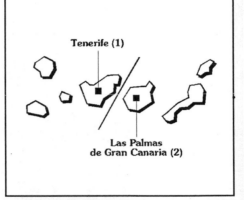

Tenerife (1)

Las Palmas
de Gran Canaria (2)

1	2
SERVICIOS TERRITORIALES DE TURISMO	
(922) 287254	(928) 363112
CRUZ ROJA ESCUCHA PERMANENTE	
(922) 282924	(928) 245921
GUARDIA CIVIL DE TRAFICO	
(922) 283653	(928) 315575
GUARDIA CIVIL PATRULLAS	
(922) 251100	(928) 221100

GRAN CANARIA

PLAYA DE TAURO-MOGAN   35158   Mapa pág. 61

GC-01 △ **GUANTANAMO** Tel. 928-560207   1/1-31/12

4 Ha ■ 750 (60)

Junto a la playa de Tauro. Ctra. C-812 (Las Palmas-Mogan). Parque de plantas autóctonas. Precios 94

P/N	N/N	A/N	M/N	C/N	T/N	AC/N	EL	PC			PI
300	215	300	215	350	350	400	250				

AGUIMES   35260   Mapa pág. 61

GC-02 △ **TEMISAS** Tel. 928-798149   1/1-31/12

Ubicado en una zona montañosa con eucaliptos, mimosas y otros árboles. Se accede por la ctra. general y desvío por pista particular.

P/N	N/N	A/N	M/N	C/N	T/N	AC/N	EL	PC	

S.BARTOLOME TIRAJANA   35290   Mapa pág. 61

GC-03 △ R **C.C.PASITO BLANCO** Tel. 928-142196   1/1-31/12

4 Ha ■ 208 (70)

Junto a la ctra. Las Palmas-Mogan.

P/N	N/N	A/N	M/N	C/N	T/N	AC/N	EL	PC		PI	ACI
325	150	300		550		800					

TENERIFE

ARONA   38627   Mapa pág. 61

TF-02 △ PT **NAUTA** Tel. 922-785118   Fax 922-795016   1/1-31/12

2 Ha ■ 200 (65)   40

Situado en el centro geográfico del sur de la isla de Tenerife, rodeado de platanales e invernaderos de plantas tropicales.

P/N	N/N	A/N	M/N	C/N	T/N	AC/N	EL	PC		PI	ACI
340	236	340	240	472	340	519	236				

Cantabria

SERVICIOS TERRITORIALES DE TURISMO

(942) 212425

CRUZ ROJA ESCUCHA PERMANENTE

(942) 273058

GUARDIA CIVIL DE TRAFICO

(942) 236812

GUARDIA CIVIL PATRULLAS

(942) 221100

CANTABRIA

CASTRO URDIALES   39700   Mapa pág. 11

S-01 △△ P **PLAYA ARENILLAS** Tel. 942-863152 1/4-30/9

3 Ha ■ 303 (60) 🌲 📐 0.10Km ⊙ 🛁 ⌐ ⌐WC 🚿 🔧 🔌 ▣ 🍸 ✕ 🔌 🏮 ⚙ 🛶 ➕ ♿ ▭

A 50 m ctra. Bilbao-Santander, a 8 Km de Castro Urdiales y a 16 Km de Laredo, ciudades turísticas y monumentales, cuevas del Castillo y Altamira.VER ANUNCIO.

P/N	N/N	A/N	M/N	C/N	T/N	AC/N	EL	PC		
510	450	600	450	700	700	1300	350	🚗 🏍		1300

ORIÑON   39797   Mapa pág. 11

S-03 △△ MT **ORIÑON** Tel. 942-878630 1/4-30/9

2,2 Ha. ■ 298 (60) 🌲 ___ ___ ⊙ 🚐 🛁 ⌐WC 🚿 🔧 ▣ 🍸 ✕ 🔌 🏮 ⚙ 🛶 ➕

Acceso por el Km. 161 de la ctra. N-634 (Bilbao-Santander), girar hacia el mar. Bahía rodeada de altas rocas y escarpada.

P/N	N/N	A/N	M/N	C/N	T/N	AC/N	EL	PC		
475	375	500	300	475	475	950	350			975 ACI

LAREDO   39770   Mapa pág. 11

S-05 △△ **LAREDO** Tel. 942-605035 SS+1/6-15/9

3.7 Ha ■ 330 (65) 🌲 📐 0.50Km ⊙ 🛁 ⌐WC 🚿 🔧 🔌 ▣ 🍸 🔌 🏮 ⚙ 🛶 ≋ ➕ 🚗

Ubicado en Laredo. Acceso por la ctra. Irun-A Coruña. Arbolado de chopos y zonas verdes. Playas protegidas y vigiladas.

P/N	N/N	A/N	M/N	C/N	T/N	AC/N	EL	PC	
500	500								1300 ACI

S-06 △△ PT **CARLOS V** Tel. 942-605593 1/6-15/9

0.5 Ha ■ 60 (60) 🌲 ___ 📐 0.20Km ⊙ 🚐 🛁 ⌐WC 🚿 🔧 ▣ 🍸 🏠 🔌 🏮 ⚙ 🛶

Ubicado en Laredo, plaza de Carlos V. Se accede por la ctra. residencial a la playa.

P/N	N/N	A/N	M/N	C/N	T/N	AC/N	EL	PC				
500	450	500	250	500	500	900	300	🚗 🏍		3 🍴		1950 ACI

LAREDO   39770   Mapa pág. 11

S-07 MPT **PLAYA DEL REGATON** Tel. 942-606995 Fax 942-609995 1/5-1/10

1.5 Ha ■ 162 (70)

Acceso siguiendo por la Av. de la Victoria y en la plaza de Carlos V tomar la Av. de los Derechos Humanos.

P/N	465	N/N	400	A/N	200	M/N		C/N		T/N		AC/N		EL	300	PC		1000	ACI

S-08 **COSTA ESMERALDA** Tel. 942-603250 15/6-15/9

0.8 Ha ■ 95   0.10Km

Situado en la plaza de Carlos V. Precios 94

P/N	425	N/N	300	A/N	425	M/N	247	C/N		T/N		AC/N	550	EL	300	PC		1078	ACI

SANTOÑA   39740   Mapa pág. 10

S-10 M **PLAYA DE BERRIA** Tel. 942-662248 SS-1/6-3/9

0.6 Ha ■ 70

Ubicado en la playa Berria de Santoña.

P/N	415	N/N	360	A/N	415	M/N	360	C/N	625	T/N	575	AC/N	800	EL	325	PC		1200	

NOJA   39180   Mapa pág. 10

S-12 **ARGOS** Tel. 942-630222 9/4-30/9

2.2 Ha ■ 246   0.30Km

Situado en la ctra. de Beranga a Noja, Km 10.

P/N	550	N/N	450	A/N	600	M/N	350	C/N	600	T/N	600	AC/N	1200	EL	400	PC		1200	PI	ACI

S-13 PT **PLAYA DE RIS** Tel. 942-630415 SS-30/9

0.4 Ha ■ 45   0.05Km

Situado en Noja, a 50 m de la playa de Ris.

P/N	525	N/N	475	A/N	775	M/N	550	C/N		T/N	689	AC/N		EL		PC		1125	

S-14 MRPT **PLAYA JOYEL** Tel. 942-630081 Fax 942-631294 SS-30/9

14 Ha ■ 900 (70)

Situado en la playa de Ris-Noja.

P/N	630	N/N	525	A/N	630	M/N		C/N		T/N		AC/N		EL	340	PC		1375	PI	ACI

S-15 MPT **SUACES** Tel. 942-630324 9/4-30/9

0.8 Ha ■ 120

Situado en la playa de Ris. Se accede por la ctra. N-634, desvío en Gama-Beranga. Zonas verdes. Playas arenosas protegidas.

P/N	600	N/N	500	A/N	600	M/N		C/N		T/N		AC/N		EL	325	PC		1300	ACI

S-16 T **LOS MOLINOS** Tel. 942-630426 Fax 942-630725 SS+1/6-30/9

15 Ha ■ 800   0.30Km

Situado en Noja.

P/N	550	N/N	425	A/N	300	M/N	350	C/N	600	T/N	600	AC/N	1100	EL	350	PC		1100	PI

ISLA   39195   Mapa pág. 10

S-18 MRPT **PLAYA LA ARENA** Tel. 942-679359 Fax 942-679359 SS-30/9

1.2 Ha ■ 118

Situado en la playa de la Isla. Acceso por el Km. 38 de la ctra. Santander-Bilbao, por Berlanga y por el Km 42, por Gama.

P/N	550	N/N	500	A/N	575	M/N	475	C/N	575	T/N	575	AC/N	1150	EL	375	PC		1150	ACI

ISLA 39195 Mapa pág. 10

S-19 MPT **PLAYA DE ISLA** Tel. 942-679361 SS-30/9

1.9 Ha 200 (65)

Situado en Isla, junto al mar.

P/N	N/N	A/N	M/N	C/N	T/N	AC/N	EL	PC			ACI
500	450	400	250	600	600	1000	362			1000	

AJO 39170 Mapa pág. 10

S-21 **CABO DE AJO** Tel. 942-670624 Fax 942-670637 1/1-31/12

2.2 Ha 167

Ubicado en Bareyo, ctra. del Faro. Acceso por la N-634 desde Gama dirección Argoños, seguir por la SP-4141, km 10, dirección Somo.

P/N	N/N	A/N	M/N	C/N	T/N	AC/N	EL	PC			PI	ACI
400	350	400	275	475	425	1050	325			1050		

S-22 M **LA PLAYA** Tel. 942-621222 Fax 942-670542 1/1-31/12

1.5 Ha 132

Situado en la playa de Ajo. Acceso ctra. SP-4141, km 10.

P/N	N/N	A/N	M/N	C/N	T/N	AC/N	EL	PC		ACI
500	450	500	450	500	500	1000			1500	

S-23 CPT **ARENAS** Tel. 972-670663 Fax 972-670663 1/1-31/12

2 Ha 133

Situado entre Somo y Santoña. Acceso por la ctra. SP-4141 Km 10.

P/N	N/N	A/N	M/N	C/N	T/N	AC/N	EL	PC		PI	ACI
500	400	450	300	500	500	700			1100		

SUESA 39150 Mapa pág. 10

S-24 **SOMO PARQUE** Tel. 942-510309 Fax 942-510309 1/1-31/12

2.5 Ha 33 (70)

En la ctra. Somo-Suesa. Finca Mojante.

P/N	N/N	A/N	M/N	C/N	T/N	AC/N	EL	PC		ACI
250	200	250	150	300	300	375	200		600	

SOMO 39140 Mapa pág. 10

S-25 **LATAS** Tel. 942-510249 Fax 942-510631 1/4-30/9

1.7 Ha 108 70

Situado en el barrio de Arnía. Acceso por el km 21 de la ctra. SP-4141. Precios 94

P/N	N/N	A/N	M/N	C/N	T/N	AC/N	EL	PC			PI	ACI
425	350	425	350	425	425	850	275			1200		

LOREDO 39140 Mapa pág. 10

S-27 RP **ROCAMAR** Tel. 942-504455 Fax 942-509191 1/1-31/12

3 Ha 178 (75)

Situado en el km 21 de la ctra. SP-4141. Precios 94

P/N	N/N	A/N	M/N	C/N	T/N	AC/N	EL	PC		ACI
370	345	370	345	425	370	795	275		1000	

S-28 T **EL ARBOLADO** Tel. 942-504414 Fax 942-504414 1/1-31/12

2.2 Ha 200

Ubicado en Loredo. Barrio Virgen de Latas. Acceso por la ctra. SP-441, km 21. Precios 94

P/N	N/N	A/N	M/N	C/N	T/N	AC/N	EL	PC		
375	300	375	325	400	375	800	275		950	

S-29 MPT **DERBY DE LOREDO** Tel. 942-504181 Fax 942-509063 1/1-31/12

3 Ha 300 (60)

Acceso por el Km 2 de la ctra. Somo-Santoña. Situado en la bahía, frente a la ciudad de Santander.

P/N	N/N	A/N	M/N	C/N	T/N	AC/N	EL	PC		ACI
390	360	425	400	475	475	850	300		900	

SANTANDER 39000   Mapa pág. 10

S-32 VIRGEN DEL MAR Tel. 942-342425 1/1-31/12

2.2 Ha ■ 300 (60) ... 0.30Km ...

Situado a 6 Km. del centro de la capital; ctra. Santander-Liencres, costa oeste.

P/N	N/N	A/N	M/N	C/N	T/N	AC/N	EL	PC

S-33 CABO MAYOR Tel. 942-275849 Fax 942-273408 15/6-30/9

3 Ha ■ 500 ... 0.10Km ...

Situado en la ctra. Santander al Faro, Km 2.

P/N	N/N	A/N	M/N	C/N	T/N	AC/N	EL	PC		ACI
500	400	500	350	550	550	800	325		1300	

S-34 PT BELLAVISTA Tel. 942-271016 Fax 942-271016 1/1-31/12

4.4 Ha ■ 500 (70) ... 0.30Km ...

Situado a 1 Km del "El Sardinero", junto al faro del Cabo Mayor.

P/N	N/N	A/N	M/N	C/N	T/N	AC/N	EL	PC		ACI
550	400	550	375		600		350		1800	

SOTO DE LA MARINA 39110   Mapa pág. 10

S-36 M EL FORTIN Tel. 942-579147 15/6-15/9

0.6 Ha ■ 60 ...

Situado a 6 Km de Santander. Precios 94

P/N	N/N	A/N	M/N	C/N	T/N	AC/N	EL	PC	
400	325	400	325	450	450	650	300		1000

S-37 SAN JUAN DE LA CANAL Tel. 942-578524 15/6-15/9

0.4 Ha ■ 50 ... 0.08Km ...

Ubicado en Soto de la Marina, a 7 km de Santander en la ctra. Santander-Liencres.

P/N	N/N	A/N	M/N	C/N	T/N	AC/N	EL	PC	
400	325	400	325	450	450	650	300		1000

S-38 COSTA S.JUAN DE LA CANAL Tel. 942-334380 Fax 942-579580 1/1-31/12

1 ha ■ 97 (60) ...

Situado en San Juan de la Canal. Precios 94

P/N	N/N	A/N	M/N	C/N	T/N	AC/N	EL	PC
400	300	400	200	700	600	700	300	

LIENCRES 39120   Mapa pág. 10

S-39 ARNIA PLAYA Tel. 942-579450 15/6-15/9

1.3 Ha ■ 120 ... 0.30Km ...

Situado en la finca El Sedo. Acceso por la ctra. de la costa, Santander-Liencres, Km. 7 por autovía Santander-Torrelavega, salida 4.

P/N	N/N	A/N	M/N	C/N	T/N	AC/N	EL	PC

MIENGO 39310   Mapa pág. 10

S-41 HERMANOS GARCIA Tel. 942-576482 1/6-30/9

0.6 Ha ■ 50 (60) ... 0.30Km ...

Acceso por las salidas 6 y 8 de la autovía Santander-Torrelavega, a 22 Km de Santander.

P/N	N/N	A/N	M/N	C/N	T/N	AC/N	EL	PC	
300	250	300		300	300	700	225		700

MOGRO 39310   Mapa pág. 10

S-42 RPT LA PICOTA Tel. 942-576432 9/4-30/9

0.7 Ha ■ 57 (60) ... 0.04Km ...

Situado en Mogro, junto a la playa. A 2 Km. de la salida nº 6 de la autovía Santander-Torrelavega.

P/N	N/N	A/N	M/N	C/N	T/N	AC/N	EL	PC		ACI
425	375	425	325	425	425	850	325		1500	

SUANCES   39340   Mapa pág. 10

S-44 ⛰ **SUANCES** Tel. 942-810280 Fax 942-810280 28/3-15/9

2.7 Ha ■ 163 🌲 ▭ 🏴 0.10Km ☺ 😊 ⌐ ⌐ WC 🧺 🚿 🚾 🔲 ☕ ✕ ⌐ 🍶 ⊞

Ubicado en Suances, Km 8 de la ctra. Torrelavega-Suances.

| P/N 375 | N/N 320 | A/N 375 | M/N 225 | C/N 495 | T/N | AC/N 735 | EL 250 | PC 🚗 ⌐ | | 870 |

QUEVEDA   38314   Mapa pág. 10

S-45 PT **ALTAMIRA** Tel. 942-840181 1/1-31/12

2 Ha ■ 120 (70) 🌲🌲 ▭ ☺ 🚐 🏠 😊 ⌐ WC 🧺 🚿 🔲 ☕ ✕ 🏠 ⌐ 🚾 🍶
⊞ ✂ ‖✕ 50 ▭

Situado en el barrio de Las Quintas (Queveda) en Santillana del Mar. Acceso por la ctra. Barreda-San Vicente de la Barquera, en el Km 2.

| P/N 425 | N/N 325 | A/N 400 | M/N 325 | C/N 425 | T/N 425 | AC/N 900 | EL 275 | PC 🚗 ⌐ | | 1100 ACI |

SANTILLANA DEL MAR   39330   Mapa pág. 10

S-46 ⛰ RPT **SANTILLANA** Tel. 942-818250 Fax 942-840183 1/1-31/12

4,5 Ha ■ 350 (70) 🌲🌲 ▭ ☺ 😊 ⌐ ⌐ WC 🧺 🚿 🚾 ♿ 🔲 ☕ ✕ 🏠 ⌐ 🚾
🍶 ⌐ ⊞ 🏠 📋 🎿 ✂ 🎣 🎣 27 ▭

Situado en el Km. 6 de la carretera Torrelavega a Comillas junto a la población de Santillana.

| P/N 500 | N/N 400 | A/N 495 | M/N 375 | C/N 520 | T/N 495 | AC/N 620 | EL 275 | PC 🚗 ⌐ | | 1500 PI ACI |

COBRECES 39320 Mapa pág. 10

S-48 MRPT **COBRECES** Tel. 942-725120 Fax 942-725120 15/6-15/9

1 Ha ■ 100 (60) 🌲 ☉ 🚿 🍽 ⌐ ⌐WC 🧺 🛁 🚿 📺 🛏 Y X 🔌 📮 GAS 🚗 🏕 4

Situado en la playa de Cobreces. Acceso por la ctra. Santillana-Comillas, desvío a la playa de Cobreces.

P/N	450	N/N	420	A/N	400	M/N	320	C/N		T/N	415	AC/N		EL	290	PC	🚗 🏕		1250

COMILLAS 39520 Mapa pág. 10

S-52 P **COMILLAS** Tel. 942-720074 Fax 942-215206 1/6-30/9

3 Ha ■ 330 (60) 🌲 ☒ 0.05Km ☉ 🛒 ⌐WC 🧺 🛁 🚿 Y 🏠 🔌 📮 ➕

Situado a 500 m de la Universidad de Comillas y del Capricho de Gaudi. Acceso por el Km 23 de la ctra. Santillana del Mar-S. Vicente de la Barquera.

P/N	450	N/N	375	A/N		M/N		C/N		T/N		AC/N		EL	375	PC	🚗 🏕		1600	ACI

RUILOBA 39527 Mapa pág. 10

S-54 PT **EL HELGUERO** Tel. 942-722124 Fax 942-709360 SS-30/09

6,5 Ha ■ 240 (70) 🌲 ☉ 🚿 🍽 ⌐ ⌐WC 🧺 🛁 🚿 ♿ 📺 🛏 Y X 🔌 📮 GAS 🚗 ➕ ‖X 87 🏕 5 🚲 💳

Acceso por la ctra. Santillana del Mar-Comillas, desvío Ruiloba y por la N-634 desde Cabezón de la Sal. Situado cerca de la costa en un entorno privilegiado con bosques autóctonos.VER ANUNCIO.

P/N	425	N/N	350	A/N	450	M/N	250	C/N	450	T/N	450	AC/N	900	EL	300	PC	🚗 🏕		900	PI	ACI

EL TEJO-OYAMBRE 39528 Mapa pág. 10

S-56 RPT **RODERO** Tel. 942-722040 1/7-30/9

3 Ha ■ 194 🌲 ☒ 0.30Km ☉ 🛒 ⌐ ⌐WC 🧺 🛁 Y X 🔌 📮 GAS 🚗 🏊 🎾 🚻

Situado en la playa de Ris. Se accede por la N-634, desvío en Gama o Beranga. Zonas verdes, pradera, dunas y playas protegidas.VER ANUNCIO.

P/N	425	N/N	350	A/N	375	M/N	325	C/N	450	T/N	425	AC/N	500	EL	300	PC	🚗 🏕		1300	PI	ACI

EL TEJO-OYAMBRE 39528 Mapa pág. 10

S-57 **LA PLAYA** Tel. 942-720165 1/1-31/12

1,8 ha ■ 135 (72) 🌲 ☒ 0,1 Km ☉ 🛒 ⌐ ⌐WC 🧺 🛁 🚿 ♿ 📺 Y X 🔌 📮 GAS 🚗 🏕

Situado junto a la playa de Oyambre. Precios 94

P/N	400	N/N	300	A/N		M/N		C/N		T/N	800	AC/N		EL	300	PC	🚗 🏕		1100

El algunos campings no se prestan todos los servicios indicados, en temporada baja.

S. VICENTE LA BARQUERA   39540   Mapa pág. 10

S-58 ⛰ MT **EL ROSAL** Tel. 942-710165 9/4-30/9

4,8 Ha ■ 230 🌲 ▭ ▭ ⊙ 🚻 ⌐ ⌐ WC 🧺 ♨ ♿ ▣ 🍽 ✕ 🏠 ⚓ ⛽

Situado junto a la playa de S. Vicente de la Barquera. Pineda alta con varias hondonadas arenosas. Acceso: salir de la N-634 en el Km 63 y girar hacia el mar. VER ANUNCIO.

P/N	N/N	A/N	M/N	C/N	T/N	AC/N	EL	PC			ACI
520	440	520	350	520	520	880	300			1680	

CABUERNIGA   39510   Mapa pág. 10

S-60 ⛰ PT **EL MOLINO DE CABUERNIGA** Tel. 942-706259 Fax 942-706259 1/1-31/12

2 Ha ■ 102 (60) 🌲 ⊙ 🚻 ⌐ WC 🧺 ♨ ▣ 🍽 ✕ 🏠 ⚓ ⛽ 💳

Situado en el Km. 9 de la ctra. C-625, Cabezon de la Sal-Reinosa.

P/N	N/N	A/N	M/N	C/N	T/N	AC/N	EL	PC		ACI
390	350	390	300	400	390	600	275		800	

PECHON   39594   Mapa pág. 10

S-71 ⛰ MRPT **LAS ARENAS** Tel. 942-717188 Fax 942-717188 1/6-30/9

1 Ha 🌲 ▭ ⊙ ♨ 🚻 ⌐ ⌐ WC 🧺 ♨ ♿ ▣ 🍽 ✕ 🏠 ⚓ ⛽ ➕
♿ 📖 🖥

Situado en Pechon, en el Km 2 de la ctra. Pechon-Unquera. Acceso por la ctra. general. Arbolado con acacias, encinas y chopos. Mucha sombra y bellos paisajes entre el mar, dosíos y montaña. Playas características de la región.

P/N	N/N	A/N	M/N	C/N	T/N	AC/N	EL	PC		
400	325	400	300	600	425	600	250		1200	

PESUES   39594   Mapa pág. 10

S-72 ⛰ **ROYAL-2** Tel. 942-718140 1/7-30/9

1.3 Ha ■ 102 🌲 🏍 1.0 Km ⊙ 🚻 ⌐ WC ▣ 🍽 ⚓ ⛽

Situado en la ctra. San Vicente de la Barquera-Picos de Europa. Precios 94

P/N	N/N	A/N	M/N	C/N	T/N	AC/N	EL	PC	
350	250	300	250	425	350	600	250		1000

POTES-TURIENO   39570   Mapa pág. 9

S-74 ⛰ P **LA ISLA-PICOS DE EUROPA** Tel. 942-730896 SS-31/10

1.5 Ha ■ 175 🌲 ▭ ⊙ ♨ 🚻 ⌐ WC 🧺 ♨ ♿ ▣ 🍽 ✕ 🏠 ⚓ ⛽
🏊 🚗 🤸 ⛺ 1 🚲

Ubicado en Potes. Se accede por la N-621, en el Km 4 de Ojedo-Espinama. Rodeado por un río, una pradera y bosques. Próximo a los Picos de Europa.

P/N	N/N	A/N	M/N	C/N	T/N	AC/N	EL	PC			PI	ACI
400	300	400	250	425	400	550	300			1000		

Si es usted miembro de un club, encontrará amigos en todas partes.

POTES 39570   Mapa pág. 9

S-75 PT **LA VIORNA** Tel. 942-732021 Fax 942-730427 1/4-31/10

1,9 H. ■ 110 (70) 🌲 _ ⊙ 🚿 ⛲ ⌂ WC 🍴 🚿 🔲 ⌂ Ⴤ ✕ ⌐ 🚽 ⊙

⌐ 🏊 ✛ 🎾

Situado en Potes. Acceso por la ctra. de Santo Toribio.

| P/N 400 | N/N 325 | A/N 400 | M/N 325 | C/N 425 | T/N 400 | AC/N 575 | EL 250 | PC 🚗 🚙 | | 1100 | PI |

BARO 39587   Mapa pág. 9

S-76 P **SAN PELAYO** Tel. 942-730597 SS-15/10

1.2 Ha ■ 110 🌲 ⊙ ⌂ WC 🍴 🚿 ⌐ 🔲 Ⴤ ✕ 🏠 🚽 ⌐ ⊙ 🏊 ✛

🚗

Al pie de los Picos de Europa. Acceso por la N-621, Potes-Fuente Dé.

| P/N 400 | N/N 300 | A/N | M/N | C/N | T/N | AC/N | EL | PC | | 1100 | PI | ACI |

POTES 39577   Mapa pág. 9

S-77 PT **EL MOLINO** Tel. 942-736009 SS+15/6-15/9

1 Ha ■ 80 (60) 🌲 ⊙ ⌂ WC 🍴 🚿 🔲 Ⴤ 🚽 🏊 ✛

Situado a 7 Km de Potes. Acceso por la N-621 a 8 Km. Arboles frutales.

| P/N 385 | N/N 275 | A/N 385 | M/N 275 | C/N 425 | T/N 425 | AC/N 550 | EL 300 | PC 🚗 🚙 | | 900 | PI |

FUENTE DÉ 39588   Mapa pág. 9

S-78 PT **EL REDONDO-PICOS EUROPA** Tel. 942-732161 1/64-30/9

0.7 Ha ■ 80 🌲 _ ⊙ ⌂ ⌐ ⌐ WC 🍴 🚿 🔲 Ⴤ ✕ 🚽 ⊙ ✛

Situado en Fuente De, al pie del teleférico de acceso a los Picos de Europa. Camping de montaña con arbolado autóctono. No recomendable para caravanas.

| P/N 800 | N/N 500 | A/N | M/N | C/N | T/N | AC/N | EL 300 | PC 🚗 🚙 | | 200 | ACI |

SAN ROQUE DE RIO MIERA 39728   Mapa pág. 10

S-86 **LUNADA** Tel. 942-539611 SS+1/6-30/9

0,75 ■ 33 (60) 🌲 ⊙ ⌂ WC 🍴 🚿 Ⴤ 🚽 ⊙

Situado junto al río Miera.

| P/N 375 | N/N 250 | A/N 375 | M/N 225 | C/N 450 | T/N 375 | AC/N 575 | EL 265 | PC 🚗 🚙 | | 1000 | |

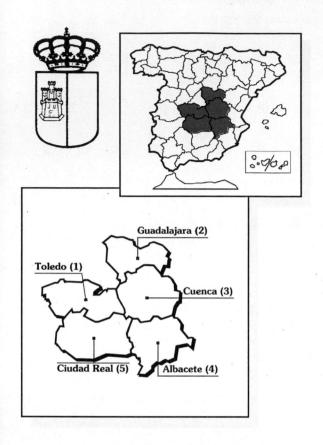

	SERVICIOS TERRITORIALES DE TURISMO	CRUZ ROJA ESCUCHA 24 h.	GUARDIA CIVIL TRÁFICO	GUARDIA CIVIL PATRULLAS
(1) Toledo	(925) 252199	(925) 222900	(925) 225900	(925) 221100
(2) Guadalajara	(911) 887800	(911) 221788	(911) 221690	(911) 251100
(3) Cuenca	(966) 223311	(966) 211145	(966) 221068	(966) —
(4) Albacete	(967) 215611	(967) 225002	(967) 229658	(967) 221100
(5) Cuidad Real	(926) 212003	(926) 223322	(926) 221985	(926) 221100

TOLEDO

CAZALEGAS   45553   Mapa pág. 34

TO-05 △   **CAZALEGAS** Tel. 925-869258 1/1-31/12

3.5 Ha 🏕 🏊 0.25Km ☺ 🚻 ⌐ WC ⌐

Junto al embalse del mismo nombre en el río Alberche. Accesos por la N-V, Km. 102 y 107.

P/N	N/N	A/N	M/N	C/N	T/N	AC/N	EL	PC	

HORMIGOS   45919   Mapa pág. 35

TO-06 △   **EL PARAISO** Tel. 925-790075 20/3-15/9

3 Ha 🌲 ☺ 🚻 🍸 ✕ 🔧 ⚙ 🚗

Situado en la Urbanización Fuente Romero. Precios 94

P/N	N/N	A/N	M/N	C/N	T/N	AC/N	EL	PC	
200	100	200	100	200	200	400	400		200

TOLEDO   45004   Mapa pág. 35

TO-07 △ PT **CIRCO ROMANO** Tel. 925-220442 1/1-31/12

2 Ha 🏕 ☺ 🚻 ⌐ ⌐ WC 🧺 🍸 ✕ 🏠 ⚙ 🏊 ✚ 🎾

Situado en la Av. de Carlos III. Pinos, moreras y mucha sombra.

P/N	N/N	A/N	M/N	C/N	T/N	AC/N	EL	PC	
500	400	500	450	550	500	600	450		

TO-08 △ RPT **EL GRECO** Tel. 925-220090 1/1-31/12

2.5 Ha ■ 240 🏕 ☺ 🚻 ⌐ WC 🧺 🔧 🖥 🍸 ✕ ⚙ 🏊

Ubicado en Toledo, ctra. Toledo-La Puebla de Montalban, Km 1,5. Terreno llano, con álamos. Zona para tiendas.

P/N	N/N	A/N	M/N	C/N	T/N	AC/N	EL	PC	
475	350	475	450	550	475	600	450		

OLIAS DEL REY   45280   Mapa pág. 35

TO-11 △   **TOLEDO** Tel. 925-358013 1/4-30/9

2.5 Ha 🏕 ☺ 🚻 ⌐ ⌐ WC 🧺 🍸 ✕ ⚙ 🏊 ✚ 🚗 ⛺ 25 💳

Situado a 5 Km de Toledo, en la ctra. Madrid-Toledo, Km 63,2. Rodeado de pinares y olivos.

P/N	N/N	A/N	M/N	C/N	T/N	AC/N	EL	PC	
500	400	500	450	550	500	650	450		ACI

VENTAS DE SAN JULIAN   45568   Mapa pág. 34

TO-13 △   **ROSARITO** Tel. 908-910201 1/4-30/9

2 Ha ■ 200 🏕 ☺ 🚻 ⌐ WC 🧺 🍸 ⚙

Situado en la orilla del pantano de Rosarito.

P/N	N/N	A/N	M/N	C/N	T/N	AC/N	EL	PC	
275	250	275	275	275	275	525	350		

9

¿Conoce su más cercano Club de campistas?

GUADALAJARA

OREA   19311   Mapa pág. 37

GU-01 △   **OREA** Tel. 949-836035 1/4-30/9

1 Ha ■ 24 ♣ ⊙ ⛺ ⌐ ⌐ WC � ✕ ⤙ ⛽

A 6 Km del casco urbano.

P/N	N/N	A/N	M/N	C/N	T/N	AC/N	EL	PC	
							EL		

SACEDON   19120   Mapa pág. 36

GU-04 PT **C.M.SACEDON** Tel. 949-351018 Fax 949-350462 SS+1/6-20/9

1 Ha ■ 54 (80) ♣ __ ⛺ ⌐ WC ⍯ ⤙ ⍟ ✕ ⤙

Acceso por la ctra. Madrid-Cuenca, N-320, Km 115 o por la ctra. Guadalajara-Cuenca, Km 59.

P/N	N/N	A/N	M/N	C/N	T/N	AC/N	EL	PC	ACI
300	200	300	200	500	350	500			ACI

CUENCA

ALBALADEJITO   16194   Mapa pág. 37

CU-03 △   **PINAR DE JABAGA** Tel. 969-232680 23/3-15/10

2 Ha ■ 45 (80) ♣ ⊙ ⛺ ⌐ WC ⍯ ⤙ ⍟ ✕ ⌂ ⤙ ⍟ ⛽ ⤙ ⍩ ✚ ⌂
⤙ ▲ 6

A 6 Km de la capital en la ctra. N-400, dirección Madrid. Situado en un pinar frondoso.

P/N	N/N	A/N	M/N	C/N	T/N	AC/N	EL	PC	PI	ACI
400	400	400	350	500	400	650	400		PI	ACI

OLMEDILLA DE ALARCON   11605   Mapa pág. 37

CU-06 RPT **PANTAPINO** Tel. 969-339244 Fax 967-210079 1/1-31/12

8,5 Ha ■ 92 (80) ♣ __ ___ ⊙ ⍟ ⤙ BEBÉ ♿ ⍟ ⌟ ✕ ⌂ ⤙ ⍟ ⛽ ⍩
✚ ⌂ ⌐ ⍀ ⤙ ⍟ ⍞ 15 ⛎ ⍩

Acceso: desvío en el km 191 de la N-II, dirección Valver de Júcar. Situado junto al embalse de Alarcón.
VER ANUNCIO.

P/N	N/N	A/N	M/N	C/N	T/N	AC/N	EL	PC	PI	ACI
435	340	380	350	470	395	650	390		PI	ACI

CAÑAMARES   16890   Mapa pág. 37

CU-08 △   **LA DEHESA DE CAÑAMARES** Tel. 969-310471 SS-1/7-31/8

■ 72 ♣ ⊙ ⍟ ⛺ ⌐ WC ⍯ ⤙ ⍟ ✕ ⤙ ⛽

Situado en el paraje de La Dehesa.

P/N	N/N	A/N	M/N	C/N	T/N	AC/N	EL	PC	ACI
395	325	375	350	475	395	600	500		ACI

VILLALBA DE LA SIERRA   16140   Mapa pág. 37

CU-09 △   **LA MORALEJA** Tel. 969-281461 1/4-30/9

4.0 Ha ■ 80 ♣ ⊙ ⛺ ⌐ WC ⍯ ⤙ ⍟ ⍟ ✕ ⌂ ⤙ ⍟ ⛽ ⤙ ⍩ ✚ ⌂
⤙ ⍈

A la altura del Km 18 de la ctra. Cuenca-Tragalete, entre ésta y el rio Júcar.

P/N	N/N	A/N	M/N	C/N	T/N	AC/N	EL	PC	PI	ACI
450	350	400	350	500	400	600	400		PI	ACI

CUENCA   16000   Mapa pág. 37

CU-12   RPT   **CUENCA**   Tel. 969-231656   13/3-31/12

20 Ha ■ 170 (90) 🌲 ⏻ ⊙ 🚽 ⌐ WC 🧺 ⚰ ♿ 🍸 🍴 ⛽ 🔌 🏊 ⊞

Acceso directo desde la ctra. CU-921. A 400 m del río Júcar y a 6 km de la capital. Punto de partida ideal para la visita de las zonas turísticas.

P/N	450	N/N	350	A/N	400	M/N	325	C/N	475	T/N	400	AC/N	600	EL	400	PC		PI	ACI

CIUDAD REAL

VALDEPEÑAS   13300   Mapa pág. 45

CR-01 ⚠   **LA AGUZADERA**   Tel. 926-323208   1/1-31/12

1.6 Ha 🌲 ⏻ ⊙ 🚽 ⌐ WC 🧺 ⚰ ♿ 🍸 🍴 ⛽ GAS 🏊 💳

Situado en el Km 197,4 de la N-IV.

P/N	430	N/N	300	A/N	445	M/N	350	C/N	480	T/N	445	AC/N	760	EL	440	PC		PI	ACI

RUIDERA   13249   Mapa pág. 46

CR-04 ⚠   **LOS MOLINOS**   Tel. 926-528089   SS+1/7-15/9

1 Ha ■ 40 🌲 ⚡ 0,2 Km ⊙ 🚽 ⌐ WC 🧺 ♿ 🍸 ⛽ 🏊

En la N-430, Ciudad Real-Albacete.

P/N	350	N/N	260	A/N	300	M/N	250	C/N	525	T/N	480	AC/N	600	EL	260	PC		PI

ALBACETE

YESTE 02480 Mapa pág. 46

AB-02 ⚠ P **RIO SEGURA** Tel. 967-432034 15/3-8/12

3,8 Ha ■ 160 (80) 🌲 ⛹ 0.3 Km ☺ 🚻 ⌐WC ♨ ♿ 🍽 ✕ ⚓ 🏛 ⚓ ≈ 🚗 🎾

Pedanía de Là Donar, a 20 Km de Yeste, en la ctra. Yeste-Orcera.

P/N	N/N	A/N	M/N	C/N	T/N	AC/N	EL	PC			PI	ACI
325	275	275	200	375	375	450	250				PI	ACI

MESONES 02449 Mapa pág. 46

AB-03 ⚠ PT **RIO MUNDO** Tel. 967-433230 18/3-12/10

2,5 Ha ■ 100 🌲 ⛹ 0,1 Km ☺ 🚻 ⌐WC ♨ ♿ 🍽 ⚓ 🏛 ⚓ ≈ 💳

Situado en el Km 237 de la C-415. La Capellanía.

P/N	N/N	A/N	M/N	C/N	T/N	AC/N	EL	PC				PI	ACI
450	300	450	270	630	485	630	315			1000	PI	ACI

OSSA DE MONTIEL 02611 Mapa pág. 46

AB-05 ⚠ **LOS BATANES** Tel. 967-377129 SS-15/6-15/9

8 Ha ■ 500 (50) 🌲 ⛹ 0.3 Km ☺ 🚻 ⌐ ⌐WC ♨ ♿ 🖥 🍽 🏛 ≈

Situado entre las lagunas de Redondilla y San Pedro, Km 39 de la ctra. Albacete-Ruidera.

P/N	N/N	A/N	M/N	C/N	T/N	AC/N	EL	PC		
450	355	400	355	480	410	535	375		900	

PEÑASCOSA 02313 Mapa pág. 46

AB-07 ⚠ PT **SIERRA DE PEÑASCOSA** Tel. 967-380399 15/3-15/10

2 Ha. ■ 90 (80) 🌲 ☺ TV 🚻 ⌐WC ♨ ♿ 🖥 ⚓ 🍽 ✕ 🏠 ⚓ 🏛 GAS ⚓ ≈ ✚ 🚴 ⛺ 2 🚲 💳

Situado junto al Santuario de la Virgen de Cortes. Cruzado por el rio Arquillo, en plena sierra, a 1140 m sobre el nivel del mar.

P/N	N/N	A/N	M/N	C/N	T/N	AC/N	EL	PC			PI	ACI
425	350	400	350	525	500	650	400				PI	ACI

CASAS DE VES 02212 Mapa pág. 47

AB-10 PT **LA FUENTE** Tel. 967-475308 Fax 967-475005 1/1-31/12

2 Ha ■ 50 (70) 🌲 ☺ 🚐 🚻 ⌐WC ♨ 🍽 ✕ 🏠 ⚓ ≈ ⚽ 🛏 14

Acceso por la ctra. N-322, Córdoba-Valencia, desvío entre las poblaciones de Alborea y Villatoya. VER ANUNCIO.

P/N	N/N	A/N	M/N	C/N	T/N	AC/N	EL	PC			PI	ACI
350	300	300	300	350	350		250				PI	ACI

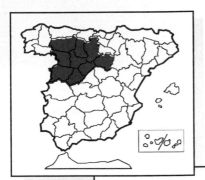

	SERVICIOS TERRITORIALES DE TURISMO	CRUZ ROJA ESCUCHA 24 h.	GUARDIA CIVIL TRÁFICO	GUARDIA CIVIL PATRULLAS
(1) León	(987) 232360	252535	250175	221100
(2) Valladolid	(983) 306022	261982	297977	251100
(3) Palencia	(988) 746022	744146	720688	721100
(4) Burgos	(947) 265642	212311	227850	221100
(5) Soria	(975) 224855	212636	220442	251100
(6) Segovia	(911) 417123	411430	428649	421100
(7) Ávila	(918) 221535	224848	221888	—
(8) Salamanca	(923) 296011	215642	219860	221100
(9) Zamora	(988) 522020	523300	521846	521100

LEON

VALENCIA DE DON JUAN   24200   Mapa pág. 9

LE-02 🏕 PT **PICO VERDE** Tel. 987-750525 15/6-13/9

2.7 Ha ■ 180 (80) 🌲 ⚏ 🗲 1.00Km ☺ 🚐 🚿 ⛲ ⌐ WC 🧺 🧺 🛁 🚽

✕ 🔧 🛝 ⛽ 🔌 🚿 🏓

Acceso por la ctra. Mayorga-Astorga, Km 28, lindante con la ctra. Terreno llano con chopos y acacias.

P/N	N/N	A/N	M/N	C/N	T/N	AC/N	EL	PC		PI	ACI
400	370	400	370	400	400	790	330			PI	ACI

VILLAMAÑAN   24680   Mapa pág. 9

LE-03 🏕 **COVADONGA** Tel. 987-768064 SS-30/9

1 Ha 🌲 ⚏ ☺ ⛲ ⌐ WC 🧺 🛁 🔲 🍽 ✕ 🏠 🚿 🛝 ⛽ 🔌 🚿 🏓 📷 🖋 💳

Situado en el Km 30 de la ctra. Mayorga-Astorga, junto al hostal.

P/N	N/N	A/N	M/N	C/N	T/N	AC/N	EL	PC		PI	ACI
330	275	330	275	330	330	630	300			PI	ACI

SAHAGUN   24320   Mapa pág. 9

LE-05 🏕 RPT **PEDRO PONCE** Tel. 987-781112 Fax 987-781000 1/4-30/10

2,9 Ha ■ 200 (70) 🌲 ⚏ ☺ 🚐 🚿 ⛲ ⌐ WC 🧺 🛁 🍽 ✕ 🏠 🚿 🛝 ⛽ 🔌

🚿 ➕ 🖋 💳 🖅 💳

Situado en la ctra. N-120, a 250 m de la población, lugar denominado El Plantío. Altitud 800 m. Cercano al río Cea (truchero). Junto al Polideportivo Municipal.

P/N	N/N	A/N	M/N	C/N	T/N	AC/N	EL	PC		PI	ACI
350	250	300	275	400	400	500	200			PI	ACI

BOCA DE HUERGANO   24911   Mapa pág. 9

LE-07 🏕 PT **ALTO ESLA** Tel. 987-740139 11/6-15/9

0.3 Ha ■ 30 🌲 ⚏ 🗲 0,5 Km ☺ ⛲ ⌐ WC 🧺 🛁 🔲 🍽 🚿

Situado en el Polígono 31, Prado Venancio, ctra. N-621, León-Santander, a 7 Km de Riaño. Próximo al río Esla y a los Picos de Europa.

P/N	N/N	A/N	M/N	C/N	T/N	AC/N	EL	PC
375	325	375	200	400	400	600	250	

SOTO DE VALDEON   24914   Mapa pág. 9

LE-09 🏕 PT **VALDEON** Tel. 945-742605 15/6-30/9

0.8 Ha 🌲 ☺ ⛲ ⌐ WC 🔲 🍽 🚿 🛝 ⛽ ➕

En al ctra. N-637, de Riaño a Cangas de Onís. Desvío en el puerto de Pontón por la ctra. Posada de Valdeón en el Km 13.

P/N	N/N	A/N	M/N	C/N	T/N	AC/N	EL	PC
400	350	400	300	400	400	800	300	

STA.MARINA VALDELEON   24915   Mapa pág. 9

LE-10 RPT **EL CARES** Tel. 945-270476 9/6-23/9

0,8 Ha 🌲 🗲 3.00Km ⛲ ⌐ WC 🧺 🛁 🔲 🍽 ✕ 🚿 🛝 ⛽ ➕ 🏘 4

Situado junto a Sta. Marina de Valdeleón, pueblo de mayor altitud de los Picos de Europa. Acceso por la ctra. Santander -León, a 15 Km de Portilla de la Reina.

P/N	N/N	A/N	M/N	C/N	T/N	AC/N	EL	PC
400	350	400	275	450	450	550		

ISOBA   24855   Mapa pág. 9

LE-12 🏕 PT **MEDIAVILLA** Tel. 987-731.001 1/1-31/12

0.7 Ha ■ 52 🌲 ☺ ⛲ ⌐ WC 🧺 🛁 🔲 🍽 🚿 �winterx 3

En la ctra. Lillo-Santullano. A 3 Km de la estación invernal de S. Isidro.

P/N	N/N	A/N	M/N	C/N	T/N	AC/N	EL	PC
275	200	200	150	375	275	425		

VILLAMANIN 24680 Mapa pág. 9

LE-14 ⚠ PT **VENTOSILLA** Tel. 987-598308 1/7-31/8

1.6 Ha ■ 60 (60) 🌲 ☉ 🛁 🎣 WC 🚿 🚰 🏠 🚰 ⛽ 🚗

Situado en el Km. 100 de la N-630 (León-Gijón), próximo al pueblo de Villamanin.

| P/N | 350 | N/N | 300 | A/N | 300 | M/N | 250 | C/N | 350 | T/N | 350 | AC/N | 500 | EL | 200 | PC | | |

LA MATA DE LA BERBULA 24847 Mapa pág. 9

LE-15 ⚠ **LA COTA DE LA MATICA** Tel. 987-741091 1/7-31/8

1,85 Ha ■ 60 🌲 ☉ 🛁 🎣 WC 🚿 🚰 🍴 ✗ 🚰 🏪 ⛽ 🚰 ➕

Situado a 200 m de la estación de ferrocarril de La Vecilla, próximo al río Curueño.

| P/N | 425 | N/N | 400 | A/N | 400 | M/N | 400 | C/N | 450 | T/N | 450 | AC/N | 800 | EL | 375 | PC | | PI | ACI |

SANTIBAÑEZ DE ORDAS 24276 Mapa pág. 8

LE-16 ⚠ **ASTUR LEONES** Tel. 987-224499 10/6-8/9

0.7 Ha 🌲 ☉ 🛁 🎣 WC 🚿 🚰 🍴 🏪 ⛽ 🏊

Situado en Rioseco de Tapia, a 26 Km de León. Acceso por la ctra. comarcal León-Villablino y autopista Astur-Leonesa, salida en La Magdalena, cerca del río Orbigo.

| P/N | 300 | N/N | 275 | A/N | 275 | M/N | 250 | C/N | 350 | T/N | 325 | AC/N | 700 | EL | 200 | PC | | PI | ACI |

MIRANTES DE LUNA 24147 Mapa pág. 8

LE-18 ⚠ PT **MIRANTES DE LUNA** Tel. 987-581303 1/6-30/9

1,5 Ha ■ 45 (60) 🌲 ▦ 🏍 0,2 Km ☉ 🛁 🎣 WC 🚿 🚰 📷 🍴 ✗ 🚰 🏪 ⛽ 🚗

➕ ⚠ 1 🛖 1

Acceso por la ctra. C-623 y por la autopista León-Campomanes. Situado a 200 m. de distancia del pantano de Barrios de Luna.

| P/N | 400 | N/N | 350 | A/N | 350 | M/N | 300 | C/N | 450 | T/N | 425 | AC/N | 725 | EL | 275 | PC | | | ACI |

SENA DE LUNA 24145 Mapa pág. 8

LE-20 ⚠ PT **RIO LUNA** Tel. 987-597147 1/6-30/9

0,9 Ha ■ 50 (55) 🌲 ▦ 🏍 0,1 Km ☉ TV 🛁 🎣 WC 🚿 🛒 🚰 📷 🍴 🚰 ⛽ 🚲

🚐

Acceso por la autopista León-Asturias, salida Villablino o por la ctra. C-623, Km. 65. Situado entre los valles de Luna y Babia.

| P/N | 350 | N/N | 300 | A/N | 300 | M/N | 225 | C/N | 375 | T/N | 350 | AC/N | 500 | EL | 225 | PC | | | ACI |

VEGUELLINA DE ORBIGO 24350 Mapa pág. 8

LE-21 ⚠ PT **LA MANGA** Tel. 987-376376 Fax 987-376135 1/6-30/9

1 Ha ■ 84 (60) 🌲 ▦ 🏍 0,05 Km ☉ 🛁 🎣 WC 🚿 🚰 🍴 ✗ 🚰 🏪 ⛽ 🚗 🏊

🔌

Situado en el Km 5 de la ctra. LE-421, Matalabos a Veguelina de Orbigo. Parking gratuito de caravanas y autocaravanas fuera de temporada.

| P/N | 300 | N/N | 225 | A/N | 300 | M/N | 225 | C/N | 350 | T/N | 300 | AC/N | 600 | EL | 200 | PC | | PI | ACI |

HOSPITAL DE ORBIGO 24286 Mapa pág. 8

LE-22 ⚠ PT **D.SUERO DE QUIÑONES** Tel. 987-388448 Fax 987-388236 1/5-30/9

1,5 Ha ■ 140 (50) 🌲 ▦ 🏍 0,10Km ☉ 🛁 🎣 WC 🚿 🚰 🍴 🚰 🏪 ⛽ 🚗 🏊

Ubicado en Hospital de Orbigo. Acceso por la N-120 (León-Astorga), Km 30.

| P/N | 350 | N/N | 200 | A/N | 275 | M/N | 250 | C/N | 400 | T/N | 350 | AC/N | 450 | EL | 200 | PC | | | ACI |

CARRIZO DE LA RIBERA 24270 Mapa pág. 8

LE-24 ⚠ PT **ORBIGO** Tel. 987-358250 Fax 987-357898 1/6-30/9

1 Ha 🌲 ▦ 🏍 0,1 km ☉ 🛁 🎣 WC 🚿 🚰 🍴 ✗ 🚰 🏪

Situado en el paraje denominado "El Soto". Altitud 800 m. Cerca del río Orbigo (truchero).

| P/N | 200 | N/N | 160 | A/N | 160 | M/N | 130 | C/N | 230 | T/N | 200 | AC/N | 400 | EL | 100 | PC | | | |

BENAVIDES DE ORBIGO 24280 Mapa pág. 8

LE-25 **EL ANTOJO** Tel. 987-370120 15/6-30/9

🌲 ☉ 🚐 🛁 🎣 WC 🚿 🚰 🛗 🍴 🚰 🏪 ⛽ 🏊 ⛳ 🏳️

Situado junto a las instalaciones deportivas municipales.

| P/N | 275 | N/N | 175 | A/N | 275 | M/N | 175 | C/N | 300 | T/N | 275 | AC/N | 600 | EL | 125 | PC | | | |

VILLAMEJIL   24711   Mapa pág. 8

LE-26 ⚠ T **RIO TUERTO** Tel. 987-616033 1/6-31/8

0.4 Ha ⊙ WC

Acceso por la ctra. comarcal Astorga-Villameca. Arbolado de chopos, con mucha sombra. Paisaje de campiña, próximo al río Tuerto. A 12 Km del pantano de Villameca.

P/N	N/N	A/N	M/N	C/N	T/N	AC/N	EL	PC		ACI
300	275	300	275	325	325	600	275			

VILLADANGOS DEL PARAMO   24392   Mapa pág. 8

LE-27 T **CAMINO DE SANTIAGO** Tel. 98-5360501 1/6-30/9

3,5 Ha ■ 165 (70) ⊙ WC

Situado a la salida de la población, ctra. León-Astorga.

P/N	N/N	A/N	M/N	C/N	T/N	AC/N	EL	PC		PI
370	215	295	265	370	370	600	215			

VILLAMARTIN   24549   Mapa pág. 8

LE-28 ⚠ PT **EL BIERZO** Tel. 987-562515 1/6-30/9

5 Ha ⊙ WC

Situado en Carracedelo y Villamartin de la Abadia. Zona verde con paisaje montañoso y playa fluvial. Acceso por el Km. 399 de la N-VI. Seguir indicaciones.

P/N	N/N	A/N	M/N	C/N	T/N	AC/N	EL	PC	
401	330	401	330	448	401	613	401		

BURBIA   24437   Mapa pág. 8

LE-30 ⚠ **BURBIA** Tel. 987-566027 1/1-31/12

1 Ha ■ 55 (60) ⊙ WC

Situado en La Poza, Vega de Espinareda.

P/N	N/N	A/N	M/N	C/N	T/N	AC/N	EL	PC	
350	150	100	100	500	450	500	250		

PUEBLA DE LILLO   24855   Mapa pág. 9

LE-32 **LAS NIEVES** Tel. 987-731083 1/1-31/12

■ 40 ⊙ WC

Situado en el Km 23 de la ctra. Boñar-Tarna.

P/N	N/N	A/N	M/N	C/N	T/N	AC/N	EL	PC		ACI
350	250	350	200	400	500	500	200			

COFIÑAL   24857   Mapa pág. 9

LE-33 **UROGALLO** Tel. 987-731143 1/1-31/12

■ 51 ⊙ WC

Situado en la ctra. Boñar-Puerto de Tarna.

P/N	N/N	A/N	M/N	C/N	T/N	AC/N	EL	PC		ACI
350	275	350	200	400	400	750	25			

SAN FIZ DO SEO   24523   Mapa pág. 7

LE-36 RPT **VALLE DO SEO** Tel. 987-566418 Fax 987-566418 1/1-31/12

0,6 Ha ■ 30 (60) WC ⚠ 10

Acceso: Por el desvío a San Fiz do Seo en el Km. 418 de la ctra. N-VI. Precios 94

P/N	N/N	A/N	M/N	C/N	T/N	AC/N	EL	PC				ACI
375	300								4		2500	

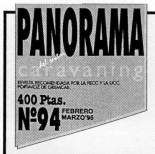

SEGOVIA

SEGOVIA   40004   Mapa pág. 21

SG-01   PT   **ACUEDUCTO**   Tel. 921-425000   1/4-30/9

3 Ha ■ 200 (60)

Acceso por la ctra. C-601, Madrid-León por Segovia.

P/N	N/N	A/N	M/N	C/N	T/N	AC/N	EL	PC		PI	ACI
377	330	377	311	434	377	538	330		1226		

LASTRAS DE CUELLAR   40352   Mapa pág. 21

SG-03   PT   **EL CALONGE**   Tel. 921-169214   Fax 911-164385

8,6 Ha ■ 129

Acceso desde Segovia por la ctra. de Aranda hasta Aguilafuente. Tomar la ctra. SG-212 hasta Lastras.

P/N	N/N	A/N	M/N	C/N	T/N	AC/N	EL	PC		PI	ACI
400	300	425	325	425	400	800	350		1300		

FUENTEMILANOS   40153   Mapa pág. 21

SG-05   R   **AERONAUTICA GUADARRAMA**   Tel. 921-485172   Fax 921-485195   1/4-30/9

1,5 Ha ■ 70 (70)

8

Situado a 6 Km de Segovia por la ctra. Segovia-Avila. Fuentemilanos dirección aerodromo. Ctra. N-603, San Rafael-Segovia, desvío Otero de Herreros. Acceso a N-110 dirección Segovia. Precios 94

P/N	N/N	A/N	M/N	C/N	T/N	AC/N	EL	PC		PI	ACI
325	220			600	400	600	300		650		

SAN PEDRO DE GAILLOS   40389   Mapa pág. 21

SG-08   RPT   **ROYOSAN**   1/1-31/12

0,5 Ha ■ 42 (75)

10

Acceso por la ctra. C-112, Cerezo de Abajo-Cuellar. Precios 94

P/N	N/N	A/N	M/N	C/N	T/N	AC/N	EL	PC	ACI
250	125	250	200	250	250	350	250		

CANTALEJO   40320   Mapa pág. 21

SG-12   **HOCES DEL DURATON**   Tel. 921-520564   SS+1/5-30/9

1,5 Ha ■ 76 (65)

Situado en Cantalejo, frente al Polideportivo Municipal. Acceso por la ctra. C-112, Cantalejo-Sepúlveda.

P/N	N/N	A/N	M/N	C/N	T/N	AC/N	EL	PC	ACI
350	275	325	275	400	375	550	300		1300

BURGOS

AMEYUGO   09219   Mapa pág. 09

BU-01 △ P **MONUMENTO AL PASTOR** Tel. 947-354079 Fax 947-354290 1/1-31/12

0.7 Ha ⛺ ☉ 🚻 🚿 🚿 WC 🧺 🚰 Ⅱ ✕ 🔌 ⛽ 🏊

Situado en el Km 308 de la N-1, junto al Monumento al Pastor. Pinos y acacias.Bastantes residentes.

P/N	325	N/N	225	A/N	325	M/N	200	C/N	325	T/N	325	AC/N	475	EL	300	PC	

PANCORVO   09280   Mapa pág. 09

BU-03 △ PT **EL DESFILADERO** Tel. 947-354027 Fax 947-354235 1/1-31/12

1.3 Ha ■ 75 (60) ⛺ ☉ 🚻 🚿 🚿 WC 🧺 🚰 🌀 Ⅱ ✕ 🔌 🛁 ⛽ 🏊
➕ 🔧 ▦

Situado en el desfiladero de Pancorvo, Km. 305, de la N-I (Madrid-Irun) Por autopista A-1, salida 4.

P/N	375	N/N	325	A/N	400	M/N	350	C/N	400	T/N	400	AC/N	600	EL	400	PC			PI

MONASTERIO DE RODILLA   09292   Mapa pág. 10

BU-06 △ PT **PICON DEL CONDE** Tel. 947-594355 1/1-31/12

2 Ha ■ 60 (70) ⛺ ☉ 🚻 🚿 🚿 WC 🧺 🚰 🌀 Ⅱ ✕ 🔌 🛁 ⛽ 🏊
▦ 6

Situado en el Km 263 de la N-I (Madrid-Irún), a 20 Km de Burgos.

P/N	375	N/N	325	A/N	400	M/N	325	C/N	400	T/N	400	AC/N	575	EL	375	PC			PI	ACI

VILLAFRIA   09192   Mapa pág. 10

BU-07 △ T **RIO VENA** Tel. 947-224120 1/4-31/10

0.3 Ha ⛺ ☉ 🚻 🚿 🚿 WC 🧺 🚰 Ⅱ ✕ 🔌 🛁 ⛽ 🏊

Situado en la N-I, Km. 245. A 2 Km. salida autopista Burgos-Vitoria.

P/N	400	N/N	300	A/N	400	M/N	390	C/N	400	T/N	400	AC/N	500	EL	350	PC	

BURGOS   09193   Mapa pág. 10

BU-09 △ PT **FUENTES BLANCAS** Tel. 947-486016 Fax 947-241048 1/4-30/9

3,5 Ha ■ 400 (70) ⛺ ☉ 🚐 🚿 🚻 🚻 🚿 🍼 WC 🏠 🧺 🚰 🌀 Ⅱ ✕ 🔌 🛁 ⛽ 🏊 🚤 ▦ 💳

Acceso por ctra. local, dirección Cartuja de Miraflores y S.Pedro de Cardeña. Situado en un parque municipal junto a la ciudad. Grandes álamos.

P/N	450	N/N	300	A/N	450	M/N	300	C/N		T/N		AC/N	550	EL		PC		1500	PI	ACI

MELGAR DE FERNAMENTAL   09100   Mapa pág. 10

BU-10 △ RPT **EL VIVERO** Tel. 947-372148 1/6-30/9

1,2 Ha ■ 97 (60) ⛺ 🚶 0,01 Km ☉ 🚻 🚿 🚿 WC 🧺 🚰 Ⅱ ✕ 🔌 🛁 🚤

Acceso directo por la N-120 o ruta del Camino de Santiago.

P/N	315	N/N	300	A/N	315	M/N	300	C/N	350	T/N	350	AC/N	650	EL	275	PC	

CABIA   09196   Mapa pág. 10

BU-11 △ T **CABIA** Tel. 947-412078 1/1-31/12

1 Ha ■ 110 ⛺ ☉ 🚻 🚿 WC 🧺 🚰 🌀 Ⅱ ✕ 🔌 🛁 ⛽ 🏊 ➕

Junto a la ctra.Burgos-Valladolid, Km. 15,2. Entrada de autovia num. 17. Camping de paso.

P/N	350	N/N	300	A/N	350	M/N	350	C/N	350	T/N	350	AC/N	450	EL	250	PC			PI	ACI

CASTROJERIZ 09110   Mapa pág. 10

BU-12   PT **CAMINO DE SANTIAGO** Tel. 947-377255 Fax 983-359549 1/6-30/8

2,5 Ha 50 (60)

En el casco urbano, junto a las ruinas de un castillo. Acceso: por la Autovia N-620, salida 32, dirección Villaquiran.

P/N	N/N	A/N	M/N	C/N	T/N	AC/N	EL	PC		ACI
350	300	300	250	350	350	575	300			

ARANDA DE DUERO 09400   Mapa pág. 21

BU-13   RPT **COSTAJAN** Tel. 947-502070 1/4-30/9

1,8 Ha 225

Situado en la ctra. N-I, Km. 163. Arbolado de pinos, acacias y olmos. Paisaje rodeado de montículos y hermosa vega. Acceso por salida norte a Aranda de Duero.

P/N	N/N	A/N	M/N	C/N	T/N	AC/N	EL	PC		PI	ACI
450	425	450	350	450	450	650	325				

QUINTANAR DE LA SIERRA 09670   Mapa pág. 22

BU-14   RPT **ARLANZA** Tel. 947-395592 Fax 947-395592 15/06-15/09

2,9 Ha 110 (80)   0.10Km

Situado en un paraje poblado de pinos y atravesado por el rio Arlanza. Acceso por la ctra. de Quintanar a Neiba, 1600 m al noroeste.

P/N	N/N	A/N	M/N	C/N	T/N	AC/N	EL	PC			ACI
325	275	275	250	375	375	450	250		1000		

VILLARCAYO 09550   Mapa pág. 10

BU-15   **LAS FRANCESAS** Tel. 947-101293 Fax 947-130100 15/6-30/9

1.1 Ha

P/N	N/N	A/N	M/N	C/N	T/N	AC/N	EL	PC
375	300	375	250	375	375		300	

VILLALAZARA DE MONTIJA 09569   Mapa pág. 10

BU-17   PT **LA ISLA** Tel. 975-140000 1/6-30/9

1 Ha 15 (60)

En la ctra.Bilbao-Villarcayo a la altura de Villalazara, junto al rio Trueba. Acceso por el Km. 89 de la ctra. C-629 (Burgos-Santoña).

P/N	N/N	A/N	M/N	C/N	T/N	AC/N	EL	PC
250	200	250		300	300	400	225	

FRIAS 09211   Mapa pág. 11

BU-19   **FRIAS** Tel. 947-357198 1/1-31/12

3 Ha 160

Situado en Frias, junto a la ctra. Quintanar-Martin Galindez, 3 Km en dirección Busto-Bure

P/N	N/N	A/N	M/N	C/N	T/N	AC/N	EL	PC		PI
350	275	350		350	350	550	260			

COVARRUBIAS 09346   Mapa pág. 21

BU-20 PT **COVARRUBIAS** Tel. 975-406417 15/6-15/9

2,35 Ha 78 (75)

Acceso a Covarrubias por la ctra. C-110 desde Hortigüela, en la N.234.VER ANUNCIO.

P/N	N/N	A/N	M/N	C/N	T/N	AC/N	EL	PC			PI	ACI
450	350	450	350	450	450	1000	375		1350			

PALENCIA

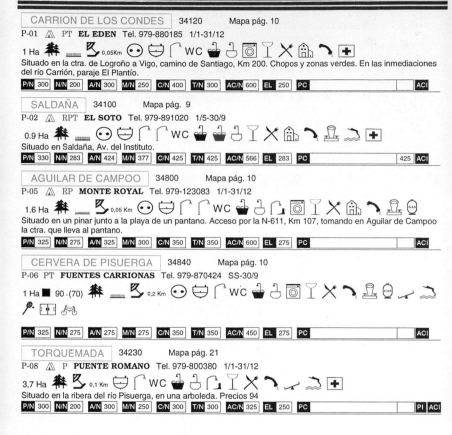

CARRION DE LOS CONDES   34120   Mapa pág. 10

P-01 ⚠ PT **EL EDEN** Tel. 979-880185 1/1-31/12

1 Ha

Situado en la ctra. de Logroño a Vigo, camino de Santiago, Km 200. Chopos y zonas verdes. En las inmediaciones del río Carrión, paraje El Plantío.

P/N	N/N	A/N	M/N	C/N	T/N	AC/N	EL	PC			ACI
300	200	300	250	400	300	600	250				

SALDAÑA   34100   Mapa pág. 9

P-02 ⚠ RPT **EL SOTO** Tel. 979-891020 1/5-30/9

0.9 Ha

Situado en Saldaña, Av. del Instituto.

P/N	N/N	A/N	M/N	C/N	T/N	AC/N	EL	PC			ACI
330	283	424	377	425	425	566	283			425	

AGUILAR DE CAMPOO   34800   Mapa pág. 10

P-05 ⚠ RP **MONTE ROYAL** Tel. 979-123083 1/1-31/12

1.6 Ha

Situado en un pinar junto a la playa de un pantano. Acceso por la N-611, Km 107, tomando en Aguilar de Campoo la ctra. que lleva al pantano.

P/N	N/N	A/N	M/N	C/N	T/N	AC/N	EL	PC			ACI
325	275	325	300	350	350	600	275				

CERVERA DE PISUERGA   34840   Mapa pág. 10

P-06 PT **FUENTES CARRIONAS** Tel. 979-870424 SS-30/9

1 Ha ■ 90 -(70)

Situado en ...

P/N	N/N	A/N	M/N	C/N	T/N	AC/N	EL	PC			ACI
325	275	275	275	350	350	450	275				

TORQUEMADA   34230   Mapa pág. 21

P-08 ⚠ P **PUENTE ROMANO** Tel. 979-800380 1/1-31/12

3,7 Ha

Situado en la ribera del río Pisuerga, en una arboleda. Precios 94

P/N	N/N	A/N	M/N	C/N	T/N	AC/N	EL	PC		PI	ACI
300	200	300	250	300	300	325	250				

Los precios indicados son meramente orientativos y **EL IVA NO ESTÁ INCLUIDO**.
Están basados en las informaciones recibidas hasta el cierre de la edición de esta GUIA.
Los reales son los que figuran en la declaración expuesta en la recepción del camping con el sello del organismo de la correspondiente Comunidad Autónoma.

ZAMORA

RIBADELAGO   49362   Mapa pág. 19

ZA-01   P   **LOS ROBLES**   Tel. 980-621835   1/7-31/8

0.5 Ha ■ 42   0,3 Km   WC

Situado en pleno Parque Natural del Lago de Sanabria, rodeado de montañas y vegetación. Acceso por la ctra. comarcal al lago de Sanabria.

P/N	395	N/N	365	A/N	395	M/N	375	C/N	525	T/N	475	AC/N	655	EL	350	PC			ACI

GALENDE   49360   Mapa pág. 19

ZA-02   P · **PEÑA GULLON**   Tel. 980-621472   SS+15/6-15/9

5 Ha ■ 350   0.50Km   WC

Situado en el centro del Parque Natural del Lago de Sanabria, bordeado por el río Tera. También se paga por el avancé.

P/N	420	N/N	350	A/N	420	M/N	300	C/N	565	T/N	550	AC/N	700	EL	370	PC			ACI

PUEBLA DE SANABRIA   49300   Mapa pág. 19

ZA-05   P   **EL FOLGOSO**   Tel. 980-620194   1/1-31/12

12.5 Ha   0,05 Km   WC

Acceso por la ctra. Puebla de Sanabria-Vigo, en el centro del Parque Natural del Lago de Sanabria.

P/N	430	N/N	330	A/N	430	M/N	300	C/N	560	T/N	500	AC/N	700	EL	280	PC		

Sta.Cristina de la P.   49620   Mapa pág. 19

ZA-07   P   **LA ESTACADA**   Tel. 980-631938   1/7-31/8

1,2 Ha   0,05 Km   WC

Situado en la ctra. de Benavente a Mombuey. Km. 3,5.

P/N	250	N/N	200	A/N	220	M/N	140	C/N	440	T/N	310	AC/N	530	EL	195	PC		

MOZAR DE VALVERDE   49698   Mapa pág. 19

ZA-10   RPT   **RIO TERA**   Tel. 980-640550   Fax 980-640573   1/1-31/12

1 Ha ■ 72 (60)   0,05 Km   TV   WC

En el corazón del valle de Valverde, a orillas del río Tera a su paso por Mozar y a 11Km de Benavente. Acceso por el desvío a Mozar de la ctra. N-525.VER ANUNCIO.

P/N	400	N/N	300	A/N	325	M/N	275	C/N	500	T/N	450	AC/N	600	EL	300	PC			ACI

SALAMANCA

CABRERIZOS   37193   Mapa pág. 20

SA-01   PT **DON QUIJOTE**   Tel. 923-289131   1/3-30/10

4 Ha ■ 110 (65) 0,25 Km WC

Situado en la ctra. Salamanca-Aldealuenga, en el paraje denominado "Arenal del Angel", junto al río Tormes. Próximo a Salamanca.

P/N	N/N	A/N	M/N	C/N	T/N	AC/N	EL	PC		ACI
300	250	300	250	325	325	500				

ALDEASECA DE LA ARMUÑA   37189   Mapa pág. 20

SA-02   **LA CAPEA**   Tel. 923-251066   1/4-30/9

0.9 Ha ■ 73 (70) WC 4

Situado en la ctra. Gijon -Sevilla, a 4 Km de Salamanca en dirección Zamora por la ctra. nacional, a 500 m de la población.

P/N	N/N	A/N	M/N	C/N	T/N	AC/N	EL	PC		PI	ACI
375	340	375	340	375	375	495	375				

SALAMANCA   37009   Mapa pág. 20

SA-03   PT **REGIO**   Tel. 923-130888   Fax 923-138044   1/1-31/12

3 Ha WC

Situado a 100 m de la N-501, Km 204,6, detrás de un hotel.

P/N	N/N	A/N	M/N	C/N	T/N	AC/N	EL	PC		ACI
401	354	401	354	401	401	637	401			

VILLARES DE LA REINA   37184   Mapa pág. 20

SA-04   T **RUTA DE LA PLATA**   Tel. 923-289574   1/1-31/12

0,7 Ha ■ 50 WC

Situado en la ctra. de Villamayor.VER ANUNCIO.

P/N	N/N	A/N	M/N	C/N	T/N	AC/N	EL	PC		ACI
330	283	330	283	354	330	566	330			

ALBA DE TORMES   37800   Mapa pág. 20

SA-06   RPT **TORMES**   Tel. 923-300019   1/4-15/9

2 Ha   135 (60)   0,01 Km   WC

Situado junto a la playa del río Tormes. Acceso por Salamanca ctra. Alba de Tormes y por la Ruta de la Plata, desviación hacia Alba de Tormes.

P/N	N/N	A/N	M/N	C/N	T/N	AC/N	EL	PC		ACI
325	300	325	275	350	350	650	275			

FUENTE DE SAN ESTEBAN   37200   Mapa pág. 33

SA-07   PT **EL CRUCE**   Tel. 923-440130   1/6-30/9

0.5 Ha   WC

Situado en el cruce de las ctras. Burgos-Portugal y Fermoselles-Sequeros. Cubiertas de caña para dar sombra.

P/N	N/N	A/N	M/N	C/N	T/N	AC/N	EL	PC		PI ACI
307	259	307	236	377	236	425	212			

CIUDAD RODRIGO   37500   Mapa pág. 33

SA-09   PT **LA PESQUERA**   Tel. 923-481348   1/4-30/9

0,8 Ha.   67 (60)   0,05 Km   WC

Situado entre la ctra. de Cáceres y el río Agueda. Acceso desde Ciudad Rodrigo en dirección Portugal, pasado el puente desviarse a la izquierda.VER ANUNCIO.

P/N	N/N	A/N	M/N	C/N	T/N	AC/N	EL	PC		ACI
311	274	311	259	311	311	513	259			

LA ALBERCA   37624   Mapa pág. 33

SA-11   **AL-BEREKA**   Tel. 923-415195   1/4-30/9

1.5 Ha   0.20Km   WC

Situado en la ctra. Salamanca-La Alberca, Km 76,4, a la entrada de Hormigón.

P/N	N/N	A/N	M/N	C/N	T/N	AC/N	EL	PC		PI ACI
375	325	350	300	425	400	600	275			

NAVA DE FRANCIA   37623   Mapa pág. 33

SA-13   RPT **SIERRA DE FRANCIA**   Tel. 923-449419   1/4-30/9

1.2 Ha   100 (60)   WC

Acceso por la ctra. N-202. Situado en un bello paisaje agreste con mucha vegetación, en plena ruta de la Sierra de Francia. Próximo a pueblos típicos de valor histórico y artístico. Rutas ecuestres con caballos propios.VER ANUNCIO.

P/N	N/N	A/N	M/N	C/N	T/N	AC/N	EL	PC		PI ACI
401	358	401	307	401	401	566	358			

SAN MIGUEL DE VALERO   37763   Mapa pág. 33

SA-15   RPT **NATURALEZA**   Tel. 923-415577   15/3-15/10

3,5 Ha   120 (100)   WC

Situado en la ctra. Salamanca-Coria, Km 56,7.

P/N	N/N	A/N	M/N	C/N	T/N	AC/N	EL	PC		PI
380	332	380	332	380	380	735	355			

LINARES DE RIOFRIO — 37760 — Mapa pág. 33

SA-17 RPT **EL PORTAL DE LA SIERRA** Tel. 908-916689 1/3-31/10

2,4 Ha ■ 110 (75)

Acceso por la ctra. N-630 en Guijuelo desviación a Fonterroble hasta Linares de Riofrío.

P/N	354	N/N	307	A/N	354	M/N	307	C/N	354	T/N	354	AC/N	613	EL	354	PC			PI

CANDELARIO — 37710 — Mapa pág. 33

SA-19 PT **CINCO CASTAÑOS** Tel. 923-413204 1/1-31/12

1.2 Ha ■ 200 (65)

Situado en Candelario, ctra. de la Sierra, a 400 m del pueblo. Acceso desde Béjar por la N-630.

P/N	400	N/N	375	A/N	375	M/N	350	C/N	425	T/N	400	AC/N	700	EL	350	PC		1200	PI	ACI

AVILA

NAVALUENGA — 05100 — Mapa pág. 34

AV-01 **LA BELLOTA** Tel. 920-286496 1/6-31/8

0.5 Ha ■ 30

Ubicado en Navaluenga.

P/N	450	N/N	350	A/N	450	M/N	350	C/N	550	T/N	500	AC/N	650	EL	350	PC		PI	ACI

AV-02 **LA RUTA DE GREDOS** Tel. 920-298193 1/7-31/8

0,85 ha ■ 120

P/N	450	N/N	350	A/N	450	M/N	350	C/N	550	T/N	500	AC/N	375	EL	350	PC	

AVILA — 05000 — Mapa pág. 34

AV-04 **SONSOLES** Tel. 920-256336 1/6-30/9

1,5 Ha. ■ 50

Situado en la ctra. de Toledo, N-403, Km.133

P/N	300	N/N	150	A/N	300	M/N	200	C/N	300	T/N	300	AC/N	400	EL	250	PC		PI	ACI

MOMBELTRAN — 05410 — Mapa pág. 34

AV-05 PT **PRADOS ABIERTOS** Tel. 920-386061 1/3-15/9

2 Ha ■ 80 (60) 1 Km.

Situado en el Km 72,0 de la ctra. N-502 (Avila-Talavera), en la falda sur de la Sierra de Gredos, cercano a la localidad de Arenas de San Pedro.VER ANUNCIO.

P/N	343	N/N	260	A/N	321	M/N	250	C/N	321	T/N	325	AC/N	445	EL	290	PC		1275	ACI

PEGUERINOS — 05293 — Mapa pág. 35

AV-07 PT **PEGUERINOS** Tel. 920-112038 Fax 920-229876 1/1-31/12

1,5 Km.

Situado en el Km 3,6 de la ctra. Peguerinos-Alto de los Leones.

P/N	350	N/N	236	A/N	307	M/N	142	C/N	547	T/N	453	AC/N	547	EL	458	PC		ACI

AV-08 P **VALLE ENMEDIO** 16/3-10/11

■ 40

Situado en el Km 4,8 de la ctra. Peguerinos-Alto de los Leones. A 1500 m de altitud en plena sierra de Guadarrama.

P/N	285	N/N	285	A/N	285	M/N	225	C/N	285	T/N	285	AC/N	450	EL		PC	

GUISANDO   05417   Mapa pág. 34

AV-09   PT   **LOS GALAYOS**   Tel. 920-374021   1/1-31/12

5 Ha ■ 30   ... 0,01 Km   WC ...

Situado en Guisando, Km 7 de la ctra. a Arenas de San Pedro. Terreno en pendiente junto a una piscina natural.

P/N	N/N	A/N	M/N	C/N	T/N	AC/N	EL	PC		PI
325	250	325	250	425	425	425	300			

HOYOS DEL ESPINO   05634   Mapa pág. 34

AV-11   **GREDOS**   Tel. 920-349001   SS+1/5-30/9

2.5 Ha ■ 140   WC ...

Situado en Puente del Duque, ctra. de la Plataforma, Km 1,5.

P/N	N/N	A/N	M/N	C/N	T/N	AC/N	EL	PC		
360	225	275	175	425	385	450	400		1350	

NAVARREDONDA DE GREDOS   05635   Mapa pág. 34

AV-12   **NAVAGREDOS**   Tel. 920-349001   1/5-1/10

5 Ha ■ 140 (75)   WC ... 4

Situado en la ctra. de Valdecasas.

P/N	N/N	A/N	M/N	C/N	T/N	AC/N	EL	PC		ACI
425	250	300	225	475	425	500	425		1500	

LOS LLANOS DE TORMES   05690   Mapa pág. 34

AV-13   PT   **EL HERMOSILLO**   Tel. 920-341222   SS+1/6-15/9

1,4 Ha. ■ 60 (70)   ... 1 Km ... WC ... 1

Situado en el término municipal de Los Llanos del Tormes, a 4 Km de El Barco de Avila, en un lugar tranquilo entre encinas y huertas con vistas a la Sierra de Gredos.

P/N	N/N	A/N	M/N	C/N	T/N	AC/N	EL	PC		ACI
375	250	350	300	500	400	600	350			

BURGOHONDO   05113   Mapa pág. 32

AV-19   P   **LA ISLA**   Tel. 920-283228   Fax 920-222944   SS+15/5-15/10

0.8 Ha ■ 94 55   ... WC ...

A 2 k. del nucleo urbano. Camping municipal.

P/N	N/N	A/N	M/N	C/N	T/N	AC/N	EL	PC		ACI
300	150	300	250	350	300	400	250			

CASAVIEJA   05450   Mapa pág. 34

AV-21   **FUENTE HELECHA**   Tel. 920-678487   Fax 920-678486   1/6-15/9

1,15 ha ■ 300   WC ...

Situado en el paraje denominado Fuente Helecha.

P/N	N/N	A/N	M/N	C/N	T/N	AC/N	EL	PC		
325	240	325	250	425	400	525	250			

LANZAHITA   05490   Mapa pág. 34

AV-24 PT   **GARGANTA LA ELIZA**   Tel. 920-378846   Fax 987-229876   SS+1/5-30/9

1,5 Ha ■ 70 (60) 🌲 ▭ 🔌 0,1 Km ☺ WC 🛒 🚿 🛁 💈 🍸 ⚓ △ 1

Acceso por la ctra. de Plasencia, Km 110 y desde Avila al Puerto del Pico y Mombeltran.

P/N	225	N/N	150	A/N	400	M/N	200	C/N	400	T/N	400	AC/N	400	EL	325	PC			ACI

HOYOCASERO   05124   Mapa pág. 34

AV-26   **LOS TALLERES**   Tel. 920-299853

🌲 ☺ 🚐 🍸 🛁 ⚓ ⚓

Situado en el Barrio de los Talleres.

P/N	250	N/N	150	A/N	225	M/N	125	C/N	300	T/N	300	AC/N	400	EL	150	PC		ACI

VALLADOLID

CUBILLAS DE STA.MARTA   47290   Mapa pág. 20

VA-01 RT   **CUBILLAS**   Tel. 983-585002   Fax 983-585016   1/1-31/12

4 Ha ■ 150 (80) 🌲 ▭ 🔌 ☺ WC 🛒 🚿 🛁 🔲 🍸 ✕ 🏠 ⚓ 💈 ⛽ 🏊 ➕ 🚐 🚻 △ 10

Se accede por la N-620 (Autovia de Castilla) por la salida 102.

P/N	400	N/N	325	A/N	300	M/N	275	C/N	400	T/N	400	AC/N	675	EL	285	PC		1000	PI	ACI

SIMANCAS   47130   Mapa pág. 20

VA-03 ⛰ RPT   **EL PLANTIO**   Tel. 983-590082   15/6-22/9

1 Ha ■ 100 (25) 🌲 ▭ ☺ 🚐 WC 🛒 🛁 🔲 🍸 ✕ ⚓ 💈 ⛽ 🏊 🚐 🚻 △ 4

Situado a 11 Km de Valladolid, en la margen derecha del río Pisuerga Acceso por el Km. 132,4 de la ctra. N-620. Desvío en el pueblo de Simancas.

P/N	354	N/N	330	A/N	354	M/N	312	C/N	377	T/N	354	AC/N	613	EL	330	PC		PI	ACI

TORDESILLAS   47100   Mapa pág. 20

VA-05 ⛰ RPT   **EL ASTRAL**   Tel. 983-770953   Fax 983-238193   1/4-30/9

3 Ha ■ 200 (70) 🌲 ▭ 🔌 0.10Km ☺ WC 🛒 🚿 🛁 🔲 🍸 ✕ ⚓ 💈 ⛽ 🏊 🚐 △ 3 🏠 2

Situado a la dcha de la N-620, Km 152, en dirección Salamanca, sobre la ribera izquierda del río Duero. Acceso: saliendo de la autovía en dirección Tordesillas y seguir indicadores.VER ANUNCIO.

P/N	370	N/N	300	A/N	325	M/N	325	C/N	370	T/N	370	AC/N	600	EL	290	PC		1000	PI	ACI

| VILORIA DEL HENAR | 47166 | Mapa pág. 21 |

VA-07   **BRISAMAR** Tel. 983-163789   1/1-30/11

0,4 Ha ■ 40 (60) 🌲 ☉ 🚻   WC 🛁 🔲 🍴 ✕ 🐟 ⛽ ⚓

Acceso por la N-601 a Villoria dirección Montemayor.

| P/N | 330 | N/N | 236 | A/N | 190 | M/N | 140 | C/N | 330 | T/N | 330 | AC/N | 475 | EL | 330 | PC | | PI | ACI |

| SORIA | 42000 | Mapa pág. 22 |

SO-01   **FUENTE DE LA TEJA** Tel. 975-222967   15/3-30/9

0.7 Ha 🌲 ☉ 🚻 🛁   WC 🛁 🍴 ✕ 🐟 ⚓ 🎾 💳

Situado en Soria, ctra. de Madrid Km 223.

| P/N | 354 | N/N | 260 | A/N | 354 | M/N | 307 | C/N | 448 | T/N | 400 | AC/N | 566 | EL | 283 | PC | | PI | ACI |

| ABEJAR | 42146 | Mapa pág. 22 |

SO-03   **EL FRONTAL** Tel. 975-373119   1/6-30/9

12 Ha 🌲 ☉ 🚻 🛁 WC 🍴 ✕ 🐟 ⛽ ⚓ ➕ 💳

Situado en la ctra. Soria-Burgos.

| P/N | 450 | N/N | 350 | A/N | 450 | M/N | 400 | C/N | 450 | T/N | 450 | AC/N | 800 | EL | 450 | PC | |

ABEJAR 42146   Mapa pág. 22

SO-04   PT **EL CONCURSO** Tel. 975-373361   Fax 975-373396   8/4-15/9

7,2 Ha   384 (80)

Situado en la ctra. N-234, entre Soria y Burgos. Acceso desde Abejar tomar la dirección a Molinos de Duero. VER ANUNCIO.

P/N	N/N	A/N	M/N	C/N	T/N	AC/N	EL	PC			PI	ACI
425	325	425	325	425	425	800	375		1350		PI	ACI

VINUESA 42150   Mapa pág. 22

SO-06   **COBIJO** Tel. 975-378331   30/4-12/10

10 Ha   0,3 Km

Situado en un pinar a 2 Km del pantano de La Cuerda del Pozo en el Km 2 de la ctra. Vinuesa-Montenegro de Cameros.

P/N	N/N	A/N	M/N	C/N	T/N	AC/N	EL	PC		ACI
375	275	375	300	400	400	500	325			ACI

NAVALENO 42149   Mapa pág. 22

SO-08   PT **FUENTE DEL BOTON** Tel. 975-374438   Fax 975-374438   15/6-15/9

3,2 Ha   130 (75)

Situado en el casco urbano de Navaleno, Ctra. N-234, de Soria a Burgos. VER ANUNCIO.

P/N	N/N	A/N	M/N	C/N	T/N	AC/N	EL	PC			PI	ACI
425	325	425	325	425	425	800	300		1272		PI	ACI

EL BURGO DE OSMA 42300   Mapa pág. 22

SO-10   **LA PEDRIZA** Tel. 975-340806   1/6-30/9

1 Ha   50   0.20Km

Acceso por la N-112 (Soria-Aranda de Duero) siguiendo las indicaciones. Frutales y pinos, en terreno inclinado.

P/N	N/N	A/N	M/N	C/N	T/N	AC/N	EL	PC	
350	250	350	300	475	400	500	300		100

UCERO 42317   Mapa pág. 22

SO-13   **CAÑON DE RIO LOBOS** Tel. 975-363565   Fax 975-363633   1/6-31/8

83

Situado en la ctra. de El Burgo de Osma a S. Leonardo de Yagüe.

P/N	N/N	A/N	M/N	C/N	T/N	AC/N	EL	PC		ACI
475	350	475	375	475	475	900	450			ACI

Lleida (1)

Girona (2)

Barcelona (3)

Tarragona (4)

C A T A L U N Y A

1	2	3	4
SERVICIOS TERRITORIALES DE TURISMO			
(973) 243850	(972) 201343	(93) 2262552	(977) 210348
CRUZ ROJA ESCUCHA PERMANENTE			
(973) 226640	(972) 200415	(93) 3002112	(977) 238332
GUARDIA CIVIL DE TRAFICO			
(973) 260502	(972) 201381	(93) 3526161	(977) 210256
GUARDIA CIVIL PATRULLAS			
(973) 221100	(972) 221100	(93) 3221100	(977) 221100

CATALUÑA

Catalunya

PARAISO CAMPISTA

GIRONA

LA JONQUERA   17700   Mapa pág. 16

GI-001 🏕   **MOLI DE VENT** Tel. 972-554066 15/5-15/9

0,4 Ha ■ 45 🌲 ⊙ 🛁 ⌐ WC 🧺 🚿 🔧 🍶 ⛽ ✚ 🚗

Situado en el Km 782,1 de la ctra. N-II, junto a un hotel.

P/N	N/N	A/N	M/N	C/N	T/N	AC/N	EL	PC		ACI
475	350	475	450	600		600	450			

GI-002 PT **SANT JAUME DE CANADAL** Tel. 972-555681 1/1-31/12

1 Ha ■ 40 (200) 🌲 ⊙ 🛁 ⌐ 🧺 🍶 🍴 ✕ 🔧 ⛽ 💳

Camping Masia distribuido en terrazas. Acceso por la salida 2 de la autopista A-7.

P/N	N/N	A/N	M/N	C/N	T/N	AC/N	EL	PC		PI	ACI
330	283	283	165	330	283	472	307				

MAÇANET DE CABRENYS   17720   Mapa pág. 16

GI-003 🏕   **MAS PERICOT** 1/6-30/9

1,5 Ha ■ 50 (200) 🌲 🛁 ⌐ WC 🧺 🚿 🍶 🍴 ⛲

Camping masía naturista. Precios 94

P/N	N/N	A/N	M/N	C/N	T/N	AC/N	EL	PC			PI	ACI
595	430								1280			

GARRIGUELLA   17780   Mapa pág. 15

GI-006 🏕 PT **VELL EMPORDA** Tel. 972-530200 Fax 972-530200 1/6-30/9

7 Ha ■ 217 (60) 🌲 ⊙ 🚐 🛁 🛁 ⌐ WC 🧺 🚿 🔧 🖥 🍶 🍴 🏠 🍶 ⛲ ⛽ 🏊 ✚ 🚗 4

Acceso por la A-7, salida Llançà-Figueres, desvío dirección Garriguella. Precios 94

P/N	N/N	A/N	M/N	C/N	T/N	AC/N	EL	PC		PI	ACI
390	325	390	325	390	390	585	390				

COLERA   17469   Mapa pág. 16

GI-008 🏕   **GARBET** Tel. 972-389001 Fax 972-128059 SS-31/10

0.8 Ha ■ 90 (45) 🌲 ⚡ 0.01Km ⊙ 🛁 🛁 ⌐ WC 🧺 🚿 🔧 🖥 🍶 🍴 🔧 ⛲ ⛽ 23

Terreno divido por setos. Cerca de la vía férrea. Se accede por el Km 68,1 de la C-252, girando hacia el mar. 2 Km al sur de Colera.

P/N	N/N	A/N	M/N	C/N	T/N	AC/N	EL	PC		ACI
525	425	525	425	525	525	525	375			

GI-010 🏕 T **SANT MIQUEL** Tel. 972-389018 SS-30/9

2.5 Ha ■ 245 (60) 🌲 ⚡ 0.50Km ⊙ 🛁 ⌐ WC 🧺 🚿 🖥 🍶 🍴 🔧 ⛲ 🔧 ✚ 🚗 30

Terreno llano con chopos. Situado al sur de la población. Precios 94

P/N	N/N	A/N	M/N	C/N	T/N	AC/N	EL	PC		ACI
475	325	475	350	475	475	750	375			

LLANÇA   17490   Mapa pág. 16

GI-013 🏕 T **L'OMBRA** Tel. 972-380335 1/1-31/12

1 Ha ■ 132 (55) 🌲 ⚡ 0.50Km ⊙ 🛁 ⌐ ⌐ WC 🍶 🏠 🔧 ⛲ 🍶 ⛽ ✚ 🚗 🛒 🎾 🚗 7

En un prado llano, con árboles frondosos. Se accede girando hacia el interior, frente al Hotel Gri-Mar, situado en el Km 64,7 de la C-252. Precios 94

P/N	N/N	A/N	M/N	C/N	T/N	AC/N	EL	PC		ACI
387	283	245	123	396	396	556	330			

EL PORT DE LA SELVA   17489   Mapa pág. 11

GI-016 🏕 M **L'AROLA** Tel. 972-387005 1/6-30/9

0.2 Ha ☀ ⊙ 🛁 ⌐ WC 🧺 🚿 🔧 🍶 🍴 🔧

Situado en el Km 8 de la ctra. Llançà-El Port de la Selva.

P/N	N/N	A/N	M/N	C/N	T/N	AC/N	EL	PC		ACI
500	375	425		575	550	600	375			

EL PORT DE LA SELVA   17489   Mapa pág. 16

GI-017 MT **PORT DE LA VALL**   Tel. 972-387186 1/4-30/9

3 Ha ■ 345 (60) 弈 ⊙ ⊖ ⌐ ⌐WC ♨ ♦ ▽ Ⓧ ✕ ➴ ♨ ⊕ ▭

Zona con pendiente para tiendas y llana para caravanas. Playa de guijarros. Acceso situado a 1,5 Km al norte de la localidad.

| P/N 475 | N/N 400 | A/N 475 | M/N 400 | C/N 475 | T/N 475 | AC/N 775 | EL 450 | PC 🚗 🚐 4 ⫯ | 2850 |

GI-018 T **PORT DE LA SELVA** Tel. 972-387287 1/6-1/9

1,2 Ha ■ 103 弈 Ƀ 1 Km ⊙ ⊖ ⌐ ⌐WC ♨ ♦ ▽ ⓧ ✕ ➴ ♨ Ⓖ ➴ ≈ 🅿 ▭

Prado dividido en dos zonas por un arroyo seco. A 1,5 Km en la ctra. Port de la Selva-Cadaqués.VER ANUNCIO.

| P/N 525 | N/N 425 | A/N 525 | M/N 425 | C/N 525 | T/N 525 | AC/N 525 | EL 375 | PC | PI ACI |

CADAQUÉS   17488   Mapa pág. 16

GI-021 PT **CADAQUÉS** Tel. 972-258126 6/4-30/9

2.6 Ha ■ 196 (60) 弈 Ƀ 0.10Km ⊙ ⊖ ⌐ ⌐WC Ⓧ ▽ ➴ ♨ ≈ ⊕ ⌸ 14

Terreno dividido por muros bajos, en la cima de un monte sobre Cadaqués. A la entrada de la población a la izquierda a 1 Km.

| P/N | N/N | A/N | M/N | C/N | T/N | AC/N | EL | PC | |

ROSES   17480   Mapa pág. 16

GI-023 RPT **BAHIA DE ROSES** Tel. 972-256669 Fax 972-253383 1/4-30/9

3.5 Ha ■ 380 (60) 弈 Ƀ 0.5 Km ⊙ ♨ ⊖ ⊖ ⌐ ⌐WC ♨ ♦ ▽ ♿ Ⓧ ▽
✕ ➴ ♨ Ⓖ ➴ ⊕ 🛒 10 ▭

Llano y con árboles frondosos. Se accede por la C-260 (Figueres-Roses). A la entrada de la población, a la izqda., cruce con la ctra. de Cadaqués.

| P/N 495 | N/N 321 | A/N 495 | M/N 330 | C/N 500 | T/N 467 | AC/N 995 | EL 335 | PC | ACI |

GI-024 **JONCAR MAR** Tel. 972-256702 1/4-31/10

1.9 Ha ■ 210 (60) 弈 Ƀ 0.05Km ⊙ ⊖ ⊖ ⌐ ⌐WC ♨ ♦ ▽ Ⓧ ◿ ▽ ✕ ➴
♨ Ⓖ ➴ ≈ ⊕ 🛒 5 ▭

Situado a la entrada del pueblo de Roses.

| P/N 525 | N/N 350 | A/N 525 | M/N 400 | C/N 600 | T/N 525 | AC/N 1200 | EL 350 | PC | PI ACI |

GI-025 T **RODAS** Tel. 972-257617 1/6-30/9

3.1 Ha ■ 290 (60) 弈 Ƀ 0.50Km ⊙ ⊖ ⌐WC ♨ ♦ Ⓧ ✕ ➴ Ⓖ ➴ ≈ ⊕ ▭

Terreno con césped, plazas delimitadas con cipreses y rodeado de muros. Se accede saliendo 100 m. a la dcha. en el Km 43 de la C-260.

| P/N 525 | N/N 350 | A/N 525 | M/N 400 | C/N 600 | T/N 600 | AC/N 1200 | EL 350 | PC | PI ACI |

ROSES 17480   Mapa pág. 16

GI-026 T **SALATA** Tel. 972-256086 Fax 972-256866 8/7-25/8

1.3 Ha ■ 150 (60) 0.20Km WC

Terreno llano, con arbustos y flores. Está en el Km 42,5 de la ctra. Besalú-Roses.

P/N	N/N	A/N	M/N	C/N	T/N	AC/N	EL	PC		ACI
525	350	525	400	600	600	1200	350			

GI-027 PT **AMPURDANES** Tel. 972-257042 15/6-15/9

0,7 Ha ■ 55 (50) WC

Situado a 4 Km de Roses en la playa Almadraba. Precios 94

P/N	N/N	A/N	M/N	C/N	T/N	AC/N	EL	PC		ACI
525	340	525	350	525	525	1049	355			

EMPURIABRAVA 17487   Mapa pág. 16

GI-028 RPT **LA ESTRELLA** Tel. 972-450208 15/4-15/9

3 Ha ■ 279 (70) 0.20Km WC

Situado en la Playa de Empuria Brava, a 200 m. de la playa. Acceso: Autopista A-7, salida 3, continuación dirección Roses. Situación privilegiada. Instalaciones de primera categoría. Ambiente familiar. Sanitarios modernos. Práctica de windsurfing y pesca.

P/N	N/N	A/N	M/N	C/N	T/N	AC/N	EL	PC		PI	ACI
500	425	500	425	525	500	850	425				

CASTELLO D'EMPURIES   17486   Mapa pág. 16

GI-029   RPT   **INTERNACIONAL AMBERES**   Tel. 972-450507   Fax 972-671286   15/5-30/9

8.8 Ha   600 (80)

Prado extenso y llano, con árboles. Acceso: por la ctra. de Figueres dirección Roses con entrada por Empuria Brava (5 Km. antes de Roses).VER ANUNCIO.

P/N	550	N/N		A/N	550	M/N	464	C/N	895	T/N	895	AC/N	1420	EL		PC			PI	ACI

GI-031   RPT   **CASTELL-MAR**   Tel. 972-450822   Fax 972-452330   6/5-24/9

3.5 Ha   310 (72)

Situado en la playa de la Rubina. Acceso por la ctra. C-260, de Figueres a Roses en el Km. 40,5 (junto a restaurante La Llar) girar a la derecha. Shows. Discoteca. Animación. Terreno llano con hierba y árboles. Parcelas separadas con setos. Se recomienda reservar en temporada alta.

P/N	590	N/N	495	A/N	590	M/N	495	C/N	717	T/N	717	AC/N	1300	EL	355	PC			PI	ACI

GI-032   MRPT   **LAGUNA**   Tel. 972-450553   Fax 972-450799   8/4-23/10

14.6 H   750 (70)

Rodeado por el rio, el mar y una laguna. Situado dentro del Parque de los "Aiguamolls de l'Empordà". Acceso desde la C-260 en el mismo cruce hacia S. Pere Pescador.VER ANUNCIO.

P/N	670	N/N	555	A/N	670	M/N	565	C/N	670	T/N	670	AC/N	1175	EL	350	PC			PI	ACI

CASTELLO D'EMPURIES   17486   Mapa pág. 16

GI-033   RPT **MAS NOU**   Tel. 972-454175   Fax 972-454358   SS-30/9

7.8 Ha ■ 450 (70)

Se accede por la salida 4 de la autopista A-17 (Figueres-Roses). Dirección Roses. Después de 12 Km. Una vez rodeado el casco urbano de Castelló d'Empuries, a 1 Km a mano izquierda está situado el camping (frente Empuriabrava).VER ANUNCIO.

P/N	N/N	A/N	M/N	C/N	T/N	AC/N	EL	PC	PI	ACI
600	450	600	510	600	600	1200	380			

GI-034   MRPT **NAUTIC ALMATA**   Tel. 972-454477   Fax 972-454686   13/5-24/9

22 Ha ■ 1109 (90)

Conectado directamente con el mar por un canal. Acceso por la ctra. S. Pere Pescador-Castelló d'Empuries, 3 Km en dirección al mar. Situado a orilla del mar y dentro del Parque Natural de los Aiguamolls de l'Empordà.
VER ANUNCIO.

P/N	N/N	A/N	M/N	C/N	T/N	AC/N	EL	PC		PI	ACI
280	280								2830		

SANT PERE PESCADOR   17470   Mapa pág. 16

GI-039   MRPT **AQUARIUS**   Tel. 972-520003   Fax 972-550216   1/4-31/10

5.3 Ha ■ 426 (80)

Prado con gran variedad de arbolado. Acceso: Desde las salidas 3 y 5 de la autopista A-7 hasta Sant Pere Pescador. Pasado el puente sobre el río Fluvià, tomar la dirección de la playa. Seguir indicaciones camping.

P/N	N/N	A/N	M/N	C/N	T/N	AC/N	EL	PC		ACI
670	440	670	543	670	670	1340	307			

Nautic Almata
Camping, 1.ª Cat. Costa Brava

Nautic Almata no es un camping más, ya que, no sólo dispone de todos los servicios propios de los campings modernos, sino que tiene una ubicación inmejorable: el Parque Nacional de «Els Aiguamolls de l'Empordà», único por paisaje, con una playa prácticamente exclusiva y considerada la mejor zona del Mediterráneo para la práctica del Windsurfing. Además, todo él está comunicado por canales que llegan hasta el mar, idóneo para todo tipo de embarcaciones.

El camping dispone de bungalows, tres bares, «disco-bar», restaurante, supermercado, boutique, etc., y la posibilidad de practicar cualquier deporte: centro hípico, tres pistas de tenis, dos piscinas, un polideportivo, frontón, squash, escuela de vela, kayac y windsurfing, sala de juegos, pesca, esquí náutico, excursiones, etc. Hay también servicios de animación y lavandería.

Todas las duchas y lavabos tienen agua caliente. Abierto del 15-5 hasta finales de septiembre.

DIRECCIÓN CAMPING:
Carretera de Castelló d'Empúries
a St. Pere Pescador. km. 11,6
17486 CASTELLÓ D'EMPÚRIES. Girona.
Tel.(972) 45 44 77. Fax(972) 45 46 86

DIRECCIÓN INVIERNO:
Travessera de Gràcia, 18-20 .
08021 BARCELONA. Tel.(93) 209 21 77.

PARQUE ECOLOGICO

PRECIOS
ESPECIALES
BAJA
TEMPORADA
Hasta el 30 de
Junio y a partir del
1 de Septiembre.

GRATIS
• *Tenis*
• *Squash*
• *Frontón*
• *Piscinas*

SANT PERE PESCADOR   17470   Mapa pág. 16

GI-040 △ PT **EL RIO** Tel. 972-520216 1/6-15/9

4 Ha ■ 200 (95) 🌲 ⊙ 🚿 🚽 WC 🧺 🛢 🖼 ⊿ 丫 ✕ 🏠 🔋 🅶

Situado a 250 m de S. Pere Pescador, en la ctra. de la playa, en una arboleda lindante con el rio Fluvià. Posibilidad de amarre de barcas.

P/N 450	N/N 325	A/N	M/N	C/N	T/N	AC/N	EL 350	PC		1200	PI ACI

GI-041 △△△ MRPT **LA BALLENA ALEGRE-2** Tel. 972-520302 Fax 972-520332 26/5-1/10

24 Ha ■ 1856 (90) 🌲 ⊙ 🚿 🚽 BEBÉ WC 🧺 🛢 ♿ 🖼 ⊿ 丫 ✕ 🏠 🔋 🅶 37

Se accede por la ctra. de L'Escala girando hacia Sant Marti d'Empuries. Playa ancha. Dunas.VER ANUNCIO.

P/N 300	N/N 225	A/N	M/N	C/N	T/N	AC/N	EL	PC		2800	PI ACI

GI-043 △ MR **LA GAVIOTA-2** Tel. 972-520569 Fax 972-550348 1/2-30/11

1.5 Ha ■ 106 (60) 🌲 ⊙ 🚽 WC 🧺 🛢 🖼 丫 ✕ 🔋 🅶

Al final de la ctra. de la playa.VER ANUNCIO.

P/N 425	N/N 330	A/N 472	M/N 377	C/N 850	T/N 850	AC/N 1226	EL 354	PC	ACI

GI-044 △△△ RPT **LAS PALMERAS** Tel. 972-520506 SS-15/10

3 Ha ■ 181 (70) 🌲 🔻 0.20Km ⊙ 🚗 🚿 🚽 BEBÉ WC 🧺 🛢 🖼 ⊿ 丫 ✕ 🔋 🅶 5 1

Prado llano, con árboles frondosos. Se accede desde la autopista A-7, salidas 3 ó 4, Figueres, dirección Roses, hasta cruce S. Pere Pescador, una vez allí dirección playa. Piscina climatizada.VER ANUNCIO.

P/N 377	N/N 307	A/N 377	M/N 307	C/N 1321	T/N 1321	AC/N 1650	EL 330	PC		PI ACI

| SANT PERE PESCADOR | 17470 | Mapa pág. 16 |

GI-046 /\\\\\ MRT **LAS DUNAS** Tel. 972-520400 Fax 972-550046 13/5-22/9

27 Ha ■ 1540 (75)

Acceso por la autopista A-7 salida 5 dirección L'Escala, 1 Km antes desvío a la izquierda y seguir indicaciones.VER ANUNCIO.

| P/N 300 | N/N 225 | A/N | M/N | C/N | T/N | AC/N | EL | PC | | 2800 | PI | ACI |

GI-047 /\\\\\ MRPT **L'AMFORA** Tel. 972-520540 Fax 972-520539 1/4-30/9

8 Ha ■ 439 (100)

Se accede saliendo del pueblo hacia L`Escala. Atravesar el puente dirección la playa. Seguir las señales indicativas. 64 parcelas con sanitario individual (ducha, lavabo, WC y lavadero).VER ANUNCIO.

| P/N 375 | N/N 325 | A/N | M/N | C/N | T/N | AC/N | EL | PC | | 2675 | PI | ACI |

| SAN MORI | 17487 | Mapa pág. 16 |

GI-048 PT **CAN CULE** Tel. 93-2074762 Fax 93-4584107

20 Ha

Camping Masia. Acceso por la ctra. N-623 tomar la dirección Sant Mori pasado el cruce de Vilopriu.

| P/N 377 | N/N 235 | A/N 377 | M/N 189 | C/N 377 | T/N 377 | AC/N 377 | EL 286 | PC | | PI | ACI |

CONOZCA EL CAMPING IDEAL

DUNAS

Al lado de la playa: Sol, sombra y confort.

Veranee en primera clase.

✳ Situado en la Bahía de Roses, con una amplia playa de arena fina. Ideal para niños y utilizada solamente por nuestros campistas. ✳ Parcelas muy espaciosas, sombreadas y todas con electricidad. ✳ Gran centro comercial con supermercado, panadería, quiosco-librería, tienda de souvenirs, boutique, etc. ✳ Restaurante, Self-service, pollos al ast, 4 bares, pub con ambiente selecto y discoteca ultramoderna e insonorizada. ✳ Sanitarios modernos y totalmente equipados. Todos con agua caliente, instalaciones especiales para minusválidos y bebés. Cabinas de aseo individuales. **Máxima limpieza y conservación.** ✳ Dedicamos especial atención al deporte: 2 piscinas, pistas de tenis, minigolf, voleybol, baloncesto, campos de fútbol y de rugby, escuela de windsurf y zona infantil. Retransmisiones deportivas (antena parabólica) ✳ Equipo profesional de animadores, especializados en juegos y fiestas infantiles. Campeonatos deportivos, baile y espectáculos.

✳ **50% de descuento sobre el precio de la parcela en temporada baja.**

Muy bien comunicado:

Salida 5, autopista Barcelona - La Jonquera.
Carretera dirección L'Escala y desvío a Sant Martí
d'Empúries con 4,5 kms. de carretera asfaltada hasta
el camping.

Para más información:
Camping Las Dunas   Tel. 972 / 520400
Apartat de Correus 23   520401
17130 L'Escala (Girona)   Fax. 972 / 550046

1ª CAT

LAS **Dunas**
CAMPING
CARAVANING

SANT PERE PESCADOR - COSTA BRAVA

L'ESCALA   17130   Mapa pág. 16

GI-050 〽 T **L'ESCALA** Tel. 972-770084 Fax 972-550046 SS-22/9

1,8 Ha ■ 212 (65 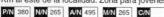 0.30Km ⊙ 🚐 ⛺ ⌐ WC 🧺 ♨ ⌐ 🍸 🚮 ⛽ ⚓
➕ 🚗

Terreno llano con pinos. Autopista A-7, salida 5 dirección L'Escala. Situado en el centro de la población.
VER ANUNCIO.

| P/N 300 | N/N 225 | A/N | M/N | C/N | T/N | AC/N | EL | PC 🚐 📞 ＼ | | 2000 | ACI |

GI-051 〽 T **MAITE** Tel. 972-770544 1/6-15/9

6 Ha ■ 460 (60) 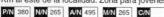 0.10Km ⊙ ⛺ ⌐ WC 🧺 ♨ ⌐ 🍸 ✕ ⚓ 🚮 ⛽ ➕
🚗

Situado a 100 m de la playa de Riells. Muchos pinos y un lago de 13.000 m2 con mucha pesca.

| P/N 486 | N/N 389 | A/N 486 | M/N 389 | C/N 486 | T/N 486 | AC/N 885 | EL 389 | PC | | | ACI |

GI-052 〽 T **CALA MONTGO** Tel. 972-770866 Fax 972-104340 1/1-31/12

11 Ha ■ 790 (70) 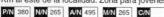 0.2Km ⊙ ⛺ ⌐ ⌐ 🍼 WC 🧺 ♨ ⌐ 🚿 ♨ ⌐ 👶 🧺 📷 🛒 🍸
✕ ⚓ 🚮 ⛽ 🚗 ➕ 🚗 🚻 🛏 85 📧 8

Dividido en dos zonas por una ctra. Situado en un pinar. Se accede por la ctra. que conduce a Punta Montgó, 2
Km al este de la localidad. Zona para jóvenes.

| P/N 380 | N/N 265 | A/N 495 | M/N 265 | C/N | T/N | AC/N | EL 375 | PC 🚐 📞 | | 2075 | PI | ACI |

Ante la variedad de conceptos que facturan algunos
campings bajo el epígrafe «parcela» recomendamos
contactar antes con ellos para conocer con exactitud el alcance de las mismas.

L'ESCALA   17130   Mapa pág. 15

GI-053   T   **NEUS**   Tel. 972-770403   1/6-15/9

4 Ha ■ 248 (60)   1.00Km

Situado en el Km 0,8 de la ctra. a Punta Montgó. Vallado de madera. Pinos, terreno ondulado.

P/N	N/N	A/N	M/N	C/N	T/N	AC/N	EL	PC		ACI
500	380	500	425	600	500	950	390			

GI-054   RT   **RIELLS**   Tel. 972-770027   1/6-30/9

3.3 Ha ■ 228 (60)   0.50Km

Se accede por el cruce que conduce a la playa de Riells, en la ctra. de L'Escala a Punta Montgó.

P/N	N/N	A/N	M/N	C/N	T/N	AC/N	EL	PC
450	325	450	375	450	450	900	350	

GI-056   RPT   **PARADIS**   Tel. 972-770200   Fax 972-772031   1/3-31/10

5,9 Ha ■ 460 (70)   0,1 Km   BEBÉ   WC

Acceso: Entrando en l´Escala por la Av. Riells y continuar hasta la Platja de Montgó.

P/N	N/N	A/N	M/N	C/N	T/N	AC/N	EL	PC			PI	ACI
400	250						375			1700		

L'ESTARTIT   17258   Mapa pág. 16

GI-058   RPT   **LES MEDES**   Tel. 972-758405   Fax 972-760413   1/4-30/9

2.6 Ha ■ 194 (70)   0.80Km   BEBÉ   WC

Acceso por la ctra. GI-641, Torroella-L'Estartit, tomar desvío a la derecha en el Km 5 (Parque de Atracciones) y seguir indicaciones.VER ANUNCIO.

P/N	N/N	A/N	M/N	C/N	T/N	AC/N	EL	PC			PI	ACI
485	360	420					370			1025		

GI-059 RPT **TER** Tel. 972-761110 Fax 972-757409 1/4-30/9

2,4 Ha 188 (60) 1.00Km WC 20

Situado en la ctra. de Torroella a L'Estartit, s/n. Cuenta con servicio de embarcaciones y compresor para buceo.

| P/N | 300 | N/N | 200 | A/N | | M/N | | C/N | | T/N | | AC/N | | EL | 300 | PC | | | 1600 | PI | ACI |

GI-060 **ESTARTIT** Tel. 972-758909 Fax 972-758909 1/4-30/9

1,5 Ha 160 (60) 0.40Km BEBÉ WC 4

Terreno distribuido en terrazas, con pinos, atravesado por un arroyo. Se accede por la GI-41, viniendo de Torroella de Montgri, hasta la localidad y siguiendo las indicaciones.

| P/N | 495 | N/N | 380 | A/N | 495 | M/N | 400 | C/N | 525 | T/N | 495 | AC/N | 895 | EL | 250 | PC | | | | PI | |

GI-062 RPT **EL MOLINO** Tel. 972-758629 SS-30/9

10 Ha 550 (60) 0,4 Km WC

Dividido en sectores a lo largo de la playa. Se accede girando a la dcha. en el Km 5 de la ctra. Torroella-L'Estartit y siguiendo a 1,5 Km. Precios 1993.

| P/N | 400 | N/N | 310 | A/N | 400 | M/N | 310 | C/N | 400 | T/N | 400 | AC/N | 760 | EL | 270 | PC | | | | | |

GI-063 **LA SIRENA** Tel. 972-758542 Fax 972-760944 SS+1/5-15/10

4,4 Ha 352 (60) 0,05 Km BEBÉ WC 17

Terreno estrecho, ilano. Se accede girando a la dcha. en el Km 5 de la ctra. Torroella-L'Estartit. Se cargan botellas para buceo. Precios 94

| P/N | 515 | N/N | 400 | A/N | 515 | M/N | 410 | C/N | 515 | T/N | 515 | AC/N | 995 | EL | 345 | PC | | | | PI | ACI |

GI-065 PT **RIFORT** Tel. 972-758406 1/6-15/9

1.7 Ha 137 (60) 0.30Km WC 4

Terreno en terrazas, situado en la ctra. de Torroella de Montgri-L'Estartit a la entrada de esta última población, en la misma carretera.

| P/N | 450 | N/N | 360 | A/N | | M/N | 360 | C/N | | T/N | | AC/N | | EL | 355 | PC | | | 1240 | PI | ACI |

GI-066 RP **CASTELL MONTGRI** Tel. 972-758630 Fax 972-759906 6/5-15/10

25 Ha 1260 (70) 1.00Km BEBÉ WC 200 22 300

Se accede a partir del Km 4,7 de la ctra. de Torroella a L'Estartit. Agencia de viajes. Situado parte en llano y parte sobre una colina con magníficas vistas sobre la región. Asistencia para subir caravanas.

| P/N | 307 | N/N | 227 | A/N | | M/N | | C/N | | T/N | | AC/N | | EL | | PC | | | 3010 | PI | ACI |

GI-067 **EMPORDA** Tel. 972-760649 18/6-15/9

3.5 Ha 205 (90) 0.50Km WC

Terreno llano, próximo al mar.

| P/N | 450 | N/N | 350 | A/N | | M/N | | C/N | | T/N | | AC/N | | EL | 350 | PC | | | 975 | PI | ACI |

GI-069 MRPT **EL DELFIN VERDE** Tel. 972-758450 Fax 972-760070 14/5-25/9

35 Ha 1792 (80) WC 37

A 4 km al sur de Torroella de Montgri por la ctra. GI-650 en dirección Begur, en el Km 12,5 girar a la izquierda en dirección al mar a 3,5 Km.VER ANUNCIO.

| P/N | 275 | N/N | 225 | A/N | | M/N | | C/N | | T/N | | AC/N | | EL | | PC | | | 2950 | PI | ACI |

PALS 17256 Mapa pág. 16

GI-071 RPT **CYPSELA** Tel. 972-667696 Fax 972-667300 13/5-30/9

20 Ha ■ 1170 (80) 1.5 Km BEBÉ WC

Situado en un bosque de pinos a la izquierda de la ctra. a la playa de Pals. Acceso por la autopista A-7 salida 6 dirección playa de Pals. Autobus hasta la playa. Bañeras para bebés. VER ANUNCIO.

| P/N 690 | N/N 470 | A/N | M/N | C/N | T/N | AC/N | EL 400 | PC | | 2095 | PI | ACI |

GI-072 RPT **INTER-PALS** Tel. 972-636179 Fax 972-667476 1/4-1/10

7.8 Ha ■ 625 (80) 0.3 Km WC

Distribuido en terrazas, en un bosque de pinos, a la dcha. de la ctra. a la Platja de Pals. A 300 m del centro de la población. Acceso: Salida 6 de la autopista A-7, dirección La Bisbal-Palamós, cruce a Pals-Platja de Pals. VER ANUNCIO.

| P/N 650 | N/N 400 | A/N 550 | M/N 550 | C/N | T/N | AC/N | EL | PC | | 1900 | PI | ACI |

GI-074 RPT **MAS PATOTXAS** Tel. 972-636928 Fax 972-667349 1/4-30/9

5.5 Ha ■ 314 (72) 5.00 Km BEBÉ WC DISCO 4 10

Situado en el Km 5 de la GI-650, entre la playa de Pals y las playas de Begur, entre mar y montaña, en el centro de la Costa Brava. Acceso por las salidas 5 y 6 de la autopista A-7. VER ANUNCIO.

| P/N 600 | N/N 375 | A/N | M/N | C/N | T/N | AC/N | EL | PC | | 1800 | PI | ACI |

CAMPING · CARAVANING

cypsela

* EL UNICO CAMPING DE LUJO EN CATALUÑA
* SITUADO EN EL CENTRO DE LA COSTA BRAVA
* MUY PROXIMO A LAS MEJORES PLAYAS
* EL CAMPING CARAVANING IDEAL PARA LOS QUE AMAN EL CONFORT EN PLENA NATURALEZA
* LOS MEJORES SERVICIOS AL MEJOR PRECIO

¿Todavía no nos conoce? atrévase...!!!

INFORMACION Y RESERVAS: CAMPING CYPSELA

Rodors, 7   17256 PALS   (Gerona)

Teléfono - (972) 66.76.96 FAX - (972) 66.73.00

* CAMPING RECOMENDADO POR LOS PRINCIPALES CLUBS EUROPEOS
* CAMPING DECLARADO "EJEMPLAR" Y UNO DE LOS 12 MEJORES DE EUROPA
* MEDALLA DE PLATA AL MERITO TURISTICO - DIPLOMA TURISTIC

PALS   17256   Mapa pág. 27

GI-076 ⚒ MRPT **PLAYA BRAVA** Tel. 972-636894 Fax 972-636952 13/5-24/9

11 Ha ■ 500 (80) 🌲 ___ ___ ⊙⊙ 🚐 🚃 ⛲ ⌐ WC 🏠🧺🚿🧴🔥🎰 Ⓨ ✕ 🏠
🪫 _ _ ➕ 🏠 🚭 ⌐ ⚘ ⊞

Situado en un bosque de pinos. De acceso por la ctra. a la playa de Pals, circunvalando el campo de golf. Embarcadero.VER ANUNCIO.

P/N	250	N/N	200	A/N		M/N		C/N		T/N		AC/N		EL		PC 🚐 🚃		2800	PI	ACI

BEGUR   17255   Mapa pág. 27

GI-078 ⚒ RPT **BEGUR** Tel. 972-633201 Fax 972-280394 30/4-3/9

3,8 Ha ■ 197 (60) 🌲 ___ ⊙⊙ ⛲ ⌐ ⌐ WC 🚿 🧺 🚿 🔥 🎰 Ⓨ ✕ ⚓ 🪫 🚭
⚘ _ 🏊

Prado y colina con poca pendiente. Situado en el Km 1,5 de la ctra. Begur-Palafrugell, 400 m después de la bifurcación de Fornells y Aiguablava.

P/N	525	N/N	375	A/N	525	M/N	385	C/N	525	T/N	525	AC/N	770	EL	350	PC			PI	ACI

GI-079 ⚒ RPT **EL MASET** Tel. 972-623023 Fax 972-623901 8/4-24/9

1.2 Ha ■ 109 (60) 🌲 ___ ⌀ 0.30Km ⊙⊙ 🚐 ⛲ ⛲ ⌐ 🍼 WC 🚿 🧺 🚿 🔥 🎰 ⬜
Ⓨ ✕ ⚓ 🪫 🚭 _ ⚘ ➕ ⚘ ⊞ 8 ⊟

Terreno en terrazas. Se accede por la ctra. Begur-Sa Riera, girando por el Km 0,8 a la izquierda y siguiendo 2 Km. Por su situación y viales no es indicado para caravanas muy grandes.VER ANUNCIO.

P/N	620	N/N	520	A/N	620	M/N	440	C/N	720	T/N	620	AC/N	770	EL	450	PC			PI	ACI

A 300 m. de la atractiva y bonita playa de Sa Riera, en un lugar privilegiado por el encanto de la naturaleza, encontrará los excelentes, límpios y ordenados servicios del camping "El Maset", recomendado para descansar y pasar sus vacaciones en familia. Parcelas con terraza totalmente independiente. Alquiler de Estudios-Bungalows confortables para 4-6 personas (mín. I semana). Agua caliente y piscina gratuita. Temporada baja: 10% dto. (estancia mín. I semana)

Diploma al Mérito Turístico de la Generalitat de Catalunya 21-12-84

CAMPING EL MASET · SA RIERA - BEGUR · COSTA BRAVA GIRONA

TAMARIU   17212   Mapa pág. 27

GI-082 ⚒ PT **TAMARIU** Tel. 972-620422 Fax 972-620422 SS+1/5-30/9

2 Ha ■ 170 🌲 ___ ⌀ 0.30Km ⊙ 🚐 ⛲ ⌐ WC 🚿 🧺 🚿 🔥 🎰 ⬜ Ⓨ ✕ ⚓ 🪫
🚭 _ ⚘ ➕ 🏠

Distribuido en terrazas y situado en una pineda. Se accede a partir de la playa de Tamariu, girando 200 m a partir del aparcamiento de la misma.

P/N	486	N/N	369	A/N	486	M/N	368	C/N	547	T/N	486	AC/N	835	EL	387	PC			PI	ACI

LLAFRANC   17211   Mapa pág. 27

GI-084   RPT   **KIM'S**   Tel. 972-301156   Fax 972-610894   SS-30/9

5.3 Ha ■ 343 (80)   0.35 Km   WC   10   7

Acceso por las salidas 6,7 ó 9 de la autopista A-7. A 500 m de la playa de Llafranc. Distribuido en terrazas a 200 m sobre el nivel del mar compartiendo el contraste de "mar y montaña". Ambiente familiar y agradable. Mantiene un alto índice de fidelidad de su clientela. Magníficas ofertas para grupos y largas estancias. VER ANUNCIO.

| P/N 610 | N/N 400 | A/N 610 | M/N 425 | C/N 725 | T/N 700 | AC/N 1000 | EL 425 | PC | | PI ACI |

CALELLA DE PALAFRUGELL   17210   Mapa pág. 27

GI-087   R   **LA SIESTA**   Tel. 972-615116   Fax 972-614416   1/7-30/9

12 Ha ■ 873 (70)   0.30Km   WC   88

Situado en una pineda y en una zona con terrazas en una colina. Acceso por la ctra. Palafrugell-Calella.

| P/N 630 | N/N 520 | A/N 665 | M/N 535 | C/N 720 | T/N 720 | AC/N 1000 | EL 460 | PC | | PI ACI |

GI-088   RPT   **MOBY DICK**   Tel. 972-614307   1/4-30/9

2.8 Ha ■ 188 (60)   0.05Km   WC

Acceso por la autovía Palafrugell-Calella de Palafrugell. Al final de la misma, seguir a la derecha. El camping se halla en la 4ª calle a la izquierda, dentro de la población. Denso arbolado con vistas al mar.

| P/N 458 | N/N 340 | A/N 485 | M/N 340 | C/N 500 | T/N 458 | AC/N 802 | EL 375 | PC | | ACI |

MONT-RAS   17253   Mapa pág. 27

GI-091   PT   **RELAX-NAT (Naturista)**   Tel. 972-300818   Fax 972-601100   1/4-1/10

6,6 Ha ■ 306 (80)   WC   18

Camping naturista. Terreno ligeramente inclinado, junto a una masía a 1,2 Km de un desvío situado en el Km 38 de la C-255. A 4,5 Km de la cala naturista "Cala Estreta". Exclusivamente reservado a familias y grupos

| P/N 475 | N/N 375 | A/N | M/N | C/N | T/N | AC/N | EL 290 | PC | 1450 | PI ACI |

GI-092   PT   **RELAX-GE**   Tel. 972-301549   Fax 972-601100   3/6-3/9

2,7 Ha ■ 182 (90)   5 Km   WC   34

Situado en un prado llano, con chopos y olivos. Se accede a partir del km. 39, de la C-255.

| P/N 395 | N/N 250 | A/N | M/N | C/N | T/N | AC/N | EL 290 | PC | 1000 | PI ACI |

Hágase socio de una asociación de campistas y/o caravanistas para ser miembro de la FECC.

VALL-LLOBREGA   17253   Mapa pág. 27

GI-093   PT **CASTELL PARK**   Tel. 972-315263   Fax 972-315263   1/4-30/9

4.5 Ha 195 (70)   2.5 Km   BEBÉ WC   5

Situado en el Km 40 de la ctra. Palamós-Gerona (C-255), cerca de las playas del Castell, La Fosca y Palamós, en una zona arbolada y tranquila con ambiente familiar. Acceso por las salidas 6 nº 9 de la autopista A-7.

P/N	N/N	A/N	M/N	C/N	T/N	AC/N	EL	PC			PI	ACI
445	325	445	375	485	445	800	340					

PALAMOS   17230   Mapa pág. 27

GI-094   RPT **BENELUX**   Tel. 972-315575   Fax 972-601901   SS-30/9

4.6 Ha 244 (70)   0.50Km   WC

Se encuentra cerca de la playa del Castell. Precios 94

P/N	N/N	A/N	M/N	C/N	T/N	AC/N	EL	PC			PI	ACI
515	375	515	375	725	660	840						

GI-095   PT **INTERNACIONAL PALAMOS**   Tel. 972-314736   Fax 972-318511   3/4-11/10

5,2 Ha 453 (70)   0.3 Km   WC   20   12

Situado en la playa de La Fosca, en la zona norte de la población. Arbolado con chopos, pinos y eucaliptos. Accceso al norte de Palamós hacia la playa de La Fosca, seguir indicaciones.VER ANUNCIO. Precios 94

P/N	N/N	A/N	M/N	C/N	T/N	AC/N	EL	PC			PI	ACI
345	265						408			1940		

GI-098   **KING'S**   Tel. 972-317511   1/4-30/9

8 Ha 463 (70)   0.20Km   WC   3

Situado en la playa de La Fosca. Precios 94

P/N	N/N	A/N	M/N	C/N	T/N	AC/N	EL	PC			PI	ACI
540	448	540	472	664	664	947	377					

GI-099   PT **VILARROMA**   Tel. 972-314375   Fax 972-314375   1/5-30/9

1.8 Ha 180 (70)   0.2 Km   BEBÉ WC   4

En la ctra. Platja d'Aro-Palamós. Frente a gasolinera entrada Palamós.

P/N	N/N	A/N	M/N	C/N	T/N	AC/N	EL	PC			ACI
590	330	590	370	670	670	980	390				

GI-100   RPT **LA COMA**   Tel. 972-314638   Fax 972-315470   1/4-30/9

4,2 Ha 285 (80)   0,6 Km.   WC   14

Situado en el Km. 42 de la ctra. C-255, de Girona a Palamós.

P/N	N/N	A/N	M/N	C/N	T/N	AC/N	EL	PC			PI	ACI
420	305									2050		

PALAMOS   17230   Mapa pág. 27

GI-102 〰 PT **PALAMOS** Tel. 972-314296 Fax 972-601100 1/4-1/10

5.5 Ha ■ 388 (80) 🌲 ___ ___ 🏖 0,5 Km ☺ ⊙ ⊖ ⊖ ⌐ WC 🧺 🍴 🍴 🚿 🚻 ♿ ◻ △
🍴 🚿 ⚓ 🚿 ⊟ 🚗 ⌐ / 🏓 🏠 16 🚐 22
Situado sobre la cala Margarida, a 500 m del Centro de Palamós y a 400 m de la playa de La Fosca.

| P/N 450 | N/N 325 | A/N | M/N | T/N | AC/N | EL 350 | PC 🚗 🚐 | 1700 | PI | ACI |

GI-103 〰 RPT **LA FOSCA** Tel. 972-317255 1/4-30/9

0.7 Ha ■ 69 (50) 🌲 ___ 🏖 0,05Km ☺ ⊖ ⌐ WC 🧺 🚿 🚻 ◻ 🍴 ✕ 🚿 🏛
Situado en la playa de La Fosca, ctra. Acceso por la A-7 o N-II y seguir por la C-255, hacia Palamos.
Distribuido en terrazas y arbolado con pinos.

| P/N 525 | N/N 250 | A/N 525 | M/N 300 | C/N 525 | T/N 525 | AC/N 525 | EL 400 | PC | | ACI |

CALONGE   17251   Mapa pág. 27

GI-105 〰 P **PLA DE LA TORRE** Tel. 972-650149 Fax 972-318511 1/6-30/9

1.2 Ha ■ 111 (70) 🌲 🏖 0,6 Km ☺ ⊖ ⌐ ⌐ WC 🧺 🚿 🚻 🍴 🚿
Situado en el paraje Pla de la Torre. Arbolado con pinos. Precios 94

| P/N 445 | N/N 278 | A/N 445 | M/N 278 | C/N 445 | T/N 445 | AC/N 550 | EL | PC | | ACI |

GI-106 〰 MRPT **INTERNACIONAL DE CALONGE** Tel. 972-651233 Fax 972-652507 1/1-31/12

11 Ha ■ 695 (70) 🌲 ___ ___ ☺ 🚐 ⚡ ⊖ ⊖ ⌐ WC 🏠 🍴 🧺 🚿 🚿 🚻 ◻ △
🍴 ✕ 🚿 🏛 (GAS) 🚿 ✚ 🏪 🏓 🏕 △ 20 🏕 50
Situado en el centro de la Costa Brava, a 5 Km de Palamós y a 2 Km de Platja d'Aro. Acceso por la autopista
A-7, salida 9 (Vidreras), dirección Palamós-Platja d'Aro por la ctra. C-255 o por la C-253.VER ANUNCIO.

| P/N 585 | N/N 325 | A/N 645 | M/N 460 | C/N 680 | T/N 680 | AC/N 970 | EL 400 | PC | | PI | ACI |

GI-108 〰 MRPT **CALA GOGO** Tel. 972-651564 Fax 972-650553 29/4-1/10

16 Ha ■ 1050 (70) 🌲 ___ ___ ☺ 🚐 ⚡ ⊖ ⊖ ⌐ WC 🏠 🏠 🧺 🚿 ◻ 🍴 ✕
🚿 🏛 (GAS) 🚿 ✚ 🏪 ⊙ / 🏓 🏕 4 🚐 160
Situado entre Platja d'Aro y Palamós, junto a una pequeña cala en una pineda. Distribuido en terrazas. Acceso
por el Km. 47.5 de la C-253, Sant Feliu de Guixols-Palamós. Información y reservas: Tel:972-651564,
Fax:972-650563VER ANUNCIO.

| P/N 635 | N/N 340 | A/N 695 | M/N 535 | C/N 890 | T/N 760 | AC/N 1045 | EL 400 | PC | | PI | ACI |

Hágase socio de una asociación de
campistas y/o caravanistas para ser
miembro de la FECC.

Cala GOGO

CAMPING – CARAVANING

COSTA BRAVA
CALONGE-PLAYA DE ARO

en temporada baja -25%

Camping Caravaning CALA GOGO es un centro de vacaciones de 1ª Categoría, junto al mar y a una bonita playa arenosa en el corazón de la COSTA BRAVA, que le ofrece innumerables servicios y comodidades: Parcelas con sombra, 2 piscinas, parque infantil, supermercado, 2 restaurantes, snack-bar, parrilla, pizzería, tienda de souvenirs, lavandería, tren de lavado, instalaciones sanitarias modernas, etc. Consigna para objetos de valor, servicio de correos, teléfono público, servicio médico, vigilancia de día y noche. Programa de actividades para niños y adultos, discoteca, excursiones.

**Para información
y reservas escribir a:
CALA GOGO
Apartado 80
17250 PLATJA D'ARO (Girona)
Tel. (972) 65 15 64
Fax (972) 65 05 53**

Alquiler de Bungalows

**ABIERTO
30/4 a
25/9**

Cala **GOGO**

CALONGE 17251 Mapa pág. 27

GI-110 ☷ MPT **TREUMAL** Tel. 972-651095 Fax 972-651671 1/4-15/10

6 Ha ■ 478 (70) 🌲 ⬜ ☉ 🚿 ⛺ ⛺ ⌐ ⌐ WC 🧺 🚿 🚿 🚽 🖵 ☐ ◁ 🍸 ✕
🏠 ⌐ 🛢 ⌐ ⛱ ⊞ 🚑 ⌐ 32

Situado entre Platja d'Aro y Palamós, entre tres pequeñas calas. Acceso por Km 47,5 de la C-253, S. Feliu de Guixols-Palamós.VER ANUNCIO.

| P/N 643 | N/N 340 | A/N 679 | M/N 679 | C/N 953 | T/N 858 | AC/N 1274 | EL 406 | PC | | PI | ACI |

S.ANTONI DE CALONGE 17251 Mapa pág. 27

GI-112 ☷ RT **COSTA BRAVA** Tel. 972-650222 1/6-30/9

2.8 Ha ■ 250 (60) 🌲 ⬜ ☇ 0.10Km ☉ ⛺ ⌐ WC 🧺 🚿 🖵 ☐ 🍸 ✕ 🏠 ⌐ 🛢
⌐ ⛱ ⌐ ⚘

Situado en la Av. Unión, s/n, arbolado con pinos.VER ANUNCIO.

| P/N 515 | N/N 310 | A/N 515 | M/N 405 | C/N 535 | T/N 535 | AC/N 845 | EL 370 | PC | | PI | ACI |

GI-114 ☷ PT **EUROCAMPING** Tel. 972-650879 Fax 972-661987 12/3-30/9

3,8 Ha ■ 196 (60) 🌲 ⬜ ☇ 0.20Km ☉ 🚿 ⛺ ⛺ ⌐ BEBC WC 🧺 🚿 🚿 🚽 🚿
☐ 🍸 ✕ 🏠 ⌐ 🛢 🖵 ⌐ ⛱ ⊞ ⌐ ⚘ ▭

Terreno alargado con árboles. Situado en la C-253, Km 49,2. Zona para jóvenes.VER ANUNCIO.

| P/N 265 | N/N 225 | A/N | M/N | C/N | T/N | AC/N | EL | PC 🚗 🏍 ⌐ | 2850 | PI | ACI |

PLATJA D'ARO   17250   Mapa pág. 27

GI-116 T   **SA COVA**   Tel. 972-818234   SS-30/9

0,8 Ha. ■ 72 (60)   WC

Situado en la ctra. Platja d'Aro-Palamós nº 150. Acceso por la autopista A-7, salida 9. Zona exclusiva para tiendas.

P/N	N/N	A/N	M/N	C/N	T/N	AC/N	EL	PC	

PLATJA D'ARO   17250   Mapa pág. 27

GI-117   RPT **PINELL** Tel. 972-818123 Fax 972-826271 SS-30/9

3,8 Ha ■ 270 (60)   0.50Km   WC

Distribuido en terrazas con pinos y alcornoques. Se accede por la C-253, girando hacia el mar en el Km 43. Junto al puerto deportivo.

| P/N 550 | N/N 315 | A/N 550 | M/N 320 | C/N 600 | T/N 550 | AC/N 800 | EL 400 | PC | | | PI | ACI |

GI-119   RPT **RIEMBAU** Tel. 972-817123 Fax 972-825210 1/5-30/9

19 Ha ■ 1314 (96)   1.00Km   BEBÉ WC

Llano arenoso a ambos lados de un camino con comunicación por paso subterráneo. Se accede saliendo de la C-253 por la zona de Platja d'Aro, girando hacia el interior y siguiendo 600 m.

| P/N 440 | N/N 280 | A/N | M/N | C/N | T/N | AC/N | EL | PC | | 2425 | PI | ACI |

GI-120   RPT **VALLDARO** Tel. 972-817515 Fax 972-816662 1/4-1/10

18 Ha ■ 1200 (80)   0.50Km   BEBÉ WC

Situado en el Km 4 de la ctra. Sta. Cristina-Platja d'Aro. Muy bien indicado desde la salida 7 de la autopista.

| P/N 650 | N/N 400 | S A/N 650 | M/N 500 | C/N | T/N | AC/N | EL | PC | | 1900 | PI | ACI |

PLATJA D'ARO   17250   Mapa pág. 27

GI-121 ⛰ MRPT **VALL D'OR** Tel. 972-817585 Fax 972-817585 1/4-31/10

6 Ha ■ 684 (60) 🌲 ___ ▦ ⊙ 🔌 ⛲ ⌐ ⌐ WC 🧺 🛁 ♿ 🍽 🗙 🚿 ⛽ ↙

➕ 🚗

Situado en el Km 3,4 de la ctra. S. Feliu-Palamós. Llano.

P/N	630	N/N	510	A/N	630	M/N	510	C/N	630	T/N	630	AC/N	890	EL	420	PC				ACI

CASTELL D'ARO   17249   Mapa pág. 27

GI-122 ⛰ RPT **CASTELL D'ARO** Tel. 972-819699 SS-30/9

8 Ha ■ 280 (70) 🌲 ___ 🎣 2.00Km ⊙ 🔌 ⛲ ⌐ ⌐ WC 🧺 🛁 ♿ 🌀 🍽 🗙 🏠

🚿 ⛽ ↙ ➕ 🚗 ⚽

Terreno con pequeñas colinas, en una pineda, cerca del rio Ridaura. Se accede después del Km 1 de la ctra. Castell d'Aro-S'Agaró.

P/N	520	N/N	360	A/N	520	M/N	390	C/N	520	T/N	520	AC/N	840	EL	430	PC			PI	ACI

SANTA CRISTINA D'ARO   17246   Mapa pág. 27

GI-126 P **MAS SANT JOSEP** Tel. 972-835108 Fax 972-837018 1/1-31/12

15 Ha ■ 272 (108) 🌲 ___ ⊙ 🚐 🔌 ⛲ ⌐ BEBÉ WC 🧺 🛁 ♿ 🌀 🔁 🍽 🗙 🏠

🚿 ⛽ ↙ ➕ 🚗 🎾 ⚽ 🏓 2

Situado a la salida de Santa Cristina, Km 2 de la ctra. a Platja d'Aro. Acceso por la autopista A-7, Salida 9, dirección Platja d'Aro.VER ANUNCIO.

P/N		N/N		A/N		M/N		C/N		T/N		AC/N		EL		PC	

S.FELIU DE GUIXOLS · 17220 · Mapa pág. 27

GI-124 · RPT · **BALMAÑA** · Tel. 972-320733 · Fax 972-320458 · 1/1-31/12

4.8 Ha · 294 (70) · 1.00Km · WC

Terreno con terrazas, pinos y alcornoques. Entrada a S. Feliu de Guixols, a la derecha de la ctra.

P/N	N/N	A/N	M/N	C/N	T/N	AC/N	EL	PC		PI	ACI
600	450	600	475	675	675	1050	425				

LLAGOSTERA · 17240 · Mapa pág. 27

GI-127 · RPT · **RIDAURA** · Tel. 972-830265 · Fax 972-830265 · 1/6-15/9

4,4 Ha · 360 (70) · BEBÉ · WC

Distribuido en terrazas. Se accede por el Km 25 de la C-250, 5 Km al oeste de la localidad.VER ANUNCIO.

P/N	N/N	A/N	M/N	C/N	T/N	AC/N	EL	PC		PI	ACI
458	353	458	353	458	458	849	458				

S.FELIU DE GUIXOLS · 17220 · Mapa pág. 27

GI-130 · PT · **SANT POL** · Tel. 972-321019 · Fax 972-321019 · 8/4-30/9

1,5 Ha · 125 (60) · 0.3 Km · BEBÉ · WC

Situado en la ctra. S. Feliu-Palamós, cerca de la playa de S. Pol. Arbolado con alcornoques, eucaliptos y palmeras. Terreno frondoso y aterrazado. Ideal para tiendas y caravanas pequeñas.

P/N	N/N	A/N	M/N	C/N	T/N	AC/N	EL	PC		ACI
650	550	650	550	650	650	1200	400			

TOSSA DE MAR · 17320 · Mapa pág. 27

GI-132 · MRPT · **POLA** · Tel. 972-341050 · Fax 972-341083 · 12/5-15/10

14 Ha · 420 (60) · WC · 62

Terreno con zonas llanas y otras en terrazas. Zona para caravanas. Playa propia. Se accede por la GE-682 ,5 Km después de Tossa de Mar en dirección S. Feliu de Guixols.

P/N	N/N	A/N	M/N	C/N	T/N	AC/N	EL	PC		ACI
760	420									

GI-133 · MRPT · **CALA LLEVADO** · Tel. 972-340314 · Fax 972-341187 · 1/5-30/9

13 Ha · 650 (70) · BEBÉ · WC · 6

Dispuesto en terrazas con pendiente. Zona aparte para caravanas. Acceso a calas propias. Se accede por el Km 20 de la GE-682, a 3 Km de Tossa.VER ANUNCIO.

P/N	N/N	A/N	M/N	C/N	T/N	AC/N	EL	PC		PI	ACI
730	410	730	675	795	730	1150	375				

TOSSA DE MAR   17320   Mapa pág. 16

GI-135 ⋀⋀ RPT **CAN MARTI** Tel. 972-340851 Fax 972-340712 15/5-30/9

9.5 Ha ■ 657 (70) ⋀ ▦ ✗ 0.8 Km ☺ ⛽ ⚑ ⛺ ⛺ ⌐ BEBÉ WC ♨ ♨ ⚱ ⌐ ♿ ▣ ⚟ ✗ ⌂ ⌁ ⚗ ⚓ ⚒ ⌁ ⚓ ⚲ ✚ ⛟ ⚽

Accesos: por la ctra. de Sant Feliu de Guixols, antes de llegar a Tossa de Mar y pasar el puente, desviarse a la derecha; por la ctra. de Lloret-Tossa, pasado el puente de la riera, en Tossa, desviar a la izquierda y desde Llagostera, llegar a Tossa, pasar el puente y a 200 m. VER ANUNCIO.

P/N	700	N/N	400	A/N	500	M/N	400	C/N	725	T/N	725	AC/N	1000	EL	350	PC			PI	ACI

LLORET DE MAR   17310   Mapa pág. 27

GI-138 ⋀⋀ T **LLORET EUROP** Tel. 972-365483 1/4-30/9

2.5 Ha ■ 247 (60) ⋀ ▦ ✗ 0.7 Km ☺ ⚑ ⛺ ⛺ ⌐ ⌐ WC ♨ ⚱ ⌐ ▣ Y ⌂ ⚓ ⚒ ⛽ ⚲ ✚ ⚽

Distribuido en terrazas con poca pendiente, cerca de la localidad. Se accede girando a la dcha. y siguiendo por un camino que se encuentra a 300 m al norte urbano en dirección Girona.

P/N	575	N/N	415	A/N	575	M/N	325	C/N	575	T/N	575	AC/N	975	EL	425	PC				ACI

GI-139 ⋀⋀ RPT **CANYELLES** Tel. 972-364504 Fax 972-368506 SS-12/10

10 Ha ■ 301 (60) ⋀ ▦ ✗ 0.20Km ☺ ⛽ ⚑ ⛺ ⌐ WC ♨ ⚱ ⌐ ▣ ⚟ Y ✗ ⌂ ⚓ ⚒ ⛽ ⚲ ⚓ ⛟ 20 🚐

Acceso a 0,8 Km al norte por la GI-325. Distribuido en terrazas con bonitas vistas. Servicio de remolque para subir las caravanas a las zonas altas.

P/N	600	N/N	405	A/N	600	M/N	525	C/N	725	T/N	725	AC/N	920	EL	395	PC			PI	ACI

GI-142 ⋀⋀ RP **STA.ELENA CIUTAT** Tel. 972-364009 Fax 972-220908 SS-30/9

8 Ha ■ 628 ⋀ ▦ ✗ 0.80Km ☺ ⛽ ⛺ ⛺ ⌐ ⌐ WC ▣ ♨ ⚱ ⌐ ♿ ▣ Y ✗ ⌂ ⚓ ⚒ ⛽ ⚲ ✚ ⛟ 10

Dispuesto en terrazas en una colina. Zona para caravanas con sombras. Acceso por el Km 10,5 de la ctra. Lloret-Blanes poco más de 1 Km al sur de la localidad; zona para jóvenes.

P/N	685	N/N	450	A/N	685	M/N	350	C/N	685	T/N	685	AC/N	1100	EL	445	PC			PI	ACI

| LLORET DE MAR | 17310 | Mapa pág. 27 |

GI-143   **TUCAN**   Tel. 972-369965   SS-30/9

3 ha ■ 196 (60)

Situado en la ctra. Blanes-Lloret, lado montaña. Precios 94

| P/N | 419 | N/N | 401 | A/N | 419 | M/N | 401 | C/N | 419 | T/N | 419 | AC/N | 896 | EL | 560 | PC | | | PI | ACI |

| BLANES | 17300 | Mapa pág. 16 |

GI-145 ⚠ **LES MIMOSES**   Tel. 972-350018   1/1-30/11

1,7 Ha ■ 99 (60)

Situado en la ctra. Tossa-Hostalric, Km. 19.

| P/N | 330 | N/N | 283 | A/N | 377 | M/N | 330 | C/N | 477 | T/N | 477 | AC/N | | EL | | PC | | | PI |

GI-146 ⚠ MRT   **EL PINAR**   Tel. 972-331083   1/5-30/9

5 Ha ■ 495 (60)

Terreno dividido en dos zonas por ctra. La parte de la playa está arbolada con pinos y chopos. En la parte de la localidad indicada "Campings". En playa S'Abanell, de Blanes, zona Los Pinos.VER ANUNCIO. Precios 94

| P/N | 495 | N/N | 395 | A/N | | M/N | | C/N | | T/N | | AC/N | | EL | | PC | | | 1440 | ACI |

GI-147 ⚠ MR   **BELLA TERRA**   Tel. 972-331955   Fax 972-337124   SS-30/9

7   Ha ■ 638 (60)

Situado a ambos lados de la ctra., en una pineda. En la parte de la localidad indicada "campings". Precios 94

| P/N | 443 | N/N | 340 | A/N | | M/N | | C/N | | T/N | | AC/N | | EL | 330 | PC | | | 1274 | PI |

BLANES   17300   Mapa pág. 27

GI-148   ROCA   Tel. 972-330540   1/5-15/9

2.4 Ha ▪ 261 (60) ... 0.30Km ...

Terreno con parte arbolada y parte sin sombra. Está en la zona de campings de la localidad.

| P/N 530 | N/N 425 | A/N 555 | M/N 425 | C/N 555 | T/N 555 | AC/N 1100 | EL 430 | PC | | PI | ACI |

GI-149   R LA MASIA   Tel. 972-331013   Fax 972-333128   1/5-15/10

7.3 Ha ▪ 666 (60) ... 0.20Km ... 36 ... 46

En la parte de la localidad indicada "campings".VER ANUNCIO.

| P/N 545 | N/N 435 | A/N 570 | M/N 435 | C/N | T/N | AC/N | EL | PC | | 1585 | PI | ACI |

GI-150   MRPT VORA MAR   Tel. 972-331805   Fax 972-336927   27/3-30/9

2.4 Ha ▪ 237 (60) ... 0,3 Km ... 32

Terreno en una pineda, con parcelas que llegan hasta la playa. Está en la parte sur de la localidad, en la zona de "campings".VER ANUNCIO. Precios 94

| P/N 497 | N/N 395 | A/N | M/N | C/N | T/N | AC/N | EL | PC | | 1440 | ACI |

GI-153   MPT S'ABANELL   Tel. 972-331805   Fax 972-350506   1/1-31/12

3.5 Ha ▪ 333 2(60 ...

Situado en la parte de la localidad indicada "campings". Dividido en tres zonas. Acceso desde la autopista A-7, salida Blanes-Hostalrich.

| P/N 530 | N/N 425 | A/N 530 | M/N 425 | C/N 530 | T/N 530 | AC/N 1540 | EL 700 | PC | | 1540 | ACI |

BLANES   17300   Mapa pág. 27

GI-154   T   **SOLMAR**   Tel. 972-331331   Fax 972-353164   SS-25/10

4.8 Ha   436 (60)   0.20Km   WC   20

En la parte de la localidad indicada "campings".VER ANUNCIO. Precios 94

P/N	N/N	A/N	M/N	C/N	T/N	AC/N	EL	PC		1300	PI	ACI
450	330						355					

BLANES 17300 Mapa pág. 27

GI-157 MRPT **BLANES** Tel. 972-331591 Fax 972-337063 1/5-30/9

2 Ha 206 (60)

En la parte de la localidad indicada "campings". Acceso por la autopista A-7 salida nº 10 (Hostalric-Blanes).

P/N	N/N	A/N	M/N	C/N	T/N	AC/N	EL	PC			
530	425										1540

GASERANS 17451 Mapa pág. 27

GI-159 **ELS PINS** Tel. 972-864347 1/1-31/12

38 WC

En la ctra. Hostalric-La Batlloria.

P/N	N/N	A/N	M/N	C/N	T/N	AC/N	EL	PC		4	1200

VILALLONGA DE TER 17869 Mapa pág. 15

GI-160 RPT **CONCA DE TER** Tel. 972-740629 1/1-31/12

2.5 Ha 200 (70) WC

Situado en el alto valle del rio Ter, a 500 m de la población, a la izquierda de la ctra. que va de Camprodon a Set Cases.

P/N	N/N	A/N	M/N	C/N	T/N	AC/N	EL	PC			PI	ACI
467	373						590			1486		

ISOVOL 17539 Mapa pág. 15

GI-161 PT **BELLVER** Tel. 973-510239 1/1-30/12

2.2 Ha 150 (60) WC

Situado entre la ctra. y el rio. Se accede por el Km 193.7 de la N-260, 200 m. antes de llegar al puente sobre el Segre.

P/N	N/N	A/N	M/N	C/N	T/N	AC/N	EL	PC		PI	ACI
425	375	425	375	425	425	850	425				

GUILS DE CERDANYA 17528 Mapa pág. 15

GI-162 RPT **PIRINEUS** Tel. 972-881062 Fax 972-881062 1/1-31/12

7 Ha 293 (70) WC

Acceso por la ctra.N-260, Km 180, desvío hacia Guils de Cerdanya. Cerrado el mes de mayo y del 11/9 al 19/10.

P/N	N/N	A/N	M/N	C/N	T/N	AC/N	EL	PC		PI	ACI
583	530						450			1780	

PUIGCERDA 17520 Mapa pág. 15

GI-163 RPT **STEL** Tel. 972-882361 Fax 972-8823611 1/1-31/12

7 Ha 280 (70) WC

Situado en el Km 2 de la ctra. Puigcerdá-Llivia. Cerrado los meses de mayo y octubre.VER ANUNCIO.

P/N	N/N	A/N	M/N	C/N	T/N	AC/N	EL	PC		PI	ACI
550	500	525	450				450			1780	

SADERNES 17855 Mapa pág. 16

GI-164 RPT **MASIA SADERNES** Tel. 972-687536 Fax 972-687477 1/1-31/12

0.8 Ha 30 (200) 1 km WC

Acceso por la ctra. de Besalú dirección Olot, cruce de Montagut a Sadernes. Camping Masía.

P/N	N/N	A/N	M/N	C/N	T/N	AC/N	EL	PC		ACI
325	300	325	225	350	325	450				

OLOT 17800 Mapa pág. 16

GI-166 RT **LES TRIES** Tel. 972-262405 SS-31/10

1.1 Ha 72 WC

Situado a la entrada de Olot, llegando desde Girona.

P/N	N/N	A/N	M/N	C/N	T/N	AC/N	EL	PC

OLOT   17800   Mapa pág. 16

GI-167 ⛰ RPT **LA FAGEDA** Tel. 972-271239 Fax 972-263858 1/1-31/12

5 Ha ■ 100 (70) 🌲 ⬚ ☉ 🍽 ⌐ WC 🧺 🚿 🛁 ♿ 📷 🍴 🔧 ⚡ 🚗 🛒 2

Situado en la ctra: Olot-Banyoles por Mieres, al final de la urbanización Can Blan.

P/N	N/N	A/N	M/N	C/N	T/N	AC/N		EL		PC			PI	ACI
330	217	330	217	519	519			350						

SANTA PAU   17811   Mapa pág. 16

GI-168 ⛰ RPT **LAVA** Tel. 972-680358 Fax 972-680358 1/1-31/12

9 Ha ■ 300 (70) 🌲 ⬚ ☉ 🚿 🍽 ⌐ WC 🧺 🚿 🛁 ♿ 📷 🍴 🛁 GAS ⚡

🏊 ➕ 🏐 📶 △ 10 🛒 10 🚲

Crta. de Santa Pau Km 7. Delante del volcán Santa Margarita. Situado dentro del parque natural de la zona volcánica de La Garrotxa. Camping ecológico.VER ANUNCIO.

P/N	N/N	A/N	M/N	C/N	T/N	AC/N		EL		PC				PI	ACI
475	350	450	400	500	500	875		450					300		

LES PRESES   17178   Mapa pág. 16

GI-169 ⛰ PT **NATURA** Tel. 972-692093 Fax 972-693434 15/6-15/9

1 Ha ■ 83 (73) 🌲 ⬚ 🍽 ⌐ ⌐ WC ♿ 📷 🍴 🛁 GAS ⚡ 🏊 🎾

P/N	N/N	A/N	M/N	C/N	T/N	AC/N		EL		PC			

ESPONELLA   17832   Mapa pág. 16

GI-171 ⛰ PT **MAJOKAL** Tel. 972-597106 1/1-31/12

0,4 Ha ■ 68 🌲 ⬚ 🍽 ⌐ WC 🧺 🛁 🍴 ✕ 🏠 ⚡ 🛁 ⚓ 🏊 📶 🛒 2

Acceso en Esponellá, tomar el desvío a Bascara. Difícil para caravanas.

P/N	N/N	A/N	M/N	C/N	T/N	AC/N		EL	PC			PI	ACI
310	260	310	260	310	310	570					310		

14

¿Qué hace la Administración por el sector?

ESPONELLA   17832   Mapa pág. 16

GI-172   RPT **ESPONELLA** Tel. 972-597074 1/1-31/12

4.5 Ha 232 (60) ⚶ ☉ 🚐 ⛺ Γ Γ WC 🚿 🚻 📶 Ⅰ ✕ (DISCO) 🔌 ⚓ GAS ⚓

🏊 ⚓ / 🎾 🔥 5

Situado junto al rio Fluvià. Acceso por la ctra. Banyoles-Figueres.VER ANUNCIO. Precios 94

P/N	475	N/N	370	A/N	475	M/N	425	C/N	475	T/N	475	AC/N	740	EL	350	PC			PI	ACI

BANYOLES   17820   Mapa pág. 16

GI-173   T **EL SOMBRERO** Tel. 972-571133 1/4-30/9

4.4 Ha 267 ⚶ ☇ 0.20Km ☉ ⛺ Γ Γ WC 🚿 🚻 Ⅰ ⚓ 📶 GAS ⚓ 🚗

Situado parte en prado y parte en bosque de chopos. Se accede tomando la bifurcación de Porqueres a partir de la C-150. Precios 94

P/N	396	N/N	316	A/N	373	M/N	354	C/N	396	T/N	396	AC/N	637	EL	330	PC			ACI

GI-174   RT **EL LLAC** Tel. 972-570305 1/1-31/12

2,7 Ha 287 (60) ⚶ ☇ 0.20Km ☉ ⛺ Γ Γ WC 🚿 🚻 ♿ 📶 Ⅰ (DISCO) 🔌

📶 GAS ⚓ 🏊 ✚ 🚗 / ⚓

Situado junto al lago de Banyoles, en un bosque de chopos. Tiene zonas separadas para tiendas y caravanas. Acceso a 2 Km al NO de la población. Precios 94

P/N	420	N/N	315	A/N	420	M/N	315	C/N	630	T/N	630	AC/N	840	EL	420	PC			PI	ACI

CAMPRODON   17867   Mapa pág. 16

GI-175   PT **ELS SOLANS** Tel. 972-740012 1/1-31/12

5 Ha. 183 (70) ⚶ ☉ ⛺ Γ Γ WC ♿ 📶 Ⅰ ⚓ GAS ✚

Situado en la ctra. de Camprodon a Francia por el Coll d'Ares, a 2 km de Camprodon.

P/N		N/N		A/N		M/N		C/N		T/N		AC/N		EL		PC			ACI

SANT PAU DE SEGURIES   17864   Mapa pág. 16

GI-176   RPT   **ELS ROURES**   Tel. 972-747000   Fax 972-747109   1/1-31/12

3.5 Ha ■ 225 (60)

Situado en la Av. Mariner s/n, a la salida de la población, girando a la izqda. por la ctra. de Olot. VER ANUNCIO. Precios 94

P/N	N/N	A/N	M/N	C/N	T/N	AC/N	EL	PC		PI	ACI
475	420						375		1400		

FORNELLS DE LA SELVA   17458   Mapa pág. 16

GI-177   PT   **CAN TONI MANESCAL**   Tel. 972-476117   Fax 972-476117   1/1-31/12

1 Ha. ■ 45 (200)

Camping masia. Acceso desde la A-7 salida nº 7 a la N-II y en Fornells de la Selva, tomar la Ctra. C-250 a Llambillas.

P/N	N/N	A/N	M/N	C/N	T/N	AC/N	EL	PC		PI
435	375	425	320	435	435	660			870	

S.FELIU DE PALLEROLS   17174   Mapa pág. 16

GI-178   PT   **LA VALL D'HOSTOLES**   Tel. 972-444104   15/6-30/9

0.6 Ha ■ 42 (64)   2 km

Acceso por un desvío situado en el Km 31,9 de la ctra. C-152, a 500 m del centro de la población. Arbolado de plátanos.

P/N	N/N	A/N	M/N	C/N	T/N	AC/N	EL	PC	ACI
425	350	425	350	425	425	550	425		

OSOR   17161   Mapa pág. 16

GI-179   **EL MAROI**   Tel. 972-446161   Fax 972-446000   1/1-31/12

0.5 Ha ■ 50

P/N	N/N	A/N	M/N	C/N	T/N	AC/N	EL	PC	PI	ACI
448	283	330	165	330	330	519	230			

RIPOLL   17500   Mapa pág. 15

GI-181   RPT   **C.C.RIPOLLES**   Tel. 972-703770   Fax 972-703554   1/1-31/12

5 Ha ■ 175 (70)

Situado en el Km 109,3 de la N-152 (Barcelona-Puigcerdá), cerca de Campdevànol. En terrazas. Arbolado de arces, acacias, olmos y robles. Antena TV en cada plaza.

P/N	N/N	A/N	M/N	C/N	T/N	AC/N	EL	PC		PI	ACI
415	350	415	260		415	1000	450		1400		

GI-182   PT   **SOLANA DE TER**   Tel. 972-701062   Fax 972-714343   1/12-30/10

0.9 Ha ■ 80

Situado junto al rio Ter, entre un hotel y una piscina. Se accede por la N-152 (Barcelona-Puigcerdà), en el Km 104,2.

P/N	N/N	A/N	M/N	C/N	T/N	AC/N	EL	PC		ACI
550	400						500		1000	

PLANOLES   17535   Mapa pág. 15

GI-183 PT **CAN FOSSES** Tel. 972-736065 1/1-31/12

1,5 Ha ■ 35 (200) 🏕 ⏚ ☉ 🚿 🛁 🚰 WC 🧺 🔥 🧴 🧺 🗄 🍴 🏠 🔌 ⛽ ‖x 7
Camping Masia. Terreno en terrazas situado en el inicio de la collada de Toses, cara sur. Acceso por el Km 127 de la ctra. N-152, cruce de Planoles, desvío por pista asfaltada.VER ANUNCIO.

P/N 377	N/N 283	A/N 377	M/N 377	C/N 377	T/N 377	AC/N 755	EL 425	PC		ACI

ESPINELVES   17405   Mapa pág. 16

GI-185 ⛰ T **MASIA LA BALMA** Tel. 93-8849102 1/1-31/12

1,7 Ha ■ 50 🏕 ☉ 🛁 🚰 WC 🧺 🔥 🔌 🏊
Camping Masia.

P/N 375	N/N 325	A/N 375	M/N 275	C/N 375	T/N 375	AC/N 550	EL 350	PC		ACI

VIDRA   08589   Mapa pág. 16

GI-187 ⛰ TP **VIDRA** Tel. 93-8529071 Fax 93-8529132 1/1-31/12

5.4 Ha ■ 110 (70) 🏕 ⏚ ☉ 🚿 🛁 🚰 🚰 BEBÉ WC 🧺 🔥 🧴 🧺 🗄 🍴 🏠
🔌 🛁 ⛽ 🏊 ⚽ 🎾 10
Acceso por la ctra. Vic a Ripoll, desvío en Sant Quirze de Besora hacia Vidrà. El camping está pasado el pueblo.

P/N 425	N/N 377	A/N 391	M/N 297	C/N 448	T/N 448	AC/N 802	EL 401	PC		PI ACI

OIX   17856   Mapa pág. 16

GI-190 ⛰ **CAN VILA** Tel. 972-294232 1/1-31/12

1,4 Ha ■ 45 (200) 🏕 🛁 🚰 WC 🔥 🧴 🍴 ✗ 🔌 🏊
Camping Masia. Precios 94

P/N 400	N/N 300	A/N 400	M/N 300	C/N 450	T/N 400	AC/N 650	EL	PC		ACI

GI-191 ⛰ PT **ELS ALOUS** Tel. 972-294173 1/4-30/11

1,5 Ha ■ 20 (60) 🏕 ⏚ ☉ 🛁 🚰 WC 🧺 🔥 🍴 🏠 🔌 🏊 ➕ 🚗 ⚽
Acceso por la ctra. comarcal de Castellfullit de la Roca a Oix. Arbolado de chopos, platanos y pinos. Situado en el extremo del valle de Oix.

P/N 475	N/N 400	A/N 475	M/N 400	C/N 475	T/N 475	AC/N 900	EL 400	PC		PI ACI

LA VALL DE BIANYA   17813   Mapa pág. 16

GI-195 RPT **LA VALL DE BIANYA** Tel. 972-195078 1/1-31/12

2,5 Ha ■ 140 (80) 🏕 ⏚ ☉ 🚙 🛁 🚰 🗄 🧺 🔥 🧴 🧺 🗄 🍴 🏠 🔌 🛁 ⛽ 🌾
🏊 ➕ 🚗 ⚽ 🔥 6
Situado en la ctra. comarcal C-153 Km 71.VER ANUNCIO.

P/N	N/N	A/N	M/N	C/N	T/N	AC/N	EL	PC		PI ACI

MONTAGUT   17855   Mapa pág. 16

GI-201 ⛰ RPT **MONTAGUT** Tel. 972-287202 1/1-31/12

2 Ha ■ 97 (80) 🌲 _ ⊙ 🚐 ⚡ ⛲ ⌐ WC 🚿 🚿 🛁 🖨 Ⴡ ✕ 🏠 ⤳ 🦯 🅖

⤳ 🏊 ‖✕ 60 ⛺ 4

Amplias parcelas con césped dispuestas en terrazas separadas con desniveles ajardinados. Acceso por la ctra. N-260 desvío en Montagut dirección Sadernes.VER ANUNCIO.

P/N	377	N/N	283	A/N	377	M/N	283	C/N	425	T/N	425	AC/N	708	EL	708	PC			PI	ACI

ALBANYA   17733   Mapa pág. 16

GI-204 **BASSEGODA** Tel. 972-542020 Fax 972-542021 1/1-31/12

1,2 Ha ■ 106 (60) 🌲 ⊙ 🚐 ⚡ ⛲ ⌐ WC 🚿 🛁 🖨 Ⴡ ✕ 🏠 ⤳ 🦯 🅖

⤳ 🏊 🎯 🏃

Situado a la salida de la población.

P/N	450	N/N	400	A/N	400	M/N	350	C/N	450	T/N	450	AC/N	550	EL	350	PC			PI	ACI

S.LLORENÇ DE LA MUGA   17732   Mapa pág. 16

GI-206 **LA FRADERA** Tel. 972-542054

1,6 Ha ■ 50 (70) 🌲 ⊙ ⛲ ⌐ WC 🚿 🛁 Ⴡ 🦯 💳

P/N	325	N/N	250	A/N	350	M/N	250	C/N	400	T/N	400	AC/N	650	EL	300	PC			ACI

PARDINES 17534 Mapa pág. 16

GI-210 PT **MASIA PARDINES** Tel. 972-728083 1/1-31/12

2 Ha ■ 49 (100) 🌲 ⊙ 📷 🍽 🍸 ⚲ ⛽ ♨ ⛹ ‖×6 🎯 🚴

Acceso por la N-152 hasta Ribes de Freser. Tomar la ctra. de Pardines y a 3,5 Km, desvío por ctra. pavimentada hasta el camping (2,5 km). Señalizado.VER ANUNCIO.

P/N		N/N		A/N		M/N		C/N		T/N		AC/N		EL	PC	

MAIA DEL MONTCAL 17851 Mapa pág. 16

GI-212 PT **CAN COROMINES** Tel. 972-591242 Fax 972-591108 SS-1/10

1 Ha ■ 34 (200) 🌲 ⊙ 🍽 WC ♨ ⚲ 📷 🍸 ✗ ⛽ ♨

Situado en el Km 60 de la ctra.N-260, entre Figueres y Besalú. Terreno plano y soleado.

P/N	283	N/N	189	A/N	330	M/N	235	C/N	330	T/N	283	AC/N	519	EL	142	PC			PI	ACI

BARCELONA

| MALGRAT DE MAR | 08380 | Mapa pág. 27 |

B-002 △ **LA TORDERA** Tel. 93-7612778 1/1-31/12

5.6 Ha ■ 373 (64)
Situado en el Km. 2 de la ctra. Malgrat-Blanes.

| P/N 443 | N/N 377 | A/N 443 | M/N 377 | C/N 443 | T/N 443 | AC/N 755 | EL 425 | PC | | PI ACI |

B-003 △ MRPT **LAS NACIONES EUROP** Tel. 93-7654153 1/1-31/12

9.7 Ha ■ 760 (80)

Accesos por la ctra. N-II en Malgrat de Mar y por la A-19, salida Hostalric.

| P/N 453 | N/N 400 | A/N 453 | M/N 377 | C/N 453 | T/N 453 | AC/N 754 | EL 403 | PC | 566 | ACI |

B-004 △ M **MALGRAT DE MAR** Tel. 93-7610158 1/1-31/12

1.2 Ha ■ 310 (60)
Se accede por el camino de La Pomareda.

| P/N 475 | N/N 400 | A/N 475 | M/N | C/N 475 | T/N 475 | AC/N | EL | PC |

B-007 △ M **BLAUMAR** Tel. 93-7654019 15/4-24/9

1.7 Ha ■ 152 (60)
Se accede por el camino de La Pomareda con entrada por la playa. A 1 Km. del núcleo urbano de Malgrat. Acceso asfaltado. Zona tranquila sin ctra. ni vía de tren.

| P/N 425 | N/N 297 | A/N 425 | M/N 297 | C/N 425 | T/N 425 | AC/N 850 | EL 425 | PC | | PI ACI |

B-011 △ **STELLA MARIS** Tel. 93-7654883 1/5-30/9

0.3 Ha ■ 34 (50) 0.1 Km
Situado en el centro de la población.

| P/N 406 | N/N 311 | A/N 406 | M/N 311 | C/N 425 | T/N 425 | AC/N 708 | EL 410 | PC | | ACI |

| SANTA SUSANNA | 08398 | Mapa pág. 27 |

B-014 △ T **PLAYA DORADA** Tel. 93-7678487 1/1-31/12

1.2 Ha ■ 221 (60) 0.05Km
Final del Paseo Marítimo de Malgrat-Santa Susanna, en el Km 680 de la N-II, dirección al mar.

| P/N 448 | N/N 354 | A/N 448 | M/N 354 | C/N 448 | T/N 448 | AC/N 731 | EL 448 | PC | |

B-015 △ R **OASIS** Tel. 93-7678403 15/5-15/9

3 Ha ■ 306 (60) 0.20Km
Se accede por el Km 672 de la N-II dirección al mar a la entrada del Paseo Marítimo de Santa Susanna.

| P/N 448 | N/N 354 | A/N 448 | M/N 354 | C/N 448 | T/N 448 | AC/N 825 | EL 400 | PC | |

B-016 △ M **BON REPOS** Tel. 93-7678475 Fax 93-7678526 1/1-31/10

6 Ha ■ 601 (60)
Se accede por el Km 673 de la N-II.

| P/N 600 | N/N 450 | A/N 750 | M/N 450 | C/N 750 | T/N 750 | AC/N 1500 | EL 600 | PC | | 1500 | ACI |

El algunos campings no se prestan todos los servicios indicados, en temporada baja.

| SANTA SUSANNA | 08398 | Mapa pág. 27 |

B-017 ⚒ T **EL PINAR** Tel. 93-7678558   1/5-10/9

1 Ha ■ 117 (60)   0.5 Km

Situado en la ctra. N-II, Km. 686.

| P/N | 453 | N/N | 358 | A/N | 453 | M/N | 358 | C/N | 453 | T/N | 453 | AC/N | 905 | EL | 472 | PC | |

| PINEDA DE MAR | 08397 | Mapa pág. 27 |

B-020 ⚒ **BELLSOL**   Tel. 93-7671778   Fax 93-7625336   1/5-30/9

2.1 Ha ■ 229 (60)   0.1 Km   12

Situado en el Paseo Marítimo de Pineda. Terreno llano.

| P/N | 472 | N/N | 377 | A/N | | M/N | | C/N | | T/N | | AC/N | | EL | 377 | PC | | | 1085 | PI | ACI |

B-021 ⚒ **CABALLO DE MAR**   Tel. 93-7671706   1/1-31/12

3.7 Ha ■ 455 (60)   0.1 Km   10

Situado en el Paseo Marítimo de Pineda.

| P/N | 519 | N/N | 401 | A/N | 519 | M/N | 401 | C/N | 519 | T/N | 519 | AC/N | 896 | EL | 401 | PC | | | PI | ACI |

B-022 ⚒ T **EL CAMELL** Tel. 93-7671520   Fax 93-7670270   1/5-30/9

2.2 Ha ■ 235 (60)   0.3 Km

Se accede por el Km 670 de la N-II, en dirección mar a 500 m. Terreno llano, rodeado de setos. VER ANUNCIO.

| P/N | 472 | N/N | 472 | A/N | | M/N | | C/N | | T/N | | AC/N | | EL | 425 | PC | | | 1085 | PI | ACI |

B-024 ⚒ RT **EN MAR** Tel. 93-7671730   1/3-30/10

1,8 Ha ■ 168 (65)   0.1 Km

Situado junto a la N-II, entre las avdas. de Montserrat y la Mercé. Acceso por paso subterráneo.

| P/N | 550 | N/N | 450 | A/N | 700 | M/N | 450 | C/N | 700 | T/N | 700 | AC/N | 1400 | EL | 550 | PC | | | 1400 | PI | ACI |

B-025 ⚒ **EL CORAL**   Tel. 93-7671472   1/5-30/9

0.6 Ha ■ 75 (45)   0.1 Km

Junto a la vía férrea. Se accede en el desvío de la N-II en Pineda, dirección estación Renfe, girando a la derecha y seguir la vía del tren.

| P/N | 420 | N/N | 345 | A/N | 420 | M/N | 345 | C/N | 420 | T/N | 420 | AC/N | 840 | EL | 395 | PC | | | | ACI |

Las asociaciones de campistas y caravanistas organizan acampadas durante todo el año.
Estos encuentros constituyen una buena ocasión para establecer relaciones amícales y de vivir nuevas experiencias.
Infórmese en los clubs federados.

| CALELLA | 08370   Mapa pág. 27 |

B-028   RPT   **BOTANIC BONA VISTA KIM**   Tel. 93-7692488   Fax 93-7692488   1/1-31/12

3 Ha ■ 160 (60)   0.2 Km   TV   WC

Se accede girando en el Km. 665 de la N-II..Caminos con mucha pendiente, terrazas, ajardinado.VER ANUNCIO.

| P/N 440 | N/N 375 | A/N 440 | M/N 375 | C/N 440 | T/N 440 | AC/N 880 | EL 375 | PC | | ACI |

B-029   PT   **EL FAR**   Tel. 93-7690967   1/4-30/9

2.5 Ha ■ 187 (50)   0.1 Km   WC

Situado en el Km 666 de la ctra. N-II. Acceso por la salida 22 de la autopista A-19. Remonte de caravanas.

| P/N 443 | N/N 349 | A/N 443 | M/N 350 | C/N 443 | T/N 443 | AC/N 887 | EL 425 | PC | | ACI |

B-031   RPT   **ROCA GROSSA**   Tel. 93-7691297   Fax 93-7661556   1/1-31/12

7 Ha ■ 400 (60)   0.1 Km   WC

Terreno distribuido en terrazas a ambos lados de un valle. Caminos escarpados. Se accede a partir del Km. 665 de la N-II.VER ANUNCIO.

| P/N 440 | N/N 375 | A/N 440 | M/N 375 | C/N 440 | T/N 440 | AC/N 880 | EL 400 | PC | | PI ACI |

SANT POL DE MAR 08395 Mapa pág. 27

B-033 LA MARESMA Tel. 93-7600356 1/4-25/9

2.5 Ha ■ 147 (60) 0,6 Km. WC GAS

En un bosque de arces. Se accede a partir de la N-II, desvío 500 m. hacia el interior, dirección Sant Cebriá de Vallalta.

| P/N | 425 | N/N | 330 | A/N | 425 | M/N | 330 | C/N | 425 | T/N | 425 | AC/N | 850 | EL | 425 | PC | | ACI |

S.POL DE MAR 08395 Mapa pág. 27

B-034 P CARAVANING KANGURO Tel. 93-7600205 1/4-15/9

2 Ha ■ 243 (60) 0,05Km WC DISCO GAS ✚

Distribuido en terrazas, en una colina. Se accede a partir del Km. 668,5 de la N-II.

| P/N | 439 | N/N | 392 | A/N | 439 | M/N | 401 | C/N | 439 | T/N | 439 | AC/N | 878 | EL | 429 | PC | | PI | ACI |

S.CEBRIA DE VALLALTA 08396 Mapa pág. 27

B-036 T LA VERNEDA Tel. 93-7630087 I3/4-30/9

1.6 Ha ■ 150 (50) WC GAS ✚

Ctra. N-II, desvío S.Pol a S.Cebrià de Vallalta.

| P/N | 415 | N/N | 325 | A/N | 415 | M/N | 325 | C/N | 415 | T/N | 415 | AC/N | 755 | EL | 425 | PC | |

CANET DE MAR 08360 Mapa pág. 27

B-038 COSTA DORADA Tel. 93-7954559 15/5-15/9

0.7 Ha ■ 75 0.1 Km WC

Situado en en Km 660 de la N-II.

| P/N | 401 | N/N | 313 | A/N | 401 | M/N | 311 | C/N | 401 | T/N | 401 | AC/N | 802 | EL | 425 | PC | | 802 | ACI |

B-039 GLOBO ROJO Tel. 93-7941143 1/4-30/9

2 Ha ■ 145 (70) 0.1 Km WC GAS

Situado en el Km 660,3 de la N-II.

| P/N | 470 | N/N | 410 | A/N | 470 | M/N | 420 | C/N | 470 | T/N | 470 | AC/N | 940 | EL | 500 | PC | | 450 | PI | ACI |

B-040 R LA LLAVE Tel. 93-7940495 Fax 93-7942160 1/4-30/9

0.9 Ha ■ 120 (45) 0.1 Km WC GAS

 33

Se accede en el Km 660 de la N-II, en las afueras de la población.

| P/N | 462 | N/N | 396 | A/N | 462 | M/N | 396 | C/N | 462 | T/N | 462 | AC/N | 849 | EL | 425 | PC | | PI | ACI |

B-041 M EL CARRO Tel. 93-7940838 1/5-30/9

0.7 Ha ■ 75 (45) WC GAS

Situado en la N-II, Km 658,5.

| P/N | 425 | N/N | 400 | A/N | 425 | M/N | 400 | C/N | 425 | T/N | 425 | AC/N | 1226 | EL | 425 | PC | |

B-042 VICTORIA Tel. 93-7940839 1/4-30/9

4.2 Ha ■ 346 (60) 0.20Km WC GAS

 ✚ 6

Junto a la N-II, Km 659. Precios 94

| P/N | 448 | N/N | 401 | A/N | 448 | M/N | 401 | C/N | 448 | T/N | 448 | AC/N | 745 | EL | 440 | PC | | PI |

ARENYS DE MAR 08350 Mapa pág. 27

B-043 MARCOS Tel. 93-7921238 1/1-31/12

0.7 Ha ■ 92 (45) 0.1 Km WC GAS

Situado en el Km 658,5 de la N-II.

| P/N | 472 | N/N | 378 | A/N | 472 | M/N | 378 | C/N | 472 | T/N | 472 | AC/N | 944 | EL | 378 | PC | | ACI |

| ARENYS DE MAR | 08350 | Mapa pág. 27 |

B-045 🔺 RT **EL CARLITOS** Tel. 93-7921355 Fax 93-7957342 7/1-19/12

3.5 Ha ■ 215 (60) ⚶ 🏊 0.1 Km ⊙ 🚾 🚿 🚿 WC 🧺 🚰 🔲 🍷 ✕ 🏠 📞 🔌 ⛽

🔧 ➕ 🅿️ 🚻 📋 5 💳

Terreno en terrazas con moreras y ajardinado y una zona con pocos árboles, situado en el Km 658,5 de la N-II.

| P/N 470 | N/N 385 | A/N 470 | M/N 360 | C/N 470 | T/N 470 | AC/N 900 | EL 470 | PC | | 1675 | ACI |

B-046 🔺 **EL TORO AZUL** Tel. 93-7921243 Fax 93-7923303 1/4-30/9

2.9 Ha ■ 241 (60) ⚶ 🏊 0.1 Km ⊙ 🚐 🚿 🚿 🚿 WC 🧺 🚰 🔲 🍷 ✕ 🏠 📞 🔌

⛽ 🔧 🚗 📋 35

Situado en el Km 658 de la N-II.

| P/N 472 | N/N 378 | A/N 472 | M/N 378 | C/N 472 | T/N 472 | AC/N 849 | EL 378 | PC | | ACI |

| MATARO | 08301 | Mapa pág. 27 |

B-050 🔺 **PLAYA SOL** Tel. 93-7904720 1/4-30/10

2.7 Ha ■ 195 (60) ⚶ 🏊 0.02Km ⊙ 🚾 🚿 🚿 WC 🧺 🚰 🔲 🔲 🍷 ✕ 📞 🔌 🔧

🏊 📋 💳

Ctra.N-II, Km 650, situado entre mar, huertas y montaña. Próximo a zonas deportivas.

| P/N 472 | N/N 401 | A/N 472 | M/N 368 | C/N 472 | T/N 472 | AC/N 920 | EL 425 | PC | 🚐 | 944 | PI | ACI |

CABRERA DE MAR   08349   Mapa pág. 27

B-053   M   **COSTA DE ORO**   Tel. 93-7591234   Fax 93-7591547   1/6-31/8

1.5 Ha   128 (60)

Se accede por el Km 650 de la N-II. Rodeado de campos de cultivo.

P/N	N/N	A/N	M/N	C/N	T/N	AC/N	EL	PC		ACI
472	453	472	453	519	472	972	377			

EL MASNOU   08320   Mapa pág. 27

B-057   M   **MASNOU**   Tel. 93-5551503   Fax 93-5551503   1/1-31/12

2 Ha   120 (60)   0.1 Km

9

Terreno distribuido en terrazas. Se accede por la N-II, Km 633, cerca de un puerto deportivo.

P/N	N/N	A/N	M/N	C/N	T/N	AC/N	EL	PC		PI	ACI
595	485	595	465	595	595	1100	595				

EL PRAT DE LLOBREGAT   08820   Mapa pág. 26

B-065   M   MRT   **CALA GO-GO**   Tel. 93-3794600   Fax 93-3794711   15/3-15/10

23 Ha   1500 (70)

10

Terreno llano. Cuenta con 5 piscinas. Zonas muy arboladas y otras con techos de caña. Acceso a partir de la C-246, Km 6,3, dirección aeropuerto. Seguir indicaciones hasta la playa. VER ANUNCIO.

P/N	N/N	A/N	M/N	C/N	T/N	AC/N	EL	PC			PI	ACI
540	400	675	500							1750	PI	ACI

El Camping más próximo a Barcelona

A sólo 7 minutos en coche de la gran ciudad de Barcelona, con 3 millones de habitantes, grandes comercios, numerosos monumentos, barrios pintorescos, su puerto y una gran vida nocturna. Con carretera directa desde el Camping.
Grandes instalaciones de restaurante, bar, supermercado, 5 piscinas, amplios bloques sanitarios y zona deportiva e infantil.

Abierto: 1-2 / 30-11

Información y reservas escriba por favor a nuestras oficinas:
Cala Gogó. El Prat.
Apartado de Correos 2
08080 El Prat de Llob
(Barcelona)
Tel. (93) 379 46 00

Camping Caravaning - Barcelona

BUNGALOWS Y CHALETS en la playa

En la Autovía Barcelona - Castelldefels km. 12,5
08840 VILADECANS

Con 1.000 de playa.
A 12 km de Barcelona.
Magníficas instalaciones y todos los servicios que usted y su familia necesitan.

ESPECIAL PARA FAMILIAS!

Condiciones exclusivas:
– Parcelas de 100 m2
– Para estancias de 3, 6 y 10 meses
– Consulte precios!
– Número limitado de plazas
– Infórmense por carta, tel. o fax!!

del 1/10 al 30/4
Tel. (93) 226 13 02
Fax (93) 226 65 28

del 1/5 al 30/9
Tel. (93) 658 05 04
Fax (93) 658 05 75

VILADECANS   08840   Mapa pág. 26

B-068   MRT **EL TORO BRAVO**   Tel. 93-6373462   Fax 93-6588054   1/1-31/12

30 Ha 1200 (70)

Situado en una pineda. Se accede a partir del Km 11 de la autovía de Castelldefels, C-246, en dirección al mar. Tobogán acuático. VER ANUNCIO.

| P/N 575 | N/N 425 | A/N 575 | M/N 425 | C/N 625 | T/N 625 | AC/N 1075 | EL 500 | PC | | PI | ACI |

B-069   M **FILIPINAS**   Tel. 93-6582895   Fax 93-6581791   1/1-31/12

25 Ha 1061

Terreno extenso ocupando una pineda. Zona especial con prohibición de aparatos de radio, TV, etc. Se accede en dirección al mar a la altura del Km 12 de la C-246. Clases infantiles de natación.

| P/N 575 | N/N 425 | A/N 575 | M/N 440 | C/N 625 | T/N 625 | AC/N 1100 | EL 500 | PC | | PI | ACI |

B-070   MR **LA BALLENA ALEGRE**   Tel. 93-6580504   Fax 93-6580575   15/2-15/12

22 Ha 1450 (70)

Situado en zona descubierta y en una pineda. Se accede a partir del Km 12,5 de la C-246 en dirección mar. Zona juvenil separada. VER ANUNCIO.

| P/N 525 | N/N 250 | A/N 1155 | M/N 1500 | C/N 1155 | T/N 1155 | AC/N 2310 | EL | PC | 2310 | PI | ACI |

EL TORO BRAVO se encuentra a sólo 11 km al sur de Barcelona, con situación tranquila y aislada, en medio de una gran pineda en una magnífica playa de varios kms., ideal para niños y deportes acuáticos. Es uno de los camping-caravanings más bonitos y mejor equipados de la costa mediterránea española, con inst. sanitarias de 1ª calidad (agua caliente en duchas y lavabos), rest., pizzería, cafetería, bar, superm., tienda de regalos, prensa y libros, peluquería, servicio médico, parque infantil, 4 piscinas (1 climatizada) + 2 infantiles, gran centro deportivo y recreativo, tenis, pase de películas. Clima ideal, en primavera y en otoño; inviernos suaves. ¡Para toda la familia!. *ALQUILER DE CARAVANAS, MOBIL HOMES Y BUNGALOWS DE MADERA. ZONA ESPECIAL PARA CAMPISTAS ITINERANTES CON SANITARIOS, SNACK-BAR, PISCINAS…PRECIOS Y ALOJAMIENTOS ESPECIALES PARA GRUPOS, Y LARGAS ESTANCIAS.* **ABIERTO TODO EL AÑO**

Autovía de Castelldefels, km.11 • 08840 VILADECANS (Barcelona)
Tel.(93) 637 34 62 • Fax (93) 658 80 54

GAVA   08850   Mapa pág. 26

· B-072  MR   **TRES ESTRELLAS**   Tel. 93-6621116   Fax 93-2150418   1/4-30/9

8 Ha ■ 407 (70) 🚿 ☉ ... WC ... 16 ... 33

Situado en una pineda, zona de techos de caña. Se accede girando en dirección al mar, en el Km 13,2 de la C-246.VER ANUNCIO.

| P/N 560 | N/N 450 | A/N 730 | M/N 450 | C/N 730 | T/N 730 | AC/N 1460 | EL 450 | PC | 1460 | PI | ACI |

B-073 M   **LA TORTUGA LIGERA**   Tel. 93-6621229   1/1-31/12

9 Ha ■ 745 (70) 🚿 ☉ ... WC ...

Se encuentra en el Km 14,5 de la autovía de Castelldefels, C-246.

| P/N 525 | N/N 420 | A/N 700 | M/N 450 | C/N 700 | T/N 700 | AC/N 1400 | EL 420 | PC | 1400 | PI | ACI |

B-074 MRP   **ALBATROS**   Tel. 93-6330695   Fax 93-6622031   1/5-27/9

15 Ha ■ 1200 (70) 🚿 ☉ ... WC ... 18

Piscina climatizada. En una pineda. Zona separada para jóvenes. Se accede a partir de la C-246 en dirección a la playa, en el Km 15.VER ANUNCIO.

| P/N 550 | N/N 400 | A/N 830 | M/N 750 | C/N 830 | T/N 830 | AC/N 1660 | EL 350 | PC | | PI | ACI |

camping caravaning
albatros

Autovía Castelldefels, Km. 15
08850 Gavá (Barcelona) Spain

Tel./Fax: (93) 633 06 95

- Parcelas debidamente señalizadas - Parking en la propia parcela.
- Tomas de electricidad para tiendas y caravanas.
- Bloques sanitarios con duchas, lavabos, lavaplatos, fregaderos, etc., todos ellos con servicio de agua caliente las 24 horas.
- Piscina climatizada - Alquiler de hamacas en playa y piscina.
- Cambio de moneda - Teléfonos públicos - Alquiler de cajas de seguridad.
- Centro de primeros auxilios.
- Supermercado, souvenirs, estanco, material de camping, librería y venta de periódicos, bar, restaurante, peluquería, lavandería, cuarto de planchar.
- Lavacoches.
- Parque infantil - Salón recreativo.
- En los meses de Julio-Agosto se organizan actividades y espectáculos: flamenco, baile, orquesta, disco móvil, payasos, espectáculos infantiles, cine, TV, etc.
- Instalaciones deportivas en las inmediaciones del camping: tenis, squash, minigolf, ping-pong, etc. Discotecas situadas a 400 mts.
- Servicio regular diario de trenes y autobuses a Barcelona: parada de autobús a 200 mts., estación ferrocarril a 4 km.
- Taller mecánico a 4 km. - Estación de servicio a 1 km.
- Alquiler de Mobil-Homes (Bungalows)

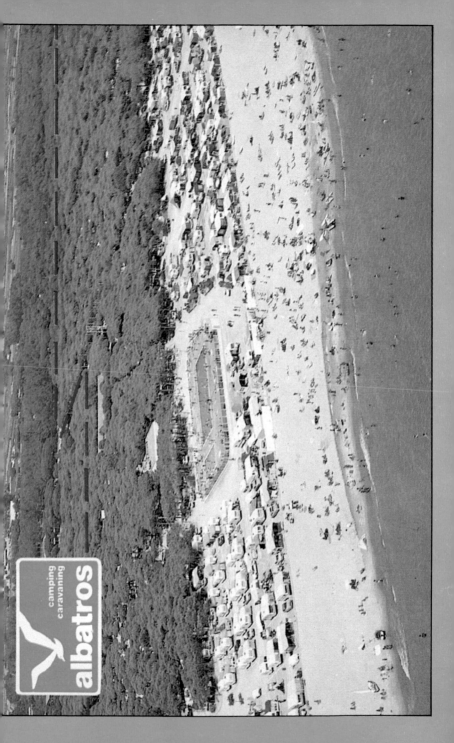

10% descuento en P/N
con el Carnet Internacional de Camping.

CASTELLDEFELS   08860   Mapa pág. 26

B-077   **ESTRELLA DE MAR**   Tel. 93-6653257   1/1-31/12

9 Ha ■ 525 (70)   0.5 Km   WC

Situado en una pineda, con zonas descubiertas. Se accede por el Km 16,7 de la C-246.

P/N	N/N	A/N	M/N	C/N	T/N	AC/N	EL	PC		PI	ACI
521	377	521	425	521	521	944	425				

SITGES   08870   Mapa pág. 26

B-082   **EL GARROFER**   Tel. 93-8941780   Fax 93-6375492   SS+23/6-11/9

8.4 Ha ■ 526 (70)   1 Km   WC

Ctra. C-246, km 39, a 2 Km de Sitges, dirección Vilanova i la Geltrú. Terreno llano. Cerca del antiguo autódromo.VER ANUNCIO.

P/N	N/N	A/N	M/N	C/N	T/N	AC/N	EL	PC			PI	ACI
378	283									1650		

B-084   T   **EL ROCA**   Tel. 93-8940043   1/1-30/9

2 Ha ■ 216 (60)   0.8 Km   WC

Distribuido en tres terrazas con pinos. Zona separada para jóvenes. Se accede por el Km. 2 de la ctra. Sitges-S.Pere de Ribes.

P/N	N/N	A/N	M/N	C/N	T/N	AC/N	EL	PC		ACI
510	430	510	430	510	510	892	375			

B-086   PT   **SITGES**   Tel. 93-8941080   Fax 93-8949852   15/2-15/11

2.8 Ha ■ 220 (60)   0.6 Km   WC   58

Terreno liso con pinos y olivos, 1,5 Km al sur de la localidad. Acceso en el Km 38,6 de la C-246.

P/N	N/N	A/N	M/N	C/N	T/N	AC/N	EL	PC		PI	ACI
472	415		415		566		378		1180		

VILANOVA I LA GELTRU   08800   Mapa pág. 26

B-089   **EL CANTARO ESPAÑOL**   Tel. 93-8155245   1/4-30/9

1.5 Ha ■ 105 (60)   0.3 Km   WC

Situado en el Racó de Sta.Llúcia. Junto a la carretera.

P/N	N/N	A/N	M/N	C/N	T/N	AC/N	EL	PC		PI	ACI
490	375	490	375	490	490	950	400				

B-090   RPT   **VILANOVA PARK**   Tel. 93-8933402   Fax 93-8935528   1/1-31/12

40 Ha ■ 1000 (70)   2,50Km   BEBÉ WC   14 / 49   45

Terreno en bancales. Zona separada para jóvenes y campistas con perros. Acceso desde la C-246,dirección L'Arbós.Servicio de transporte a la playa. Parque privado ecológico con ciervos.VER ANUNCIO.

P/N	N/N	A/N	M/N	C/N	T/N	AC/N	EL	PC		PI	ACI
760	475	760	575	760	760	1315	475				

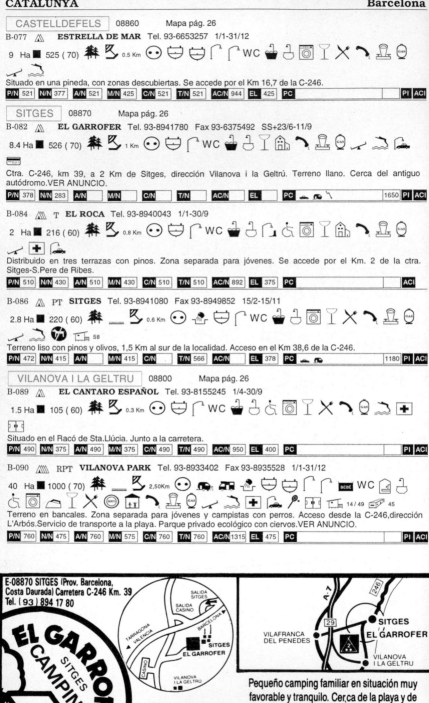

CAMPING VILANOVA PARK

Apartado, 64 • Telf.: (393) 893 34 02
E-08800 Vilanova i la Geltrú
(Prov. Barcelona)

Nuevo camping situado en una zona muy tranquila, a 50 Kms. al sur de Barcelona, en la región del vino y del champán. Instalaciones sanitarias ultramodernas con agua caliente. Piscina con agua dulce de 1000 m^2 y piscina infantil. Fuente multicolor del famoso arquitecto Buïgas. Excelente restaurante en una masía catalana. Grill, bar, supermercado, tiendas de regalo, periódicos y revistas. Programas infantiles y de animación. Amplias parcelas con electricidad. Parque y bosque de 40 Ha con unas 600 palmeras. Clima ideal. Servicio de autobus a la playa.
Abierto todo el año. Autopista Barcelona-Tarragona, salida 29; de Tarragona a Barcelona salida 31 ó 30 y seguir indicaciones Vilanova/Sitges.

«PARQUE PRIVADO ECOLÓGICO»

VILANOVA I LA GELTRU   08800   Mapa pág. 26

B-091 🅜   **PLATJA VILANOVA** Tel. 93-8950767 1/4-30/9

5,5 Ha ■ 435 (60) 🌲 0.2 Km ☉ ☕ ⌐WC 🧺 ⌂ ⌐ ♿ 🔲 ✕ ⌐ 🗿 ☉
⌐ ⤳ ➕ 🚗 / 📷 🔥 37

Terreno llano, con pinos, entre la ctra. y la via férrea. Techos de caña. Acceso desde la C-246, en el Km 48. 3, en dirección al mar.

| P/N 505 | N/N 354 | A/N 505 | M/N 354 | C/N 505 | T/N 505 | AC/N 906 | EL 378 | PC | | PI ACI |

CUBELLES   08880   Mapa pág. 26

B-093 🅜 RT **LA RUEDA** Tel. 93-8950207 18/4-11/9

6 Ha ■ 387 (70) 🌲 0.1 Km ☉ ☕ ⌐WC 🧺 ⌂ ⌐ 🔲 Ⓨ ✕ 🏠 ⌐ 🗿
⌐ ⤳ ➕ 🚗 🔥 38

Terreno llano, situado entre la ctra. y la via férrea. Se accede porel Km 52,1 de la C-246, 1 Km al norte de Cunit.VER ANUNCIO.

| P/N 585 | N/N 406 | A/N | M/N 312 | C/N | T/N | AC/N | EL 585 | PC 🚗🚐 | | 1845 PI ACI |

B-094 🅜 R **CLUB LAS SALINAS** Tel. 93-8951000 Fax 93-8950400 15/1-15/12

7 Ha ■ 460 (70) 🌲 0.1 Km ☉ ☕ ⌐WC 🧺 ⌂ ⌐ ♿ 🔲 Ⓨ ✕ 🏠 Ⓜ ⌐
🗿 ☉ ⌐ ⤳ ➕ 🚗 / 📷 ▦ 🔥 5

300 parcelas con sombrajos. Se accede por el Km 51 de la C-246.

| P/N 538 | N/N 453 | A/N 538 | M/N 378 | C/N | T/N | AC/N M | EL 283 | PC 🚗🚐 | | 1704 PI ACI |

BAGA   08695   Mapa pág. 15

B-097 ⛺ P **BASTARENY** Tel. 93-8244420 1/1-31/12

1.2 Ha ■ 80 (64) 🌲 ☉ 🍽 ⌐ WC 🧺 🛁 🍴 🚿 🔥 GAS
Situado en la ctra. de Gisclareny, a 9 Km del Túnel del Cadí. Terreno en ligera pendiente.

| P/N 400 | N/N 325 | A/N 400 | M/N 350 | C/N 400 | T/N 400 | AC/N 650 | EL 425 | PC | | ACI |

SALDES   08699   Mapa pág. 15

B-098 PT **MIRADOR AL PEDRAFORCA** Tel. 93-8258062 1/1-31/12

3 Ha ■ 50 (70) 🌲 ⬚ 🔷 1 Km ☉ 🍽 ⌐ ⌐ WC 🧺 🛁 🚻 🍴 ✕ 🏠 🚿 🔥 GAS 🔧
Acceso: desvío de la ctra. C-1411 (Berga-Tunel del Cadi), 2 Km antes de Guardiola de Berga, por la B-400 en el Km. 12.0 desvío a la izquierda por pista forestal.

| P/N 400 | N/N 300 | A/N 400 | M/N 300 | C/N 400 | T/N 400 | AC/N 800 | EL 450 | PC | | ACI |

B-100 ⛺ RPT **REPOS DEL PEDRAFORCA** Tel. 93-8258044 Fax 93-8258044 1/1-31/12

4 Ha ■ 140 (80) 🌲 ⬚ ☉ 🍽 🍽 ⌐ BEBE WC 🧺 🛁 🚻 🔥 🌀 🍴
✕ 🏠 ☉ 🔧 🏊 🚗 🎿 🚩 ⛺ 3 🔥 7/8 ⚡ 1 🚲 💳
Desviarse de la C-1411(Berga-Túnel del Cadí), 2 Km antes de Guardiola de Berga, por laB-400 en el Km 13,5. Situado al pié del Pedraforca y del Parque Natural Cadí-Moixeró. Rocodromo. Centro de excursiones.

| P/N 560 | N/N 430 | A/N 560 | M/N 505 | C/N 560 | T/N 560 | AC/N1120 | EL 525 | PC | | PI ACI |

GUARDIOLA DE BERGUEDA   08694   Mapa pág. 15

B-101 ⛺ RPT **EL BERGUEDA** Tel. 93-8227432 1/1-31/12

4 Ha ■ 50 (200) 🌲 ⬚ ☉ 🍽 🍽 ⌐ WC 🧺 🛁 🔥 🌀 🍴 🏠 🚿 🔥 GAS
🔧 🏊 🚗 🎿 🚩
Camping Masía. En el Km 96 de la ctra. C-1411 al túnel del Cadi, desviarse por la B-400 dirección Saldes.

| P/N 430 | N/N 365 | A/N 430 | M/N 365 | C/N 430 | T/N 430 | AC/N 770 | EL 340 | PC | | PI ACI |

CASTELLAR DEL RIU   08619   Mapa pág. 15

B-102 ⛺ PT **AIGUA D'ORA** Tel. 93-8210395 Fax 93-8210395 1/1-31/12

2.2 Ha ■ 175 (80) 🌲 ☉ 🍽 ⌐ WC 🧺 🔥 🌀 🍴 🏠 🚿 🔥 GAS 🔧
🏊 ➕ 🎿 🚩 💳
En el Km 19,5 de la ctra. BV-4241, de Berga a S.Llorenç de Morunys, desvío a la derecha, hacia Llinars. VER ANUNCIO.

| P/N 460 | N/N 360 | A/N 460 | M/N 360 | C/N 460 | T/N 460 | AC/N 920 | EL 350 | PC 🚗 | 930 | PI ACI |

B-103 ⛺ PT **FONT FREDA** Tel. 93-8213354 1/1-31/12

4 Ha ■ 160 (60) 🌲 ☉ 🍽 ⌐ WC 🧺 🛁 🚻 🌀 🍴 ✕ 🏠 🚿 🔥 GAS 🔧 🏊

Ctra. Rasos de Peguera, Km 4.

| P/N 525 | N/N 450 | A/N 525 | M/N 450 | C/N 525 | T/N 525 | AC/N1000 | EL 500 | PC | | PI ACI |

| SERRATEIX | 08679 | Mapa pág. 15 |

B-105 ⛰ **HOSTALET** Tel. 93-8390138 30/3-31/12

1,4 Ha ■ 38 (200) 🌲 ⛲ ⌐ WC 🍴 🚿 🍸 🔫 ⚓ ⚓

Camping Masia. Acceso por la N-1411 hasta Navas, desvío hacia Serrateix.

| P/N 408 | N/N 275 | A/N 408 | M/N 278 | C/N 408 | T/N 408 | AC/N 816 | EL 204 | PC | | 408 |

| MONTSENY | 08460 | Mapa pág. 15 |

B-106 ⛰ **MASIA CAN CERVERA** Tel. 93-8473066 15/1-15/12

2 Ha ■ 50 (200) 🌲 ⛲ ⛲ ⌐ WC 🍴 🚿 🧺 🍸 🏠 🔫 ⚓ ⚓ GAS ⚓ ≈

Camping Masía. Ctra. Palautordera-Collformic, Km 15.

| P/N 448 | N/N 378 | A/N 448 | M/N 378 | C/N 448 | T/N 448 | AC/N 896 | EL | | PC | | PI ACI |

B-107 ⛰ **PISCINES DEL MONTSENY** Tel. 93-8943070 Fax 93-8943070 1/1-31/12

0,5 Ha. ■ 43 (60) 🌲 ⊙ ⛲ ⌐ WC 🍴 🚿 🚻 🍸 ✗ 🔫 ⚓ GAS 🚿 🏕 7

Situado en la ctra. Seva-Montseny, Km.12,3

| P/N 472 | N/N 283 | A/N 472 | M/N 283 | C/N 472 | T/N 472 | AC/N 472 | EL | | PC | | 330 |

| TONA | 08551 | Mapa pág. 15 |

B-108 ⛰ RT **TONA** Tel. 93-8870349 1/1-31/12

2 Ha ■ 50 (60) 🌲 ⊙ 🚿 ⛲ ⌐ BEBÉ WC 🍴 🚿 🍸 ✗ 🏠 🔫 ⚓ GAS ⚓ ≈ 🎾 ⚽

Desvío en el Km 60 de la N-152, a unos 500 m, junto al núcleo urbano, en dirección Vic.

| P/N 475 | N/N 375 | A/N 475 | M/N 375 | C/N 475 | T/N 475 | AC/N 950 | EL 400 | PC | |

| STA.EULALIA DE RONÇANA | 08187 | Mapa pág. 26 |

B-110 ⛰ PT **L'ESPLANADA** Tel. 93-8448401 24/6-31/8

1.6 Ha ■ 70 🌲 ⊙ ⛲ ⌐ ⌐ WC 🍴 🚿 🍸 🔫

Situado en el Km 11,8 de la ctra.a Parets.

| P/N 425 | N/N 237 | A/N 425 | M/N 378 | C/N 425 | T/N 425 | AC/N 944 | EL 425 | PC | | ACI |

| PALAU DE PLEGAMANS | 08184 | Mapa pág. 26 |

B-111 ⛰ RPT **PALAU** Tel. 93-8645611 Fax 93_2092508 1/1-31/12

12 Ha ■ 440 (90) 🌲 ⊙ ⛲ ⛲ ⌐ ⌐ WC 🍴 🚿 🚻 🔲 🍸 ✗ 🏠 DISCO 🔫 ⚓ GAS ≈ 🚗 🎾 ⚽

Situado en el Km 5,5 de la ctra. C-155.

| P/N 472 | N/N 378 | A/N 472 | M/N 378 | C/N 472 | T/N 472 | AC/N 755 | EL 378 | PC | | PI ACI |

| VALLROMANES | 08188 | Mapa pág. 26 |

B-112 ⛰ T **EL VEDADO** Tel. 93-5729026 15/1-15/12

4 Ha ■ 170 (70) 🌲 ⊙ ⛲ ⛲ ⌐ WC 🍴 🚿 🚻 🔲 🍸 ✗ 🏠 🔫 ⚓ GAS ⚓ ≈ ➕ 🚗 🎾 ⚽ 🏕 4

Está situado en el Km 7 de la ctra. Masnou-Granollers y en el centro de un valle. Campode golf, fútbol, baloncesto, hípica, moto-cross, tiro, coto de caza, petanca, voleibol.

| P/N 566 | N/N 472 | A/N 566 | M/N 472 | C/N 566 | T/N 566 | AC/N 1132 | EL 566 | PC | | PI ACI |

| LA LLACUNA | 08779 | Mapa pág. 26 |

B-120 ⛰ **VILADEMAGER** Tel. 93-8976014 1/3-31/12

0.5 Ha ■ 25 (200) 🌲 ⊙ ⛲ ⌐ WC 🚿 🔫 ⚓ GAS ⚓ 🚗

Camping Masía. Rodeado de bosques a 2 Km de la población. Acceso difícil para caravanas.

| P/N 400 | N/N 320 | A/N 400 | M/N 320 | C/N 400 | T/N 400 | AC/N 800 | EL 300 | PC | | ACI |

| SANT QUIRZE SAFAJA | 08189 | Mapa pág. 26 |

B-121 P **L'ILLA** 15/1-15/12

6 Ha ■ 120 80 🌲 __ ⊙ ⛲ ⌐ WC 🍴 🚿 🚻 🔲 🍸 ✗ 🏠 🔫 ⚓ GAS 🚗 ≈ 🚗 ⚽

En la ctra.S.Feliu de Codines-Centelles, Km 3,8. En la orilla del rio Tenas. Pesca.

| P/N 475 | N/N 375 | A/N 475 | M/N 375 | C/N 475 | T/N 475 | AC/N 950 | EL 450 | PC | | PI ACI |

RUPIT   08569   Mapa pág. 16

B-122 ⚠ PT **RUPIT** Tel. 93-8522153 Fax 93-7671615 1/1-31/12

2,5 Ha ■ 71 (60) 🌲 ... ⊙ 🚐 ⚡ 👒 🚻 WC 👕 👕 🚿 🚿 ♿ 🔲 ⌂ 🍴 🏠 ... 🚰 ⛽ 🎣 🚫 ⚽ 🛶 7

En la ctra. de Vic a Olot, Km 31,450.

P/N	462	N/N	368	A/N	462	M/N	368	C/N	462	T/N	462	AC/N	934	EL	401	PC		PI	ACI

SANT MARTI SESCORTS   08569   Mapa pág. 16

B-123 ⚠ RPT **SPORTING-CLUB** Tel. 93-8541152 1/1-31/12

2 Ha ■ 108 (70) 🌲 ... ⊙ 🚻 WC 🚿 ♿ 🔲 🍴 ✗ 🏠 🚫 ⛽ 🎣 🛶 🎾

Acceso por el Km. 10 de la ctra. Vic-Olot. Señalizado.1993.VER ANUNCIO.

P/N	450	N/N	350	A/N		M/N		C/N		T/N		AC/N		EL	371	PC		1484	PI	ACI

BORREDA   08619   Mapa pág. 15

B-124 ⚠ RPT **CAMPALANS** Tel. 93-8239163 1/1-31/12

0,5 Ha ■ 80 (80) 🌲 ... ⚡ 0,15 Km ⊙ 🚻 WC 👕 🚿 🔲 🍴 🏠 🚫 ⚽ 📷 ⛺ 3 🚲

Camping Masia. Situado en la ctra. de Borredá a S. Jaume de Frontanyà, Km. 1,5.

P/N	350	N/N	300	A/N	350	M/N	300	C/N	350	T/N	350	AC/N	550	EL	470	PC			ACI

B-125 ⚠ RPT **RIERA MERLES** Tel. 93-8239181 1/1-31/12

5 ■ 200 (80) 🌲 ... ⊙ 🚻 WC 👕 🚿 🚿 ♿ 🔲 🍴 ✗ 🏠 🚫 🚰 ⛽ 🛶 ➕ 📷

Situado en el parque natural La Quar-Borredá. Excursiones. Mountain bike. Pesca. Acceso por el eje del
Llobregat, desviación a Puigreig, C-154, Prat de Lluçanés-Gironella, km37,2. Precios 94

P/N	525	N/N	350	A/N		M/N		C/N		T/N		AC/N		EL	318	PC	🚗 🏕	1457	PI	ACI

STA.EUGENIA DE BERGA   08519   Mapa pág. 15

B-126 ⚠ RPT **SANTA EUGENIA PARK** Tel. 93-8853256 Fax 93-8855808 1/1-31/12

4 Ha. ■ 100 (90) 🌲 ... ⊙ 👒 🚻 WC 🚿 🔲 🍴 ✗ 🚰 ⛽ 🛶 🚫 📷

Situado en las afueras de la población.

P/N	750	N/N		A/N		M/N		C/N		T/N		AC/N		EL		PC		PI	ACI

OLOST   08519   Mapa pág. 15

B-127 ⚠ PT **LLUÇANES** Tel. 93-8129057 Fax 93-8880552 1/1-31/12

2,5 ha ■ 120 🌲 ... ⊙ 👒 🚻 WC 🚿 ♿ 🔲 🍴 ✗ 🏠 🚫 ⛽ 🛶 📷

Situado en la ctra. Vic-Gironella, Km 18,950, "Mas Lliscas".

P/N	450	N/N	400	A/N	450	M/N	350	C/N	450	T/N	450	AC/N	800	EL	350	PC		ACI

CALDES DE MONTBUI   08140   Mapa pág. 26

B-130   RPT   **EL PASQUALET**   Tel. 93-8654695   15/1-15/12

5,17 Ha   110 (90)

Situado a la salida del pueblo de Caldes de Montbui por la ctra. a Sant Sebastià de Montmajor, al pié de la montaña del "Farrell". Precios 94

P/N	450	N/N	350	A/N	450	M/N	350	C/N	450	T/N	450	AC/N	900	EL	475	PC	

FOGARS DE MONCLUS   08470   Mapa pág.

B-131   P   **RIERA CIURET**   Tel. 93-8475129   1/9-31/7

2 Ha   50 (50)

Camping Masía. Ctra. de Santa Fé Km 10.5. Desvío a la izquierda y seguir pista forestal apta para caravanas y autocares. Situado en un plácido y frondoso valle, rodeado de robes, castaños y encinas.

P/N	450	N/N	375	A/N	450	M/N	150	C/N	450	T/N	450	AC/N	900	EL	450	PC			PI	ACI

TARADELL   08052   Mapa pág. 26

B-138   RPT   **LA VALL**   Tel. 93-8126336   Fax 93-8126027   1/1-31/12

8 Ha   210 (85)

Acceso por la ctra. N-152, salida por el km 62,40 dirección Taradell. Al llegar a la población girar a la derecha y seguir indicaciones.

P/N	500	N/N	400	A/N	604	M/N	400	C/N		T/N	650	AC/N		EL	500	PC		2075	PI	ACI

MONTSENY   08460   Mapa pág. 27

B-140   PT   **LES ILLES**   Tel. 93-8473204   1/1-31/12

1 Ha   48 (200)

Camping Masia. Situado en Les Illes de Sant Marçal.

P/N	425	N/N	348	A/N	425	M/N	142	C/N	425	T/N	425	AC/N	900	EL		PC			ACI

LA POBLA DE LILLET   08696   Mapa pág. 15

B-142   RPT   **L'ESPELT**   Tel. 93-8236502   1/1-31/12

4,9 Ha   125 (70)

Situado en el Km 4 de la ctra. Guardiola de Berga a La Pobla de Lillet, junto al rio Tort. Precios 94

P/N	450	N/N	350	A/N	450	M/N	350	C/N	450	T/N	350	AC/N	700	EL	400	PC		PI	ACI

TARRAGONA

CUNIT   43881   Mapa pág. 26

T-001 ⚠ MT **MAR DE CUNIT** Tel. 977-674058 1/6-30/9

1.9 Ha ■ 196 (50) ♠ ___ ☉ 🚿 ⛲ ⌂ ⌐ WC 🧺 🚿 🚰 ⌂ Ⳑ ✕ ⤻ ⚖ ⊡ 🚗

🛏 20

Terreno situado entre la playa y una hilera de bungalows, con algunos techos de caña. Se accede desde la C-246 (Barcelona-El Vendrell), girando hacia el mar en el Km. 53, siguiendo 1 Km y pasando un paso subterráneo.

P/N	425	N/N	225	A/N	600	M/N	325	C/N		T/N		AC/N		EL	500	PC	🚗 🚐		1200	ACI

SANTA OLIVA   43710   Mapa pág. 26

T-003 ⚠ T **SANTA OLIVA** Tel. 977-661252 1/1-31/12

1.9 Ha ■ 103 (60) ♠♠ ___ ☉ 🚿 ⛲ ⌐ ⌐ WC 🧺 🚿 🚰 ▣ Ⳑ ⌂ ⤻ ⚖ ⤻

🏊 🚗 🎣 ⊞ ▭

Se accede por la ctra. N-340 hasta El Vendrell. Tomar dirección Valls y a 100 m (semáforo) desviar a la derecha dirección Santa Oliva donde, sin entrar en el pueblo seguir hasta el final de la zona residencial.

P/N	472	N/N	401	A/N	472	M/N	401	C/N	472	T/N	472	AC/N	849	EL	377	PC		PI	ACI

CALAFELL   43820   Mapa pág. 26

T-005 ⚠ **EL BUEN VINO** Tel. 977-691959 1/6-15/9

1.4 Ha ■ 160 (60) ♠♠ ⚡ 0.30Km ☉ ⌐ ⌐ WC 🧺 🚰 Ⳑ ⌂ ⤻ ⚖

Situado en la plaza de la Estación s/n.

P/N	530	N/N	475	A/N	530	M/N	475	C/N	550	T/N	530	AC/N	700	EL	450	PC			ACI

EL VENDRELL   43700   Mapa pág. 26

T-007 ⚠ MR **FRANCAS** Tel. 977-680725 28/3-30/9

4.5 Ha ■ 296 (60) ♠♠ ___ ☉ 🚿 ⛲ ⌐ WC 🧺 🚿 🚰 ⬠ ▣ Ⳑ ✕ ⤻ ⚖ ⊡

⤻ ➕ 🚗

Situado entre la playa y la vía férrea, con una zona al otro lado de la misma, comunicado por un túnel. Acceso

P/N	550	N/N	450	A/N	550	M/N	450	C/N	550	T/N	550	AC/N	975	EL	390	PC	UNCIO.		ACI

EL VENDRELL 43700   Mapa pág. 26

T-008 R **VENDRELL PLATJA** Tel. 977-694106 31/3-30/9

7.3 Ha 583 (70) 0,05 km

En la ctra. Barà-Cunit, entre Sant Salvador y Calafell.

| P/N | 590 | N/N | 450 | A/N | 590 | M/N | 450 | C/N | 590 | T/N | 590 | AC/N | 1180 | EL | 350 | PC | 3 | | 3325 | PI | ACI |

T-009 RT **SAN SALVADOR** Tel. 977-680804 3/4-30/9

2.9 Ha 350 (60) 0.10Km

Terreno llano con pinos, moreras y eucaliptos. Acceso por la salida 31 de la A-7 (Barcelona-Tarragona) y por la N-340, Km. 1187 entrar por Coma-Ruga hasta la playa, seguir a la izquierda y a 1 Km. Frente a una plaza y en el centro de Sant Salvador.VER ANUNCIO.

| P/N | 580 | N/N | 430 | A/N | 580 | M/N | 430 | C/N | 580 | T/N | 580 | AC/N | 1100 | EL | 375 | PC | | ACI |

RODA DE BARA 43883   Mapa pág. 26

T-013 RPT **PARK-PLATJA BARA** Tel. 977-802701 Fax 977-800456 10/3-30/9

14,5 Ha 1197 (70) 0.05Km   90

Terreno ajardinado, distribuido en terrazas. Zona con prohibición de radio y TV. Situado en el Km 1183 de la N-340. Acceso junto al Arco de Barà dirección mar. Gimnasio. Zona de picnic. Información y reservas: Vactur, S.A. Bonanova 9-5-1.T.4170671.VER ANUNCIO. Precios 94

| P/N | 740 | N/N | 530 | A/N | 740 | M/N | 530 | C/N | 740 | T/N | 740 | AC/N | 1300 | EL | 410 | PC | | PI | ACI |

CAMPING + BUNGALOWS
"PARK PLAYA BARÁ"

1ª
★★★

43883 RODA DE BERA (TARRAGONA) - Tel. (977) 802701 - Fax (977) 800456

* EXOTISMO SUBTROPICAL   * EN LA COSTA DORADA
* UN JARDIN BOTANICO   * UN PARAISO DE CAMPING

Medalla turística del Ministerio de Turismo y de la Generalitat de Catalunya. Recomendado oficialmente por muchos de los Automóviles Clubs y Campings de Europa.

Un camping de vacaciones, ajardinado en terrazas, para clientes exigentes. Playa de arena y rocas, con snack-bar en la misma playa, cerca de una moderna urbanización de vacaciones (no hay casas elevadas, ideal para excursiones a pie) y cerca de un típico pueblo de pescadores, con muchas posibilidades para ir de compras y pasar el tiempo libre. Clima seco, soleado hasta en la temporada baja.

Amplias parcelas ajardinadas, con conexión eléctricas, instalaciones para agua y desagüe y fregaderos de marmol en cada parcela. Instalaciones sanitarias ejemplares, con agua caliente, cabinas individuales, baños completos para niños, instalaciones sanitarias para minusválidos, lavabos químicos, etc. Lugar adecuado para lavar coches. Piscina climatizada gratis (23º), solárium. Zona deportiva completa (tenis, frontón, voleibol, balonmano, gran campo de fútbol, pista de patinaje, mini-golf, pista para bicicletas, ping-pong), parque infantil, servicio médico, depósito de objetos de valor, cambio de moneda, bar, grill, restaurante, supermercado, tienda de regalos. Tenemos muchas posibilidades para que pase su tiempo libre, tanto para adultos como para los niños, como por ejemplo un verdadero anfiteatro romano, donde se organizan bailes folklóricos, actuaciones culturales y demás actos recreativos. Escuela de windsurfing y sitio vigilado en la playa para las planchas de surfing. Un camping familiar de ambiente agradable para clientes que gusten del contacto con la naturaleza. En una parte del camping están prohibidos los aparatos de radio y televisión.

Acceso: Autopista A-7 (Barcelona-Tarragona), salida 31 (El Vendrell-Comarruga), después de salir, seguir por la Nacional 340 dirección Tarragona hasta el Arco de Triunfo romano (Arco de Barà), pasarlo y luego seguir en dirección al mar.

Abierto: 10/3 - 1/10   **Bungalows en alquiler**

RODA DE BARA   43883   Mapa pág. 26

T-014 ⚠ P **ARC DE BARA** Tel. 977-800902 Fax 977-801552 1/1-31/12

3 Ha ■ 312 (60) 🌲 ⚊ ≋ 0.10Km ☺ 🚿 ⊖⊖ ⌐ ⌐ WC 🍴🧺🚽🚿📺 ⊺ ✕ ↰ 🛢 ⛽ ✚ 🏠 🔥 2

Se accede por el Km 1182 de la N-340. Situado a 200 m del Arco de Barà. Por autopista A-7 salida 31 y 32.
VER ANUNCIO.

P/N	N/N	A/N	M/N	C/N	T/N	AC/N	EL	PC		ACI
500	300	500	300	500	500	800	300			

T-015 ⚠ RPT **STEL** Tel. 977-802002 Fax 977-800525 1/4-30/9

12 Ha ■ 816 (70) 🌲 ⚊ ≋ 0,05 Km ☺ 🚗 🚐 🚿 ⊖ ⌐ BEBÉ WC 🍴🧺🚽♿📺 ⊿ ⊺ ✕ 🏠 🌀 ↰ 🛢 ⛽ ↙ 🏊 ✚ 🏠 🎾 📶

Terreno llano, arenoso. Zona juvenil aparte. Acceso por la N-340 girando hacia el mar en el Km 1182 y por la autopista A-7, salida 31; a 300 m del Arco de Barà.VER ANUNCIO.

P/N	N/N	A/N	M/N	C/N	T/N	AC/N	EL	PC			
740	535	740	535	740	740	1480	470	🚗🚐		1925 PI ACI	

CREIXELL   43839   Mapa pág. 26

T-018 ⚠ MRT **GAVINA** Tel. 977-801503 Fax 977-800527 1/4-30/9

6 Ha ■ 482 (60) 🌲 ⚊ ☺ 🚐 🚿 ⊖ ⌐ ⌐ WC 🍴🧺🚽🚿📺 ⊿ ⊺ ✕ ↰ 🛢 ⛽ ↙ 🏠 🎾 📶 2 🚻

Se accede por el Km 1181 de la N-340, en dirección mar.VER ANUNCIO. Precios 94

P/N	N/N	A/N	M/N	C/N	T/N	AC/N	EL	PC			
480	380					1600	495	🚗🚐		1600 ACI	

T-019 ⚠ RT **L'ALBA** Tel. 977-801903 15/3-30/9

4 Ha ■ 448 (65) 🌲 ⚊ ≋ 0.20Km ☺ 🚿 ⊖ ⌐ ⌐ WC 🍴🧺🚽📺 ⊺ ✕ ↰ 🛢 ⛽ ↙ 🏊 ✚ 🏠 🎾 📶 📶 10

Situado junto a la N-340, Km 1180, lado mar.

P/N	N/N	A/N	M/N	C/N	T/N	AC/N	EL	PC			
519	462	524	462	519	519	934	472			PI ACI	

T-020 ⚠ M **LA PLANA** Tel. 977-800304 1/5-30/9

0.7 Ha ■ 53 (60) 🌲 ☺ ⊖ ⌐ ⌐ WC 🍴🧺🚽⊺ 🏠 ↰ 🛢 ⛽

Situado a ambos lados de la vía férrea. Sombra de techos de caña. Se accede a partir del Km 1181 de la N-340, girando 300 m en dirección al mar. Paso a nivel sin guarda entre ambas zonas.

P/N	N/N	A/N	M/N	C/N	T/N	AC/N	EL	PC		
450	330	450	330	450	450	750	350			

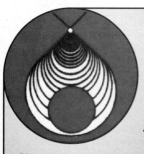

3x CALIDAD:

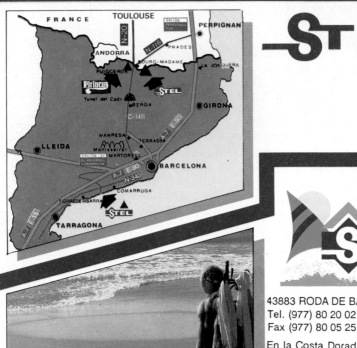

¡3x STEL!

¡LA MEJOR! Y MAS COMPLETA OFERTA
SOL............... MAR Y MONTAÑA

STEL les presenta desde esta guía a dos nuevos campings situados en un entorno singular, el Pirineo catalán, zona bien comunicada que une a sus atractivos paisajes el comfort y la organización que desde hace años caracterizan a nuestro primer camping STEL en la Costa Dorada de Tarragona.

17258 GUILS DE CERDANYA (Girona) Tel.: (972) 88 10 62 Fax: (977) 80 05 25. En el incomparable paisaje del Pirineo Catalán. Carretera Guils de Cerdanya, km.3.

17520 PUIGCERDA (Girona)
Tel.: (972) 88 23 61
Fax: (977) 80 05 25
En el incomparable paisaje del Pirineo catalán. Carretera Puigcerdà-Llívia, km.3.

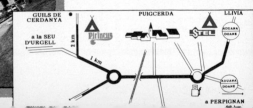

CREIXELL   43839   Mapa pág. 26

T-021 🏕 R **CREIXELL** Tel. 977-800620 Fax 977-800650 1/1-31/12

3.7 Ha ■ 470 (65) 🌲 _ _ 🏊 0.15Km ☺ 🚐 ⛲ 🚻 ⌐ ⌐WC 🍴 🧺 🚿 🚽 🛁 ♿ 📷 🛏 🍽 🍴 ✕ 🔫 🗜 ⛽ 🔌 🚲 🏊 ➕ 🚗 🎲

Ctra. N-340, Km 1180,3. Zona con módulos. Terreno alargado entre la ctra. y la via férrea.VER ANUNCIO.

P/N	N/N	A/N	M/N	C/N	T/N	AC/N	EL	PC				PI	ACI
519	425						497	🚗 🚐			1510		

T-022 🏕 R **SIRENA DORADA** Tel. 977-801303 Fax 977-801215 10/1-15/12

8.8 Ha ■ 571 (70) 🌲 _ 🏊 0.15Km ☺ ⛲ 🚻 🚻 ⌐ ⌐WC 🍴 🚿 🚽 🛁 ♿ 📷 🛏 🍴 ✕ 🏠 🔫 🗜 ⛽ 🚲 🏊 ➕ 🚗 🎾 📺 🎮 42

Situado entre la ctra. y la via férrea. Se accede a partir del Km 1181 de la N-340. Discobar.

P/N	N/N	A/N	M/N	C/N	T/N	AC/N	EL	PC			PI	ACI
450	350	500	300		500		480	🚗 🚐		1700		

TORREDEMBARRA   43830   Mapa pág. 26

T-024 🏕 **CLARA** Tel. 977-643480 1/5-30/9

1.4 Ha ■ 158 (55) 🌲 🏊 0.10Km ☺ ⛲ ⌐ ⌐WC 🚿 🛁 📷 🍴 ✕ 🔫 🗜 ⛽ ➕ 🚗

Situado en el Km 1178 de la ctra. N-340. Precios 94

P/N	N/N	A/N	M/N	C/N	T/N	AC/N	EL	PC		
450	400						400	🚗 🚐	900	

CAMPING Creixell

43839 CREIXELL (Tarragona)
Tel. (977) 80 06 20
Fax (977) 80 06 50

Frente al cruce de Creixell, en el km. 1.180 de la CN-340, encontrará el CAMPING CREIXELL, que le ofrece, junto a una magnífica playa de 7km de longitud, sus nuevas, confortables y bien cuidadas instalaciones. Piscinas - Deportes. Amplio programa de animación social. ABIERTO TODO EL AÑO.

TORREDEMBARRA   43830   Mapa pág. 26

T-025 R **LA NORIA** Tel. 977-640453 1/4-30/9

4 Ha 440 (60) 0.10Km WC

Se accede por el Km 1172 de la N-340. Arbolado con pinos, moreras y acacias. Terreno llano. Acceso a la playa por paso subterráneo. VER ANUNCIO.

| P/N | 490 | N/N | 450 | A/N | | M/N | | C/N | | T/N | | AC/N | | EL | 440 | PC | | | 1275 | ACI |

T-026   **MIRAMAR PLAYA** Tel. 977-644705 Fax 977-644705 1/1-31/12

1,9 Ha 198 (60) 0,15 Km WC

Situado junto a la ctra. N-340, km 1177, lado mar. Totalmente reformado.

| P/N | 450 | N/N | 400 | A/N | 450 | M/N | 400 | C/N | 450 | T/N | 450 | AC/N | 650 | EL | 450 | PC | | ACI |

T-027   **RELAX-SOL** Tel. 977-640760 1/1-31/12

1,2 Ha 120 (60) 0.05Km WC

En el Km 1178 de la N-340. Arbolado con pinos. Precios 94

| P/N | 470 | N/N | 395 | A/N | 470 | M/N | 400 | C/N | 470 | T/N | 470 | AC/N | 815 | EL | 400 | PC | | ACI |

T-028 RT **TORREDEMBARRA** Tel. 977-642406 1/1-31/12

0,5 ha 52 (60) 0,5 km WC

Situado en el paseo de Miramar nº 163. Precios 94

| P/N | 475 | N/N | 375 | A/N | 475 | M/N | 360 | C/N | 500 | T/N | 500 | AC/N | 800 | EL | | PC | | 2 | 1900 | ACI |

T-029 RT **LA PINEDA-PLATJA** Tel. 977-640352 Fax 977-303574 13/3-30/10

0.8 Ha 96 (60) 0,05 Km WC

Acceso por la autopista A-7, salida 32, dirección playa y ctra. N-340, en Torredembarra, por el puente sobre la ctra., dirección playa.

| P/N | 470 | N/N | 330 | A/N | 470 | M/N | 330 | C/N | 470 | T/N | 470 | AC/N | 800 | EL | 345 | PC | | ACI |

ALTAFULLA   43893   Mapa pág. 26

T-032   MPT **ALTAFULLA** Tel. 977-652715 25/3-30/9

1 Ha 90 WC

Situado en la misma playa, a 11 Km de Tarragona. Acceso por la salida 32 de la A-7 y por la Ctra. N-340, Km. 1175. Precios 94

| P/N | 560 | N/N | 440 | A/N | 560 | M/N | 440 | C/N | 560 | T/N | 560 | AC/N | 778 | EL | 401 | PC | | ACI |

ALTAFULLA   43893   Mapa pág. 26

T-033 △ R **DON QUIJOTE** Tel. 977-650205 1/1-31/12

2.5 Ha ■ 223 (60) 🌲 ⚡ 0.20Km ⊙ 🍽 ⌐ ⌐ WC 🧺 ⚒ 🍷 📷 ☂ 🏠 🔌 🚰 ⛽ 🔧 ✚ 🚗 🤸

Terreno llano con algunas terrazas. Se accede a partir de la N-340 en el Km 1175, pasando un túnel bajo la via férrea y girando a la izqda.

P/N	475	N/N	400	A/N	475	M/N	400	C/N	575	T/N	575	AC/N	735	EL	350	PC			ACI

T-034 △ **SANTA EULALIA** Tel. 977-650213 1/5-31/10

.4 Ha ■ 292 (60) 🌲 ⚡ 0.20Km ⊙ 🍽 ⌐ ⌐ WC 🧺 ⚒ 🍷 🌀 ☂ ✕ 🔌 🚰 ⛽ 🔧 🏊 ✚ 🚗

Está situado en el camino de la playa. Arbolado de chopos. Precios 94

P/N	500	N/N	400	A/N	500	M/N	320	C/N	600	T/N	600	AC/N	700	EL	400	PC		PI	ACI

EL CATLLAR   43764   Mapa pág. 26

T-035 △ PT **GAIA** Tel. 977-653070 1/5-15/10

0.9 Ha ■ 68 (70) 🌲 __ ⊙ 🚿 🍽 ⌐ WC 🧺 ⚒ 🍷 ✕ 🔌 ⛽ 🔧 🏊 ✚ 🚗 🔲

Se accede desde la N-340, Km 1168 a la ctra. de El Catllar, a 10 Km de Tarragona.

P/N	425	N/N	400	A/N	425	M/N	400	C/N	425	T/N	425	AC/N	850	EL	410	PC		PI	ACI

TARRAGONA   43893   Mapa pág. 26

T-036 △ RPT **CALEDONIA** Tel. 977-650098 Fax 977-652867 1/4-30/9

3.7 Ha ■ 140 (70) 🌲 __ ⚡ 1.00Km ⊙ 🚿 🍽 ⌐ WC 🧺 ⚒ 🍷 📷 🌀 ☂ ✕ 🏠 🔌 🚰 ⛽ 🔧 🏊 ✚ 🚗 ⚽ 🔲 🏓 16 🛏 8 💳

Situado en una colina y distribuido en terrazas, junto a la via férrea, con pinos. Se accede por el Km 1172 de la N-340, 8 Km al norte de Tarragona.

P/N	500	N/N	450	A/N	500	M/N	450	C/N	500	T/N	500	AC/N	950	EL	400	PC	🚐 🔌 🔧 3 🍴	2900	PI	ACI

T-037 △ MRPT **TAMARIT** Tel. 977-650128 Fax 977-650451 1/1-31/12

12 Ha ■ 575 (90) 🌲 __ ⊙ 🚿 🍽 ⌐ ⌐ BEBÉ WC 🏠 🧺 ⚒ 🍷 🌀 📷 🌀 ☂ ✕ 🏠 🔌 🚰 ⛽ 🔧 ✚ 🚗 🏓 🔲 🛏 5/17 💳

Se accede por el Km 1172 de la N-340, en dirección al mar, pasando sobre la via férrea y siguiendo 1,2 Km. VER ANUNCIO. Precios 94

P/N	580	N/N	480	A/N	900	M/N	900	C/N	900	T/N	900	AC/N	1800	EL	495	PC	🚐 🔌	1800	ACI

T-039 △ T **TRILLAS PLATJA TAMARIT** Tel. 977-650249 Fax 977-650926 1/4-30/9

4.5 Ha ■ 341 (60) 🌲 __ ⚡ 0.10Km ⊙ 🚿 🍽 ⌐ WC 🧺 ⚒ 🍷 📷 ☂ ⛽ 🔧 ✚ 🚗 🏓 🔲

Situado al pie del castillo de Tamarit. Se accede por el Km 1172 de la N-340, en dirección al mar, pasando sobre la via férrea y siguiendo 1 Km. VER ANUNCIO.

P/N	525	N/N	435	A/N	525	M/N	435	C/N	525	T/N	525	AC/N	945	EL	420	PC	🚐 🔌	1050	ACI

TARRAGONA 43080 Mapa pág. 26

T-041 ⚠ MPT **TORRE DE LA MORA** Tel. 977-650277 Fax 977-652858 20/3-31/10

7.2 Ha ■ 528 (70) 🎄 ☉ 🛁 🛁 ⌐ ⌐ WC 🚰 🚿 🛁 ♿ 🌀 ▽ ✕ 🏠 🎣 🏛

⛽ 🔌 ✚ 🚗 🏕 12 🔲

Situado en una colina sobre una bahía y distribuido en terrazas. Tiene playa y acantilados. Se accede a partir del Km 1171 de la N-340, pasando bajo la vía férrea, y siguiendo 1,2 Km.VER ANUNCIO.

P/N	N/N	A/N	M/N	C/N	T/N	AC/N	EL	PC						ACI
685	525	685	525	685	685	1150	400	🚗 🏍		1 ⛽			2055	

TARRAGONA   43007   Mapa pág. 26

T-042 M **LAS PALMERAS** Tel. 977-208081 Fax 977-207817 1/4-30/9

16 Ha ■ 700 (80) 🌲 __ ▬ ☺ 🍸 🛁 🚿 🚽 WC 🧺 🚰 🧴 📷 🍽 ✕ 🏠 🎣
🛵 ⛽ 🅿 ➕ 🛒 🎾

Terreno alargado y dividido en tres zonas, con palmeras en una y prado en las otras. Entre la via férrea y el mar. Se accede a partir del Km 1168 de la N-340 en dirección al mar.VER ANUNCIO.

| P/N 590 | N/N 450 | A/N 590 | M/N 450 | C/N 590 | T/N 590 | AC/N 875 | EL 350 | PC | |

T-043 PT **TARRACO** Tel. 977-239989 Fax 977-219116 1/4-30/9

1.5 Ha ■ 137 (60) 🌲 __ ▬ ☇ 0.10Km ☺ 🍸 🚿 🚽 WC 🧺 🚰 🧴 🍽 ✕ 🎣 🏠 ⛽
🛵 ➕ 🛒

Situado en la playa de L'Arrabassada. Arbolado de pinos y moreras.

| P/N 453 | N/N 269 | A/N 302 | M/N 302 | C/N 604 | T/N 453 | AC/N 684 | EL 344 | PC | | ACI |

T-044 M **PLAYA-LARGA** Tel. 977-207952 Fax 977-207952 1/6-30/9

0.5 Ha ■ 42 (49) 🌲 ☺ 🍸 🚿 🚽 WC 🧺 🚰 📷 🍽 🎣

Situado en la Platja Llarga. Arbolado de pinos, chopos y palmeras.

| P/N 400 | N/N 350 | A/N 400 | M/N 350 | C/N 425 | T/N 400 | AC/N 525 | EL 400 | PC | | ACI |

T-045 MT **LAS SALINAS** Tel. 977-207628 15/5-30/9

1 Ha ■ 118 (45) 🌲 __ ▬ ☺ 🍸 🚿 🚽 WC 🧺 🚰 🧴 🍽 ✕ 🎣 🏠 ⛽ 🛒

Situado en la Platja Llarga. Arbolado de chopos y moreras. Acceso por la ctra. N-340, entre los hitos kilométricos 1167 y 1168.

| P/N 400 | N/N 340 | A/N 400 | M/N 340 | C/N 475 | T/N 400 | AC/N 550 | EL 375 | PC | |

SALOU   43840   Mapa pág. 26

T-047 𝕸 RT **LA PINEDA DE SALOU** Tel. 977-370226 Fax 977-370620 15/3-30/10

4 Ha ■ 336 (70) ... 0.40Km ... WC ...

Acceso por la autovía de Salou, desvío a La Pineda por la costa. Situado a 3 Km. de la Pl. Europa de Salou y a 6 Km. de Tarragona; a 400 m. de la playa de La Pineda (Bandera de la CEE) y a 1 Km del Acquapark.VER ANUNCIO.

| P/N | 519 | N/N | 406 | A/N | 547 | M/N | 443 | C/N | 708 | T/N | 708 | AC/N | 1000 | EL | 387 | PC | | | PI | ACI |

T-050 𝕸 AT **LA UNION** Tel. 977-384816 Fax 977-351444 18/3-15/10

3 Ha ■ 294 (60) ... 0.35 Km ... WC ...

Situado dentro del casco urbano. Se accede siguiendo las indicaciones.

| P/N | 566 | N/N | 354 | A/N | 566 | M/N | 354 | C/N | 700 | T/N | 566 | AC/N | 750 | EL | 354 | PC | | | PI | ACI |

T-051 𝕸 R **LA SIESTA** Tel. 977-380852 Fax 977-383191 18/3-31/10

5.8 Ha ■ 601 (60) ... 0.20Km ... WC ...

Situado en pleno centro de la localidad. Accesos por la autopista Tarragona-Salou y por la salida 35 de la autopista A-7.

| P/N | 620 | N/N | 455 | A/N | 620 | M/N | 300 | C/N | 620 | T/N | 620 | AC/N | 875 | EL | 400 | PC | | | PI | |

T-052 𝕸 **PLAYA DORADA** Tel. 977-370456 1/6-30/9

1.3 Ha ■ 134 ... 0.10Km ... WC ...

Situado en La Pineda de Salou. Precios 94

| P/N | 490 | N/N | 355 | A/N | 490 | M/N | 325 | C/N | 590 | T/N | 490 | AC/N | 800 | EL | 400 | PC | | |

CAMPING & BUNGALOWS
Sangulí Salou
SALOU (TARRAGONA) - COSTA DAURADA - ESPAÑA

Vive tus Vacaciones

El CAMPING & BUNGALOWS SANGULÍ, situado en Salou, centro de la Costa Dorada, a tan sólo 50 m. de la playa, le ofrece todas las ventajas que sólo un Camping de alto standing le puede ofrecer:

- Equipo de animación para grandes y pequeños con espectáculos diarios en un excepcional anfiteatro con capacidad para 2.000 personas.
- 6 piscinas, 2 supermercados, 4 bares, 2 parques infantiles, boutique-souvenirs, restaurante, take-away, pub-discoteca, lavandería,... etc.
- Instalaciones deportivas con tenis, mini-golf, squash, fútbol sala, basket, petanca, boley-ball,... etc.
- 7 modernos bloques sanitarios, con los más altos niveles de limpieza y comodidad (baños para minusválidos, para bebés,... etc).

Todo ello, junto a un incomparable marco natural rodeado de preciosos jardines, hace del CAMPING & BUNGALOWS SANGULÍ, el lugar ideal para sus vacaciones.

Elegido "MEJOR CAMPING DEL AÑO 1992" por el Real Touring Club Holandés.

SALOU 43840 Mapa pág. 26

T-055 🔺 RPT **SANGULI** Tel. 977-381641 Fax 977-384616 1/3-31/10

23 Ha ■ 1449 (70)

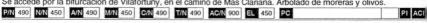

📷 66

Se accede por la salida 35 de la autopista A-7, siguiendo la ctra. de la costa Salou-Camrils, al final del Paseo Miramar. Anfiteatro.VER ANUNCIO.

| P/N 715 | N/N 500 | A/N 715 | M/N 550 | C/N 875 | T/N 875 | AC/N 1590 | EL 415 | PC | | PI ACI |

CAMBRILS 43850 Mapa pág. 26

T-056 🔺 PT **AMFORA D'ARCS** Tel. 977-361211 Fax 977-360974 1/3-30/11

4 Ha ■ 256 (70)

Situado en un prado ajardinado, con chopos y frutales. Se accede a partir del Km 1145 de la N-340. Autopista A-2, salida 37.

| P/N 475 | N/N 375 | A/N 475 | M/N 375 | C/N 575 | T/N 475 | AC/N 900 | EL 400 | PC 2 | 1900 PI ACI |

T-058 🔺 M **DON CAMILO** Tel. 977-361490 Fax 977-364988 15/3-12/10

11 Ha ■ 1065 (60)

Chopos altos con una pequeña zona entre la ctra. y el mar. Acceso directo al mar por debajo de la ctra. desde el resto del terreno. Situado en el Km 2 de la ctra. Salou-Cambrils. Acceso por la autopista A-7, salida 37.

| P/N 500 | N/N 400 | A/N 500 | M/N 400 | C/N 500 | T/N 500 | AC/N 900 | EL 400 | PC 2 | 2000 PI ACI |

T-060 🔺 MT **JOAN** Tel. 977-364604 1/4-30/9

2.3 Ha ■ 220 (60)

Terreno dividido en tres zonas, parcelado mediante setos y árboles. Se accede a partir del Km 1140 de la N-340, junto al motel La Dorada, pasando bajo la vía y siguiendo 300 m.VER ANUNCIO. Precios 94

| P/N 475 | N/N 385 | A/N 475 | M/N 385 | C/N 475 | T/N 475 | AC/N 800 | EL 360 | PC | | ACI |

T-061 🔺 **HORTA** Tel. 977-361243 1/1-31/12

0.7 Ha ■ 71 (50)

Av. Requeral s/n. Precios 94

| P/N 470 | N/N 330 | A/N 470 | M/N 330 | C/N 470 | T/N 470 | AC/N 800 | EL 340 | PC | | ACI |

T-062 🔺 RPT **LA CORONA** Tel. 977-351030 19/3-31/10

7,5 Ha ■ 600 (60)

Se accede por la bifurcación de Vilafortuny, en el camino de Mas Clariana. Arbolado de moreras y olivos.

| P/N 490 | N/N 450 | A/N 490 | M/N 450 | C/N 490 | T/N 490 | AC/N 900 | EL 450 | PC | | PI ACI |

CAMBRILS 43850   Mapa pág. 26

T-064 ⛰ MP **PLAYA L'ARDIACA** Tel. 977-360913 1/6-15/9

2.4 Ha ■ 241 (50) 🌲 ☉ 🛏 ⌐ ⌐ WC 🧺 🚿 🛁 🍽 ✕ 🔌 🏛 ⛽ 🚗 💳

Terreno llano, arenoso y con chopos. Se accede a partir de la N-340 en el Km 1140, junto motel La Dorada, en dirección al mar.

| P/N 500 | N/N 390 | A/N 500 | M/N 390 | C/N 510 | T/N 500 | AC/N 820 | EL 410 | PC | | ACI |

T-066 ⛰ M **L'ESQUIROL** Tel. 977-360031 1/6-30/9

0.8 Ha ■ 88 (60) 🌲 ☉ 🛏 ⌐ ⌐ WC 🧺 🛁 ♿ 🍽 🔌 🏛 ⛽ 🚗 ➕ 🚗

Situado en el Km. 2,1 de la ctra. Cambrils-Salou.

| P/N 480 | N/N 380 | A/N 480 | M/N 380 | C/N 480 | T/N 480 | AC/N 790 | EL 350 | PC | | ACI |

T-069 ⛰ **TAMOURE** Tel. 977-792493 1/4-15/9

1.5 Ha ■ 94 (60) 🌲 ☉ 🛏 ⌐ ⌐ WC 🧺 🛁 🍽 ✕ 🔌 🏛 ⛽ 🚗 🏊 / ⛺ 12

Situado en al ctra. N-340, Km 1141. Precios 94

| P/N 400 | N/N 350 | A/N 425 | M/N 350 | C/N 400 | T/N 400 | AC/N 450 | EL 400 | PC | | PI | ACI |

T-071 ⛰ **BAIX CAMP** Tel. 977-361242 15/3-31/10

2,7 Ha ■ 256 (42) 🌲 🏖 0,5 Km ☉ 🛏 ⌐ ⌐ WC 🧺 🛁 📺 🍽 ✕ 🔌 🏛 🏊 ➕ 🚗

| P/N 400 | N/N 300 | A/N 400 | M/N 300 | C/N 400 | T/N 400 | AC/N 500 | EL 350 | PC | | PI | ACI |

MONTROIG	43892	Mapa pág. 25

T-072 MPT **MARIUS** Tel. 977-810684 Fax 977-810684 SS-15/10

4´ Ha 350 (70) 🌲 ⬜ ⊙⊙ 🚐 🚙 ⬜ 🍽 ▽▽ ⌐ WC 🧺 ➕ 🧺 ⬜ ⬜ 🔲 ◻

Ⅰ ✕ 🔌 🗼 ⛽ ⌐ ➕ 🏠 🎾 ▭

Terreno llano con plazas delimitadas y decoradas con jardinería. Zona aparte para campistas con perros. Se accede a partir del Km 1137 de la N-340 en dirección al mar y pasando bajo la vía férrea.VER ANUNCIO.

P/N	600	N/N	400	A/N		M/N		C/N		T/N		AC/N		EL		PC		↗		1900	ACI

T-073 MRPT **ELS PRATS** Tel. 977-810027 Fax 977-365901 1/1-31/12

4 Ha 250 (60) 🌲 ⊙⊙ 🚙 ⬜ 🍽 ⌐ ⌐ BEBÉ WC 🧺 ⬜ 🧺 ⬜ 🔲 Ⅰ ✕ (ᴅᴇᴘ) 🔌

🗼 ⛽ ⌐ ➕ 🏠 ⬜ 33 🚲 ⛵ ▭

Ctra. N-340, Km 1135, pasando por debajo de la vía férrea. Terreno en dos zonas, una junto a la playa. VER ANUNCIO.

P/N	450	N/N	350	A/N		M/N		C/N		T/N		AC/N		EL		PC		1850	ACI

T-074 MRP **LA TORRE DEL SOL** Tel. 977-810486 Fax 977-811306 15/3-15/10

24 Ha 1500 (80) 🌲 ⬜ ⊙⊙ 🚐 ⬜ 🍽 ▽▽ ⌐ WC 🧺 ➕ 🧺 ⬜ ⬜ 🔲 ◻

Ⅰ ✕ 🏛 (ᴅᴇᴘ) 🔌 🗼 ⛽ ⌐ 🏊 ➕ 🏠 ⚽ ⌐ 🍭 ⛺ 69 🛏 60 🚲 ⛵ ▭

Prado con árboles y setos. Parcelas sin sombra cerca de la playa. Zonas separadas para jóvenes y campistas con perros. Acceso por el Km 1136 de la N-340. Por A-7, salida 37 o 38. Información y reservas: Vactur S.A., Pº Bonanova, 9 5º 1ª, Tel. 93-4170671, BarcelonaVER ANUNCIO.

P/N	600	N/N	500	A/N	800	M/N	600	C/N		T/N		AC/N		EL	500	PC	🚗 🚐 ↗	2800	PI	ACI

MONTROIG   43892   Mapa pág. 25

T-075   MRPT **PLAYA MONTROIG**   Tel. 977-810637   Fax 977-811411   1/3-31/10

30 Ha ■ 2098 (75)

Dividido en dos zonas, comunicadas por paso inferior. Acceso en el Km 1136 de la N-340 con salidas de la autopista A-7, num.37, en Cambrils o por la 38 en Hospitalet de l'Infant. Sala de Congresos. VER ANUNCIO.

| P/N | 750 | N/N | 650 | A/N | 650 | M/N | 650 | C/N | | T/N | | AC/N | | EL | | PC | | | 2900 | PI | ACI |

T-076   MRPT **OASIS MAR**   Tel. 977-837395   1/3-31/10

3 Ha ■ 269 (80)

Terreno llano con diversas variedades de árboles frondosos. Zona aparte para campistas con perros. Se accede por el Km 1139 de la N-340. VER ANUNCIO.

| P/N | 500 | N/N | 375 | A/N | | M/N | | C/N | | T/N | | AC/N | | EL | 375 | PC | | | 1500 | ACI |

Camping-Caravaning
OASIS MAR
43892 **MONTROIG** (Costa Daurada)

OASIS MAR significa NATURALEZA Y TRANQUILIDAD

Ubicado en un pinar directamente en la playa. Aquí puede disfrutar de unas vacaciones activas y relajantes. Es el único terreno en el área de Montroig que está alejado (500m) de la ctra. y la vía férrea. Situado en una región de gran belleza y de interés cultural e histórico. Hay vigilancia las 24h., abundante agua potable, servicio médico diario, instal. sanitarias pulcras con agua caliente gratis en las duchas. Restaurate acogedor, supermercado, jardín infantil, boleibol, ping-pong, tel. público, lavandería, cajas fuertes, actividades.

Autopista 7, salida 37 (Cambrils) y seguir 5km por la N-340 en dirección Valencia. Abierto todo el año con todos los servicios. En temporada baja descuentos para jubilados. Tel. (977) 83 73 95

T-077   MR **PLAYA Y FIESTA**   Tel. 977-810913   25/3-25/9

3 Ha ■ 353 (60)

Arbolado frondoso y parcelas sin sombra cerca de la playa. Acceso a partir del Km 1139,1 de la N-340. Siguiendo 0,3 Km en dirección al mar y pasando por un paso a nivel. VER ANUNCIO.

| P/N | 580 | N/N | 440 | A/N | 765 | M/N | 530 | C/N | 910 | T/N | 910 | AC/N | 1350 | EL | 400 | PC | | | PI | ACI |

MONTROIG   43892   Mapa pág. 25

T-078 △ MR **MIRAMAR** Tel. 977-811203 Fax 977-384363 1/1-31/12

3.7 Ha ■ 334 (72) [símbolos] 3

En el Km 1134 de la N-340. Terreno llano, sombrajos de cañas. Situado entre la vía férrea y la playa.

| P/N 500 | N/N 300 | A/N 500 | M/N 350 | C/N 680 | T/N 680 | AC/N 975 | EL 460 | PC | | ACI |

L'HOSPIT. DE L'INFANT   43890   Mapa pág. 26

T-082 △ MRT **CALA D'OQUES** Tel. 977-823254 Fax 977-820691 1/1-31/12

2,8 Ha ■ 237 (60) [símbolos]

Terrazas, entre la ctra. y el mar. Sombrajos de cañas. Desvío en el Km 1123 de la N-340. Por la autopista A-7, salida 38.

| P/N 561 | N/N 472 | A/N 561 | M/N 561 | C/N 561 | T/N 561 | AC/N 797 | EL 410 | PC | | ACI |

T-083 △ MRPT **LA MASIA** Tel. 977-823102 Fax 977-832102 1/1-31/12

2.5 Ha ■ 250 (60) [símbolos] 11

Se accede por el Km 1121 de la N-340, playa de la Almadraba. Terrazas con pinos y olivos.

| P/N 425 | N/N 290 | A/N | M/N | C/N | T/N | AC/N | EL 375 | PC | | 950 |

L'HOSP.DE L'INFANT   43890   Mapa pág. 25

T-084 MPT **EL TEMPLO DEL SOL** Tel. 977-810486 Fax 977-811306 1/6-30/9

■ 450 [símbolos]

Camping naturista en playa naturista de más de 1 Km de longitud. Instalaciones de gran lujo. Por no estar totalmente terminado al cierre de esta edición, recomendamos solicitar información antes de iniciar el viaje.

| P/N 550 | N/N 440 | A/N 700 | M/N 440 | C/N | T/N | AC/N | EL | PC | | 2550 |

L'AMETLLA DE MAR   43860   Mapa pág. 25

T-086 △ MRPT **NAUTIC** Tel. 977-456110 Fax 93-2076804 15/3-30/9

7 Ha ■ 375 (70) [símbolos] 21

Terreno ondulado, con vegetación mediterránea. La playa es una bahía rodeada de rocas. Acceso desde la autopista A-7, salida 39, en el Km 1113,1 de la N-340.VER ANUNCIO.

| P/N 656 | N/N 543 | A/N 656 | M/N 495 | C/N 656 | T/N 656 | AC/N 1275 | EL 448 | PC | | PI ACI |

L'AMPOLLA   43895   Mapa pág. 25

T-087 △ T **LOS DALTONES** Tel. 977-470265 1/4-15/10

3 Ha ■ 200 (80) [símbolos]

Se accede por la N-340, Km 1094, desvío hacia el interior a 1,5 Km. Ambiente Western. Precios 94

| P/N 400 | N/N 300 | A/N 400 | M/N 400 | C/N 400 | T/N 400 | AC/N 550 | EL 250 | PC | | ACI |

T-089 △ MPT **CAP-ROIG** Tel. 977-460102 1/1-31/12

4.3 Ha ■ 268 (70) [símbolos] 5

Acceso por la ctra. N-340 a L'Ampolla y seguir dirección Cap Roig. Por la autopista A-7 salida 39 o 40.

| P/N 450 | N/N 375 | A/N 450 | M/N 390 | C/N 500 | T/N 450 | AC/N 800 | EL 370 | PC | | PI ACI |

T-090 △ M **SANT JORDI** Tel. 977-460415 15/6-15/9

0.8 Ha ■ 95 (45) [símbolos]

Situado en el núcleo urbano, frente al mar, en la calle Hernán Cortés. Precios 94

| P/N 400 | N/N 250 | A/N 400 | M/N 400 | C/N 400 | T/N 400 | AC/N 600 | EL 350 | PC | | ACI |

L`AMPOLLA   43895   Mapa pág. 37

T-091 △ MRPT **AMPOLLA PLAYA** Tel. 977-460535 15/6-15/9

1,8 Ha. ■ 118 (66) [símbolos]

Situado en la playa del Arenal. Acceso por la ctra. L'Ampolla-Deltebre. Precios 94

| P/N 400 | N/N 250 | A/N 400 | M/N 400 | C/N 400 | T/N 400 | AC/N 600 | EL 350 | PC | | ACI |

DELTEBRE   43580   Mapa pág. 25

T-092 ⚠ **L'AUBE**   Tel. 977-445706   1/1-31/12

11.5 Ha ■ 385 (60) 🌲 ☺ 🚽 ⌐ ⌐ WC ♿ 📷 🍸 ✕ 🏠 🏹 ⚓ GAS 🛟 ✚

Situado en el delta del Ebro.

P/N	N/N	A/N	M/N	C/N	T/N	AC/N	EL	PC	

T-093 ⚠ **RIOMAR**   Tel. 977-480006   1/1-31/12

0.7 Ha ■ 74 (50) 🌲 ☺ 🚽 ⌐ ⌐ WC 🍸 ✕ ⚓ 🛟 🎾

Urbanización Riomar en el delta del Ebro, orilla izqda.

P/N	N/N	A/N	M/N	C/N	T/N	AC/N	EL	PC	

AMPOSTA   43870   Mapa pág. 37

T-094 ⚠ MPT **MEDITERRANEO BLAU**   Tel. 977-468146   SS-25/9

1 Ha ■ 130 (45) 🌲 __ ☺ 🚽 ⌐ ⌐ WC ♿ 📷 🍸 ✕ 🏹 ⚓ GAS ✚

Se accede por la N-340, desvío en el puente de Amposta, dirección al delta del Ebro, playa Eucaliptos. Buena playa para cometas. Precios 94

P/N 385	N/N 280	A/N 385	M/N 350	C/N 385	T/N 385	AC/N 700	EL 325	PC	ACI

ALCANAR   43530   Mapa pág. 39

T-097 ⚠ M **NOYA**   Tel. 977-741721   1/5-30/9

0.9 Ha ■ 93 (60) 🌲 ☺ 🚽 ⌐ ⌐ WC ♿ 🍸 🏹 ⚓ GAS 🛟

Terreno ligeramente inclinado, con olivos. Las playas son pequeñas calas bajo los acantilados. En el Km 1069 de la N-340. Precios 94

P/N 400	N/N 340	A/N 400	M/N 350	C/N 400	T/N 400	AC/N 675	EL 350	PC	

ALCANAR   43530   Mapa pág. 39

T-098   MRPT   **CARLOS III**   Tel. 977-742001   1/6-30/9

1.6 Ha ■ 119 (60)

Situado en el trazado antiguo de la N-340. Km 1069.

| P/N | 400 | N/N | 345 | A/N | 400 | M/N | 350 | C/N | 400 | T/N | 400 | AC/N | 800 | EL | 340 | PC | | 800 | ACI |

T-100   M   **MARE NOSTRUM**   Tel. 977-737179   1/1-31/12

1.4 Ha ■ 133 (60)

Se accede por el Km 1071 de la N-340, antiguo trazado. Vegetación y arbolado mediterráneo. Situado entre la ctra. y el mar. Precios 94

| P/N | 400 | N/N | 343 | A/N | 400 | M/N | 350 | C/N | 400 | T/N | 400 | AC/N | 675 | EL | 330 | PC | | ACI |

T-101   M   **CASTRO**   Tel. 977-700939   1/6-30/9

0.6 Ha ■ 63 (60)

En el trazado antiguo de la N-340. Alcanar playa.

| P/N | 335 | N/N | 285 | A/N | 335 | M/N | 320 | C/N | 385 | T/N | 375 | AC/N | 665 | EL | 360 | PC | |

T-102   MP   **ELS ALFACS**   Tel. 977-740561   1/7-31/8

2.5 Ha ■ 245 (60)

3

Terreno ligeramente inclinado con olivos y árboles frondosos. Zonas con techos de cañas. Situado entre la ctra. y la playa. Acceso por el Km 1068 de la N-340, antiguo trazado. Precios 94

| P/N | 425 | N/N | 350 | A/N | 425 | M/N | 350 | C/N | 425 | T/N | 425 | AC/N | 850 | EL | 350 | PC | |

T-103   MPT   **CASES D'ALCANAR**   Tel. 977-737165   1/4-30/9

2.1 Ha ■ 159 (65)

En el Km 1067 de la N-340. Arbolado con pinos, naranjos y moreras. Ajardinado. Precios 94

| P/N | 475 | N/N | 375 | A/N | 475 | M/N | 400 | C/N | 475 | T/N | 475 | AC/N | 625 | EL | 500 | PC | 2 | | 1900 | PI | ACI |

T-104   **ESTANYET**   Tel. 977-737268   1/6-30/10

1.3 Ha ■ 120 (70)   0.10Km

Situado en el Km 1060 de la N-340. Precios 94

| P/N | 500 | N/N | 350 | A/N | | M/N | | C/N | | T/N | | AC/N | | EL | 354 | PC | | 1300 | PI | ACI |

TIVENYS   43511   Mapa pág. 25

T-107   **L`ASSUT**   Tel. 977-496001   1/1-31/12

0,6 Ha ■ 27

Camping Masia situado en la orilla izquierda del rio Ebro, a 14 km de Tortosa. Precios 94

| P/N | 300 | N/N | 175 | A/N | 250 | M/N | 100 | C/N | 350 | T/N | 350 | AC/N | 650 | EL | 175 | PC | | ACI |

ARNES   43597   Mapa pág. 25

T-108   PT   **ELS PORTS**   Tel. 977-435560   15/3-6/1

3,4 Ha ■ 134 (40)

Situado en la zona de Els Ports de Beceit. Accesos: desde la A-7, salida Tortosa, dirección Gandesa, Prat del Compte; salida Hospitalet de l'Infant, dirección Mora, Gandesa, Horta de Sant Joan; desde Alcañiz dirección Valderrobles.VER ANUNCIO.

| P/N 475 | N/N 375 | A/N 450 | M/N 375 | C/N 600 | T/N 600 | AC/N 900 | EL 400 | PC | | PI | ACI |

PRADES   43364   Mapa pág. 25

T-110   〽   RPT   **PRADES**   Tel. 977-868270   1/1-31/12

3,5 Ha ■ 207 (70)

Acceso por la ctra. T-701 desde la A-2, salida Montblanc, seguir por la N-420, desvío Vimbodí, seguir por la T-7003 y la T-7000 o bien por la A-7, desvío por la N-420 hacia Les Borges del Camp y por la C-242 dirección Cornudella, Albarca y Prades.VER ANUNCIO.

| P/N 500 | N/N 425 | A/N 425 | M/N 425 | C/N 650 | T/N 650 | AC/N 1075 | EL 450 | PC | | PI | ACI |

INFORMACION Y RESERVAS:
Ctra. T-701, Km. 6,850
43364 PRADES (Tarragona)
Tel. (977) 86 82 70
86 82 79
86 83 21

CAMPING PRADES

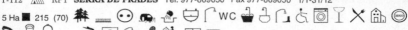

T-112 /\\\\ RPT **SERRA DE PRADES** Tel. 977-869050 Fax 977-869050 1/1-31/12

5 Ha ■ 215 (70)

Situado en la cima de la Serra de Prades, junto al pueblo de Vilanova de Prades. Acceso por la A-2, salida 9 (Montblanc) y desde Lleida, salida 8 (L,Albi); por ctra. N-240, por Vimbodí.VER ANUNCIO.

| P/N 495 | N/N 400 | A/N 495 | M/N 400 | C/N 495 | T/N 495 | AC/N 995 | EL 450 | PC | | PI | ACI |

ℹ️

Los precios indicados son meramente orientativos y **EL IVA NO ESTÁ INCLUIDO**.

Están basados en las informaciones recibidas hasta el cierre de la edición de esta GUIA.

Los reales son los que figuran en la declaración expuesta en la recepción del camping con el sello del organismo de la correspondiente Comunidad Autónoma.

LLEIDA

| LLEIDA | 25001 | Mapa pág. 25 |

L-01 ⛰ **LES BASSES** Tel. 973-235954 1/1-31/12

2.5 Ha ■ 214 🌲 ___ ⊙ 🚻 ⌐⌐WC 🚿🚰🚿🚻 ⌐🖥 Ⅰ ✕ ⟍ 🛢 ⊙ ⟍ ⟋ ➕ 🚗

Dividido en dos zonas y situado dentro de un gran parque de recreo con piscinas e instalaciones deportivas. Acceso por el Km 98,5 de la N-240, a 6 Km de Lleida. Autobús urbano hasta la capital.

| P/N 472 | N/N 425 | A/N 472 | M/N 425 | C/N 472 | T/N 472 | AC/N 943 | EL 566 | PC | | PI |

| VILANOVA DE LA BARCA | 25690 | Mapa pág. 25 |

L-02 ⛰ T **RACO D'EN PEP** Tel. 973-190047 15/6-30/9

0.4 Ha ■ 37 🌲 ⊙ 🚐 🚻 ⌐ ⌐WC 🚿🚰🚿🖥 Ⅰ ✕ 🏠 ⊙ ⟍ 🛢 ⟍ ⟋ ➕ 🚗 ⟋ ⚲

Prado con árboles frondosos junto a un río. Se accede por el Km 8,3 de la C-1313, al norte del puente sobre el río Corb. Precios 94

| P/N 475 | N/N 425 | A/N 475 | M/N 425 | C/N 475 | T/N 475 | AC/N 950 | EL 600 | PC | | PI | ACI |

| St.LLORENÇ DE MONTGAI | 25613 | Mapa pág. 25 |

L-03 ⛰ RPT **LA NOGUERA** Tel. 973-420334 Fax 973-420334 1/1-31/12

3 Ha ■ 110 (60) 🌲 ___ 🏂 0,1 Km ⊙ 🚻 ⌐WC 🏠🚿🚰🚿🚻 Ⅰ ✕ ⟍ 🛢 ⊙ ⟍ ⚓ ▦

Situado junto a la ctra L-147, a 8 Km de Balaguer. Precios 94

| P/N 475 | N/N 425 | A/N 475 | M/N 423 | C/N 475 | T/N 475 | AC/N 950 | EL 425 | PC | | 350 | PI | ACI |

| CAMARASA | 25620 | Mapa pág. 25 |

L-04 ⛰ PT **ZODIAC II** Tel. 973-455003 1/1-31/12

2,5 Ha ■ 60 (60) 🌲 ___ 🏂 0,01 Km ⊙ 🚿 🚻 ⌐WC 🚿🚰🖥 Ⅰ ✕ ⟍ 🛢 ⊙ ⟍ ⟋ ⚓ ➕ 🚗 ⚲ 📷 ⟊×60 ▦ 🚌

Situado en el Km. 32,5 de la ctra. L-147, Balaguer-Tremp.

| P/N 472 | N/N 283 | A/N 330 | M/N 330 | C/N 472 | T/N 472 | AC/N 802 | EL 472 | PC | | | PI | ACI |

| FORADADA | 25737 | Mapa pág. 25 |

L-05 T **CEL DE RUBIO** Tel. 973-390205 1/1-31/12

0.4 Ha ■ 50 🌲 ⊙ 🚻 ⌐ ⌐WC 🚿🚰🚿 Ⅰ 🏠 ⟍ 🛢 🚗

Se accede a partir del Km 48 de la ctra. Lleida-Puigcerdà. Situado junto al río.

| P/N 425 | N/N 375 | A/N 425 | M/N 375 | C/N 425 | T/N 425 | AC/N 850 | EL 425 | PC | | | ACI |

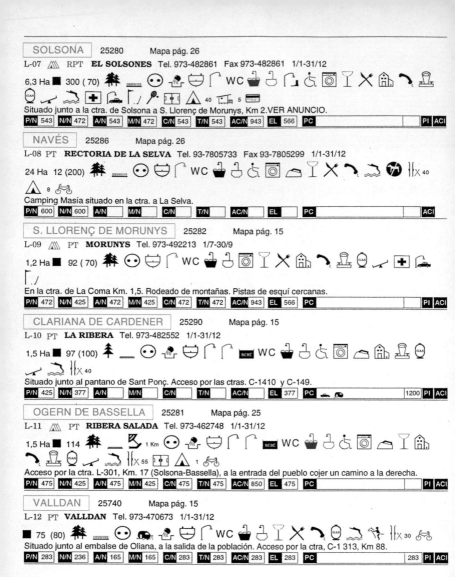

SOLSONA 25280 Mapa pág. 26

L-07 RPT **EL SOLSONES** Tel. 973-482861 Fax 973-482861 1/1-31/12

6,3 Ha ■ 300 (70)

Situado junto a la ctra. de Solsona a S. Llorenç de Morunys, Km 2.VER ANUNCIO.

| P/N 543 | N/N 472 | A/N 543 | M/N 472 | C/N 543 | T/N 543 | AC/N 943 | EL 566 | PC | | PI ACI |

NAVÉS 25286 Mapa pág. 26

L-08 PT **RECTORIA DE LA SELVA** Tel. 93-7805733 Fax 93-7805299 1/1-31/12

24 Ha 12 (200)

Camping Masía situado en la ctra. a La Selva.

| P/N 600 | N/N 600 | A/N | M/N | C/N | T/N | AC/N | EL | PC | | ACI |

S. LLORENÇ DE MORUNYS 25282 Mapa pág. 15

L-09 PT **MORUNYS** Tel. 973-492213 1/7-30/9

1,2 Ha ■ 92 (70)

En la ctra. de La Coma Km. 1,5. Rodeado de montañas. Pistas de esquí cercanas.

| P/N 472 | N/N 425 | A/N 472 | M/N 425 | C/N 472 | T/N 472 | AC/N 943 | EL 566 | PC | | PI ACI |

CLARIANA DE CARDENER 25290 Mapa pág. 15

L-10 PT **LA RIBERA** Tel. 973-482552 1/1-31/12

1,5 Ha ■ 97 (100)

Situado junto al pantano de Sant Ponç. Acceso por las ctras. C-1410 y C-149.

| P/N 425 | N/N 377 | A/N | M/N | C/N | T/N | AC/N | EL 377 | PC | 1200 | PI ACI |

OGERN DE BASSELLA 25281 Mapa pág. 25

L-11 PT **RIBERA SALADA** Tel. 973-462748 1/1-31/12

1,5 Ha ■ 114

Acceso por la ctra. L-301, Km. 17 (Solsona-Bassella), a la entrada del pueblo cojer un camino a la derecha.

| P/N 475 | N/N 425 | A/N 475 | M/N 425 | C/N 475 | T/N 475 | AC/N 850 | EL 475 | PC | | PI ACI |

VALLDAN 25740 Mapa pág. 15

L-12 PT **VALLDAN** Tel. 973-470673 1/1-31/12

■ 75 (80)

Situado junto al embalse de Oliana, a la salida de la población. Acceso por la ctra, C-1 313, Km 88.

| P/N 283 | N/N 236 | A/N 165 | M/N 165 | C/N 283 | T/N 283 | AC/N 283 | EL 283 | PC | 283 | PI ACI |

AGER   25691   Mapa pág. 14

L-13   PT **BADIA** Tel. 973-455034 1/6-30/9

0.5 Ha ■ 50 (45)

Situado entre árboles y con una zona de parras. Se accede a partir del Km 35 de la L-147 (Tremp-Balaguer).

P/N	N/N	A/N	M/N	C/N	T/N	AC/N	EL	PC	
425	377	425	377	425	425	849	401		

L-14   PT **VALL D'AGER** Tel. 973-455200 Fax 973-455202 1/1-31/12

3.5 Ha ■ 182 (70)

Acceso a la entrada de Balaguer, atravesado el puente sobre el Segre, desvío a la dcha. de la L-904, hasta el valle d'Ager (35 Km). También por la ctra. del Doll (147) por desvío señalizado hasta Ager.

P/N	N/N	A/N	M/N	C/N	T/N	AC/N	EL	PC		PI	ACI
472	425	472	425	472	472	896	401				

TALARN   25630   Mapa pág. 14

L-16   PT **GASET** Tel. 973-650737 1/1-31/12

3.6 Ha ■ 239 (60)

Situado junto al embalse de S. Antoni (pantano de Tremp). Se accede a partir del Km 71 de la C-147 (Balaguer-Pont de Suert), siguiendo 0,4 Km hasta el camping.

P/N	N/N	A/N	M/N	C/N	T/N	AC/N	EL	PC		PI	ACI
472	425	472	425	472	472	943	401				

LA POBLA DE SEGUR   25500   Mapa pág. 14

L-17   PT **COLLEGATS** Tel. 973-680714 Fax 973-680714 1/4-15/10

0,75 H ■ 63 (60)

Ctra. N-260, Km. 306. A 2 Km de La Pobla de Segur, dirección a Sort.

P/N	N/N	A/N	M/N	C/N	T/N	AC/N	EL	PC			PI	ACI
472	401	472			472		401			943		

BARO   25593   Mapa pág. 14

L-18   PT **PALLARS-SOBIRA** Tel. 973-662033 1/1-31/12

2 Ha ■ 180 (60)

Situado junto a la ctra. N-260, en el Km 102.

P/N	N/N	A/N	M/N	C/N	T/N	AC/N	EL	PC		PI	ACI
472	425	472	425	472	472	943	425				

SORT   25560   Mapa pág. 15

L-20   P **NOGUERA PALLARESA** Tel. 973-620820 Fax 973-621204 1/1-31/12

3 Ha ■ 200.(80)

Situado entre un canal y el rio Noguera Pallaresa. Se accede a partir de la C-147, en el Km 110,9 a la salida del pueblo dirección norte.

P/N	N/N	A/N	M/N	C/N	T/N	AC/N	EL	PC		PI	ACI
472	425	472	425	472	472	943	401				

MONTARDIT DE BAIX   25569   Mapa pág. 14

L-21   PT **BORDA DE FARRERO** Tel. 973-620250 1/7-31/12

2 Ha ■ 200 (70)

Situado en el Km. 284 de la ctra. N-260.

P/N	N/N	A/N	M/N	C/N	T/N	AC/N	EL	PC		PI	ACI
472	425	472	425	472	472	943	401				

SORT   25569   Mapa pág. 14

L-22   PT **BORDA SIMON** Tel. 973-620118 SS-31/9

Situado junto a la ctra. N-260 cerca de la población.

P/N	N/N	A/N	M/N	C/N	T/N	AC/N	EL	PC		ACI

MONTFERRER 25711 Mapa pág. 15

L-24 △ T **GRAN SOL** Tel. 973-351332 1/1-30/12

4,3 Ha ■ 162 (70) 🌲 ⊙ 🚿 🍺 WC 🛁 🚿 ♿ 📷 🍸 ✕ 🏠 🎣 🗼 ⛽ 🎣 🏊 ✚ 🚗 ‖✕ 30

En la ctra. Lleida-Puigcerdà, junto a La Seu d'Urgell.VER ANUNCIO.

| P/N 472 | N/N 425 | A/N 472 | M/N 425 | C/N 472 | T/N 472 | AC/N 943 | EL 425 | PC | | PI | ACI |

LA SEU D'URGELL 25700 Mapa pág. 15

L-26 △ T **EN VALIRA** Tel. 973-351035 1/1-31/12

4 Ha ■ 410 (45) 🌲 ⊙ 🍺 WC 🛁 🚿 🍸 🎣 ⛽ 🏊 🎣 ‖✕ 20

Situado en la población, Av. del Valira, muy cerca de la frontera con Andorra.

| P/N 425 | N/N 377 | A/N 425 | M/N 377 | C/N 425 | T/N 425 | AC/N 849 | EL 401 | PC | | PI | |

LA FARGA DE MOLES 25799 Mapa pág. 15

L-27 △ RPT **FRONTERA** Tel. 973-351427 Fax 973-353340 1/1-31/12

3 Ha ■ 140 (70) 🌲 ⊙ 🚿 🍺 WC 🛁 🚿 ♿ 📷 🍸 ✕ 🏠 🎣 🗼 ⛽ 🎣 🏊 🚗 ‖✕ 14 ➕➕ 🚌

Situado en la ctra. de La Seu a Andorra, en el margen derecho del río, a 400 m de la frontera.VER ANUNCIO.

| P/N 425 | N/N 377 | A/N 425 | M/N 377 | C/N 425 | T/N 425 | AC/N 849 | EL 401 | PC | | PI | ACI |

ESTIMARIU 25719 Mapa pág. 15

L-29 △ T **LA QUERA** Tel. 973-351507 1/7-30/9

0.2 Ha ■ 28 🌲 ⊙ 🍺 WC 🛁 🚿 🍸 ✕ 🎣 🚙 ✚ 🚗 ‖✕ 25

Situado en la ctra. de Lleida a Puigcerdà. N-260 Km. 219.

| P/N 400 | N/N 300 | A/N 400 | M/N 200 | C/N 500 | T/N 400 | AC/N 500 | EL 350 | PC | | | ACI |

ARISTOT 25722 Mapa pág. 15

L-30 △ RPT **PONT D'ARDAIX** Tel. 973-384027 1/31-31/12

3 Ha ■ 175 (60) 🌲 ⊙ 🍺 WC 🛁 🚿 📷 🍸 ✕ 🏠 🎣 🗼 ⛽ 🚙 🏊 ✚ 🚗 ‖✕ 25 🚌

En la ctra. N-260, Km 210, entre Puigcerdà y La Seu.VER ANUNCIO.

| P/N 472 | N/N 425 | A/N 472 | M/N 425 | C/N 472 | T/N 472 | AC/N 943 | EL 401 | PC | | PI | ACI |

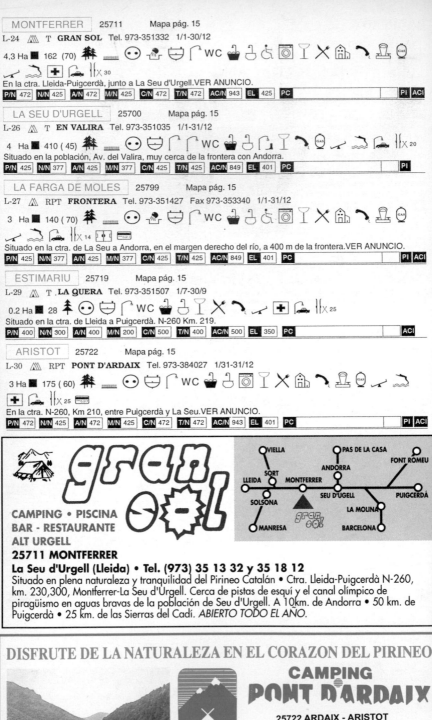

LLES DE CERDANYA 25726 Mapa pág. 15

L-32 ⚞ PT **TEMPLE DEL SOL** Tel. 973-515110 1/11-30/9

11 Ha ■ 100 (60) 🌲 ⬤ ⊙ ⛲ ⌐ WC 🍴 🚿 ⌕ 🍽 ↷ ⛽ ⚡ 🏊 ⫽x 3

Ctra. Cap del Rec, Km 3 pasado el pueblo de Lles. Magníficas vistas al Cadí. Próximo a pistas de esquí

| P/N | 472 | N/N | 425 | A/N | 472 | M/N | 425 | C/N | 472 | T/N | 472 | AC/N | 943 | EL | 425 | PC | | | ACI |

PRULLANS 25727 Mapa pág. 15

L-34 ⚞ RPT **LA CERDANYA** Tel. 973-510262 1/1-31/12

7.8 Ha ■ 340 (60) 🌲 ⬤ ⊙ 🚐 🚙 ⚡ ⛲ ⌐ BEBÉ WC 🍴 🚿 ⌕ ⟲ 🍽 🍴 🗙 🏠 ⚡ ⛽ ↷ 🏊 ➕ 🚗 🎾 ⫽x 10 ⊞ ⬜ ▭ 25

Distribuido en tres terrazas y con un parte en un prado suavemente inclinado. Situado junto a la ctra. N-260 (Puigcerdà-La Seu d'Urgell), en el Km 200.VER ANUNCIO.

| P/N | 472 | N/N | 425 | A/N | 472 | M/N | 425 | C/N | 472 | T/N | 472 | AC/N | 943 | EL | 401 | PC | | | PI | ACI |

BELLVER DE CERDANYA 25720 Mapa pág. 15

L-36 ⚞ RPT **SOLANA DEL SEGRE** Tel. 973-510310 1/1-31/12

6.5 Ha ■ 300 (75) 🌲 ⬤ ⊙ 🚐 🚙 ⚡ ⛲ ⌐ BEBÉ WC 🍴 🚿 ⌕ ♿ 🍽 🍴 🗙 🏠 🚻 ↷ ⌕ ⛽ ⚡ 🏊 ➕ 🚗 ⊞ ▭ 4 💳

Situado en Bellver de Cerdanya, a 18 Km de Puigcerdà, junto a la C-1313. Terreno distribuido en varios niveles, con ligera pendiente cerca del río Segre.VER ANUNCIO.

| P/N | 542 | N/N | 472 | A/N | 542 | M/N | 472 | C/N | 542 | T/N | 542 | AC/N | 943 | EL | 425 | PC | | | PI | ACI |

FORNOLS 25717 Mapa pág. 15

L-37 ⚞ **MOLI DE FORNOLS** Tel. 973-370021 1/1-31/12

0.6 Ha ■ 44 🌲 ⊙ ⛲ ⌐ WC 🍴 🚿 ⌕ 🍽 🗙 ↷ 🍴 ⛽ 🏊 ➕ 🚗 💳

| P/N | 425 | N/N | 377 | A/N | 425 | M/N | 377 | C/N | 425 | T/N | 425 | AC/N | 849 | EL | 401 | PC | | | PI | ACI |

CAMPING SOLANA DEL SEGRE
BELLVER DE CERDANYA (Lleida)

Camping situado en un lugar privilegiado para practicar el esquí y la pesca de trucha. A orillas del Segre; a 10km de La Molina y de La Masella; a 20km de las estaciones francesas de la Cerdanya y a 35km de Andorra. Centro de excursiones de montaña. Amplias parcelas con todos los servicios.

LLAVORSI   25595   Mapa pág. 14

L-38 △ **AIGUES BRAVES** Tel. 973-622153 1/4-30/9

1 Ha ■ 100 (45) 🌲 ⊙ ⊖ WC ♨ ᵭ 🔘 ▽ ✕ ⌐ ♨ ⛽ ✚

Situado en las afueras de la población, dirección Esterri.

P/N	N/N	A/N	M/N	C/N	T/N	AC/N	EL	PC		ACI
425	377	425	377	425	425	849	425			ACI

AINET DE CARDOS   25571   Mapa pág. 15

L-39 △ PT **LES CONTIOLES** Tel. 973-623180 1/4-30/9

2 Ha (60) 🌲 ⊙ 🚐 ⊖ ⌐ BEBÉ WC ♨ ᵭ 🔘 ▽ ✕ 🏠 ♨ ♨ ⛽ ≈ ✚ ⌐ ⌐ ║✕ 20 🎲 🎲 7

Se accede por la ctra. de Ribera de Cardós a Ainet de Cardós. Arbolado con acacias,pinos y chopos. Balsas naturales para pescar.

P/N	N/N	A/N	M/N	C/N	T/N	AC/N	EL	PC		PI	ACI
472	425	472	425	472	472	896	401			PI	ACI

LLAVORSI   25595   Mapa pág. 14

L-40 △ PT **RIBERIES** Tel. 973-622151 Fax 973-622008 SS+15/6-15/9

0,7 Ha ■ 52 (45) 🌲 ⊙ ⊖ WC ♨ ᵭ ♨

Situado junto al río, muy próximo a la población.

P/N	N/N	A/N	M/N	C/N	T/N	AC/N	EL	PC	
400	325	400		400	465	660		5 ▽

ALINS   25574   Mapa pág. 15

L-41 △ RPT **VALL-FERRERA** Tel. 973-624408 1/4-30/9

0.1 Ha ■ 20 (60) 🌲 ⊙ ⊖ WC ♨ ᵭ 🔘 ▽ 🏠 ♨ ♨ ⛽ ✚ ⌐ ║✕ 2 🎲 3

Situado en la ctra. Llavorsi-Areo, Km. 13, a la salida del pueblo de Alins.

P/N	N/N	A/N	M/N	C/N	T/N	AC/N	EL	PC
472	425	472	425	472	472	943	401	

AREU   25575   Mapa pág. 15

L-43 PT **PICA D'ESTATS** Tel. 973-624347 Fax 973-620732 1/6-15/9

1 Ha ■ 90 (60) 🌲 ⊙ ⊖ ⌐ BEBÉ WC ♨ ᵭ 🔘 ▽ 🏠 ♨ ♨ ⛽ ≈ ✚ ║✕ 30

Situado en la Vall Ferrera, a 100 m de la población de Areu.

P/N	N/N	A/N	M/N	C/N	T/N	AC/N	EL	PC		PI	ACI
472	425	472	425	472	472	943	401			PI	ACI

RIBERA DE CARDOS   25570   Mapa pág. 15

L-45 △ PT **CARDOS** Tel. 973-623112 2/4-30/9

2.8 Ha ■ 192 (65) 🌲 ⊙ 🚐 ⊖ ⌐ BEBÉ WC ♨ ᵭ 🔘 ▽ ✕ 🏠 ♨ ♨ ⛽ ≈ ✚ ⌐ ♪ ║✕ 35

Terreno alargado, con chopos, junto al río Cardós. Se accede a partir de la C-147 (Sort-Esterri d'Aneu), girando en Llavorsí hacia la L-504 (9 Km).VER ANUNCIO.

P/N	N/N	A/N	M/N	C/N	T/N	AC/N	EL	PC		PI	ACI
472	425	472	425	472	472	943	401			PI	ACI

RIBERA DE CARDOS   25570   Mapa pág. 13

L-46   RPT **LA BORDA DEL PUBILL**   Tel. 973-623088   Fax 973-623028   SS-30/9

4 Ha ■ 220 (70)

Por la ctra. Pobla de Segur-Llavorsí, desvío a Tavescan. Barbacoa.VER ANUNCIO.

P/N	472	N/N	425	A/N	472	M/N	425	C/N	472	T/N	472	AC/N	943	EL	401	PC			PI	ACI

LLADORRE   25576   Mapa pág. 15

L-48   RPT **SERRA**   Tel. 973-623117   1/7-31/8

0,7 Ha ■ 50 (60)

Situado en el km 15 de la ctra. Llavorsi-Tavascan.

P/N	425	N/N	377	A/N	425	M/N	377	C/N	425	T/N	425	AC/N	849	EL	401	PC				

TAVESCAN   25557   Mapa pág. 15

L-49   PT **BORDES DE GRAUS**   Tel. 973-623206   15/4-30/9

0,6 ha ■ 45

Acceso desde Tavescan por pista forestal.

P/N	472	N/N	425	A/N	472	M/N	425	C/N	472	T/N	472	AC/N	943	EL	401	PC				ACI

LA GUINGUETA   25597   Mapa pág. 14

L-50   PT **NOU CAMPING** Tel. 973-626085 Fax 973-626085 1/6-30/9

1.5 Ha ■ 111 (60) ... Se accede por la C-147. Arbolado de chopos y acacias. Frente a un lago.VER ANUNCIO.

P/N	N/N	A/N	M/N	C/N	T/N	AC/N	EL	PC		PI	ACI
472	425	472	425	472	472	943	401				

L-52   PT **VALL D'ANEU** Tel. 973-626083 SS+1/5-15/10

0.5 Ha ■ 45 (45) ... 0.05Km ... WC ... Situado frente a un lago en un prado con poca pendiente. Con chopos y frutales. Se accede por la C-147, junto a la localidad.

P/N	N/N	A/N	M/N	C/N	T/N	AC/N	EL	PC		PI	ACI
425	377	425	377	425	425	849	401				

ESPOT   25597   Mapa pág. 15

L-54   PT **SOL I NEU** Tel. 973-624001 1/6-30/9

1.3 Ha ■ 100 (70) ... WC ... Acceso: Desde la C-147 tomar la ctra. de Espot. Está situado en el Km. 6,5, a 500 m. de la población y a 5 Km de la entrada del Parque Nacional.

P/N	N/N	A/N	M/N	C/N	T/N	AC/N	EL	PC			PI	ACI
472	425	472	425	472	472	943	401			1321		

L-55   PT **LA MOLA** Tel. 973-624024 1/7-30/9

2.2 Ha ■ 166 (60) ... WC ... Situado en el Km 5 de la ctra. a Espot.

P/N	N/N	A/N	M/N	C/N	T/N	AC/N	EL	PC		PI	ACI
472	425	472	425	472	472	943	401				

ESPOT   25597   Mapa pág. 14

L-56   PT **SOLAU** Tel. 973-634068 1/1-31/12

1 Ha ■ 60 ... ×2

Situado en la ctra. al lago de Sant Maurici, a la salida de la población, a 3 Km del Parque Nacional de Aigües Tortes.

| P/N | 425 | N/N | 377 | A/N | 425 | M/N | 377 | C/N | 425 | T/N | 425 | AC/N | 849 | EL | 401 | PC | | | ACI |

L-57   PT **VORAPARC** Tel. 973-624106 Fax 973-624143 SS-30/9

... ×3

Situado a la entrada de la ctra. que conduce al Lago de Sant Maurici.

| P/N | 467 | N/N | 420 | A/N | 467 | M/N | 373 | C/N | 467 | T/N | 467 | AC/N | 934 | EL | 397 | PC | | | ACI |

ESTERRI D'ANEU   25580   Mapa pág. 14

L-58   PT **LA PRESALLA** Tel. 973-626031 9/4-30/9

2.3 Ha ■ 181 (60) ... ×16 ... 5

Situado en el Km 125 de la C-147.

| P/N | 472 | N/N | 425 | A/N | 472 | M/N | 425 | C/N | 472 | T/N | 472 | AC/N | 943 | EL | 401 | PC | | PI | ACI |

SENTERADA   25514   Mapa pág. 14

L-60   PT **SENTERADA** Tel. 973-661818 15/4-15/9

2.5 Ha ■ 150 (75) ... ×45 ... 4

Situado en la ctra. de Senterada a La Pobla de Segur.

| P/N | 475 | N/N | 425 | A/N | 475 | M/N | 425 | C/N | 475 | T/N | 475 | AC/N | 950 | EL | 490 | PC | | | ACI |

LES ESGLESIES   25555   Mapa pág. 14

L-61   **SOL I FRED** Tel. 973-680315 1/1-31/12

2,25 Ha ■ 50 ...

Situado junto a la carretera.

| P/N | 425 | N/N | 377 | A/N | 425 | M/N | 377 | C/N | 425 | T/N | 425 | AC/N | 849 | EL | | PC | | | |

LA TORRE DE CAPDELLA   25515   Mapa pág. 14

L-62   T **VALL FOSCA** Tel. 973-663002 1/17-31/12

0.5 Ha ■ 65 (60) ...

Se accede por la C-144 desviando en Senterada hacia Capdella. Arbolado de chopos y cerca de un río truchero.

| P/N | 472 | N/N | 425 | A/N | 472 | M/N | 425 | C/N | 472 | T/N | 472 | AC/N | 849 | EL | 401 | PC | | | |

TAULL   25528   Mapa pág. 14

L-63   PT **TAÜLL** Tel. 973-696174 1/1-31/12

0,8 ■ 114 (45) ... ×10 ... 4

Situado cerca de la iglesia románica y casco urbano de Taüll.

| P/N | 450 | N/N | 400 | A/N | 450 | M/N | 350 | C/N | 550 | T/N | 450 | AC/N | 1000 | EL | 590 | PC | | 1000 | ACI |

PONT DE SUERT   25520   Mapa pág. 14

L-64   PT **CAN ROIG** Tel. 973-690502 1/3-31/10

2 Ha ■ 147 ... ×25

Situado en la ctra. de Bohi.

| P/N | 472 | N/N | 425 | A/N | 472 | M/N | 425 | C/N | 472 | T/N | 472 | AC/N | 943 | EL | 401 | PC | | | |

L-65   T **DEL REMEI** Tel. 973-690350 Fax 973-690350 15/6-15/9

1 Ha ■ 80 (65) ...

En un prado inmediato al río. Se accede a partir de la N-230, a 1,5 Km de Pont de Suert, siguiendo por la N-500 dirección Caldas de Bohí.

| P/N | 425 | N/N | 375 | A/N | 425 | M/N | 300 | C/N | 425 | T/N | 425 | AC/N | 800 | EL | 400 | PC | | | ACI |

PONT DE SUERT 25520 Mapa pág. 14

L-66 PT **ALTA RIBAGORÇA** Tel. 973-690521 SS-15/6-15/9

3 Ha 100 (65) WC X 40

Situado en la N-230, Km 131; a 30 Km de Vielha, a 4 Km del valle de Bohí y a 30 del valle de Benasque.

P/N	N/N	A/N	M/N	C/N	T/N	AC/N	EL	PC	

BARRUERA 25527 Mapa pág. 14

L-68 PT **BONETA** Tel. 973-694096 1/12-30/9

0.4 Ha 45 (55) WC X 16

Acceso a partir de la ctra. N-230 a 1,5 km de Pont de Suert, siguiendo la L-500 dirección Caldas de Bohi, en el km 11.

P/N	N/N	A/N	M/N	C/N	T/N	AC/N	EL	PC		ACI
425	377					849	401		849	

ARTIES 25599 Mapa pág. 14

L-70 PT **ERA YERLA D'ARTIES** Tel. 973-641602 1/1-31/12

1 Ha 95 (60) BEBÉ WC X 7

Situado en el Valle de Aran. Acceso directo desde la ctra C-142.

P/N	N/N	A/N	M/N	C/N	T/N	AC/N	EL	PC		PI	ACI
472	425	472	425	472	472	943	401				

ARROS 25537 Mapa pág. 14

L-72 T **ARTIGANE** Tel. 973-640189 SS+1/6-30/9

1.5 Ha 208 WC 3

En el valle de Aran. Arbolado de abetos. Paisaje alpino.

P/N	N/N	A/N	M/N	C/N	T/N	AC/N	EL	PC	
472	425	472	425	472	472	943	401		

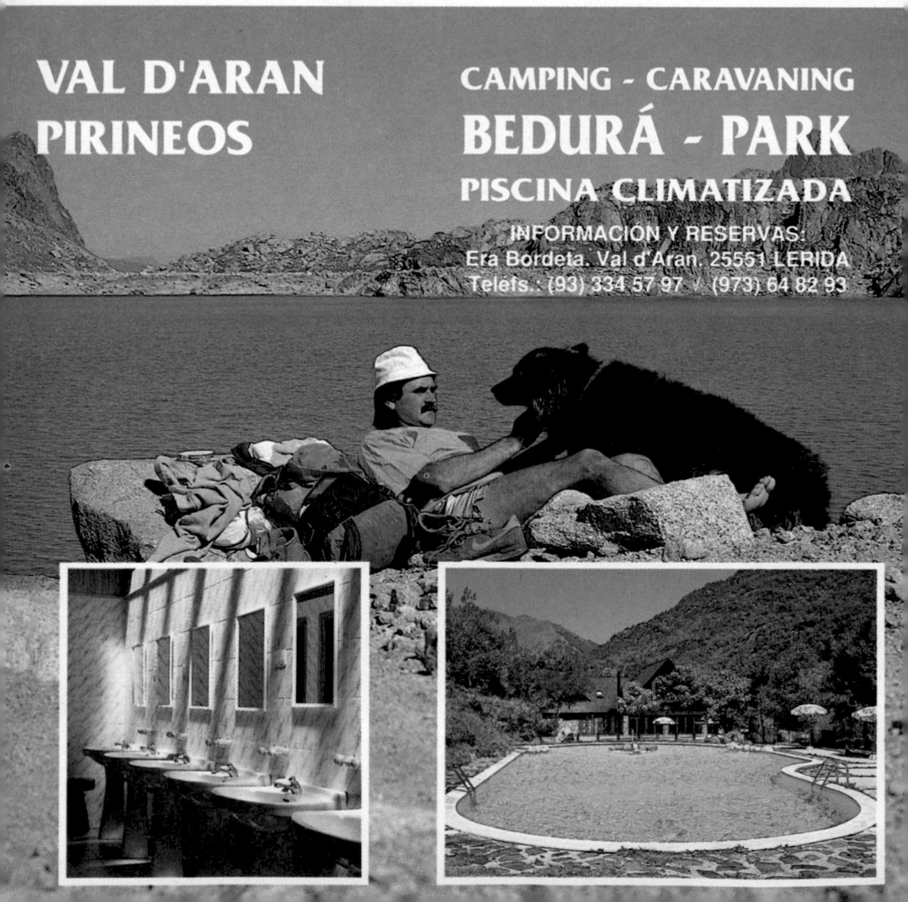

PONT D'ARROS   25537   Mapa pág. 13

L-74 △ PT **VERNEDA** Tel. 973-641024 Fax 973-640024 1/6-31/10

3 Ha ■ 210 (60)

Ctra. N-230, Km 171, a 7 Km de Viella. Segundo camping dirección Francia. Edificio de recepción situado junto a la carretera.

P/N	495	N/N	448	A/N	495	M/N	448	C/N	495	T/N	495	AC/N	967	EL	377	PC			PI	ACI

LA BORDETA DE VILAMOS   25551   Mapa pág. 14

L-76 △ RPT **BEDURA PARK** Tel. 973-648293 SS-30/9

5 Ha ■ 190

En la ladera de una montaña formando terrazas. Acceso por la N-230, Km 176,5, cruzando el puente después de una gasolinera. A 12 Km de la frontera y de Viella. Zonas de bosque. Piscina climatizada. Bañeras para niños. Ping-pong. Campo de Basquet. VER ANUNCIO.

P/N	472	N/N	425	A/N	472	M/N		C/N	472	T/N	472	AC/N	943	EL	425	PC			1321	PI	ACI

L-77 △ PT **PRADO VERDE** Tel. 973-640241 Fax 973-640456 1/1-31/12

1.4 Ha ■ 100 (60)

Situado junto al río Garona y separado de la ctra. por setos altos. Está junto a la N-230 (Pont del Rei-Lleida) en el Km 174,5 detrás de la gasolinera.

P/N	472	N/N	425	A/N	472	M/N	425	C/N	472	T/N	472	AC/N	943	EL	401	PC				

L-78 △ **FORCANADA** Tel. 973-648294 15/6-15/9

1.4 Ha ■ 49 (65)

P/N	472	N/N	425	A/N	472	M/N	472	C/N	472	T/N	472	AC/N	943	EL	401	PC			ACI

BOSSOST   25550   Mapa pág. 14

L-80 △ PT **ESPALIAS** Tel. 973-648310 SS+24/6-30/9

1.5 Ha ■ 115 (60)

Situado en el Km 180 de la ctra. N-230. VER ANUNCIO.

P/N	425	N/N	377	A/N	425	M/N	377	C/N	425	T/N	425	AC/N	849	EL	300	PC			PI	ACI

LA BORDETA DE VILAMOS   25551   Mapa pág. 14

L-82   PT **ERA LANA** Tel. 973-648328   Fax 973-647047   1/12-30/9

1 Ha ■ 32 (50) 🌲 ☉ 🛁 ⌐WC 🧺 ♨ ♿ 🍷 ✗ 🏠 ↵ ‖✗ 25 🛏 3

Se accede por el Km 175 de la ctra. N-230.

| P/N | 401 | N/N | 283 | A/N | 401 | M/N | 212 | C/N | 401 | T/N | 401 | AC/N | 566 | EL | 283 | PC | | | ACI |

LES   25540   Mapa pág. 14

L-84   PT **CAUARCA**

🌲

Situado en las afueras de la población.

| P/N | | N/N | | A/N | | M/N | | C/N | | T/N | | AC/N | | EL | | PC | | | |

1	2	3
SERVICIOS TERRITORIALES DE TURISMO		
(964) 227407	(96) 3516207	(96) 5208422
CRUZ ROJA ESCUCHA PERMANENTE		
(964) 224850	(96) 3606211	(96) 5230702
GUARDIA CIVIL DE TRAFICO		
(964) 233013	(96) 3601250	(96) 5232615
GUARDIA CIVIL PATRULLAS		
(964) 221100	(96) 3331100	(96) 5221100

CASTELLÓ (1)

VALENCIA (2)

ALACANT (3)

CASTELLO

VINAROS   12500   Mapa pág. 39

CS-02 MRPT **SOL DE RIU PLAYA** Tel. 964-454917 Fax 964-454917 1/1-31/12

4 Ha ■ 246 (70)

Terreno llano con moreras, sombra adicional con sombrajos. Situado entre la ctra. y la playa. Acceso girando hacia el mar en el Km 1056,6 de la N-340. Por autopista A-7, salida 42-43.

P/N	N/N	A/N	M/N	C/N	T/N	AC/N	EL	PC		
395	270	395	305		395		350		1400	PI ACI

CS-04 RT **CALA PUNTAL** Tel. 964-451794 1/1-31/12

1.5 Ha ■ 72 (70)   0.20Km

Terreno llano. Acceso girando hacia el mar en el Km 1049 de la N-340.

P/N	N/N	A/N	M/N	C/N	T/N	AC/N	EL	PC	

BENICARLO   12580   Mapa pág. 39

CS-07 T **EL TORDO Y EL OLIVO** Tel. 964-471015 1/7-15/9

2.1 Ha ■ 174 (60)   0.10Km

Gran prado con olivos separado de la playa por la ctra. y una duna. Acceso por la CS-501 dirección Peñíscola, Km 2.

P/N	N/N	A/N	M/N	C/N	T/N	AC/N	EL	PC		
440	365	440	365	440	440	880	340		1760	PI

CS-08 T **LA ALEGRIA DEL MAR** Tel. 964-470871 1/3-30/9

0.7 Ha ■ 48   0.10Km

Terreno llano con algunos sombrajos. Acceso girando hacia el mar en el Km 1045,8 de la N-340.

P/N	N/N	A/N	M/N	C/N	T/N	AC/N	EL	PC	
395	345	395	345	395	395	790	350		PI ACI

PEÑISCOLA   12598   Mapa pág. 39

CS-09 R **EL EDEN** Tel. 964-480562 1/1-31/12

4,2 Ha ■ 188 (80)   0.05Km   15

Situado en el Paseo Marítimo de Peñíscola, casi en el casco urbano.

P/N	N/N	A/N	M/N	C/N	T/N	AC/N	EL	PC		
750	500	550	450	900	900		375		2700	PI ACI

CS-10 R **PEÑISCOLA** Tel. 964-470334 Fax 964-473016 1/1-31/12

2 Ha ■ 160 (60)   0,05 Km

Prado llano, setos y árboles. Situado en la ctra. de la costa CS-501. Precios 94

P/N	N/N	A/N	M/N	C/N	T/N	AC/N	EL	PC	
465	385	465	385	575	500	895	385		PI ACI

CS-11 T **VIZMAR** Tel. 964-473439 1/4-30/9

0.9 Ha ■ 68 (60)   0.30Km

Situado en el Km 6,8 de la ctra. Peñíscola-Benicarló. Zonas verdes, ajardinadas con moreras, chopos y olivos. Mucha sombra. Cerca del mar.

P/N	N/N	A/N	M/N	C/N	T/N	AC/N	EL	PC		
440	350	440	350	440	440	880	350		1700	PI

CS-12 T **SOL D'OR** Tel. 964-480653 1/6-30/9

2.4 Ha ■ 194 (70)   3.00Km

Situado en Peñíscola, Av .de la Estación, s/n. Km 2,7 de la ctra. C-500. Precios 94

P/N	N/N	A/N	M/N	C/N	T/N	AC/N	EL	PC	
375	325	375	325	375	375	730	340		PI ACI

La CARAVANA

Ctra. CS Km. 1,200
Tel. (964) 48 08 24
PEÑISCOLA (Castellón)

El camping **LA CARAVANA**, con sus **10 HECTAREAS**, le ofrece siempre la seguridad de que pueda Vd. disponer de una espaciosa parcela, con buena sombra, playas de fina arena, gran piscina, instalaciones y servicios de primer orden, y la más insuperable relación calidad/precio. Snack-bar, restaurante, sanitarios con agua caliente, **PISCINAS INFANTILES y de 540 m²**, seis pistas de petanca, pista de patinaje, dos parques infantiles, tenis, camas elásticas, baloncesto, balonvolea, fútbol, fútbol-sala, ping-pong, terraza-disco, botiquín / dispensario.

- 15 días mes de julio 34.500
- Todo el mes de julio 54.500
- Fines de semana de julio 23.500
- Una semana de julio 17.000
- 2ª quincena de julio
  y 1ª quincena de agosto 68.500
- 1ª quincena de agosto ...... 5% Dto.
  de Tarifa.
- Todo el mes de agosto 68.500
- 2ª Quincena de agosto 34.500
- PARKING TODO EL AÑO ... 22.000
  CONEXION LUZ APARTE.

PEÑISCOLA

Tel. RESERVAS:
(964) 480 824
(964) 216 903

Oferta Familiar:
SEMANA SANTA
Del 12 al 17 de Abril
12.500 Ptas.
CONEXION LUZ APARTE

PISCINA Y AGUA CALIENTE EN LOS SERVICIOS, GRATIS

| PEÑISCOLA | 12598 | Mapa pág. 39 |

CS-13   ⚦   RT   **LA VOLTA**   Tel. 964-473738   1/3-30/9

1.1 Ha ■ 88 (70) 🏕 ⛳ 0.80Km ⊙ ⛲ ⌐ WC 🧺 🚿 ⛏ 🍳 🍽 🔭 ⚓ ⛽ ⚓

Situado en el camino de La Volta, Km 3,6 de la ctra. Peñiscola-Benicarló. Chopos, encinas y zonas verdes ajardinadas.

| P/N 475 | N/N 375 | A/N 475 | M/N 375 | C/N 475 | T/N 475 | AC/N 950 | EL 400 | PC | | 1900 | PI | ACI |

CS-14   ⚦   R   **FERRER**   Tel. 964-480086   1/1-31/12

0.9 Ha ■ 64 (60) 🏕 ⛳ 0.50Km ⊙ 🚿 ⛲ ⌐ WC 🧺 🚿 🍳 🍽 🏠 🔭 ⚓ ✚ 🔧 🚂 12 💳

Situado en Peñiscola, Av. de la Estación, nº 19.

| P/N 500 | N/N 400 | A/N 500 | M/N 400 | C/N 500 | T/N 500 | AC/N 1000 | EL 400 | PC | | | PI | ACI |

CS-15   ⚦   RT   **EL CID**   Tel. 964-480380   SS+15/6-15/9

1.5 Ha ■ 200 (60) 🏕 ⛳ 1.50Km ⊙ 🚿 ⛲ ⌐ WC 🧺 🚿 🍳 🔭 🍽 🏠 ⚓ ⛽ 🍽 🚗

Situado en el Km 3, cruce de la N-340 de Peñiscola. Arbolado, Zonas verdes.

| P/N 450 | N/N 350 | A/N 420 | M/N 350 | C/N 550 | T/N 550 | AC/N 970 | EL 350 | PC | | 1700 | PI | ACI |

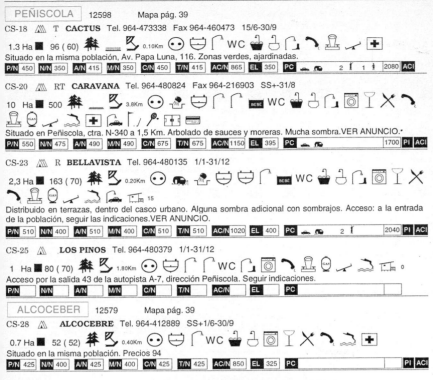

PEÑISCOLA   12598   Mapa pág. 39

CS-18   T   **CACTUS**   Tel. 964-473338   Fax 964-460473   15/6-30/9

1.3 Ha   96 (60)   0.10Km   WC

Situado en la misma población, Av. Papa Luna, 116. Zonas verdes, ajardinadas.

P/N	N/N	A/N	M/N	C/N	T/N	AC/N	EL	PC					
450	350	415	350	450	415	865	350			2	1	2080	ACI

CS-20   RT   **CARAVANA**   Tel. 964-480824   Fax 964-216903   SS+-31/8

10 Ha   500   3.8Km   BEBÉ   WC

Situado en Peñiscola, ctra. N-340 a 1,5 Km. Arbolado de sauces y moreras. Mucha sombra.VER ANUNCIO.

P/N	N/N	A/N	M/N	C/N	T/N	AC/N	EL	PC			
550	475	490	490	675	675	1150	395			1700	PI ACI

CS-23   R   **BELLAVISTA**   Tel. 964-480135   1/1-31/12

2,3 Ha   163 (70)   0.20Km   BEBÉ   WC   15

Distribuido en terrazas, dentro del casco urbano. Alguna sombra adicional con sombrajos. Acceso: a la entrada de la población, seguir las indicaciones.VER ANUNCIO.

P/N	N/N	A/N	M/N	C/N	T/N	AC/N	EL	PC			
510	400	400	400	510	510	1020	400		2	2040	PI ACI

CS-25   **LOS PINOS**   Tel. 964-480379   1/1-31/12

1 Ha   80 (70)   1.80Km   WC   0

Acceso por la salida 43 de la autopista A-7, dirección Peñiscola. Seguir indicaciones.

P/N	N/N	A/N	M/N	C/N	T/N	AC/N	EL	PC

ALCOCEBER   12579   Mapa pág. 39

CS-28   **ALCOCEBRE**   Tel. 964-412889   SS+1/6-30/9

0.7 Ha   52 (52)   0.40Km   WC

Situado en la misma población. Precios 94

P/N	N/N	A/N	M/N	C/N	T/N	AC/N	EL	PC		
425	400	425	400	425	425	850	325			PI ACI

Los precios indicados son meramente orientativos y **EL IVA NO ESTÁ INCLUIDO**.

Están basados en las informaciones recibidas hasta el cierre de la edición de esta GUIA.

Los reales son los que figuran en la declaración expuesta en la recepción del camping con el sello del organismo de la correspondiente Comunidad Autónoma.

③

¿Sabe lo que és un tambucho de una caravana?

ALCOCEBER   12579   Mapa pág. 39

CS-29 〰 MRPT **PLAYA TROPICANA** Tel. 964-412463 Fax 964-412805 15/3-31/10

3.1 Ha ■ 290 (90) 🌲 ___ ☺ ♨ ⌐ bebé WC 🏠🍽️🚿🛁🚻🚾🛏️△🍴✕🚿

🔌 ⛽ ⚓ 🏊 ➕ 🏥 ⚽ △ 12 🚲 💳

Terreno parte llano y parte aterrazado. Salida 44 de la A-7, seguir en dirección N por la N-340 y girar hacia el mar en el Km 1018.VER ANUNCIO.

P/N 770	N/N 610	A/N	M/N	C/N	T/N	AC/N	EL	PC 🚗 🏍️ ⦀		2200	PI	ACI

CS-31 〰 PT **RIBAMAR** Tel. 964-414165 1/4-25/9

2.2 Ha ■ 146 (72) 🌲 ___ 🔥 0.15Km ☺ 🚰 ♨ ⌐ bebé WC 🛁🚻🍴✕🏠🚿

🔌 ⛽ ⚓ 🏊 ➕ 🎾 🚐 1

Acceso: girando hacia el mar en el Km 1018 de la N-340. Desvío Las Fuentes. Desde alli seguir unos 3 Km dirección Partida Ribamar. Parcelas delimitadas por setos. Situado en una naturaleza virgen y boscosa. Lugar ideal para la pesca.VER ANUNCIO.

P/N 455	N/N 395	A/N 455	M/N 395	C/N 600	T/N 600	AC/N 1055	EL 335	PC 🚗 🏍️		1055	PI	ACI

TORREBLANCA   12596   Mapa pág. 39

CS-33 〰 PT **MON ROSSI** Tel. 964-420296 1/4-30/9

0.8 Ha ■ 51 (70) 🌲 ___ 🔥 0.1Km ☺ TV 🚰 ♨ ⌐ WC 🛁🚻🚾🛏️△🍴

✕🏠🚿 ⚓ ⚓

Terreno llano. Acceso: por la salida 44 de la A-7, seguir por la N-340 y girar hacia el mar en el Km. 1013. Seguir indicaciones.

P/N 450	N/N 350	A/N 450	M/N 375	C/N 500	T/N 450	AC/N 1000	EL 350	PC			PI	

RIBERA DE CABANES	12595	Mapa pág. 39

CS-34 P **RIBERAMAR** Tel. 964-319762 SS+1/6-30/9

2 Ha 201 (70)   0.25Km   WC

Acceso: desvío hacia el mar en el Km 1000 de la N-340 por el camino de La Ralla.

P/N	N/N	A/N	M/N	C/N	T/N	AC/N	EL	PC		PI	ACI
475	450	325	325	675	675	1000	395		1950		

RIBERA DE CABANES   12595   Mapa pág. 39

CS-36 MRT **TORRE LA SAL** Tel. 964-319596   1/1-31/12

7 Ha ■ 550 (80)

Terreno llano, con pinos y eucaliptos. Parcelas junto a la playa. Zona deportiva con sanitarios propios. Discoteca al aire libre. Piscina cubierta. Acceso: girando hacia el mar en Km 1000, 1 de la N-340.

P/N	N/N	A/N	M/N	C/N	T/N	AC/N	EL	PC				
450	425	350	350	650	650	1000	350		2		1900	PI ACI

OROPESA   12594   Mapa pág. 39

CS-38 RT **ALONDRA** Tel. 964-310686   1/1-31/12

1.9 Ha ■ 136 (80)   0.20Km

Acceso: desvío en el Km 999,5 de la N-340. Situado en el camino de L'Atall. Agua en todas las parcelas. Precios 1992.

P/N	N/N	A/N	M/N	C/N	T/N	AC/N	EL	PC		
425	375	400	375	400	400	850	325			PI ACI

CS-39 T **TORRE PAQUITA** Tel. 964-310006   SS-30/9

1.8 Ha ■ 106 (60)   0.20Km

Terreno llano, con sombrajos de cañas, situado en la Av. Columbretes, camino de la playa de la Concha, pocos metros después del paso bajo la vía férrea.

P/N	N/N	A/N	M/N	C/N	T/N	AC/N	EL	PC		
445	355	445	355	445	445	840	340		2000	ACI

TORRE LA SAL

12595 RIBERA DE CABANES (Castellón)
T.(964) 31 95 96/31 96 29

En invierno piscina climatizada cubierta. Frontón, tenis, polideportivo, lavadoras, bar-restaurante, supermercado, discoteca al aire libre, plaza de toros. Se admiten reservas.
Zona y precios especiales para jubilados.
36 Bungalows nuevos de madera para alquilar.
ABIERTO TODO EL AÑO.

OROPESA 12594 Mapa pág. 39

CS-40 ☒ RT **LOS ALMENDROS** Tel. 964-310475 1/3-30/9

0.8 Ha ■ 63 (60) 🌲 ⚑ 1.00Km ☺ 🍽 🚰 ⌐ WC 🧺 🚿 ⌐ 📺 ⊤ ↘ 🔥 ⛽ ↗ ⤴ 🚗 ✆

Terreno llano con almendros, situado en el límite de la población. Acceso en el Km 999 de la N-340.

P/N	375	N/N	325	A/N	375	M/N	350	C/N	500	T/N	500	AC/N	875	EL	375	PC	🚐 🚙 2 ♨		1575	PI	ACI

CS-41 ☒ RT **OASIS** Tel. 964-319677 Fax 964-3190677 1/1-31/12

1,8 Ha ■ 110 (60) 🌲 ▬▬ ⚑ 0.2 Km ☺ 🐾 🍽 🚰 ⌐ BEBÉ WC 🧺 🧺 🚿 📺 ⊤ ✗ ↘ 🔥 ⛽ ↗ ⤴ 🚗 ⚠ 1 🚲

Situado en el camino de L'Atall. Acceso: salida 45 de la A-7, a la N-340 y desvío hacia el mar

P/N	590	N/N	543	A/N		M/N	575	C/N		T/N		AC/N		EL	425	PC		PI	ACI

CS-42 ☒ RT **ESTRELLA DE MAR** Tel. 964-310978 1/3-30/9

2.8 Ha ■ 233 (70) 🌲 ▬ ⚑ 0.05Km ☺ 🍽 🚰 ⌐ WC ⌐ 📺 ⊤ ✗ ↘ 🔥 ⛽ ↗ ⤴ 🏓 ⚘

Situado en el camino de L'Atall. Acceso por el Km 999 de la N-340, dirección mar.

P/N		N/N		A/N		M/N		T/N		AC/N		EL		PC	

CS-44 ☒ MRT **BLAVAMAR** Tel. 964-319692 1/1-31/12

1.7 Ha ■ 146 (60) 🌲 ☺ 🍽 ⌐ ⌐ WC 🧺 🚿 ⌐ 📺 ⊤ ✗ 🏠 ↘ 🔥 ⛽ ↗ ⤴ ⚘

Terreno llano, situado en el camino de L'Atall. Acceso por el Km 999,6 de la N-340, dirección mar.

P/N	490	N/N	410	A/N	490	M/N	410	C/N	490	T/N	490	AC/N	980	EL	390	PC	🚐 🚙 2 ♨		1960	PI	ACI

CS-45 ☒ R **VORAMAR** Tel. 964-310206 SS+13/4-30/9

1.3 Ha ■ 100 (60) 🌲 ▬ ⚑ 0.05Km ☺ 🍽 🍽 ⌐ WC 🧺 🚿 ⌐ 📺 ⊤ ✗ ↘ 🔥 ⛽ ↗ 🚗

Situado en la población, rodeado de edificaciones y dividido en dos zonas por una calle. Acceso: desvío hacia el pueblo en el Km 998 de la N-340. Seguir indicaciones.

P/N	400	N/N	375	A/N	400	M/N	375	C/N	600	T/N	600	AC/N	1000	EL	375	PC	🚐 🚙 2 ♨		1800	ACI

CS-46 ☒ MRT **DIDOTA** Tel. 964-319565 1/3-30/9

1.7 Ha ■ 155 (60) 🌲 ☺ TV 🐾 🍽 ⌐ ⌐ WC 🏠 🧺 🚿 ⌐ 📺 ⊤ ✗ ↘ 🔥 ⛽ ↗ ⤴ ✚ 🚗

Terreno llano, rodeado en parte por un muro y situado junto a un alto edificio. Acceso: girando hacia el mar en el Km 999,5 de la N-340 y seguir 1 Km más. Salidas 44 o 45 de la autopista A-7.

P/N	475	N/N	450	A/N	300	M/N	350	C/N	675	T/N	675	AC/N	1025	EL	371	PC	🚐 🚙 2 ♨		1850	PI	ACI

BENICASSIM 12560 Mapa pág. 39

CS-49 ☒ **TAURO** Tel. 964-392967 1/3-30/9

1.4 Ha ■ 120 (60) 🌲 ⚑ 0.30Km ☺ 🐾 🍽 ⌐ WC 🧺 🚿 ⌐ 📺 ⊤ 🏠 ↘ 🔥 ⛽ ↗ ⤴ 🚗 💳

Prado llano rodeado de setos. Arbolado de almendros. Sombrajos adicionales. Acceso: por la N-340, girando hacia el mar y seguir las indicaciones.

P/N	450	N/N	425	A/N	225	M/N	225	C/N	450	T/N	850	AC/N	1000	EL	350	PC	🚐 🚙 2 ♨		1900	PI	ACI

CS-50 ☒ **BENICASIM** Tel. 964-392301 1/1-31/12

1 Ha ■ 79 (60) 🌲 ⚑ 0.50Km ☺ 🍽 ⌐ ⌐ WC 🧺 🚿 ⊤ ↘ 🔥 ⛽ ✚ 🚗

Situado en la población, Gran Avenida, 234. Precios 94

P/N	450	N/N	365	A/N	450	M/N	365	C/N	450	T/N	450	AC/N	850	EL	375	PC	🚐 🚙		1800	PI	ACI

CS-51 ☒ **GRAN AVENIDA** Tel. 964-394101 28/3-30/9

0.8 Ha ■ 80 (60) 🌲 ⚑ 0.30Km ☺ 🍽 ⌐ WC 🧺 🚿 ⌐ ⊤ ✗ ↘ 🔥 ⛽ ↗ ⤴ 🚗

En la misma población. Pinos, chopos y acacias.

P/N	450	N/N	375	A/N	425	M/N	300	C/N	800	T/N	800	AC/N	850	EL	375	PC	🚐 🚙		1300	PI	ACI

BENICASSIM   12560   Mapa pág. 39

CS-55   RT **BONTERRA**   Tel. 964-300007   Fax 964-300060   SS-30/9

5 Ha ■ 500 (70) 0.20Km   WC   BEBE WC

Terreno con abundante sombra y mucha vegetación, situado a 200 m de la población y a 300 de la principal playa de Benicássim. Acceso desde la A-7 a la N-340, cruzar por la calle principal de Benicássim a 200 m en dirección Barcelona. Señalizado.VER ANUNCIO.

P/N	400	N/N	360	A/N	460	M/N	320	C/N	1100	T/N	1100	AC/N	1560	EL	380	PC			2100	PI	ACi

CS-57   R **CAPRICORNIO**   Tel. 964-301699   1/1-31/10

3 Ha ■ 240 (70) 0.20Km   WC

Acceso por la salida 46 de la A-7. Seguir indicaciones. Zonas verdes.

P/N	490	N/N	450	A/N	490	M/N	450	C/N	490	T/N	490	AC/N	900	EL	350	PC		PI	ACi

CS-59   **FLORIDA**   Tel. 964-392385   1/1-31/12

0.6 Ha ■ 72 (60) 0.20Km   WC   4

Situado en la c/ Sigalero, s/n. Arbolado chopos y palmeras.

P/N	450	N/N	375	A/N	450	M/N	375	C/N	450	T/N	450	AC/N	900	EL	380	PC		PI	ACi

BURRIANA   12530   Mapa pág. 39

CS-61   L'ARENAL   Tel. 964-585761   1/6-30/9

3.2 Ha ■ 229 (70)   0,1Km   WC

Situado en la playa de El Arenal. Buenos accesos tanto por la N-340 como por la A-7 como también por via marítima con su puerto deportivo. Precios 94

P/N	N/N	A/N	M/N	C/N	T/N	AC/N	EL	PC		ACI
350	280	350	280	350	350	650	350			

NULES   12529   Mapa pág. 39

CS-63   MT   LAS HUERTAS   Tel. 964-670817   1/1-31/12

1.7 Ha ■ 150 (70)   BEBE   WC   8   12

Terreno llano, rodeado de edificios. Alguna sombra con techos de caña. Pista de patinaje. Acceso: girando hacia el mar en el Km 956,1 de la N-340 y seguir unos 5 Km.

P/N	N/N	A/N	M/N	C/N	T/N	AC/N	EL	PC			PI	ACI
440	370	440	370	440	440	880	350		2	2120		

CHILCHES   12592   Mapa pág. 39

CS-67   T   MEDITERRANEO   Tel. 964-590011   1/1-31/12

2.7 Ha ■ 194 (80)   0,04Km   WC

Ubicado en la playa de Chilches. Acceso saliendo de la N-340 en el Km 948. Precios 94

P/N	N/N	A/N	M/N	C/N	T/N	AC/N	EL	PC		ACI
365	365	356	365	365	365	750	300		1200	

BEJIS   12430   Mapa pág. 38

CS-70   LOS CLOTICOS   Tel. 964-764015   SS+15/6-30/9

1,5 Ha ■ 90   WC

P/N	N/N	A/N	M/N	C/N	T/N	AC/N	EL	PC		ACI
283	235	283		566	377	566	377			

VIVER   12460   Mapa pág. 38

CS-72   VILLA DE VIVER   Tel. 964-141334   SS-30/9

2.4 Ha ■ 65 (80)   WC

Acceso por la N-234 hasta Viver, 3 Km dirección Bejis. Junto al rio Palancia. Bonitos parajes. Señalizado.

P/N	N/N	A/N	M/N	C/N	T/N	AC/N	EL	PC		PI
425	350	425	350	425		850	375			

ALTURA   12410   Mapa pág. 38

CS-73   CAMPING MUNICIPAL   Tel. 964-147089   Fax 964-146266   5/4-31/10

1.3 H ■ 110 (70)   WC

Junto al Parque Municipal. Próximo a Segorbe.

P/N	N/N	A/N	C/N	T/N	AC/N	EL	PC					ACI
350	300		750	750	750			1	1	1	1375	

SEGORBE   12400   Mapa pág. 38

CS-75   RPT   MONTE SAN BLAS   Tel. 964-110626   SS+15/6-15/9

0.8 Ha ■ 72 (70)   WC

Situado sobre uno de los cerros donde se asienta la ciudad de Segorbe. Acceso por la ctra. N-234, Sagunto-Burgos.

P/N	N/N	A/N	M/N	C/N	T/N	AC/N	EL	PC		PI
325	250	325	150	450	400	650	250			

ESLIDA   12528   Mapa pág. 38

CS-76   RPT   NAVARRO   Tel. 964-628137   1/1-31/12

0,5 Ha ■ 42 (70)   WC

Situado a 17 Km de la ctra. N-340, desvío por Nules hácia Villaviesa, Artana y Eslida. Por autopista salida Burriana-Nules, via Bechi-Artana-Eslida.

P/N	N/N	A/N	M/N	C/N	T/N	AC/N	EL	PC			ACI
425	350						371		1200		

TIRIG   12179   Mapa pág. 39

CS-79   PT   CAMPING MUNICIPAL   Tel. 964-418612   1/1-31/12

1,2 Ha ■ 44 (70)   WC

Acceso desde Castelló en dirección San Mateo al llegar a Salsadella giro a la izquierda dirección Tirig.

P/N	N/N	A/N	M/N	C/N	T/N	AC/N	EL	PC		PI	ACI

VALENCIA

SAGUNTO 46500 — Mapa pág. 39

V-01 MP **MALVARROSA DE CORINTO** Tel. 96-2608906 Fax 96-2608943 1/1-31/12

4.2 Ha ■ 127 (80)

Terreno llano. Playa larga con ligera pendiente. Acceso: por la N-340 en el límite con la provincia de Castelló, dirección playa.

P/N	N/N	A/N	M/N	C/N	T/N	AC/N	EL	PC
420	360	420	280	525	420	550	400	

CANET D'EN BERENGUER 46529 — Mapa pág. 39

V-03 RT **CANET MAR** Tel. 96-2608813 Fax 96-2608813 1/1-31/12

1,8 Ha ■ 191 (70) 0.40Km

Situado en la urbanización Nova Canet. Parking de caravanas.

P/N	N/N	A/N	M/N	C/N	T/N	AC/N	EL	PC		PI
475	425	450	375	600	550	700	325		1500	

PUÇOL 46530 — Mapa pág. 39

V-04 RPT **VALENCIA** Tel. 96-1420146 25/3-15/9

6.6 Ha ■ 144 (70) 0.10Km

Acceso: salida 4 de la A-7, dirección playa.

P/N	N/N	A/N	M/N	C/N	T/N	AC/N	EL	PC		PI	ACI
550	425	500	450	650	650	750	425		1700		

POBLA DE FARNALS 46137 — Mapa pág. 38

V-06 T **LA BRASA** Tel. 96-1460388 1/1-31/12

0.4 Ha ■ 33 (60) 0.30Km

Terreno llano situado dentro del casco urbano. Sombra adicional con sombrajos. Acceso: salida 3 de la A-7, seguir hacia la playa.

P/N	N/N	A/N	M/N	C/N	T/N	AC/N	EL	PC	PI	ACI
375	275	375	300	525	475	600	350			

PINEDO 46024 — Mapa pág. 38

V-10 **COLL-VERT** Tel. 96-1830036 1/3-30/9

2.2 Ha ■ 148 (60) 0.10Km

Situado en la ctra. Nazaret-Oliva, Km 7,5, playa de Pinedo.

P/N	N/N	A/N	M/N	C/N	T/N	AC/N	EL	PC		PI
450	400	400	400	600	600	900	400		1500	

VALENCIA 46012 — Mapa pág. 38

V-13 RT **EL SALER** Tel. 96-1830023 1/1-31/12

9.2 Ha ■ 600 (70) 0.04Km

Terreno llano y ondulado. Acceso: saliendo de la ctra. Valencia-Cullera por la costa en la localidad y seguir hacia el mar siguiendo las indicaciones. Hay residentes.

P/N	N/N	A/N	M/N	C/N	T/N	AC/N	EL	PC		PI	ACI
425	321	472	321	472	472	509	330		2	1632	

VALENCIA   46024   Mapa pág. 38

V-15 ⛰   **EL PALMAR**   Tel. 96-1610853   Fax 96-1627068   1/7-31/8

2.7 Ha ■ 90 (60)   2.00Km

Situado en las inmediaciones de la Albufera. Acceso: Dejar la ctra. costera Valencia-Cullera entre los Kms 13 y 14 al sur de El Saler y seguir hacia El Palmar.

| P/N | 450 | N/N | 400 | A/N | | M/N | | C/N | | T/N | | AC/N | | EL | 425 | PC | | 1900 | PI |

V-16 ⛰ PT   **DEVESA GARDENS**   Tel. 96-1611136   Fax 96-1611136   1/1-31/12

1.5 Ha ■ 138   0.70Km

Terreno llano. Anexo deportivo y recreativo. Acceso: en el Km 15 de la ctra. Nazaret-Oliva.

| P/N | 440 | N/N | 385 | A/N | 440 | M/N | 385 | C/N | 605 | T/N | 495 | AC/N | 880 | EL | 440 | PC | | 1870 | ACI | . |

SUECA   46410   Mapa pág. 48

V-22 ⛰ R   **LES BARRAQUETES**   Tel. 96-1760723   1/4-30/9

2.9 Ha ■ 191 (70)   0.40Km

Se accede por la ctra. Nazaret-Oliva. Km 25. Pinos, eucaliptos, zonas verdes y con naranjos.

| P/N | 480 | N/N | 425 | A/N | 480 | M/N | 475 | C/N | 650 | T/N | 650 | AC/N | 850 | EL | 480 | PC | | 1800 | PI | ACI |

V-23 ⛰   **SAN PASCUAL**   Tel. 96-1770273   1/1-31/12

1.4 Ha ■ 130   0.15Km

Acceso: por el Km 21 de la ctra. Nazaret-Oliva.

| P/N | 450 | N/N | 400 | A/N | 450 | M/N | 400 | C/N | 600 | T/N | 450 | AC/N | 900 | EL | 500 | PC | | 2000 |

CULLERA   46400   Mapa pág. 48

V-25 ⛰ T   **SANTA MARTA**   Tel. 96-1721440   1/6-30/9

4 Ha ■ 270 (76)   0.30Km

Terreno inclinado y en terrazas. Plazas apropiadas para tiendas y caravanas pequeñas. Acceso: a unos 3 Km al NE de la población por la ctra. costera de El Mareny hasta Cullera dirección al faro.

| P/N | 520 | N/N | 460 | A/N | 520 | M/N | 460 | C/N | 640 | T/N | 520 | AC/N | 805 | EL | 390 | PC | | 1620 | PI | ACI |

XERACO   46770   Mapa pág. 48

V-30 ⛰ M   **LA DORADA**   Tel. 96-2888062   9/4-15/9

1.6 Ha ■ 190 (60)

Acceso: por la N-332, Km 207, con desvío a 3 Km. Hay naranjos, acacias y eucaliptos.

| P/N | 470 | N/N | 390 | A/N | 470 | M/N | 390 | C/N | 580 | T/N | 470 | AC/N | 865 | EL | 450 | PC | | 2285 | ACI |

V-31 ⛰ M   **SAN VICENTE**   Tel. 96-2888188   Fax 96-2888188   1/1-31/12

0.5 Ha ■ 42   19

Terreno llano separado del mar por una duna. Acceso: girando hacia el mar en el Km 204 de la N-332 y seguir unos 3,5 Km.

| P/N | 470 | N/N | 400 | A/N | 470 | M/N | 400 | C/N | 635 | T/N | 470 | AC/N | 800 | EL | 470 | PC | | 2250 |

V-32 ⛰ M   **SOL MAR**   Tel. 96-2888198   1/4-30/10

0.3 Ha ■ 30 (40)

Acceso por el Km 203 de la N-332.

| P/N | 475 | N/N | 375 | A/N | 375 | M/N | 375 | C/N | 525 | T/N | 475 | AC/N | 600 | EL | 425 | PC | | 3600 | ACI |

GANDIA (PLAYA)   46730   Mapa pág. 48

V-35 ⛰   **L'ALQUERIA**   Tel. 96-2840470   11/4-15/9

1.7 Ha ■ 140 (60)   0.80Km

Terreno llano y escalonado cerca de la ctra. Anexo para jóvenes. Acceso: girando hacia el pueblo desde la N-332 y seguir las indicaciones Playa-Puerto unos 4 Km.

| P/N | 490 | N/N | 390 | A/N | | M/N | | C/N | | T/N | | AC/N | | EL | 340 | PC | | 1880 | PI | ACI |

GANDIA (PLAYA)   46730   Mapa pág. 48

V-36 ⚠ RPT **LA NARANJA** Tel. 96-2841616 1/7-31/8

1,9 Ha ■ 125 (70) 0.50Km

Situado en la partida de la Marjal.

P/N	N/N	A/N	M/N	C/N	T/N	AC/N	EL	PC			PI	ACI
450	340	450	340	550	525	770	370			1600		

V-37 ⚠ **ROS** Tel. 96-2840770 1/4-24/9

0.6 Ha ■ 45 (60) 0.20Km

Acceso por la N-332, Km 200, con desvío a 3 Km por la ctra. de la playa de Gandía.

P/N	N/N	A/N	M/N	C/N	T/N	AC/N	EL	PC	ACI
525	425	525	390	725	675	825	435		

DAIMUS   46710   Mapa pág. 48

V-38 ⚠ RPT **L'AVENTURA** Tel. 96-2818330 Fax 96-2818330 1/3-30/9

1.8 Ha ■ 120 (70) 0.56Km BEBE WC

Acceso por la A-7 salidas 60 y 61 a la N-332 hasta Gandía. Continuar 3 Km en dirección a la playa Daimus por ctra. Nazaret-Oliva.VER ANUNCIO.

P/N	N/N	A/N	M/N	C/N	T/N	AC/N	EL	PC		PI	ACI
540	450	540	450				425		1850		

MIRAMAR   46711   Mapa pág. 48

V-39 ⚠ RT **COELIUS** Tel. 96-2819574 Fax 96-2818733 1/1-31/12

1.75 H ■ 144 (70) 0.40Km WC

Terreno llano, situado entre naranjos. Acceso por la ctra. N-332, Km. 219,7 (Bellreguart), a 5 Km de Gandía o por la autopista A-7 salida 61 dirección Piles y Miramar.

P/N	N/N	A/N	M/N	C/N	T/N	AC/N	EL	PC		PI	ACI
550	450	550	451		650		400		1850		

V-40 ⚠ **MIRAMAR** Tel. 96-2819141 1/6-15/9

1 Ha ■ 124 0.20Km WC

Acceso por la ctra. N-332, Km 197, desviar a 2 Km.

P/N	N/N	A/N	M/N	C/N	T/N	AC/N	EL	PC		ACI
550	450	550	450	750	650	1000	375		1800	

OLIVA   46780   Mapa pág. 48

V-42 ⚠ M **AZUL** Tel. 96-2854106 Fax 96-2854096 1/1-31/12

2,5 Ha ■ 110 (70) 🌴 _ ⊙ ⊙ ⊖ ⊖ ⌐ WC ⬒ ⬒ ⬠ ⬠ ⌐ ▣ ⍊ ✕ 🏠 ↘

🍺 🔌 ➕ 🛒 🏃 ⊞ 7 💳

Situado en la misma playa de Oliva. Acceso: salida 61 de la autopista A-7 siguiendo hacia la playa y girando a la derecha. Por la N-332, Km. 193.

P/N	N/N	A/N	M/N	C/N	T/N	AC/N	EL	PC					ACI
450	350	475	375	650	650	900	375	🚗 🏍	1	⛽		1900	

V-43 ⚠ MRPT **EURO-CAMPING** Tel. 96-2854098 Fax 96-2851753 1/3-31/10

4,5 Ha ■ 330 70 🌴 _ ⊙ ⊙ ⛲ ⊖ ⊖ ⌐ ⌐ 👶 WC ⬒ ⬒ ⬠ ⬠ ⌐ �
▣ ⍊ ✕ ↘ ⬠ 🍺 🔌 ➕ 🛒 △ 3 🚲 💳

Terreno llano, entre naranjos. Arbolado y parcelas sin sombra en la parte de la playa. Acceso por la autopista A-7, salida 61 a Oliva o por la ctra. N-332. En ambos casos, desvío en el Km 208 (casco urbano) o en el Km 210 en la ctra., y seguir señales.VER ANUNCIO.

P/N	N/N	A/N	M/N	C/N	T/N	AC/N	EL	PC			ACI
540	440	540	440	800	540	1200	400	🚗 🏍		1800	

Las asociaciones de campistas y caravanistas organizan acampadas durante todo el año.
Estos encuentros constituyen una buena ocasión para establecer relaciones amicales y de vivir nuevas experiencias.
Infórmese en los clubs federados.

EURO CAMPING
PLAYA DE OLIVA
(VALENCIA - ESPAÑA)

☎ (96) 285 17 53
Fax (96) 285 40 98
Apartado N.º 7
46780 OLIVA (Valencia)

EUROCAMPING está situado junto al mar, en la playa de Oliva, amplia, de arena fina y limpia. Parcelas sombreadas por abundantes árboles. Nuevos sanitarios de gran confort, con agua caliente gratuita. Todas las instalaciones necesarias, programas de animación, etc... .
Descuento especial según estancia en temporada baja.
ABIERTO del 1/3 al 31/10.

COMUNIDAD VALENCIANA

Valencia

OLIVA   46780   Mapa pág. 48

V-44   MR   **KIKO**   Tel. 96-2850905   Fax 96-2854320   1/1-31/12

2,9 Ha ■ 220 (60) [icons]

Terreno llano, en parte arenoso, algunas parcelas en duna. Zona expresa para jóvenes. Acceso por la ctra. de Oliva a la playa de Oliva, desvío a la izquierda. VER ANUNCIO.

P/N	550	N/N	425	A/N	550	M/N	425	C/N		T/N	650	AC/N		EL	186	PC			1900	ACI

V-45   **BON DIA**   Tel. 96-2852427   1/6-31/8

0.4 Ha ■ 35 (70) [icons] 0,3 Km [icons] WC [icons]

Acceso en el Km 187 de la N-332, dirección Alicante, saliendo a 2 Km del pueblo.

P/N	420	N/N	320	A/N	420	M/N	320	C/N	550	T/N	420	AC/N		EL	400	PC		2	1680

V-46   MR   **EL RANCHO**   Tel. 96-2853115   1/4-31/8

5 Ha ■ 295 (80) [icons] WC [icons] 10

Sombra con techos de caña. Se accede desviando de la N-332 en el Km 182,5.

P/N	500	N/N	400	A/N	500	M/N		C/N		T/N		AC/N		EL	350	PC			1600

V-47   M   **PEPE**   Tel. 96-2853170   1/1-31/12

2.3 Ha ■ 196 (60) [icons] WC [icons]

Acceso: girando hacia el mar en el Km 182,4 de la N-332 y seguir unos 3 Km más.

P/N	420	N/N	315	A/N	420	M/N	320	C/N	595	T/N	474	AC/N	680	EL	395	PC			1900	ACI

OLIVA   46780   Mapa pág. 48

V-48   MR   **OLE**   Tel. 96-2851180   Fax 96-2851134   1/4-30/9

4.3 Ha ■ 314   ⛺ ___ ☉ 🚰 ⛲ ⌐ ⌐ WC 🧺 🚿 ♿ 🔲 ⍭ ✕ ⌐ 🔋 ⛽

🚗 ➕ ⛱ ▭ 30

Terreno llano. Algunas parcelas ubicadas en las dunas de la playa. Acceso: girando hacia el mar en el Km 209,9 de la N-332 y seguir unos 3 Km más.

| P/N 495 | N/N 375 | A/N 495 | M/N 375 | C/N 750 | T/N 495 | AC/N 895 | EL 430 | PC | | 1800 |

V-49   MRPT   **RIO MAR**   Tel. 96-2854097   10/4-30/9

0.6 Ha ■ 52 (70)   ⛺ ___ ☉ 🚰 ⛲ ⌐ ⌐ WC 🧺 🚿 🔲 ⍭ ✕ ⌐ 🔋 ⛽ ➕

⛱ ▭ 9 💳

Ambiente familiar y tranquilo. Posibilidad de pesca en un río cercano. Acceso: a 7 Km de la Oliva, dirección Alicante por la N-332, desvío en el Km 207, hacia la playa.

| P/N 465 | N/N 350 | A/N 450 | M/N 375 | C/N 635 | T/N 450 | AC/N 850 | EL 400 | PC 🚗 🚐 2 ⍭ | 1830 ACI |

RUGAT   46842   Mapa pág. 48

V-55   PT   **NATURA**   Tel. 96-2814166   Fax 96-2814149   1/1-31/12

2,8 Ha. ■ 65 (70)   ⛺ ___ ☉ 🚰 ⛲ ⌐ ⌐ WC 🧺 🚿 ⍭ ⛽ 🏊 ➕ 🎮

Acceso por la ctra. C-320 Camino Les Fonts.

| P/N 400 | N/N 300 | A/N 350 | M/N 300 | C/N 400 | T/N 400 | AC/N 850 | EL 350 | PC 🚗 🚐 | 850 PI ACI |

JARAFUEL   46623   Mapa pág. 47

V-58   **LAS JARAS**   Tel. 96-1899082   (70)

0,3 Ha ■ 46   ⛺ ☉ ⛲ ⌐ WC 🧺 🚿 ♿ ⍭ ✕ 🏠 ⌐ 🔋 ⛽ 🚗 🏊 ➕ ⛱ 🎾

🖐 🎣 💳

Situado en la partida Las Rochas.

| P/N 377 | N/N 330 | A/N 472 | M/N 236 | C/N 472 | T/N | AC/N 519 | EL 368 | PC | | PI ACI |

BOCAIRENT   46880   Mapa pág. 48

V-60   PT   **LES FONTS DE MARIOLA**   Tel. 908-763094   1/1-31/12

4,5 Ha ■ 170 (72)   ⛺ ___ ☉ 🚰 ⛲ ⌐ WC 🧺 🚿 ⍭ ✕ ⌐ 🔋 ⛽ 🚗 🏊 ➕

Situado en el Km 9 de la ctra. Bocairent-Alcoi.

| P/N 375 | N/N 300 | A/N 375 | M/N 300 | C/N 375 | T/N 375 | AC/N 600 | EL 350 | PC 🚗 🚐 1 ⍭ | 1500 PI ACI |

Los precios indicados son meramente orientativos y **EL IVA NO ESTÁ INCLUIDO**.

Están basados en las informaciones recibidas hasta el cierre de la edición de esta GUIA.

Los reales son los que figuran en la declaración expuesta en la recepción del camping con el sello del organismo de la correspondiente Comunidad Autónoma.

El símbolo FECC indica que se hacen descuentos a los socios de los Clubs federados sin ningún condicionamiento aparte de la correspondiente identificación.

ALACANT

DENIA   03700   Mapa pág. 48

A-02 ⛰ MPT **LOS PATOS** Tel. 96-5474993 1/5-5/9

1,8 Ha ■ 166 🌲 __ ⊙ 🍽 ⌐ ⌐ WC 🛁 🍴 👤 Ⓘ Y ⚲ 🛢 GAS 🚗 ✚ 🏠

Acceso a la entrada de Denia por la costa ctra. N-332 a la playa Deveses.

| P/N | 595 | N/N | 475 | A/N | 650 | M/N | 455 | C/N | 775 | T/N | 650 | AC/N | 990 | EL | 475 | PC | 🚐 🚙 | | 3525 | ACI |

A-05 ⛰ **LOS LLANOS** Tel. 96-6474488 SS+1/6-15/9

1,5 Ha ■ 108 (101) 🌲 __ ⬓ 🅱 0.25Km ⊙ 🍽 🍽 ⌐ ⌐ WC 🛁 👤 Ⓘ 🔲 Y 🏠 ⚲ 🛢 GAS 🚙 ♒ ✚ 🏕 19

Terreno llano, próximo a la ctra.y a campos de naranjos. Acceso: girando hacia el mar en el Km 203 de la N-332 y seguir unos 200 m.

| P/N | 475 | N/N | 375 | A/N | 450 | M/N | 350 | C/N | 600 | T/N | 450 | AC/N | 800 | EL | 375 | PC | 🚐 🚙 | | 1400 | PI | ACI |

A-06 ⛰ M **DIANA** Tel. 96-6474185 1/4-30/9

0.5 Ha ■ 45 (60) 🌲 ⊙ 🍽 ⌐ WC 🛁 👤 Ⓘ 🔲 Y ⚲ 🛢 GAS ✚

Situado en la ctra. de la costa a la altura del Km 6.

| P/N | 480 | N/N | 380 | A/N | 480 | M/N | 380 | C/N | 600 | T/N | 480 | AC/N | 950 | EL | 400 | PC | 🚐 🚙 | | 1400 | ACI |

A-07 ⛰ M **LAS MARINAS** Tel. 96-5781446 28/3-30/9

1,3 Ha ■ 108 (60) 🌲 ⊙ 🚿 🍽 ⌐ ⌐ WC 🛁 👤 Ⓘ 🔲 Y ✕ ⚲ 🛢 GAS ✚ 🏠

Arbolado de pinos y eucaliptos. Playa larga. Acceso por la ctra. de Vergel-Denia.

| P/N | 475 | N/N | 360 | A/N | 475 | M/N | 360 | C/N | 600 | T/N | 475 | AC/N | 950 | EL | 400 | PC | 🚐 🚙 | | 1400 | ACI |

A-08 ⛰ P **LOS PINOS** Tel. 96-5782698 1/1-31/12

1.6 Ha ■ 106 (70) 🌲 🅱 0,05 Km ⊙ 🍽 ⌐ ⌐ WC 🛁 👤 Ⓘ Y ⚲ 🛢 GAS 🚗

Terreno a dos niveles en una pineda. Acceso: salir de la ctra.de la costa hácia Xábia/Jábea, a unos 2 Km girando a la izquierda en dirección Les Rotes.

| P/N | 425 | N/N | 310 | A/N | 425 | M/N | 325 | C/N | 450 | T/N | 425 | AC/N | 800 | EL | 325 | PC | | | | ACI |

A-09 ⛰ T **TOLOSA** Tel. 96-5787294 1/4-30/9

0.8 Ha ■ 53 (70) 🌲 ⊙ 🍽 ⌐ ⌐ WC 🛁 👤 Y ⚲ 🛢 GAS 🚐

Terreno ligeramente inclinado. Algunos sombrajos de caña. Rodeado de edificios. Situado a 2 Km al sudoeste de Denia.

| P/N | 450 | N/N | 350 | A/N | 450 | M/N | 300 | C/N | 450 | T/N | 450 | AC/N | 800 | EL | 400 | PC | 🚐 🚙 | |

XABIA/JAVEA   03730   Mapa pág. 48

A-12 ⛰ T **EL NARANJAL** Tel. 96-5792989 1/3-30/9

2.3 Ha 166 (60) 🌲 🅱 1 Km ⊙ 🍽 ⌐ WC 🛁 👤 🔲 Y ✕ ⚲ 🛢 GAS 🚙 ♒ 🎾

Acceso pasado el pueblo en dirección cabo de la Nao hasta el cruce de la playa El Arenal girando a la derecha, detrás del club de tenis.

| P/N | 425 | N/N | 325 | A/N | 425 | M/N | 325 | C/N | 475 | T/N | 475 | AC/N | 900 | EL | 400 | PC | | | 1300 | PI | ACI |

A-13 ⛰ PT **JAVEA** Tel. 96-5791070 SS+15/6-15/9

2.8 Ha ■ 226 (60) 🌲 🅱 1,5 Km ⊙ 🚿 🍽 🍽 ⌐ ⌐ BEBÉ WC 🛁 👤 Ⓘ 🔲 Y ✕ ⚲ 🛢 GAS 🚙 ♒ ✚ 🏠 🎾 🏓

Terreno llano.con arbolado diverso. Bonita vista de las montañas cercanas. Situado en la ctra. Cabo de la Nao, Km.1. Acceso desde A-7, salida Ondara, Denia, Xabea o por la N-3.VER ANUNCIO.

| P/N | 420 | N/N | 320 | A/N | 420 | M/N | 320 | C/N | 450 | T/N | 420 | AC/N | 780 | EL | 350 | PC | 🚐 🚙 | | 1170 | PI |

TEULADA	03725	Mapa pág. 48

A-17   LA COMETA   Tel. 96-5745208   1/1-31/12

0.9 Ha   87 (60)   0.1 Km   WC

Situado en el Km 1 de la ctra. Moraira-Calpe.

P/N	N/N	A/N	M/N	C/N	T/N	AC/N	EL	PC	
475	375	475	375	475	475	800	400		1400

A-18   RPT   MORAIRA   Tel. 96-5745249   Fax 96-5745315   1/1-31/12

11 Ha   92 (70)   0.40Km   TV   BEBÉ   WC   4

Acceso por la salida 68 de la A-7, hacia Alicante. Tambien por la N-332 a la altura de Benisa-Teulada, ctra. costera Moraira-Calpe, a 1,5 Km de Moraira.VER ANUNCIO.

P/N	N/N	A/N	M/N	C/N	T/N	AC/N	EL	PC		PI	ACI
500	350	500	375	570	500	800	375		1400		

BENISSA	03720	Mapa pág. 48

A-19   PT   FANADIX   Tel. 96-5747307   1/4-31/8

1,6 Ha.   114 (60)   0.50Km   WC

Situado en una frondosa pineda. Zonas verdes. Cercano a la playa. Acceso: en el Km 6 de la ctra. costera Calpe-Moraira.

P/N	N/N	A/N	M/N	C/N	T/N	AC/N	EL	PC		PI	ACI
475	375	475	375	550	475	895	375		1450		

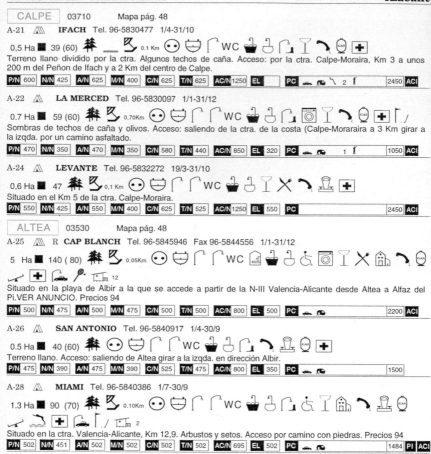

CALPE   03710   Mapa pág. 48

A-21 IFACH Tel. 96-5830477 1/4-31/10

0,5 Ha 39 (60) 0.1 Km WC
Terreno llano dividido por la ctra. Algunos techos de caña. Acceso: por la ctra. Calpe-Moraira, Km 3 a unos 200 m del Peñon de Ifach y a 2 Km del centro de Calpe.

| P/N | 600 | N/N | 425 | A/N | 625 | M/N | 400 | C/N | 625 | T/N | 625 | AC/N | 1250 | EL | | PC | 2 | | 2450 | ACI |

A-22 LA MERCED Tel. 96-5830097 1/1-31/12

0.7 Ha 59 (60) 0.70Km WC
Sombras de techos de caña y olivos. Acceso: saliendo de la ctra. de la costa (Calpe-Moraraira a 3 Km girar a la izqda. por un camino asfaltado.

| P/N | 470 | N/N | 350 | A/N | 470 | M/N | 350 | C/N | 580 | T/N | 440 | AC/N | 850 | EL | 320 | PC | 1 | 1050 | ACI |

A-24 LEVANTE Tel. 96-5832272 19/3-31/10

0,6 Ha 47 0,1 Km WC
Situado en el Km 5 de la ctra. Calpe-Moraira.

| P/N | 550 | N/N | 425 | A/N | 550 | M/N | 400 | C/N | 625 | T/N | 525 | AC/N | 1250 | EL | 550 | PC | 2450 | ACI |

ALTEA   03530   Mapa pág. 48

A-25 R CAP BLANCH Tel. 96-5845946 Fax 96-5844556 1/1-31/12

5 Ha 140 (80) 0.05Km WC
12
Situado en la playa de Albir a la que se accede a partir de la N-III Valencia-Alicante desde Altea a Alfaz del Pi.VER ANUNCIO. Precios 94

| P/N | 500 | N/N | 475 | A/N | 500 | M/N | 475 | C/N | 500 | T/N | 500 | AC/N | 800 | EL | 500 | PC | 2200 | ACI |

A-26 SAN ANTONIO Tel. 96-5840917 1/4-30/9

0.5 Ha 40 (60) WC
Terreno llano. Acceso: saliendo de Altea girar a la izqda. en dirección Albir.

| P/N | 475 | N/N | 390 | A/N | 475 | M/N | 390 | C/N | 525 | T/N | 475 | AC/N | 800 | EL | 350 | PC | 1500 |

A-28 MIAMI Tel. 96-5840386 1/7-30/9

1.3 Ha 90 (70) 0.10Km WC
2
Situado en la ctra. Valencia-Alicante, Km 12,9. Arbustos y setos. Acceso por camino con piedras. Precios 94

| P/N | 502 | N/N | 451 | A/N | 502 | M/N | 502 | C/N | 502 | T/N | 502 | AC/N | 695 | EL | 502 | PC | 1484 | PI | ACI |

El hecho de pertenecer a un club facilita las relaciones con los demás campistas.

BENIDORM 03500 Mapa pág. 48

A-34 PT **BENISOL** Tel. 96-5851673 Fax 96-5860895 1/1-31/12

7 Ha ■ 250 (70) 3.00Km 6 5

Terreno llano y en terrazas. Algunas sombras de cañizos. Acceso: por la salida Benidorm de la A-7, playa Levante. Dirección L'Alfas del Pi. Seguir carteles indicativos.

P/N	N/N	A/N	M/N	C/N	T/N	AC/N	EL	PC		PI
450	350	450	318		450		350		1500	

A-35 T **TITUS** Tel. 96-6802594 1/1-31/12

0.6 Ha ■ 35 (80) 2.00Km

Situado en la ctra. de Valencia, Km 124.

P/N	N/N	A/N	M/N	C/N	T/N	AC/N	EL	PC

A-36 **BENIDORM** Tel. 96-5860011 SS-15/6-15/9

1.8 Ha ■ 100 (60) 2.40Km 12

Terreno con terrazas, cesped, zonas ajardinadas. Parking con techo de cañizo. Petanca. Accesos: por la N-332, Km 124, seguir 1500 m. en dirección al mar.

P/N	N/N	A/N	M/N	C/N	T/N	AC/N	EL	PC

A-37 **ARENA BLANCA** Tel. 96-5861889 1/1-31/12

2 Ha ■ 170 1,3 Km

Situado en la ctra.de Loix s/n.

P/N	N/N	A/N	M/N	C/N	T/N	AC/N	EL	PC		PI	ACI
480	425	480	450	550	480	780	400		1300		

A-38 **LA TORRETA** Tel. 96-5854668 Fax 96-6802653 1/1-31/12

3 Ha ■ 212 (70) 1.00Km

Terreno en terrazas. Algunos techos de caña. Acceso: Saliendo de la N-332 en el Km 124 y seguir 1,5 Km. Precios 94

P/N	N/N	A/N	M/N	C/N	T/N	AC/N	EL	PC	
540	360	540	390	600	540	875	390		1500

A-39 **DON QUIJOTE** Tel. 96-5855065 1/1-31/12

0.7 Ha ■ 43 (60) 0.4 Km

Situado en el Km 122 de la ctra. de Valencia. Acceso por la salida Benidorm, Playa de Levante en el Km 122,6 de la antigua carretera nacional.

P/N	N/N	A/N	M/N	C/N	T/N	AC/N	EL	PC		ACI
375	300	375	300	450	450	650	300		1000	

A-40 T **ARMANELLO** Tel. 96-5853190 Fax 96-5853100 1/1-31/12

1.6 Ha ■ 110 (70) 1.00Km BEBE

Terreno con terrazas. Situado el lado de una plantación de naranjos. Acceso: saliendo de la autopista A-7 hácia la N-332 ,seguir unos 500 m en dirección Valencia.

P/N	N/N	A/N	M/N	C/N	T/N	AC/N	EL	PC		PI	ACI
500	400	500	450	600	500		400		1500		

El símbolo FECC indica que se hacen descuentos a los socios de los Clubs federados sin ningún condicionamiento aparte de la correspondiente identificación.

BENIDORM   03500   Mapa pág. 48

A-41 VILLASOL Tel. 96-5850422 1/1-31/12

5 Ha ■ 286 (80) ... 1.30Km ... WC ... 10

Terreno en terrazas y zonas ajardinadas. Acceso: dejando la N-332 en el Km 124, seguir indicadores amarillos en 2 Km.VER ANUNCIO.

| P/N | 700 | N/N | 500 | A/N | 700 | M/N | 500 | C/N | 1275 | T/N | 1275 | AC/N | 1975 | EL | 375 | PC | | | 2000 | PI | ACI |

A-42 R LA CALA Tel. 96-5851461 Fax 96-5851543 1/1-31/12

3.3 Ha ■ 276 (60) ... 0.40Km ... TV ... WC ... 54

Terreno llano. Acceso: saliendo de la N-332 en el Km 143 girar hacia el mar.

| P/N | 400 | N/N | 300 | A/N | | M/N | | C/N | | T/N | | AC/N | | EL | 350 | PC | | 1650 | PI | ACI |

LA VILA JOIOSA   03570   Mapa pág. 48

A-43 MRPT HERCULES Tel. 96-5891343 1/1-31/12

6.3 Ha ■ 388 (60) ... WC ... 13

Terreno situado entre colinas en una cala de guijarros y arena. Acceso: girando hacia el mar en el Km 141 de la N-332. Junto al Casino Costa Blanca.

| P/N | 470 | N/N | 360 | A/N | 470 | M/N | 360 | C/N | 540 | T/N | 470 | AC/N | 870 | EL | 320 | PC | | 1200 | PI |

A-44 MRPT SERTORIUM Tel. 96-5891599 Fax 96-6851114 1/1-31/12

5,6 Ha ■ 402 (60) ... WC ...

Terreno llano y aterrazado. Rodeado de colinas. Acceso: saliendo de la N-332 en el Km 141.4 girar hacia el mar y después torcer a la izqda.VER ANUNCIO.

| P/N | 493 | N/N | 373 | A/N | 493 | M/N | 373 | C/N | 493 | T/N | 493 | AC/N | 1853 | EL | 62 | PC | 1 | 1479 | PI | ACI |

A-45 M EL PARAISO Tel. 96-6851838 1/1-31/12

1.3 Ha ■ 100 (60) ... WC ...

Situado en la ctra. Almeria-Valencia, Km. 136.

| P/N | 450 | N/N | 350 | A/N | 450 | M/N | 350 | C/N | 475 | T/N | 450 | AC/N | 805 | EL | 375 | PC | | 1275 | PI | ACI |

EL CAMPELLO   03560   Mapa pág. 48

A-47 T BON SOL Tel. 96-5941383 Fax 96-5927948 SS-30/9

0,6 Ha ■ 48 (70) ... 0,2 Km ... WC ...

Situado en la playa de Muchavista, Rincón de La Zofra. Acceso por la playa o ctra. N-332 Alicante-Valencia.

| P/N | 475 | N/N | 400 | A/N | 475 | M/N | 375 | C/N | 575 | T/N | | AC/N | 775 | EL | 300 | PC | | 1500 | ACI |

EL CAMPELLO   03560   Mapa pág. 48

A-49   RP   **COSTA BLANCA**   Tel. 96-5630670   Fax 96-5630670   1/1-31/12

1.1 Ha ■ 95   0.30Km   ... BEBÉ WC ...

Terreno casi llano. Sombras con techos de cañas. Acceso: saliendo de la N-331, en el Km. 121 girar hacia el mar.VER ANUNCIO.

P/N	475	N/N	375	A/N	475	M/N	375	C/N	630	T/N	630	AC/N	950	EL	340	PC				1475	PI	ACI

A-50   RT   **PLAYA MUCHAVISTA**   Tel. 96-5654526   1/1-31/12

1.7 Ha ■ 140 (60)   0.10Km   ... WC ...

Terreno casi llano. Sombra adicional con cañizos. Acceso: a la altura del Km 8,5 de la crta. A-190, por la costa. Precios 94

P/N	450	N/N	315	A/N	450	M/N	315	C/N	520	T/N	485	AC/N	770	EL	318	PC				1500	ACI

ALICANTE   03540   Mapa pág. 48

A-53   **BAHIA**   Tel. 96-5262332   15/3-15/10

2 Ha ■ 196 (60)   ... WC ...

Terreno en distintos niveles. Situado junto a unos altos edificios. Acceso: en la ctra. El Campello-Alicante, Km. 4.

P/N	475	N/N	300	A/N		M/N	300	C/N		T/N	600	AC/N		EL	350	PC				1300	ACI

MUTXAMEL   03110   Mapa pág. 48

A-55   RT **MUCHAMIEL**   Tel. 96-5950126   1/1-31/12

1.7 Ha ■ 105 (70)   5.00Km   WC

Acceso por la N-340, por San Juan, dirección Jijona.

P/N	N/N	A/N	M/N	C/N	T/N	AC/N	EL	PC		PI	ACI
500	400	600	600	700	600	800	400		2000		

ELX/ELCHE   03600   Mapa pág. 48

A-58   **LO MORANT**   Tel. 96-5458066   1/6-30/9

1.4 Ha ■ 60 (65)   1.5 Km   WC

Acceso: por la salida 72 de la A-7, pasado el aeropuerto. Precios 94

P/N	N/N	A/N	M/N	C/N	T/N	AC/N	EL	PC		2			ACI
450	350	450	350	450	450	650	300				1550	

SANTA POLA   03130   Mapa pág. 48

A-62   **ROCAS BLANCAS**   Tel. 96-5416466   1/1-31/12

1.2 Ha ■ 75 (50)   1.50Km   WC

Situado en el Km 88,2 de la N-332. Precios 94

P/N	N/N	A/N	M/N	C/N	T/N	AC/N	EL	PC		PI	ACI
450	350	450	350	500	500	800	350		1275		

A-64   RP **BAHIA DE SANTA POLA**   Tel. 96-5411012   1/1-31/12

5.2 Ha ■ 404 (60)   1.00Km   WC

Terreno en terrazas. Alguna sombra con techos de caña. Acceso: en el Km 26 de la C-3317, antes de la gasolinera "El Cruce".

P/N	N/N	A/N	M/N	C/N	T/N	AC/N	EL	PC		PI	ACI
475	375	475	375	475	475	775	300		950		

ELX-LA MARINA   03194   Mapa pág. 48

A-66   RP **INTERNACIONAL LA MARINA**   Tel. 96-5419051   Fax 96-5419110   1/1-31/12

6 Ha ■ 384 (80)   0.50Km   WC

Situado en el Km.76 de la ctra. N-332. VER ANUNCIO.

P/N	N/N	A/N	M/N	C/N	T/N	AC/N	EL	PC		PI	ACI
450	330						250		1575		

A-67   R **EL PINET**   Tel. 96-5419473   1/1-31/12

5,4 Ha ■ 306 (60)   0,05 Km   WC

Situado en la playa de El Pinet.

P/N	N/N	A/N	M/N	C/N	T/N	AC/N	EL	PC	ACI
420	260	500	315	725	525	725	260		

ELX   03203   Mapa pág. 48

A-69   PT **EL PALMERAL**   Tel. 96-5422766   Fax 96-5421910   1/1-31/12

1.7 Ha ■ 78 (70)   WC

Terreno llano en un palmeral. Caminos de paseo con flores y setos. Acceso: por la salida 73 de la autovía A-7 Alicante-Murcia y salida 75 Elx-Oeste.

P/N	N/N	A/N	M/N	C/N	T/N	AC/N	EL	PC		2	PI	ACI
650	400	725	500	725	725	1400	250				2900	

CREVILLENTE   03330   Mapa pág. 48

A-71   RT **INTER.LAS PALMERAS**   Tel. 96-5400188   1/1-31/12

0.5 Ha ■ 42 (80)   WC

Algunas sombras con techos de caña. Situado en la ctra. Murcia-Alicante, Km 45,3.

P/N	N/N	A/N	M/N	C/N	T/N	AC/N	EL	PC		2	PI	ACI
475	375	475	400	550	500	750	530				2750	

GUARDAMAR DE SEGURA   03140   Mapa pág. 48

A-73   **MARE NOSTRUM**   Tel. 96-5728073   1/4-15/9

1,7 Ha ■ 128 (60)   0.40Km   WC

Parcelas con árboles y flores .Acceso: por la ctra. N-332, Alicante- Cartagena Km. 67.

P/N	N/N	A/N	M/N	C/N	T/N	AC/N	EL	PC		PI
450	400	450	400	500	450	900	350		1300	

COMUNIDAD VALENCIANA

Alacant

GUARDAMAR DEL SEGURA — 03140 — Mapa pág. 48

A-74 ⚒ MPT **PALM-MAR** Tel. 96-5728856 1/6-30/9

1.8 Ha ■ 182 (60) 🌲 ⊙ ☕ Γ Γ WC 🧺 🚿 🚽 ☐ ⵣ 🍷 ⚓ ♨ ⛽ ⟿ ✚

Terrreno ligeramente inclinado entre la ctra. y el mar. Algunas sombras con techos de caña. Acceso: girando hacia el mar en el Km 36 de la N-332 (Alicante-Cartagena).

| P/N 475 | N/N 375 | A/N 475 | M/N 375 | C/N | T/N | AC/N | EL 350 | PC 🚗 🚐 | 1250 | ACI |

TORREVIEJA — 03180 — Mapa pág. 48

A-76 ⚒ **LA CAMPANA** Tel. 96-5712152 1/4-30/9

2 Ha ■ 167 (60) 🌲 🏄 0.8 Km ⊙ ☕ Γ WC 🧺 🚿 🚽 ☐ 🍷 🏠 ⚓ ♨ ⛽ ⟿ 🏊 ✚ 🚭

Terreno llano con arbolado variado, setos y arbustos. Acceso en el Km. 4 de la ctra. Torrevieja-Cartagena Km. 4,5. Al sur de la población.

| P/N 475 | N/N 375 | A/N 475 | M/N 375 | C/N 475 | T/N 475 | AC/N 850 | EL 375 | PC 🚗 🚐 | 1400 | PI | ACI |

ALCALA DE LA JOVADA — 03788 — Mapa pág. 48

A-85 **LA VALL** Tel. 96-551433 1/4-30/10

1,4 Ha ■ 59 (60) 🌲 ⊙ ☕ Γ Γ WC 🧺 🚽 🍷 ✕ 🏠 ⚓ ♨ ⛽ ⟿ 〰 💳

Situado en el Camí d'Andon

| P/N 390 | N/N 250 | A/N 390 | M/N 250 | C/N 500 | T/N 440 | AC/N 715 | EL 275 | PC | 1650 | PI | ACI |

E

U

Z

K

A

D

I

	1	2	3
SERVICIOS TERRITORIALES DE TURISMO			
	(94) 4164499	(943) 423222	(945) 248100
CRUZ ROJA ESCUCHA PERMANENTE			
	(94) 4440500	(943) 272222	(945) 231253
GUARDIA CIVIL DE TRAFICO			
	-/-	-/-	-/-
GUARDIA CIVIL PATRULLAS			
	-/-	-/-	-/-

Bizkaia (1)

Gipuzkoa (2)

Araba (3)

GIPUZKOA

OIARTZUN   29913   Mapa pág. 12

SS-01   OLIDEN   Tel. 943-490728   1/1-31/12

2 Ha ■ 200   9.00Km

Situado en Oiartzun en la N-I (Madrid-Irun), Km 475. Terreno ondulado. Precios 94

P/N	N/N	A/N	M/N	C/N	T/N	AC/N	EL	PC	
400	250	400	285	400	400	625			1300

HONDARRIBIA   20280   Mapa pág. 12

SS-03   JAIZKIBEL   Tel. 943-641679   1/1-31/12

1.5 Ha ■ 60

Situado en la ctra. de Guadalupe al monte Jaizkibel.

P/N	N/N	A/N	M/N	C/N	T/N	AC/N	EL	PC		
467	396	467	396	467	467	792			1792	ACI

ORIO   20810   Mapa pág. 12

SS-05   RPT   PLAYA DE ORIO   Tel. 943-834801   Fax 943-133433   1/1-31/12

5.4 Ha ■ 400 (80)   0.10Km

Situado en un bonito paisaje con vistas a la sierra del Hernio y al mar. Acceso por la ctra. N-634, atravesando el pueblo, junto a la playa. Precios 94

P/N	N/N	A/N	M/N	C/N	T/N	AC/N	EL	PC			
480	390								2	2945	PI ACI

DONOSTIA   20008   Mapa pág. 12

SS-07   PT   IGUELDO   Tel. 943-214502   Fax 943-280411   1/1-31/12

3.9 Ha ■ 261 (70)   5 Km

Situado en el Km 5 de la ctra. Ondarreta-Igueldo. Vistas a las peñas de Ayas, Hernio, etc. Terreno en terrazas con algunos setos.

P/N	N/N	A/N	M/N	C/N	T/N	AC/N	EL	PC			
395	270								4	3100	ACI

ZARAUTZ   20800   Mapa pág. 12

SS-09   PT   GRAN CAMPING ZARAUTZ   Tel. 943-831238   Fax 943-132486   1/1-31/12

5 Ha ■ 400 (60)   0.60Km

Por la carretera N-634, San Sebastian-Bilbao, Km. 22,6. Situado en lo alto de una colina. Girar a la derecha 500 m. antes de entrar en Zarautz.

P/N	N/N	A/N	M/N	C/N	T/N	AC/N	EL	PC		
434	377	434	340	453	453	849			1745	ACI

SS-10   PT   TALAI-MENDI   Tel. 943-830042   1/7-10/9

4 Ha ■ 320   0.50Km

Situado en la ladera del monte Zarautz. Arbolado de plátanos. Zonas verdes. Acceso por el Km 17,5 de la N-634.

P/N	N/N	A/N	M/N	C/N	T/N	AC/N	EL	PC		
400	215	400	290	460	460	710	320	2	2115	

DEBA   20829   Mapa pág. 11

SS-11   PT   ITXASPE   Tel. 943-199377   Fax 943-199377   1/4-30/9

1.9 Ha ■ 40 (60)   1.00Km

Situado en la N-634, km 37,5. Alto de Itziar. Acceso por la salida 13, Itziar-Deba, de la autopista A-8. Terreno llano con árboles jovenes.

P/N	N/N	A/N	M/N	C/N	T/N	AC/N	EL	PC		
425	330	425	283				325		1132	ACI

DEBA   20829   Mapa pág. 11

SS-12   **ITZIAR**   Tel. 943-601394   1/6-30/9

0.5 Ha   3.50Km

Terreno rodeado de un muro alto, arbolado de plátanos. Acceso por el Km 39 de la N-634, detrás del restaurante. Precios 94

P/N	N/N	A/N	M/N	C/N	T/N	AC/N	EL	PC
350	250	350	240	375	375	650		

MUTRIKU   20830   Mapa pág. 11

SS-14   PT   **AITZETA**   Tel. 943-603356   1/1-31/12

1 Ha   1.00Km   WC

Ubicado en el Km 56 de la ctra. Deba-Gernika. Distribuido en terrazas planas con vistas al mar y al puerto de Mutriku.

P/N	N/N	A/N	M/N	C/N	T/N	AC/N	EL	PC	
377	330	377	283	472	472	849			1132

SS-15   PT   **SANTA ELENA**   Tel. 943-603982   1/1-31/12

1.5 Ha   120   1.00Km

Situado en Mutriku, ctra. Deba-Gernika, Km 59,5. Terreno aterrazado sobre una colina con vistas al mar.

P/N	N/N	A/N	M/N	C/N	T/N	AC/N	EL	PC	
377	330	377	283	472	472	660	325		1132

SS-16   **GALDONA**   Tel. 943-603509   1/7-30/9

1.5 Ha   0.80Km   WC

Situado en Mutriku, ctra. Deba-Gernika, Km 57,8, en un bosque claro y prado con poca pendiente. Encinas, robles y pinos con mucha sombra y zonas verdes. Bellos parajes de interés turístico. 6 fogones a gas para calentar comida.

P/N	N/N	A/N	M/N	C/N	T/N	AC/N	EL	PC	
377	330	377	283	472	472	849			1060

SS-17   **MUTRIKU**   1/7-15/9

0.2 Ha   80   WC

Situado en el Km 59 de la ctra. Deba-Gernika. Amplias zonas verdes y paisaje típico del País Vasco.

P/N	N/N	A/N	M/N	C/N	T/N	AC/N	EL	PC	
330	236	330	236	377	377	660			

SS-18   **SATURRARAN**   Tel. 943-603847   1/6-30/9

0.5 Ha   0.10Km   WC

Acceso por la ctra. Deba-Gernika.

P/N	N/N	A/N	M/N	C/N	T/N	AC/N	EL	PC	
450	350	450	300	550	550	900			1200

ARABA

GASTEIZ/VITORIA   01195   Mapa pág. 11

VI-01   **IBAYA**   Tel. 945-147620   SS+1/6-30/9

0.3 Ha   32   WC

Arbolado de acacias en la N-I en el Km 346,5, junto a una gasolinera. A 2 Km. de Gasteiz-Vitoria, dirección Burgos.

P/N	N/N	A/N	M/N	C/N	T/N	AC/N	EL	PC	ACI
450	350	450	350	450	450	900			

LEZA   01307   Mapa pág. 11

VI-03   **LEZA**   Tel. 941-100783   1/1-31/12

WC

Situado en la ctra. Gasteiz/Vitoria-Logroño, Km 58.

P/N	N/N	A/N	M/N	C/N	T/N	AC/N	EL	PC	

BIZKAIA

LEKEITIO   48280   Mapa pág. 11

BI-01   **ENDAY**   Tel. 94-6842469   1/6-31/8

0.1 Ha   45   0.1 Km   WC

Situado en el Km 58 de la ctra. Lekeitio-Ondarroa. Sombra de pinos. Playa Mendexa.

P/N	N/N	A/N	M/N	C/N	T/N	AC/N	EL	PC
300	200	200	150	340	330	330		

MENDEXA   48289   Mapa pág. 11

BI-02   PT **LEAGI**   Tel. 94-6842352   1/5-15/10

2.5 Ha   206 (60)   1.0Km   BEBÉ   WC

Situado en el Km 1,5 de la ctra. Lekeitio-Mendexa. VER ANUNCIO.

P/N	N/N	A/N	M/N	C/N	T/N	AC/N	EL	PC		ACI
450	350	400							1300	

LEAGI Camping

48289 Mendexa (Bizkaia)
Ctra. Lekeitio-Mendexa, km.1
Tel. (94) 684 23 52

MUNDAKA 48360 Mapa pág. 11

BI-05   PT **PORTUONDO** Tel. 94-6876368 1/1-31/12

0.7 Ha ■ 135 (50) 0.2 Km wc

Situado en Mundaka, Km. 43 de la ctra. Amorebieta-Bermeo. Bonitas vistas de la ria de Mundaka. Situado en el corazón de la reserva de Urdaibai. Distribuido en terrazas.VER ANUNCIO.

P/N	N/N	A/N	M/N	C/N	T/N	AC/N	EL	PC			ACI
495	395	515	395	810	890	975				1390	

GORLIZ 48630 Mapa pág. 11

BI-07 PT **ARRIEN** Tel. 94-6771911 Fax 94-6774480 1/1-31/12

1,9 Ha ■ 150 (60) 0.70Km wc 14

Dividido en dos zonas unidas por una paso de peatones. Situado en la ctra.Bilbo-Gorliz,Km. 25.

P/N	N/N	A/N	M/N	C/N	T/N	AC/N	EL	PC		ACI
480	370	515	370			1030	380		1700	

SOPELANA 48600 Mapa pág. 11

BI-09 **SOPELANA** Tel. 94-6762120 1/6-30/9

6 Ha ■ 164 (80) 0.1 Km wc

Situado en el Km 22 de la ctra. Bilbo-Plencia.

P/N	N/N	A/N	M/N	C/N	T/N	AC/N	EL	PC	
495	395	515	395	810	890	1790			1390

ABANTO Y ZIERBANA 48508 Mapa pág. 11

BI-11 P **EL PEÑON** Tel. 94-6365204 1/6-30/9

1.5 Ha ■ 100 (60) 0.1 Km wc

Situado en Zierbana, playa de la Arena. Acceso: salir de la N-634 en el Km. 127 y girar hacia el mar.

P/N	N/N	A/N	M/N	C/N	T/N	AC/N	EL	PC		ACI
420	210	478	263	478	475	530			1420	

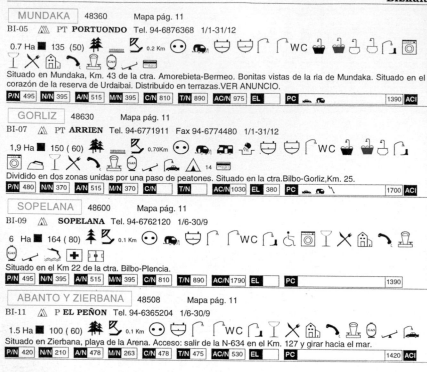

Los precios indicados son meramente orientativos y **EL IVA NO ESTÁ INCLUIDO**.

Están basados en las informaciones recibidas hasta el cierre de la edición de esta GUIA.

Los reales son los que figuran en la declaración expuesta en la recepción del camping con el sello del organismo de la correspondiente Comunidad Autónoma.

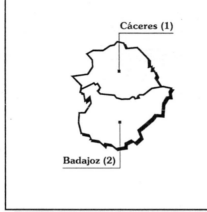

Cáceres (1)

Badajoz (2)

1	**2**
SERVICIOS TERRITORIALES DE TURISMO	
(927) 248900	(924) 222793
CRUZ ROJA ESCUCHA PERMANENTE	
(927) 211450	(924) 233391
GUARDIA CIVIL DE TRAFICO	
(927) 222167	(924) 231174
GUARDIA CIVIL PATRULLAS	
(927) 221100	(924) 221100

E
X
T
R
E
M
A
D
U
R
A

BADAJOZ

MERIDA   06800   Mapa pág. 42

BD-01 RPT **LAGO PROSERPINA** Tel. 924-313236 SS+1/5-15/9

5.5 Ha ■ 80 (60) 0,01 Km WC
Situado junto al lago del mismo nombre. Arbolado de eucaliptos. Acceso por la N-V, E-90 salida Mérida-Norte dirección Mérida. Por la N-630, a la C-537 dirección Montijo, desvío al embalse de Proserpina.

P/N 373	N/N 330	A/N 373	M/N 330	C/N 373	T/N 373	AC/N 660	EL 330	PC		ACI

BD-02 **MERIDA** Tel. 924-303453 1/1-31/12

1.8 Ha ■ 80 WC
Situado en el Km 336,6 de la N-V. Terreno liso y bien drenado con setos y zonas ajardinadas.

P/N 378	N/N 330	A/N 378	M/N 307	C/N 378	T/N 378	AC/N 566	EL 307	PC		ACI

CÁCERES

MIAJADAS   10100   Mapa pág. 33

CC-01 **EL 301** Tel. 927-347914 1/1-31/12

1 Ha ■ 97 WC
Situado en el Km. 301 de la N-V. Sombras de chopos y acacias. Zonas verdes.

P/N 377	N/N 354	A/N 377	M/N 354	C/N 377	T/N 377	AC/N 472	EL 330	PC		PI	ACI

CACERES   10080   Mapa pág. 33

CC-03 RPT **CIUDAD DE CACERES** Tel. 927-240403 1/1-31/12

3 Ha. ■ 120 (70) WC
Situado en la ctra. de Salamanca, Km. 549,6, a 2 Km. de la ciudad de Cáceres.

P/N 450	N/N 400	A/N 450	M/N 400	C/N 450	T/N 450	AC/N 700	EL 400	PC		PI	ACI

PLASENCIA   10600   Mapa pág. 33

CC-05 RPT **LA CHOPERA** Tel. 927-416660 1/4-30/9

1 Ha ■ 76 (60) 0,05 Km WC
Situado en el Km 3,3 de la N-110, en el margen izquierdo del río Jerte, a 3 Km de la capital.

P/N 400	N/N 325	A/N 350	M/N 300	C/N 550	T/N 550	AC/N 750	EL 300	PC	1000	PI	ACI

MALPARTIDA PLASENCIA   10680   Mapa pág. 33

CC-07 RPT **PARQUE NATURAL MONFRAGUE** Tel. 927-459220 1/1-31/12

4 Ha ■ 128 (90) WC 6
Situado en la ctra. C-524, Plasencia-Trujillo, Km. 10.

P/N 425	N/N 300	A/N 425	M/N 300	C/N 475	T/N 475	AC/N 600	EL 350	PC	1200	PI	ACI

CUACOS DE YUSTE 10430 Mapa pág. 33

CC-09 ⛺ P **CARLOS I** Tel. 927-172092 25/3-15/9

6 Ha ■ 130 (70) 🌲 ▨ 0.30Km ⊙ 🚗 🛁 ⌐ WC 🧺 🚿 ⌐ ♿ ▣ ⑂ ✕ 🏠 ⌐ ▯ ⛽ ⌐ ~

Situado a 500 m del pueblo, en las estribaciones de la sierra de Gredos.

| P/N | 400 | N/N | 350 | A/N | 400 | M/N | 325 | C/N | 400 | T/N | 400 | AC/N | 650 | EL | 325 | PC | | PI | ACI |

ALDEANUEVA DE LA VERA 10440 Mapa pág. 33

CC-11 ⛺ PT **YUSTE** Tel. 927-560910 18/3-30/9

3 Ha ■ 166 🌲 ▨ 0,3 Km ⊙ 🛁 ⌐ WC 🧺 🚿 ⑂ ✕ ⌐ ▯ ⛽ ~ ⌐ ⚟

△ 10

Situado en el Km. 49 de la N-501. Terreno rodeado de montañas y en el bonito entorno de la Sierra de Gredos.

| P/N | 400 | N/N | 350 | A/N | 400 | M/N | 350 | C/N | 400 | T/N | 400 | AC/N | 600 | EL | 350 | PC | | PI | ACI |

JARANDILLA DE LA VERA 10450 Mapa pág. 33

CC-13 ⛺ PT **JARANDA** Tel. 927-560454 1/1-31/12

1,1 Ha ■ 233 🌲 ⊙ 🛁 ⌐ WC 🧺 🚿 ⑂ ✕ ⌐ ▯ ⛽ ~ ~

Terreno muy arbolado y cerca de la sierra de Gredos. Dispuesto en dos terrazas. Acceso por el Km. 52 de la N-501, Plasencia-Jarandilla de la Vera.

| P/N | 450 | N/N | 400 | A/N | 450 | M/N | 325 | C/N | 450 | T/N | 450 | AC/N | 700 | EL | 350 | PC | | PI |

LOSAR DE LA VERA 10460 Mapa pág. 33

CC-15 **GARGANTA DE CUARTOS** Tel. 927-570727 15/3-30/9

5 Ha ■ 161 (60) 🌲 ⊙ 🛁 ⌐ WC 🧺 🚿 ⑂ ✕ ⌐ ▯ ⛽

Situado en la finca "Los Gregorios" junto a la garganta Cuartos.

| P/N | 450 | N/N | 400 | A/N | 450 | M/N | 400 | C/N | 550 | T/N | 550 | AC/N | 1000 | EL | 375 | PC | | ACI |

VILLANUEVA DE LA VERA 10470 Mapa pág. 33

CC-16 ⛺ PT **MINCHONES** Tel. 927-565403 SS+1/6-15/9

0.3 Ha ■ 30 🌲 ⊙ 🛁 ⌐ ⌐ WC 🧺 🚿 ⑂ ✕ ⌐ ▯ ⛽ ~

Acceso por el Km. 84 de la N-501, entre Madrigal y Villanueva de la Vera.

| P/N | 375 | N/N | 350 | A/N | 375 | M/N | 375 | C/N | 400 | T/N | 375 | AC/N | 700 | EL | 375 | PC | ⌐ | 1000 | PI |

MADRIGAL DE LA VERA 10480 Mapa pág. 33

CC-18 ⛺ **LA PUENTE** Tel. 927-565353 5/4-13/9

0.5 Ha ■ 24 (60) 🌲 ▨ 0.05Km ⊙ 🛁 ⌐ ⌐ WC 🧺 ▣ ⑂ 🚿 ⌐ ▯ ~ ⌐ ⚟

Acceso por la N-V a la altura de Oropesa, desviación a Madrigal de la Vera.

| P/N | 425 | N/N | 375 | A/N | 425 | M/N | 350 | C/N | 425 | T/N | 425 | AC/N | 1000 | EL | 450 | PC | ⌐ | 1200 | PI | ACI |

CC-19 ⛺ **ALARDOS** Tel. 927-565066 1/1-31/12

0.5 Ha ■ 38 (60) 🌲 ⊙ 🛁 ⌐ WC 🧺 🚿 ⑂ ⌐ ▯ ~ ⚟ ⌐ 🏠 2

Situado en una zona arbolada y cerca de una zona de baño. Acceso por la N-V, desvío a Madrigal de la Vera a la altura de Oropesa.

| P/N | 425 | N/N | 375 | A/N | 425 | M/N | 350 | C/N | 425 | T/N | 425 | AC/N | 1000 | EL | 450 | PC | ⌐ | 1200 | ACI |

NAVACONCEJO 10613 Mapa pág. 33

CC-21 ⛺ T **LAS VEGUILLAS** Tel. 927-173006 15/3-16/9

1,3 Ha ■ 96 (60) 🌲 ⊙ 🛁 ⌐ WC 🧺 🚿 ♿ ▣ ⑂ ✕ 🏠 ⌐ ▯ ⛽ ~

Acceso por la N-110. Km. 375.800. Situado en el valle del Jerte.

| P/N | 375 | N/N | 325 | A/N | 375 | M/N | 325 | C/N | 400 | T/N | 375 | AC/N | 650 | EL | 325 | PC | ⌐ | 950 | PI | ACI |

JERTE 10612 Mapa pág. 33

CC-23 ⛺ RPT **VALLE DEL JERTE** Tel. 927-470527 15/3-30/9

2,6 Ha ■ 150 (60) 🌲 ⊙ 🛁 ⌐ WC 🧺 🚿 ⑂ ✕ ⌐ ⛽ ~ ⚟ ⊞ 10

Situado en el Km 367,9 de la ctra. N-110.

| P/N | 350 | N/N | 250 | A/N | 400 | M/N | 300 | C/N | 450 | T/N | 450 | AC/N | 550 | EL | 300 | PC | ⌐ | 950 |

ALDEANUEVA DEL CAMINO — 10740 — Mapa pág. 33

CC-25 PT **ROMA** Tel. 927-479049 Fax 927-484015 15/3-15/11

2 Ha 36 (70) 0.50Km

Situado en las estribaciones de la sierra de Gredos. Arbolado de castaños y robles. Acceso en el Km 435 de la N-630.

P/N	N/N	A/N	M/N	C/N	T/N	AC/N	EL	PC		1500	PI	ACI
400	300	400	325	400	400	600	325					

HERVÁS — 10700 — Mapa pág. 33

CC-27 RPT **EL PINAJARRO** Tel. 927-481673 Fax 927-481673 31/3-30/9

2,4 Ha 100 (60) 6/4

Ubicado en el valle de Ambroz. Acceso por la N-630 en su cruce con la N-513, entre Plasencia y Béjar, a 1 km. de la villa de Hervás.

P/N	N/N	A/N	M/N	C/N	T/N	AC/N	EL	PC		900	PI	ACI
450	400	450	400	450	450	775	375					

BAÑOS DE MONTEMAYOR — 10750 — Mapa pág. 33

CC-29 RPT **LAS CAÑADAS** Tel. 927-481126 Fax 927-481695 1/1-31/12

2,2 Ha 130 (70) 0.30Km 8

Situado entre las comarcas de Las Hurdes, La Vera y la sierra de Béjar. Posibilidad de deportes náuticos en un pantano próximo. Acceso por la N-630, Km 432, junto al cruce de Hervás.

P/N	N/N	A/N	M/N	C/N	T/N	AC/N	EL	PC		1000	PI	ACI
400	300	400	325	400	400	700	325					

PINOFRANQUEADO — 10630 — Mapa pág. 33

CC-31 PT **EL PINO** Tel. 927-104141 1/1-31/12

0,6 Ha 43 (50)

Situado en la ctra. de Salamanca, C-512.

P/N	N/N	A/N	M/N	C/N	T/N	AC/N	EL	PC			ACI
355	307	355	307	401	355	543	307				

SANTIBÁÑEZ EL ALTO — 10859 — Mapa pág. 32

CC-33 T **BORBOLLON** 1/3-30/9

0,8 Ha 64 0.30Km

Acceso por la ctra. Moraleja-Plasencia, Km 10. Acacias, eucaliptos, zonas ajardinadas. Próximo al club náutico y a la playa fluvial con posibilidad de practicar deportes náuticos.

P/N	N/N	A/N	M/N	C/N	T/N	AC/N	EL	PC			ACI
378	330	378	354	425	378	613	330				

ALISEDA — 10550 — Mapa pág. 32

CC-36 **SIERRA DE SAN PEDRO** 1/1-31/12

1.5 Ha 44 (60) 0.40 Km

Situado en la ctra. N-521, km 76.9, a 500 m. de la población de Aliseda.

P/N	N/N	A/N	M/N	C/N	T/N	AC/N	EL	PC			

GATA — 10860 — Mapa pág. 32

CC-39 RPT **SIERRA DE GATA** Tel. 927-102168 Fax 927-102168 1/4-5/11

3 Ha 84 (70) 0,1 Km 6 6

Situado en el paraje Puente de la Huerta. Acceso por la ctra. C-526, entre Coria y Ciudad Rodrigo, desvío en el Km 61 en dirección Gata. El camping está en el Km. 5,1.

P/N	N/N	A/N	M/N	C/N	T/N	AC/N	EL	PC		1200	PI	ACI
425	375	425	375	425	425	750	350					

ALCANTARA   10980   Mapa pág. 32

CC-41 PT **ALCANTARA**

23 Ha ■ 80 (70)

P/N		N/N		A/N		M/N		C/N		T/N		AC/N		EL		PC		

GUADALUPE   10140   Mapa pág. 33

CC-45 PT **LAS VILLUERCAS**   Tel. 927-367139   Fax 927-367561   1/3-31/10

1,5 Ha ■ 72 (50) 🌲 __ ▦ ⊙⊙ 🛁 ⌐ WC 🧺 🍴 🍸 ✕ 🐍 ⚱ ⛽ ⤳ 🏊 🎿

⌂ 9

Situado en la zona natural de Las Villuercas, en las proximidades del Monasterio de Guadalupe.

P/N		N/N		A/N		M/N		C/N		T/N		AC/N		EL		PC			ACI
P/N	350	N/N	300	A/N	350	M/N	300	C/N	350	T/N	350	AC/N	550	EL	250	PC			ACI

GALICIA

1	2	3	4
SERVICIOS TERRITORIALES DE TURISMO			
(981) 298222	(982) 222072	(988) 248006	(986) 853716
CRUZ ROJA ESCUCHA PERMANENTE			
(981) 205975	(982) 212299	(988) 221462	(986) 852077
GUARDIA CIVIL DE TRAFICO			
(981) 637455	(982) 223586	(988) 222881	(986) 852587
GUARDIA CIVIL PATRULLAS			
(981) 251100	(982) 221100	(988) 221100	(986) 251100

GALICIA GASTRONOMIA

GALICIA FOLCLORE

TURGALICIA

SECRETARÍA XERAL PARA O TURISMO

A CORUÑA

VALDOVIÑO   15552   Mapa pág. 7

C-01   PT **VALDOVIÑO**   Tel. 981-487076   Fax 981-311037   27/3-30/9

1.8 Ha   160 (65)   0.30Km   10

Franja de prado con poca pendiente. Acceso: salir de la N-646, Cedeira-El Ferrol, en la misma localidad y seguir hacia el mar. En el centro de las rias altas.

P/N	N/N	A/N	M/N	C/N	T/N	AC/N	EL	PC		
510	410	540	410	565	540	1080	425		1530	ACI

TARAZA   15550   Mapa pág. 6

C-02   P **FONTESIN**   Tel. 981-485028   15/6-15/9

0.5 Ha   68   0.20Km

Ubicado en Taraza-Meirás (Valdoviño). Acceso por la ctra. El Ferrol-Cedeira, ramal Taraza, a 1 Km.

P/N	N/N	A/N	M/N	C/N	T/N	AC/N	EL	PC	
350	250	350	300	400	400	600	250		

COBAS-FERROL   15594   Mapa pág. 6

C-04   R **AS CABAZAS**   Tel. 981-365706   Fax 981-355690   SS+15/6-15/9

5 Ha   200 (60)   0.2 Km

Situado en la playa A Fragata.

P/N	N/N	A/N	M/N	C/N	T/N	AC/N	EL	PC	
300	250	300	250	350	350	500	250		

ARES   15624   Mapa pág. 6

C-06   M **EL RASO**   Tel. 981-460676   15/5-15/9

1 Ha   130

En la playa de Raso. Distribuido en dos zonas, aterrazado. Saliendo de la N-VI en Pontedeume en Labaña, girar hacia Mugardos.

P/N	N/N	A/N	M/N	C/N	T/N	AC/N	EL	PC			
375	275	375	275	425	375	800	350		2		1590

BOEBRE   15619   Mapa pág. 6

C-08   **BER**   Tel. 981-431500   15/6-15/9

0.5 Ha   45   0.1 Km

Situado en la playa de su nombre.

P/N	N/N	A/N	M/N	C/N	T/N	AC/N	EL	PC	
365	320	350	325	425	375	725	375		

PERBES   15619   Mapa pág. 6

C-09   PT **PERBES**   Tel. 981-783104   15/5-30/9

0.7 Ha   97 (60)   0.2 Km   5   5

Acceso por la N-651, dirección Ferrol, desvío hacia Miño.

P/N	N/N	A/N	M/N	C/N	T/N	AC/N	EL	PC		
350	300	350	300	400	350	700	350		1000	ACI

PONTEDEUME   15600   Mapa pág. 6

C-10   PT **BER-DOOR**   1/6-30/9

0.8 Ha   60   0.2 Km

Acceso por la ctra. Pontedeume-Miño, Km 5.

P/N	N/N	A/N	M/N	C/N	T/N	AC/N	EL	PC		
375	325	375	300	450	375	725	375		1000	ACI

PERBES 15630   Mapa pág. 6

C-12 △ PT **ROCAMAR** Tel. 981-783029 1/6-30/9

0.3 Ha ■ 50 (50) ... 0,06Km ...

Situado en el fondal de Perbes.

| P/N | 350 | N/N | 325 | A/N | 325 | M/N | 300 | C/N | 500 | T/N | 400 | AC/N | 650 | EL | 350 | PC | | | 350 |

MIÑO 15630   Mapa pág. 6

C-13 △ T **PLAYA DE MIÑO** Tel. 981-784212 1/6-30/9

0,5 Ha. ■ 44 (60) ... 0,2 Km ...

Situado en la localidad de Miño.

| P/N | 400 | N/N | 300 | A/N | 375 | M/N | 225 | C/N | 450 | T/N | 475 | AC/N | 450 | EL | | PC | | | 1650 |

BASTIAGUEIRO 15179   Mapa pág. 6

C-18 △△ PT **BASTIAGUEIRO** Tel. 981-614878 1/6-30/9

0.8 Ha ■ 120 (50) ... 0.1 Km ...

Situado en la ctra. de A Coruña a Sta. Cruz, playa de Bastiagueiro.

| P/N | 400 | N/N | 300 | A/N | 375 | M/N | 300 | C/N | 450 | T/N | 450 | AC/N | 700 | EL | 400 | PC | | | ACI |

SANTA CRUZ 15179   Mapa pág. 6

C-19 △△△ T **LOS MANZANOS** Tel. 981-614825 5/4-30/9

2.6 Ha ■ 150 ... 1.00Km ...

Acceso por la ctra. de Meirás, a 9 Km de A Coruña. Terreno herboso con árboles altos.

| P/N | 500 | N/N | 410 | A/N | 500 | M/N | 410 | C/N | 550 | T/N | 500 | AC/N | 1000 | EL | 425 | PC | | PI | ACI |

OLEIROS 15173   Mapa pág. 6

C-21 △ PT **SANTA CRUZ** Tel. 981-614283 1/1-31/12

1.2 Ha ... 0.50Km ... 15

Situado en la ctra. de la costa, entre Santa Cruz y Nera. Precios 94

| P/N | 390 | N/N | 325 | A/N | 410 | M/N | 325 | C/N | 425 | T/N | 550 | AC/N | 850 | EL | | PC | | 1500 | PI | ACI |

BERGONDO 15165   Mapa pág. 6

C-24 △ M **O'TELLEIRO** Tel. 981-623201 15/6-15/9

0.2 Ha ■ 26 (50) ...

Situado en la playa de Gandario. Precios 94

| P/N | 300 | N/N | 200 | A/N | 300 | M/N | 200 | C/N | 500 | T/N | 500 | AC/N | 500 | EL | | PC | | | 500 |

MORUXO 15865   Mapa pág. 6

C-25 △ T **AGUIAR** Tel. 981-791477 SS+15/6-30/9

0.3 Ha ■ 33 50 ... 0.10Km ...

Situado entre la playa de Gandario y la ctra. de Moruxo. Acceso por la ctra. Sada-Bergondo, Km 4.

| P/N | 300 | N/N | 175 | A/N | 100 | M/N | | C/N | 350 | T/N | 325 | AC/N | 380 | EL | 150 | PC | | | |

C-26 △ T **MARTISOL** Tel. 981-791527 1/1-31/12

0.3 Ha ■ 30 ... 0.40Km ...

Situado en la ctra. Gandario-Moruxo.

| P/N | 350 | N/N | 250 | A/N | 250 | M/N | 200 | C/N | 550 | T/N | 550 | AC/N | 600 | EL | 250 | PC | | | |

BERGONDO 15165   Mapa pág. 6

C-27 △ PT **GREEN VILLAGE** Tel. 981-791453 Fax 981-794282 1/6-15/9

1.1 Ha ■ 80 (45) ... 0,05Km ...

Desde la N-VI tomar la ctra. Betanzos-Sada y desvio a la playa de Gandario.

| P/N | 350 | N/N | 250 | A/N | 350 | M/N | 250 | C/N | 350 | T/N | 350 | AC/N | 700 | EL | 250 | PC | ⌖ 2 | 1050 |

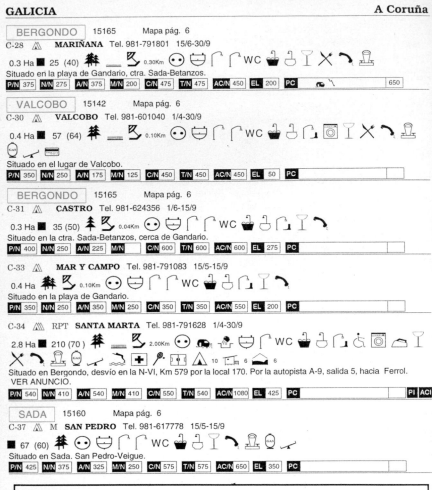

BERGONDO   15165   Mapa pág. 6

C-28   **MARIÑANA**   Tel. 981-791801   15/6-30/9

0.3 Ha ■ 25 (40)   0.30Km   WC

Situado en la playa de Gandario, ctra. Sada-Betanzos.

| P/N | 375 | N/N | 275 | A/N | 375 | M/N | 200 | C/N | 475 | T/N | 475 | AC/N | 450 | EL | 200 | PC | | 650 |

VALCOBO   15142   Mapa pág. 6

C-30   **VALCOBO**   Tel. 981-601040   1/4-30/9

0.4 Ha ■ 57 (64)   0.10Km   WC

Situado en el lugar de Valcobo.

| P/N | 350 | N/N | 250 | A/N | 175 | M/N | 125 | C/N | 450 | T/N | 450 | AC/N | 450 | EL | 50 | PC | |

BERGONDO   15165   Mapa pág. 6

C-31   **CASTRO**   Tel. 981-624356   1/6-15/9

0.3 Ha ■ 35 (50)   0.04Km   WC

Situado en la ctra. Sada-Betanzos, cerca de Gandario.

| P/N | 400 | N/N | 250 | A/N | 225 | M/N | | C/N | 600 | T/N | 600 | AC/N | 600 | EL | 275 | PC | |

C-33   **MAR Y CAMPO**   Tel. 981-791083   15/5-15/9

0.4 Ha   0.10Km   WC

Situado en la playa de Gandario.

| P/N | 350 | N/N | 250 | A/N | 350 | M/N | 250 | C/N | 350 | T/N | 350 | AC/N | 550 | EL | 200 | PC | |

C-34   RPT   **SANTA MARTA**   Tel. 981-791628   1/4-30/9

2.8 Ha ■ 210 (70)   2.00Km   WC

Situado en Bergondo, desvío en la N-VI, Km 579 por la local 170. Por la autopista A-9, salida 5, hacia Ferrol. VER ANUNCIO.

| P/N | 540 | N/N | 410 | A/N | 540 | M/N | 410 | C/N | 550 | T/N | 540 | AC/N | 1080 | EL | 425 | PC | | PI | ACI |

SADA   15160   Mapa pág. 6

C-37   M   **SAN PEDRO**   Tel. 981-617778   15/5-15/9

■ 67 (60)   WC

Situado en Sada. San Pedro-Veigue.

| P/N | 425 | N/N | 375 | A/N | 325 | M/N | 250 | C/N | 575 | T/N | 575 | AC/N | 650 | EL | 350 | PC | |

Ante la variedad de conceptos que facturan algunos campings bajo el epígrafe «parcela» recomendamos contactar antes con ellos para conocer con exactitud el alcance de las mismas.

SADA — 15160 — Mapa pág. 6

C-39 ⚠ P **VELOMAR** Tel. 981-617076 1/4-30/9

0.6 Ha ■ 49 (60) 🌲 ⚡ 0,05 Km ☺ 🚻 WC 🛁 🚿 🍴 ✗ 🎣 ⚓

Situado en Cirro-Veige, ctra. Mera-Sada, Cirro-Veigue, s/n.

| P/N | 400 | N/N | 350 | A/N | 300 | M/N | 225 | C/N | 500 | T/N | 500 | AC/N | 700 | EL | 250 | PC | |

CARBALLO — 15684 — Mapa pág. 6

C-41 ⚠ **OS DELFINS** Tel. 981-739589 1/1-31/12

0.5 Ha ■ 49 (55) 🌲 ⚡ 0,10Km ☺ 🚻 WC 🛁 🍴 ✗ ⚓ GAS

Situado en Pedra da Sal.Baldayo.

| P/N | 375 | N/N | 250 | A/N | 300 | M/N | 150 | C/N | 650 | T/N | 650 | AC/N | 750 | EL | 175 | PC | |

REBORDELOS-CARBALLO — 15684 — Mapa pág. 6

C-42 ⚠ T **BALDAYO** Tel. 981-739529 1/1-31/12

1.5 Ha ■ 220 (48) 🌲 ⚡ 0,15Km ☺ 🚻 WC 🛁 🚿 🍴 ✗ ⚓ 🚗

Situado en Rebordelos, Carballo.

| P/N | 400 | N/N | 200 | A/N | 400 | M/N | 300 | C/N | 900 | T/N | 700 | AC/N | 900 | EL | 150 | PC | |

RAPADOIRO — 15105 — Mapa pág. 6

C-44 ⚠ PT **AS NEVEDAS** Tel. 981-739552 SS-30/09

1,4 Ha ■ 30 (65) 🌲 ☺ 🚐 🚻 WC 🛁 🚿 🧺 🍴 ✗ 🏠 🎣 ⚓ GAS

✚ 🪑 3 📇

Situado en laguna de Baldayo, ctra. Carballo-Cayon, Km. 8,5.

| P/N | 350 | N/N | 225 | A/N | 300 | M/N | 170 | C/N | 550 | T/N | 550 | AC/N | 660 | EL | 275 | PC | |

MALPICA — 15113 — Mapa pág. 6

C-45 ⚠ RPT **SISARGAS** Tel. 981-721702 Fax 982-721436 SS+1/6-30/9

1,5 Ha ■ 171 (60) 🌲 ☺ 🚻 WC 🛁 🚿 🧺 🍴 ✗ 🏠 🎣 ⚓ GAS

🤿 ✚ 🎱 🪑 5 🚲 📇

Situado en el Km 14 de la ctra. Carballo-Malpica.

| P/N | 500 | N/N | 400 | A/N | 400 | M/N | 300 | C/N | 550 | T/N | 500 | AC/N | 900 | EL | 300 | PC | | | PI |

MEREXO — 15126 — Mapa pág. 6

C-47 ⚠ M **LAGO MAR** Tel. 981-750628 15/6-15/9

1.2 Ha 🌲 🚻 WC 🛁 🚿 🍴 🎣 ⚓ GAS 🎱 🏓

En Los Molinos, 4 Km antes de Muxia, coger la desviación a Puente del Puerto.

| P/N | 325 | N/N | 250 | A/N | 325 | M/N | 100 | C/N | 500 | T/N | 500 | AC/N | 500 | EL | 200 | PC | |

CEE — 15270 — Mapa pág. 6

C-49 ⚠ PT **RUTA DE FINISTERRE** Tel. 981-746302 SS-1/6-15/9

2 Ha ■ 55 🌲 ⚡ 0,05 Km ☺ 🚻 WC 🛁 🚿 🧺 🍴 ✗ 🎣 ⚓ GAS

📇

Situado en la playa de Estorde, ctra. N-552 Km. 101, entre Corcubión y Fisterra.

| P/N | 450 | N/N | 375 | A/N | 450 | M/N | 325 | C/N | 550 | T/N | 450 | AC/N | 800 | EL | 350 | PC | | 2000 | ACI |

LOURO — 15291 — Mapa pág. 6

C-50 ⚠ PT **SAN FRANCISCO** Tel. 981-826148 20/6-20/9

■ 75 (60) ☀ ⚡ 0,2 Km ☺ 🚐 🚻 WC 🛁 🚿 🧺 🍴 ✗ 🏠 🎣 ⚓ GAS

✚ 🏓 🪑

Situado en el recinto amurallado del convento de San Francisco. Acceso por el Km 5 de la ctra. Muros-Fisterra.

| P/N | | N/N | | A/N | | M/N | | C/N | | T/N | | AC/N | | EL | | PC | | | ACI |

C-51 ⚠ MP **A BOUGA** Tel. 981-826025 SS-15/5-15/9

1.5 Ha ■ 62 (60) 🌲 ☺ 🚻 WC 🛁 🚿 🍴 ✗ 🏠 🎣 ⚓ GAS ✚

Situado en Louro, ctra. Muros-Fisterre, Km 3.

| P/N | 435 | N/N | 390 | A/N | 435 | M/N | 365 | C/N | 460 | T/N | 435 | AC/N | 915 | EL | 400 | PC | | 1400 | ACI |

MUROS 15250 Mapa pág. 6

C-52 ANCORADOIRO Tel. 981-761730 15/6-15/9

0.8 Ha ■ 96 (50) 0.10Km WC
Situado en el Km 7,2 de la ctra. Corcubión-Muros.

P/N	N/N	A/N	M/N	C/N	T/N	AC/N	EL	PC		ACI
325	250	350	275	425	675	575	250			

PORTO DO SON 15270 Mapa pág. 6

C-54 MRPT PUNTA BATUDA Tel. 981-766542 1/1-31/12

1,7 Ha ■ 126 (65) WC
5 m 2
Acceso por la ctra. comarcal 550 de Noya a Ribeira el el Km 5 . Situado en la ria de Muro entre Noya y Portosin.

P/N	N/N	A/N	M/N	C/N	T/N	AC/N	EL	PC		PI	ACI
475	375	475	375	475	475	950	375				

C-55 CABEIRO Tel. 981-767355 15/6-15/9

2 Ha ■ 80 (53) 0,05 km WC
Situado en la playa de Cabeiro.

P/N	N/N	A/N	M/N	C/N	T/N	AC/N	EL	PC		ACI
375	375	375	275	700	550	450	350			

SANTIAGO 15704 Mapa pág. 6

C-57 PT AS CANCELAS Tel. 981-580266 Fax 981-575553 1/1-31/12

2 Ha ■ 200 (60) WC
Situado en una colina, al noreste de la ciudad. Acceso por la N-550 en el Km 60,5. Buenas panorámicas de la población. Barrio de Las Cancelas, en el norte de la ciudad, a 2,5 K de la Catedral.VER ANUNCIO.

P/N	N/N	A/N	M/N	C/N	T/N	AC/N	EL	PC		PI	ACI
520	415	550	415	575	550	1100	425				

C-59 T SANTIAGO DE COMPOSTELA Tel. 981-888002 20/6-31/8

1.1 Ha ■ 120 (64) WC
Situado en La Sionilla, junto a la ctra. A Coruña-Santiago, Km 56 a 7 Km de la ciudad.

P/N	N/N	A/N	M/N	C/N	T/N	AC/N	EL	PC		ACI
475	400	500	450	525	485	975	400			

C-60 RPT MONTE DO GOZO C.V. Tel. 981-558942 Fax 981-582892 15/5-30/9

8 Ha ■ 380 (60) WC
10 1
Acceso por la ctra. del Aeropuerto, desvío dirección Ciudad de Vacaciones Monte do Gozo.VER ANUNCIO.

P/N	N/N	A/N	M/N	C/N	T/N	AC/N	EL	PC		PI	ACI
475	375	475	375	475	475	975	375				

SANTIAGO   15706   Mapa pág. 6

C-61   PT **LAS SIRENAS**   Tel. 981-882505   1/1-31/12

1.6 Ha ■ 120 ... WC ...

Situado en la ctra. Santiago-Carballo. Precios 94

P/N	N/N	A/N	M/N	C/N	T/N	AC/N	EL	PC
375	325	380	325	380	375	750		

BOIRO   15930   Mapa pág. 6

C-63   **BARRAÑA**   Tel. 981-847613   15/6-15/9

0.4 Ha ■ 55 ... WC ...

Situado en la ctra. Santiago-Riveira.

P/N	N/N	A/N	M/N	C/N	T/N	AC/N	EL	PC		ACI
425	375	400	325	475	475	800	400			

STA.UXIA DE RIVEIRA   15960   Mapa pág. 6

C-64   MRPT **COROSO**   Tel. 981-838002   1/6-30/9

3 Ha ■ 250 (40) ... WC ... 7

Situado en Sta Uxia, playa de Coroso. Acceso por la ctra. Padron-Riveira. Ctra. C-550,Km 40.

P/N	N/N	A/N	M/N	C/N	T/N	AC/N	EL	PC		ACI
450	375	465	325	525	475	940	425			

PUEBLA DE CARAMIÑAL   15931   Mapa pág. 6

C-66 ⋀⋀ MRPT **RIA DE AROSA** Tel. 981-831305 SS-30/9

2.8 Ha ■ 290 (60) 🌲 ☉ 🚽 ⌐ ⌐WC 🧺 🔧 🚰 🔄 🍸 ✕ 🔌 🎯 ⛽ ⚓ ✚

Situado en la playa de Cabio. Premio Nacional de Embellecimiento de Pueblos y Limpiezade Playas. Playa Bandera Azul de la CEE. Monte Curota mirador natural de la ria de Arousa declarado sitio de interés nacional . Paseo Marítimo. Frondoso pinar. Lugar para el descanso.VER ANUNCIO.

P/N	N/N	A/N	M/N	C/N	T/N	AC/N	EL	PC	
490	400	490	400	520	490	980	425		

RIANXO   15920   Mapa pág. 6

C-68 ⋀ RT **RIANXO** Tel. 981-860151 15/6-15/9

0,7 Ha ■ 50 (60) 🌲 ▦ 🏄 0,05 Km ☉ 🚽 ⌐WC 🧺 🔧 🚰 🔄 🍸 ✕ 🔌 🎯 ⛽ ⚓ ✚ ♿

En la Playa de Tronco por la ctra. Rianxo-Catoira.

P/N	N/N	A/N	M/N	C/N	T/N	AC/N	EL	PC			ACI
450	350						400	🚗 🛥		1000	

OLEIROS   15993   Mapa pág. 6

C-70 ⋀ PT **LA CASCADA** Tel. 981-865883 1/6-30/9

7,2 Ha. ■ 127 (105) 🌲 ▦ 🏄 5 Km ☉ 🚽 ⌐WC 🏠 🧺 🔧 ⌐ 🍸 ✕ 🏡 🔌 🎯 ⛽ ⚓ 🎣

Acceso por la ctra. C-550 desvío en Oleiros hacia la montaña.

P/N	N/N	A/N	M/N	C/N	T/N	AC/N	EL	PC		PI
450	350	400	300	400	425	825	400			

camping
Ría de Arosa
Playa de Cabio
PUEBLA do CARAMIÑAL

✉ Apto. Correos nº 96
☎ (981) 831351
    (981) 831305
Playa de Cabio

15940 PUEBLA
do CARAMIÑAL
GALICIA-ESPAÑA

Situado en la ribera norte de la Ría de Arosa, sobre una playa de arenas finas y aguas transparentes. Desarrollo de deportes náuticos, vela, esquí acuático, moto-náutica y la organización de competiciones deportivas. Abundante caza menor en la zona de las especies más comunes y práctica de todas las modalidades de pesca. Localidad declarada sitio natural de interés nacional como importantes reliquias arqueológicas e impresionante visita panorámica desde el monte Curota. Servicio permanente de Asistente Técnico Sanitario. Campo de fútbol con pistas polideportivas. Parcelas definidas e independientes. Servicio de video, para las tiendas y caravanas. Supermercado. Bar. Restaurante.

- **Plataforma acuática con tobogán y tranpolín.**
- **Tren infantil "Jumbo" con recorrido interior del camping.**
- **Monitores tiempo libre.**
- **Excursiones.**
- **Escuela de Surf y alquiler de tablas.**
- **Sala de plancha y lavadoras.**
- **Visita médica diaria.**
- **Abierto todo el año.**

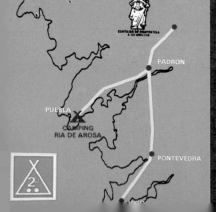

LUGO

VIVEIRO   27837   Mapa pág. 7

LU-01   **VIVERO**   Tel. 982-560004   1/6-30/9

1.6 Ha ■ 173 (60)   0.10Km

Dispone de una zona sin sombra entre la ctra. y el mar y otra con arbolado frondoso. Acceso por la N-632, dirección El Ferrol, atravesando el puente de la Misericordia y girando hacia el mar.

| P/N | 400 | N/N | 360 | A/N | 400 | M/N | 360 | C/N | 500 | T/N | 400 | AC/N | 750 | EL | 425 | PC | | | ACI |

LU-03   M   **AGUADOCE**   Tel. 982-550282   22/6-10/9

0.4 Ha 60

Situado junto al faro.

| P/N | 350 | N/N | 325 | A/N | 325 | M/N | 300 | C/N | 525 | T/N | 350 | AC/N | 525 | EL | | PC | | | ACI |

FOZ   27780   Mapa pág. 7

LU-05   PT   **RAPADOIRA-LLAS**   Tel. 982-140713   24/6-5/9

0,5 Ha ■ 46 (55)   0,2 Km.

Situado entre las playas de Rapadoira y Llas.

| P/N | 450 | N/N | 350 | A/N | 450 | M/N | 350 | C/N | 475 | T/N | 475 | AC/N | 900 | EL | 375 | PC | | | ACI |

LU-06   RPT   **SAN RAFAEL**   Tel. 982-132218   1/5-31/10

1,1 Ha ■ 120 (60)   0,1 Km

Situado en la playa de Peizas. Acceso por la ctra. C-642, desvío de Ribadeo-Vivero a la playa de Peizas, bandera azul de la CEE.

| P/N | 395 | N/N | 370 | A/N | 470 | M/N | 350 | C/N | 585 | T/N | 585 | AC/N | 850 | EL | 325 | PC | | 1350 | ACI |

BARREIROS   27279   Mapa pág. 7

LU-08   MT   **A NOSA CASA REINANTE**   Tel. 982-130180   1/1-31/12

2 Ha ■ 61 (60)

Entre dunas y la ctra. Se accede a partir de la N-634, Km 391,7, girando 1 Km en dirección a la playa de Reinante.

| P/N | 350 | N/N | 300 | A/N | 350 | M/N | 150 | C/N | 350 | T/N | 300 | AC/N | 500 | EL | 300 | PC | | 1000 | |

LU-09   PT   **BARREIROS**   Tel. 982-130180   1/7-31/8

1.2 Ha ■ 70 (60)   0.10Km

Bajada a la playa de Remior desde S. Cosme de Barreiros, junto al complejo de la Caja de Ahorros de Galicia.

| P/N | 300 | N/N | 225 | A/N | 350 | M/N | | C/N | 375 | T/N | 325 | AC/N | 400 | EL | 300 | PC | 2 | 1300 | ACI |

GUITIRIZ   27305   Mapa pág. 7

LU-10   **EL MESON**   Tel. 982-372288   15/6-15/9

0.5 Ha ■ 32 (50)

Situado en el Km 535 de la N-VI.

| P/N | 350 | N/N | 300 | A/N | 350 | M/N | 275 | C/N | 400 | T/N | 350 | AC/N | 575 | EL | 275 | PC | | | ACI |

BENQUERENCIA   27792   Mapa pág. 7

LU-11   M   **A GAIVOTA**   Tel. 982-124451   15/6-15/9

0.8 Ha ■ 47

Acceso desde la N-640 en Benquerencia dirección playa.

| P/N | 375 | N/N | 350 | A/N | 350 | M/N | 300 | C/N | 425 | T/N | 400 | AC/N | 525 | EL | 300 | PC | | | ACI |

BENQUERENCIA   27792   Mapa pág. 7

LU-12 △ R **BENQUERENCIA** Tel. 982-124450 1/6-30/9

2.6 Ha ■ 309 (70) ⛺ 🏕 0.40Km ☺ 🚽 ⌐ ⌐ WC 🧺 🚿 🔥 📺 ☕ ✕ 🏠 🔌 ⚡
⛽ 🛒 ➕ 🏪 🏓 🔦

Acceso por la N-634, desvío en el Km 566, entre las poblaciones de Foz y Ribadeo. Precios 94

| P/N | 350 | N/N | 300 | A/N | 350 | M/N | 275 | C/N | 350 | T/N | 350 | AC/N | 575 | EL | 300 | PC | | | 1000 | ACI |

RIBADEO   27700   Mapa pág. 7

LU-13 **RIBADEO** Tel. 982-131167 1/6-30/9

1,1 Ha ■ 100 ⛺ 🏕 2 km. ☺ 🚽 ⌐ WC 🧺 🚿 ☕ 🏠 🔌 ⚡ ⛽ 🛒 🏓

Situado en la ctra. Ribadeo-A Coruña, km. .2

| P/N | 375 | N/N | 300 | A/N | 375 | M/N | 300 | C/N | 450 | T/N | 425 | AC/N | 600 | EL | 250 | PC | 🚗 🚐 | | 1300 | ACI |

LUGO   27296   Mapa pág. 7

LU-14 △ PT **BEIRA-RIO** Tel. 982-211551 1/6-30/9

0.6 Ha ⛺ ☺ 🚽 ⌐ WC 🧺 🚿 ☕ 📺 🔌 ⛽ 🏓

Situado en la orilla del río Miño y a 1 Km. del centro de la ciudad. Se accede por la ctra. N-VI salida dirección al centro comercial.

| P/N | 375 | N/N | 350 | A/N | 375 | M/N | 325 | C/N | 425 | T/N | 400 | AC/N | 600 | EL | 350 | PC | | ACI |

FOLGOSO DE CAUREL   27326   Mapa pág. 7

LU-17 P **O CAUREL** Tel. 982-433101 Fax 982-433101 15/6-15/9

1,4 Ha ■ 50 (50) ⛺ 🏕 0,05 Km ☺ 🚽 ⌐ WC 🧺 🚿 ☕ 🔌 ⛽

Acceso por la N-VI, desvío en Piedrafita por el "Camino de Santiago" hasta Hospital donde se toma la ctra. que conduce al camping atravesando la Sierra de Caurel.

| P/N | 415 | N/N | 375 | A/N | 380 | M/N | 225 | C/N | 475 | T/N | 375 | AC/N | 700 | EL | 375 | PC | | ACI |

PONTEVEDRA

VILLAGARCIA DE AROUSA   36600   Mapa pág. 6

PO-01   MPT **RIO ULLA** Tel. 986-505997 15/6-15/9

0.8 Ha ■ 40

Situado en la ctra. C-550, Puentecesures-Villagarcia, Km 14, en la desembocadura del río Ulla y comienzo de la ría de Arosa.

P/N	N/N	A/N	M/N	C/N	T/N	AC/N	EL	PC		ACI
425	375	425	300	500	475	875	375			

VILANOVA DE AROUSA   36620   Mapa pág. 6

PO-02   **EL TERRON** Tel. 986-554394 15/6-30/9

0.6 Ha ■ 60 (42)

Situado en la playa del Terron.

P/N	N/N	A/N	M/N	C/N	T/N	AC/N	EL	PC			ACI
450	375	450	350	475	475	700	375		E	1500	

PO-03   PT **ARCO IRIS** Tel. 986-555444 Fax 986-555444 1/1-31/12

1.1 Ha. ■ 100 (60)

Situado en la C-550, dirección isla de Arousa; desvío a mano derecha 200 m antes del puente de la isla.

P/N	N/N	A/N	M/N	C/N	T/N	AC/N	EL	PC		ACI
400	350	400	250	550	500	800	350		1000	

PO-04   **SANTOS** Tel. 986-554656 1/4-30/9

(50)

Situado en la playa de Pasaxe, lugar de O Terron Precios 94

P/N	N/N	A/N	M/N	C/N	T/N	AC/N	EL	PC		
350	300	350	200	500	450	600	300		2	2500

PO-05   M **SALINAS** 1/6-30/9

0,7 Ha ■ 53 (52)

P/N	N/N	A/N	M/N	C/N	T/N	AC/N	EL	PC		ACI
375	325	325	300	500	375	800	300		2000	

PO-06   PT **PAISAXE** Tel. 986-554656 15/6-30/9

1,3 Ha ■ 125 (55) 0,05 Km

Acceso por la ctra. C-550, dirección a la isla de Arousa.

P/N	N/N	A/N	M/N	C/N	T/N	AC/N	EL	PC		PI	ACI
450	400	450	400	550	500	900	375		2000		

O GROVE   36989   Mapa pág. 6

PO-08   P **O'ESPIÑO** Tel. 986-738365 1/1-31/12

1.6 Ha ■ 170 (60) 0.10Km

Situado en S. Vicente do Mar. Se accede por la ctra. A Lanzada-S. Vicente.

P/N	N/N	A/N	M/N	C/N	T/N	AC/N	EL	PC			ACI
475	325	425	425	525	525	950	425		2	1922	

PO-09   MPT **MOREIRAS** Tel. 986-731691 Fax 986-732026 1/1-31/12

1.6 Ha ■ 124 (60)

Situado en el Km 3 de la ctra. O'Grove a S. Vicente.

P/N	N/N	A/N	M/N	C/N	T/N	AC/N	EL	PC		ACI
525	450	525	450	550	550	1100	425			

O GROVE   36989   Mapa pág. 6

PO-10 △ MPT **MUIÑEIRA** Tel. 986-738404 1/1-31/12

0.7 Ha ■ 120 (55) 🌲 ⊙ 🍴 Γ Γ WC 🚿 🍴 🛁 ⊺ Ⅹ 🏠 ↷ ⛽ ✚
🚗 △ ³

Situado en Punta Raeiro (A Lanzada) a ambos lados de la ctra. a San Vicente do Mar.

| P/N | 500 | N/N | 450 | A/N | 400 | M/N | 300 | C/N | 500 | T/N | 550 | AC/N | 900 | EL | 400 | PC | | 500 | ACI |

PO-12 △ **MIAMI PLAYA** Tel. 986-738012 1/6-30/9

0.4 Ha ■ 54 🌲 ⊙ 🍴 Γ WC 🚿 🛁 🏠 ⊺ ↷ 🛁 ⛽

Situado en S. Vicente do Mar.

| P/N | 470 | N/N | 420 | A/N | 420 | M/N | 420 | C/N | 470 | T/N | 470 | AC/N | 870 | EL | 420 | PC | | 2000 | ACI |

PO-13 △ **SOL Y MAR** Tel. 986-738136 Fax 986-738141 1/4-30/9

0.8 Ha ■ 54 (50) 🌲 ☒ 0.10Km ⊙ 🍴 Γ WC 🚿 🛁 🏠 ⊺ ↷ 🛁 ⛽
↗ 💳

Situado en la ctra. O'Grove-S. Vicente do Mar.

| P/N | 495 | N/N | 395 | A/N | 495 | M/N | 395 | C/N | 525 | T/N | 525 | AC/N | 1020 | EL | 415 | PC | | 1564 | ACI |

PO-15 △ MRPT **SIGLO XXI** Tel. 986-738100 Fax 986-738113 1/4-30/9

1,6 Ha ■ 124 (60) 🌲 ⊙ 🚐 TV 🍴 Γ WC 🚿 🛁 🏠 ⊡ ⊺ Ⅹ 🏠 ⊙
↷ 🛁 ⛽ ↗ ✚

Acceso por la ctra. a La Toja, 5 km antes del desvío a San Vicente do Mar seguir en dirección a la urbanización Pedras Negras. Cabinas individuales en cada parcela con lavabo, ducha, WC, fregadero y lavadero. VER ANUNCIO.

| P/N | 684 | N/N | 476 | A/N | | M/N | | C/N | | T/N | | AC/N | | EL | | PC | | 2100 | PI | ACI |

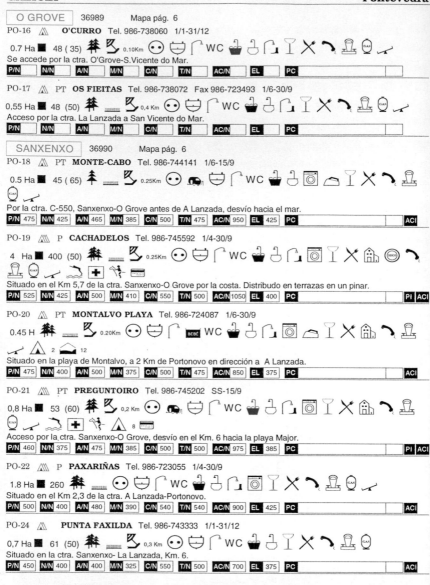

O GROVE   36989   Mapa pág. 6

PO-16   **O'CURRO**   Tel. 986-738060   1/1-31/12

0.7 Ha   48 (35)   0.10 Km   WC

Se accede por la ctra. O'Grove-S.Vicente do Mar.

P/N	N/N	A/N	M/N	C/N	T/N	AC/N	EL	PC

PO-17   PT   **OS FIEITAS**   Tel. 986-738072   Fax 986-723493   1/6-30/9

0.55 Ha   48 (50)   0,4 Km   WC

Acceso por la ctra. La Lanzada a San Vicente do Mar.

P/N	N/N	A/N	M/N	C/N	T/N	AC/N	EL	PC

SANXENXO   36990   Mapa pág. 6

PO-18   PT   **MONTE-CABO**   Tel. 986-744141   1/6-15/9

0.5 Ha   45 (65)   0.25 Km   WC

Por la ctra. C-550, Sanxenxo-O Grove antes de A Lanzada, desvío hacia el mar.

P/N	N/N	A/N	M/N	C/N	T/N	AC/N	EL	PC		ACI
475	425	465	385	500	475	950	425			

PO-19   P   **CACHADELOS**   Tel. 986-745592   1/4-30/9

4 Ha   400 (50)   0.25 Km   WC

Situado en el Km 5,7 de la ctra. Sanxenxo-O Grove por la costa. Distribudo en terrazas en un pinar.

P/N	N/N	A/N	M/N	C/N	T/N	AC/N	EL	PC		PI	ACI
525	425	500	410	550	500	1050	400				

PO-20   PT   **MONTALVO PLAYA**   Tel. 986-724087   1/6-30/9

0.45 H   0.20 Km   BEBÉ WC   2   12

Situado en la playa de Montalvo, a 2 Km de Portonovo en dirección a A Lanzada.

P/N	N/N	A/N	M/N	C/N	T/N	AC/N	EL	PC		ACI
475	400	500	375	500	475	850	375			

PO-21   PT   **PREGUNTOIRO**   Tel. 986-745202   SS-15/9

0,8 Ha   53 (60)   0,2 Km   WC   8

Acceso por la ctra. Sanxenxo-O Grove, desvío en el Km. 6 hacia la playa Major.

P/N	N/N	A/N	M/N	C/N	T/N	AC/N	EL	PC		PI	ACI
460	375	475	385	500	500	975	385				

PO-22   P   **PAXARIÑAS**   Tel. 986-723055   1/4-30/9

1.8 Ha   260   WC

Situado en el Km 2,3 de la ctra. A Lanzada-Portonovo.

P/N	N/N	A/N	M/N	C/N	T/N	AC/N	EL	PC		ACI
500	400	480	390	540	540	900	425			

PO-24   **PUNTA FAXILDA**   Tel. 986-743333   1/1-31/12

0,7 Ha   61 (50)   0,3 Km   WC

Situado en la ctra. Sanxenxo- La Lanzada, Km. 6.

P/N	N/N	A/N	M/N	C/N	T/N	AC/N	EL	PC		ACI
450	400	400	325	550	500	700	375			

SANXENXO   36960   Mapa pág. 6

PO-25   O'REVO SALINAS Tel. 986-743160 1/6-30/9

0.4 Ha 0.30Km WC

Situado en Moalla.

P/N	N/N	A/N	M/N	C/N	T/N	AC/N	EL	PC	

PO-26   MP AIRIÑOS DO MAR Tel. 986-723154 1/6-30/9

0.2 Ha WC

Situado en el Km 15 de la N-550, Pontevedra-O'Grove.

P/N	N/N	A/N	M/N	C/N	T/N	AC/N	EL	PC	ACI
475	450	475	400	575	500	850	400		

PO-27   MPT PLAYA PRAGUEIRA Tel. 986-691619 1/1-31/12

0,6 Ha 100 (50) WC

Situado en el Km 3,7 de la ctra. Sanxenxo-La Lanzada.

P/N	N/N	A/N	M/N	C/N	T/N	AC/N	EL	PC	

PO-28   PT RIAS BAIXAS Tel. 986-690015 SS+15/6-15/9

0,75 Ha ■ 68 (55) 0,1 Km WC

Situado en la playa de Montalvo. Acceso por la ctra. Portonovo-A Lanzada. A 2 Km de Portonovo. 22 parcelas con baño privado individual.VER ANUNCIO.

P/N	N/N	A/N	M/N	C/N	T/N	AC/N	EL	PC		PI ACI
475	450	475	395	525	525	900	400		2100	

PO-29   MPT SUAVILA Tel. 986-723760 1/4-31/10

0,7 Ha 90 (50) WC

Situado en la playa de Montalvo. acceso por la ctra. Portonovo a La Lanzada.

P/N	N/N	A/N	M/N	C/N	T/N	AC/N	EL	PC	
450	400	450	375	475	475	800	295		1500

PO-30   P ALMAR Tel. 986-690616 1/1-31/12

0,5 Ha ■ 77 (40) 0,05 Km WC

Situado en la ctra. Sanxenxo - O Grove.

P/N	N/N	A/N	M/N	C/N	T/N	AC/N	EL	PC	ACI

PO-31   T LA LANZADA Tel. 986-745511 1/6-30/9

0.75 Ha ■ 70 (45) WC

Situado en la ctra. Sanxenxo-La Lanzada Precios 94

P/N	N/N	A/N	M/N	C/N	T/N	AC/N	EL	PC	ACI
400	350	400	350	500	430	700	350		1200

SANXENXO   36960   Mapa pág. 6

PO-32 ⛰ **PLAYA CANELAS** Tel. 986-691025 SS+15/6-15/9

0,5 Ha ■ 70 (45) 🌲 — ⛵ 0.30Km ⊙ 🥤 ⌐ WC 🚿 🚽 🔲 🍽 ✕ 🏠 🚰 ⛽

Situado en la ctra. Sanxenxo-La Lanzada. VER ANUNCIO. Precios 94

P/N	N/N	A/N	M/N	C/N	T/N	AC/N	EL	PC		ACI
495	395	525	395	535	525	1050	400		1500	

REDONDELA   36693   Mapa pág. 6

PO-33 **CESANTES** Tel. 986-495766

0,5 Ha 🌲 ⛵ 0.1 Km ⊙ 🥤 ⌐ WC 🚿 🚽 🍽 🚰 ⛽

P/N	N/N	A/N	M/N	C/N	T/N	AC/N	EL	PC	
450	400	450	300	500	500	800	350		

CANGAS DO MORRAZO   36940   Mapa pág. 6

PO-34 ⛰ MPT **LIMENS** Tel. 986-304645 SS+1/6-16/9

0.6 Ha ■ 60 (55) 🌲 — ⊙ 📺 🥤 ⌐ WC 🚿 🚽 🔲 🍽 ✕ 🏠 🚰 ⛽ 🎽

⛺ 2 🚲 🛶

Acceso por la ctra. C-550, desvío en el Km 9 a la playa de Limens. Terreno distribuido en terrazas.

P/N	N/N	A/N	M/N	C/N	T/N	AC/N	EL	PC		ACI
475	400	400	400	525	475	925	425			

PO-35 ⛰ RPT **ALDAN** Tel. 986-329468 1/6-30/9

2 Ha ■ 150 (55) 🌲 — ⛵ 0,3 km ⊙ 🚐 🚍 🚿 🥤 ⌐ WC 🚿 🚽 🔲 🍽 ✕ 🚰 🔲 ⛽ 🏓

Situado en el Km 9,6 de la ctra. C-550, entre Cangas y Bueu.

P/N	N/N	A/N	M/N	C/N	T/N	AC/N	EL	PC		ACI
475	400	475	400	550	475	925	425			

PO-36 ⛰ M **CANGAS** Tel. 986-304726 Fax 986-303742 7/4-11/9

0.6 Ha ■ 49 (55) 🌲 — ⊙ 🥤 ⌐ WC 🚿 🚽 🍽 ✕ 🚰 🔲 ⛽ 🏓

Acceso por la ctra. C-550 desvío a la playa de Limens.

P/N	N/N	A/N	M/N	C/N	T/N	AC/N	EL	PC		ACI
475	400	475	400	550	475	875	450			

MOAÑA   36954   Mapa pág. 6

PO-38 ⛰ M **TIRAN** Tel. 986-310150 Fax 986-303742 1/4-30/9

0.7 Ha ■ 90 🌲 — ⊙ 🥤 ⌐ WC 🚿 🚽 🍽 ✕ 🚰 🔲 ⛽ 🎽 📍

🏓 12

Situado en la península de Morrazo. Acceso por la ctra. comarcal, con entrada particular asfaltada. En el lugar de Tiran.

P/N	N/N	A/N	M/N	C/N	T/N	AC/N	EL	PC		ACI
475	400	475	400	550	475	875	450			

VIGO   36202   Mapa pág. 6

PO-40 ⛰ MPT **ISLAS CIES** Tel. 986-278501 1/6-15/9

4 Ha ▪ 200 (45) 🎋 ___ ⛺ ⌐ ⌐ WC 🧺 🚿 🚽 Υ ✕ 🏠 ↰ 🎱 ⛽ 🦽

☯ ⛰ 6

Accesible sólo con barco. Salidas cada hora desde la estación marítima de Vigo y del puerto de Baiona.

| P/N 485 | N/N 390 | A/N | M/N | C/N | T/N 485 | AC/N | EL | PC 🐾 | | 990 |

PO-41 ⛰ PT **PLAYA SAYANES** Tel. 986-491260 Fax 986-355161 1/1-31/12

0,35 Ha ▪ 65 (20) 🎋 ___ ⌧ 0,15 Km ⊙ ⛺ ⌐ WC 🧺 🚿 Υ ✕ 🏠 ↰ 🎱 ⛽ 🦽 7

Acceso por la ctra. Vigo-Bayona (por la costa), Km 7. Precios 94

| P/N 425 | N/N 400 | A/N 425 | M/N 350 | C/N 450 | T/N 450 | AC/N 500 | EL 350 | PC | | |

PO-42 ⛰ **PLAYA SAMIL** Tel. 986-240210 1/4-30/12

0.5 Ha ▪ 80 🎋 ⊙ ⛺ ⌐ WC 🧺 🚿 🚽 📷 Υ ✕ ↰ 🎱 🦽

Situado en Vigo, Av. Samil, 163.

| P/N 500 | N/N 375 | A/N 575 | M/N 325 | C/N 800 | T/N 825 | AC/N 900 | EL 375 | PC | | 1200 ACI |

PO-43 ⛰ **CANIDO** Tel. 986-491920 1/6-30/9

0.5 Ha ▪ 60 (50) 🎋 ___ ⌧ 0,1 km ⊙ ⛺ ⌐ WC 🧺 🚿 🚽 Υ ✕ ↰ 🎱

Situado en la playa de Canido.

| P/N 500 | N/N 350 | A/N 550 | M/N 375 | C/N 700 | T/N 700 | AC/N 925 | EL 375 | PC | | ACI |

NIGRAN   36350   Mapa pág. 17

PO-44 ⛰ RPT **PLAYA AMERICA** Tel. 986-365404 SS-30/10

4 Ha ▪ 338 (60) 🎋 ___ ⌧ 0,30Km ⊙ ⛺ ⌐ ⌐ 🍼WC 🧺 🚿 🚽 📷 ➴ Υ ✕

🏠 ↰ 🎱 ⛽ 🦽 ⛵ ➕ ⚕ 🎾 ⌖ 14

Acceso por la ctra. Vigo-Bayona, Km 49,2. Terreno herboso con abundante sombra de chopos y olmos situado a 300 m de playa Bandera Azul de la CEE. VER ANUNCIO.

| P/N 525 | N/N 415 | A/N 525 | M/N 395 | C/N 540 | T/N 540 | AC/N 1040 | EL 425 | PC | | PI ACI |

NIGRAN   36350   Mapa pág. 17

PO-45 △ M **PLAYA DE PATOS** Tel. 986-367161 1/6-31/8

1.2 Ha ■ 80 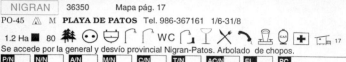 17

Se accede por la general y desvío provincial Nigran-Patos. Arbolado de chopos.

P/N	N/N	A/N	M/N	C/N	T/N	AC/N	EL	PC		

BAIONA   36393   Mapa pág. 17

PO-47 △ MRPT **BAIONA PLAYA** Tel. 986-350035 Fax 986-352952 1/6-30/9

4 Ha ■ 500 (60) 19

Situado en una pequeña península, entre el mar y dos ríos. Se accede desviando en el Km. 19 de la N-550 (Vigo-Baiona). Tobogán acuático.VER ANUNCIO.

P/N	N/N	A/N	M/N	C/N	T/N	AC/N	EL	PC			PI	ACI
600	435	610	435	610	610	1220	425			3375		

MOUGAS   36309   Mapa pág. 17

PO-49 △ P **PEDRA RUBIA** Tel. 986-361562 1/6-30/9

2.2 Ha ■ 130 (55) 0,2 Km 6

Se accede por la ctra. C-550 en el Km 159,5. Panorámica sobre el mar.

P/N	N/N	A/N	M/N	C/N	T/N	AC/N	EL	PC		PI	ACI
495	395	495	395	525	495	895	400				

PO-50 △ MRP **O MUIÑO** Tel. 986-361600 Fax 986-361620 1/1-31/12

2,2 Ha ■ 157 (60) 10 4

Acceso por la ctra. C-550, Baiona-A Garda, Km. 158. Situado en un marco incomparable de la costa gallega, entre las montañas y el mar. Un camping verdaderamente recomendable. Servicios imejorables. Modernos sanitarios con acceso para minusválidos. Totalmente parcelado.

P/N	N/N	A/N	M/N	C/N	T/N	AC/N	EL	PC			PI	ACI
550	420	550	420	550	550	1150	425			1650		

CAMPING 1.ª
O MUIÑO

MOUGAS - OIA
C-550 Bayona la Guardia
Fax: (986) 36 16 20
PONTEVEDRA

RESERVAS
AL TELEFONO
986 - 36 16 00

- Modernas instalaciones
- T.V. vía satélite
- Alquiler de mobil Homes y Caravanas
- Amplias parcelas con toma de agua en cada parcela

- Resturante con terraza al mar
- 2 piscinas
- Zona deportiva

 TOMIÑO   36740   Mapa pág. 17

PO-54 △ RPT **ESTANQUE DORADO** Tel. 986-633652 Fax 986-633652 1/1-31/12

4 Ha ■ 142 (60) 🌲 ⊙ WC 🛒 ♿ 🧺 🍽 ✕ 🏠 📞 ⛽ ➕ 🔫 60 💳

Acceso por la ctra. de Tuy a A Garda, Km 6. Situado en la orilla del Miño.VER ANUNCIO.

P/N	385	N/N	300	A/N	385	M/N	325	C/N	395	T/N	395	AC/N	695	EL	315	PC		PI	ACI

 PUENTEAREAS   36209   Mapa pág. 17

PO-56 △ RPT **A FREIXA** Tel. 986-640299 Fax 986-225058 1/1-31/12

2,3 Ha ■ 80 (60) 🌲 0,05 km ⊙ WC 🧺 🍽 ✕ ⛽ 🔫

En Ribadetea, junto al río Tea, remansado por una pequeña presa.

P/N	400	N/N	325	A/N	400	M/N	325	C/N	400	T/N	400	AC/N	750	EL	350	PC	

 A CAÑIZA   36880   Mapa pág. 17

PO-58 △ RPT **CARBALLO DO MARCO** Tel. 986-652179 Fax 986-651190 1/7-15/9

1 Ha. ■ 80 🌲 0,6 Km ⊙ WC 🧺 🍽 🔫

Situado en la zona recreativa de A Cañiza.

P/N	350	N/N	250	A/N	350	M/N	250	C/N	350	T/N	350	AC/N	700	EL	300	PC		PI	ACI

CAMPING
EL ESTANQUE DORADO

36740 TOMIÑO(PONTEVEDRA)
TEL./FAX (986) 63 36 52

Acceso Crta. Tuy-La Guardia, a 6km. con autopista y autovía hasta 3km a la entrada del camping. A orillas del río Miño, con embarcadero y zona de pesca. 60 Mobil-Homes con ducha propia y agua caliente. Microclima. Abierto todo el año. Precios especiales grupos. Animación y fiestas. Terreno llano con cesped.

 Ante la variedad de conceptos que facturan algunos campings bajo el epígrafe «parcela» recomendamos contactar antes con ellos para conocer con exactitud el alcance de las mismas.

OURENSE

LEIRO   32420   Mapa pág. 6

OR-01 🔺 PT **LEIRO** Tel. 988-488036 SS-1/11

1 Ha ⛺ ☺ 🚻 🚽 WC 🔌 🧺 ⍺ 🍽 🏠 ⚓ ⛲ GAS ➕ 🚗 🎾 ▦ 6

En el Km 10 de la ctra. Ribadavia-Cea. Prado llano con pinos cerca del río Avia.

P/N	N/N	A/N	M/N	C/N	T/N	AC/N	EL		PC		

VIANA DO BOLO   32550   Mapa pág. 18

OR-03 🔺 PT **AGUAS MANSAS** Tel. 988-340268 1/4-10/10

0.8 Ha ▪ 66 ⛺ ≋ 🏔 0.10Km ☺ 🚻 🚽 WC 🔌 🧺 ⍺ 🍽 ⍺ ⚓ ▦×30

En La Gudiña desviarse de la N-525, Madrid-Vigo, por la C-120 hasta el km 14.

P/N	N/N	A/N	M/N	C/N	T/N	AC/N	EL	PC			ACI
330	212	283	283	425	425	566	275				

PUEBLA DE TRIVES   32780   Mapa pág. 7

OR-05 🔺 **NIEVE'S** Tel. 988-330126 1/1-31/12

0.4 Ha ▪ 15 ⛺ ☺ 🚻 🚽 WC 🔌 🧺 🍽 ⚓

Situado en la Av. de América. Acceso por la ctra. de la estación invernal.

P/N	N/N	A/N	M/N	C/N	T/N	AC/N	EL	PC			
300	250	300	250	400	300	600	200				

ALLARIZ   32660   Mapa pág. 18

OR-07 🔺 PT **OS INVERNADEIROS** Tel. 988-442248 Fax 988-442006 1/1-31/12

▪ 54 (80) ☺ 🚻 🚽 WC 🔌 🧺 ⍺ 🍽 🍴 ⚓ ⛲ ➕ ⛽ ▦ 10 🚲 💳

Situado en la ctra. de Celanova.

P/N	N/N	A/N	M/N	C/N	T/N	AC/N	EL	PC			ACI
425	375	425	350	450	425	900	375				

El símbolo FECC indica que se hacen descuentos a los socios de los Clubs federados sin ningún condicionamiento aparte de la correspondiente identificación.

PANORAMA del caravaning

REVISTA RECOMENDADA POR LA FECC Y LA UCC.
PORTAVOZ DE GREMCAR

400 Ptas.
Nº94 FEBRERO MARZO'95

⓴

LE SACAREMOS DE DUDAS

Madrid

SERVICIOS TERRITORIALES DE TURISMO
(91) 5802200
CRUZ ROJA ESCUCHA PERMANENTE
(91) 2799900
GUARDIA CIVIL DE TRAFICO
(91) 4577700
GUARDIA CIVIL PATRULLAS
(91) 2331100

MADRID

MADRID   28042   Mapa pág. 35

M-02   T   **OSUNA**   Tel. 91-7410510   Fax 91-3206365   1/1-31/12

2.3 Ha ■ 150 (70)   WC   17
Ubicado en la Av. Logroño s/n. Se accede por la N-II, desvío en el Km 8. Pinos, chopos, acacias, zonas verdes.

P/N	N/N	A/N	M/N	C/N	T/N	AC/N	EL	PC		ACI
525	450	525	450	525	555	600	475			

M-04   **MADRID**   Tel. 91-3022835   1/4-31/12

1,9 Ha ■ 90   WC
Ubicado en Madrid, en el Km 7 de la N-I. Arbolado, pinos, chopos, pinos y acacias, zona verde.

P/N	N/N	A/N	M/N	C/N	T/N	AC/N	EL	PC		PI	ACI
495	377	485	377	495	495	755	377				

S.SEBASTIAN DE REYES   28700   Mapa pág. 35

M-06   **ATERPE ALAI**   Tel. 91-6570100   1/1-31/12

1.8 Ha ■ 150   WC
Situado en el Km 28 de la N-I. Arbolado, olmos, álamos, zonas verdes, mucha sombra, en la cuenca del río Jarama.

P/N	N/N	A/N	M/N	C/N	T/N	AC/N	EL	PC	
566	472	519	472	519	519	1038	448		

CABANILLAS LA SIERRA   28721   Mapa pág. 21

M-08   P   **D'OREMOR**   Tel. 91-8439034   1/1-31/12

7 Ha ■ 300   WC
Ubicado en Cabanillas de la Sierra, Km 0,7 de la ctra. Bustarviejo-Cabanillas. En terreno montañoso próximo a la Pinilla y cotos de Navacerrada.

P/N	N/N	A/N	M/N	C/N	T/N	AC/N	EL	PC				ACI
472	425	472	425	425	425	755	519		1		1792	

LA CABRERA   28751   Mapa pág. 21

M-10   RPT   **PICO DE LA MIEL**   Tel. 91-8688082   Fax 91-8688082   1/1-31/12

6 Ha ■ 300 (100)   WC

Acceso: desde la ctra. N.IV entrar en el pueblo y tomar la ctra. de Valdemanco y, ya en ella girar inmediatamente a la derecha.

P/N	N/N	A/N	M/N	C/N	T/N	AC/N	EL	PC			ACI
547	462	547	462	547	547	868	358			1132	

GARGANTILLA DEL LOZOYA   28739   Mapa pág. 21

M-12   PT   **MONTE HOLIDAY**   Tel. 91-8695278   Fax 91-8695065   1/1-31/12

40 Ha ■ 425 (100)   WC   20
Terreno pedregoso con bonita vista de las montañas. Acceso girar al oeste en el Km 69 de la N-1, hacia la C-604, dirección Rascafría, en el Km. 8,8 de Gargantilla del Lozoya.VER ANUNCIO.

P/N	N/N	A/N	M/N	C/N	T/N	AC/N	EL	PC					PI	ACI
462	401	462	401	462	462	802	462		2	1	1	2250		

NAVALAFUENTE   28729   Mapa pág. 21

M-14   PT   **PISCIS**   Tel. 91-8432253   Fax 91-8471341   1/1-31/12

25 Ha ■ 225 (200)   WC   2
Acceso por la salida 50 de la N-I, dirección Guadalix de la Sierra. A 9 Km coger desvío a Navalafuente.

P/N	N/N	A/N	M/N	C/N	T/N	AC/N	EL	PC			PI	ACI
480	400	480	480	480	480	650				1500		

BUSTARVIEJO   28720   Mapa pág. 21

M-15 ⛺   **EL VALLE**   Tel. 91-8443587   1/1-31/12

1.5 Ha ■ 80 (90) 🌲 ⊙ ⌣ ⌣ ⌐ WC 🍽 🚿 Ⴤ ⌂ 🔥 GAS ⤳ 🏊 ✚ 🎾

Situado en el Km 5,6 de la ctra. Miraflores-Bustarviejo.

P/N	N/N	A/N	M/N	C/N	T/N	AC/N	EL	PC				
575	542	542	425	566	566	1226	448	🚗 🚐	2			2260

CERVERA DE BUITRAGO   28193   Mapa pág. 21

M-16 PT   **CERVERA DE BUITRAGO**   Tel. 91-8687161   Fax 91-8694116   1/1-31/12

■ 107 (80) 🌲 ⊙ 🚿 ⌣ ⌣ ⌐ WC 🍽 🚿 Ⴤ ♿ 🎦 🍷 ✕ Ⴤ 🔥 GAS ⤳ 🚲 ⛵

P/N	N/N	A/N	M/N	C/N	T/N	AC/N	EL	PC				
400	325	400	300	450	400	550	375					ACI

SOTO DEL REAL   28791   Mapa pág. 35

M-17 ⛺   **LA FRESNEDA**   Tel. 91-8476523   SS+15/6-15/9

4 Ha ■ 168 (50) 🌲 ⊙ ⌣ ⌐ WC 🍽 🚿 Ⴤ 🎦 🍷 Ⴤ 🔥 GAS ⤳ 🏊 🎾

Situado en la ctra. Soto del Real-Manzanares, frente al embalse de Santillana en el Parque Regional de la cuenca alta del Manzanares. Acceso por la ctra. C-607.

P/N	N/N	A/N	M/N	C/N	T/N	AC/N	EL	PC				
525	475	525	400	525	525	900	400					1750

EL BERRUECO   28192   Mapa pág. 21

M-18 PT   **EL BERRUECO**   Tel. 91-8694390   1/1-31/12

20 Ha ■ 162 (90) 🌲 ⊙ 🚐 🚿 ⌣ ⌐ WC 🍽 🚿 Ⴤ 🍷 ✕ Ⴤ 🔥 🎦

P/N	N/N	A/N	M/N	C/N	T/N	AC/N	EL	PC				
406	330	406	307	458	406	557	382					ACI

MANZANARES EL REAL   28410   Mapa pág. 35

M-19 ⛺   **EL ORTIGAL**   Tel. 91-8530120   1/1-31/12

3.7 Ha ■ 180 (70) 🌲 ⊙ 🚐 ⌣ ⌐ ⌐ WC 🍽 🚿 🍷 ✕ ⌂ Ⴤ GAS ⤳ ✚

Situado cerca de la sierra de La Pedriza. Precios 94

P/N	N/N	A/N	M/N	C/N	T/N	AC/N	EL	PC		
400	350	400	350	400	400	500	400			

EL ESCORIAL　28280　Mapa pág. 35

M-21　RPT　**EL ESCORIAL**　Tel. 91-8902412　Fax 91-8961062　1/1-31/12

30 Ha ■ 1200 (90)

Acceso: Por autopista A-6 dirección Villalba, salida Guadarrama nº 47. Instalaciones de alto nivel.
VER ANUNCIO.

P/N	N/N	A/N	M/N	C/N	T/N	AC/N	EL	PC						PI	ACI
552	528	566	425	566	566	1038	354					1793			

VALDEMAQUEDA　28295　Mapa pág. 35

M-24　**EL CANTO DE LA GALLINA**　Tel. 91-8984820　1/1-31/12

12 Ha ■ 245

Situado en el Km. 4,8 de la ctra. de Robledo de Chavela a Valdemaqueda.

P/N	N/N	A/N	M/N	C/N	T/N	AC/N	EL	PC				PI	ACI
550	450	500	350	500	550	800	500						

PELAYOS DE LA PRESA　28696　Mapa pág. 35

M-25　**LA ENFERMERIA**　Tel. 91-8645412　1/1-31/12

4 Ha ■ 151

Situado en la ctra. San Ramon s/n. Precios 94

P/N	N/N	A/N	M/N	C/N	T/N	AC/N	EL	PC				ACI
450	350	450	300	550	450	650	300					

VALDEMORILLO   28210   Mapa pág. 35

M-27   **VALDEMORILLO** Tel. 91-8990002   1/1-31/12

2.7 Ha ■ 125 (80) ☀ ⊙ ⎍ ⌐ ⌐ WC 🛁 ♨ 🚿 🔥 ♿ 🍽 ⚓ ⤵ ⤵

Ubicado en Valdemorillo, entre Madrid y El Escorial, en la ctra. C-600 en las cercanías de la sierra de Guadarrama. Pinos, chopos y acacias, mucha sombra.

P/N	N/N	A/N	M/N	C/N	T/N	AC/N	EL	PC	
-----	-----	-----	-----	-----	-----	------	----	----	

M-29   **SAN JUAN** Tel. 91-8990300   1/1-31/12

5.4 Ha ■ 90 ☀ ⊙ ⎍ ⌐ ⌐ WC 🛁 ♨ 🚿 🔥 ♿ 🍽 🏠 ⚓ GAS ⤵ ➕ ▭

En la ctra. de Navalcarnero-Avila, Km 25. Cerro de San Juan.

P/N	N/N	A/N	M/N	C/N	T/N	AC/N	EL	PC
377	283	330	189	377	377	755	283	

VILLAVICIOSA   28670   Mapa pág. 35

M-31   RPT **ARCO IRIS** Tel. 91-6160387   1/1-30/12

4 Ha ■ 230 (60) ☀ 🚂 ⊙ 🚐 ⎍ ⌐ WC 🛁 ♨ 🚿 🔲 🍽 ✕ 🏠 ⚓ 🏋 GAS
⤵ ⤵ ➕ 🏠 🎾 ▥ 16 ▭ 4

Se accede por la salida dirección Boadilla del Monte de la M-40. Situado en la ctra. C-501.VER ANUNCIO.

P/N	N/N	A/N	M/N	C/N	T/N	AC/N	EL	PC				PI	ACI
475	475	540	475	540	540	900	400	🚗 🚙 ⤵			1590		

GETAFE   28906   Mapa pág. 35

M-33   RPT **ALPHA** Tel. 91-6958069   Fax 91-6831659   1/1-31/12

4,8 Ha ■ 350 (45) ☀ ⊙ 🚐 ⛲ ⎍ ⌐ ⌐ WC 🛁 ♨ 🚿 🔲 🍽 ✕ DISCO ⚓
🏋 GAS ⤵ ⤵ ➕ 🎾 ▥ 🛖 83 ▭

Situado en Getafe, ctra. de Andalucía, Km 12,4. Con vistas al cerro de Los Angeles. Plátanos, chopos, accacias, mucha sombra. Acceso desde la M-30 y M-40, dirección Sur-Ocaña (N-IV).

P/N	N/N	A/N	M/N	C/N	T/N	AC/N	EL	PC		PI
566	453	566	528	613	613	1038	472			

ARANJUEZ   28300   Mapa pág. 35

M-36   RPT **SOTO DEL CASTILLO** Tel. 91-8911395   1/3-31/10

2.3 Ha ☀ ⊙ ⎍ ⌐ WC ♿ 🔲 🍽 ✕ 🏠 ⚓ 🏋 GAS ⤵ ⤵ ➕ 🏠 🚲 🏐 ▥ 20

Situado en Aranjuez. Acceso por el Km 46,8 de la N-IV. Zonas verdes ajardinadas en todo el camping. Mucha vegetación. Cerca del río Tajo.

P/N	N/N	A/N	M/N	C/N	T/N	AC/N	EL	PC	
-----	-----	-----	-----	-----	-----	------	----	----	

ARGANDA   28500   Mapa pág. 35

M-39 /\\\   **ARGANDA** Tel. 91-8712663 Fax 91-8716040 1/1-31/12

3 Ha 🌲 ⊙ 😀 ⌐ WC 🍴 🔧 🚿 ⛲ 🎣 🐟 🚗 📞

Situado en Arganda, ctra. Campo Real, Km 3,6. Arbolado de álamos con mucha sombra, zona verde. Cercano a Chinchon.

P/N	450	N/N	375	A/N	450	M/N	350	C/N	450	T/N	450	AC/N	600	EL	600	PC	🚗 🚐		2000

M-40 /\\   **LAGO COTO CISNEROS** Tel. 91-8719695 Fax 91-8719695 1/1-31/12

10 Ha ■ 480 (74) 🌲 ⊙ 😀 ⌐ ⌐ WC 🍴 🔧 🎾 ✕ 🏠 🚿 ⛲ 🅶🅰🅂 🚗 🐟 🚗

📞

Situado en la C-302, Km 2,5. Puente Arganda-Chinchon. Zona de lagos.

P/N	400	N/N	325	A/N	400	M/N	300	C/N	400	T/N	400	AC/N	800	EL	400	PC	🚗 🚐		1200	ACI

Los precios indicados son meramente orientativos y **EL IVA NO ESTÁ INCLUIDO**.

Están basados en las informaciones recibidas hasta el cierre de la edición de esta GUIA.

Los reales son los que figuran en la declaración expuesta en la recepción del camping con el sello del organismo de la correspondiente Comunidad Autónoma.

Múrcia

SERVICIOS TERRITORIALES DE TURISMO
(968) 362000

CRUZ ROJA ESCUCHA PERMANENTE
(968) 218893

GUARDIA CIVIL DE TRAFICO
(968) 234109

GUARDIA CIVIL PATRULLAS
(968) 251100

M
U
R
C
I
A

MURCIA

BAÑOS DE FORTUNA   30709   Mapa pág. 47

MU-01   **LAS PALMERAS** Tel. 968-685123   1/1-31/12

0.2 Ha   48   ⚡ ⊙ 🛏 🚿 WC ♨ ⍾ × ⚓ 🏛 GAS ✚

Acceso: girando hacia Baños de Fortuna en el Km 10 de la N-340, a unos 21,5 Km.

P/N	N/N	A/N	M/N	C/N	T/N	AC/N	EL	PC

MU-02   PT **FUENTE** Tel. 968-685454 Fax 968-685454   15/9-31/5

0,9 Ha ■ 32 (70) ☀ ___ ⚡ 0,2 Km ⊙ 🛏 🚿 WC 🧺 🍴 × ⚓ 🏛 ⛲

Acceso por la autovía Alicante-Murcia, salida nº 83, por la ctra. C-3223 dirección Baños de Fortuna. ESTANCIA MÍNIMA CUATRO NOCHES. NO SE ADMITEN TIENDAS.

P/N	N/N	A/N	M/N	C/N	T/N	AC/N	EL	PC
320	200	320		320		640		

SAN JAVIER   30730   Mapa pág. 47

MU-04   RPT **ANDROMEDA** Tel. 968-191080   1/1-31/12

3.7 Ha ■ 200 ⚡ ___ ⚡ 3.00Km ⊙ 🚐 🛏 🚿 WC ♨ 🍴 × 🏛 ⚓ 🏛 GAS ⛲ ≈ 🎾 🏠 18 🚕

Situado en la ctra. Balsicas de San Javier a Murcia. Terreno llano, prado en parte. Acceso: Salir de la N-332 en la localidad y girar en dirección Murcia. Escuela taurina.

P/N	N/N	A/N	M/N	C/N	T/N	AC/N	EL	PC		ACI
425	325	425	325	535	425	1000	330	PC	1300	ACI

MU-05   M **MAR MENOR** Tel. 968-570133   1/1-31/12

1.5 Ha ■ 197 ⚡ ___ ⊙ 🛏 🚿 🚿 WC 🍴 🍽 × ⚓ 🏛 GAS ✚

Situado en San Javier, ctra. de La Ribera a Los Alcazares. Terreno llano, con pinos y eualiptos lindantes con el mar.

P/N	N/N	A/N	M/N	C/N	T/N	AC/N	EL	PC	ACI
401	354	401	333	425	401	566	254		ACI

LOS ALCAZARES   30710   Mapa pág. 55

MU-07   **ALCAZARES CARTAGONOVA** Tel. 968-575100   15/3-30/9

1.5 Ha ⚡ ___ ⚡ 0.10Km ⊙ 🛏 🚿 🚿 WC 🧺 🍴 🍽 🏛 ⚓ 🏛 GAS ~
≈ ✚ 🚕

Situado en la ctra. N-332, Km. 11,2.

P/N	N/N	A/N	M/N	C/N	T/N	AC/N	EL	PC		PI	ACI
400	360	400	360	460	460	630	385	PC	1370	PI	ACI

PUERTO LUMBRERAS   30890   Mapa pág. 55

MU-11   **LOS ANGELES** Tel. 968-402782   1/1-31/12

0.4 Ha ■ 50 ⚡ ⊙ 🛏 🚿 WC 🍴 🍽 × 🏛 ⚓ ~ ✚

Situado en la bifurcación de la N-342 y la N-340 en el límite norte de la población. Terreno con árboles y sombrajos.

P/N	N/N	A/N	M/N	C/N	T/N	AC/N	EL	PC	ACI
350	200	400	200	400	400	600	350		ACI

TOTANA   30850   Mapa pág. 55

MU-13   **TOTANA** Tel. 968-420609   1/1-31/12

0.8 Ha ⚡ ⊙ 🛏 🚿 WC 🍴 × ⚓ 🏛 GAS ~ ≈ ✚ 🚕 🎾

Terreno ligeramente inclinado, rodeado de abetos. Situado en el Km 287,8 de la N-340.

P/N	N/N	A/N	M/N	C/N	T/N	AC/N	EL	PC

SER CAMPISTA SIGNIFICA RESPETAR LA NATURALEZA

ISLA PLANA   30868   Mapa pág. 55

MU-17   PT **LOS MADRILES**   Tel. 968-152151   Fax 968-152092   1/1-31/12

5 Ha ■ 300 (80)   1 Km

Acceso por la ctra. N-332 y por la comarcal a la Azohía, km. 4,5. Terreno en terrazas con vistas al mar y rodeado de montañas. Acceso por la N-332, y por la comarcal a La Azohía.

| P/N | 401 | N/N | 401 | A/N | 410 | M/N | 401 | C/N | 401 | T/N | 401 | AC/N | | EL | 307 | PC | | 1203 | PI | ACI |

MAZARRON   30860   Mapa pág. 55

MU-19   MRT **PLAYA DE MAZARRON**   Tel. 968-150660   Fax 968-150837   1/1-31/12

6.5 Ha ■ 427 (80)

Terreno llano con eucaliptos y palmeras, también sombras de sombrilla. Acceso: girando hacia el oeste en el puerto de Mazarron, en el Km 111 de la N-332, y seguir 4,5 Km más. Precios indicados correspoden a una parcela de 80 m2.

| P/N | 395 | N/N | 270 | A/N | 395 | M/N | 275 | C/N | | T/N | 395 | AC/N | | EL | 350 | PC | | 1400 | ACI |

AGUILAS   30880   Mapa pág. 55

MU-22   **BELLAVISTA**   Tel. 968-412746   1/1-31/12

0.8 Ha ■ 45 (55)   0.30Km

Ubicado en Aguilas, Km 3 de la ctra. Vera-Almeria. Acacias y zona verde, bella panorámica, playas arenosas y rocosas.

| P/N | 350 | N/N | 300 | A/N | 350 | M/N | 300 | C/N | 395 | T/N | 395 | AC/N | 500 | EL | 275 | PC | | 300 | ACI |

MU-23   MPT **CALARREONA**   Tel. 968-413704   Fax 968-412704   1/1-31/12

3,6 Ha ■ 300 (60)   0,05 Km

Ctra. N-332 Valencia-Almeria por la costa, dirección Almeria 4 Km después de Aguilas. Playa tranquila y arenosa. Pistas voleibol.

| P/N | 344 | N/N | 264 | A/N | 344 | M/N | 292 | C/N | 396 | T/N | 344 | AC/N | 556 | EL | 307 | PC | |

MU-24   RPT **AGUILAS**   Tel. 968-419205   1/1-31/12

2 Ha ■ 110 (65)   2.00Km

Acceso: desvío a la izqda. en el Km 4 de la ctra. Aguilas-Cabo Cope, junto a una urbanización, sobre una loma.

| P/N | 425 | N/N | 400 | A/N | 450 | M/N | 400 | C/N | 450 | T/N | 450 | AC/N | 1500 | EL | 425 | PC | | 1150 | ACI |

EL PORTUS   30393   Mapa pág. 55

MU-25   MPT **EL PORTUS**   Tel. 968-553052   Fax 968-553053   1/1-31/12

10 Ha. ■ 216

Camping naturista. Situado a 12 Km. de Cartagena, dirección Canteras, pasado el pueblo unos 3 Km a la izquierda.

| P/N | 550 | N/N | 460 | A/N | 600 | M/N | 400 | C/N | 715 | T/N | 660 | AC/N | 1040 | EL | 650 | PC | | | PI | ACI |

El símbolo FECC indica que se hacen descuentos a los socios de los Clubs federados sin ningún condicionamiento aparte de la correspondiente identificación.

MORATALLA 30440   Mapa pág. 46

MU-26 ⚠ PT **LA PUERTA** Tel. 968-730008 1/1-31/12

14 Ha ■ 200  1

Situado en el paraje de La Puerta.

P/N	N/N	A/N	M/N	C/N	T/N	AC/N	EL	PC	PI	ACI
375	275	325	250	450	325	575	325			

ALHAMA DE MURCIA 30203   Mapa pág. 47

MU-28 **SIERRA ESPUÑA** Tel. 968-668038 Fax 968-668038

1,9 Ha ■ 59 2

P/N	N/N	A/N	M/N	C/N	T/N	AC/N	EL	PC	ACI
350	200	350	250	400	500	550	300		

BULLAS 30180   Mapa pág. 55

MU-30 PT **LA RAFA** Tel. 968-654666 Fax 968-219178 15/3-31/10

1,5 Ha ■ (100) 1

Situado en el paraje La Rafa.

P/N	N/N	A/N	M/N	C/N	T/N	AC/N	EL	PC	PI	ACI
375	275	325	250	450	325	575	325			

El símbolo FECC indica que se hacen descuentos a los socios de los Clubs federados sin ningún condicionamiento aparte de la correspondiente identificación.

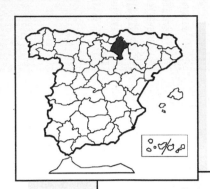

Navarra

N
A
V
A
R
R
A

SERVICIOS TERRITORIALES DE TURISMO
(948) 107741

CRUZ ROJA ESCUCHA PERMANENTE
(948) 259854

GUARDIA CIVIL DE TRAFICO
(948) 237133

GUARDIA CIVIL PATRULLAS
(948) 221100

NAVARRA

GARDE   31414   Mapa pág. 13

NA-02   R   **URRUTEA**   Tel. 948-475132   SS-1/5-15/10

0.7 Ha   48   🌲 ⊙ 🚻 🚻 ⌐ ⌐ WC 🍽 🔧 ✎

Situado en la ctra. de Garde a Ansó.

P/N 390	N/N 325	A/N	M/N	C/N	T/N 400	AC/N	EL	PC	

ISABA   31417   Mapa pág. 13

NA-04   RPT   **ASOLAZE**   Tel. 948-893034   Fax 948-893034   1/1-31/12

6 Ha   🌲   ⊙ 🚻 🚻 ⌐ WC 🚿 🛁 🖤 📺 🍽 ✗ 🏠 🔧 ⛽ ♿ ‖X 13 🛏 1
🚲 💳

Situado en el valle de Belagua, Km 6 de la ctra. a Francia. Arbolado de pinos. VER ANUNCIO.

P/N 450	N/N 350	A/N 450	M/N 325	C/N 425	T/N 425	AC/N 725	EL	PC		ACI

SANGÜESA   31400   Mapa pág. 12

NA-06   RPT   **CANTOLAGUA**   Tel. 948-430352   1/1-31/12

13 Ha   100 (60)   🌲 🗲 0,2 Km ⊙ 🚻 ⌐ WC 🚿 🛁 ♿ 📺 🍽 ✗ 🔧 ⛽ ✚

Acceso: Por la Ctra. N-240 hasta el Km.41, en Liedena y después por la ctra. N-240 hasta Sangüesa.

P/N 375	N/N 350	A/N 375	M/N 250	C/N 400	T/N 395	AC/N 550	EL	PC	

LUMBIER   31440   Mapa pág. 12

NA-09   PT   **ITURBERO**   Tel. 948-880405   1/1-31/12

1,8 Ha   100 (95)   🌲 🔥 🚻 ⌐ WC 🚿 🛁 📺 🍽 🔧 ⛽ ✎ ✚
🚗 🎾

Acceso por la N-240, cruce a Lumbier.

P/N 375	N/N 275	A/N	M/N	C/N	T/N	AC/N	EL 350	PC 🚗 🚐	850	ACI

OTXAGABIA   31680   Mapa pág. 13

NA-10   RPT   **OSATE**   Tel. 948-890184   Fax 948-890184   1/1-31/12

1 Ha   120   🌲 ⊙ 🚻 ⌐ WC 🚿 🛁 📺 🍽 ✗ 🔧 ⛽

Situado en la ctra. de Salazar, a 500 m de Ochagavia.

P/N 425	N/N 350	A/N 425	M/N 350	C/N 450	T/N 450	AC/N 650	EL 290	PC		ACI

RIEZU-ERREZU   31176   Mapa pág. 13

NA-11   PT   **RIEZU** Tel. 948-542177   19/3-30/9

1,7 Ha ■ 75 (65)

Situado entre la sierra de Urbasa y Andia y el pantano de Alloz, a orillas del río Ubagua en la ctra. Estella-Pamplona por Etxauri.

P/N	N/N	A/N	M/N	C/N	T/N	AC/N	EL		PC					PI	ACI
395	325	395	275	425	425	650						1250			

EUSA   31194   Mapa pág. 12

NA-12   🔺   RPT   **EZCABA** Tel. 948-331665   Fax 948-330315   SS-30/9

1.6 Ha ■

Camino de Santiago. Centro de excursiones. Acceso por la ctra. Pamplona-Irún, Km 7 pasando Oricaín a la izqda. Sobre una loma con álamos y plátanos.

P/N	N/N	A/N	M/N	C/N	T/N	AC/N	EL		PC					PI	ACI
425	325	425	325	550	500	650	371					1300			

ESPARZA DE SALAZAR   31453   Mapa pág. 13

NA-13   PT   **MURKUZURIA** Tel. 948-890190   Fax 948-890118   SS-30/9

1 Ha ■ 60

Acceso por la ctra. Lumbier-Ochagavia, cerca del pueblo de Esparza.

P/N	N/N	A/N	M/N	C/N	T/N	AC/N	EL		PC				PI	ACI
425	375	425	200	550	475	750								

MENDIGORRIA   31150   Mapa pág. 12

NA-14   🔺   RPT   **EL MOLINO** Tel. 948-340604   Fax 948-340082   1/1-31/12

1.5 Ha ■ 125 (55)

Situado en un paraje entre colinas. Se accede saliendo de la N-111 en Puente la Reina y seguir 6 Km al sur. Discoteca, parcelas delimitadas por setos.

P/N	N/N	A/N	M/N	C/N	T/N	AC/N	EL		PC				PI
400	300											1200	

ESTELLA   31200   Mapa pág. 12

NA-15   🔺   RP   **LIZARRA** Tel. 948-551733   Fax 948-554755   1/1-31/12

6 Ha ■ 250

En el Km 43 de la N-111.

P/N	N/N	A/N	M/N	C/N	T/N	AC/N	EL		PC					PI	ACI
425	350											1250			

ESPINAL   31694   Mapa pág. 12

NA-18   🔺   PT   **URROBI** Tel. 948-760200   1/4-31/10

5.5 Ha 🌲

Situado en terreno montañoso. Se accede por la ctra. Pamplona-Valcarlos, Km 42. Dispone de máquina secadora.

P/N	N/N	A/N	M/N	C/N	T/N	AC/N	EL		PC						
375	300	375	300	400	375	600						2	2	1100	

DANCHARINEA   31712   Mapa pág. 12

NA-20   🔺   T   **JOSENEA** Tel. 948-599011   1/1-31/12

2.4 Ha ■ 50

Entre colinas, en terrazas y con un arroyo. Plátanos. Se accede por el Km 80,2 de la N-121 cerca de la frontera.

P/N	N/N	A/N	M/N	C/N	T/N	AC/N	EL		PC
400	300	400	300	400	400	600			

LEKUNBERRI   31870   Mapa pág. 12

NA-22   PT   **ARALAR** Tel. 948-504011   1/1-31/12

1 Ha ■ 31

En el sur de la población. Se accede por la N-240 en el Km 32,8, seguir 100 m hacia el este. Dividido por dos arroyos, con álamos jóvenes.

P/N	N/N	A/N	M/N	C/N	T/N	AC/N	EL		PC			PI
375	300	375	300	425	425	650						

OLITE 31390 Mapa pág. 12

NA-23 **CIUDAD DE OLITE** Tel. 948-712443 1/1-31/12

🌲 ⊙ 🚐 ⅃ ✕

Situado en el Km. 2,3 de la ctra. N-115.

P/N	N/N	A/N	M/N	C/N	T/N	AC/N	EL	PC		
400	300	400	250	400	400	700		🚐 🔥		1200

CINTRUENIGO 31592 Mapa pág. 12

NA-24 △ T **CINTRUENIGO** Tel. 948-812477 1/1-31/12

0,5 Ha ■ 36 (60) 🌲 ▭ ⊙ ⊖ ⊖ ⌐ ⌐ WC 🧺 🚿 🚻 ⅃ ✕ 🏠 ⤵ 🔚 10

Situado en la ctra. comarcal NA-160, Tudela-Fitero.

P/N	N/N	A/N	M/N	C/N	T/N	AC/N	EL	PC	

OLAZAGUTIA 31809 Mapa pág. 12

NA-27 RPT **BIOITZA-URBASA** Tel. 908-677670 1/1-31/12

2 Ha 🌲 ▭ ⊙ ⊖ ⌐ WC 🧺 🚿 ♿ ⅃ ✕ 🔧 ⛽ 🔚

Situado en el km.30 de la ctra. Estella-Olazagutia, en plena sierra de Urbasa.

P/N	N/N	A/N	M/N	C/N	T/N	AC/N	EL	PC		ACI
425	350	425	310	425	425	800	345			

Ante la variedad de conceptos que facturan algunos campings bajo el epígrafe «parcela» recomendamos contactar antes con ellos para conocer con exactitud el alcance de las mismas.

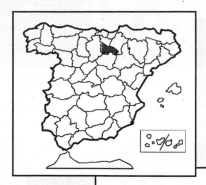

COMUNIDAD DE
La Rioja

La Rioja

SERVICIOS TERRITORIALES DE TURISMO

(941) 291100

CRUZ ROJA ESCUCHA PERMANENTE

(941) 225212

GUARDIA CIVIL DE TRAFICO

(941) 227212

GUARDIA CIVIL PATRULLAS

(941) 851100

LA RIOJA

CASTAÑARES DE LA RIOJA   26240   Mapa pág. 11

LO-01   RT   **RIOJA**   Tel. 941-300174   1/1-9/12

2.6 Ha ■ 200 (70)

Situado en la ctra. de Haro a Sto. Domingo de la Calzada Km. 8,5

P/N	N/N	A/N	M/N	C/N	T/N	AC/N	EL	PC		PI	ACI
580	475	580	475	580	580	1000	345			PI	ACI

HARO   26200   Mapa pág. 11

LO-02   **HARO**   Tel. 941-312737   1/1-31/12

3.5 Ha ■ 150 (80)

A 600 m. del centro de la población, a orillas del río Tirón.

P/N	N/N	A/N	M/N	C/N	T/N	AC/N	EL	PC			PI	ACI
430	330	430	375	430	430	740	295			860	PI	ACI

NAJERA   26300   Mapa pág. 11

LO-03   T   **EL RUEDO**   Tel. 941-360102   1/4-30/9

0.5 Ha ■ 40

Ubicado en Nájera, ctra. Logroño-Burgos. Entre las vegas de los rios Najerilla y Ebro, en una antigua plaza de toros.

P/N	N/N	A/N	M/N	C/N	T/N	AC/N	EL	PC		ACI
500	450	450	375	500	500	900				ACI

NAVARRETE   26370   Mapa pág. 11

LO-04   RPT   **NAVARRETE**   Tel. 941-440169   Fax 941-440169   1/1-31/12

3 Ha ■ 190 (75)

Situado en la ctra. de Navarrete a Entrena, Km 1,5.

P/N	N/N	A/N	M/N	C/N	T/N	AC/N	EL	PC		PI	ACI
490	425	490	390	490	490	870				PI	ACI

LOGROÑO   26006   Mapa pág. 11

LO-05   **LA PLAYA**   Tel. 941-252253   1/6-30/9

Ubicado en la misma ciudad, Av. de la Playa, s/n. Arbolado de chopos y zonas verdes.

P/N	N/N	A/N	M/N	C/N	T/N	AC/N	EL	PC		ACI
600	550	600	400	750	750	1500				ACI

BAÑARES   26257   Mapa pág. 11

LO-07   RPT   **BAÑARES**   Tel. 941-342804   1/1-31/12

12 Ha ■ 600 (80)

Situado en Bañares a la que se accede por la ctra. Logroño-Burgos.

P/N	N/N	A/N	M/N	C/N	T/N	AC/N	EL	PC			PI	ACI
560	510	560	450	560	560	960	430			2300	PI	ACI

Los clubs están a su disposición para proporcionarle toda la información referente a la práctica del camping y caravaning.

FUENMAYOR   26360   Mapa pág. 11

LO-08 RPT **FUENMAYOR** Tel. 941-450330 1/1-31/12

6,1 Ha ■ 180 (70) 🌲 ⚡ 0,5 Km ☺ 🚐 🚿 🛁 🚽 BEBÉ WC 🏠 🍴 🛁 ♿ 📷 🧺 🍴 🏠 🔫 🛏️ GAS 🏊 ➕ 🏠 🚲

Accesos: por la autopista Vasco-Aragonesa, salida 11 o por la ctra. Logroño-Vitoria, seguir hasta la ctra. de la Estación.

P/N	N/N	A/N	M/N	C/N	T/N	AC/N	EL	PC
500	425	500	400	500	500	900	375	

VILLOSLADA DE CAMEROS   26125   Mapa pág. 22

LO-10 ⛰ 11 **LOS CAMEROS** Tel. 941-468195 Fax 941-468195 1/1-31/12

4 Ha ■ 173 (60) 🌲 ☺ 🚿 🚽 WC 🍴 🛁 🏠 📷 🍴 ✕ 🔫 🛏️ GAS 🏊 🎣 🏓 ⛰ 1 🚲

Acceso por la ctra. N-111, a 45 km de Logroño en dirección Soria.VER ANUNCIO.

P/N	N/N	A/N	M/N	C/N	T/N	AC/N	EL	PC		PI	ACI
400	300	400	300	425	425	750	350				

PORTUGAL

Moneda: Escudo = 100 centavos.
Horarios: CORREOS: de lunes a viernes de 9.00 a 18.00. Algunos de los más grandes abren también los sábados. BANCOS: de lunes a viernes de 8.30 a 15.00 horas. COMERCIOS: de lunes a viernes de 9.00 a 13.00 y de 15.00 a 19.00. Sábados hasta las 13.00.
Documentación: DNI o pasaporte.
Perros y gatos: Ver tabla "Documentos de frontera para perros y gatos".
Teléfono: Prefijo de España desde Portugal: 00-34 (no marcar el 9 del prefijo provincial). Prefijo de Portugal desde España: 07-351 (no marcar el 0 del prefijo local).
Normas de circulación: Cinturón obligatorio. Tasa máxima de alcoholemia: 0,5. **Velocidades máximas:** Ver tabla "Límites de velocidad para coches con caravana y autocaravanas".
Normas para acampar: Prohibido pernoctar fuera de los campings.
Teléfonos de socorro: Avería: sur (01) 9425095 y norte: (02) 316732. En caso de accidente: 115. Policia: 115.
Direcciones útiles: Centros de Portugal: Gran Vía, 27, 1º, 28013 Madrid. Tel. (91) 522 93 54/522 44 08. Ronda de Sant Pere 7, 1ª 2, Barcelona. Tel. (93) 317 79 99. Fax. (93) 4122614. Marqués de Valladares 29-31. Vigo. Tel. (986) 22 49 59. Consulado General de España en Lisboa: Rua de Salitre, 3, 1296 Lisboa. Tel. (01) 347 27 92/93/94 - 347 86 23. Embajada de España en Lisboa: Rua de Salitre 3, 1296 Lisboa; Tel. (01) 347 23 81/82/83/84; fax: (01) 347 23 84. Consulado en Elvas: Rua Conde de Cantanhede, 13, 7350 Elvas. Tel. (068) 62 24 19. Consulado en Oporto: Rua don Joao IV, 341, 4000 Porto. Tel. (02) 56 39 15. - Fax: Consulado en Valença do Minho: Av. de Espanha, s/n, 4930 Valença do Minho. Tel. (051) 221 22 - Fax: 82 45 60. Consulado en Vila Real de Santo Antonio: Rua Ministro Duarte Pacheco, 21, 8900 Vila Real de Santo Antonio. Tel. (081) 448 88; fax: (081) 51 18 26. Embajada de Portugal en Madrid: Pinar, 1 - 28006 Madrid - Tel. (91) 561 78 00

Los afiliados a la Seguridad Social española tienen derecho a la prestación de asistencia sanitaria de carácter urgente durante su estancia en Portugal. Infórmese en la oficina del organismo sanitario competente de su Autonomía.

Precios en ESCUDOS SIN I.V.A.

CAMINHA   4910   Mapa pág. 17

PG-005 🏕 RPT **ORBITUR-MATA DO CAMARIDO** Tel. 058-921295 Fax 058-921473 1/1-31/12

3 Ha ■ 320 ⛲ ___ 🛡 0,20 Km ☺ 🛁 🛏 ⌐ ⌐ WC 🧺 🚿 🍳 ◻ ⌂ 🍸 ✕ ⤵ 🏺 (GAS) ⚓ ➕ ⛽

Terreno arenoso con mucha sombra, situado a 2 Km S de la localidad. Acceso por la E.N. 13 (Porto-Valença), Mata do Camarido.

P/N	486	N/N	248	A/N	419	M/N	286	C/N	562	T/N	495	AC/N	705	EL	286	PC		ACI

CAMPO DO GERES   4840   Mapa pág. 17

PG-009 🏕 MP **PARQUE DE CERDEIRA** Tel. 053-351005 1/1-31/12

2 Ha ■ 340 ⛲ ☺ 🛏 ⌐ WC 🧺 🚿 ♿ 🍳 ◻ ⌂ 🍸 ✕ 🏠 ⤵ 🏺 (GAS) ⚓ ➕

🚗 📠

Situado en el corazón del Parque Natural de Peneda-Geres.

P/N	476	N/N	281	A/N	429	M/N	238	C/N	762	T/N	762	AC/N	857	EL	571	PC		

GERES   4830   Mapa pág. 17

PG-012 M **OUTEIRO ALTO** Tel. 053-659860 Fax 053-659860 1/1-31/12

⛲ ☺ 🛏 ⌐ WC 🧺 🚿 🍳 🍸 🏠 ⤵ 🏺 (GAS)

Acceso difícil para caravanas.

P/N	381	N/N	190	A/N		M/N		C/N	952	T/N	429	AC/N	952	EL	600	PC		ACI

VIANA DO CASTELO   4900   Mapa pág. 17

PG-014 🏕 MPT **ORBITUR-CABEDELO** Tel. 058-322167 Fax 058-321946 16/1-15/11

2,5 Ha ■ 300 ⛲ ___ ☺ 🚐 🚿 🛁 🛏 ⌐ ⌐ WC 🧺 🚿 🍳 ◻ ⌂ 🍸 ✕ 🏠

⤵ 🏺 (GAS) ⚓ ➕ ⛽ 🚗 📠

Situado a 1 Km al sur de Viana del Castelo. Acceso por la E.N.246-2 (Castelo Branco-Portoalegre), Mata do Cabedelo.

P/N	486	N/N	248	A/N	419	M/N	286	C/N	562	T/N	495	AC/N	705	EL	305	PC		ACI

VALPAÇOS   Mapa pág. 17

PG-015 M **RABAÇAL-VALPAÇOS** Tel. 078-75354 1/1-31/12

⛲ ☺ 🛏 ⌐ WC 🧺 🚿 🍳 ◻ ⌂ 🏠 ⤵ 🏺 ✤

Situado junto al rio Rabaçal. Acceso por la ctra. EN-206

P/N	238	N/N	95	A/N	143	M/N	114	C/N	286	T/N	143	AC/N	286	EL	190	PC		ACI

BRAGA   4700   Mapa pág. 17

PG-016 🏕 **PARQUE DA PONTE** Tel. 053-73355 1/1-31/12

2 Ha ■ 200 (60) ⛲ ___ ☺ 🛏 ⌐ ⌐ WC 🧺 🚿 🍳 🍸 ✕ ⤵ 🏺 (GAS) ⤴ ✤

Acceso por la ctra.N-101, Guimaraes-Braga, a continuación del estadio municipal. Terreno en terrazas.

P/N	286	N/N	145	A/N	238	M/N	171	C/N	457	T/N	419	AC/N	457	EL	190	PC		

MIRANDELA   Mapa pág. 18

PG-018 🏕 M **TRES RIOS-MARAVILHA** Tel. 078-23177 15/5-30/9

■ 200 ⛲ ☺ 🛏 ⌐ ⌐ WC 🧺 🚿 🍳 ⌂ 🍸 ✕ ⤵ 🏺 (GAS) ⚓ ➕ ✤

Camping privado perteneciente al Club de C.y C. de Mirandela.

P/N	238	N/N	95	A/N	145	M/N	114	C/N	286	T/N	238	AC/N	286	EL	190	PC		ACI

ESPOSENDE   3500   Mapa pág. 17

PG-019 🏕 M **FAO** Tel. 053-981777 15/5-30/9

■ 200 ⛲ ☺ 🛏 ⌐ WC 🧺 🚿 🍳 ⌂ 🍸 ✕ ⤵ 🏺 (GAS) ⚓ ⤴ ➕ ✤

Camping privado perteneciente al Club de C.C. de Barcelos.

P/N	238	N/N	95	A/N	145	M/N	115	C/N	286	T/N	238	AC/N	286	EL	190	PC		ACI

PORTUGAL

MONDIM DO BASTO   Mapa pág. 18

PG-022   **MONDIM DE BASTO**   Tel. 055-381650   18/1-18/12

■ 150 🌲 ☺ 🍴 ⌐ WC 🧺 👤 🏠 ☔ ⛽ ✳

Camping perteneciente a la F.P.C.C.

P/N 419	N/N	A/N 229	M/N 57	C/N 343	T/N 181	AC/N 343	EL	PC	ACI

POVOA DE VARZIM   4490   Mapa pág. 17

PG-023   🏔   **RIO ALTO**   Tel. 052-615699   Fax 052-611540   1/1-31/12

9 Ha ■ 615 🌲 🦌 0,1 Km ☺ 🍴 ⌐ ⌐ WC 🧺 👤 👥 ⚪ 🗑 ▽ 🍴 ✗ 🏠 ☔ ⛽ 🚗 🏓

P/N 400	N/N 200	A/N 552	M/N 210	C/N 686	T/N 590	AC/N 686	EL 267	PC	ACI

VILA FLOR   5360   Mapa pág. 18

PG-025   🏔   MPT   **PARQUE MUNICIPAL**   Tel. 078-52350   Fax 078-52380   1/1-31/12

6 Ha ■ 520 🌲 ═══ ☺ 🍴 🍴 ⌐ ⌐ WC 🧺 👤 🏠 ☔ ⛽ 🏓

Terreno moderno y tranquilo. Acceso por la N-15 (Braganza-Vila Real), seguir por la N-102 dirección Guarda y después por la N-215.

P/N 190	N/N 66	A/N 190	M/N 114	C/N 238	T/N 286	AC/N 381	EL 67	PC	ACI

VILA REAL   5000   Mapa pág. 18

PG-026   🏔   PT   **VILA REAL**   Tel. 059-24724   1/2-31/12

4 Ha ■ 200 🌲 🦌 0,05 Km ☺ 🚐 🍴 ⌐ ⌐ WC 🧺 👤 🍴 ✗ 🏠 ☔ ⛽ 🚗 🏓

Camping Municipal, ideal para pernoctación.

P/N 381	N/N 190	A/N 238	M/N 190	C/N 333	T/N 305	AC/N 381	EL 160	PC	ACI

VILA DO CONDE   4480   Mapa pág. 17

PG-028   🏔 : RT   **LABRUGE**   Tel. 029-71457   1/1-31/12

2 Ha ■ 520 🌲 ═══ 🦌 0,5 Km ☺ 🚐 🍴 ⌐ WC 🧺 👤 👥 ▽ 🍴 ✗ 🏠 ☔ 🏆 ⛽ 🚗 ✚ 🏠 6

Situado a 12 Km de Vila do Conde por la N-13 en dirección Porto.

P/N 476	N/N 238	A/N 476	M/N 286	C/N 914	T/N 667	AC/N 914	EL 333	PC	ACI

AMARANTE   4600   Mapa pág. 17

PG-029   🏔   M   **QUINTA DOS FRADES**   Tel. 055-432133   1/1-31/12

2 Ha ■ 200 🌲 ☺ 🍴 🍴 ⌐ ⌐ WC 👥 🍴 ✗ 🏠 ☔ 🏆 ✚ 🏠

Acceso por la N-15 (Porto-Vila Real) con desvío a la dcha. antes del puente. Situado entre la ctra. principal y el río Tamega, a 160 m del puente. Distribuido en terrazas.

P/N 145	N/N 71	A/N 190	M/N 95	C/N 381	T/N 286	AC/N 381	EL 171	PC	

MATOSINHOS   Mapa pág. 17

PG-030   T   **ANGUEIRAS**   Tel. 02-9270571   Fax 02-9271178   1/3-31/12

7,7 Ha ■ 600 🌲 ═══ 🦌 0,5 Km ☺ 🍴 ⌐ WC 🧺 👤 👥 ▽ 🍴 ✗ 🏠 ☔ 🏆 ⛽ 🚗 ✚ ✳ ⌐ 🏓

Situado a 20 Km. al N. de la ciudad de Porto.

P/N 324	N/N 162	A/N 238	M/N 162	C/N 476	T/N 476	AC/N 476	EL 238	PC	ACI

PORTO   4200   Mapa pág. 17

PG-031   🏔   **PRELADA**   Tel. 02-812616   1/1-31/12

6 Ha ■ 650 🌲 ═══ 🦌 1 Km ☺ 🍴 ⌐ WC 🧺 👤 🗑 ▽ 🍴 ✗ 🏠 ☔ 🏆 ⛽ ✚ 🏓

Terreno con ligeras ondulaciones situado al norte de la ciudad en la rua do Monte dos Burgos, cerca de una ctra. muy transitada. Acceso por la N-1. Señalizado

P/N 505	N/N 238	A/N 419	M/N 333	C/N 571	T/N 571	AC/N 752	EL 619	PC	

PORTUGAL

ENTRE-OS-RIOS — Mapa pág. 17

PG-036 ⚠ MRPT **PARQUE DAS MEDAS** Tel. 02-4760161 Fax 02-4760162 1/1-31/12

6 Ha ▪ 450 [pictograms]

Acceso por la ctra. N-108. Situado junto al río Duero.

P/N	N/N	A/N	M/N	C/N	T/N	AC/N	EL	PC		PI	ACI
400	171	300	219	1238	1238	1238	305			PI	ACI

ESPINHO 4500 Mapa pág. 17

PG-037 ⚠ P **SOLVERDE** Tel. 02-723718 1/1-31/12

3,5 Ha ▪ 315 [pictograms] 0,30 Km

Acceso por la ctra. Aveiro-Porto. Situado al norte de Espinho. Señalizado. Vegetación joven. Próximo a la carretera.

P/N	N/N	A/N	M/N	C/N	T/N	AC/N	EL	PC		ACI
390	195	333	238	467	467	514	190			ACI

CASTRO D'AIRE 3600 Mapa pág. 18

PG-040 ⚠ RPT **ORBITUR-CARVALHAL** Tel. 032-32803 1/5-31/10

1,5 Ha ▪ 280 [pictograms]

Acceso por la E.N.2 (Viseu-Chaves). Situado a 8 Km. al sur de Castro d'Aire.

P/N	N/N	A/N	M/N	C/N	T/N	AC/N	EL	PC		ACI
486	248	419	286	562	495	705	305			ACI

FURADOURO Mapa pág. 17

PG-042 ⚠ MRPT **FURADOURO** Tel. 056-591471 1/2-30/11

[pictograms]

P/N	N/N	A/N	M/N	C/N	T/N	AC/N	EL	PC		ACI
440		390	200	390	381	490	300			ACI

VISEU 3500 Mapa pág. 31

PG-047 ⚠ PT **ORBITUR-FONTELO** Tel. 032-26146 Fax 032-26120 16/1-15/11

3 Ha ▪ 150 [pictograms]

Situado a 1 Km de la ciudad. Acceso por la N-16 (Guarda-Aveiro) o por la N-2, Chaves-Viseu.

P/N	N/N	A/N	M/N	C/N	T/N	AC/N	EL	PC
486	248	419	286	562	495	705	305	

AVEIRO 3800 Mapa pág. 30

PG-048 ⚠ RT **ORBITUR-SAO JACINTO** Tel. 034-48284 Fax 034-48122 16/1-15/11

3 Ha ▪ 400 [pictograms] 1,5 Km

Situado junto a la playa de Sao Jacinto, en un pinar arenoso con ligeras ondulaciones, próximo a la Ría d'Aveiro. Acceso por la ctra. N-109 (Ovar-Sao Jacinto).

P/N	N/N	A/N	M/N	C/N	T/N	AC/N	EL	PC	ACI
486	248	419	286	562	495	705	305		ACI

CELORICO DA BEIRA 6360 Mapa pág. 32

PG-050 ⚠ MT **PONTE DO LADRAO** Tel. 071-72645 1/4-30/9

2 Ha [pictograms]

Situado junto al rio Mondego. Acceso por la ctra. IP-5, salidas 25 ó 26, dirección Lajeosa de Mondego.

P/N	N/N	A/N	M/N	C/N	T/N	AC/N	EL	PC	ACI
457	229	343	324	481	343	648	343		ACI

ILHAVO 3830 Mapa pág. 30

PG-051 ⚠ **PRAIA DA BARRA** Tel. 034-392425 Fax 034-323244 1/1-31/12

[pictograms]

P/N	N/N	A/N	M/N	C/N	T/N	AC/N	EL	PC
152	76	286	190	286	286	429	145	

PORTUGAL

ILHAVO 3830 Mapa pág. 30

PG-052 ⚠ MR **COSTA NOVA** Tel. 034-369822 Fax 034-360008 1/1-31/12

9 Ha 🌲 ⚊ ☺ 🍺 🧺 🚾 🧺 🛁 ♿ 🍽️ 🏠 ⊙ �Ⓝ 🔥 ⚙ 🔌 ➕ 🎾 🏠

Terreno herboso con algunos árboles y arbustos, situado a 1 Km al S de la localidad. Música en vivo. Acceso por la E.N.109 (a 10 Km de Aveiro).VER ANUNCIO.

| P/N 381 | N/N 143 | A/N 381 | M/N 238 | C/N 429 | T/N 429 | AC/N 476 | EL 238 | PC | | ACI |

VAGOS 3840 Mapa pág. 30

PG-053 ⚠ T **VAGUEIRA** Tel. 034-797618 Fax 034-797093 1/1-31/12

64 Ha 🌲 ⚊ 🌊 1,5 Km ☺ 🍺 🚾 🧺 🛁 ♿ 🖥️ 🍽️ 🏠 ⌀ 🔥 ⚙ ➕ ➕ 🎾 🚗

Acceso por la ctra. N-109 (Mira-Aveiro) en dirección oeste a partir de Vagos.

| P/N 524 | N/N 257 | A/N 419 | M/N 314 | C/N 667 | T/N 667 | AC/N 619 | EL 314 | PC | | ACI |

GUARDA 6300 Mapa pág. 32

PG-054 ⚠ RPT **ORBITUR-GUARDA** Tel. 071-211406 Fax 071-221911 16/1-15/11

2 Ha ■ 220 🌲 ⚊ ☺ 🚐 🍺 🧺 🚾 🧺 🛁 ♿ 🖥️ 🍽️ 🏠 🔥 ⚙ 🔌

Acceso por la E.N.18 (Guarda-Castelo Branco), 1 Km al sur de Guarda. Terreno natural en la ladera de una montaña.

| P/N 486 | N/N 248 | A/N 419 | M/N 286 | C/N 562 | T/N 495 | AC/N 705 | EL 305 | PC | | ACI |

GOUVEIA Mapa pág. 31

PG-056 **CURRAL DO NEGRO** Tel. 038-491008 17/1-19/12

■ 300 🌲 ☺ 🍺 🚾 🧺 🛁 🏠 🔥 ⚙ 🏊 ⚡

Camping perteneciente a la F.P.C.C.

| P/N 352 | N/N | A/N 210 | M/N 71 | C/N 381 | T/N 162 | AC/N 286 | EL | PC | | ACI |

LAGOA DE MIRA 3070 Mapa pág. 30

PG-057 RPT **VILA CAIA** Tel. 031-451524 1/1-31/12

6,5 Ha ■ 300 🌲 ☺ 🚐 🚾 🧺 🛁 🖥️ 🍽️ 🏠 🎡 🔥 🏊 ➕ 🚗 🏐 ⚽ 8

| P/N 419 | N/N 210 | A/N 333 | M/N 248 | C/N 667 | T/N 714 | AC/N 667 | EL 276 | PC | | PI ACI |

MIRA P-307 Mapa pág. 30

PG-059 ⚠ RPT **ORBITUR-DUNAS DE MIRA** Tel. 031-471234 Fax 031-472047 16/1-15/11

4 Ha ■ 300 🌲 ⚊ 🌊 0,30 Km ☺ 🚐 🍺 🚾 🧺 🛁 🖥️ 🍽️ 🏠 🔥 ⚙ ➕

Acceso por la ctra. E.N.109 (Parelhos de Mira-Figueira da Foz). Terreno llano y arenoso situado en un pinar.

| P/N 486 | N/N 248 | A/N 419 | M/N 286 | C/N 562 | T/N 495 | AC/N 705 | EL 305 | PC | | ACI |

OLIVEIRA DO HOSPITAL 3400 Mapa pág. 31

PG-061 △ PT **SAO GIAO** Tel. 038-51154 1/1-31/12

2,5 Ha ■ 250 ⛺ ... ⊙ ⊖ ⌐ ⌐ WC 🧺 🚿 ⌐ ♿ 📷 ⌂ ✕ 🏠 🔥 ⚑ 🏺 GAS
🧺 ➕ ⌂ ⌂

Prado alargado situado junto a un arroyo. Mucha vegetación. Acceso por la E.N.-230, Oliveira del Hospital-Sao Giao. VER ANUNCIO.

P/N	N/N	A/N	M/N	C/N	T/N	AC/N	EL	PC
457	229	333	286	524	524	571	286	

AVO 3415 Mapa pág. 31

PG-063 △ MPT **PONTE DAS TRES ENTRADAS** Tel. 038-57684 Fax 038-57685 1/1-31/12

■ 170 ⛺ ⊙ ⊖ ⌐ WC 🧺 🚿 ⌐ ♿ 📷 ⌂ Y ✕ 🏠 🔥 ⚑ 🏺 GAS 🧺 ➕ 🏠

Situado en el Km 135 de la ctra. E.N. 230, junto al rio Alva.

P/N	N/N	A/N	M/N	C/N	T/N	AC/N	EL	PC		ACI
333	167	333	210	476	357	571	210			

COJA Mapa pág. 31

PG-066 M **COJA** Tel. 035-92359 3/1-30/11

■ 200 ⛺ ⊙ ⊖ ⌐ WC 🧺 🚿 ⌐ ⌂ Y ✕ 🏠 🔥 ⚑ 🏺 GAS 🧺 ⊘

Camping perteneciente a la F.P.C.C. Situado junto al rio Alva. Acceso por la ctra. E.N.342.

P/N	N/N	A/N	M/N	C/N	T/N	AC/N	EL	PC		ACI
419		229	57	362	181	362				

ARGANIL 3300 Mapa pág. 31

PG-067 △ MPT **C.M.DE ARGANIL** Tel. 035-22706 Fax 035-23277 1/1-31/12

3 Ha ■ 300 ⛺ ... ... ⊙ ⊖ ⌐ ⌐ WC 🧺 🚿 ⌐ ♿ 📷 ⌂ ✕ 🏠 🔥 🏺 GAS 🧺 ➕ ⌂ 🏓 ⌂

Bonito terreno con ámplias parcelas en la orilla de un rio. Acceso: Por la N-17, Guarda-Coimbra, salida Arganil. Seguir unos 5 Km. dirección Sarzedo.

P/N	N/N	A/N	M/N	C/N	T/N	AC/N	EL	PC		ACI
210	105	190	145	229	229	229	76			

COIMBRA 3000 Mapa pág. 31

PG-068 △ **C.MUNICIPAL** Tel. 039-701497 1/1-31/12

1 Ha ⛺ ... ⊙ ⊖ ⌐ WC 🧺 🚿 ⌐ 🔥 🏺 GAS ➕ ⌂

Terreno de pernoctación sencillo, situado junto al estadio y a la piscina municipal. Acceso: E.N.17 (Coimbra-Guarda). Seguir la indicación "Universidade".

P/N	N/N	A/N	M/N	C/N	T/N	AC/N	EL	PC		ACI
220	100	280	200	280	230	280	120			

QUIAIOS Mapa pág. 30

PG-069 **PRAIA DE QUIAIOS** Tel. 033-910499 Fax 01-7968551 1/6-30/9

⛺ ⊙ ⊖ ⌐ WC 🧺 🚿 ⌐ Y ✕ 🏠 🔥 🏺 GAS 🧺 ➕ ⌂ 🏓

Situado cerca de la playa de Quiaios.

P/N	N/N	A/N	M/N	C/N	T/N	AC/N	EL	PC		ACI
352	200	305	190	514	495	552	257			

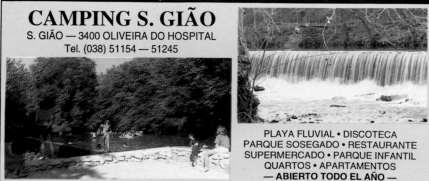

PORTUGAL

FIGUEIRA DA FOZ   3080   Mapa pág. 30

PG-071 △ **FIGUEIRA DA FOZ** Tel. 033-33033 1/1-31/12

■ 600 ⛺ ☉ 🛁 ⌐ WC 🚰 🚿 ♿ 📷 ⓨ ✕ 🏠 ⤵ ⚓ ⛽ ⚘ 🏊 🚗 🎾

Acceso por la rua Rancho das Cantarinhas.

P/N	N/N	A/N	M/N	C/N	T/N	AC/N	EL	PC	
286	145	238	145	381	333	476			

PG-073 △ MRPT **ORBITUR-GALA** Tel. 033-31492 Fax 033-31231 16/1-15/11

6 Ha ⛺ _ ☉ 🚐 🛁 🛁 ⌐ ⌐ WC 🚰 🚿 ♿ 📷 ⌂ ⓨ ✕ ⤵ ⚓ ⛽
⚘ ➕ 🏠

Acceso por la ctra. N-111 (Coimbra-Figueira da Foz), después por la E.N.109 Coimbra-Aveiro, a 6 Km al sur de Figueira. Mata de Lavos, Gala.

P/N	N/N	A/N	M/N	C/N	T/N	AC/N	EL	PC	ACI
486	248	419	286	562	495	705	305		

IDANHA A NOVA   3080   Mapa pág. 32

PG-078 △ M **BARRAGEM IDANHA-A-NOVA** Tel. 077-22793 Fax 077-22723 1/1-30/11

■ ⛺ ☉ 🛁 ⌐ WC 🚰 🚿 ♿ 📷 ⌂ ⓨ ✕ 🏠 ⤵ ⚓ ⛽ ⚘ 🏊 ➕ 🎾

Situado junto al pantano de Idanha-a-Nova.

P/N	N/N	A/N	M/N	C/N	T/N	AC/N	EL	PC	ACI
190	95	190	95	381	286	381			

MONTE REAL   2425   Mapa pág. 30

PG-079 △ MRPT **PRAIA DO PEDROGAO** Tel. 044-695403 15/2-15/12

9,3 Ha ⛺ ☉ 🛁 🛁 ⌐ ⌐ WC 🚰 🚿 ♿ ⌂ ⓨ ✕ 🏠 ⤵ ⚓ ⛽ ⚘
➕ 🚗 🚫 📦

Acceso por la N-I, Coimbra-Leira seguir, hacia Monte Redondo continuando en dirección Praia de Pedrogao. VER ANUNCIO.

P/N	N/N	A/N	M/N	C/N	T/N	AC/N	EL	PC	
145	76	145	95	286	238	286	95		

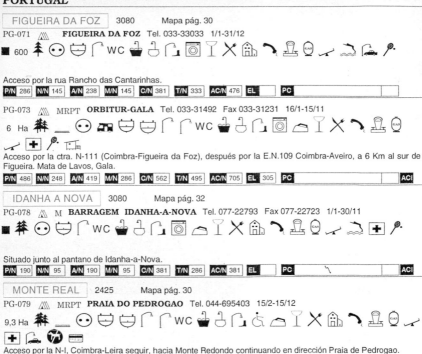

El símbolo FECC indica que se hacen descuentos a los socios de los Clubs federados sin ningún condicionamiento aparte de la correspondiente identificación.

PORTUGAL

PEDROGRAO GRANDE

PG-080 △ **PEDROGRAO GRANDE** Tel. 036-45459 1/4-31/10

■ 180 ♣ ☺ 🗑 ⌐ WC 🧺 🚿 🛁 ⌂ 🍽 ✕ 🏠 ⚓ 🚏 ⛽ ⚓

Situado en las inmediaciones de la población. Acceso por la ctra. E.N.2.VER ANUNCIO.

P/N	N/N	A/N	M/N	C/N	T/N	AC/N	EL	PC
86	43	100	76	152	125	152	57	

PARQUE DE CAMPISMO **PEDROGÃO GRANDE**

**P-3270
Pedrogão Grande
Tel. (036) 45459**

La ausencia de polución, el verde de las aguas de la Albufeira del Río Zézere, la tranquilidad, la sombra de los pinos salvajes, los buenos accesos, son factores determinantes para su elección.

ALBUFEIRA DA BARRAGEM DO CABRIL

CASTELO BRANCO
Mapa pág. 31

PG-082 △ **CASTELO BRANCO** Tel. 072-21615 2/1-19/11

■ 250 ♣ ☺ 🗑 ⌐ WC 🧺 🚿 🛁 🚏 ⛽ ⚓ ➕

P/N	N/N	A/N	M/N	C/N	T/N	AC/N	EL	PC
38	19	48	24	76	76	76	48	

MARINHA GRANDE
2430   Mapa pág. 30

PG-083 △ P **ORBITUR-S.PEDRO DE MOEL** Tel. 044-599168 Fax 044-599148 1/1-31/12

7,5 Ha ■ 140 ♣ ⊿ 0,50 Km ☺ 🚐 🗑 ⌐ ⌐ WC 🧺 🚿 🛁 ♿ 🖥 ⌂ 🍽 ✕
⚓ 🚏 ⛽ ⚓ ➕ 🚗

Acceso por la E.N.242 (Leiria-S.Martinho del Porto). Situado a 12 Km de Marinha Grande, dirección Sao Pedro de Moel.

P/N	N/N	A/N	M/N	C/N	T/N	AC/N	EL	PC		ACI
486	248	419	286	562	495	705	305			

NAZARE
2451   Mapa pág. 30

PG-085 △ RPT **ORBITUR-VALADO** Tel. 062-561111 Fax 062-561137 16/1-15/11

7 Ha ♣ ⊿ 🚐 ☺ 🗑 🗑 ⌐ ⌐ WC 🧺 🚿 🛁 🖥 ⌂ 🍽 ✕ 🏠 ⚓ 🚏 ⛽
⚓ ➕ 🚗

Acceso por la E.N.242 (Leiria-Alcobaça). Situado a 2 Km de Nazaré.Parada de autobús a 50 m.

P/N	N/N	A/N	M/N	C/N	T/N	AC/N	EL	PC		ACI
486	248	419	286	562	495	705	305			

PG-086 △ T **VALE PARAISO** Tel. 062-561546 1/1-31/12

7 Ha ♣ ⊿ 1,5 Km ☺ 🚿 🗑 🗑 ⌐ WC 🧺 🚿 🛁 ♿ 🖥 ⌂ 🍽 ✕ 🏠
⚓ 🚏 ⛽ ⚓ ⛵ ➕ 🚗 ♿

Situado a 1,5 Km de la ciudad. Acceso por el Km 31,5 de la N-242. Terreno ubicado en un bosque a 1,5 Km del mar. Abundantes instalaciones sanitarias con agua caliente gratuita Secadoras.VER ANUNCIO.

P/N	N/N	A/N	M/N	C/N	T/N	AC/N	EL	PC		ACI
495	248	410	238	524	457	619	276			

TOMAR
Mapa pág. 31

PG-087 △ **TOMAR** Tel. 049-322607 Fax 049-321026 1/1-31/12

■ 250 ☺ 🗑 ⌐ WC 🧺 🛁 🍽 ✕ 🏠 ⚓ 🚏 ⛽ ⌂ ⛵ ➕ 🎣

Situado junto al rio Nabao.

P/N	N/N	A/N	M/N	C/N	T/N	AC/N	EL	PC		ACI
333	95	238	145	429	333	429	190			

PORTUGAL

ALCOBAÇA	Mapa pág. 30

PG-089 ⚸ **ALCOBAÇA** Tel. 062-42265 1/1-31/12

■ 100 🌲 ⊙ 😊 ⌐ Γ WC 🧺 ♨ 🛁 ♿ ✕ 🏠 ➰ ⚱ 🔌 🎣

Acceso por la ctra. Alcobaça-Nazaré.

P/N 239	N/N 86	A/N 145	M/N 86	C/N 324	T/N 324	AC/N 324	EL 145	PC	

S.MARTINHO DO PORTO	2465	Mapa pág. 30

PG-091 ⚸ PT **COLINA DO SOL** Tel. 062-989764 Fax 062-989763 15/1-15/12

10 Ha ☀ ▅ ▭ 🏊 1,5 Km ⊙ 😊 ⌐ Γ WC 🧺 ♨ 🛁 ⌂ Y ✕ 🏠 ➰ ⚱ 🅶ᴬˢ 🛒 ✚ 🚗

Acceso: por la ctra.N-242 en dirección Nazaré. Terreno parcialmente aterrazado, entre dos cimas, al noreste de la población.

P/N 495	N/N 238	A/N 410	M/N 276	C/N 605	T/N 505	AC/N 610	EL 276	PC	ACI

CALDAS DA RAINHA	Mapa pág. 30

PG-093 **FOZ DO ARELHO** Tel. 062-979197 Fax 062-978333 15/1-31/12

🌲 ⊙ 😊 ⌐ Γ WC 🧺 ♨ 🛁 ⌂ Y ✕ 🏠 ➰ ⚱ 🅶ᴬˢ 🛒 🏊 🅥 ⊞

P/N 205	N/N 135	A/N 214	M/N 119	C/N 429	T/N 429	AC/N 429	EL 145	PC	

CALDAS DE RAINHA	2500	Mapa pág. 30

PG-095 ⚸ RPT **ORBITUR-PARQUE D.LEONOR** Tel. 062-832367 Fax 062-33544 16/1-15/11

4 Ha ■ 300 🌲 ▅ ▭ 🏊 0,80 Km ⊙ 😊 😊 ⌐ Γ WC 📷 Y ➰ ⚱ 🅶ᴬˢ 🎣

Acceso por la E.N.114, Caldas da Rainha-Santarém, a 200 m de Caldas da Rainha. Terreno de pernoctación en un paisaje de colinas, al sur de la población.

P/N 429	N/N 219	A/N 390	M/N 267	C/N 495	T/N 438	AC/N 629	EL 305	PC	ACI

PENICHE 2520 Mapa pág. 30

PG-096 ⚑ PT **C.M.PENICHE** Tel. 062-789529 Fax 062-789684 1/1-31/12

🌲 _ 🏊 0,20 Km ☉ 🚻 🚻 ⌐ ⌐ WC 🧺 🚿 🔌 ⌂ 🍽 ✕ 🏠 ➤ ⚓ GAS ↗
📞

Camping situado muy cerca de la localidad. Acceso: Por la E.N.8 (Lisboa-Caldas da Rainha) y por la E.N.114 (Obidos-Peniche).

P/N	210	N/N	105	A/N	210	M/N	125	C/N	524	T/N	314	AC/N	352	EL	125	PC		ACI

PORTALEGRE 7300 Mapa pág. 32

PG-097 ⚑ PT **ORBITUR-QUINTA DA SAUDE** Tel. 045-22848 16/1-15/11

2,5 Ha ■ 250 🌲 _ _ ▭ ☉ 🚻 🚻 ⌐ ⌐ WC 🧺 🚿 🔌 🔲 ⌂ 🍽 ➤ ⚓ GAS
↗ ✚

Situado 1 Km de la ciudad. Acceso por la E.N.18 (Estremoz-Castelo Branco).

P/N	486	N/N	248	A/N	419	M/N	286	C/N	562	T/N	495	AC/N	705	EL	305	PC		ACI

ERICEIRA 2650 Mapa pág. 40

PG-104 ⚑ P **MIL REGOS** Tel. 061-62706 Fax 061-52787 1/1-31/12

🌲 _ ☉ 🚻 🚻 ⌐ ⌐ WC 🧺 🚿 🔌 ⌂ 🍽 ✕ 🏠 ➤ ⚓ GAS ↗ 🏊

Camping situado en una colina junto a mar y bosque. Ideal para excursiones. Billar, video-juegos . Acceso por la ctra de la costa. Antes de llegar a Ericeira, girar a la izquierda.

P/N	286	N/N	95	A/N	95	M/N	95	C/N	429	T/N	381	AC/N	429	EL	95	PC		ACI

VILA FRANCA DE XIRA Mapa pág. 40

PG-106 ⚑ **VILA FRANCA DE XIRA** Tel. 063-26031 Fax 063-26002 1/1-31/12

■ 150 🌲 ☉ 🚻 ⌐ WC 🚿 🔌 ⌂ 🍽 ✕ 🏠 ➤ ⚓ GAS ↗ 🏊 ✚ 📞

P/N	340	N/N	130	A/N	170	M/N	90	C/N	260	T/N	260	AC/N	260	EL	90	PC	

LISBOA 1400 Mapa pág. 40

PG-111 ⚑ P **MONSANTO** Tel. 01-7602061 Fax 01-7607474 1/1-31/12

38 Ha ■ 1400 🌲 _ ▭ 🏊 3 Km ☉ 🚻 ⌐ WC 🧺 🚿 🔌 ⌂ 🍽 ✕ 🏠 ➤ ⚓
GAS ↗ ✚ 🚲 ⊕ ⌐ 🏓 ⚽

Acceso por la autopista A-7 en dirección Estoril, en el Km 2 a la derecha, en dirección Algès-Sintra. Terreno regular, pendiente y con vegetación variada. Situado al oeste de Lisboa. Ruidoso.

P/N	371	N/N	·	A/N	248	M/N	181	C/N	562	T/N	562	AC/N	495	EL	295	PC	

CASCAIS 2750 Mapa pág. 40

PG-112 ⚑ RPT **ORBITUR-GUINCHO** Tel. 01-4872167 Fax 01-2852167 1/1-31/12

7 Ha ■ 1000 🌲 _ 🏊 0,80 Km ☉ 🚐 🚻 ⌐ ⌐ WC 🧺 🚿 🔌 ♿ 🔲 ⌂ 🍽 ✕
🏠 ➤ ⚓ GAS ↗ ✚ 🚲 📞 📺 11

Acceso por la E.N.6 Lisboa-Cascais-Sintra o por la autopista A-5, Lisboa-Cascais, salidaa Birre, girar a la izquierda y , a 500 m, a la derecha.

P/N	552	N/N	276	A/N	495	M/N	343	C/N	676	T/N	552	AC/N	838	EL	343	PC		ACI

MONTE DA CAPARICA 2825 Mapa pág. 40

PG-116 ⚑ RPT **ORBITUR-COSTA CAPARICA** Tel. 01-2903894 Fax 01-2900661 1/1-31/12

4,7 Ha ■ 1050 🌲 _ 🏊 0,20 Km ☉ 🚐 🚻 ⌐ ⌐ WC 🧺 🚿 🔌 ♿ 🔲 ⌂ 🍽
✕ 🏠 ➤ ⚓ GAS ↗ ✚ 📞

Acceso por la autopista Lisboa-Costa da Caparica, a 2 Km de Monte da Caparica y a 10 km de Lisboa.

P/N	552	N/N	276	A/N	495	M/N	343	C/N	676	T/N	552	AC/N	838	EL	343	PC	

EVORA 7000 Mapa pág. 41

PG-120 ⚑ **ORBITUR-EVORA** Tel. 066-25190 Fax 066-29830 1/1-31/12

3,8 Ha ■ 200 🌲 _ ☉ 🚐 🚻 ⌐ ⌐ WC 🧺 🚿 🔌 ♿ 🔲 ⌂ 🍽 ✕ 🏠 ➤
⚓ GAS ↗ 🏊 ✚ 📞

Situado a 1 Km. de la ciudad. Acceso por la E.N.18, Evora-Beja.

P/N	486	N/N	248	A/N	419	M/N	286	C/N	562	T/N	495	AC/N	705	EL	305	PC		ACI

FONTAINHAS   2970   Mapa pág. 40

PG-122   △ P   **PARQUE VERDE**   Tel. 01-2101272   1/1-31/12

13,5 Ha 🌲 _ ☉ ⊎ ⊎ ⌐ ⌐ WC 🛁 🚿 🚻 ☐ 🍽 ✕ 🏠 ➤ ⛽ ☺

Acceso por la ctra. Lisboa-Sesimbra, torcer a la izqda. en el cruce hacia Coina. Por la ctra. Lisboa-Setúbal, girar a la izqda. en dirección Punta do Conde. VER ANUNCIO.

| P/N 429 | N/N 214 | A/N 252 | M/N 205 | C/N 614 | T/N 505 | AC/N 614 | EL 267 | PC | | ACI |

SETUBAL   2900   Mapa pág. 40

PG-124   △ MP   **TOCA DO PAI LOPES**   Tel. 065-522475   1/1-31/12

3 Ha ■ 220 🌲 _ ☉ ⊎ ⌐ ⌐ WC 🛁 🚿 🚻 ✕ 🏠 ➤ ⛽ ☺ _ 🚗 ❼ 🏕

Acceso por la N-10 (Lisboa-Setúbal) salida dirección Outao. Señalizaciones. Situado en la orilla del rio Sado. Terreno regular.

| P/N 238 | N/N 119 | A/N 219 | M/N 145 | C/N 362 | T/N 352 | AC/N 362 | EL 171 | PC | | ACI |

OUTAO   2900   Mapa pág. 40

PG-131   M   **OUTAO**   Tel. 065-38318   1/1-31/12

🌲 ☉ ⊎ ⌐ WC 🛁 🚿 🚻 ✕ 🏠 ➤ ⛽ _ ➕ 🏕

| P/N 333 | N/N 167 | A/N 238 | M/N 190 | C/N 476 | T/N 476 | AC/N 476 | EL 267 | PC | | ACI |

ALVITO   7920   Mapa pág. 41

PG-133   △ MPT   **MARKADIA**   Tel. 084-76141   1/3-1/11

10 Ha ■ 130 (300) 🌲 _ ☉ 🛖 🚿 ⊎ ⊎ ⌐ WC 🛁 🚿 🚻 ☐ 🍽 ✕ 🏠 ➤ ⛽ ☺ _ ➕ 🏕 ❼ /, 🏓 ⚓ △ 2 ⛵ 4 🚲 ⛵

Desde Alvito se accede en dirección a Ferreira, torciendo a mano dcha. en dirección a la estación. Desde alli en dirección Odivelas. Indicaciones.

| P/N 619 | N/N 310 | A/N 619 | M/N 619 | C/N 619 | T/N 619 | AC/N 1238 | EL 190 | PC | | ACI |

El símbolo FECC indica que se hacen descuentos a los socios de los Clubs federados sin ningún condicionamiento aparte de la correspondiente identificación.

PORTUGAL

MELIDES
Mapa pág. 40

PG-134 M **PRAIA DA GALE** Tel. 069-97186 Fax 069-97186 1/1-31/12

🌲 ☉ 🚻 ⌐ WC 🧺 🚿 🚽 🎰 △ ⛱ ✕ 🏠 ⚓ ⚓ ⛽ ⚓ ➰ ➕ 🚗 🎾
🏤

VER ANUNCIO.

P/N 571	**N/N** 286	**A/N** 524	**M/N** 286	**C/N** 714	**T/N** 667	**AC/N** 714	**EL** 286	**PC**	**ACI**

SANTO ANDRE
Mapa pág. 40

PG-136 ⛺ M **LAGOA DE SANTO ANDRE** Tel. 069-79150 18/1-18/12

■ 600 🌲 ☉ 🚻 ⌐ WC 🧺 🚿 🚽 △ ⛱ ✕ 🏠 ⚓ ⚓ ⛽ ➕ 🎯

Camping perteneciente a la F.P.C.C.

P/N 457	**N/N**	**A/N** 248	**M/N** 67	**C/N** 381	**T/N** 190	**AC/N** 381	**EL**	**PC**	**ACI**

SERPA
Mapa pág. 41

PG-137 ⛺ **SERPA** Tel. 084-583290 1/1-31/12

🌲 ☉ 🚻 ⌐ WC 🧺 🚿 🚽 🎰 △ ⛱ ✕ ⚓ ⚓ ⛽ ⚓

P/N 125	**N/N** 75	**A/N** 125	**M/N** 75	**C/N** 200	**T/N** 150	**AC/N** 200	**EL** 200	**PC**	**ACI**

BEJA 7800
Mapa pág. 41

PG-138 ⛺ **BEJA** Tel. 084-24328 Fax 084-322300 1/1-31/12

1,7 Ha ■ 140 🌲 ☉ 🚻 ⌐ WC 🧺 🚿 🚽 ⚓ 🎾

P/N 300	**N/N** 60	**A/N** 200	**M/N** 80	**C/N** 400	**T/N** 350	**AC/N** 400	**EL** 200	**PC**	**ACI**

SINES 7520
Mapa pág. 40

PG-139 ⛺ T **SINES** Tel. 069-862531 Fax 069-632992 15/1-15/12

3 Ha 🌲 __ 🏖 1 Km ☉ 🚻 ⌐ ⌐ WC 🧺 🚿 🎰 △ ⛱ ✕ 🏠 ⚓ ⚓ ⛽ ⚓
➕ 🚗 ⛰️

Desde Santiago do Caceu. Acceso por la N-120 dirección Sines. Indicaciones en la población. Situado en la península del cabo de Sines.

P/N 400	**N/N** 200	**A/N** 367	**M/N** 238	**C/N** 524	**T/N** 524	**AC/N** 505	**EL** 267	**PC**	

PG-140 ⛺ **S.TORPES** Tel. 069-632105 Fax 069-632992 1/6-30/9

🌲 🏖 0,2 Km ☉ 🚻 🚻 ⌐ ⌐ WC 🧺 🚿 🚽 ♿ ⛱ ✕ 🏠 ⚓ ⚓ ⛽ ⚓ ➕
🚗

Acceso por la ctra. E.N.120-1, desvío a la playa de S.Torpes

P/N 400	**N/N** 200	**A/N** 367	**M/N** 238	**C/N** 524	**T/N** 524	**AC/N** 505	**EL** 267	**PC**	**ACI**

PG-141 ⛺ P **PORTO COVO** Tel. 069-95136 Fax 069-95239 1/1-31/12

3 Ha 🌲 __ 🏖 0,10 Km 🚻 ⌐ WC 🧺 🚿 🎰 △ ✕ 🏠 ⚓ ⚓ ⛽ ⚓ ➰ ➕
🚗 🏤 ⛱

Terreno de camping con instalaciones modernas situado a 100 m de la playa. Acceso por la ctra. E.N.1.

P/N 386	**N/N** 192	**A/N** 295	**M/N** 205	**C/N** 486	**T/N** 386	**AC/N** 486	**EL** 229	**PC**	**ACI**

SINES 7520   Mapa pág. 40

PG-142 ⚲ P **ILHA DO PESSEGUEIRO** Tel. 069-95178 1/1-31/12

■ 🌲 ▭ 🔑 0,80 Km ☉ ⛲ ⌐ ⌐ WC 🛒 🚿 ♿ 📷 ▽ ✕ 🏠 🔌 ⛽ GAN ↙ ➕

🚗 ⛺

Acceso: E.N.120-1 (Porto Covo). Situado a 800 m de la playa. Pesca y submarinismo.VER ANUNCIO.

| P/N | 381 | N/N | 190 | A/N | 286 | M/N | 238 | C/N | 524 | T/N | 476 | AC/N | 476 | EL | 286 | PC | | | ACI |

P-7520 PORTO COVO
Tel. (069) 95178

PARQUE DE CAMPISMO DA
ILHA DO PESSEGUEIRO

VILA NOVA DE MILFONTES 7645   Mapa pág. 40

PG-143 **SITAVA** Tel. 083-896343 Fax 083-899571 1/1-31/12

🌲 ☉ ⛲ ⌐ ⌐ WC 🛒 🚿 ♿ 📷 ▽ ✕ 🏠 🔌 ⛽ GAN ↙ ➕ 🚗 🎯 🏓

VER ANUNCIO.

| P/N | 429 | N/N | 214 | A/N | 238 | M/N | 219 | C/N | 533 | T/N | 533 | AC/N | 552 | EL | 267 | PC | | | ACI |

El símbolo FECC indica que se hacen descuentos a los socios de los Clubs federados sin ningún condicionamiento aparte de la correspondiente identificación.

VILA NOVA DE MILFONTES   7645   Mapa pág. 49

PG-144 ⚠ T **PARQUE DE MILFONTES** Tel. 083-96104 Fax 083-96104 1/1-31/12

6 Ha ■ 600 ... 0,80 Km ... WC ...

Acceso por la N-120 (Santiago de Cacem-Odemira). En Cercal girar a la derecha en dirección Vilanova de Milfontes. Señalizado en la entrada de la población.VER ANUNCIO.

| P/N | 514 | N/N | 257 | A/N | 295 | M/N | 271 | C/N | 524 | T/N | 429 | AC/N | 524 | EL | 286 | PC | | ACI |

PG-145 **CAMPIFERIAS** Tel. 083-96409

... 0,5 Km ... WC ...

| P/N | 410 | N/N | 205 | A/N | 214 | M/N | 120 | C/N | 476 | T/N | 362 | AC/N | 476 | EL | 229 | PC | | ACI |

ODECEIXE   7630   Mapa pág. 49

PG-147 ⚠ **SAO MIGUEL-ODEMIRA** Tel. 082-94145 Fax 082-94245 1/1-31/12

4,5 Ha ■ 400 ... WC ...

Situado en la ctra. N-120 (Odemira-Aljezur). Terreno llano con pinos altos, situado a 1,5 Km al N. de la localidad.

| P/N | 524 | N/N | 257 | A/N | 448 | M/N | 352 | C/N | 943 | T/N | 524 | AC/N | 943 | EL | 324 | PC | | ACI |

ALJEZUR   8675   Mapa pág. 49

PG-148 ⚠ **SERRAO** Tel. 082-98593 Fax 082-98612 1/1-31/12

10 Ha ■ 1600 ... 2,5 Km ... WC ...

Terreno arenoso situado a 2 Km de Alejezur y a 2,5 Km de la playa de Amoreira. Acceso por la carretera E.N.120 (Alejezur-Aldeia Velha). TERRENO ESCOGIDO PARA EL RALLYE FICC 1995. (1/8-13/8).VER ANUNCIO.

| P/N | 495 | N/N | 248 | A/N | 381 | M/N | 333 | C/N | 857 | T/N | 714 | AC/N | 857 | EL | 286 | PC | | ACI |

Los precios indicados son meramente orientativos y **EL IVA NO ESTÁ INCLUIDO**.

Están basados en las informaciones recibidas hasta el cierre de la edición de esta GUIA.

Los reales son los que figuran en la declaración expuesta en la recepción del camping con el sello del organismo de la correspondiente Comunidad Autónoma.

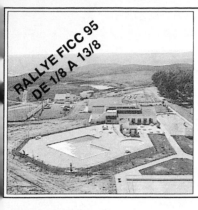

 VALE DA TELHA   Mapa pág. 49

PG-149   **VALE DA TELHA** Tel. 082-98444

VER ANUNCIO.
| P/N 343 | N/N 171 | A/N 343 | M/N 276 | C/N 505 | T/N 457 | AC/N 571 | EL 267 | PC | | ACI |

SAGRES	8650	Mapa pág. 49

PG-150 🔺 PT **PARQUE DE SAGRES** Tel. 082-64371 Fax 082-64445 2/1-30/11

12 Ha ■ 1200 🌲 ___ 🏖 2 Km ☺ 🛁 🔔 🛒 WC 🧺 🚿 📷 🍴 ✕ 🏠 🔌 ⚓ 🛥 ⛽ 🚲 ➕ 🛖 🎣 🚴

Acceso por la N-125. Indicaciones a partir del depósito de aguas de Sagres. Terreno arbolado e inclinado. Cabe destacar la belleza de sus vistas sobre el pueblo y la fortaleza.VER ANUNCIO.

P/N	476	N/N	238	A/N	429	M/N	238	C/N	667	T/N	667	AC/N	714	EL	286	PC			ACI

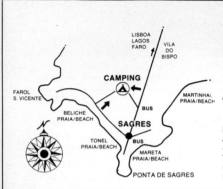

LAGOS	8600	Mapa pág. 49

PG-154 🔺 RPT **ORBITUR-VALVERDE** Tel. 082-789211 Fax 082-789213 1/1-31/12

10 Ha ■ 1500 🌲 ___ 🏖 1 Km ☺ 🛁 🔔 🛒 WC 🧺 🚿 ♿ 🍴 ✕ 🏠 ⊚ ⚓ 🛥 ⛽ 🛥 ➕ 🛖 🎣 🚴

Situado a 4 Km al oeste de Lagos. Acceso por la N-125 (Vila do Bispo-Lagos-Praia da Luz). Terreno con ligera pendiente. Terrazas soleadas en la zona nueva.

P/N	590	N/N	295	A/N	495	M/N	343	C/N	676	T/N	595	AC/N	838	EL	343	PC			ACI

PG-156 🔺 M **IMULAGOS** Tel. 082-760031 Fax 082-760035

14 Ha 🌲 ___ ☺ 🛁 🔔 WC 🧺 🚿 📷 🍴 ✕ 🏠 ⚓ 🛥 ⛽ 🛥 ➕ 🛖

Situado a 4 Km al O de Lagos. Acceso por la N-125 (Vila do Bispo)-Lagos). Terreno con ligera pendiente. Anexo a un grupo de bungalows con piscina.VER ANUNCIO.

P/N	848	N/N	238	A/N	381	M/N	287	C/N	833	T/N	743	AC/N	833	EL		PC	⟍		ACI

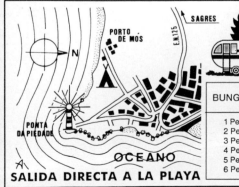

PORTUGAL

PORTIMAO   8500   Mapa pág. 49

PG-159 ⛰ PT **FERRAGUDO** Tel. 082-461121 1/1-31/12

15 Ha ■ 1440 🌲 ___ 🚐 ⚡0,80 Km ☉ ♨ ⌐ ⌐ WC 🚿 🚽 🚰 🍽 🛖 ➘ 🛁 (GAS) 🏊 ➕ ⊘

Situado a 5 Km al este de Portimao. Acceso por el desvío de la N-125 en dirección Ferragudo. Señalizado. Terreno ubicado en una hondonada y dividido en terrazas. Zona reservada para jóvenes.

P/N	571	N/N		A/N	571	M/N	386	C/N	714	T/N	571	AC/N	714	EL		PC		⤣		ACI

ARMAÇAO DE PERA   8365   Mapa pág. 49

PG-160 ⛰ **PARQUE DE CAMPISMO** Tel. 082-312260 Fax 082-315379 1/1-31/12

12 Ha ■ 600 🌲 ___ 🚐 ⚡0,50 Km ☉ ♨ ♨ ⌐ ⌐ WC 🚿 🚽 🚰 🚻 📺 🍽 🍴

🛖 ➘ 🛁 (GAS) 🏊 ➕ 🚗 🎾 🚴

Acceso desvíarse de la N-125 cerca de Alcantarilha y seguir por la N-269 en dirección mar. Terreno regular con vegetación jóven.

P/N	476	N/N	238	A/N	381	M/N	333	C/N	619	T/N	571	AC/N	619	EL	333	PC	

PG-161 ⛰ R **CANELAS** Tel. 082-314718 1/1-31/12

7 Ha ■ 900 🌲 ___ 🚐 ⚡1,5 Km ☉ ♨ ⌐ ⌐ WC 🚿 🚽 🚰 📺 🍽 🍴 🛖 ➘

🛁 (GAS) 🏊 ➕ 🍴 🎾 🚏

Acceso por el desvío a la N-269-1 de la N-125 en dirección Alcantarilha. Terreno regular.

P/N	362	N/N	181	A/N	314	M/N	281	C/N	462	T/N	452	AC/N	462	EL	314	PC		ACI

PORTUGAL

ALBUFEIRA 8200 Mapa pág. 49

PG-162 △△ R **ALBUFEIRA** Tel. 089-587629 Fax 089-587633 1/1-31/12

15 Ha ■ 980 ⚹ __ __ ⛵ 2 Km ☺ ⛴ ⛲ ⌐ ⌐ WC 🚿 🚽 ⌂ ▱ 🍽 ✕ 🏠 ↰

🛁 ⌐ ⚓ ⚓ ⊞ 🚲

Terreno ajardinado con buenas instalaciones, situado al norte de Albufeira. Clases de tenis. Música en vivo. Gran tobogán acuático. Acceso: Por la N-125 (Lagos-Faro), en Ferreiras girar a la derecha en dirección Albufeira y camping. VER ANUNCIO.

P/N	N/N	A/N	M/N	C/N	T/N	AC/N	EL	PC		ACI
757	376	757	505	810	810	1210	429			

QUARTEIRA 8125 Mapa pág. 49

PG-163 △△ **ORBITUR-QUARTEIRA** Tel. 089-302826 Fax 089-302822 1/1-31/12

■ 2350 ⚹ ☺ ⛴ ⌐ ⌐ WC 🚿 🚽 ⌐ ▱ 🍽 ✕ 🏠 ↰ 🛁 ⌐ ⚓ ⚓ ⚹ ⊞

⚓ ⚓

P/N	N/N	A/N	M/N	C/N	T/N	AC/N	EL	PC		ACI
590	295	495	343	676	595	838	343			

VILA DO BISPO 8650 Mapa pág. 40

PG-165 PT **INGRINA** Tel. 082-66242

3,5 Ha ⚹ __ __ ☺ ⚘ ⛴ ⌐ WC 🚿 🚽 ⌐ 🍽 ✕ ↰ 🛁 ⚓ ⚘ △

Camping Rural.

P/N	N/N	A/N	M/N	C/N	T/N	AC/N	EL	PC		ACI
429	214	476	286	571	429	714				

PORTUGAL

OLHAO 8700 Mapa pág. 49

PG-166 **OLHAO** Tel. 089-705402 Fax 089-705405 1/1-31/12

Situado junto a la EN-125. VER ANUNCIO.

| **P/N** 533 | **N/N** 267 | **A/N** 429 | **M/N** 210 | **C/N** 1000 | **T/N** 857 | **AC/N** 1000 | **EL** 190 | **PC** | | **ACI** |

VILA DO BISPO 8650 Mapa pág. 40

PG-167 PT **QUINTA DOS CARRIÇOS** Tel. 082-654000 Fax 082-65122 1/1-31/12

15 Ha ■ 500 (60)

Situado en un valle a 1 Km de Praia da Salema. Acceso por la ctra. EN-125 (Lagos-Sagres) desvío a Salema. Zona naturista.

| **P/N** 552 | **N/N** 276 | **A/N** 552 | **M/N** 400 | **C/N** 752 | **T/N** 700 | **AC/N** 952 | **EL** 190 | **PC** | |

VILA NOVA DE CACELA Mapa pág. 49

PG-168 △ **CALIÇO** Tel. 081-951195 1/1-31/12

■ 300

| **P/N** 367 | **N/N** 171 | **A/N** 229 | **M/N** 152 | **C/N** 276 | **T/N** 457 | **AC/N** 452 | **EL** 362 | **PC** | | **ACI** |

VILA REAL S.ANTONIO Mapa pág. 49

PG-169 △ **MONTE GORDO** Tel. 081-42588 Fax 081-511932 1/1-31/12

19 Ha ■ 900

| **P/N** 352 | **N/N** 138 | **A/N** 138 | **M/N** 135 | **C/N** 276 | **T/N** 219 | **AC/N** 333 | **EL** 219 | **PC** | | **ACI** |

**FEDERACION ESPAÑOLA
DE CAMPING Y CARAVANING**

EUROPA
MARRUECOS — TURQUIA

SELECCION DE LOS MEJORES
TERRENOS DE CAMPING

ALEMANIA

Moneda: Marco aleman (DM) = 100 Pfennige.
Horarios: CORREOS: de lunes a viernes de 8.00 a 18.00. Sábados de 8.00 a 12.00.
BANCOS: de lunes a viernes de 8.30 a 13.00 y de 14.30 a 16.00.
COMERCIOS: de lunes a viernes de 9.00 a 18.30. Sábados hasta las 14.00.
Documentación: Ciudadanos C.E.E.: DNI o pasaporte.
Perros y gatos: Ver tabla "Documentos de fronteras para perros y gatos".
Teléfono: Prefijo de España desde Alemania: (00-34) (no marcar el 0 del prefijo local). Prefijo de Alemania desde España: (07-49) (no marcar el 0 del prefijo local).
Normas de circulación: Cinturón y cascos (motos) obligatorios siempre. Prohibida la luz de ciudad. Las motos deben llevar la luz de cruce día y noche. Tasa máxima de alcoholemia: 0.8; en la antigua RDA: 0.0. VELOCIDADES MAXIMAS: Ver tabla "Límites de velocidad para coches con caravana y autocaravanas".
Teléfonos de socorro: Averías: en las autopistas hay teléfonos especiales donde se pide "Strassenwachthilfe". Accidente: 112. Policia: 110.
Direcciones útiles: Oficina Alemana de Turismo, San Agustín 2, Plaza de las Cortes, 28014-Madrid. Tel. (91) 4293551. Embajada de España en Bonn: Schoss-Strasse 4, 53115 Bonn. Tel. (0228) 217094/95, fax: (0228) 223405. Consulado en Berlín: Lichtensteinallee 1, 10787-Berlín, Tel. (030) 2616081/82; fax: (030) 2624032. Consulado en Düsseldorf: Hombergerstrasse 16, 40474 Düsseldorf. Tel. (0211) 439080; fax: (0211) 453768. Consulado en Francfort: Nibelungenplatz 3, 60318 Frankfurt am Main. Tel. (069) 5961041/42/43/44/45/46; fax: (069) 5964742. Consulado en Hamburgo: Mittelweg 37, 20148 Hamburg. Tel. (040) 443620 y 452416; fax: (040) 417449. Consulado en Hannover: Bödekerstrasse 22, 30161 Hannover. Tel. (0511) 311085/86; fax: (0511) 316230. Consulado en Munich: Oberföhringerstrasse 45, München 81925. Tel. (089) 985027/28/29; fax: (089) 9810206. Consulado en Stuttgart: Lenzhalde 61, 70192 Stuttgart. Tel. (0711) 2265091/92 - Fax: 2265927. Embajada de Alemania en Madrid: Fortuny, 8 - 28010 Madrid - Tel. (91) 319 91 00

Los afiliados a la Seguridad Social española tienen derecho a la prestación de asistencia sanitaria de carácter urgente durante su estancia en Alemania. Infórmese en la oficina del organismo sanitario competente de su Autonomía. Asistencia Médica: Deberá presentar el formulario E-111 en la Oficina Local del Seguro de Enfermedad (AOK), donde le expedirán un "volante de asistencia". En el caso de necesitar asistencia sanitaria, acuda a un médico concertado con AOK y preséntele en "volante de asistencia". Sin volante, habrá de abonar Vd. mismo las prestaciones servidas por el médico.

| BAYERN-BAVIERA | BERCHTESGADEN D-83471 | **ALLWEGLEHEN** |

2 Ha. 160 🌲 ▦ Tel. (08652)2396 1/1-31/12 ░ PT

⊙ ⛺ 🛏 ⌐ ⌐ WC 🧺 🚿 🛁 📷 🍸 ✕ 🗡 🔌 ⟋ ⟋ ⊹ ❖

Situado a 3,5 Km de Berchtesgaden. Acceso por la B-305 en dirección a Salzburg. Carretera empinada. Servicio de remolque. Ubicado en valle de montaña.

| | KÖNIGSSEE D-83471 | **GRAFENLEHEN** |

3 Ha. 180 🌲 ▦ Tel. (08652)4140 1/1-31/12 ░

⊙ ⛺ 🛏 ⌐ ⌐ WC 🧺 🚿 🛁 📷 🍸 ✕ 🗡 🔌

Acceso por la ctra. de Berchtesgaden en dirección Königssee. Poco antes de llegar a un gran parking, girar a la derecha. Algunas plazas con guijarros. Vista a la montaña. Música en vivo.

| | BERGEN D-83346 | **WAGNERHOF** |

2,8 Ha. 150 🌲 ▦ Tel. (08662)8557 1/1-31/12 ░ PT

⊙ ⛺ 🛏 ⌐ ⌐ WC 🧺 🚿 🛁 🏠 📷 🔌 ⟋ ⊹ 🎾 🚲

Prado llano y ordenado, enmarcado por setos y bosque. Esquí. Clases de tenis. Acceso por la A-8/ E-11 (München-Salzburg), salida Bergen en dirección sur. Entrada de la población a la derecha.

| | REIT IM WINKL D-83242 | **ST.SEBASTIAN** |

2 Ha. 160 🌲 ▦ Tel. (08640)8911 1/1-31/12 ░ RT

⊙ ⛺ 🛏 ⌐ ⌐ WC 🧺 🚿 🛁 📷 🏠 🔌 ⊹ 🚲

Terreno llano en el que se ha preservado en gran parte el medio natural. Lo atraviesa el riachuelo Lofer. Esquí. Se accede por la B-305 a 1 Km aprox. de Reit im Winkl en dirección a Ruhpolding. Cerrado de 1/11 a 14/12. Restaurante a 1 Km.

| | WAGING-GADEN D-83329 | **SCHWANENPLATZ** |

3,8 Ha. 280 🌲🌲 ▦ ⚑ Tel. (08681)281 1/5-30/9 ░ PT

⊙ ⛺ 🛏 ⌐ ⌐ WC 🧺 🚿 🛁 📷 🍸 ✕ 🏠 🔌 ⟋ ⊹ ❖

Terreno llano y cuidado situado al borde del lago Waginger See. Plazas delimitadas con setos. Acceso: a unos 1,5 Km aprox. de Waging en dirección sureste hacia Freilassing, girar en dirección al lago. Música al aire libre.

| | CHIEMING D-83339 | **SPORT-ECKE** |

1,2 Ha. 130 🌲🌲 ▦ ⚑ Tel. (08664)500/552 1/4-30/9 ░

⊙ ⛺ ⌐ WC 🧺 🚿 🛁 📷 🍸 🔌 🔌 ⊹ ❖

Terreno alargado en estado natural, situado a 1 Km de Chieming, ubicado entre la carretera y el lago Chiemsee. Clases de surf.

| | SEESHAUPT D-82409 | **SEESHAUPT** |

2 Ha. 150 🌲 ▦ ⚑ Tel. (08801)1528 1/3-31/10 ░ PT

⊙ ⛺ 🛏 ⌐ ⌐ WC 🧺 🚿 🛁 📷 ✕ 🏠 🔌 🔌 ⊹

Acceso por la A-95/E-6 (München-Garmisch), salida Seeshaupt/Weilheim, en dirección Seeshaupt. Al llegar al pueblo seguir en dirección al lago. Playa de grava y césped.

| | LANDSBERG D-86899 | **DCC-C.ROMANTIK AM LECH** |

6 Ha. 370 🌲 ▦ Tel. (08191)47505 1/1-31/12 ░ PT

⊙ ⛺ 🛏 ⌐ ⌐ WC 🧺 🚿 🛁 📷 🏠 🔌 ⟋ ⊹ 🚲

Terreno distribuido en terrazas, rodeado de campos y bosques. Zona reservada para jóvenes. Se accede desde Landsberg en dirección sur, hacia Weilheim, Ummerdorf y Gut Pössing.

| | KLAIS-KRÜN D-82493 | **ALPEN C.PARK TENNSEE** |

5,2 Ha. 260 🌲 ▦ ⚑ 0,8 Km Tel. (08825)170 17/12-1/11 ░ PT

⊙ ⛺ 🛏 ⌐ ⌐ WC 🧺 🚿 🛁 📷 🍸 ✕ 🏠 🔌 ⊹ 🚲

Situado entre Garmisch-Partenkirchen y Mittewald, cerca de la B-2. Acceso señalizado. Terreno soleado en la orilla de un lago. Bonito paisaje. Muchas posibilidades para practicar deportes de invierno.VER ANUNCIO.

ALEMANIA

BAYERN-BAVIERA

KLAIS-KRÜN D-82493   **ALPEN C.PARK TENNSEE**

5,2 Ha. 260 ⛺ ___ ▦ ⚡ ₀,₈ Km Tel. (08825)170 17/12-1/11 ⛰ PT

☉ ⛺ ⛵ ⌐ ⌐ WC 🏪 🚿 ♿ ⛲ ⚗ 🔲 🍸 ✕ 🏠 ⚓ ⛲ GAS ↙ ✚ 🚲

Situado entre Garmisch-Partenkirchen y Mittewald, cerca de la B-2. Acceso señaizado. Terreno soleado en la orilla de un lago. Bonito paisaje. Muchas posibilidades para practicar deportes de invierno. VER ANUNCIO.

WALCHENSEE 82432   **WALCHENSEE**

1,5 Ha. 170 ⛺ ___ ▦ ⚡ Tel. (08858)237 1/5-1/10 ⛰ MP

⛺ ⛵ ⌐ WC 🚿 ⛲ 🍸 ✕ ⚓ ↙

Situado junto al lago Walchensee con playa de 200 m. Ideal para deportes náuticos. Acceso por la B-11 via Urfeld. Señalizado en la población.

LECHBRUCK D-86983   **STADT ESSEN**

17 Ha. 800 ⛺ ___ ▦ ⚡ Tel. (08862)8426 1/1-31/12 ⛰ PT

☉ ⛺ ⛵ ⌐ ⌐ WC 🏪 🚿 ⛲ 🔲 ✕ 🏠 ⚓ ⛲ GAS ↙ ✚ 🎾 ⛺ ⌐

Terreno bien cuidado situado junto al lago Oberer Lechsee, con playa de 200 m apta para deportes náuticos y un bosque con pequeño lago. Acceso indicado desde el centro de la población. Ping-pong. Pista de fondo.

BRUNNEN D-87645   **BRUNNEN**

3 Ha. 300 🌲 ___ ⚡ Tel. (08362)8273 16/12-14/11 ⛰ PT

☉ ⛺ ⛵ ⌐ ⌐ WC 🏪 🚿 ♿ ⛲ ⚗ 🔲 🍸 ✕ 🏠 ⚓ ⛲ GAS ↙ ✚

Terreno bien cuidado al borde del lago Forggen. Playa quijarrosa de unos 500m de longitud. Acceso por la B-17 desde Füssen hasta Schwangau y seguir en dirección norte hasta Brunnen.

BAYERN-BAVIERA HOPFEN AM SEE-FÜSSEN D-87629 **HOPFENSEE**

5 Ha. 360 ⚷ ___ ▦ Ⴕ Tel. (08362)7431 21/12-31/10 ⋀⋀⋀ RPT

⊙ ⊖ ⊖ ⌐ ⌐ WC ▤ ♨ ♿ ⚬ ▣ ✕ ⌂ ⤸ ⚱ GAS ⚓ ≋ ✚

Situado a 4 Km al norte de Füssen. Terreno ligeramente inclinado con terrazas. No se admiten tiendas de campaña. Reserva imprescindible durante todo el año. Instalaciones termales. Espectáculos musicales al aire libre. Pista de fondo y telesquí. Debido a un incendio parcial, su funcionamiento es dudoso para la presente temporada.

SONTHOFEN D-87527 **AN DER ILLER**

1,6 Ha. 122 ⚷ ___ ▦ Tel. (08321)2350 21/12-31/10 ⋀⋀⋀ T

⊙ ⊖ ⊖ ⌐ ⌐ WC ▤ ♨ ⚬ ♿ ▣ ♈ ⌂ ⤸ ⚱ GAS ⚓ ✚

Terreno rodeado de bosques y dividido en dos sectores por el riachuelo Sinwag. Posibilidades de esquí. Acceso:B-19 dirección Oberstdorf, salida Sonthofen-Altstäden, seguir la señalización.

OBERSTDORF D-87561 **OBERSTDORF**

1,6 Ha. 180 ☀ ___ ▦ Tel. (08322)6525 1/1-31/12 ⋀⋀⋀ P

⊙ ⊖ ⊖ ⌐ ⌐ WC ▤ ♨ ⚬ ▣ ♈ ✕ ⤸ ⚱ GAS ✚

Terreno herboso y ligeramente inclinado ubicado entre la ctra. y la vía del tren. Acceso: seguir la desviación señalizada en el límite norte de la población. Pista de fondo. Transporte gratuito al telesquí. VER ANUNCIO.

MITTELBERG-BAAD D-87569 **VORDERBODEN**

1 Ha. 100 ⚷ ___ ▦ Tel. (08329)5696 1/6-15/10 ⋀⋀⋀ PT

⊙ ⊖ ⊖ ⌐ ⌐ WC ▤ ♨ ⚬ ⚫ ▣ ⌂ ⤸ ⚱ GAS ⚓ ✚

Terreno ligeramente inclinado, junto al río Breitach. Se accede viniendo de dirección Oberstdorf, girando en Mittelberg en dirección a Baad.

BAYERN-BAVIERA

WALTENHOFEN D-87448   **INSEL-CAMPING**

1,5 Ha. 150 🏕 ▦ ✂ 0,10 Km Tel. (08379)881 1/1-31/12 ⛰ PT

⊙ ⊌ ⊌ ⌐ ⌐ WC ▣ 🍴 ♨ 🍳 ⏚ ✕ 🏠 ➘ ⚱ GAS ↙ ✚

Prado parcialmente distribuido en terrazas, con ligera pendiente hacia el lago Niedersonthofen. Acceso por la B-19 (Kempten-Oberstdorf) a 2 Km al Sur de Waltenhofen seguir dirección suroeste. Ping-pong, bolos.

WEILER-SIMMERBERG D-88171   **ALPENBLICK**

2,2 Ha. 170 ☀ ▦ ✂ 0,0 Ha Tel. (08381)3447 S.S.-30/9 ⛰ PT

⊙ ⊌ ⊌ ⌐ ⌐ WC ▣ 🍴 ♨ 🍳 ⏚ 🏠 ⚱ ↙ ✚ 🛞

Situado en una zona de colinas con estanque y prado distribuido en terrazas. Acceso por la desviación señalizada cerca de Lindenberg viniendo por la B-308 (Immenstadt-Lindau). Posibilidad de esquiar.

LINDAU D-88131   **LINDAU-ZECH**

5,5 Ha. 400 🏕 ▦ ✂ 0,0 Ha Tel. (08382)72236 1/4-31/10 ⛰ RP

⊙ ⊌ ⊌ ⌐ ⌐ WC ▣ 🍴 ♨ 🍳 ⏚ ✕ 🏠 ➘ ⚱ ↙ ✚ 🛞

Situado a 4 Km de la población y a 2OO m de dos bahías. Acceso por la B-31 en dirección a Bregenz. Desvío a la dcha. después de la fonda Zum Zecher. Lago de Constanza/Bodensee.

BUXHEIM D-87740   **CAMPING AM SEE**

4 Ha. 200 🏕 ▦ ✂ Tel. (08331)71800 1/4-31/10 ⛰ PT

⊙ ⊌ ⊌ ⌐ ⌐ WC ▣ 🍴 ♨ 🍳 ⏚ 🍳 ✕ 🏠 ➘ ⚱ GAS ↙ ✚ 🚲

Terreno en pendiente con árboles frutales, limitado por un bosque. Playa y césped solarium inclinados en parte. Acceso por la A-7 (Ulm-Kempten), salida Memminger Kreuz en drección a Buxheim. Sauna.

BAYERN-BAVIERA   MÜNCHEN D-81379   **MÜNCHEN-THALKIRCHEN**

4,5 Ha. 600 🌲 ___ ▦ Tel. (089)7231707 15/3-31/10 ⚒ P

⊙ 🍽 🗑 🚰 🚻 WC 🏠 🧺 🚿 🛁 📷 🍴 🏘 🪝 ⛽

Acceso por todas las salidas de la autopista por el cinturon (Mittelerer Ring). Buena señalización. Terreno regular y algo pedregoso. Próximo al canal del Isar. Zona reservada para jóvenes. Estancia máxima: 15 días.

MÜNCHEN-MOOSACH D-80995   **NORDWEST**

1,4 Ha. 80 🌲 ___ Tel. (089)1506930 1/1-31/12 ⚒

⊙ 🍽 🗑 🚰 🚻 WC 🧺 🛁 🏘 🪝 ⛽ 🪝

Situado muy cerca de la ciudad. Acceso fácil desde la autopista, señalizado. Munich-Moosach.

MÜNCHEN-LANGWIED D-81249   **AM LANGWIEDER SEE**

1 Ha. 100 🌲 ___ ⛵ 0,15 Km Tel. (089)8641566 1/4-15/10 ⚒

⊙ 🍽 🗑 🚰 🚻 WC 🧺 🛁 🚿 📷 🍴 ✕ 🏘 🪝 🛁 ⛽ ✚ 🛞

Terreno bien cuidado, cercano a playa y ctra. Acceso por la A-8/E-11 a unos 5 Km de München, dirección Augsburg, salida Rasthaus (bar restaurante) Langwieder See.

BAD GRIESBACH D-94086   **DREIQUELLENBAD**

2,5 Ha. 160 ☀ ___ ▦ Tel. (08532)1550 1/1-31/12 ⚒ RT

⊙ 🍽 🗑 🚰 🚻 WC 🏠 🧺 🛁 🚿 ♿ 📷 🍴 ✕ 🏘 🪝 🛁 ⛽ 🪝 ✚ 🎾

Terreno muy cuidado, ligeramente inclinado y rodeado de campos. Se accede desviando la B-388 a unos 2 Km al este de Pfarrkirchen en dirección a Bad Griesbach/Karpfham. Baños termales.VER ANUNCIO.

RADERSDORF b.KÜHBACH D-86556   **PAARTAL**

3,6 Ha. 200 ☀ ___ Tel. (08257)693 1/4-31/10 ⚒ T

⊙ 🍽 🗑 🚰 🚻 WC 🏠 🛁 🚿 ♿ 📷 ✕ 🏘 🪝 🛁 ⛽ 🪝 ✚ 🛞

Terreno llano y alargado junto al lago Radersdorf, con playa natural y césped. Solarium. Sauna y bolos. Zona especial para jóvenes. Se accede por la B-300, señalizado a partir de Kühbach.

AUGSBURG-OST D-86169   **AUGUSTA**

5 Ha. 180 🌲 ___ ⛵ Tel. (0821)707575 1/1-31/12 ⚒

⊙ 🍽 🗑 🚰 🚻 WC 🧺 🛁 📷 ✕ 🛁 ⛽ 🪝

Acceso por la salida Augsburg-Ost de la A-8/E-52 (München-Stuttgart) en dirección a Neuburg y a 250 m. girar a la derecha dirección Derching. Terreno ubicado en un bosque junto al lago y próximo a autopista. Playa arenosa con césped.

INGOLSTADT D-85053   **AUWALDSEE**

10 Ha. 730 🌲 ___ ⛵ Tel. (0841)68911 1/4-30/9 ⚒ PT

⊙ 🍽 🗑 🚰 🚻 WC 🧺 🛁 🚿 ♿ 🏘 🪝 🛁 ⛽ 🪝 ✚

Parque situado en la orilla de un lago con 200 m de playa y solarium. Acceso por la salida Ingolstadt-Süd de la A9/E45 (München-Nürnberg). Discoteca. Restaurante a 100 m.VER ANUNCIO.

ALEMANIA

GOTTSDORF D-94107 **AZUR-BAYERWALD**

12 Ha. 200 ⛺ ⚡ Tel. (08593)880 1/1-31/12 🔥 RPT

☺ 🚿 🚽 🔌 🔌 WC 🍴 🍷 🛁 📷 🍸 ✕ 🔫 🔨 ⛽ 🔌 ➕ 🏸 🎪

Terreno extenso, bien cuidado y con ligera pendiente situado junto al bosque. Acceso desde Passau por la B-388 siguiendo el Danubio río abajo, pasando por Oberzell hasta Jochenstein-Stauwerk y desde allí a Gottsdorf. Cerrado en noviembre.

FLOSSENBÜRG D-92696 **GAISWEIHER**

2,6 Ha. 260 ⛺ ⚡ 🏊 Tel. (09603)644 1/1-31/12 🔥 RPT

☺ 🚿 🚽 🔌 🔌 WC 🍴 🍷 🛁 📷 🍸 ✕ 🔫 🔨 ⛽ 🔌 ➕

Camping aislado, rodeado de bosques, con vistas a las ruinas de un castillo. Se accede por la ctra. Neustadt an der Waldnaab-Floss-Flossenbürg girando en dirección norte en Km 11.5. Señalizado.

BODENWÖHR D-92439 **WEICHSELBRUNN**

2 Ha. 180 ⛺ ⚡ 🏊 Tel. (09434)523 1/4-10/10 🔥 PT

☺ 🚿 🚽 🔌 🔌 WC 🍴 🍷 🛁 📷 🍸 🏠 🔨 ⛽ 🔌 ➕

Prado con ligera pendiente y grandes árboles ubicado en la orilla del lago Hammer; bien cuidado. Acceso: en Bodenwöhr por la B-85 (Schwandorf-Cham) en dirección Taxöldern. Música en vivo.

PIELENHOFEN D-93188 **NAABTAL**

5 Ha. 300 ⛺ ⚡ 🏊 Tel. (09409)373 1/1-31/12 🔥 RPT

☺ 🚿 🚽 🔌 🔌 WC 🍴 🍷 🛁 📷 🍸 ✕ 🏠 🔨 ⛽ 🔌 ➕ 🏸 🎪

Terreno situado en la orilla del río Naab. En parte ligeramente inclinado. Acceso por la A-3/E-5 (Nürnberg-Regensburg), salida Nittendorf en dirección norte, pasando por Etterzhausen.VER ANUNCIO.

KIPFENBERG D-85110 **AZUR-ALTMÜHLTAL**

8 Ha. 220 ⛺ ⚡ Tel. (08465)588 1/1-31/12 🔥 RPT

☺ 🚿 🚽 🔌 🔌 WC 🍴 🍷 🛁 📷 🍸 🔨 ⛽ 🔌 ➕ 🏸 🚲

Situado en la orilla del río Altmühl. Acceso desde el sur por la autopista München-Nürnberg, salida Denkendorf, y desde el norte por Altmühltal y a continuación Kindring. Música en vivo.

WEMDING D-86650 **AZUR-WALDSEE WEMDING**

10 Ha. 350 ☀ ⚡ 🏊 Tel. (09092)1356 1/1-31/12 🔥 RPT

☺ 🚿 🚽 🔌 🔌 WC 🍴 🍷 🛁 ♿ 📷 🍸 ✕ 🔨 ⛽ 🔌 ➕

Terreno en terrazas junto a un lago con ámplio césped solarium. Situado a 2 Km de la población de Wending, en dirección norte (Waldsee/Wolferstadt). Alquiler de bicicletas.

SER CAMPISTA SIGNIFICA
RESPETAR LA NATURALEZA

BAYERN-BAVIERA   LANGLAU   D-91738   **SEE-CAMPING LANGLAU**

12 Ha. 420 ⚐ ▭ ▭ 🏕 Tel. (O9834)790 1/3-15/11 〽〽 RPT

⊙ ⊌ ⊌ ⌐ ⌐ ⌐ WC 🏠 🍴 🛁 ♿ 🌀 𝖸 ✕ ⤳ ♨ Ⓖ ⟋ ⊞

Prado llano, bien cuidado, con arbustos y árboles jóvenes situado a 1 Km de la población. Zona especial para jóvenes. Acceso desde Gunzenhausen a Pleinfeld. Señalizado.

NÜRNBERG   D-90471   **VOLKSPARK DUTZENDTEICH**

2,6 Ha. 200 ⚐ ▭ Tel. (0911)811122 1/5-30/9 〽〽 PT

⊙ ⊌ ⊌ ⌐ ⌐ ⌐ WC 🍴 🛁 ♿ 🌀 𝖸 ✕ ⤳ ♨ Ⓖ ⟋ ⊞ ⫿

Accesos por la salida Nürnberg-Fischbach de la A-9 (München-Nürnberg) dirección estadio (Stadion). Terreno ubicado en un bosque. Camping municipal. Piscina a 200 m.

STADTSTEINACH   D-95346   **AZUR-STADTSTEINACH**

5 Ha. 200 ⚐ ▭ ▭ Tel. (09225)6600 1/1-31/12 〽〽 PT

⊙ ⊌ ⊌ ⌐ ⌐ ⌐ WC 🍴 🛁 ♿ 🌀 ✕ 🏠 ⤳ ⟋ ⊞ ⫿

Camping municipal situado en la población, seguir las indicaciones. Cursos de tenis. Pista de fondo. Piscina a 200 m.

DINKELSBÜHL   D-91550   **ROMANTISCHE STRASSE**

9 Ha. 500 ⚐ ▭ Tel. (09851)7817 1/1-31/12 〽〽 RPT

⊙ ⊌ ⊌ ⌐ ⌐ ⌐ WC 🏠 🍴 🛁 ♿ 🌀 ✕ 🏠 ⤳ ♨ Ⓖ ⟋ ⊞ 🚲

Prado bien cuidado en terrazas con vegetación variada situado al borde de un lago con vista preciosa a la ciudad. Amplio césped solarium. Acceso por la B-25.

TRIEFENSTEIN   D-97855   **MAIN-SPESSART PARK**

6,5 Ha. 250 ⚐ ▭ Tel. (09395)1079 1/1-31/12 〽〽 RPT

⊙ ⊌ ⊌ ⌐ ⌐ ⌐ WC 🏠 🍴 🛁 ♿ 🌀 ✕ 🏠 ⤳ ♨ Ⓖ ⟋ ⊞ 🚲

Terreno inclinado y terrazado con vegetación variada. Hermosas vistas panòramicas sobre valle y el río Main. Acceso: por la A-3/E-5 (Frankfurt-Würzburg) salida Marktheidelfeld dirección Triefenstein-Lengfurt, señalizado. Piscina a 300 m.

BAD KISSINGEN   D-97688   **BAD KISSINGEN**

1,7 Ha. 110 ⚐ ▭ ▭ Tel. (0971)5211 1/4-31/10 〽〽

⊙ ⊌ ⊌ ⌐ ⌐ ⌐ WC 🏠 🍴 🛁 ♿ 🌀 ✕ 🏠 ⤳ ♨ ⟋ ⊞ 🚲

Situado en la ctra. hacia Hammelberg, a 1 Km de la localidad. Junto al parque del balneario. Música en vivo.

BADEN-WÜRTEMBERG   FRIEDRICHSHAFEN   D-88048   **FRIEDRICHSHAFEN**

2 Ha. 180 ⚐ ▭ 🏕 Tel. (07541)42059 1/5-15/9 〽 P

⊙ ⊌ ⊌ ⌐ ⌐ WC 🍴 🛁 🌀 ✕ ⤳ ♨ Ⓖ ✜

Camping municipal situado entre la B-31 y el lago de Constanza (Bodensee). A 500 m de Fischbach. Próximo a la carretera. Caminos asfaltados en el terreno.

TÜBINGEN   D-72070   **NECKARCAMPING TÜBINGEN**

1,5 Ha. 180 ⚐ ▭ ▭ Tel. (07071)43145 SS-31/10 〽 T

⊙ ⊌ ⊌ ⌐ ⌐ ⌐ WC 🍴 🛁 ♿ 🌀 𝖸 ✕ ⤳ ♨ Ⓖ ⟋ 🚲

Situado a 1,5 Km de la ciudad en la orilla izquierda del río Neckar. Acceso indicado. Plazas con grava. Zona para tiendas.

ALTENSTEIG   D-72213   **SCHWARZWALD-CAMPING**

3 Ha. 210 ⚐ ▭ ▭ Tel. (07453)8415 1/1-31/12 〽〽 RPT

⊙ ⊌ ⊌ ⌐ ⌐ ⌐ WC 🏠 🍴 🛁 ♿ 🌀 ✕ 🏠 ⤳ ♨ Ⓖ ⟋ ⊞

En un parque directamente sobre el río Nagold. Entre colinas boscosas de la Selva Negra zona reservada para jóvenes. Acceso situado en la ctra. hacia Besenfeld. Indicado.

BAD LIEBENZELL D-75378   **C.BAD LIEBENZELL**

3 Ha. 250 🏕 ▭ Tel. (07052)40460 1/1-31/12 ⋰ RT

☺ 🚽 ⌐ WC ▤ 🧺 🚿 🔌 ♿ 🖥 ▽ ✕ 🏠 ⤵ ⚓ ↗ ⤴ ✚ 🌀 ⚲

Camping municipal. Terreno llano situado entre el río Nagold y la carretera. Selva Negra norte. Separado por una verja de la piscina pública. Sauna. Noviembre cerrado.

BAYERN-BAVIERA   SCHLUCHSEE 79857   **WOLFSGRUND**

4 Ha. 200 🏕 ▭ ⚡0,2 Km Tel. (07656) 7739 1/1-31/12 ⋰ PT

☺ 🚽 🚽 ⌐ WC ▤ 🧺 🔌 🖥 ▽ ✕ ⚓ ↗

Acceso por la B-500 (Waldshut-Titisee), señalizado. Terreno en terrazas rodeado de bosque. Vista panorámica.

BAD BELLINGEN D-79415   **LUG INS LAND**

3 Ha. 170 🏕 ▭ Tel. (07635)1820 1/1-31/12 ⋰⋰ RPT

☺ 🚽 ⌐ WC ▤ 🧺 🔌 🚿 ♿ 🖥 ▽ ✕ 🏠 ⤵ ⚓ ↗ ✚

Situado en la periferia de la población con una magnífica vista panorámica. Acceso: Por la A-5/E-4 (Karlsruhe-Basel) salida Efringen-Kirchen, desviar en dirección norte a 200 m, seguir 4 Km. Selva Negra Sur. Para llevar perro, contactar con anterioridad.

MÜNSTERTAL D-79244   **MÜNSTERTAL**

4 Ha. 240 🏕 ▭ ▭ Tel. (07636)353 1/1-31/12 ⋰ RPT

☺ 🚽 ⌐ WC ▤ 🧺 🔌 ♿ 🖥 ✕ 🏠 ⤵ ⚓ ⛽ ↗ ⤴ ✚ ⚲ △ ⌂ ⛷

Situado a 1,5 Km de la población. Acceso por la salida a Bad Krozingen de la A-5/E-4 (Karlsruhe-Basel) dirección Untermünstertal. Selva Negra sur. Cursos de tenis, sauna,pesca, escuela de esquí alpino. Instalaciones sanitarias exepcionales.

TODTNAU-MUGGENBRUNN D-79674 **HOCHSCHWARZWALD**

2,2 Ha. 100 🏕 ▭ ▭ Tel. (07671)1288 1/1-31/12 ⋰ PT

☺ 🚽 ⌐ WC ▤ 🧺 🔌 🖥 ✕ 🏠 ⤵ ⚓ ⛽ ↗ ✚

Terreno en terrazas rodeado de bosque. Vista panorámica. Telesquí, esquí de fondo y alpino desde el mismo terreno. Proyección de películas. Acceso: A 6 Km al norte de Todtnau. Se llega por la B-31. En Kirchzarten a la derecha dirección Todtnau.VER ANUNCIO.

KIRCHZARTEN D-79199   **KIRCHZARTEN**

5,6 Ha. 500 🏕 ▭ Tel. (07661)39375 1/1-31/12 ⋰ RPT

☺ 🚽 🚽 ⌐ WC ▤ 🧺 🔌 ♿ 🖥 ▽ ✕ 🏠 ⤵ ⚓ ⛽ ↗ ⤴ ✚ 🌀
⚲ ⌂ ⛷

Situado en la periferia de la población, en la parte sur de la Selva Negra. Acceso por la B-21 a 8 Km en dirección Neustadt. Ping-pong, bolos, saunaVER ANUNCIO.

BADEN-WÜRTEMBERG   FREIBURG D-79117   MÖSLEPARK

1 Ha. 80 🎄 Tel. (0761)72938 20/3-31/10 🏔 PT

⊙ 🚻 🚻 ⌐ ⌐ WC 🏠 🏕 🔌 🏠 📷 ✕ 🏘 🔧 ⚓ 🎣 🏊

Acceso: A5/E35 (Karlsruhe-Basel), salida Freiburg-Mitte; seguir por la B31a/B31 en dirección Titisee, Waldseestrasse, 77. Selva Negra. Balneario, sauna, masajes.

Campingplatz Kirchzarten

79199 Kirchzarten — Estación climática. Teléfono (07661) 39375/3939
Camping confortable en el sur de la Selva Negra. Renovación de las instalaciones sanitarias y de otros edificios en 1988. 400 m sobre el nivel del mar, 420 parcelas para campistas pasajeros. Ganador del título Camping Ejemplar en el paisaje de Baden-Württemberg. Cuatro nuevas piscinas climatizadas al aire libre en el mismo terreno. Jardines infantiles, instalaciones de hidroterapia, circuitos para footing y sueca, ping pong, campo y pabellón de tenis, minigolf, ajedrez al aire libre, bolos, equitación, muchas posibilidades para caminar. Abierto todo el año, también en invierno

BADEN-WÜRTEMBERG	KEHL/RHEIN 77694	**DCC-CAMPING KEHL-STRASSBURG**

2,3 Ha. 195 𝄞 ⏚ 0,1 Km Tel. (07851) 2603 ⛺ P

☉ ⛲ ⛲ 𝄐 𝄐 WC 🀫 ⛲ ⛲ 🚿 📷 ⛾ ✕ 🏠 ⛏ ⤳ 🏊

Zona para jóvenes.VER ANUNCIO.

BÜHL D-77815 **ADAM**

18 Ha. 500 𝄞 ⛺ ⏚ Tel. (07223)23194 1/1-31/12 ⛰ MPT

☉ ⛲ ⛲ 𝄐 WC 🀫 ⛲ ⛲ 🚿 📷 ✕ 🏠 🎣 ⛲ 🏊 ⤳ 🎾 🚗 🚙 🚐 BEBÉ
𝄐 ⤳ 🚲

Terreno herboso llano y arbolado a orillas de un lago, junto a la Selva Negra. Playa y césped. Solarium.
Clases de tenis. Alquiler de bicicletas. Acceso: A5 (Karlsruhe-Basel) salida Bülh, dirección Oberbruch-Moos.
VER ANUNCIO.

BADEN-WÜRTEMBERG | RHEINMÜNSTER D-77836 **FREIZEITCENTER OBERRHEIN**

36 Ha. 730 🌲 ≈ 🏄 Tel. (07227)2500 1/1-31/12 ⛰ RPT

☉ 🚽 🚽 🚰 ⌐ WC 🍴 🛒 🛁 🚿 📷 🍴 ✕ 🏠 🎣 ⛲ 🧺 ✚ ⛳ ⛺

Terreno tranquilo en un bonito paisaje junto al lago Oberrheinsee. Acceso: por la A-5/E4 (Karlsruhe-Basel) salida Baden-Baden/Iffezheim o salida Bühl se llega a la B-36, seguir indicaciones. Clases de surfing y tenis; bolos, guardería.VER ANUNCIO.

HEIDELBERG D-69118 | **NECKARTAL**

1 Ha. 115 🌞 ≈ Tel. (06221)802506 1/5-15/10 ⛰

☉ 🚽 🚽 ⌐ ⌐ WC 🛒 🛁 🚿 📷 🍴 🏠 ⛲ 🚐

Acceso por la B-37. Próximo a la orilla del Neckar (peligro de inundaciones). Ctra. transitada. Heidelberg-Schlierbach. Plazas limitadas para caravanas. Zona separada paratiendas.

ℹ️

Los precios indicados son meramente orientativos y **EL IVA NO ESTÁ INCLUIDO**.
Están basados en las informaciones recibidas hasta el cierre de la edición de esta GUIA.
Los reales son los que figuran en la declaración expuesta en la recepción del camping con el sello del organismo de la correspondiente Comunidad Autónoma.

ALEMANIA

BADEN-WÜRTEMBERG   WERTHEIM D-97877   **AZUR-WERTHEIM**

5 Ha. 500 🌲 ⚊⚊ Tel. (09342)5719 1/1-31/12 ⚠ RPT

⊙ ⛺ ⛺ ⌐ ⌐WC ▦ ♨ ♒ ⌂ ♿ ⊚ ⍢ ╳ 🏠 🔌 ⚓ 🚶 🏊 ➕ 🚲

Situado al sur de la ciudad, junto al Rin y al parque natural"Spessart". Indicado. Cursos de natación, guardería, espectáculos musicales al aire libre.

RENANIA-PALATINADO   DAHN D-66994   **BÜTTELWOOG**

3 Ha. 200 🌲 ⚊⚊ Tel. (06391)5622 1/1-31/12 ⚠ PT

⊙ ⛺ ⌐ ⌐WC ▦ ♨ ♒ ⌂ ♿ ⊚ ⍢ ╳ 🔌 ⚓ 🚶 ➕

Situado en un valle a 0,8 Km de la población. Acceso por el desvío de la B-427 hasta Dahn. Alquiler de bicicletas. Piscina a 300 m.

BAD DÜRKHEIM D-67098   **AZUR-KNAUS-CAMPING**

12 Ha. 630 🌲 ⚊⚊ ⚡Tel. (06322)61356 1/2-20/11 ⚠ PT

⊙ ⛺ ⛺ ⌐ ⌐WC ▦ ♨ ♒ ⌂ ⊚ ╳ 🏠 🔌 ⚓ 🚶 ➕ 🎠 ⚘ 🚲

Terreno llano y ajardinado a 4 km de la población, en la orilla de un lago. Acceso: Desviarse en dirección norte junto al puente del tren al este de la población.

BREY D-56321   **DIE KLEINE RHEINPERLE**

0,7 Ha. 90 🌲 ⚊⚊ Tel. (02628)8860 1/5-31/10 ⚠ P

⊙ ⛺ ⌐ ⌐WC ♨ ♒ ⍢ ╳ 🔌 ⚓ 🚶 🚲

Acceso: B9 desde Koblenz, a unos 10 km en dirección sur. A la salida de Brey a la izquierda por debajo de la vía del tren. Terreno regular situado entre el Rhin y ferrocarril. Ruidoso. Zona reservada para jóvenes.

LAHNSTEIN D-56112   **BURG LAHNECK**

1,8 Ha. 150 🌲 ⚊⚊ ⚡0.05 Km Tel. (02621)2765 1/4-31/10 ⚠ PT

⊙ ⛺ ⛺ ⌐ ⌐WC ▦ ♨ ♒ ⌂ ⊚ ╳ 🔌 ⚓ ⛽ 🚶 🏊 ➕

Acceso por la salida Oberlahnstein de la B-42 y seguir indicaciones. Distribuido en terrazas. Junto al castillo de Lahn. Vistas al valle del Rhin y Lahn. Baños termales.VER ANUNCIO.

SAARBURG D-54439   **AEGON-WARSBERG**

10 Ha. 437 🌲 ⚊⚊ Tel. (06581)91460 1/1-31/12 ⚠ RPT

⊙ ⛺ ⛺ ⌐ ⌐WC ♨ ♒ ⌂ ♿ ⊚ ⍢ ╳ 🏠 🔌 ⚓ 🚶 ⛽ 🏊 ➕ ⚘

Situado al noroeste de la población. Indicado. Telesilla gratuita del camping a Saarburg. Discoteca, bolos.

TRIER D-54294   **TRIER-CITY**

1,8 Ha. 150 🌲 ⚊⚊ Tel. (0651)86921 1/1-31/12 ⚠

⊙ ⛺ ⛺ ⌐ ⌐WC ♨ ♒ ⌂ ♿ ⊚ ⍢ ╳ 🔌 ⚓ ⛽ 🚶 🚲

Situado a 3 Km de la población entre el puente romano y el puente Adenauer. Acceso por la ctra. de salida hacia Luxemburgo. Terreno regular en la orilla del Mosel. Ruidoso. Bolos.

SCHWEICH D-54338   **SCHWEICH**

3,5 Ha. 320 ☀ ⚊⚊ Tel. (06502)91300 SS-30/9 ⚠

⊙ ⌐WC ♨ ♒ ⌂ ⊚ ╳ 🔌 ⚓ ⛽

Acceso por la salida de Schweich de la A-48 (Eifelautobahn) en dirección a Trier hasta el puente. Ubicado en la orilla del Mosela, al lado del puerto. Peligro de inundación en temporada alta.

RENANIA-PALATINADO   LEIWEN D-54340   **AEGON-SONNENBERG**

8 Ha. 250 Tel. (06507)3056 SS-31/12 RPT

Accesos por la B-52 y la B-49 en dirección a Leiwen a través del cruce de Mosel en Thornich. Terreno distribuido en terrazas junto a un conjunto de bungalows. Discoteca.Piscina cubierta.VER ANUNCIO.

BERNKASTEL-WEHLEN D-54470   **SCHENK**

1 Ha. 100 Tel. (06531)8176 1/4-31/10 T

Acceso por la B-53. A 4 Km al N de Bernkastel-Knes (junto a Wehlen). Terreno próximo a la población con pendiente moderada y distribuido en terrazas. Acceso difícil para caravanas. Restaurante a 500 m.

ZELL D-56856   **MOSELLA**

1,2 Ha. 120 Tel. (06542)41241 1/4-31/10 PT

Acceso por el desvío en Zell (barrio Kaimt) de la B-53 (Koblenz-Trier). Señalizado. Terreno regular. Peligro de inundación en temporada de aguas altas.

EDIGER-ELLER D-56814   **ZUM FEUERBERG**

2 Ha. 160 Tel. (02675)701 1/4-31/10 PT

Terreno llano situado entre el río Mosela y la carretera. Peligro de inundación en caso de mareas altas. El terreno viene indicado en la B49 (Cochem-Alf).

KOBLENZ-LÜTZEL D-56070   **RHEIN-MOSEL**

4,5 Ha. 280 Tel. (0261)82719 26/3-15/10 P

Terreno ubicado en la confluencia del Rin y el Mosela. Acceso: Autopista Monchengladbach-Ludwigshafen, salida Koblenz-Lützel. Girar a la izquierda antes de llegar al puente.

REMAGEN/RHEIN 53424   **GOLDENE MEILE**

10 Ha. 500 Tel. (02642) 22222 1/1-31/12 P

Situado junto al Rin, con un pequeño lago en el centro del camping. Acceso por la B9/B266, dirección Bad Kripp. Señalizado.

SER CAMPISTA SIGNIFICA RESPETAR LA NATURALEZA

ALEMANIA

SAARLAND-SARRE   KIRKEL D-66459   **MÜHLENWEIHER**

3 Ha. 110 ⛺ ≈≈≈ Tel. (06849)400 1/1-31/12 ⚒ PT

⊙ 🛁 🛁 ⌐ ⌐ WC 🧺 🍴 🛗 💻 🍴 ✕ 🏠 🔌 🎣 🏊 ➕ 🎯 🎾

Terreno herboso y ajardinado bien cuidado situado al lado de la piscina municipal, en el oeste de la población. Acceso por la carretera B-40, bien señalizado.

LOSHEIM-BRITTEN D-66679 **AZUR HOCWALD REITERHOF**

3 Ha. 150 ⛺ ≈≈≈ Tel. (06872)3879 1/1-31/12 ⚒ T

⊙ 🛁 🛁 ⌐ ⌐ WC 🍴 🍴 🛗 💻 ✕ 🏠 🎣 🐎

Escuela de equitación, excursiones a caballo y en coches de caballos, sauna. Acceso: Salir de la B-268 en el noreste de Britten. Indicado.

SACHSEN-SAJONIA   BAUTZEN D-02625   **OBERLANSITZ**

6,5 Ha. 295 ☀ ≈≈≈ ✂ Tel. (03591)21430 1/3-31/10 ⚒ PT

⊙ 🛁 🛁 ⌐ WC 🧺 🍴 🛗 ♿ 🍴 ✕ 🏠 🔌 ⚓ ⛽ 🎣 🎾 🏓 🚲

Situado al Norte de Bautzen. Clases de vela, windsurfing y tenis. Bolos, discoteca. Zona naturista.

KÖNIGSTEIN D-01824   **KÖNIGSTEIN**

2.2 Ha. 150 ⛺ ≈≈≈ ≈≈≈ Tel. (035021)68224 1/4-31/10 P

⊙ 🛁 ⌐ WC 💻 🧺 🍴 🍴 ✕ 🔌 ⚓ 🎯

Situado en la orilla del río Elbe. Terreno sencillo y herboso en estado natural, ligeramente inclinado. Instalaciones sanitarias modernas.

ALTENBERG D-01773   **KLEINER GALGENTEICH**

4 Ha. 250 ⛺ ≈≈≈ ✂ Tel. (035056)50O7 1/1-31/12 ⚒ T

⊙ 🛁 🛁 ⌐ ⌐ WC 🧺 🍴 💻 🍴 ✕ 🔌 ⚓ 🎣 ⛺ 🚲

Terreno parcelado en una colina con vista panorámica. Junto a un lago con zona naturista. Pista esquí de fondo. Acceso por la ctra. 170, indicado.

DRESDEN-MOCKRITZ D-01217   **MOCKRITZ**

3 Ha. 100 ⛺ ≈≈≈ Tel. (0351)4718226 1/1-31/12 ⚒ T

⊙ 🛁 🛁 ⌐ ⌐ WC 🧺 🍴 🛗 ♿ 🍴 ✕ 🔌 ⚓ ⛽ ➕ 🏓

Terreno de pernoctación situado al sur de la ciudad, en la calle Boderitzerstrasse, junto a un lago. Acceso por la Ctra. 170. Señalizado.

SCHARFENBERG D-01665   **REHBOCKTAL**

1,3 Ha. 80 ⛺ ≈≈≈ ≈≈≈ Tel. (03521)452680 15/4-15/10 T

⊙ 🛁 ⌐ WC 🧺 🍴 ⌐ ✕ ⚓ ⛽ 🏓 🚲

Situado en un bosque, cerca de la orilla sur del río Elbe. Acceso por la Ctra.-6, a 3 Km de Meissen en dirección Dresden.

LEIPZIG D-04159   **AUENSEE**

7,5 Ha. 230 ⛺⛺ ≈≈≈ Tel. (0341)2123031 1/3-31/10 ⚒ T

⊙ 🛁 🛁 ⌐ ⌐ WC 🧺 🍴 🛗 🍴 ✕ 🔌 ⚓ 🏓

Parte del camping está situado en un bosque, al noroeste de la ciudad c/ Gustav Escherstrasse. Acceso por varias rutas: las ctras. 6, 81, 2, 95, 184 o por la autopista Nürnberg-Berlin, salida Schkeuditz/Grosskugel en dirección Este. Terreno de pernoctación.

MILTITZ D-04205   **AM KULKWITZER SEE**

7.5 Ha. 230 ⛺⛺ ≈≈≈ Tel. (0341)4782126 30/3-15/10 PT

⊙ 🛁 🛁 ⌐ ⌐ WC 🧺 🍴 🍴 ✕ ⚓ 🏓

Terreno situado en una península en el lago de Kulkwitz, al sur de Miltitz, junto a un parque. Acceso por la ctra. 87 en dirección Weissenfels. (Cerca de Leipzig).

HESSEN

HIRSCHHORN D-69434 **ODENWALD**

6 Ha. 380 ⛺ Tel. (06272)809 1/4-31/10 PT

⊙ ⛺ ⛺ ⌂ ⌂ WC 🍴 🛒 🔥 ⚡ ♿ 🔲 🍽 ✕ ⛲ GAS ~ ≈ 🏓

Situado junto a un lago. Ping.pong, sauna. Acceso: En Hirschhorn coger la ctra. B-37 en dirección Wald-Michelbach.

KIRCHHEIM D-36275 **SEEPARK**

10 Ha. 350 ⛺ 🏊 0,3 Km Tel. (06628)1525 1/1-31/12 RPT

⊙ ⛺ ⛺ ⌂ ⌂ WC 🍴 🛒 🔥 ⚡ ♿ 🔲 🍽 ✕ 🏠 ~ ⛲ GAS ~ ≈ ✚ 🏓 ⌂

Acceso por la salida "Kirchheim" de la autopista A-7. Indicado. Terreno distribuido en terrazas, junto a un lago. Pesca, sauna, pista de patinaje sobre ruedas, guardería.

HESSISCH LICHTENAU D-37235 **GRUNDMÜHLE-QUENTEL**

1,5 Ha. 100 ⛺ Tel. (05602)3659 1/4-30/9 PT

⊙ ⛺ ⛺ ⌂ ⌂ WC 🍴 🛒 🔥 ⚡ ♿ 🔲 🏠 GAS ~ ≈

Desde Melsungen en la B 33 hacia el norte. Después de Röhrenfurth girar a la derecha en dirección Eiterhagen y Quentel. Situado en la orilla de un río. Supermercado y restaurante a 1,5 Km.

VÖHL-HERZHAUSEN D-34516 **TEICHMANN**

20 Ha. 460 ⛺ 🏊 Tel. (05635)245 1/1-31/12 MRP

⊙ ⛺ ⛺ ⌂ ⌂ WC 🍴 🛒 🔥 ⚡ ♿ 🔲 🍽 ✕ 🏠 ~ ⛲ GAS ~ ✚ 🏓 ⌂

Ctra. B 252 (Korbach-Frankenberg), a 1 Km de la localidad. Señalizado.En la orilla del lago Edersee. Windsurfing, pesca, alquiler de barcas. Ping-pong, sauna, discoteca.

OBERWESER D-34399 **OBERWESER-GIESELWERDER**

2,5 Ha. 250 ⛺ Tel. (05572)7611 1/4-31/10 RPT

⊙ ⛺ ⛺ ⌂ ⌂ WC 🍴 🛒 🔥 ⚡ ♿ 🔲 🍽 ✕ 🏠 ~ ⛲ GAS ~ ≈ ✚

Ctra. B 80, dirección Bad Karlshafen. Situado en la orilla del río Weser, a 400 m de la población, indicado. Bonita vista panorámica. Terreno distribuido en terrazas.

THÜRINGEN-TURINGIA

GROSSBREITENBACH D-98701 **INTERNAT. FERIENPARK**

12 Ha. 140 ⛺ Tel. (036781)398 1/1-31/12 T

⊙ ⛺ ⛺ ⌂ ⌂ WC 🛒 🔥 ⚡ 🍽 ✕ ~ ⛲ GAS ~ ✚ 🏕

Situado al noroeste de la población. Se accede por la F-88 (Ilmenau-Rudolfstadt) seguir dirección sur en Gehren. Sauna. Esquí de fondo. Música en vivo.

MANEBACH D-98693 **MEYERSGRUND**

8 Ha. 120 ⛺ Tel. (03677)245 1/1-31/12 T

⊙ ⛺ ⌂ WC 🔥 ⚡ ♿ ✕ ⛲ GAS ~ 🎯 🏕

Terreno aterrazado y ajardinado en un valle, rodeado de árboles. Unos 7 Km al sur de Ilmenau. Se accede por la Ctra. 4 (Ilmenau-Elsfeld).

FRANKENHAIN D-99330 **LÜTSCHE-STAUSEE**

5,6 Ha. 250 ☀ 🏊 0,4 Km Tel. (036205)518 15/4-15/10 PT

⊙ ⛺ ⛺ ⌂ ⌂ WC 🔥 ⚡ ♿ 🍽 ⛲ GAS ~ 🏕

Terreno llano en estado natural con vistas al embalse. Se accede al camping desde el pueblo en dirección a la presa indicada. Mucha pendiente.

KELBRA D-06537 **AM STAUSEE**

4.5 Ha. 450 ⛺ Tel. (034651)6310/11 1/4-31/10 P

⊙ ⛺ ⛺ ⌂ ⌂ WC 🔥 ♿ 🍽 ✕ ⛲ GAS 🏕 🚲

Terreno inclinado y ajardinado situado al borde de un embalse, al oeste del Kelbra. Acceso por la ctra. 80 (Nordhausen-Halle an der Saale) saliendo en Berga dirección sur y siguiendo por la ctra. 85 en dirección Sondershausen.

ALEMANIA

RENANIA DEL NORTE

OLPE-SONDERN D-57462 — BIGGESEE SONDERN

6 Ha. 300 Tel. (02761)65250 1/1-31/12 RPT

Terreno ajardinado distribuido en terrazas en la orilla del lago Biggesee. Césped solarium. Zona reservada para jóvenes. Deportes náuticos, cursos de vela y surf. Acceso: por la A45 (Siegen-Hagen) salida Olpe dirección Attenhorn. A 6 Km dir. lago.

KÖLN-RODENKIRCHEN D-50996 — BERGER

6 Ha. 250 Tel. (0221)392421 1/1-31/12 T

Acceso: Desde el cruce A4/A555 (Köln-Süd) hasta Rodenkirchen. En la calle Rathenaustrasse a la izquierda por la Uferstrasse hasta Bootshaus Berger. Situado al sur de Colonia. Reserva imprescindible en noviembre, diciembre, enero y febrero.

KÖLN-POLL D-51105 — C.DER STADT KÖLN

2 Ha. 240 Tel. (0221)831966 26/4-18/10

Acceso por la salida Köln-Poll de la A-4/E-5 (Köln-Gremberg). Terreno regular. Plazas asfaltadas para autocaravanas. Próximo al Rhin y a la autopista. Situado en el extremo de Colonia, Weidenweg 46.

KALKAR-WISSEL 47546 — WISSELER SEE

17 Ha. 640 Tel. (02824) 6613 1/1-31/12 MRPT

Acceso por la salida Emmerich, o por la A-57, salida Goch/Weeze. Escuela de vela, windsurf y buceo.

ESSEN-WERDEN 45239 — D.C.C. ESSEN WERDEN

4 Ha. 300 Tel. (0201) 492978 1/1-31/12 P

TECKLENBURG-LEEDEN D-49545 — TRUMA CAMPINGPARK

30 Ha. 900 Tel. (05405)1007 1/1-31/12 RPT

Amplio terreno con zona reservada para jóvenes. Acceso por la A1/E3 (Bremen-Münster), salida Lengerich/Tecklenburg; Leeden está a 10 Km de Langerich o por salida Lotte/Osnabrück, dirección Leeden.

BRANDENBURG

WERDER-HAVEL D-14542 — RIEGELSPITZE

2,4 Ha. 245 Tel. (03327)2397 1/4-25/10 MP

Situado en la orilla oeste del lago Glindower, al sur de la Ctra. 1 (Postdam-Brandenburg). También se puede acceder por el cinturón berlinés, el Berliner Ring, salidas Werder/Brandenburg o Glindow.

POTSDAM D-14471 — GAISBERG-SANSSSOUCI

6 Ha. 190 0,10 Km Tel. (03327)55680 1/4-30/9

Terreno de camping situado en una orilla del lago Templiner See .Playa de arena. Muchas mejoras efectuadas durante el año 1993. Discoteca. Acceso por la parte sur de la ciudad, dirigirse a la estación central de ferrocarril. A partir de aquí, bien indicado.

BRANDENBURG-MALGE D-14776 — MALGE

2,6 Ha. 300 Tel. (03381)512134 1/5-30/9 P

Situado en la orilla sur del lago Breitlingsee. Acceso: dejar la E-30 en la salida Wollin y seguir en dirección Brandenburg.

BERLIN

BERLIN-SCHMÖCKWITZ D-12527   **AM KROSSINSEE**

7 Ha. 480   Tel. (030)6758687   1/1-31/12   R

⊙ ⊖ ⊖ ⌐ WC 🚿 ♨ ⌂ 🍴 ✕ 🛢 🏕 🚴

Terreno situado en la orilla norte del lago Krossinsee, en un bosque. Entre Schmöckwitz y Wersdorf. Acceso por la E30/E55, salida Niederlehme, dirección Wernsdorf.

BERLIN-KLADOW D-14089   **ELSE-ECKERT-PLATZ**

7 Ha. 730   0,4 Km Tel. (030)3652797   1/1-31/12   RT

⊙ ⊖ ⊖ ⌐ ⌐ WC 🏠 🚿 ♨ ⌂ ♿ 📷 ✕ 🎣 🛢 ⛽ 🔌 ➕ 🏕

Accesos por Avus en Dreilinden a través de la ctra de Masuren Allee hasta Theodor Heuss Platz y seguir dirección Kladow. Area de grava para transeuntes. Situado en el SO de la ciudad, cerca del lago Glienickersee.

ALTA SAJONIA

ELBINGERODE D-38875   **AM BROCKEN**

2 Ha. 190   Tel. (039454)2589   15/3-15/10   T

⊙ ⊖ ⌐ ⌐ WC 🚿 ♨ ⌂ 🍴 ✕ 🛢 ⛽ 🔌

Situado a 1 Km al norte de la población.

MAGDEBURG D-39126   **BARLEBER SEE**

7 Ha. 900 ☀   0,05 Km Tel. (0391)503244   1/5-30/9   PT

⊙ ⊖ ⊖ ⌐ ⌐ WC 🚿 ♨ ⌂ 🍴 ✕ 🛢 🔌 🏕

Terreno llano junto a un lago. Acceso por la E-38, salida Magdeburgo-Industriegelände, seguir unos 2 Km dirección norte. Cine. Bolos. Surfing.

ARENDSEE D-39619   **CAMPING AM SEE**

5 Ha. 520   0,1 Km Tel. (039384)587   1/1-31/12   T

⊙ ⊖ ⊖ ⌐ ⌐ WC 🏠 🚿 ♨ ⌂ ♿ 📷 🛢 🔌 🚴

Situado cerca de un lago, junto a la ctra. 190, dentro de la población. Sesiones de cine. Camping Municipal.

BREMEN

BREMEN D-28359   **FREIE HANSESTADT**

6 Ha. 100   0,7 Km Tel. (0421)212002   SS-31/10   P

⊙ ⊖ ⊖ ⌐ ⌐ WC 🏠 🚿 ♨ ⌂ ♿ 📷 ✕ 🏠 🎣 🛢 ⛽ 🔌 ➕ 🚴

Situado a 5 Km de Bremen, junto a un lago y un río. Acceso por la A-27 (cruce Bremen-Bremerhaven), salida Horn-Lehe en dirección Universität.

BAD GANDERSHEIM 37581   **D.C.C. KUR CAMPINGPARK**

9 Ha. 210   Tel. (05382) 1595   1/1-31/12   P

⊙ ⊖ ⌐ WC 🏠 🚿 ⌂ 📷 🍴 ✕ 🛢 🔌 🚴

VER ANUNCIO.

BAJA SAJONIA

WIETZENDORF D-29647   **SÜDSEE CAMP**

55 Ha. 800   Tel. (05196)345   22/12-5/11   MRPT

⊙ ⊖ ⌐ WC 🏠 🚿 ♨ ⌂ ♿ 📷 🍴 ✕ 🏠 🎣 🛢 🔌 ➕ 🏓 🏕 🚴

Situado entre bosques y brezos, terreno ajardinado, parcialmente aterrazado, junto a un lago. Alquiler sanitarios individuales. Acceso: tomando la salida Soltau-Süd de la A7/E4 (Hannover-Hamburg) se llega a la B3; a 3 Km en dirección Bergen, seguir dirección Wietzendorf.

SOLTAU 29614   **SCANDINAVIA CAMPING PARADIES**

24 Ha. 560   Tel. (05191) 2293   1/1-31/12   MRPT

⊙ ⊖ ⌐ ⌐ WC 🏠 🚿 ♨ ⌂ ♿ 📷 🍴 ✕ 🛢 🔌 🏊 🏠 🚗 🚐 ⛱ 🏕 🚴

Terreno situado en una pineda. Acceso: desde la salida de la autopista Soltau-Ost (A7), 1 Km en la B209/71 en dirección Lüneburg.

Campings recomendados por el DCC

BOSQUES DE TEUTOBURGO - *TEUTOBURGER WALD*

Truma - Campingpark
D-49545 Tecklenburg-Leeden • Tel. 07-49-5405/1007

• Camping moderno, con 100.000m2 de bosque. Paisaje variado. En bosque montañoso.
• **Abierto todo el año.**
• *Acceso: A-1 Münster - Osnabrück, salida Lengerich/Tecklenburg via Lengerich 10km hasta Leeden, o A-30 Osnabrück-Rheine, salida Lotte, via Lotte 8km dir. Leeden. Ambas salidas señalizadas.*

ALLGÄU

Centro de vacaciones y de ocio "Stadt Essen" Oberer Lechsee
D-86983 Lechbruck • Tel. 07-49-8862/8426

• Al borde de los Alpes del Allgäu, Füssen, castillos reales, la iglesia "Wieskirche", Oberammergau.
• **Abierto todo el año.**
• *Acceso: A-95 München - Garmisch, salida Murnau / Kochel via Murnau - Saulgrub - Steingaden hasta Lechbruck o A-7 Ulm-Kempten, salida Kempten, girar a la derecha hasta Lechbruck (señalizado)*

HARZ

Kur - Campingpark
D-37581 Bad Gandersheim/Harz • Tel. 07-49-5382/1595

• "Ciudad de Roswitha" Bad Gandersheim con su centro medieval, su catedral, sus festivales junto la catedral, y sus conciertos diarios.
• A sólo 30 km de las poblaciones de deportes de invierno.
• **Abierto todo el año.**
• *Acceso: A-7 Kassel-Hannover, salida Seesen (señalizado).*

CUENCA DEL RUHR - *RUHRGEBIET*

Camping Municipal "Essen-Werden" cerca del Puente del Ruhr (Ruhrbrücke)
D-45239 Essen-Werden • Tel. 07-49-201/492978

• Situado muy cerca de la ciudad de Essen, capital del Ruhr. En primavera se celebra, en Essen, la exposición "Camping Internacional y Viaje Internacional".
• **Abierto todo el año.**
• Acceso: A-52 Düsseldorf-Essen, s. Essen-Haarzopf hasta Werden. A la estación girar a la izquierda, seguir señales. B-1/A-430 Dortmund/West-Essen hasta el triángulo AB Essen/Ost. Allí coger la A-52 dir. Düsseldorf hasta llegar a la s. Essen/Rüttenscheid. Luego coger la B-224, dir. Solingen. Antes de llegar al puente del Ruhr de Werden ("Werdener Ruhrbrücke") girar a la derecha, está señalizado.

ALTA BAVIERA - *OBERBAYERN*

Campingpark "Romantik am Lech"
D-86899 Landsberg/Lech • Tel. 07-49-8191/47505

• Centro histórico, Lechwehr, parque natural con animales.
• **Abierto todo el año.**
• Acceso: A-8 Stuttgart - München, s. Augsburg West por la B-2 hasta la crta. de acceso a la B-17 Augsburg-Schongau, antes de Landsberg tomar la B-12 en dir. a München, s. Lansberg-Ost. O por la A-96 y B-12 München-Lindau, s.Landsberg-Ost (señalizado).

FRANCONIA - *FRANKEN*

Campingpark "Romantische Strasse"
D-91550 Dinkelsbühl • Tel. 07-49-9851/7817

• Dinkelsbühl, Romantische Strasse (ruta romántica), Feuchtwangen, Rothenburg o.d.T.
• **Abierto todo el año.**
• Acceso: A-37 Würzburg-Ulm, salida Dinkelsbühl/Fichtenau, en Dinkelsbühl se encuentra señalizado.

ALTO RHIN - *OBERRHEIN*

Campingpark "Kehl-Strassburg" cerca del Puente de Europa (Europabrücke)
D-77694 Kehl/Rhein • Tel. 07-49-7851/2603

• Excursiones: Strassburg, Alsacia, los Vosgos, la Selva Negra, Freiburg, Baden-Baden, Karlsruhe.
• **Abierto: 1.4 - 15.10**
• Acceso: A-5 Karlsruhe-Basel, salida Appenweiher, a 11km de la B-28 en dirección a Kehl/Strassburg. En la población girar en el primer semáforo a la izquierda, luego seguir indicaciones.

BAJA SAJONIA   RIESTE D-49597   **ALFSEE CAMPINGPARK**

7,7 Ha. 450 🏕 ▭ ⚲ 0,2 Km Tel. (05464)5166 1/1-31/12 〰 RPT

☺ 🚿 ⌐ WC 🏠 🛒 🍳 🚻 ♿ 📷 🍸 ✕ ⚓ 🛂 ⛽ ⚬ ✚ 🎣 🚲

Extenso terreno llano cerca de dos lagos. Clases de tenis, vela y windsurfing. Guardería. Acceso: salida Neurkirchen/Vörden de la A1(Bremen-Osnabrück), seguir en direcciónBersenbrück-Alfhausen (B-68).VER ANUNCIO.

ALFSEE CAMPING PARK OSNABRÜCKER LAND

- Camping familiar, a 25 km. al norte de Osnabrück.
- Situación favorable, cerca BAB A 1, salida Neuenkirchen/Vörden.
- A orillas del lago Alfsee, de 220 hectáreas.
- 10 hectáreas. de zona de baño con telesquí acuático.
- 440 parcelas.
- Terreno bien cuidado.
- Vela, surf, pesca, excursiones.
- Escuela de vela y de surf, alquiler de botes.
- Mini-golf, parque infantil.
- Barbacoa, alquiler de bicicletas, campos de tenis.
- Próximo a muchas atracciones turísticas.

Alfsee-Campingpark Rieste
49597 Rieste, Tel. (05464) 51 66

Los precios indicados son meramente orientativos y **EL IVA NO ESTÁ INCLUIDO**.
Están basados en las informaciones recibidas hasta el cierre de la edición de esta GUIA.
Los reales son los que figuran en la declaración expuesta en la recepción del camping con el sello del organismo de la correspondiente Comunidad Autónoma.

BAJA SAJONIA   SCHIFFDORF-SPADEN   D-27619   **SPADENER SEE**

16 Ha. 300   Tel. (0471)801022   1/1-31/12   T

Situado en la orilla del gran lago "Spadener See", A 1 Km de la localidad. Cerca de Bremerhaven. Bolos, pesca, escuela de wingsurfing. Superm. a 1 Km.VER ANUNCIO.

OTTERNDORF   D-21762   **SEE ACHTERN DIEK**

13,5 Ha. 550   Tel. (04751)2933   1/4-31/10   MRPT

Camping municipal situado a 3 Km de la población, en la orilla de un lago, dirección Müggendorf.

HASELÜNNE   D-49740   **HASE-UFER**

10 Ha. 550   0,05 Km Tel. (05961)1331   1/1-31/12   RPT

A 1 Km de Haselünne. En la población seguir las indicaciones "Erholungsgebiet See". Terreno situado entre el río Hase y un lago. Discoteca. Espectáculos musicales al aire libre. Zoo infantil.

ISLA BORKUM   D-26757   **INSELCAMPING**

7 Ha. 300   0,8 Km Tel. (04922)4224   SS-31/10   RPT

Instalaciones sanitarias muy modernas, sauna, ping-pong, volleyball, guardería. Extensa zona para jóvenes. Situado en la isla Borkum, Hindenburgstrasse, 114.sse, 114.VER ANUNCIO.

El símbolo FECC indica que se hacen descuentos a los socios de los Clubs federados sin ningún condicionamiento aparte de la correspondiente identificación.

ALEMANIA

STERNBERG D-19406 — CAMPING LUCKOWER SEE

7 Ha Ha. 180 ⚑ 〰 ☇ Tel. (03847)2534 1/4-30/9 ⛰ MPT

☺ 🛁 🛁 Γ WC 🧺 🛁 🔧 ♿ ✕ ⚓ ⚑ ⛽ 🚤 △ ⛺ 🚲

Terreno aterrazado junto al lago de Luckow. Acceso por la ctra. 104, salida Sternberg, seguir en dirección norte.

KOSEROW/ISLA USEDOM D-17549 — AM SANDFELD

4 Ha. 150 ⚑ 〰 ☇ 0.5 Km Tel. (038375)359 SS-18/10 ⛰ T

☺ 🛁 🛁 Γ Γ WC 🔲 🧺 🛁 🔧 ♿ 🖵 ✕ ⚓ ⚑ ⛽ 🚤

Terreno natural junto a un bosque. Instalaciones modernas. Situado en la isla Usedom, Mar Báltico.

RAPPIN/ISL.RÜGEN 18528 — GROSS BANZELVITZ

250 ⚑ ☇ 0.2 Tel. (03838) 31248 1/4-31/10 ⛰ PT

☺ 🛁 Γ WC 🔲 🧺 🔧 ♿ 🖵 Ψ ✕ ⚑ 🚤 ⛱ 🚐 🚲

Playa naturista y nuevas instalaciones sanitarias. Acceso: al norte de la población. Señalizado.

JULIUSRUH/ISL.RÜGEN D-18556 — JULIUSRUH

8 Ha. 300 ⚑ 〰 ☇ 0.3 Km Tel. ALTENKIRCHEN 237 1/5-30/9 ⛰

☺ 🛁 🛁 Γ Γ WC 🔧 ♿ ✕ ⚑ 🚲

Terreno sencillo situado en las dunas del norte de Rügen. Cerca de ctra. transitada.

SEEHOF D-19069 — SCHWERINER SEE

15 Ha. 750 ☀ 〰 ☇ 0.05 Km Tel. (08497)206 1/4-30/10 ⛰ PT

☺ 🛁 🛁 Γ Γ WC 🧺 🔧 🖵 Ψ ✕ ⚓ ⚑ ⛽ 🚲

Situado en la orilla del lago Schwerin (Schweringer See). Acceso por la F-106 (Schwerin-Wismar), salida Seehof, seguir unos 5 Km.

ZINGST 06268 — AM FREESENBRUCH

4,1 Ha. 300 ⚑ 〰 ☇ 0.1 Tel. (038232) 786 1/1-31/12 ⛰ P

☺ 🛁 🛁 Γ WC 🧺 🔧 ♿ 🖵 Ψ ✕ ⚑ 🚤

Situado en la mayor reserva de aves marinas del país, en plena naturaleza.

MARKGRAFENHEIDE D-18146 — MARKGRAFENHEIDE

30 Ha. 1350 ⚑ 〰 ☇ 0.15 Tel. (0381)54841 1/5-31/12 ⛰ PT

☺ 🛁 🛁 Γ WC 🧺 🔧 ♿ 🖵 Ψ ✕ 🏠 ⚓ ⚑ 🚤 ☩ 🚗 ⛱ / 🚲

Situación en un bosque privilegiado cerca de Rostock. Se han realizado muchas renovaciones y mejoras. Acceso indicado en la población.

ZIEROW/MAR BALTICO D-23968 — OSTSEE

13 Ha. 600 ☀ 〰 ☇ 0.05 Km Tel. (03841)642377 1/5-30/9 ⛰ T

☺ 🛁 🛁 Γ Γ WC 🧺 🔧 ✕ ⚑ ⚙ ⛱

Situado al borde del mar Báltico. Cerca de un acantilado. Acceso: al oeste de Wismar, salir de la Ctra. 105 en dirección norte. Clases de vela.

HAMBURG-EIDELSTEDT D-22527 — CITY CAMP TOURIST

2,5 Ha. 200 ☀ 〰 Tel. (040)5704498 1/1-31/12 ⛰

☺ 🛁 Γ WC 🧺 🔧 🖵 ⚑ ⛽ 🚤

Acceso por la A-7 (Hamburg-Kiel) salida Hamburg-Stellingen en direccion Eideltedt-Kieler Str. 650. Junto a un arroyo y a una ctra. transitada.

Insel~Camping~Borkum

BIENVENIDOS a uno
de los campings más modernos y más confortables
de la República Federal de Alemania

Los servicios sanitarios más modernos para las exigencias de confort más altas. Con cabinas individuales de lavado y cabinas de ducha, espejos muy grandes, servicios sanitarios especiales para niños, cuarto para cambiar el bebé, servicios sanitarios para minusválidos.

Plazas señalizadas herbosas con conexión eléctrica, toma de agua y desagüe, parcialmente con cabinas sanitarias propias (lavabo, WC, ducha).

Nosotros pensamos en los más pequeños.

Ofrecemos un sinfín de instalaciones para el ocio.

Gran centro con mini-mercado, snack-bar, restaurante, solariums y terrazas cubiertas, tienda social con televisor, sauna, alquiler de bicicletas, portería de fútbol, volleyball, ping-pong, equipo de pit-pat, etc.

Vacaciones en la caravana de alquiler.

Jardín de infancia propio, parque infantil de aventuras, terreno herboso para juegos, animación infantil durante las vacaciones escolares de verano

También la juventud es bienvenida en nuestro camping.

Alquiler de caravanas bien equipadas con calefacción y avancé.
¡Precios semanales económicos!

Trato Especial:
20% de rebajas en todos los precios (menos electricidad y gas).

Gran terreno para jóvenes, posibilidades para cocinar, terraza cubierta grande con barbacoa. Alquilamos tiendas grandes equipadas a grupos juveniles.

¡Pida nuestro folleto!
Borkumer Campingplatz GmbH - Hindenburgerstr. 114
26757 Borkum - Teléfono (04922) 1088, 4224

Temp. baja:
Vacaciones/cura Insel-Camping-Borkum, el lugar ideal para sus vacaciones/cura, especialmente para casos de enfermedades de piel de carácter alérgico y para bronquitis.

ALEMANIA

RATEKAU/LÜBECK D-23626 **WALDKLAUSE**

1,2 Ha. 115 Tel. (04504)3833 1/4-31/10 P

Situado a 1 Km de Ratekau. Acceso por la autopista Lubeck-Puttgarden. Salida Ratekau. Ubicado entre dos carreteras. Zona reservada para jóvenes.

AUGSTFELDE BEI PLÖN 24306 **VIERER-SEE**

23 Ha. 500 Tel. (04522) 8128 1/4-31/10 MPT

Situado junto al lago Vierer-See con vista panorámica, en el centro del Parque Natural "Holsteinische Schweiz". Acceso: por la B76 en dirección Plön, 8 Km después de Eutin en dirección Bosau. Señalizado.

IVENDORF/TRAVEMÜNDE D-23570 **IVENDORF**

3,5 Ha. 150 3,5 Km Tel. (04502)4865 1/3-31/10 T

Terreno de pernoctación muy bien situado. Acceso: Salir de la B75 al suroeste de Travemünde en dirección Ivendorf.

NEUSTADT D-23730 **SEEBLICK**

3 Ha. 230 0,1 Km Tel. (04561)7428 1/4-30/9 PT

Terreno ligeramente inclinado junto a un acantilado situado en la ctra. de Neustadt a Pelzerhaken (Mar Báltico). Guarderia.

GRÖMITZ/MAR BALTICO D-23743 **CAMARO**

5.5 Ha. 210 0,3 km Tel. (04562)8845 1/1-31/12 T

Terreno llano con buenas instalaciones. Acceso: desde Gömitz en dirección Lensterstrand. Sauna. Sala de pesas. VER ANUNCIO.

STEIN D-24235 **FÖRDEBLICK**

6,5 Ha. 440 0,05 Km Tel. (04343)7795 1/4-30/9 PT

Situado a 2 Km de la ciudad. Acceso por la ctra. de Kiel-Laboe en dirección Stein. Delimitado por setos. Junto a acantilado. Zona reservada para jóvenes.

HEIKENDORF D-24226 **MÖLTENORT**

2 Ha. 160 Tel. (0431)241316 1/4-30/9 MP

Situado a 1 Km de la población. Acceso por la ctra. de Kiel en dirección Laboe seguir hasta Heidendorf. Terreno dividido en terrazas, próximo a acantilado.

| SCHLESWIG-HOLSTEIN | SCHÖNHAGEN   D-24398 | **SEESTERN** |

2,5 Ha. 250 ☀ 〓 ⚑ Tel. (04644)305 1/4-30/9 〰 MRPT

⊙ ⊟ ⊟ ⌐ ⌐ WC 📖 🍴 🚿 🚻 ♿ 🔲 ⵏ ✕ 🏠 ⌐ ⚓ ⬚ ✚ ⊕ 🚲

Terreno ligeramente inclinado situado en la playa al norte de la población. (Brodersby). Sauna, ping-pong.

| | WESTERDEICHSTRICH   D-25761 | **IN LEE** |

4 Ha. 300 ✦ 〓 ⚑ 0,8 Km Tel. (04834)8197 1/4-15/10 〰 T

⊙ ⊟ ⊟ ⌐ ⌐ WC 📖 🍴 🚿 🚻 ♿ 🔲 🏠 ⌐ ⬚ ⟋ ✚ 🎾 🚲

Situado en la ctra. hacia Stinteck, a 3 km. de Westerndeichtrich.

| | WENNINGSTEDT   25996 | **WENNINGSTEDT** |

2,7 Ha. 260 ☀ 〓 〓 ⚑ 0,3 Tel. (04651) 4470 1/4-31/10 〰 RP

⊟ ⌐ WC 🍴 🚿 🔲 ⵏ ✕ ⬚ ⟋

| ISLA FEHMARN | WESTFEHMARN-WALLNAU   D-23769 | **STRAND-CAMPING** |

22 Ha. 820 ✦ 〓 ⚑ 0.05Km Tel. (04372)456 1/4-1/10 〰 RPT

⊙ ⊟ ⊟ ⌐ ⌐ WC 🍴 🚿 🚻 ♿ 🔲 ⵏ ✕ 🏠 ⌐ ⬚ ⟋ ✚ 🚲

Terreno ajardinado. Zona con playa reservada para nudistas. Discoteca. Música en vivo, películas. Guardería.
Acceso por la B 307/E4 en dirección Landkirche y después a Petersdorf y Bojendorf.

| ISLA SYLT | WESTERLAND   D-25980 | **DÜNEN-C. WESTERLAND** |

7,5 Ha. 342 ☀ 〓 〓 ⚑ 0,2 Km Tel. (04651)1715 1/4-31/10 〰 RPT

⊙ ⊟ ⊟ ⌐ ⌐ WC 🍴 🚿 🔲 ✕ 🏠 ⌐ ⬚ ⟋

Situado a 500 m al sur de Westerland (Isla Sylt). Instalaciones sanitarias renovadas. Para la temporada alta
se recomienda reservar con antelación.

ANDORRA

Moneda:

Peseta española y franco francés.

Horarios:

CORREOS: de lunes a viernes de 9.00 a 13.00 y de 15.00 a 17.00. Sábados de 9.00 a 13.00. BANCOS: de lunes a viernes de 9.00 a 13.00 y de 15.00 a 17.00. Sábados de 9.00 a 13.00. COMERCIOS: todos los días de 9.00 a 20.00 (excepto el 8 de septiembre).

Documentación:

Ciudadanos C.E.E.: Pasaporte o DNI.

Teléfono:

Prefijo de España desde Andorra: el correspondiente a la provincia. Prefijo de Andorra desde España: 07-376.

Normas de circulación:

Velocidades máximas de 40 Km/h en el casco urbano y de 70 Km/h en carretera.

Teléfonos de socorro:

En caso de accidente: 18. Policia: 17.

Direcciones útiles:

Oficina de Turismo de Andorra, Mariano Cubí, 159, 08021 Barcelona. Tel.(93) 2000787.

Los beneficiarios de la Seguridad Social española tienen derecho a la prestación de asistencia sanitaria de carácter urgente durante su estancia en Andorra. Infórmese en la oficina del organismo sanitario competente de su Comunidad.

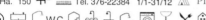

| ANDORRA | ANDORRA LA VELLA | VALIRA |

2,5 Ha. 150 ⛺ ▭ Tel. 376-22384 1/1-31/12 ⛰ PT

Terreno distribuido en terrazas situado sobre el río Valira con vistas a la ciudad. Junto al estadio deportivo, gratuito para los clientes del camping. Señalizado en la ciudad.VER ANUNCIO.

| ERTS | XIXERELLA |

5 Ha. 300 ⛺ ▭ Tel. 376-36613 1/1-31/12 ⛰ RPT

Terreno herboso en ligera pendiente al pié de la montaña, limitado por un arroyo. Acceso: a 1 Km de Erts en dirección Pal. Señalizado.

| ENCAMP | MERITXELL |

2 Ha. ⛺ ▭ Tel. 9738-31100 1/1-31/12 ⛰ PT

Camping de invierno, situado entre Encamp y Andorra la Vella. Pesca y equitación próximos. Cerca del teleférico.

| ENCAMP | EUROPA |

1,6 Ha. 150 ⛺ ▭ Tel. 376-31928 1/1-31/12 ⛰ RP

Situado en el lado izquierdo de la ctra. de Andorra la Vella. Av. de la Barta.

ENCAMP INTERNACIONAL

2 Ha. 202 🌲 ▬▬ Tel. 376-31609 1/1-31/12 ⛰ PT

☺ 🥤 🥤 ⌐ ⌐ WC 📇 🧺 🔱 🚻 ♿ 🎰 🍽 🏠 🐟 ⚓ GAS 🔌 🏊 🚗 🚿
BEBE ‖🗙 10

Situado en la misma población. Piscina climatizada. VER ANUNCIO.

CAMPING INTERNACIONAL
ENCAMP
Tel. 07-376-831609
PRT. D'ANDORRA
Piscina Climatizada de verano

Sanitarios con Calefacción y agua caliente gratuita

Situado junto al río Valira, en un paraje montañoso, próximo a todas las pistas de esquí del Principado. Terreno de hierba con parcelas delimitadas y muy arbolado.

ANDORRA CANILLO CASAL

0,5 Ha. 75 🌲 ▬▬ Tel. 376-51451 1/1-31/12 ⛰ RP

☺ 🥤 ⌐ WC 🧺 🔱 🚻 🍽 🗙 ⚓ GAS 🔌 ♨

En la N-2, dirección frontera francesa, junto a la gasolinera.

CANILLO PLA NAUDI

3 Ha. 150 🌲 ▬▬ Tel. 376-51333 1/1-31/12

☺ 🥤 🥤 ⌐ ⌐ WC 📇 🧺 🔱 🚻 🎰 🍽 🗙 🏠 🐟 ⚓ GAS 🔌 ➕ 🚗

Junto a la ctra. de Francia. A 500 m del Palacio de Hielo.

CANILLO SANTA CREU

40 🌲🌲 ▬▬ Tel. 376-51462 15/5-30/9 PT

☺ 🥤 ⌐ WC 📇 🧺 🔱 🚻 🍽 🏠 🐟 GAS 🔌 △

Situado a 200 m. de la ctra. general.

CANILLO JAN RAMON

70 🌲 ▬▬ Tel. 376-51454 15/6-30/9 PT

☺ 🥤 🥤 ⌐ WC 📇 🧺 🔱 🚻 🍽 🏠 🐟 GAS

Situado a 100 m. de la ctra. general.

SANT JULIA DE LORIA HUGUET

1,5 Ha. 150 🌲 ▬▬ Tel. 376-43718 1/1-31/12 ⛰ PT

☺ 🥤 ⌐ WC 📇 🧺 🔱 🚻 🎰 🐟 ⚓ GAS 🔌 🚲

Acceso: Entrar a Sant Julià, viniendo de España, el camping se encuentra al otro lado del río Valira, a 300 m. del centro. Tenis a 3 Km.

ANDORRA   ORDINO   **BORDA D'ANSALONGA**

200 🌲 ▭▭ Tel. 376-36374 1/1-31/12 ⚠ PT

⊙ ⛺ Γ WC 🍴 🛁 🚻 ♿ 🍸 ✕ ⛽ ⚓ 🏊 ✚ ⛽ ‖×10 🏓

Situado en el valle de Ordino, a 2 km. de la población. Ctra. del Serrat. Cerca del río. Piscina climatizada.
Instalaciones sanitarias nuevas.VER ANUNCIO.

SANTA COLOMA   **RIBERAYGUA**

2 Ha. 🌲 ▭▭ Tel. 376-26699 1/1-31/12 ⚠ P

⊙ ⛺ Γ WC 🍴 🛁 🚻 🍸 ✕ 🏠 🎱 ⛽ ⚓ 🏊

Situado junto a la ctra. de Sant Julià a Andorra la Vella.

AUSTRIA

Moneda: Chelín austríaco (Schilling) = 100 Groschen.

Horarios: CORREOS: de lunes a viernes de 8.00 a 12.00 y de 14.00 a 17.00. Algunos abren también los sábados. BANCOS: de lunes a viernes de 8.00 a 12.00 y de 14.00 a 16.00. Viernes hasta las 17.00 horas. COMERCIOS: de lunes a viernes de 8.00 a 18.00 (con dos horas de cierre al mediodía).

Documentación: DNI o pasaporte.

Perros y gatos: Ver tabla "Documentos de fronteras para perros y gatos".

Teléfono: Teléfono de España desde Austria: 00-34 (no marcar el 9 del prefijo provincial). Prefijo de Austria desde España: 07-43 (no marcar el 0 del prefijo local).

Normas de circulación: Niños menores de 12 años no se pueden sentar en la parte delantera del coche. Obligatorio cinturón. Tasa máxima de alcoholemia: 0,8.

VELOCIDADES MAXIMAS: Ver tabla "Límites de velocidad para coches con caravana y autocaravanas".

Normas de acampada: Prohibida la pernoctación fuera del camping, y en la mayoría de las ciudades, sin permiso del propietario del terreno o de la policia.

Teléfonos de socorro: Avería: 120 o 123. Accidente: 144. Policia: 133.

Direcciones útiles: Oficina Nacional Austríaca de Turismo, Plaza de España, Torre Madrid, Planta 11/8, 28008 Madrid. Tel. (91) 5478924; Pl. Doctor Letamendi 37, 08007 Barcelona, tel.: (93) 4512749. Embajada de España en Viena: Argentinierstrasse 34, A-1040 Wien. Teléfonos: (01) 5055780/88/89; fax: (01) 5042076; Télex: 131545 EMBES A. Embajada de Austria en Madrid: Pº de la Castellana, 91, 9 - 28046 Madrid - Tel. (91) 5565315.

Los afiliados a la Seguridad Social española tienen derecho a la prestación de asistencia sanitaria de carácter urgente durante su estancia en Austria. Infórmese en la oficina del organismo sanitario competente de su Autonomía. ASISTENCIA MÉDICA: Presente un formulario E-111 en la Caja Regional de Enfermedad de su lugar de residencia. Le facilitarán un documento de asistencia y una relación de los nombres y direcciones de los facultativos concertados. También podrá acudir a consulta a los centros hospitalarios o ambulatorios de las Cajas Regionales de Enfermedad. Presente el documento de asistencia. Esta prestación se concede sin que Vd. tenga que abonar cantidad alguna. Si acude a un médico no concertado, deberá abonar los honorarios.

VORARLBERG

FUSSACH A-6972 **ROHRSPITZ**

2,6 Ha. 220 🏕 ▭▭ ▭▭ ⃠ 0,10Km Tel. (05578) 5708 1/4-31/10 ⛺ RPT

⊙ 🚽 ⌐ WC ▣ 🧺 🚿 ♿ ◙ ⊤ ✕ ⤚ ⤙

Situado a 5 Km del centro de la población. Accesos por la B-202 (Bregenz-Schweiz) dirección Gaissau/Rheineck. Indicado.

DORNBIRN A-6850 **IN DER ENZ**

1,5 Ha. 100 🏕 ▭▭ Tel. (05572)29119 1/5-30/9 ⛺ T

⊙ 🚽 ⌐ WC 🧺 🚿 ◙ ⊤ 🏠 ⤚ ⛲ 🚰 ✚

Situado en un antiguo parque entre dos colinas, junto a la estación del funicular de Karren. Acceso: Salir de la B-190 en dirección Ebnit. Piscina a 200 m.

FELDKIRCH A-6803 **WALDCAMP**

4 Ha. 200 🏕 ▭▭ Tel. (05522)74308 1/1-31/12 ⛺ RPT

⊙ 🚽 🚽 ⌐ ⌐ WC 🧺 🚿 ◙ ⊤ ✕ 🏠 ⤚ ⛲ ⤙ 🐟 ✳ 🎾

Acceso indicado en la localidad. Perros prohibidos en julio y agosto. Música en vivo. Liechtenstein a 3 Km, Suiza a 5 Km.

NENZING A-6710 **ALPENCAMPING NENZING**

3 Ha. 175 🏕 ▭▭ Tel. (05525) 24910 1/1-31/12 ⛺ RPT

⊙ 🚽 🚽 ⌐ ⌐ WC ▣ 🧺 🚿 ♿ ◙ ✕ 🏠 ⤚ ⛲ 🚰 ⤙ 🐟 ✚

Terreno montañoso con vista panorámica de los Alpes y bosques de los alrededores. Programa de animación. Accesos por la salida a Nenzing de la A-14/E-60 o por la B-190 en dirección a Gurtis. Bien señalizado. Cerrado med. de abril hasta med. de mayo.

RAGGAL-PLAZERA A-6741 **GROSSWALSERTAL**

1 Ha. 60 🏕 ▭▭ Tel. (05553)209 1/5-30/9 ⛺ P

⊙ 🚽 🚽 ⌐ ⌐ WC 🚿 🚿 ⊤ 🏠 ⤚ ⤙ 🐟 ✚

En la B-193 (Bludenz-Sonntag) hasta Raggal. Continuar unos 3 Km más en dirección Grosses Walsertal. Terreno ligeramente inclinado con frutales.

AUSTRIA

NÜZIDERS A-6714   **TERRASSENCAMPING SONNENBERG**

22 Ha. 140 🌲 ▭ ▭ Tel. (05552)64035 15/5-30/9 〽️ RPT

☉ 🛁 🚿 ⌐ ⌐ WC 🏪 🧺 🚰 ▦ 🍽 🏠 🎣 ⚓ ✚ 🅿️

Terreno ajardinado en parte en terrazas situado a 0,6 Km de Bludenz-West. Acceso por la A-14/E-60 (Feldkirch-Bludenz). Señalizado. Vistas a la montaña. Sala para jóvenes. Conciertos.VER ANUNCIO.

BLUDENZ-OBDORF A-6700   **BLUDENZ**

1,3 Ha. 90 🌲 ▭ Tel. (05552) 62512 1/1-31/12 〽️ T

☉ 🛁 ⌐ WC 🏪 🧺 🚰 ▦ 🍽 ✕ 🏠 🎣 ⛲ ⚓ ✚

Terreno herboso situado a sólo 500 m de la localidad. Señalizado.

GANTSCHIER A-6771   **RÄTIKON**

1 Ha. 60 🌲 ▭ Tel. (05556) 74717 1/1-31/12 〽️ T

☉ 🛁 ⌐ WC 🧺 🚰 🏠 🎣 ⚓ ✚

Ctra. B-188 (Bludenz-Schruns), a 2 Km antes de llegar a Schruns. Parking para coches con plazas numeradas, aparte.

TSCHAGGUNS A-6774   **ZELFEN**

2 Ha. 120 🌲 ▭ Tel. (05556) 72326 1/1-31/12 〽️ T

☉ 🛁 ⌐ WC 🏪 🧺 🚰 ▦ 🏠 🎣 ⛽ ⚓ ✚

Prado en estado natural con pinos altos. Próximo a pista de fondo y telesquí. Acceso por la B-188, salir en dirección a la población. Piscina y tenis a 1 Km.

SCHRUNS A-6780 — THÖNYS C.MONTAFON

VORARLBERG

2 Ha. 160 🌲 ▬▬ Tel. (05556) 72674 1/1-31/31/12 ⛰

⊙ 🛁 🚿 ⌐ ⌐ WC 🧺 🚰 🚽 📷 🏠 🔌 ⛽ ✚ ✱

Salir de la B-188 según indicaciones. Situado al lado de la piscina y campo de deportes. Reserva oblig. en Semana Santa y Navidades. Muy buena situación para deportes de invierno.

BRAZ A-6751 — **TRAUBE**

2 Ha. 110 🌲 ▬▬ Tel. (05552)8103 1/1-31/12 ⛰ R

⊙ 🛁 🚿 ⌐ ⌐ WC 🚰 🚽 📷 🍽 ✕ 🏠 🔌 ⛽ 🚶 🏊 ✱ ⚑ 🚲

Acceso por la salida a Braz de la ctra. S-16/E-60 (Bludenz-Arlberg). Terreno arbolado, con pendiente acusada en algunos tramos. Servicio gratuito de autocares a las pistas de esquí. Pista de fondo.

DALAAS A-6752 — **ERNE**

0,6 Ha. 65 ☀ ▬▬ Tel. (05585)223 1/1-31/12 ⛰ P

⊙ 🛁 ⌐ WC 🚰 🚽 📷 ✕ 🔌 ⛽ 🚶 🏊 ✚

Terreno llano con algunos árboles situado junto a la localidad. Transporte gratuito a las pistas de esquí. Pista de fondo. Acceso: por la S16/E60 (Bludenz-Arlberg), salida Dalaas. Situado junto al río Alfenz y a la piscina municipal.

KLOESTERLE A-6754 — **ALPENCAMPING**

2 Ha. 110 🌲 ▬▬ Tel. (05582)269 1/1-31/12 ⛰ RP

⊙ 🛁 🚿 ⌐ ⌐ WC 🚰 🚽 📷 🍽 ✕ 🏠 🔌 ⛽ 🚶 ✚ ⌐/

Ctra. S-16 (Bregenz-Innsbruck), señalizado. Transporte gratuito a las pistas de esquí. Pesca. Bella situación a pié de montaña. Reserva necesaria en invierno.

RIEFENSBERG A-6943 — **HOCHLITTEN**

0,8 Ha. 90 ☀ ▬▬ Tel. (05513)8312 1/1-31/12 ⛰ PT

⊙ 🛁 🚿 ⌐ ⌐ WC 🚰 🚽 🍽 ✕ 🏠 🔌 ⛽ 🚶 ✚

Situado a unos 2 Km al norte de la población. Señalizado. Pista de fondo y telesquí en situ. Parking para coches en zona aparte. Prado distribuido en 11 terrazas. Bonita vista panorámica.

GRÄN A-6673 — **TANNHEIMER TAL**

TIROL

3 Ha. 210 ☀ ▬▬ ▬ Tel. (05675) 6570 1/1-31/12 ⛰ PT

⊙ 🛁 🚿 ⌐ ⌐ WC 🚰 🚽 📷 ✕ 🏠 🔌 ⛽ 🚶 ✚ ✱

Situado a 1 Km de la población en suave pendiente y junto a la ctra. Alquiler de sanitarios individuales. Acceso por la ctra. Pfronten-Grän. 1/11-15/12 cerrado.

HEITERWANG A-6611 — **HEITERWANGER SEE**

1 Ha. 80 🌲 ▬▬ ⛷ Tel. (05674) 5116 1/1-31/12 ⛰ MPT

⊙ 🛁 🚿 ⌐ WC 🚰 🚽 ✕ 🔌 🚶 ✚ ⌐/ 🚲

En la población seguir las indicaciones "Hotel Fischer am See". Sauna. Terreno situado en la orilla del lago. Ping-pong.

LERMOOS A-6631 — **HAPPY CAMP HOFHERR**

0,6 Ha. 40 🌲 ▬▬ Tel. (05673)2980 1/1-31/12 ⛰ PT

⊙ 🛁 🚿 ⌐ ⌐ WC 🚰 🚽 📷 ✕ 🔌 ⛽ ✚

Terreno en suave pendiente con una bonita vista sobre el macizo Wetterstein. Acceso por la B-187, a 500 m de la población en dirección Ehrwald. Pista de fondo. Telesquí a 0,5 Km. Piscina, tenis y gran parque infantil a 200 m. Cerrado mayo y noviembre.

FERNSTEINSEE A-6465 — **SCHLOSS FERNSTEINSEE**

8 Ha. 150 🌲 ▬▬ ⛷ 0,5 Km Tel. (05265) 5210 1/5-31/10 ⛰ P

⊙ 🛁 🚿 ⌐ ⌐ WC 🚰 🚽 ♿ 📷 🍽 ✕ 🏠 🔌 ⛽ 🚶 ✚

Desde Nassereith unos 3 Km en dirección al paso Fernpass, acceso señalizado. Prado rodeado de bosque, junto a un arroyo.

TIROL

NAUDERS A-6543
ALPENCAMPING

0,4 Ha. 40 ☼ ▭ Tel. (05473)266 1/1-31/12 ⛰ PT

☺ ⛺ ⛺ ⌐ ⌐ WC 🏠 🍴 🚿 ♿ 🧺 🍽 ✕ 🏠 ⌐ ⚓ ⛽ 🛒 ➕ 🚲

Terreno llano situado al sur de la localidad. Ping-pong, sauna, gimnasio, pista de fondo. Noviembre cerrado.

LÄNGENFELD A-6444
ÖTZTAL

3,5 Ha. 170 ☼ ▭ Tel. (05253)5348 1/1-31/12 ⛰ PT

☺ ⛺ ⌐ WC 🏠 🍴 🚿 🧺 🍽 ✕ 🏠 ⌐ ⚓ ⛽ 🛒 ➕ 🎾

Terreno regular situado a O,4 Km del centro de la población. Acceso justo antes del puente de Fisch-Bach. Señalizado. En verano, ideal para excursiones de montaña. En invierno, ideal para esquí de fondo y trineo.

STAMS 6422
EICHENWALD

3 Ha. 90 🌲 ▭ Tel. (05263) 6159 1/1-31/12 ⛰ RPT

☺ ⛺ ⌐ WC 🏠 🍴 🚿 🧺 🍽 ✕ 🏠 ⌐ ⚓ ⛽ 🏊 🏕

Situado en la parte alta de la población. Distribuido en terrazas. Acceso por la salida a Stams de la autopista A-12. Bien señalizado.

NATTERS A-6161
NATTERER SEE

7 Ha. 160 🌲 ▭ Tel. (0512) 546732 1/1-31/12 ⛰ RPT

☺ ⛺ ⛺ ⌐ ⌐ WC 🏠 🍴 🚿 🧺 🍽 ✕ 🏠 ⌐ ⚓ ⛽ 🛒 ➕ 🎡 ⚠ 🏕

Terreno distribuido en terrazas, rodeado de bosque y con un lago propio, situado a 2,3 Km de la población. Acceso por la salida Innsbruck-Süd de la A-13/E-45 (Innsbruck-Brenner), dirección Natters. Señalizado. Programa de animación. Parque de aventuras. Nov. cerrado.

VOLDERS A-6111
SCHLOSSCAMPING

2,4 Ha. 150 🌲 ▭ Tel. (05224)52333 15/4-15/10 ⛰ PT

☺ ⛺ ⛺ ⌐ ⌐ WC 🏠 🍴 🚿 🧺 🍽 ✕ ⌐ ⚓ ⛽ 🛒 🏊 ➕

Situado en la periferia de la población y atravesado por el camino al castillo. Accesos: por la B-171. Prado con hermosos árboles. VER ANUNCIO.

WEER A-6114
ALPENCAMPING

2 Ha. 85 🌲 ▭ Tel. (05224) 8146 1/4-30/10 ⛰ RPT

☺ ⛺ ⌐ ⌐ WC 🏠 🍴 🚿 🧺 🍽 ✕ 🏠 ⌐ ⚓ ⛽ 🛒 🏊 ➕ ⛺

Ctra. B 171, a 200 m de Weer, dirección Schwaz.

EL CARNET DE CAMPIG INTERNACIONAL CONSTITUYE UN AUTENTICO PASAPORTE FAMILIAR PARA EL CAMPISTA

| TIROL | ASCHAU A-6274 | **KOMFORT-C.AUFENFELD** |

5 Ha. 160 ═══ Tel. (05282) 2916 1/1-31/12 R

Ctra. B 169, dirección Aschau, señalizado. Sauna. Instalaciones sanitarias modernas. Guardería. Escuela de esquí.

KRAMSACH A-6233 **SEEN C.STADLERHOF**

2 Ha. 130 0,20 Km Tel. (05337) 63371 1/1-31/12 RPT

Terreno en parte llano y parte en terrazas. Acceso por la A-12, salida Kramsa. Seguir indicaciones al lago. Transporte gratuito a las pistas de esquí.VER ANUNCIO.

LEUTASCH A-6105 **HOLIDAY-CAMPING**

2,6 Ha. 100 ═══ Tel. (05214) 6570 1/1-31/12 RPT

Terreno regular junto al arroyo de Leutasch. Acceso por la carretera Scharnit-Seefeld. Seguir indicaciones. Música en vivo. Pistas de fondo. Nov. cerrado.

KÖSSEN A-6345 **WILDER KAISER**

4,9 Ha. 250 ═══ Tel. (05375) 6444 1/1-31/12 RPT

Terreno llano con vegetación joven, rodeado de bosques, situado a 2 Km de la población. Acceso por la ctra. de Unterberg-Horn-Lift, girando por el desvío a la derecha.

AUSTRIA

BAD HAERING A-6323

KUR-UND SPORTCAMPING

1 Ha. 60 ☀ ▭▭ Tel. (05332) 74871 1/1-31/12 ⛰ RPT

Situado cerca de Woergl, A 12 (Innsbruck-Kufstein), salida Kirchbichl.Bolos, sauna, discoteca, espectáculos musicales al aire libre, cursos de tenis, pista de fondo.

HOPFGARTEN A-6361

SCHLOSSBERG ITTER

4 Ha. 200 ☘ ▭▭ Tel. (05335) 2181 1/1-31/12 ⛰ P

Autopista salida Wörgl-Ost, seguir dirección Hopfgarten (7 Km). Instalaciones sanitarias muy modernas. Transporte gratuito al telesquí. Gran parque infantil. Telesquí para los pequeños en situ (gratuito).

WESTENDORF A-6363

PANORAMA

2,2 Ha. 130 ☀ ▭▭ Tel. (05334) 6166 1/1-31/12 ⛰ P

Situado a 1 Km de la población, señalizado. Terreno herboso con vegetación joven. Instalaciones sanitarias modernas. Pista de fondo. Telesquí a 1 Km (transp. gratuito).

KITZBÜHEL A-6370

SCHWARZSEE

6,5 Ha. 320 ☘ ▭▭ ⛰ 0,20 Km Tel. (05356) 2806 1/1-31/12 ⛰ RPT

Terreno rodeado de bosque próximo a un lago situado a 2 Km de Kitzbühel. Zona reservada para jóvenes. Pista de fondo al lado. Acceso por la B-170 dirección Wörgl.

ST.JOHANN IN TIROL A-6380

MICHELNHOF

1,8 Ha. 100 ☘ ▭▭ Tel. (05352)2584 1/1-31/12 ⛰ T

Prado en estado natural, situado a 1,5 Km al sur de la población, junto a una granja. Conciertos al aire libre.

FIEBERBRUNN A-6391

TIROL-CAMP

4,7 Ha. 310 ☘ ▭▭ Tel. (05354) 6666 1/1-31/12 ⛰ RPT

Terreno herboso distribuido en terrazas, junto al bosque. A 1 Km de la localidad. Señalizado.

WAIDRING A-6384

STEINPLATTE

4 Ha. 300 ☘ ▭▭ ⛰ Tel. (05353) 5345 1/1-31/12 ⛰ MRP

Terreno llano situado junto a un lago. En el noreste de la población, indicado.

LIENZ A-9900

FALKEN

1,5 Ha. 150 ☘ ▭▭ Tel. (04852) 64022 1/1-31/12 ⛰ P

Situado en el centro de la población. Salir de la B 100 y continuar hacia el lago Tristacher See. Señalizado. Noviembre cerrado.

ZELL AM SEE A-5700

SEECAMP

3 Ha. 186 ☘ ▭▭ ▭▭ ⛰ Tel. (06542) 2115 1/1-31/12 ⛰ RPT

En el norte del lago girar en dirección Thumersbach.VER ANUNCIO.

SER CAMPISTA SIGNIFICA
RESPETAR LA NATURALEZA

Uno de los terrenos de Camping más bonitos de Europa:
¡Estamos a su disposición durante todo el año!

SEECAMP
Zell am See

Atención campistas permanentes:
1 de noviembre - 30 de abril
Camping de invierno

¡Convierta esta vista en la ventana de su comedor!
Nuestro lema: "Disfrutar de la naturaleza y de las aventuras de la ciudad". El *SEECAMP ZELL AM SEE* reúne todo lo que usted espera de sus vacaciones: La tranquilidad de la naturaleza y la proximidad de la ciudad; el encanto para la vista y el disfrute para el paladar; deporte activo y descanso absoluto.

Naturalmente está equipado con todo el confort: Parcelas con conexión eléctrica y de gas, toma de TV por cable, las más modernas instalaciones sanitarias, servicios sanitarios para minusválidos, cuarto para cambiar el bebé, cuarto para guardar los esquís y secar las botas de esquí, etc.

Seecamp Zell am See, Thumersbacherstraße 34,
Tel. 06542 / 2115, Austria - 5700 Zell am See.
Una sucursal de Fremdenverkehrsges. m.b.H & Co. KG,
Steinergasse 9, Tel. 06542 / 3388-0, fax 06542 / 2662.

¡Llámenos!
Con mucho gusto le daremos más información.

AUSTRIA

SALZBURG

BRUCK A-5671   **SPORT CAMP WOFERLGUT**

2 Ha. 120 Tel. (06545) 303-0 1/1-31/12 R

⊙ ⛺ ⌐ WC 🏠 🥤 🚿 📷 🍴 ✕ 🏠 🎣 🏛 ⛽ 🚤 🏊 ✚ ⛰ 🚠

Acceso por la B-311, salida Bruck-Süd dirección Krossenbach. Vallas de protección contra el ruido. Servicio gratuito de autobuses hasta las pistas de esquí. Centro recreativo y deportivo.VER ANUNCIO.

BADGASTEIN A-5640   **KUR-CAMPING ERLENGRUND**

4 Ha. 190 1 Km Tel. (06434) 2790 1/1-31/12 RPT

⊙ ⛺ ⌐ WC 🏠 🥤 🚿 📷 🎣 🏛 🚤 🏊 ✚ 🚲

Terreno con suave pendiente. Acceso por el desvío en el Km 18,8 de la B-167. Estación termal.

ALTENMARKT A-5541   **GÖTSCHL-AU**

1 Ha. 120 Tel. (06452) 7821 1/1-31/12 T

⊙ ⛺ ⌐ WC 🥤 🚿 📷 ✕ 🎣 🏛 ⛽ 🚤

Terreno llano con algunos árboles rodeado de algunas casas. Acceso: Salir de la B-99 en dirección a Zauchensee.

SALZBURG A-5023   **NORD-SAM**

2 Ha. 100 Tel. (0662) 660611 1/4-31/10 P

⊙ ⛺ ⛺ ⌐ WC 🏠 🥤 🚿 📷 🍴 ✕ 🎣 🏛 🚤 🏊

Situado a 3 Km de la ciudad. Acceso por la A-1/E55/E60 (Salzburg-Wien),desviándose por la salida Salzburg-Nord. Terreno con muchos árboles, en suave pendiente.

SALZBURG   SALZBURG A-5020   **PANORAMA CAMPING STADTBLICK**

0,8 Ha. 70 🏕 ▭ Tel. (0662) 50652 15/3-15/11 ⛰ P

⊙ 🛁 🛁 ⌐ ⌐ WC 🚻 🍴 🎰 ✕ 🏠 ➢ ⚓ ⛽ ⟋ ✚

Terreno aterrazado bien cuidado situado en una colina con vistas a la ciudad y montañas. Acceso por la salida Salzburg-Nord de la A-1, en Rauchenbichl.VER ANUNCIO.

SALZBURG-NORD   A-5101   **KASERN**

1,1 Ha. 110 🏕 ▭ Tel. (0662) 50576

⊙ 🛁 🛁 ⌐ ⌐ WC 🚻 🍴 🎰 ✕ ➢ ⚓ ⛽

Terreno herboso. Camping vigilado. Acceso: Desde la salida Salzburg-Nord de la autopista 1 Km. en dirección a Kasern.VER ANUNCIO.

FUSCHL AM SEE A-5330   **SEEHOLZ**

2 Ha. 140 🏕 ▭ ☒ Tel. (06226) 310 15/4-15/10 ⛰ P

⊙ 🛁 🛁 ⌐ ⌐ WC 🍴 🎰 ✕ ➢ ⚓ ⛽

Acceso por la ctra. B-158, Km.20,4. Prado con muchos árboles,situado en la orilla del lago.

SEEKIRCHEN A-5201   **SEEKIRCHEN**

2 Ha. 130 ☀ ▭ ☒ Tel. (06212)4088 1/5-30/9 ⛰ P

⊙ 🛁 🛁 ⌐ ⌐ WC 🍴 🎰 ✕ 🏠 ➢ ⚓ ⛽ ⟋ ✚

Autopista A-1, salida Wallersee, continuar hasta Seekirchen, indicado en la población.

AUSTRIA

TIEFGRABEN A-5310 **FOHLENHOF**

2,5 Ha. 150 ⚒ ▭ 🏔 3 Km Tel. (06232) 2600 1/4-30/9 ⛰ PT

☺ 🚻 🚻 ⌐ ⌐ WC 🏠 🧺 ⚓ 🖥 ✗ ➤ ⚓ ↗ ≋

Terreno con algunas terrazas rodeado de colinas. Pequeño estanque. Acceso: Por la A-1/E-55/E-60 (Salzburg-Wien), salida al Mondsee. Seguir por la B-154 dirección Strasswalc. A 1,5 Km dirección Haider Mühle.

ST.WOLFGANG A-5360 **APPESBACH**

2 Ha. 215 ♠ ▭ 🏔 Tel. (06138) 2206 1/4-30/9 ⛰ MPT

☺ 🚻 🚻 ⌐ ⌐ WC 🧺 ⚓ 🖥 Ⴤ ✗ ➤ ⚓ (GAS) ↗

Situado a O,8 Km de St.Wolfgang. Suave pendiente en algunas zonas. Plazas próximas al lago ocupadas por residentes. Acceso directo al lago. Posibilidad de baño.

UNTERACH A-4866 **INSELCAMPING**

1,8 Ha. 145 ⚒ ▭ 🏔 0,10 Km Tel. (07665) 8311 15/5-15/9 ⛰ PT

☺ 🚻 🚻 ⌐ ⌐ WC 🏠 🧺 ⚓ 🖥 🏠 ➤ ⚓ (GAS) ✚

Terreno dividido en dos sectores por el rio Seeache. En la parte tranquila estan los residentes. Solarium al borde del lago. Posibilidad de baño. Acceso: Por la B-152,desviarse en el Km.24,5.

EGGELSBERG A-5142 **SEEWIRT**

3 Ha. 103 ♠ ▭ 🏔 0,10 Km Tel. (07748) 6786 1/1-31/12 ⛰ PT

☺ 🚻 🚻 ⌐ ⌐ WC 🏠 🧺 ⚓ 🖥 Ⴤ ✗ ➤ ⚓ (GAS) ✚

En la localidad girar hacia el oeste, siguiendo la indicación Imber See.

NEUSTIFT A-4143 **WEISS**

2 Ha. ♠ ▭ Tel. (07284) 8104 1/1-31/12 ⛰ RT

☺ 🚻 🚻 ⌐ ⌐ WC 🧺 ⚓ 🖥 Ⴤ ✗ ➤ ↗ ✚ 🚲

Acceso a 3 Km al sur de Neustift. Señalizado. Espectáculos musicales al aire libre.

LINZ-PICHLING A-4020 **PICHLINGERSEE**

2,2 Ha. 160 ♠ ▭ 🏔 0,30 Km Tel. (0732) 305314 1/1-31/12 ⛰

☺ 🚻 🚻 ⌐ ⌐ WC 🧺 ⚓ 🖥 Ⴤ ✗ ➤ ⚓ (GAS) ✚ ✈

Terreno regular, próximo al lago Pichling See y la ctra. nacional a 0,4 Km en la autopista. Acceso por la B-1 (Linz-Enns) o por la salida Asten de la A-1/E-60 (Wien-Linz)

PETTENBACH A-4643 **ALMTAL-CAMPING**

l2 Ha. 68 ♠ ▭ Tel. (07586) 8627 1/1-31/12 ⛰ RPT

☺ 🚻 🚻 ⌐ ⌐ WC 🏠 🧺 ⚓ 🖥 Ⴤ ✗ 🏠 ➤ ⚓ ↗ ≋ ✚

Autopista A-1. salida Vorchdorf y continuar hacia Pettenbach (9 Km) señalizado. Espectáculos musicales al aire libre, bolos, pista de fondo, telesquí.

ST.GEORGEN A-9313 **WIESER**

1,5 Ha. 90 ☀ ▭ 🏔 0,30 Km Tel. (04212) 3535 1/5-31/10 ⛰ PT

☺ 🚻 🚻 ⌐ ⌐ WC 🏠 🧺 ⚓ 🖥 🏠 ➤ ↗ ✚ 🚲

Terreno parte llano y parte en terrazas situado en un entorno campestre. Zona naturista. Acceso: Por la B-83 (St.Veit-Neumarkt) a 5 Km al norte de St.Veit desviarse hacia St. Georgen.

UNTERNARRACH A-9123 **STRAND C.TURNER SEE**

6,8 Ha. 515 ⚒ ▭ 🏔 Tel. (04239) 2350 SS-30/9 ⛰ MRPT

☺ 🚻 🚻 ⌐ WC 🏠 🧺 ⚓ 🖥 Ⴤ ✗ 🏠 ➤ ⚓ ↗ ✚

Terreno muy cuidado dispuesto en varios niveles. Zona reservada para jóvenes. Acceso privado al lago, posibilidad de baño. Programa de animación. Acceso: por la B-7O (Klagenfurt-See) y seguir hasta la orilla NO del lago Turner See.

KÄRNTEN (CARINTIA)   GOTSCHUCHEN A-9173   **ROSELNTAL ROZ 1**

7 Ha. 420 🌲 ▦ ▬ Tel. (04226) 246 1/4-15/10 ⛰ RPT

☺ 🛁 🚿 🏠 🏠 WC 📦 🧺 🛒 🍴 🎥 🍸 ✕ 🏚 🎣 🗿 🚤 ✚ 🚲

Terreno herboso situado en la orilla de un lago artificial. Mucha tranquilidad. Conciertos al aire libre.

EBERNDORF A-9141   **RUTAR LIDO FKK**

15 Ha. 385 🌲 ▬ 🏔 Tel. (04236)22620 1/1-31/12 ⛰ PT

☺ 🛁 🚿 🏠 🏠 WC 📦 🧺 🛒 🧺 🎥 🍸 ✕ 🎣 🗿 ⛽ 🚤 🏊 ✚ 🛖

Desde Völkermarkt en la ctra. B-82 hasta Eberndorf (dirección sur), girar hacia el oeste y continuar unos 1,5 Km. más. Camping naturista.VER ANUNCIO.

GÖSSELSDORF A-9141   **GÖSSELSDORFER SEE**

7 Ha. 348 🌲 ▦ 🏔 Tel. (04236) 2168 1/5-30/9 ⛰ MRPT

☺ 🛁 🚿 🏠 🏠 WC 📦 🧺 🛒 🧺 🎥 🍸 ✕ 🎣 🗿 ⛽ 🚤 ✚

Terreno llano con abedules y olmos y situado 15 Km al sur de Völkermarkt. Posibilidad de baño en el lago. Acceso: por la B-82, dirección Eisenkappel, pasar el puente en Göslsdorf y seguir indicaciones. Discoteca.

FREISTRITZ A-9181   **JURITZ**

2 Ha. 🌲 ▦ Tel. (04228)2115 1/4-31/10 ⛰ RPT

☺ 🛁 🚿 🏠 WC 📦 🧺 🛒 🧺 🎥 🍸 ✕ 🏚 🎣 🗿 🚤 ✚

Al oeste de Freistritz salir de la B-85 girando hacia el oeste. Espectáculos al aire libre.

FAAK A-9583   **STRANDCAMPING GRUBER**

5 Ha. 160 🌲 ▬ ▬ 🏔 Tel. (4254)2298 1/5-30/9 ⛰ MRPT

☺ 🛁 🚿 🏠 WC 📦 🧺 🛒 🧺 🎥 🍸 ✕ 🏚 🎣 🗿 🚤 ✚

En la orilla este del lago, a 1 Km. de Egg. Buenas instalaciones sanitarias. Conciertos al aire libre. Clases de natación.

FELDKIRCHEN A-9560   **SEEWIRT-SPIESS**

1,4 Ha. 61 🌲 ▦ 🏔 Tel. (04277)2637 1/5-30/9 ⛰ MRPT

☺ 🛁 🚿 🏠 🏠 WC 📦 🧺 🛒 🧺 🎥 🍸 ✕ 🏚 🎣 🚤 ✚ 🎿

Desde Feldkirchen 4 Km en dirección Klagenfurt (Ctra. B-95). Espectáculos musicales al aire libre.

KÄRNTEN (CARINTIA)

OSSIACH A-9570 — TERRASSENC.OSSIACH

10 Ha. 592 Tel. (04243) 436 1/5-30/9 MRPT

Terreno aterrazado en la orilla del lago Ossiach. Música en vivo. Clases de windsurfing, natación y tenis. Acceso: autopista Italia (Klagenfurt-Salzburg), salida Ossiacherse-Süd, dirección Ossiach.

HEILIGEN GESTADE A-9523 — BERGHOF

10 Ha. 544 Tel. (04242) 41133 20/4-15/10 MRPT

Terreno aterrazado y ajardinado en los lados de la colina. Alquiler de cabinas sanitarias. Acceso por la autopista Italia (Klagenfurt-Salzburg), salida Ossiarchersee, dirección Ossiach (orilla sur del lago). Clases de surfing, vela y tenis.VER ANUNCIO.

DELLACH A-9872 — NEUBAUER

2 Ha. Tel. (04766)2530 1/5-30/9 PT

A orillas del lago Millstätter See, indicado. Terreno distribuido en terrazas atravesado por un arroyo.

SEEBODEN A-9871 — PENKER

1,3 Ha. 110 Tel. (04762)81267 SS-31/10 T

Terreno parcialmente aterrazado en la orilla del lago Millstäer See. Acceso:salida Millstättersee de la A 10. En el semáforo girar a la izquierda hacia Seeboden, una vez allí, girar a la derecha dirigiéndose hacia el lago.

SEEBODEN A-9871 — LIESEREGG

4 Ha. 210 Tel. (04762) 2723 10/4-15/10 RPT

Terreno parcialmente aterrazado y ajardinado (flores) en la orilla del lago Millstätter See. Muchas actividades. (E-55/E66), salida Millstättersee, dirección Spittal.Señalizado.

HERMAGOR-VELLACH A-9620 — SCHLUGA

4 Ha. 300 Tel. (04282) 2051 1/1-31/12 RPT

Terreno ajardinado con muchas parcelas individuales. Programa de actividades. Pista de esquí de fondo. Discoteca, sauna, clases de surf y de tenis. Alquiler de cabinas sanirias. Bolos.

STEIERMARK (ESTIRIA)

BAD MITTERNDORF A-8983 — LOBENSTOCK

0,6 Ha. 40 Tel. (03623) 2394 1/1-31/12 P

Salir de la B-145 al este de la gasolinera. Situado junto a la escuela de equitación. Noviembre cerrado.

AIGEN A-8943 — HOHENBERG

1,5 Ha. 110 Tel. (03682) 8130 1/4-31/10 PT

Por la ctra. de Irding a Wörschach. Situado en la orilla de lago Putterer See. Distribuido en terrazas.

ST.GEORGEN A-8861 — OLACHGUT

10 Ha. 110 Tel. (03532)3233 1/1-31/12 PT

Ctra.Murau-St.Georgen, Km 2,8, señalizado. Situado junto al rio Mur. Sauna. Guardería.

SEECAMPING
BERGHOF

SEECAMPING BERGHOF
En la orilla del Lago
de Osiach (Osiachersee)
A - 9523 Villach-Hlg. Gestade
Tel:(04242) 41133
Fax:(04242) 41133-30

Terreno arbolado y aterrazado
en un lugar precioso, lejos del
ruido del tráfico. En nuestro
camping se podrá recuperar,
relajarse o dedicarse a actividades
deportivas y creativas. Amplio programa recreativo para
niños y adultos, guardería y circo. Cada uno puede disfrutar
de sus vacaciones a su manera.
Informaciones fuera de temporada: L-J 8-16 h, V 8-12 h.

GRAFIK DESIGN MÖRTH VILLACH

LEIBNITZ A-8430 **LEIBNITZ**

0,8 Ha. 🌲 ▬▬ ▬▬ Tel. (03452)2463 1/5-30/9 ⛰ PT

⊙ ⛄ ⛄ ⌐ ⌐ WC 🗑 🧺 🚿 ♿ 🔲 ✕ 🎣 ⌐ ✚

Prado con algunos árboles y arbustos situado al oeste de la localidad.

BAD RADKERSBURG A-8490 **BAD RADKERSBURG**

1 Ha. 70 ☀ ▬▬ ▬▬ Tel. (03476) 2677 1/1-31/12 ⛰ T

⊙ ⛄ ⛄ ⌐ ⌐ WC 🗑 🧺 🚿 ♿ 🔲 ⛾ ✕ 🏠 🎣 ⌐ ✚

Señalizado dentro de la población.

STUBENBERG A-8223 **STEINMANN**

3,2 Ha. 280 🌲 ▬▬ ▬▬ 🏂 ₀,₃ Km Tel. (03176) 390 1/1-31/12 ⛰ PT

⊙ ⛄ ⌐ WC 🗑 🧺 🚿 🔲 ⛾ ✕ 🎣 🔁 ⛽ ⌐ ✚ 🏌

En Hirnsdorf, salir de la ctra. B-54 girando hacia el norte y continuar unos 5 Km hasta el lago. Prado distribuido en terrazas. Cursos de tenis, vela y windsurfing.

KRUMAU A-3543 **KRUMAU**

2 Ha. 110 🌲 ▬▬ 🏂 Tel. (02731) 8270 SS-15/10 ⛰ MPT

⊙ ⛄ ⌐ WC 🧺 🚿 ⛾ 🎣 🏌

Por la ctra. B-32, seguir indicación "Freizeitanlage Krumau".

RATZERSDORF A-3106 **FREIZEITPARK**

2 Ha. ☀ ▬▬ Tel. (02742)51510 1/1-31/12 ⛰ T

⊙ ⛄ ⛄ ⌐ ⌐ WC 🧺 🚿 ♿ 🔲 ⛾ ✕ 🎣 🔁 ⛽ ⌐ 🏊 ✚ 🏌 🚲

A 4 Km. de St.Pölten (N), seguir indicación "Freizeitzentrum". Squash, bolos.

BAJA AUSTRIA   TULLN A-3430   **DONAUPARK C.TULLN**

7 Ha. 270 ⚓ ▦ 0,10 Km Tel. (02272) 5200 1/5-30/9 ⛰ PT

⊙ 🛁 🚰 WC 🏠 🚿 🚽 ♿ 📷 ✕ 🏠 ⚓ 🎣 ⛽ 🔌 🏊 ✚ △ 🚲

Terreno herboso de dos terrazas en el valle del Danubio. Lago al lado del camping. Acceso por la B-14 al Este del pueblo.VER ANUNCIO.

KLOSTERNEUBURG A-3402   **DONAUPARK C.KLOSTER.**

2 Ha. 220 ☀ ▦ Tel. (02243)85877 SS-31/10 ⛰

⊙ 🛁 🚰 WC 🏠 🚿 🚽 ♿ 📷 🍽 ✕ ⚓ 🎣 ⛽ 🔌 ✚ 🎾 △ 🚲

Terreno llano al lado de un centro recreativo con piscina cubierta, sauna, tenis. Tarifas especiales para campistas. Tren interurbano hasta Viena. Acceso por la autovía "Donauufer".VER ANUNCIO.

INPRUGG A-3040   **FINSTERHOF**

2,5 Ha. 176 ☀ ▦ Tel. (02272) 52130 1/1-31/12 ⛰

⊙ 🛁 🚰 🚰 WC 🏠 🚿 🚽 ♿ 📷 🏠 ⚓ 🎣 🚲

Terreno distribuido en terrazas. Zona reservada para jóvenes. Acceso: Por la A-1, E-60 (Linz-Wien), salida por St.Cristophen o Altenbach, en la B-19 hacia el norte 9 Km en dirección Tulln.

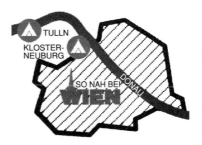
 Hágase socio de una asociación de campistas y/o caravanistas para ser miembro de la FECC.

VIENA

WIEN-WEST A-1140   **WIEN-WEST I**

1,5 Ha. 200 🌲 ▬▬ Tel. (01) 941449 15/5-15/9 ⚠

☺ ⛺ ⌐ WC 🏠 🧺 🚿 ♿ 📷 🍴 ⚓ ⚓

Terreno dispuesto en tres niveles situado entre la carretera y una colina boscosa. Acceso por la A-1/E-15 (Linz-Wien) hasta Brauhausbrücke. Entrada frente a la gasolinera.VER ANUNCIO.

WIEN-WEST A-1140   **WIEN-WEST II**

2 Ha. 280 🌲 ▬▬ Tel. (01) 942314 1/1-31/12 ⚠

☺ ⛺ ⛺ ⌐ WC 🏠 🧺 🚿 ♿ 📷 🍴 ✗ ⚓ ⚓ 🔧 ➕ 🏛

Terreno regular ubicado entre carretera transitada y urbanización. Camping municipal. Acceso por la A-1/E-5 (Linz-Wien) hasta Brauhausbrücke.VER ANUNCIO.

LAXENBURG A-2361   **SCHLOSS-C.LAXENBURG**

9 Ha. 435 🌲 ▬▬ Tel. (02236) 71333 1/3-31/10 ⚠

☺ ⛺ ⌐ WC 🏠 🧺 🚿 ♿ 📷 🍴 ✗ 🏠 ⚓ ⚓ 🏊 ➕

Terreno regular y llano situado en el antiguo parque del castillo de Laxenburg, a 15 Km de Viena. Acceso por la autopista del Sur, salida Wr. Neudorf/Laxenburg. Señalizado.VER ANUNCIO.

WIEN-SÜD A-1230   **WIEN-SÜD**

2,5 Ha. 300 🌲 ▬▬ Tel. (01) 8659218 1/7-25/8 ⚠

☺ ⛺ ⛺ ⌐ ⌐ WC 🚿 ♿ 📷 ⚓ ⚓ ⛽

Camping municipal dispuesto a modo de parque junto a una urbanización, situado 6 Km al suroeste del centro de la capital. Ruidoso en la parte colindante con la carretera.VER ANUNCIO.

WIEN-OST A-1220   **AKTIV-C.NEUE DONAU**

3 Ha. 347 🌲 ▬▬ Tel. (0222) 2209310 2/5-15/9 ⚠

☺ ⛺ ⌐ WC 🏠 🧺 🚿 ♿ 📷 🍴 ⚓ ⚓ ⛽ 🔧 ➕

Camping con todas las comodidades a 15 min. del centro de la capital. Acceso: desde el sur por A-2/A-23; desde el oeste por A-1/A-21/A-23; desde el norte por A-22 (Ölhaen/Lobau; desde el este por A-4/A-23 (Praga-Brünn).

BURGENLAND

PODERSDORF A-7141   **STRAND C. PODERSDORF**

7 Ha. 800 🌲 ▬▬ ▬ 🏄 Tel. (02177) 2227 1/4-31/10 ⚠ MRT

☺ ⛺ ⌐ WC 🏠 🧺 🚿 ♿ 📷 ✗ 🏠 ⚓ ⚓ ⛽ 🔧 ➕

Camping municipal, situado en una orilla del lago Neusiedlersee a 300 m de la población. Instalaciones sanitarias modernas. Clases de vela y de windsurfing.

Willkommen in Wien

Bienvenido a Viena

En Viena, todo es un poco más bonito, también el camping: Ud. puede elegir entre campings en el Wienerwald (el Camping Wien-West); el Park-Camping Wien-Süd; el Aktiv Camping Neue Donau y el Schloss-Camping de Laxenburg. Todos los campings tienen la ventaja de estar certa de los transportes públicos. Grinzing, Lipizzaner, Stephanskirche, Schönbrunn, Prater... Viena tiene mucho que ofrecer – tómese el tiempo...

Wien Süd

A-1230. Breitenfurter Strasse 269.
1/7-25/8. A unos 6 kms. al sur del centro de la ciudad. **Tel. (07-43-1) 8659218**

Schloss-Camping Laxenburg

Münchendorfer Strasse 23. A-2361.
1/3-31/10. El edificio antes formaba parte de los jardines del palacio de Laxenburg que en la actualidad se han convertido en un centro recreativo. A unos 15 kms. al sur de Viena y a 600 m. al sur de la población. Acceso: seguir indicaciones en la autopista sur (Südauto-bahn); salida Wiener Neudorf/Laxenburg. **Tel. (07-43-2236) 71333**

Wien West I

Hüttelbergstrasse 40. A-1140.
15/5-15/9. Al final de la A1/E6 (Linz-Wien) seguir hasta el puente Bräuhausbrücke, girar a la izquierda, cruzar la calle Linzer Strasse, seguir 1,5 km. La entrada está en frente de la gasolinera ESSO.
Tel. (07-43-1) 941449

Wien West II

Hüttelbergstrasse 80. A-1140.
Abierto todo el año. Al final de la A1/E5 (Linz-Wien) seguir hasta el puente Bräuhausbrücke, girar a la izquierda, cruzar la calle Linzer Strasse, seguir 1,8 km. aprox. **Tel. (07-43-1) 942314**

Camping de lujo con suministro de agua, electricidad, etc. y evacuación de residuos; 240 parcelas para caravanas y «mobilhomes», todas con conexión eléctrica; 95 plazas para tiendas; 60 plazas de parking para turismos. 32 w.c., 20 cabinas de ducha, 12 cabinas de lavado, 32 lavabos, 2 w.c./duchas para minusválidos, 2 cocinas, 3 secadoras de ropa, evacuación de w.c. químicos, 1 parque infantil, supermercado, servicio de barra, así como área de evacuación de residuos de autocaravanas.

Deportes: surfing, vela, esquí, acuático, barcos de remo, footing, tenis y caminos bici en la cercanía.

AREA RECREATIVA

1220 Wien (Viena), Am Kleehäufel
El área recreativa Neue Donau está situada justo delante de su camping, a 15 min. del centro y a 10 min. del Prater.

Acceso: desde el sur: A2 – A23; desde el oeste: A1 – A21 – A2 – A23; desde el norte: A22 – Ölhafen/Lobau; desde el este: A4 – A23 (Praga/Brünn).
Suministro ecológico de agua caliente utilizando energía eléctrica y practicando reciclaje térmico.

BELGICA

Moneda: Franco belga = 100 centimes.

Horarios: CORREOS: de lunes a viernes de 9.00 a 12.00 y de 14.00 a 17.00. Sábados hasta las 12.00. Oficinas centrales: horario permanente durante la semana. BANCOS: de lunes a viernes de 9.00 a 13.00 y de 14.00 a 16.00. COMERCIOS: de lunes a sábado de 9.00 a 12.00 y de 14.00 a 17.30/18.00. Viernes hasta las 20.00. Grandes almacenes y supermercados: Horario permanente.

Documentación: DNI o pasaporte

Perros y gatos: Ver tabla "Documentos de fronteras para perros y gatos".

Teléfono: Prefijo de España desde Bélgica: 00-34 (no marcar el 9 del prefijo provincial). Prefijo de Bélgica desde España: 07-32 (no marcar el 0 del prefijo local).

Normas de circulación: Los niños menores de 12 años no pueden ir delante. Cinturón obligatorio. Tasa máxima de alcoholemia: 0,5. Velocidades máximas: Ver tabla "Límites de velocidad para coches con caravana y autocaravanas".

Normas para acampar: Pernoctaciones sólo en campings y en los aparcamientos de las áreas de descanso de las autopistas durante 24 horas como máximo.

Teléfonos de socorro: En caso de avería: los teléfonos naranjas en las autopistas o marque el (02) 2332211 (Touring Club Royal de Belgique, Bruselas). En caso de accidente marque el 100. Policia 101.

Direcciones útiles: Oficina de Turismo de Bélgica: Pº Castellana, 18 - 28046 Madrid - Tel. (91) 5776300 - Fax: (91) 4318166. Embajada de Bélgica, Paseo de la Castellana, 18, 28046 Madrid. Tel. (91) 5776300. Consulado General de España en Bruselas: Boulevard du Régent, 52, 1000 Bruxelles. Tel. (02) 5098770/5098788. Consulado en Amberes: Quellinstraat 42, 2º - 2018 Antwerpen. Tel. (03) 2327141; fax: (03) 2252653. Consulado en Lieja: 12, bulevard Frère Orban, 4000 Liège. Tel. (041) 235178 y 236600.

Los afiliados a la Seguridad Social española tienen derecho a la prestación de asistencia sanitaria de carácter urgente durante su estancia en Bélgica. Infórmese en la oficina del organismo sanitario competente de su Autonomía. Asistencia médica: Puede acudir a cualquier médico concertado, presentando su formulario E-111. Deberá Vd. abonar el coste de la asistencia. Solicite un justificante en el modelo oficial "Certificado de asistencia prestada".

| FLANDES OCCIDENTAL | LOPPEM (BRUJAS) B-8210 | **LAC LOPPEM** |

5 Ha. 162 Tel. (050) 822264 1/1-31/12 MP

Terreno en un agradable entorno situado junto a un lago, con piscina y restaurante, cuyos sanitarios utilizan los campistas, apto para todo tipo de deporte naútico. Acceso por la E-40, salida Torhout, junto a una gasolinera. Clases de natación, vela y surf.

BRUGGE (BRUJAS) B-8000 **ST.MICHIEL**

6 Ha. 380 Tel. (050) 380819 1/1-31/12

Terreno llano, dividido por setos, situado entre dos autovias. Acceso: por la E-40 (Gent-Oostende), salida Brugge-Torhout en dirección a la ciudad. Discoteca.

KNOKKE-HEIST B-8301 **DE ZILVERMEEUW**

7 Ha. 400 0,60 Km Tel. (050) 512726 1/3-15/11

Situado al suroeste de Knokke-Heist junto a la via del tren. Se accede por la N-300. Zona reservada para jóvenes. Trato familiar.

NIEUWPOORT B-8620 **INFO-C.NIEUWPOORT**

24 Ha. 890 Tel. (058) 236037 SS-10/11 MRT

Terreno llano delimitado con setos, junto al rio Ilser con estanque apto para deportes naúticos. Situado entre St.Jorits y Nieuwpoort. Acceso por la N-67 dirección Brugge.Actividades recreativas para jóvenes. Discoteca insonorizada. Cine. Clases de natación y surf.

| FLANDES ORIENTAL | GENT (GANTE) B-9000 | **BLAARMEERSEN** |

6 Ha. 200 0,3 Km Tel. (091) 2215399 1/3-15/10

Terreno llano bordeando un lago. Acceso: Por la E-5, salida Gent-West/Drongen (Bruxelles-Oostende) en dirección a Gent. Clases de vela y surf. Perros prohibidos en julio y agosto. Camping municipal.

GERAARDSBERGEN B-9500 **DOMEIN DE GAVERS**

10 Ha. 370 Tel. (054) 416324 1/1-31/12 RPT

Acceso al camping indicado en el pueblo. Terreno herboso y ajardinado. Cuenta con un lago en las inmediaciones pero en el que está prohido el baño. Dos áreas de juego para niños. Escuelas de vela, surf y tenis. VER ANUNCIO.

BELGICA

FLANDES ORIENTAL

OUDENAARDE B-9700 **VLAAMSE-ARDENNEN**

23 Ha. 340 ⚓ Tel. (055) 315473 SS-31/10 RPT

⊙ 🛏 🛏 ⌐ WC 🏠 🚿 🚽 ♿ 📷 🍴 ✕ ➘ ⚙ ⛽ 🏓 ✚ 🎣 🏓 🚲

Acceso: por la ctra. N-8, a 2 Km al oeste de la población. Lago para windsurfng y escuela de surf.

ANTWERPEN-AMBERES

ANTWERPEN B-2020 **C.M. VOGELZANG**

4,6 Ha. 145 ⚓ Tel. (03) 2385717 1/4-30/9

⊙ 🛏 🛏 ⌐ ⌐ WC 🚿 🚽 🛗 🏠 ✓

Camping municipal situado al sur de la ciudad (Vogelzanglaan). Acceso por la salida 5 del cinturón de la autopista. Indicado como camping de paso dada su proximidad a difeentes autopistas.

BRABANT-BRABANTE

HUIZINGEN B-1654 **DOMAINE PROVINCIAL**

1,5 Ha. 130 Tel. (02) 3801493 15/3-30/9

⊙ 🛏 🛏 ⌐ ⌐ WC 🚿 🚽 🛗

Situado en la ctra. hacia Beersel, a 19 Km al sur de Bruselas. Pendiente moderada. Junto al parque del castillo de Huizingen.

WEZEMBEEK B-1970 **R 3 CB**

1,6 Ha. 90 ⚓ Tel. (02) 7821009 1/4-30/9

⊙ 🛏 🛏 ⌐ ⌐ WC 🏠 🚿 🚽 🛗 ✓

Terreno nivelado junto a los jardines de un castillo. Acceso: Autopista A3/E4 (Brussel/Bruxelles-Liège) hasta llegar al cinturon A1/E9; allí seguir en dirección Charleroi. Salida Wezembeek/Oppem).

NAMUR

HOGNE B-5377 **J. VRANCKX**

10 Ha. 130 ⚓ Tel. (084) 311580 1/1-31/12 R

⊙ 🛏 🛏 ⌐ ⌐ WC 🚿 🚽 📷 🏠 ➘ ⚙ ⛽ 🏓 ✚ 🎣

Extenso terreno ajardinado con lago para pescar. Acceso por la N4, salida Hogne, dirección Sérinchamps.

RIVIERE B-5170 **LES 7 MEUSES**

1,5 Ha. 84 ☀ Tel. (081) 412822 1/1-31/12 PT

⊙ 🛏 ⌐ WC 🚿 🚽 🛗 🍴 ✕ ➘ ✓

Terreno ligeramente inclinado situado entre colinas y bosques. Acceso por la N-17 desde Namur en dirección Dinant. En Rivière, al llegar al puente, salir de la N-92 y seguir la señalización.

LIEGE-LIEJA

SART-LEZ-SPA B-4845 **CAMPING TOURING CLUB (TCB)**

5,5 Ha. 305 ⚓ Tel. (087) 474400 1/1-31/12 RT

⊙ 🛏 🛏 ⌐ WC 🏠 🚿 🚽 ♿ 🍴 ✕ 🏠 ➘ ⚙ ⛽ ✓ ✚

Terreno en un entorno campestre con algunos árboles frutales. Parcelas delimitadas por setos, con o sin sombra. Acceso por la salida a Sart de la A-27. Debidamente indicado.

SPA B-4900 **PARC DES SOURCES**

2,5 Ha. ⚓ Tel. (087) 772311 1/1-31/12 T

⊙ 🛏 🛏 ⌐ ⌐ WC 🚿 🚽 🛗 ➘ ⚙ ✓

Terreno inclinado y ajardinado estilo parque y rodeado de bosque. Acceso por la N-62 desde Spa dirección Francorchamps. Febrero cerrado.

El símbolo FECC indica que se hacen descuentos a los socios de los Clubs federados sin ningún condicionamiento aparte de la correspondiente identificación.

LUXEMBURGO   DOCHAMPS   B-6960   PETIT SUISSE

6,5 Ha. 250 🌲 ▭ Tel. (084) 444030 1/1-31/12 ⛰ RPT

⊙ 🛁 🚽 ⌐ WC 📇 🛒 🚰 🔌 🍸 ✕ 🎣 🪑 ⚓ 〜 ➕ ⛳ ⛺ 🏘 🚲

Terreno aterrazado en una montaña. Acceso:E-25/N-15; salida Baraque de Fraiture, dirección a La Roche. En Samreé a la derecha en dirección Erezée y poco antes de llegar a Dochamps, a la derecha.

HABAY-LA-NEUVE   B-6720   K.A.C.B.

4,5 Ha. 130 🌲 ▭ Tel. (063) 422312 1/1-31/12 ⛰ RPT

⊙ 🛁 ⌐ WC

 EL CARNET DE CAMPIG INTERNACIONAL CONSTITUYE UN AUTENTICO PASAPORTE FAMILIAR PARA EL CAMPISTA

Moneda:
Lev (plural:leva) = 100 Stotinki.

Horarios:
CORREOS: de lunes a viernes de 9.00 a 17.00/21.00.BANCOS: de lunes a viernes de 8.30 a 12.00 y de 13.00 a 15.00.Sábados de 8.00 a 14.00.Oficinas de cambio en las fronteras abiertas las 24 horas.

Documentación:
Pasaporte y visado. Adultos con hijos menores de 18 años pueden entrar en el país sin visado, si la estancia ha sido reservada y pagada por adelantado. Se necesita Carta Verde Internacional y para vehículos de camping una especificación del inventario por duplicado.

Perros y gatos: Ver tabla "Documentos de fronteras para perros y gatos".

Teléfono: Prefijo de España desde Bulgaria: a través de operador(a): nº 123. Prefijo de Bulgaria desde España: 07-359 (no marcar el 0 del prefijo local).

Normas de circulación:
Cinturón obligatorio.Tasa máxima de alcoholemia 0,0. **Velocidades máximas:** Ver tabla "Límites de velocidad para coches con caravana y autocaravanas".

Normas de acampada: Prohibida la pernoctación fuera del camping.

Teléfonos de socorro:
En caso de avería: 146. En caso de accidente: 150. Policia: 146.

Direcciones útiles:
Embajada de Bulgaria: Santa María Magdalena, 15, 28016 Madrid. Tel. (91) 4575761/4576651. Embajada española en Sofía: Sheynovo, 27, Sofija (Apartado de correos: P.K. 381). Tel.: (02) 430017/430068; fax: (02) 442261.

Los afiliados a la Seguridad Social española tienen derecho a la prestación de asistencia sanitaria de carácter urgente durante su estancia en Bulgaria. Infórmese en la oficina del organismo competente de su Autonomía.

| VIDIN | SOFIA | **VRANIA** |

4,5 Ha. 300 🌲 ▭ 🛏 Tel. (02) 781213 1/1-31/12 ⛰ T

☉ 🛁 ⌐ WC 🚿 🛁 ✕ 🏠 ⚓ ⚒ 🏊 🛏

Situado en las dos orillas del Iskar. Acceso desde el centro de la ciudad por la ctra.5/E80 en dirección Plovdiv. Cruzado el Iskar, a mano derecha.

| TARNOVO | VELIKO TARNOVO | **BOLJARSKI STAN** |

2 Ha. 95 🌲 ▭ Tel. (062) 31168 1/1-31/12

☉ 🛁 🛁 ⌐ WC 🚿 🛁 ⚓ ⊙

Terreno muy bien cuidado a 3 Km de la antigua capital búlgara a la que es fácil acceder con el transporte público.

| BURGAS | ACHELOJ | **ACHELOJ** |

1,5 Ha. 100 🌲 ▭ 🛏 Tel. (056) 3275 1/6-30/9 MP

☉ 🛁 🛁 ⌐ ⌐ WC 🚿 🛁 ✕ 🏠 ⚓ ⊙ 🛏

Terreno arcilloso situado entre parrales y la playa (mar Negro). Mitad cubierto de melocotoneros. Acceso por la E-87 (Burgas-Varna). A 1,5 Km al sur de la población, hacia la playa. Ping-pong. Todo tipo de deportes acuáticos.

| | SLANTCEV BRIAG | **VLASS** |

12 Ha. 200 🌲 ▭ 🛏 Tel. (056) 2516 1/6-30/9 ⛰ MPT

🛁 ⌐ WC 🚿 🛁 ✕ 🏠 🛏

Terreno en pendiente situado a unos 5 Km al noreste de Slantcev Briag girar hacia la playa (Vlass). Deportes náuticos.

| STARA ZAGORA | KAZANLAK | **KAZANLASKA ROZA** |

1 Ha. 240 🌲 ▭ Tel. (042) 24239 1/5-31/10 PT

☉ 🛁 🛁 ⌐ ⌐ WC 🚿 🛁 ✕ 🏠

Situado en el valle de las Rosas. Acceso por la ctra. 1 (Sofia-Burgas) a unos 5 Km de Kasanlak, cerca del motel.

| PLOVDIV | PLOVDIV | **TRAKIA** |

5 Ha. 50 🌲 ▭ Tel. (032) 51360 1/4-1/11 ⛰ T

☉ 🛁 🛁 ⌐ ⌐ WC 🚿 🛁 ✕ 🛏

Terreno bien comunicado situado en un bosque. Acceso por la ctra.5, a unos 5 Km de Plovdiv.

| HASKOVO | HASKOVO | **ISTOK** |

1,6 Ha. 200 ☀ ▭ Tel. (038) 25387 1/5-10/10 ⛰ T

☉ 🛁 🛁 ⌐ ⌐ WC 🚿 🛁 ✕ 🏠 ⚓ ⚒ 🚜 🛏

Prado ligeramente inclinado con algunas pequeñas colinas. Reserva recomendada Acceso: por la ctra.5/E80. Situado a 3 Km al oeste de Haskovo.

Los precios indicados son meramente orientativos y **EL IVA NO ESTÁ INCLUIDO**.
Están basados en las informaciones recibidas hasta el cierre de la edición de esta GUIA.
Los reales son los que figuran en la declaración expuesta en la recepción del camping con el sello del organismo de la correspondiente Comunidad Autónoma.

C.E.I.
(Rusia / Bielorusia / Ucrania)

Moneda: Rublo = 100 copeques.

Documentación: Pasaporte y visado. Para atravesar Polonia, hace falta la Carta Verde.

Perros y gatos: Ver tabla "Documentos de fronteras para perros y gatos".

Teléfono: Prefijo de España desde la Comunidad de Estados Independientes: 810-34 (no marcar el 9 del prefijo provincial). Prefijo de la C.E.I. desde España: 07-7.

Normas de circulación:

Los automóviles han de estar equipados con extintores de incendios. En caso de accidente es obligatorio avisar a un funcionario de milicia. Tasa máxima de alcoholemia: 0,0. **Velocidades máximas:** Ver tabla "Límites de velocidad para coches con caravana y autocaravanas".

Teléfonos de socorro: Accidente: 03. Policia: 02.

Direcciones útiles:

Embajada de la C.E.I. en Madrid: c/ Velázquez 155, 28002 Madrid. Tel. (91) 4110807. Consulado en Barcelona: Pje. Pearson, 34, 08034 Barcelona. Tel. (93) 2801592; fax: (93) 2805541. Embajada de España en Moscú: Ulitsa Gértsena 50/8, Moskva 121069. Tel. (095) 2022161 / 2023210 / 2022108; fax: (095) 2001230. Embajada de España en Kiev: 83 Porchomenko St., Kiev. Tel: (044) 2113711. Ministerio de Asuntos Exteriores, Plaza de la Provincia, 1. 28071 Madrid. Tel. (91)3664800.

Cuidado con los robos y atracos, sobretodo en o cerca de las grandes ciudades. La frontera polaco-rusa de Bartoszyce (hacia Kaliningrad) ha sido abierta para todos los viajeros.

Viajes de caravaning individuales y también recorridos en grupo (hasta un máximo de 20 unidades) a Rusia y Letonia organiza una nueva empresa ruso-alemana llamada "Camping Perestroika", Country Camping Schinderhannes, D-56291 Hausbay-Pfalzfeld, Alemania, Fax 07-49-6746-8214 o 1674.

En los viajes organizados, los grupos suelen viajar de forma individual hasta el camping polaco de Terespol a 5 km. antes de llegar a la frontera rusa.

RUSIA

SAN PETERSBURGO **OLGINO**

2 Ha Ha. 250 🌲 Tel. 2383551 1/5-30/9 ⚠

Terreno herboso situado en un bosque, a unos 12 km al norte de San Petersburg en dirección a Finlandia. Junto a un hotel.

KALININGRAD **KALININGRAD**

5 Ha. 150 15/5-30/9 ⚠

Terreno situado en el centro de esta antigua ciudad antes prusiana, cerca de un pequeño lago. Camping con administración alemana.

MOSKVA(MOSCU) **SOLNECHNYI**

2 Ha. 🌲 Tel. 1197021 1/6-30/9 ⚠

Camping situado al sur de la ciudad, cerca del cinturón. Seguir indicaciones del hotel con el mismo nombre. Parada de autobús a 200 m.

BIELORUSIA

PASSYNKI **NAROTSCHSSE**

30 Ha. 300 🌲 0,3 Km Tel. 59212 15/5-15/10 ⚠ RP

Situado a 300 m del lago Narotsch. Desde Minsk en la ctra. hacia Riga y Tallin. Debidamente indicado. Terreno en estado natural. Administración alemana.

MINSK-PERHUROWO **PERESTROIKA**

7 H Ha. 150 🌲 Tel. 244639 15/5-15/10 ⚠ R

Terreno situado en un bosque en una antigua base de misiles. Acceso por la autopista M-1 (Brest-Moscú), salir unos 15 km antes de llegar a Minsk; salida izquierda, dirección Dzerzinskaja.

BREST-PETROWITSCHI **TOR DES OSTENS**

3 Ha. 150 🌲 0,20 Km Tel. 67434 15/5-15/10 ⚠ R

Terreno situado en un bosque, en la autopista M1 (Brest-Moscú), Petrovivhi. A unos 20 km de la frontera con Polonia. Pequeño lago a 200 m. Sauna.

UCRANIA

KIJEV (KIEV) **PROLISSOK**

2 Ha. 500 🌲 Tel. 4441293/493177 15/5-30/9 ⚠

Terreno situado a unos 13 km al oeste de la ciudad en la carretera a Lvov (salida Sviatochino), junto a un hotel, Prospect Pobedy 139.

ODESA **DELFIN**

1 Ha. 🌲 Tel. 550066 15/5-30/9 ⚠

Terreno situado a 12 km de Odesa, en la carretera a Nicolaiev. Cerca del Mar Negro.

El símbolo FECC indica que se hacen descuentos a los socios de los Clubs federados sin ningún condicionamiento aparte de la correspondiente identificación.

CROACIA

Moneda: DINAR (El Parlamento ha decidido que próximamente se reimplantará la antigua moneda "Kuna")

Horarios: Correos: De lunes a sábado, de 7.00 a 20.00. La mayoría no cierra al mediodía y algunos abren incluso los domingos y festivos. Comercios: De lunes a viernes de 8.00 a 19.00. Sábados de 8.00 a 14.00.

Documentación: Pasaporte, D.N.I. y Carta Verde.

Perros y gatos: Ver tabla "Documentos de fronteras para perros y gatos".

Teléfono: Prefijo de España desde Croacia: 99-34 (no marcar el 9 del prefijo provincial). Prefijo de Croacia desde España: 07-385. A partir del verano de 1994 todas las poblaciones de ISTRIA tendrán el prefijo local 052.

Normas de circulación: Cinturón obligatorio. Tasa máxima de alcoholemia 0,5.

Velocidades máximas: Ver tabla "Límites de velocidad para coches con caravana y autocaravanas".

Normas de acampada: Prohibidas la pernoctación fuera del camping.

Teléfono de socorro: Primeros auxilios: 94. Avería: 987. Policia: 92

Embaja de España: Embajada de España en Zagreb: Meduliseva 5, Zagreb. Tel. 430127. Ante la incierta situación y los constantes cambios políticos sugerimos se informen sobre la situación actual, convenios de Seguridad Social, Consulados Generales de España, etc., en el MINISTERIO DE ASUNTOS EXTERIORES, Plaza de la Provincia, 1, 28071 Madrid. Tel. (91) 366.48.00./366.97.88

ISLA KRK

BASKA HR-51523 **FKK AUTOCAMP BUNCULUKA**

5 Ha. 560 Tel. (0532) 211595 1/5-30/9 MPT

Camping naturista distribuido en terrazas. Situado en un valle junto al mar a 0,5 Km de Baska; bien indicado. Música en vivo.

SILO HR-51515 **AUTOCAMP TIHA**

4 Ha. 104 Tel. (0532) 421449 1/5-30/9 MP

Terreno distribuido en terrazas con vegetación joven junto a una playa rocosa. Bellas vistas panorámicas. Acceso indicado a partir del puerto.

ISLA RAB

LOPAR HR-51281 **SAN MARINO**

6,5 Ha. 1200 Tel. (0532) 775133 1/5-30/9 MP

Terreno regular con árboles y setos situado en una bahía. Clases de tenis y windsurfing. Discoteca. Música en vivo. Acceso: a 3 Km al este de Lopar (dirección San Marino).

DALMACIA

ZADAR HR-57000 **BORIK**

10 Ha. 900 Tel. (057) 23677 1/5-30/9 M

Terreno de camping llano situado en una pineda, a 3 Km al noroeste de Zadar. Acceso señalizado. Playa de arena gruesa. Música en vivo.

SIBENIK HR-59000 **SOLARIS**

20 Ha. 1060 Tel. (059) 33844 1/5-30/9 M

Vegetación joven, situado junto a hoteles, a 5 Km al sur de la ciudad. Bolos, clases de tenis y de surf. Piscina a 100 m.

ISLA PELJESAC

STON HR-50230 **PRAPRATNO**

7 Ha. 500 Tel. (050) 754000 1/5-30/9 MP

Terreno llano bien cuidado con bastantes árboles. Playa de arena de 200 m. Bellas vistas panorámicas. Acceso a unos 4 Km al sur de la población, bien indicado.

ISLA KORCULA

KORCULA HR-50260 **KALAC**

2 Ha. 300 0,10 Km Tel. (050) 711182 1/5-30/9 M

Junto al hotel Bon Repos. Separado de la playa por un camino. Terreno parcialmente distribuido en terrazas. Música en vivo. Acceso bien señalizado.

ISTRIA

POREC HR-51440 **LANTERNACAMP**

85 Ha. 2600 Tel. (052) 443400 1/4-30/9 MP

Acceso: Salir de la ctra. de la costa a unos 8 Km al norte de Porec girando en dirección al mar. Terreno bien cuidado junto al mar. Clases de tenis, vela y windsurfing.

SER CAMPISTA SIGNIFICA RESPETAR LA NATURALEZA

CROACIA

PULA-STOJA HR-52000 **AUTOCAMP STOJA**

14 Ha. 1400 Tel. (052) 24144 1/5-30/9 MPT

⊙ WC +

En dirección a Stoja, a 3 Km de Pula. Situado en una isla accesible desde tierra firme mediante un estrecho camino. Playa rocosa de 2,5 Km. Con algunas áreas de grava apta para niños solo a un lado. En la cima de colina, discoteca insonorizada y cine.VER ANUNCIO.

PULA HR-52000 **RIBARSKA KOLIBA**

3 Ha. 280 Tel. (052) 22966 1/5-30/9 M

⊙ WC

Ideal para vacaciones y tránsito. Situado en un pinar, en una pequeña bahía. Próximo a un puerto deportivo. Acceso: Desde Pula en dirección Verudela en el sureste.VER ANUNCIO.

PULA-BANJOLE HR-52000 **INDIE**

19,5 Ha. 809 Tel. (052) 573066 1/5-30/9 MPT

⊙ WC

Situado en una pintoresca bahía, rodeado de pinares. Uno de los terrenos más bonitos de la región. Ideal para embarcaciones. Acceso: Desde Pula seguir en dirección Premantra a 10 Km de Pula.VER ANUNCIO.

PULA HR-52000 **VALOVINE**

3 Ha. Tel. (052) 23260 1/5-30/9 MPT

⊙ WC

Pequeño camping muy tranquilo, cerca del cp. más grande Stoja. Panoráma bonito, playa limpia. Salón social con TV. Acceso: De Pula a Stoja y seguir hasta el camping.VER ANUNCIO.

PREMANTURA HR-52000 **RUNKE**

8 Ha. Tel. (052) 575022 1/5-30/9 MT

⊙ WC

Situado a 10 Km de Pula, cerca de Premantura, pueblo pintoresco con arquitectura típica bien conservada. Playa de piedra y roca. Acceso: Desde Pula dirección Premantura, seguir indicaciones.VER ANUNCIO.

PREMANTURA HR-52000 **STUPICE**

28 Ha. 3850 Tel. (052) 575111 1/5-30/9 MPT

⊙ WC

Situado en un pinar, junto a la playa y cerca de la bonita población de Premantura, de gran riqueza artística. A 11 Km de Pula. Ideal para deportes náuticos.VER ANUNCIO.

MEDULIN HR-52203 **MEDULIN**

22 Ha. 2260 Tel. (052) 576040 1/5-30/9 MP

⊙ WC

Situado en un pinar a 10 Km de Pula. Playa apta para niños pequeños. Muchas posibilidades para practicar deportes náuticos y ocio. Acceso: Desde Pula seguir dirección Medulin.VER ANUNCIO.

MEDULIN HR-52203 **KAZELA**

110 Ha. 1100 Tel. (052) 24093 1/5-30/9 MPT

⊙ WC

Camping naturista situado en una punta con playa privada. Muchas islas pequeñas aseguran una estancia agradable. Moderno, con buenos sanitarios. Acceso: Desde Medulin seguir indicaciones hacia el sur, aprox. 2 Km.VER ANUNCIO.

ARENA turist PULA

Moneda: Corona danesa = 100 ore.

Horarios: CORREOS: de lunes a viernes de 9.00 a 17.00. Sábados de 9.00 a 12.00. BANCOS: de lunes a viernes de 9.00 a 16.00. Jueves hasta las 18.00. Sábados cerrados. COMERCIOS: de lunes a jueves de 9.00 a 17.30. Viernes y en Copenhague en muchos casos hasta las 19.00/20.00. Los sábados cierran entre 12.00 y 14.00.

Documentación: DNI o pasaporte.

Perros y gatos: Ver tabla "Documentos de fronteras para perros y gatos".

Teléfono: Prefijo de España desde Dinamarca: 009-34 (no marcar el 9 del prefijo provincial). Prefijo de Dinamarca desde España: 07-45 + 8 cifras.

Normas de circulación: Los vehículos deben circular con luz de noche y de día. En las ciudades, las calles muy transitadas tienen preferencia a las otras. Cinturón obligatorio. Tasa máxima de alcoholemia: 0,8. Velocidades máximas: Ver tabla "Límites de velocidad para coches con caravana y autocaravanas".

Normativas para acampar: Pernoctar sólo en campings.

Teléfonos de socorro: En caso de avería o accidente: 000. Policia: 000.

Direcciones útiles: Embajada de Dinamarca: Claudio Coello, 91, 28006 Madrid. Tel. (91) 431 84 45. Embajada de España en Copenhague: Upsalagade 26, 2100 Copenhague. Tel. 31 42 47 00/31 26 30 99; fax: 35 26 30 99.

Los afiliados a la Seguridad Social española tienen derecho a la prestación de asistencia sanitaria de carácter urgente durante su estancia en Dinamarca. Infórmese en la oficina del organismo competente de su Autonomía.
Asistencia médica: Acuda a cualquier médico que pertenezca al Seguro de Enfermedad danés, presentando su formulario E-111. En el supuesto de exigírsele el abono de honorarios, solicite una factura.

Vacaciones inolvidables en Dinamarca

DCU
Dansk Camping Union

Si Ustedes nos escriben, nosotros les enviaremos gratuitamente un folleto informativo sobre los campings.

Dinamarca es uno de los países más económicos para acampar. La gran organización de camping en Dinamarca, Dansk Camping Union, les da la bienvenida en sus campings, los cuales están esparcidos en todo el país.

Muchos de los campings de DCU están situados en las zonas verdes, y varios de ellos están cerca el mar. También hay campings de DCU en las ciudades grandes como Odense - la ciudad del autor de cuentos H.C. Andersen, Billund - donde se encuentra el parque de atracciones de Legoland, y en la capital Copenhague.

Dansk Camping Union
Gl. Kongevej 74 D · 1850 Frederiksberg C
Telf.: +45 31 21 06 00 · Fax: +45 31 21 01 08

JYLLAND-JUTLANDIA

TONDER DK-6270

1,2 Ha. 180 ☀ ▭ 🏄 0,20 Km Tel. 74721849 S.S.-1/10 ⛰

⊙ ⊌ ⊌ ⌐ ⌐ WC 🧺 ♨ ♿ 🔲 🏠 ↘ ⚓ GAS ↙ 🏊 ✚ 🏸

Camping municipal situado al este de la población, accesible por la ctra. 11. próximo a piscina pública cubierta, estadio y pistas de tenis.

RIBE DK-6760

5,5 Ha. 250 🌲 ▭ Tel. 75410777 SS-30/9 ⛰ T

⊙ ⊌ ⌐ WC 🔲 🧺 ♨ ♿ 🔲 Y ↘ ⚓ GAS ↙ 🏘

Acceso por la ctra.11 y desvío en dirección Farup. Terreno llano dividido mediante setos y árboles. Plazas para tiendas en un bosque de robles.

VORBASSE DK-6623

4 Ha. 295 ☀ ▭ Tel. 75333693 1/1-31/12 ⛰ RT

⊙ ⊌ ⌐ ⌐ WC 🧺 ♨ ♿ 🔲 ↘ ⚓ GAS ↙

Situado junto a un bosque a 15 min. de Legoland. Acceso: Por la ctra. Grindsted-Kragelund.

BLAVAND DK-6857

30 Ha. 600 ☀ ▭ 🏄 0,3 Km Tel. 75279040 SS-31/10 ⛰ RPT

⊙ ⊌ ⌐ WC 🔲 🧺 ♨ ♿ 🔲 ✗ 🏠 ↘ ⚓ GAS ↙ 🏊 ✚ 🏸 🏘 🚲

Situado junto a la playa de Hvidbjerg, a 1 km de la población. Indicado. Instalaciones muy buenas y modernas. Tobogán acuático, sauna, clases de natación, surf y tenis.

HVIDE SANDE DK-6960

7 Ha. 300 ☀ ▭ 🏄 0,20 Km Tel. 97311722 1/1-31/12 ⛰ RT

⊙ ⊌ ⌐ ⌐ WC 🔲 🧺 ♨ ♿ 🔲 Y ✗ 🏠 ↘ ⚓ GAS ↙ 🏊 ✚ 🏸 🏘

Camping con instalaciones modernas situado a 6 Km de la localidad. Sauna, baño de burbujas, gran tobogán acuático. Acceso: Km 29,3 de la ctra de la costa 181.

HOLSTEBRO DK-7500

2 Ha. 170 🌲 ▭ Tel. 97422068 11/4-18/10 ⛰ RT

⊙ ⊌ ⊌ ⌐ WC 🧺 ♨ 🔲 ↘ ⚓ GAS ↙ 🏘

Acceso: Circunvalación de Holstebro, en el Km 44; al sureste de la población. Terreno con ligera pendiente. Posibilidad de pesca y de deportes náuticos.

VINDERUP DK-7830

5,6 Ha. 160 ☀ ▭ 🏄 0,20 Km Tel. 97446113 11/4-12/9 ⛰ T

⊙ ⊌ ⌐ WC 🔲 🧺 ♨ ♿ 🔲 🏠 ↘ ⚓ GAS ↙ ⌐

Situado cerca del mar. Playa ideal para niños. Posibilidad de surf. acceso: por la ctra. Skive-Struer, dirección Ejsing, en el Km 21,4.

FJERRITSLEV-KLIM DK-9690

24 Ha. 620 🌲 ▭ ▭ 🏄 0,3 Km Tel. 98225340 15/3-31/10 ⛰ PT

⊙ ⊌ ⌐ WC 🔲 🧺 ♨ ♿ 🔲 Y ✗ 🏠 ↘ ⚓ GAS ↙ 🏊 ✚ 🏸 🏘

Situado junto a la playa de Klim, a 4 Km. de la localidad de Klim. Terreno aislado con parcelas grandes. Servicios sanitarios especiales para los pequeños.

TRANUM KLIT DK-9460

11 Ha. 220 🌲 ▭ 🏄 1,5 Km Tel. 98235282 11/4-15/9 ⛰ PT

⊙ ⊌ ⊌ ⌐ WC 🧺 ♨ ♿ 🔲 🏠 ↘ ⚓ ↙ 🏊 ✚ 🏘

Situado en una zona arbolada en las dunas. Acceso: por la ctra. hacia Tranum.

SALTUM DK-9493

JAMBO VESTERHAV

13 Ha. 370 Tel. 98881666 16/4-1/9 PT

Acceso: salir de la ctra. 55 a 3 Km al norte de Saltum, en dirección a la playa. El terreno está a 2 Km de la misma. Espectáculos folklóricos. Discoteca.

BINDSLEV DK-9881

AABO

14 Ha. 475 1,5 Km Tel. 98931234 SS-15/9 RPT

SONDERBALLE DK-6100

GASEVIG

6 Ha. 300 Tel. 74575597 1/1-31/12 MPT

Camping familiar situado junto a la playa. Muy adecuado para baño, pesca y windsurfing. Acceso: Salir de la carretera principal nº 10 en Genner By y continuar en dirección Djernes y Sonderballe. Señalizado.

KOLDING DK-6000

VONSILD

5,6 Ha. 200 Tel. 75534725 1/1-31/12 R

A 4 Km de la ciudad. Acceso por la ctra. 170/E-3, salida Koldings dirección Vonsild. Lindante con la ctra. y junto a centro deportivo. Bolos.

RY DK-8680

SONDER EGE

Tel. 86891375 1/4-30/9 PT

El camping está situado en la orilla del lago Knudso. Bonito paisaje, ideal para paseos, baño y pesca. Acceso por Randersvej y Sokildevej.

SILKEBORG DK-8600

DCU-HESSELHUS

9,3 Ha. Tel. 86865066 1/1-31/12 P

Terreno aterrazado en parte y muy bien equipado. Acceso: Ctra.15 (Silkeborg-Herning). A 1 Km al oeste de Funder, seguir en dirección Funder Kirke. Gran tobogan acuático.

EBELTOFT DK-8400

DCU-MOLS

6,4 Ha. 470 1 Km Tel. 86341625 1/1-31/12 RPT

Situado entre bellas colinas, cerca de la ciudad histórica de Ebeltoft, en la periferia norte de la población. Acceso: Ebeltoft-Arhus hacia Draby.

VIBORG DK-8800

DCU-VIBORG

4 Ha. 250 0,05 Km Tel. 86671311 11/4-27/9 PT

Situado junto a Sonderso, con posibilidad de pesca y deportes náuticos. Acceso por la ctra. 16 dirección Randers; al oeste de la población.

FREDERIKSHAVN DK-9900

NORDSTRAND

10 Ha. 590 0,2 Km Tel. 98422982 1/4-30/9 RPT

Prado bien cuidado, con arbustos, junto a un pequeño bosque. Tres parques infantiles. Situado al norte de Frederikshavn. Señalizado.

DINAMARCA

TRANEKAER 5953 — **EMMERBOLLE STRAND**

10 Ha. 140 Tel. 62591226 SS-30/9 MRT

FYN-ISLA FIONA

RONAES DK-5580 — **RONAES STRAND**

4 Ha. 190 Tel. 64421763 SS-15/9 MPT

Prado situado junto al fiordo Gamborg. Ping-pong. Acceso por la ctra. E-66 hasta el desvío a Fons. A partir de aquí, señalizado.

NYBORG DK-5800 — **NYBORG**

3 Ha. 210 Tel. 65310256 1/3-30/9 MP

Camping municipal situado al sureste de la ciudad, entre la ctra. y el mar. Playa de 300 m de largo. Acceso: Salida de la autopista Nyborg-Ost.

ODENSE DK-5260 — **DCU-ODENSE**

4,5 Ha. 270 Tel. 66114702 11/4-18/10

Situado a 4 Km del mar. Excursiones a la casa de H.C.Andersen, museos, etc. Acceso en el sur de la ciudad por la ctra. M-40/E66, salida C.

FIONA

AGERNAES STRAND DK-5450 — **DCU-FLYVESANDET**

3,5 Ha. 395 0,10 Km Tel. 64871320 11/4-12/9 RPT

Situado en una reserva natural junto a una playa con dunas, a 15 Km del castillo de Gyldesten. Acceso: desde el este por Odense-Otterup y desde el oeste por Middelfart-Bogense.

COPENHAGUE

ISHOJ HAVN DK-2635 — **TANGLOPPEN**

2,5 Ha. 200 1 Km Tel. 43540767 25/4-6/9 PT

Acceso por la ctra. 151, con desvío a Ishoj Strand. Indicado. Situado entre mar y lago (prohibición de baño en este último). Amplia zona de ócio.

SJAELLAND-SELANDIA

SVINO DK-4750 — **SVINO STRAND**

3,5 Ha. 200 Tel. 53769212 15/4-15/9 MP

Camping familiar situado junto a una de las mejores playas de Selandia, entre Naestved y Vordingborg. Instalaciones sanitarias muy buenas. Windsurfing, pesca. Acceso por la carretera nº 22.

KOBENHAVN-RODOVRE DK-2610 — **DCU-ABSALON**

12,5 Ha. 1000 Tel. 31410600 1/1-31/12

Situado a 11 Km del centro de Copenhague. Acceso: por la E-47/E-55, salida Rodobre/Glostrup; seguir por la ctra. 156 (Kovenhavn-Roskilde) en dirección Frederiksborg.

HOJE TASTRUP DK-2630 — **DCU-METROPOLITAN**

5 Ha. 260 Tel. 42999825 11/4-12/9

Situado a 20 Km del centro de Copenhague y muy bien comunicado. Cerca del museo astrológico de Ole Romer. Acceso: Por la ctra.156 (Kobenhavn-Roskilde).

| SJAELLAND-SELANDIA | NAERUM DK-2850 | **DCU-NAERUM** |

4,5 Ha. 400 🌲 ▭ Tel. 42801957 11/4-12/9 ⚠️

⊙ ⛺ ⌐ ⌐ WC 🧺 👕 👤 ♿ 📷 🍴 🏠 ⚰️ GAS 🔫

Situado un bosque. Acceso: Autopista de Helsingor, salida Naerum Station, a 15 Km. de Copenhague.

| HORNBAEK DK-3100 | **DCU-HORNBAEK** |

3 Ha. 280 🌲 ▭ 🏄 2 Km Tel. 42200223 11/4-27/9 ⚠️ T

⊙ ⛺ ⌐ ⌐ WC 📱 👕 👤 🏠 ⚓ ⚰️ GAS 🔫 ⌐ /

Situado cerca de la famosa playa de Hornbaek y de la población del mismo nombre. Rodeado de árboles. Acceso: De Hornbaek hacia Saunte.

| FOLLENSLEV DK-4591 | **DCU-VESTERLYNG** |

5,5 Ha. 375 ☀️ ▭ 🏄 1 Km Tel. 53469456 1/1-31/12 ⚠️ T

⊙ ⛺ ⌐ WC 📱 👕 👤 ♿ 📷 🍴 🏠 ⚓ ⚰️ GAS 🔫 ➕ 🚲

Ubicado en territorio vedado, en el golfo de Sejero. Acceso por la A-4 hacia Laundborg, salida Havso, desvío Follenslev.

| JYDERUP DK-4450 | **JYDERUP** |

1 Ha. 83 ☀️ ▭ Tel. 53477660 23/3-15/9 ⚠️ P

⊙ ⛺ ⌐ ⌐ WC 📱 👕 👤 🏠 ⚓ ⚰️ GAS ➕

Situado junto al lago Skarreso y rodeado de bosques. Acceso: Por la ctra. A-4 salida Kalundborg. En Jyderup tomar la dirección de Slagelse.

| SELANDIA NORTE | VEJBY DK-3210 | **VEJBY** |

10 Ha. 400 🌲 ▭ Tel. 48706788 1/1-31/12 ⚠️ T

⊙ ⛺ ⌐ ⌐ WC 📱 👕 👤 ♿ 📷 🍴 🏠 ⚓ ⚰️ GAS 🔫 🏊 ➕ 🎾 🏓 🚲

Situado en un entorno natural variado. Decorado con plantas y flores. Acceso: De Helsinge hacia Rageleje, ctra. Rageleje-Vejby.

| DRONNINGMOLLE DK-3120 | **STRANDCAMPING** |

6,1 Ha. 350 🌲 ▭ ▭ 🏄 0,30 Km Tel. 49719290 1/4-30/9 ⚠️ MP

⊙ ⛺ ⛺ ⌐ ⌐ WC 📱 👕 👤 ♿ 📷 🍴 ✕ 🏠 ⚓ ⚰️ GAS 🔫 ➕ ⌐ / 🚐

Terreno bien cuidado situado junto a una de las playas más bonitas y más limpias de Selandia. Pesca, sauna. Alquiler de botes. Próximo al golf y tenis. Acceso por la ctra. nº 25.

| ISLA BORNHOLM | MELSTED DK-3760 | **SANNES FAMILIECAMPING** |

1,8 Ha. 85 🌲 ▭ Tel. 56485211 1/4-30/9 PT

⊙ ⛺ ⛺ ⌐ ⌐ WC 👕 👤 📷 🍴 🏠 ⚓ ⚰️ GAS 🔫 🏊 🚐

Camping familiar situado en plena naturaleza junto a una bella costa rocosa. Ideal para la pesca. Sauna. Barbacoa. Golf a 5 Km. Alquiler de habitaciones. Acceso por la ctra. nº 158, Melstedvej 39, isla Bornholm.

Los precios indicados son meramente orientativos y **EL IVA NO ESTÁ INCLUIDO**.

Están basados en las informaciones recibidas hasta el cierre de la edición de esta GUIA.

Los reales son los que figuran en la declaración expuesta en la recepción del camping con el sello del organismo de la correspondiente Comunidad Autónoma.

ESLOVENIA

Moneda: Tolar (SIT) = 100 stotins

Horarios: CORREOS Y BANCOS: de lunes a viernes de 8.00 a 18.00. Sábados de 8.00 a 12.00 COMERCIOS: de lunes a viernes de 7.30 a 19.00. Sábados de 7.30 a 13.00

Documentación: Pasaporte y Carta Verde

Perros y gatos: Ver tabla "Documentos de fronteras para perros y gatos".

Teléfono: Prefijo de España desde Eslovenia: 99-34 (no marcar el 9 del prefijo provincial. Prefijo de Eslovenia desde España: 07-38.

Normas de circulación: Cinturón obligatorio. Tasa máxima de alcoholemia 0,5. **Velocidades máximas:** Ver tabla "Límites de velocidad para coches con caravana y autocaravanas".

Normas de acampada: Prohibida la pernoctación fuera del camping.

Teléfonos de socorro: Puesto de primeros auxilios: 94. Avería: 987. Policia: 92.

Impuesto sobre la Venta: Todos los extranjeros que exportan compras que sobrepasan los 5.000 SIT, tienen derecho a la devolución del Impuesto sobre la Venta (20-30%), salvo que se trate de cigarrillos o bebidas alcohólicas.

Embajada de España: Dirigirse a la embajada de España en Viena: Argentinierstrasse 34, A-1040 Wien. Tel (01) 5055780/88/89; fax: (01) 5042076.

Ante la incierta situación y los constantes cambios políticos, sugerimos se informen sobre la situación actual, convenios de Seguridad Social, Consulados Generales de España, etc., en el MINISTERIO DE ASUNTOS EXTERIORES, Plaza de la Provincia 1, 28071 Madrid - Tel. (91) 3664800.

NOROESTE BOHINJSKO JEZERO SLO-64265 **ZLATOROG**

2,5 Ha. 180 Tel. (064) 723482 15/5-15/9 PT

Situado en un bosque junto a un lago. Acceso: desde Bhinsjka Bistrica tomar dirección a Savica. Piscina cubierta a 200 m.

LESCE SLO-64248 **SOBEC**

15 Ha. 800 Tel. (064) 77500 1/5-30/9 RPT

Se accede a través de la ctra. N-1, está indicado en el tramo Jesenice Kranj. Tiene un lago artificial de 300 x 100 m. Playa de 300 m de longitud. Clases de tenis. Música en vivo. Ping-pong.

DRAGOCAJNA SLO-61216 **SMLEDNIK**

3 Ha. 140 Tel. (061) 627002 1/5-15/10 T

Se accede a través de la autopista E-63 (Kranz-Ljubljana). Situado al oeste de la salida a Vodice y al norte del rio Sava. Prado llano y parcialmente inclinado.

LJUBLJANA LJUBLJANA SLO-61000 **JEZICA**

3,5 Ha. 300 Tel. (061) 371382 1/5-30/9

Situado en el N. de la ciudad, en el distrito de Jezica, junto a un centro deportivo. Se accede por la E-57, crta. 10 a Maribor, girando a la izquierda. Sauna, bolos, música en vivo, piscina cubierta a 100 m.

MOZIRJE-RECICA SLO-63332 **MENINA**

3,5 Ha. 180 Tel. (063) 831787 1/6-1/9 RPT

Acceso por la ctra. 10/E 57. En el Km. 94 se gira hacia el norte, dirección Nazarje y Ljudno. Terreno en estado natural junto al rio Savinja y en la orilla de un lago.

SURESTE PTUJ SLO-62250 **PTUJSKE TOPLICE**

1,5 Ha. 100 Tel. (062) 771782 1/5-30/9 RT

Terreno llano junto a un centro termal con sauna. Clases de tenis. Música en vivo. Supermercado a 1 Km. Señalizado desde Ptuj.

| SURESTE | POSTOJNA SLO-66230 | PIVKA JAMA |

2,5 Ha. 320 ⛺ 🚐 Tel. (067) 24168 1/5-30/9 ⛰ PT

⊙ 🛁 ⌐ WC 🍴 🚿 📷 ✕ 🏠 ⚓ ⛽ ↙ 🏊 ➕ 🎾 ⛰ 🏕 🚲

Terreno ondulado, en terrazas. Parcelas llanas. Cerca de las grutas. Acceso:Desde el centro de la ciudad en dir. grutas. Seguir dir. Predjamskigrad desde la entrada principal de las grutas. A 6 Km.VER ANUNCIO.

| BREZICE SLO-68250 | TERME CATEZ |

3 Ha. 200 ⛺ 🚐 Tel. (068) 62110 1/4-31/10 ⛰ RT

⊙ 🛁 ⌐ WC 🍴 🚿 🪑 🍷 ⚓ ↙ 🏊 🎾 ⛰ 🚲

Situado a 35 Km al oeste de Zagreb, en dirección Radace. Terreno llano situado junto a una estación termal. Buenas y limpias instalaciones sanitarias. Discoteca, bolos.VER ANUNCIO.

FINLANDIA

Moneda: Marco finlandés = 100 penniä.
Horarios: CORREOS: de lunes a viernes de 9.00 a 17.00. Sábados cerrado. BANCOS: de lunes a viernes de 9.15 a 16.15. Sábados cerrados. COMERCIOS: en general de lunes a viernes de 9.00 a 18.00. Sábados de 9.00 a 13.00/14.00.
Documentación: Pasaporte.
Perros y gatos: Ver tabla "Documentos de fronteras para perros y gatos".
Teléfono: Prefijo de España desde Finlandia: 990-34 (no marcar el 9 del prefijo provincial). Prefijo de Finlandia desde España: 07-358 (no marcar el 0 del prefijo local).
Normas de circulación: Cinturón obligatorio. Tasa máxima de alcoholemia: 0,5. Luces de cruce obligatorias todo el día. **Velocidades máximas:** Ver tabla "Límites de velocidad para coches con caravana y autocaravanas".
Normas para acampar: Acampar sólo en campings.
Teléfonos de socorro: En caso de avería: 97008080. En caso de accidente: 000. Policia: 000.
Direcciones útiles: Oficina de Turismo de Finlandia: Fuencarral, 139-6º, 28010 Madrid. Tel: (91) 4470494. Fax: (91) 5930175. Embajada española en Helsinki: Kalliolinantie 6, 00140 Helsinki 12, Tel (00) 626800. Embajada de Finlandia en Madrid: Pº de la Castellana 15. 28046 Madrid. Tel. (91) 319 61 72. Fax: (91) 308 39 01.

Los afiliados a la Seguridad Social española tienen derecho a la prestación de asistencia sanitaria de carácter urgente durante su estancia en Finlandia. Infórmese en la oficina del organismo sanitario competente de su Autonomía.
ASISTENCIA MÉDICA: Acuda al Centro de Salud de su localidad de estancia y presente su formulario E-111. Las personas mayores de 15 años, deben abonar una cantidad determinada. Si acude a un facultativo privado, deberá abonar la totalidad de los honorarios. Solicite factura.

FINLANDIA

SUR

HELSINKI-RASTILA SF-00980 **RASTILA**

15 Ha. 920 ⚓ ≈≈ 📡 Tel. (90) 316551 15/5-15/9 ⋀⋀ MT

⊙ 🛁 ⌐ WC 🧺 🚿 ✕ 🏠 ⤳ 🏠

Camping municipal situado a unos 16 Km al este del centro de la ciudad. Acceso indicado. Terreno parcialmente llano y ligeramente inclinado junto al mar y a la ctra. Supermercado a 1,5 Km.

KOUVOLA SF-45200 **KÄYRÄLAMPI**

6,5 Ha. 200 ⚓ ≈≈ 📡 Tel. (951) 3121226 1/1-31/12 ⋀⋀ MP

⊙ 🛁 ⌐ ⌐ WC 🧺 🚿 📺 ✕ 🏠 ⤳ 🛢️ GAS ⤳ ➕ 🎾 🏠

Situado en la orilla del lago Käräylampi, junto a un parque de atracciones. Playa de 100 m de longitud. Terreno ligeramente inclinado.VER ANUNCIO.

PUNKAHARJUA SF-58999 **KULTAKIVI**

150 Ha. 850 ⚓ ≈≈ ≈≈ Tel. (957) 315151 1/3-30/9 ⋀⋀ RPT

⊙⊙ 🛁 🛁 ⌐ ⌐ WC 🧺 🚿 ♿ 📺 🍽️ ✕ 🏠 ⤳ 🛢️ GAS ⤳ 🎾 🏠

Extenso terreno ubicado en un bosque con numerosos lagos. Naturaleza intacta. Playa de 200 m de longitud (parcialmente naturista). Parque infantil bien equipado. Programa de animación. Discoteca. Acceso por la ctra . 14,8 Km al sur de la población.

LAHTI SF-15240 **MUKKULA**

6,5 Ha. 460 ⚓ ≈≈ 📡 Tel. (918) 306554 1/6-31/8 ⋀⋀ MPT

⊙ 🛁 🛁 ⌐ ⌐ WC 🧺 🧺 🚿 ♿ 📺 ⤳ 🛢️ GAS ⤳ ➕ 🎾 🏠 🚲

Situado al norte de Lahti, en el distrito de Mukkula, sobre una franja de tierra en el lago Vasi. Playa de 300 m de longitud. Restaurante a 300 m.

KUOPIO SF-70700 **RAUHALAHTI**

27 Ha. 750 ☀ ≈≈ 📡 Tel. (971) 3612244 25/5-1/9 ⋀⋀ MPT

⊙ 🛁 ⌐ WC 🧺 🧺 🚿 ♿ 📺 ✕ 🏠 ⤳ 🛢️ GAS ⤳ ➕ 🏠 🚲

Terreno bien cuidado situado al sur de la ciudad, en la orilla del lago Kallavesi. Playa de 100 m de longitud. Varios parques infantiles. Música en vivo. Clases de surf y vela. Acceso por la ctra. 5.

NORTE

KALAJOKI SF-85100 **HIEKKASÄRKÄT**

24 Ha. 800 ⚓ ≈≈ ≈≈ 📡 Tel. (983) 466601 1/1-31/12 ⋀⋀ MRPT

⊙ 🛁 🛁 ⌐ WC 🧺 🚿 ♿ 📺 🍽️ ⤳ 🛢️ GAS ⤳ 🏠

Situado en las dunas, a unos 8 Km al sur de la población. Señalizado. Terreno con arbustos y varios estanques. Playa de arena ligeramente inclinada. Sauna. Restaurante a 20 m.

LAPPI-LAPONIA

OLHAVA SF-91140 **SELJÄNPERÄ**

6 Ha. 80 🏕 ▬▬ ▬ 🏊 Tel. (981) 8175257 25/5-15/9 ⛰ MPT

☺ 🥣 🥣 ⌐ ⌐ WC 🧺 🎣 🛁 📷 🍷 ✕ 🏠 🎣 ⚓ 🏪 GAS ⛽ 🏕 🚲

Terreno accidentado y boscoso. Naturaleza intacta. Playa natural, en su mayor parte, pedregosa. Según la dirección del viento puede percibirse mal olor debido a industrias.

SIMO SF-95200 **LAPIN RINKI**

2,5 Ha. 25 🌲 ▬▬ 🏊 Tel. (9698) 876444 1/6-1/9 ⛰ M

☺ 🥣 🥣 ⌐ ⌐ WC 🧺 🎣 🛁 🏪

Terreno de pernoctación en estado natural con bastantes árboles. Junto al rio Simojoki y cerca de una carretera transitada. Acceso indicado en la población. Superm. a 500 m.

KILPISJÄRVI SF-99490 **KILPISJÄRVI**

7 Ha. 100 ☀ ▬ 🏊 0,20 Km Tel. (9696) 77771 S.S.-30/9 ⛰ P

☺ 🥣 ⌐ WC 🎣 🛁 🍷 ✕ 🏠 🎣 🏪 GAS ➕ 🏪

Terreno pedregoso distribuido en terrazas. Sauna. Acceso: carretera 21, km. 196.

ROVANIEMI SF-96900 **NAPAPIIRIN SAARI-TUVAT**

2,5 Ha. 150 ☀ ▬▬ Tel. (960) 60045 1/1-31/12 ⛰ P

☺ 🥣 🥣 ⌐ WC 🎣 🛁 📷 🍷 ✕ 🎣 🏪 GAS 🏪

Situado en la orilla del rio Kemijoki. Acceso por la ctra. 81, a unos 7 Km al este de la población. Sauna.

IVALO SF-99800 **UKONJÄRVEN LOMAKYLÄ**

10 Ha. 120 🏕 ▬ 🏊 Tel. (9697) 43503 1/1-31/12 ⛰ MPT

☺ 🥣 ⌐ WC 🎣 🛁 📷 🍷 ✕ 🏠 🎣 🏪 GAS ➕ 🏪

Situación extraordinariamente bonita y tranquila, en un bosque a la orilla del lago Ukonjärvi. Acceso por la ctra. 4 en dirección Inari; a unos 10 Km de Ivalo a la derecha, 1 Km por el bosque.

INARI SF-99870 **LOMAKYLÄ INARI**

2 Ha. 50 ☀ ▬▬ ▬ 🏊 Tel. (9697) 51108 S.S.-30/9 ⛰ MPT

☺ 🥣 🥣 ⌐ ⌐ WC 🎣 🛁 📷 🏠 🎣 ⚓ 🏪 GAS 🏪

Terreno de pernoctación bien cuidado junto al lago Inari. Algunas parcelas en la misma playa. Ideal para la pesca. Acceso por la carretera 4, al sur de la población.

RANUA SF-97700 **RANUANJÄRVI**

3,8 Ha. 100 🏕 ▬▬ 🏊 Tel. (960) 51780 1/6-1/9 ⛰ MP

☺ 🥣 🥣 ⌐ ⌐ WC 🎣 🛁 📷 🍷 🏠 🎣 🚲 ➕ 🏪

Camping situado junto a un lago con playa rocosa, a 3 Km de Ranua. Sauna. Acceso por la carretera de Ranua a Posio,"Kirkko".

POSIO SF-97900 **HIMMERKI**

11 Ha. 150 🏕 ▬▬ 🏊 Tel. (960) 424602 1/6-1/9 ⛰ MPT

☺ 🥣 ⌐ WC 🎣 🛁 📷 🍷 🏠 🎣 ⚓ 🏪 GAS 🚲 ➕ 🏪

Situado a orillas del lago Kitkajärvi. Acceso por la ctra.81 (Kuusamo-Rovaniemi). Mucha tranquilidad. Terreno accidentado en estado natural.

SER CAMPISTA SIGNIFICA
RESPETAR LA NATURALEZA

Moneda: Franco francés = 100 centimes.

Horarios: CORREOS: de lunes a viernes de 8.00 a 19.00. Sábados hasta las 12.00. BANCOS: de lunes a viernes de 9.00 a 12.00 y de 14.00 a 16.00. Puede variar en grandes ciudades y en algunas regiones del sur. COMERCIOS: en general, de lunes a sábados de 9.15 a 18.45 (cierre al mediodía).

Documentación: DNI o pasaporte. Se recomienda llevar carta verde.

Perros y gatos: Ver tabla "Documentos de fronteras para perros y gatos".

Teléfono: Prefijo de España desde Francia: 19-34 (no marcar el 9 del prefijo provincial). Prefijo de Francia desde España: 07-33 (aparte del 1 de París, no hay prefijos).

Normas de circulación: Cinturón obligatorio. Tasa máxima de alcoholemia: 0,8. **Velocidades máximas:** Ver tabla "Límites de velocidad para coches con caravana y autocaravanas".

Normas para acampar: Pernoctaciones sólo en campings y aparcamientos de las áreas de descanso de las autopistas durante 24 h. como máximo.

Teléfonos de socorro: En caso de avería: los teléfonos especiales en las autopistas. En caso de accidente: 17 (policía).

Direcciones útiles: Oficinas de Turismo en Barcelona y Madrid: Gran Vía de les Corts Catalanes 656, 08010 Barcelona. Tel. (93) 3180191 y Alcalá 63, 28014, Madrid. Tel. (91) 5763144. Embajada de España en París: 22, Av. Marceau, 75381 Paris Cedex 08, Tel. (01) 44431800; fax: (01) 47235955. Consulado en Paris: 165, bd. Malesherbes, 75840 Paris. Tel. (01) 47660332; fax: (01) 40538828. Consulado en Estrasburgo: 13, Quai Kleber, 67000 Strasbourg. Tel. 88326727; fax: 88230717. Consulado en Marsella: 38, rue Eduard Delanlade, 13006 Marseille. Tel. 91376007 / 91375151; fax: 91379164. Consulado en Toulouse: 16, rue Ste. Anne, 31000 Toulouse. Tel. 61520550; fax: 61254252.

Hay también consulados españoles en Bayona, Burdeos, Hendaya, Lille, Lyon, Metz, Montpellier, Nimes, Pau y Perpiñán. Embajada de Francia en Madrid: Salustiano Olózaga, 91 - 28001 Madrid, Tel. (91) 435 55 60.

Atención: desde el día 1 de julio de 1993 las autoridades de la isla de Córcega piden un impuesto turístico (30 francos) al llegar y al salir de la isla.

Los afiliados a la Seguridad Social española tienen derecho a la prestación de asistencia sanitaria de carácter urgente durante su estancia en Francia. Infórmese en la oficina del organismo sanitario competente de su Autonomía.

Asistencia Médica: Antes de acudir al médico, asegúrese de que está concertado con el Seguro francés de Enfermedad. El médico le cobrará honorarios y, como justificante, le entregará un "volante de asistencia" (feuille de soins), documento imprescindible para que dentro de los quince días siguientes Vd. pueda solicitar el reembolso del importe abonado.

AQUITAINE-64

HENDAYE F-64700   **SASCOENEA**

4 Ha. 380   0,5 Km Tel. 59200544 1/1-31/12

⊙ ☺ ⌂ ⌂ WC 🍴 🚿 🛁 🏠 ⚓ 🔥

Acceso : A-8 (S.Sebastian-Bayonne), salida Hendaye (después de la frontera). Terreno llano, parcialmente distribuido en terrazas. Tenis a 200 m.

HENDAYE F-64700   **ESKUALDUNA**

8 Ha. 270   0,60 Km Tel. 59200464 15/6-30/9 RPT

⊙ ☺ ⌂ WC 🍴 🚿 🛁 🧺 🏠 ⚓ 🔥 GAS ➕ 🏓

Acceso:en la A-63 hasta Saint-Jean-de-Luz, salida SUD y continuar en la D-912 (Route de la Corniche) en dirección a Hendaye. Terreno herboso con muchos árboles. Parcelas de 90 a 120 m2.VER ANUNCIO.

Camping Caravaning "ESKUALDUNA" ***

En el camino de la costa de HENDAYE PLAGE - 64700 • Tel. 59.20.04.64

Vista preciosa del mar y las montañas —más que 8 ha. Herboso—, parcelas delimitadas y parcelas para caravanas con conexión eléctrica, agua y desagüe —modernas instalaciones sanitarias con agua caliente y duchas calientes a discreción • Alimentación • Hielo—.

Playa de Hendaya • Playa de Oya • Playa Privada

St.JEAN DE LUZ F-64500   **AIROTEL ERROMARDIE**

4 Ha. 200   Tel. 59260774 15/5-30/9   MR0

⊙ ☺ ⌂ WC 🍴 🚿 🛁 🏠 ⚓ 🔥 🏊 ➕

Terreno herboso, dividido en dos zonas por un arroyo; parcialmente inclinado. Situado al norte de la población.

St.JEAN DE LUZ F-64500   **IRATZIA**

4 Ha. 300   0,15 Tel. 59261489 15/3-30/9 RPT

⊙ ☺ ⌂ ⌂ WC 🍴 🚿 🛁 ♿ 🧺 🏠 ⚓ 🔥 GAS

Acceso por la salida de St. Jean de Luz-Norte y seguir en dirección a la playa de Erromardie.

St.JEAN DE LUZ F-64500   **PLAYA**

2 Ha. 130   Tel. 59265585 SS-11/11 M

⊙ ☺ ☺ ⌂ WC 🍴 🚿 🛁 🧺 🏠 ✖ ⚓ 🔥

Terreno aterrazado, situado al norte de S.Jean de Luz. Minigolf a 300 m.

St.JEAN DE LUZ F-64500   **LA FERME D'ERROMARDIE**

2 Ha. 200   Tel. 59263426 15/3-15/10 M

⊙ ☺ ☺ ⌂ ⌂ WC 🚿 🛁 🧺 🏠 ✖ ⚓ 🔥 GAS ➕ 🏓

Camping situado frente a la playa. Bolos, pesca.

St.JEAN DE LUZ F-64500   **ITSAS MENDI**

6 Ha. 340   0,3 Km Tel. 59265650 1/5-30/9 M

⊙ ☺ ☺ ⌂ ⌂ WC 🚿 🛁 🧺 🏠 ✖ 🔥 🏊 🏓 🚲

Terreno aterrazado y accidentado cerca de una playa arenosa y rocosa, a 4 Km al noreste de St.Jean de Luz. Discoteca.

St.JEAN DE LUZ F-64500   **TAMARIS**

1,8 Ha. 50   0,2 Km Tel. 59265590 1/4-31/10

⊙ ☺ ⌂ WC 🍴 🚿 🛁 ♿ 🧺 🏠 ✖ 🏠 ⚓ 🔥 ➕

Situado a 3 Km al norte de St. Jean de Luz. Minigolf a 100 m, equitación a 200 m.

AQUITAINE-64

ST.JEAN DE LUZ F-64500   **INTER-PLAGES**

2,3 Ha. 100 Tel. 59265694 SS-15/10 M

Situado en lo alto de un acantilado, al norte de St.Jean de Luz. Minigolf a 200 m.

ST.JEAN DE LUZ F-64500   **LUZ EUROP**

2,2 Ha. 150 0,2 Km Tel. 59265190 SS--31/10 M

Terreno ligeramente inclinado situado al norte de St.Jean de Luz. Musica en vivo.

BIDART F-64210   **LE RUISSEAU**

16 Ha. 120 0,10 Km Tel. 59419450 22/5-30/9 RPT

Terreno inclinado y aterrazado. Clases de tenis. Acceso por la A-63, salida Bidart. Seguir por la N-10, direccióm St.Jean de Luz. Cuando se llega a los primeros semáforos, a la izquierda. Lago artificial.

BIDART F-64210   **BERRUA**

5 Ha. 200 1 Km Tel. 59549666 15/4-10/10 R

Terreno tranquilo en un bonito paisaje de colinas. Acceso: Por la salida Bidart, seguir por la N-10 dirección St.Jean de Luz. Primeros semáforos a la izquierda. Cursos de natación. Discoteca.

BIDART F-64210   **LE PAVILLON ROYAL**

5 Ha. 350 Tel. 59230054 15/5-25/9 MRPT

Terreno alargado distribuido en terrazas, algunas parcelas ligeramente inclinadas. En parte está situado en un bosque y con una hermosa vista de un castillo y del mar. En temporada alta estancia mínima de 10 dias. Golf. Clases de natación. Guarderia.

BIDART F-64210   **RESIDENCE DES PINS**

7 Ha. 0,6 Km Tel. 59230029 1/6-30/9 RPT

Terreno situado en un parque a 600 m de la playa. Dos piscinas. Acceso: por la autopista A-63, salida nº 4.
VER ANUNCIO.

ANGLET F-64600   **PARME**

4 Ha. 210 3 Km Tel. 59230300 1/1-31/12 R

Acceso: Ctra. N-10, km.8. A 3 km de la playa. Terreno natural distribuido en terrazas, situado cerca del aeropuerto. Restaurante a 1 km.

AQUITAINE-64

BAYONNE F-64100

LA CHENERAIE

10 Ha. 200 🌲 ▭▭ Tel. 59550131 15/3-30/9 〽 RT

⊙ 🛏 🛏 ⌐ WC 🏠 🛒 🚿 🚻 ♿ 📷 🍴 ✕ 🏠 🎣 ⚓ GAS 🏐 🐬 ✚ 🎾 ⛺

🏕

Terreno ajardinado situado en una colina. Acceso: Salida 6 (Bayonne-Esprit) de la A-63, seguir por la N-117 en dirección Orthez unos 4 Km. Hay que pasar por una zona industrial. Señalizado. Música en vivo.

PAU F-64000

C.M.DE LA PLAINE

1 Ha. 70 🌲 ▭▭▭ ▭▭ Tel. 59023049 1/1-31/12 〽 T

⊙ 🛏 🛏 ⌐ ⌐ WC 🚿 🚻 ♿ 🏠 🎣 ⚓ GAS 🏐 ✚ 🎾

Terreno tranquilo y bien cuidado. Acceso por la salida 7 de la autopista A-64. Bien señalizado. Piscina a 300 m.

AQUITAINE-40

ST.PAUL-LES-DAX F-40990

LES PINS DU SOLEIL

6 Ha. 150 🌲 ▭▭ Tel. 58913791 4/4-31/10 〽 PRT

⊙ 🛏 🛏 ⌐ WC 🏠 🛒 🚿 🚻 ♿ 📷 🏠 🎣 ⚓ GAS 🏐 🐬 ✚ 🚗 🏕 🤾

Acceso por la autopista A-10 hasta St.Geours de Marenne, tomar la N-124 hasta St. Paul les Dax y seguir por la D-459. Estación termal. Lago a 3 Km.

AZUR F-40140

C.M. AZUR

6 Ha. 200 🌲 ▭▭ ⛵ Tel. 58483072 15/6-15/9 〽 MPT

⊙ 🛏 ⌐ WC 🚿 🚻 ♿ 📷 ✕ 🏠 🎣 ⚓ GAS 🏐 ✚ 🎾 ⌐ 🚲

Situado en la orilla del lago Soustons. Camping tranquilo y confortable. Clases de vela. Hípica a 6 Km. Deportes acuáticos.

AZUR F-40140

LA PAILLOTTE

7 Ha. 260 🌲 ▭▭ ⛵ Tel. 58481212 1/6-15/9 〽 MPT

⊙ 🛏 🛏 ⌐ ⌐ WC 🏠 🛒 🚿 🚻 📷 🍴 ✕ 🏠 🎣 ⚓ GAS 🏐 🐬 ✚ 📸

🎾 ⛺ 🏕 🚴

Situado en la orilla del lago de Soustons. Clases de vela y surf. Música en vivo.

VIEUX BOUCAU F-40480

LES SABLERES

11 Ha. 615 🌲 ▭▭ ⛵ 0,15 Km Tel. 58481229 1/4-15/10 〽 PT

⊙ 🛏 ⌐ ⌐ WC 🏠 🛒 🚿 🚻 ✕ 🏠 🎣 ⚓ GAS 🏐 ✚

Señalizado dentro de la población. Terreno llano con chopos y arbustos.Parte de las parcelas en una pineda.
VER ANUNCIO.

AQUITAINE-40   MESSANGES F-40660   **LE VIEUX PORT**

35 Ha. 855 ⁂ ___ ___ ⛱ 0,4 Km Tel. 58482200 SS-30/9 ⌂ RP

⊙ ⌂ WC ▢ 🚿 🚻 ♿ ▣ ☕ ✕ 🏠 🚲 ⚓ GAS 🏊 ✚ 🛒 🎣 ⌂ 🚲

Terreno muy extenso en un bosque de pinos. Acceso por la D-652, 3 Km al noroeste de Messanjes (dirección mar). Discoteca. Golf. Música en vivo. Alquiler de cajas fuertes.VER ANUNCIO.

MOLIETS-Plage F-40660   **SAINT MARTIN**

18 Ha. 830 ⁂ ___ ⛱ 0,20 Km Tel. 58485230 SS-15/10 ⌂ MPT

⊙ 🚻 🚻 ⌂ ⌂ WC ▢ 🚿 🚻 ♿ ▣ ☕ ✕ ⚓ GAS 🏊 ✚ ⌂

Situado junto al mar. Acceso señalizado desde el pueblo. Terreno ubicado en un pinar desigual, con dunas y soleado. Música en vivo.VER ANUNCIO.

LEON F-40550   **LOU PUNTAOU**

15 Ha. 720 ⁂ ___ ⛱ 0,20 Km Tel. 58487430 15/4-30/9 RPT

⊙ 🚻 ⌂ WC 🚿 🚻 ⌂ ♿ ▣ ☕ ✕ 🏠 ⚓ ☂ 🏊 ✚ 🎣 ⌂ ⌂ 🎾

Terreno situado junto al lago. Escuela de vela. Acceso: a 90 Km de la frontera española (Irún).VER ANUNCIO.

AQUITAINE-40   VIELLE ST.GIRONS F-40560   **LE COL VERT**

24 Ha. 355 🌲 ▬▬ Tel. 58429406 1/4-30/9 ⛰ RPT

⊙ 🛁 🛁 ⌐ ⌐ wc 🍽 🍽 🍴 ♿ ⬚ 🍸 ✗ 🏠 ⤵ ⚓ ⛽ 🔌 ≋ ➕ 🎾
🎿 🏹 🚲

Acceso: Por la N-652. Situado a 4 Km del mar, junto al lago León. Posibilidad de vela, surf y barco. Cursos de tenis, surf y vela.

LIT-ET-MIXE F-40170   **LES VIGNES**

20 Ha. 420 🌲 ▬▬ Tel. 58428560 1/4-31/10 ⛰ RT

⊙ 🛁 ⌐ wc 🍽 🍽 🍴 ♿ ⬚ 🍸 ✗ ⤵ ⚓ ⛽ 🔌 ≋ ➕ 🎾 ⛺ 🏹
🚽

Acceso por la N-10, salidas 12, 13 ó 14. En Lit-et-Mixe seguir por la D-652, dirección sur y por la D-88. Plazas de 150 m2, a 5 Km de la playa y de un gran bosque. Circuitos pedestres.VER ANUNCIO.

ST.JULIEN EN BORN F-40170   **LOUS SEURROTS**

15 Ha. 700 🌲 ▬▬ ⚑ 0.30 Km Tel. 58428582 1/5-30/9 ⛰ RPT

⊙ 🛁 🛁 ⌐ ⌐ wc 🍽 🍽 🍴 ♿ ⬚ 🍸 ✗ 🏠 ⚓ 🔌 🎾 🗔

Acceso: Por la D-41 y la D-652, a 8 Km. al oeste de St.Julien. Ambiente familiar. Clases de tenis.VER ANUNCIO.

El símbolo FECC indica que se hacen descuentos a los socios de los Clubs federados sin ningún condicionamiento aparte de la correspondiente identificación.

AQUITAINE-40   MIMIZAN F-40202   **CLUB MARINA**

9 Ha. 572 ⛺ ▭ ▭ ☒ 0,60 Km Tel. 58091266 1/5-30/9 ⛰ RT

⊙ ♨ ♨ ⌐ ⌐ WC ▦ ♨ ♨ ⌂ ♿ ☒ ☖ Ⅱ ✕ 🏠 ⌐ ⚓ ⌇ ⊸ ⊒ ✚ ⚲ ⛲ 🚲

Terreno arenoso en dunas y bosques. Gimnasio con sauna. Programa de deportes. Clases de tenis. Conciertos.
Acceso: seguir indicaciones Plage Sud. VER ANUNCIO.

MIMIZAN-AUREILHAN F-40200   **EUROLAC**

13 Ha. 475 ⛺ ▭ ☒ Tel. 58090287 12/5-30/9 ⛰ MRP

⊙ ♨ ♨ ⌐ ⌐ WC ▦ ♨ ♨ ⌂ ♿ ☒ ☖ Ⅱ ✕ 🏠 ⌐ ⚓ ⌇ ⊸ ⊒ ✚ ⛲ ⚲ ⛲

Al borde de un lago de 500 Ha y a 9 Km del mar. Cursos de vela, surf y tenis. Acceso: Por la N-10 hasta
Labouheyre, hacia el oeste por la D-626 hasta la población, seguir indicaciones. Guardería. Música en vivo.
VER ANUNCIO.

GASTES F-40160   **LA RESERVE**

20 Ha. 470 ⛺ ▭ ☒ Tel. 58097596 16/5-19/9 ⛰ RPT

⊙ ♨ ⌐ WC ▦ ♨ ♨ ⌂ ♿ ☒ ☖ Ⅱ ✕ 🏠 ⌐ ⚓ ⌇ ⊸ ⊒ ✚ ⚲ △ ⛲

Terreno llano situado en un bosque de pinos en la orilla de un lago. Clases de vela y surf. Música al aire
libre. Acceso: salir de la D-652 a 2 Km al sur de Gastes.

AQUITAINE-40   BISCARROSSE   F-40600   **MAYOTTE**

10 Ha. 380 🌲 ___ ___ ⊿ 0,9 Km Tel. 58780000 1/4-30/9 ⁄⁄⁄ RT

⊙ ⨄ ⨄ ⌐ ⌐ WC 🏠 🍴 ♨ 🏠 ♿ ⌦ 🍽 ✕ ⟍ 🏪 GAZ ⟋ ⤳ ➕ ✚ 🏸
⚠ 🔥 🚲

Terreno lujoso en un bosque, en la orilla del lago de Sanguinet. Sauna, gimnasio, cine, discoteca. Equitación a 200 m.

BISCARROSSE   F-40600   **LES ECUREUILS**

5 Ha. 150 🌲 ___ ⊿ 0,20 Km Tel. 58098000 1/1-31/12 ⁄⁄⁄

⊙ ⨄ ⨄ ⌐ ⌐ WC ♨ 🍴 ♿ ⌦ 🍽 ⟍ ⤳ ➕ 🚗 🔥 ⌐ ⁄ 🚲
Terreno bien cuidado junto a un lago. Acceso: Salir de la ctra. D-83, a 5 Km. al norte de Biscarosse. Sala de juegos, tenis a 100 m.

BISCARROSSE   F-40600   **C.M. NAVARROSSE**

7 Ha. 500 🌲 ___ ⊿ Tel. 58781432 1/4-30/10 ⁄⁄⁄

⨄ ⨄ ⌐ ⌐ WC 🍴 ♨ ♿ ⌦ ⟍ 🏪 GAZ ⤳ ➕ 🏸
Situado a 4 Km al norte de Biscarosse. Bolos. Minigolf a 500 m.

BISCARROSSE   F-40600   **LA RIVE**

20 Ha. 550 🌲 ___ ___ ⊿ M Tel. 58781233 1/4-30/10 ⁄⁄⁄ RT

⊙ ⨄ ⨄ ⌐ WC 🏠 🍴 ♨ 🏠 ♿ ⌦ 🍽 ✕ 🏠 ⟍ 🏪 GAZ ⟋ ➕ 🏸 ⚠
🔥 ⌐ ⁄ 🚲

Acceso por la ctra. D-46. Terreno llano a orillas del lago Cazaux. Ping-pong. VER ANUNCIO.

Los precios indicados son meramente orientativos y **EL IVA NO ESTÁ INCLUIDO**.

Están basados en las informaciones recibidas hasta el cierre de la edición de esta GUIA.

Los reales son los que figuran en la declaración expuesta en la recepción del camping con el sello del organismo de la correspondiente Comunidad Autónoma.

FRANCIA

SANGUINET F-40460 **LOU BROUSTARICQ**

16 Ha. 500 🌲 ▭▭ ▭▭ 🏄 0.30 Km Tel. 58786262 1/1-31/12 ⛰ RPT

☺ 😀 😀 ⌐⌐ WC 🏪 🧺 ♿ 🔌 💻 🍽 ✕ 🏠 🎣 💈 ⛽ 🏊 🏥 🔫 ⛳

🚴

Terreno llano con arbustos flores y árboles. Conciertos. Se accede saliendo de la D-652 al norte de la población y siguiendo unos 2 Km. VER ANUNCIO.

MONFLANQUIN F-47150 **C.M. MONFLANQUIN**

3,5 Ha. 166 🌲 ▭▭ Tel. 53364736 1/4-30/9 ⛰

☺ 😀 😀 ⌐⌐ WC ♿ 🔌 💻 ✕ 🏠 🎣 💈 ⛽ 🏊 🔫 🛝 ⛳

Guardería. Tenis y piscina a 200 m.

ST.ETIENNE DE VILLER F-47210 **LES ORMES**

20 Ha. 140 🌲 ▭▭ 🏄 Tel. 53366026 1/4-30/9 ⛰ RPT

☺ 😀 😀 ⌐⌐ WC 🏪 🧺 ♿ 🔌 ♿ 💻 🍽 ✕ 🏠 🎣 💈 ⛽ 🔫 🏊 🏥

🔫 🛝

Terreno bonito y muy tranquilo junto a un pequeño lago en un paisaje montañoso . Acceso: Por la D-2 (Castillones-Villeréal), dirección S. a unos 5 Km.

VILLEREAL F-47210 **CHATEAU DE FONRIVES**

20 Ha. 200 🌲 Tel. 53366338 15/5-30/9 RP

☺ 😀 ⌐ WC 🏪 🧺 ♿ 💻 ✕ 🏠 🎣 💈 ⛽ 🔫 ⛺ 🛝

Situado en la ctra. D-207, entre Bergerac y Villereal.

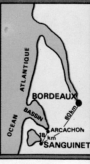

LA TESTE   F-33260   **PANORAMA**

15 Ha. 435 🌲 ⛱ 0,15 Km Tel. 56221044 SS-15/10 ⛰ T

☉ 🍽 🍽 ⌐ ⌐ WC 🚿 🧺 🚰 ♿ 🖥 🍷 🏠 🏘 🔫 ⚓ GAS 🛶 ≈ ➕ ⛵
🔍 🏤

Acceso por la ctra. D-218 (Pyla-sur-Mer-Biscarrosse). Situado en dunas y pinar. Magnífica vista sobre el mar desde algunas parcelas. Discoteca. Clases de tenis.

PYLA-SUR-MER   F-33260   **LA FORET OCEANE**

10 Ha. 500 🌲 ▭▭ ▭▭ Tel. 56227328 1/5-30/9 ⛰ R

☉ 🍽 🍽 ⌐ ⌐ WC 🚿 🧺 🚰 ♿ 🖥 🍷 ✕ 🔫 ⚓ GAS 🛶 ≈ 🏤

Acceso por la ctra. D-218. Terreno ondulado en las dunas y un bosque. Espectáculos musicales al aire libre.

PYLA-SUR-MER   F-33260   **PETIT NICE**

4 Ha. 200 🌲 ▭▭ Tel. 56227403 S.S.-30/10 ⛰

☉ 🍽 🍽 ⌐ ⌐ WC 🧺 🚰 ♿ 🖥 🍷 🏠 🔫 🚽 GAS 🛶 🏤

Terreno tranquilo en un bosque de pinos, situado a la izquierda de la Ctra. La Teste-Pyla-Biscarosse. Equitación a 500 m.

ARCACHON   F-33120   **ARCACHON**

1,2 Ha. 215 🌲 ▭▭ ⛱ 1,2 Km Tel. 56832415 1/1-31/12 RPT

☉ 🍽 ⌐ WC 🚿 🧺 🚰 ♿ 🖥 🍷 ✕ 🏠 🏘 🔫 🚽 GAS 🛶 ≈ ➕
Dirección: Route de la Galaxie. A 60 Km de Bordeaux. Tenis a 600 m, minigolf a 200 m.VER ANUNCIO.

ANDERNOS-LES-BAINS   F-33510   **FONTAINE VIEILLE**

12,6 Ha. 900 🌲 ▭▭ ⛱ Tel. 56820167 15/5-15/9 ⛰ MRPT

☉ 🍽 🍽 ⌐ ⌐ WC 🚿 🧺 🚰 ♿ 🖥 🍷 ✕ 🏠 🏘 🔫 🚽 GAS 🛶 ≈ 🏤 🎣
Acceso por desvío de la ctra. D-3 en la periferia sur de la población, dirección Facture. Señalizado. Terreno llano, con árboles.VER ANUNCIO.

FRANCIA

AQUITAINE-33

LEGE CAP FERRET F-33950 **LES VIVIERS**

132 Ha. 730 ⧫ ___ ⧖ Tel. 56607004 1/6-30/9 MRP

⊙ 🤲 🤲 ⌐ ⌐ ⌐ WC 🏠 🍴 ⅃ 🔲 ⬡ Ⴘ 🏠 ⌐ 🏛 GAS ⌐ 🏠

Camping situado en un pinar junto a la bahía de Arcachon. Deportes nauticos. En Claouey.VER ANUNCIO.

VILLENAVE D'ORNON F-33140 **LES GRAVIERES**

3,5 Ha. 160 ⧫ ═══ ═══ Tel. 56870036 1/1-31/12 ⚠ T

⊙ 🤲 🤲 ⌐ ⌐ ⌐ WC 🏠 🍴 ⅃ 🔲 Ⴘ 🔲 Ⴘ ⌐ 🏛 GAS ⌐ ✚ 🏠

Situado en el Chemin de Macau. Acceso por la autopista Bordeaux-Toulouse, salida 20. Terreno parcialmente aterrazado situado a 7 Km al sureste de Burdeos.

AMBARES-ET-LAGRAVE F-33440 **CLOS CHAUVET**

0,8 Ha. 40 ⧫ ═══ Tel. 56388108 1/5-31/10 ⚠

⊙ 🤲 🤲 ⌐ ⌐ WC 🏠 🍴 ⅃ ⌐ 🏛 GAS

Camping de paso rodeado de viñedos. A 1 Km al sur de la población. Acceso por la A-10, salida 321 y la D-911. A 23 Km NE de Bordeaux.

ST.EMILION F-33330 **LA BARBANNE**

10 Ha. 160 ⧫ ═══ Tel. 57247580 1/4-30/10 ⚠ T

⊙ 🤲 ⌐ WC 🏠 🍴 ⅃ 🔲 Ⴘ ✕ 🏠 🏛 ⌐ ⌐ 🏊 🎾.

Terreno regular próximo a un lago. Acceso por la salida a Libourne de la N-89 (Perigueux-Bordeaux).

LUSSAC F-33570 **LE PRESSOIR**

2 Ha. 100 ═══ Tel. 57697325 1/4-30/9 ⚠ PT

⊙ 🤲 🤲 ⌐ WC 🏠 🍴 ⅃ 🔲 Ⴘ ✕ ⌐ ⌐ 🏊 ✚ 🏠

Terreno en suave pendiente rodeado de viñedos. Acceso por la salida en St.Medard de Guizieres, dirección sur, de la N-89. Tenis a 1,5 Km. Reservas aconsejadas en verano.

LARUSCADE F-33620 **RELAIS DU CHAVAN**

3 Ha. 80 ⧫ ═══ Tel. 57686305 1/5-30/9 ⚠ P

⊙ 🤲 🤲 ⌐ ⌐ WC 🍴 ⅃ ⌐ Ⴘ Ⴘ 🏛 GAS ⌐ 🏊 ✚ 🏠

Bonito camping muy llano situado en la N-10, 9 Km al norte de Cavignac.

AQUITAINE-33   LE PORGE F-33680   **C.M.LA GRIGNE**

30 Ha. 700 0,50 Km Tel. 56265488 1/5-30/9   MRPT

Situado en la Av. de l'Océan en un paisaje de dunas y pinos. Amplio y bien cuidado. Música en vivo.
VER ANUNCIO.

LACANAU F-33680   **LA PRAISE**

1 Ha.   Tel. 56035875 15/4-31/9

Situado en la av. de la Côte d'Argent.

LACANAU F-33680   **LE TEDEY**

14 Ha. 650   Tel. 56030015 28/4-18/9   RPT

Situado en la route de Longarisse, entre dos dunas y junto a un lago. Clases de vela y surf. Acceso por la ctra. D-6 en dirección sur. Cine.

LACANAU-MEDOC F-33680   **TALARIS**

6,3 Ha. 200   1 Km Tel. 56030415 15/5-30/9   R

Terreno llano y ajardinado en un paisaje boscoso. Música en vivo. Situado en la Route de L`Océan, la D-6, a unos 4 Km al noroeste de la población.

HOURTIN F-33990   **LES OURMES**

6 Ha. 300   0,6 Km Tel. 56091276 1/4-30/9   RT

Acceso: Desde la población, en la D-4 hacia Port Hourtin. Prado situado en un bosque, bien cuidado. Gran zona de juegos para jóvenes. Conciertos al aire libre. Tenis y equitación a 200 m.VER ANUNCIO.

FRANCIA

HOURTIN F-33990   COTE D'ARGENT

20 Ha. 650   0,5 Km Tel. 56091025   15/5-15/9   RPT

Acceso desde Hourtin en la D-101 hacia el norte y después de 3 Km girar en dirección a la playa. Terreno ligeramente inclinado. Conciertos al aire libre.

VENDAYS-MONTALIVET F-33930   C. MUNICIPAL

27 Ha. 830   0,7 Km Tel. 56093345   1/6-30/9   T

Acceso: a 1 Km al sur del pueblo, en la ctra. de la costa; señalizado. Terreno llano, en un pinar. Suelo arenoso. VER ANUNCIO.

SOULAC-SUR-MER F-33780   **PALACE**

16 Ha. 535   0,40 Km Tel. 56098022   1/4-30/9   MR

En el Bld. Marsan de Montbrun, 4 Km al sur de Soulac. Terreno amplio y ligeramente inclinado, situado en un bosque. Cine. Guardería. VER ANUNCIO.

LE VERDON-SUR-MER F-33123   **LES ALIZES**

1,5 Ha. 75   0,5 Km Tel. 56096754   1/1-31/12

Situado en un bosque de pinos. Acceso por la ctra. N-215, seguir el camino Viejo a Le Verdon, a la izquierda. Piscina a 500 m.

LE VERDON-SUR-MER F-33123   **OCEAN PARC**

4 Ha. 140   0,6 Km Tel. 56096834   1/1-31/12   R

Situado en la ctra. N-215 2 Km, al oeste de la población.

AQUITAINE-24

DOUVILLE F-24140 **LESTAUBIERE**

4 Ha. 70 Tel. 53829815 15/5-7/9 PT

Terreno situado en un bosque de robles, cerca de una granja. Acceso por la salida indicada de la N-21. Estanque para baño y pesca. Bolos y tenis a 300 m.

ALLES-SUR-DORDOGNE F-24480 **PORT DE LIMEUIL**

5 Ha. 90 Tel. 53632976 15/5-15/9 PT

Terreno herboso situado en un bello paisaje cerca del pintoresco pueblo de Limeuil y junto al río. Canoa y pesca. Acceso: Por la D-710 hasta Le Bugle y la D-31 hasta Limeuil. Señalizado.

STE.FOY DE BELVES F-24170 **LES HAUTS DE RATEBOUTS**

10 Ha. 200 Tel. 53290210 1/5-18/9 RPT

Terreno de gran extensión distribuido parcialmente en terrazas y dividido en dos zonas por un camino. Acceso: salir de la D-710, 1 Km al sur de Belvès y tomar la D-54 siguiendo 3 Km por camino estrecho. Muy bien cuidado . Música en vivo.

ST.LEON-SUR-VEZERE F-24290 **LE PARADIS**

5 Ha. 160 Tel. 53507264 1/4-30/9 RPT

Terreno llano, ajardinado, situado en el valle del rio Vézerè, junto a la D-706, entre Montignac y Les-Eyzies-de-Tayac. Música en vivo. Piragüismo. Guardería.

PROISSANS F-24200 **LE VAL D'USSEL**

7 Ha. 180 Tel. 53592873 1/5-30/9 R

Terreno ligeramente inclinado, muy tranquilo, rodeado de arbolado, a 7 Km al NE de Sarlat. Junto a un estanque. Acceso por la D-704 o la D-60. Se recomienda reservar en verano.

LE BUGUE F-24260 **SAINT AVIT LOISIRS**

40 Ha. 100 Tel. 53026400 1/4-10/10 RPT

Bien equipado con instalaciones modernas. Acceso: por la C-201 o la N-710 en dirección La Bugue, a 6 Km de esta población y a 4 Km de St.Alvère.

VEZAC F-24220 **LA CABANE**

2 Ha. 90 Tel. 53295228 1/4-30/9 R

Terreno de camping situado junto al estanque de "La Cabane". Bolos. En verano se recomienda reserva.

VEZAC/ST.CYPRIEN F-24220 **LA PLAGE**

2 Ha. 90 Tel. 53295083 1/4-15/10

Bonita situación en las orillas del rio Dordoña. Acceso por Brive-N-20-Souillac-D-703 dirección Vérac/Beynac. Está a mano izquierda. Tenis a 1 Km.

CENAC F-24250 **LE PECH DE CAUMONT**

2 Ha. 100 Tel. 53282163 1/4-30/9 PT

Acceso por Vitrac-Domme, por la ctra. D-703 y a continuación por la D-46, dirección Cahors. Bolos. Reservas recomendadas en verano.

GROLEJAC/DOMME F-24250 **LES GRANGES**

6 Ha. 100 ⛺ 🚐 Tel. 53281115 1/5-30/9 🏕 RPT

☺ ⛲ 🛏 ⌐ ⌐ WC 🏠 🧺 🚿 🚽 ♿ 📷 ☕ 🍴 ✕ 🏠 🔌 ⚓ ⛽ 🛒 🏊 ➕ 🏓 / ⚽

🚴

Terreno aterrazado y ajardinado alrededor de una granja. Acceso por la ctra. D-704, entre Sarlat y Gourdon.
VER ANUNCIO.

SAINT CYBRANET F-24250 **LA CEOU**

2 Ha. 66 ⛺ 🚐 Tel. 53283212 4/5-21/9 🏕

☺ ⛲ 🛏 ⌐ ⌐ WC 🧺 🚿 📷 ✕ 🏠 🔌 ⚓ ⛽ ⚓ 🏊 🎯

Terreno accidentado y simpático situado a ambos lados de la ctra. D-57, 1 Km. pasado St.Cybranet en dirección Daglan. Biblioteca.

BIRON F-24540 **LE MOULINAL**

11 Ha. *90 ⛺ 🚐 Tel. 53408460 20/5-25/9 🏕

☺ ⌐ ⌐ WC 🏠 🧺 🚿 🚽 ♿ 📷 ☕ ✕ 🏠 🔌 ⚓ ⛽ 🛒 🏊 ➕ 🏸 ⚠ 🏓

🛶 🚴

Bonito camping con buenas instalaciones. Acceso indicado en la ctra.Villeréal-Monpazier-Biron. Bolos. Junto al estanque "Etang le Moulinal".

CASTELNAUD F-24250 **MAISONNEUVE**

6 Ha. 140 ⛺ 🚐 ⛵ Tel. 53295129 Abre:1/4/94 RPT

☺ ⛲ 🛏 ⌐ WC 🏠 🧺 🚿 🚽 ♿ 📷 ☕ 🏠 🔌 ⚓ 🏊 ➕

Terreno herboso con bastantes árboles situado a orillas de un río. Acceso: D-57, a 10 Km al sur de Sarlat en dirección a Chateau Castelnaud. A 800 m del pueblo.VER ANUNCIO.

ANGOULEME F-16000 **C.M.DE BOURGINES**

2 Ha. 197 ⛺ 🚐 Tel. 45928322 1/4-30/10 🏕

☺ ⛲ 🛏 ⌐ ⌐ WC 🏠 🧺 🚿 🚽 🏠 🔌 ⚓

Terreno con arbustos situado en la orilla del Charente. Acceso: salir de la N-10 en Angoulême en dirección Saintes, seguir indicaciones piscina.

ROYAN F-17200 **CLAIREFONTAINE**

3 Ha. 300 ⛺ 🚐 ⛵ 0.3 Km Tel. 46390811 1/6-30/9 🏕 T

☺ ⛲ 🛏 ⌐ ⌐ WC 🏠 🧺 🚿 🚽 📷 ☕ ✕ 🏠 🔌 ⚓ ⚓ ➕ ⚠

Prado llano y ajardinado. Zona reservada para jóvenes. Proyeccion de películas. Acceso: en la zona norte de la población (Pontaillac), señalizado desde la D-25, al interior. Tenis y minigolf a 300 m.

ST.PIERRE D'OLERON F-17310 **LA PIERRIERE**

3 Ha. 150 ⚑ ▨₃ Tel. 46470829 1/4-30/9 ⚠ PT

⊌ ⌂ ⌂ WC ▤ ⚰ ♨ ♿ 📷 ⍨ ✕ 🏠 ⌐ ⌐ ⌐ ⌐

Situado a 300 m del centro de la población.

ANGOULINS-SUR-MER F-17690 **LES CHIRATS**

2,5 Ha. 160 ⚑ ▨₀,₁₀ Km Tel. 46569416 S.S.-30/9 MRPT

⊙ ⊌ ⌂ ⌂ WC ▤ ⚰ ♨ ♿ 📷 ⍨ ✕ 🏠 ⌐ ⌐ GAS ⌐ ⌐ ⊞ △ 🏠 ⚽

Terreno situado a 100 m de la playa de arena. Instalaciones modernas. Piscina climatizada. Acceso por la RN-137, a 25 Km al norte de Rochefort y a 7 Km al sur de La Rochelle.VER ANUNCIO.

LA FLOTTE/ILE DE RE F-17630 **L'ILE BLANCHE**

3 Ha. 97 ⚑ ▨₁ Km Tel. 46095243 1/4-11/11 ⚠ RT

⊙ ⊌ ⌂ ⌂ WC ▤ ⚰ ♨ ♿ 📷 ⍨ ✕ 🏠 ⌐ ⚓ ⌐ ⌐ ⊞ 🏠 ⌐ 🚲

Terreno llano junto a un bosque, en la isla de Re. Clases de natación. Concursos. Acceso: señalizado desde la D-735, al oeste de la población. Tenis, equitación a 1 Km.

LE BOIS PLAGE F-17580 **INTERLUDE**

6 Ha. 180 ⚑ ▨₀,₁ Km. Tel. 46091822 1/1-31/12 ⚠ RPT

⊙ ⌂ ⌂ WC ▤ ⚰ ♨ ♿ 📷 ✕ ⚓ ⌐ ⌐ ⊞ 🏠 🚲

Terreno ondulado con dunas, pinos y olmos. Acceso: a 1.5 Km. al sureste de la población, desviarse de la D-201 hacia el mar. Situado junto a la playa de "Gros Jonc".VER ANUNCIO.

L'HOUMEAU F-17137 **LE TREPIED DE PLOMB**

2 Ha. 140 ☀ ▨₀,₈ Km Tel. 46509082 7/6-25/9 ⚠ T

⊙ ⊌ ⊌ ⌂ ⌂ WC ▤ ⚰ ♨ 📷 ⌐ ⌐

Terreno ligeramente inclinado situado en las afueras de la población. Acceso: N-237, salida Lagord, seguir por la D-104 en dirección L'Houmeau. Señalizado. Bolos. Tenis a 400 m. Reservas obligatorias en verano.

FRANCIA

POITOU-CHARENTE-79   NIORT F-79000   **NORON**

2 Ha. 150 ⛺ ▭▭ Tel. 49790506 1/3-4/11 ⛰ T

☉ 🚻 🚻 ⌐ ⌐ WC 🧺 ♨ 🍽 ✕ ⚓ ➕ 🚲

Terreno llano situado al oeste de la ciudad en la orilla del río Sèvre, junto al recinto ferial. Boulevard Salvador Allende. Bolos.

POITOU-CHARENTE-86   ST.CYR F-86130   **PARC DE LOISIRS**

5 Ha. 80 ☀ ▭▭ ⚡ Tel. 49625722 15/3-15/10 ⛰ MRPT

☉ 🚻 🚻 ⌐ ⌐ WC 📖 🧺 ♨ ♿ 🌀 🍽 ✕ 🏠 ⚱ ⚓ ➕ ♪ 🏬

Prado ligeramente inclinado situado dentro de un gran parque recreativo con campo de golf y áreas de deporte y juegos. Gran lago. Acceso: Salida Chatellerault-Sud de la A-1 seguir unos 8 Km en dirección sur por la N-10.

LOIRE-85   BREM-SUR-MER F-85470   **LE CHAPONNET**

5 Ha. 130 ⛺ ▭▭ ▭▭ ⚡ 1,5 Km Tel. 51905556 SS-30/10 ⛰ RT

☉ 🚻 🚻 ⌐ ⌐ WC 📖 🧺 ♨ ♿ 🌀 🍽 ✕ 🏠 ➰ ⚓ ➿ 🏬

Acceso por la D-38. Situado parcialmente en un bosque. Música en vivo. Bolos. Tenis y minigolf a 1 km.

ROCHESERVIERE F-85620   **ST.ETIENNE DU BOIS**

⛺ ▭▭ PT

☉ 🚻 🚻 ⌐ ⌐ WC 🧺 ♨ ♿ 🌀 🏠 ➰ ⚓ ♪ ⚽ 🚲

Camping nuevo situado junto a bosques en el pintoresco pueblo de St.Etienne du Bois, a 25 Km de la costa atlántica. Aún no ha sido inspeccionado por nosotros. Ping-pong, bolos.

ST.HILAIRE DE RIEZ F-85270   **LA PUERTA DEL SOL**

2 Ha. 220 ⛺ ▭▭ Tel. 51491010 1/4-30/9 ⛰ R

☉ 🚻 🚻 ⌐ ⌐ WC 🧺 ♨ 🌀 🍽 ✕ 🏠 ➰ ⚱ ⚓ ➿ ➕ ♪ 🏬 🚲

Situado en la D-59. Terreno bien cuidado con buenas instalaciones. Discoteca. Ping-pong, bolos. Se recomienda reservar en verano.

ST.JULIEN DES LANDES F-85150   **LA GARANGEOIRE**

13 Ha. 300 ⛺ Tel. 51466539 15/5-15/9 ⛰ RPT

☉ 🚻 ⌐ WC 🧺 ♨ ♿ 🌀 🍽 ✕ 🏠 ➰ ⚱ GAS ⚓ ➿ ➕ ♪

Situado en la ctra. D-21 a 2,5 km de la población.

LOIRE-44

NANTES F-44300   **C.M. VAL DU CENS**

8 Ha. 200 ⛺ ▭▭ ▭▭ Tel. 40744794 1/1-31/12 ⛰ P

☉ 🚻 🚻 ⌐ ⌐ WC 📖 🧺 ♨ 🌀 🏠 ➰ ⚱ ⚓ ➕

Prado ajardinado situado en la orilla del río Cens a 4 Km del centro de la población, en su periferia norte. Acceso: ir en dirección Rennes por la N-137 y seguir indicaciones. Blvd. du Petit Port,21. Bolos. Piscina a 20 m.

LA BAULE F-44500   **LA ROSERAIE**

4 Ha. 200 ⛺ ▭▭ Tel. 40604666 1/4-30/9 ⛰

☉ 🚻 🚻 ⌐ ⌐ WC 📖 🧺 ♨ ♿ 🌀 🍽 ✕ 🏠 ➰ ⚱ ⚓ ➿ ➕ ♪ 🏬

Terreno con setos situado junto a la ctra. de circunvalación. Clases de tenis. Acceso por la N-171 en dirección La Baule. 20,Av. Jean-Sohier. Tobogán acuático.

LA BAULE F-44500   **LES AJONCS D'OR**

5 Ha. 200 ⛺ ▭▭ ⚡ 1,5 Tel. 40603329 SS-15/9 ⛰ T

☉ 🚻 ⌐ WC 📖 🧺 ♨ ♿ 🌀 🍽 ✕ 🏠 ➰ ⚱ ⚓ ➿ 🏬

Seguir la dirección de La Baule.

LOIRE-44

MESQUER F-44420   **CHATEAU PETIT BOIS**

10 Ha. 225 🌲 ▭ ⚖ 1,5 Km Tel. 40426877 S.S.-30/9 RPT

☺ ⛹ ⌐ Γ WC ▣ 🚿 ♨ ♿ 🎦 Ⓣ ✕ 🏠 ➔ ⚓ 🏊 ➤ 🏑 ▦

Terreno herboso con muchos árboles situado a 5 minutos de la playa. Acceso por S.Nazaire, La Baule y Guerande hasta Mesquer.VER ANUNCIO.

LOIRE-49

MONTREUIL-BELLAY F-49260   **LES NOBIS**

4 Ha. 120 🌲 ▭ Tel. 41523366 SS-30/9 ⋀⋀ RPT

☺ ⛹ ⛹ ⌐ Γ WC 🚿 ♨ 🎦 Ⓣ ✕ ⚓ ➤

Terreno próximo a la ctra. y lindando, en gran parte, con el rio Thouet. Junto a un castillo. Discoteca. Acceso por la N-147 (Saumur-Thouars). Indicado en la población.

ROCHEFORT-S-LOIRE F-49190   **SAINT OFFANGE**

5 Ha. 110 🌲 ▭ ⚖ 0,10 Km Tel. 41788211 1/5-30/9 RPT

☺ ⛹ ⌐ WC ▣ 🚿 ♨ ♿ 🛁 🎦 🏠 ➔ 🔧 ➤ 🏊 ➕ ⛺ 🏑 Γ/ ▦

Situado junto a la playa.Piscina climatizada. Acceso por la A 11, salida Sud Loire, hacia Cholet y Corniche Angevine. Route de Savennieres.

SAUMUR F-49400   **LE CHANTEPIE**

10 Ha. 150 🌲 ▭ Tel. 41679534 15/5-15/9 RPT

☺ WC ▣ 🚿 ♨ ♿ 🎦 Ⓣ ✕ 🏠 ➔ ⚓ 🔧 ➤ 🏊 ➕ ⛺ Γ/ ▦

Bellas vistas panorámicas. Parcelas de 100 m2. Acceso: desde Saumur en dirección a St.Hilaire-St.Florent (D-751).

SAUMUR F-49400 **C.M.ILE D'OFFARD**

4 Ha. 248 ⚑ ▦ Tel. 41674500 15/1-30/11 ⚠ RPT

Terreno llano y alargado situado en una isla del Loira con una bonita vista del castillo de Saumur. Instalaciones sanitarias modernas y bien cuidadas. Clases de natación. Se accede por la N-152. Señalizado.

VARENNES-SUR-LOIRE F-49730 **ETANG DE LA BRECHE**

7 Ha. 130 ⚑ ▦ ▦ Tel. 41512292 15/5-15/9 ⚠ RPT

Terreno rodeado de altas arboledas, próximo a la ctra.y a dos lagos, situado a 5 Km de Saumur. Acceso por la N-152. Señalizado. Competiciones deportivas. Parcelas muy grandes.

ANGERS F-49000 **LAC DE MAINE**

4 Ha. 170 ⚑ ▦ ❚ 0,8 Km Tel. 41730503 10/2-20/12 ⚠ RT

Terreno parcialmente distribuido en terrazas, situado al sur de Angers, cerca del lago de Maine. Acceso indicado desde todas las direcciones.VER ANUNCIO.

CHATEAU GONTIER F-53200 **CAMP DU PARC**

2 Ha. 70 ⚑ ▦ ▦ Tel. 43073560 1/5-30/9 ⚠ R

Situado en la orilla del rio, ctra. de Laval, a 1 Km del centro de la ciudad. Piscina y tenis a 800 m.

LE PALAIS/BELLE ILE F-56360 **BORDENEO**

3 Ha. 150 ⚑ ▦ ❚ 0,8 Km Tel. 97318896 1/5-30/9 ⚠ RT

Terreno ajardinado en un entorno rural y tranquilo, situado en la isla Belle Ile. Recomendada la reserva del ferry con antelación. Situado a 1,5 Km del puerto.

SARZEAU F-56370 **LA MADONE**

7 Ha. 350 ⚑ ▦ ❚ Tel. 97673330 1/6-15/9 MRP

Camping situado entre el golfo y el océano con una casa de campo del siglo XIII. Playa de arena fina. Ping-pong, petanca, volleyball, pesca, escuela de vela. Próximo a restrantes y a varios lugares de interés turístico. Acceso: N-165 (Brest-Nantes), D-20 y D-199.

SARZEAU F-56370 **LE BOHAT**

4,5 Ha. 225 ⚑ ▦ ❚ 3 Km Tel. 97417868 15/5-15/9 PT

Terreno en estado natural situado junto a un bosque. Mucha tranquilidad. Ideal para paseos. Sala de juegos. Biblioteca. Acceso: a 400 m al sur de la carretera N-780.

AIROTELS
CAMPING-CARAVANING SELECCIÓN

Vacaciónes   *en alta seguridad*

502 AIROTEL BERRUA
64210 Bidart
Tél. 59 54 96 66 - Fax 59 54 78 30

503 AIROTEL LE PAS OPTON
85800 Saint-Gilles-Croix-de-Vie
Tél. 51 55 11 98 - Fax 51 55 44 94

504 AIROTEL CHANTECLER
13100 Aix-en-Provence
Tél. 42 26 12 98 - Fax 42 27 33 53

505 AIROTEL MONTLABEUR
17190 Saint-Georges-d'Oléron
Tél. 46 76 52 22 - Fax 46 76 79 69

506 AIROTEL CHAMPAGNE
51100 Reims
Tél. 26 88 37 89 - Fax 26 40 97 34

507 AIROTEL PUITS DE L'AUTURE
17420 Saint-Palais-sur-Mer
Tél. 46 23 20 31 - Fax 46 23 26 38

508 AIROTEL D'OLERON
17480 Le Château d'Oléron
Tél. 46 47 61 82 - Fax 46 47 79 67

509 AIROTEL DES CHATEAUX
41350 Vineuil
Tél. 54 78 82 05 - Fax 54 78 62 03

510 AIROTEL LE CHATEAU DE LA CHAPELLE
AUX FILTZMEENS
35190 Saint-Domineuc
Tél. 99 45 21 55 - Fax 99 47 27 00

511 AIROTEL LE VILLAGE EUROPEEN
58120 Montigny-en-Morvan
Tél. 88 84 79 00 - Fax 88 84 79 02

512 AIROTEL DE L'OCEAN
33680 Lacanau-Océan
Tél. 56 03 24 45 - Fax 57 70 01 87

513 AIROTEL LA NOUE DES ROIS
10100 St-Hilaire-s/Romilly
Tél. 25 24 41 60 - Fax 25 24 34 18

514 AIROTEL LES VIVIERS
33950 Lège - Cap-Ferret
Tél. 56 60 70 04 - Fax 56 60 76 14

515 AIROTEL COTE D'ARGENT
33990 Hourtin-Plage
Tél. 56 09 10 25
Fax 56 09 25 25 (1/10 au 30/4)
ou 56 09 24 96 (1/5 au 30/9)

516 AIROTEL LE BOUDIGAU
40530 Labenne-Océan
Tél. 59 45 42 07 - Fax 59 45 77 76

517 AIROTEL LOU PIGNADA
40660 Messanges
Tél. 58 48 03 76 - Fax 58 48 01 69

518 AIROTEL CLUB MARINA
40200 Mimizan Plage-Sud
Tél. 58 09 12 66 - Fax 58 09 16 40

519 AIROTEL SAINT-MARTIN
40660 Moliets-Plage
Tél. 58 48 52 30 - Fax 58 48 50 73

520 AIROTEL LE VIEUX PORT
40660 Messanges
Tél. 58 48 22 00 + - Fax 58 48 01 69

521 AIROTEL DU MOULINAGE
07110 Montreal
Tél. 75 36 86 20 - Fax 75 36 98 46

522 AIROTEL DOMAINE DE LA JOULLIERE -
45480 Andonville
Tél. 38 39 58 46 - Fax 38 39 61 94

523 AIROTEL LE CHATEAU DES TILLEULS -
80132 Port-le-Grand
Tél. 22 24 07 75 - Fax 22 24 23 80

524 AIROTEL LA CHENERAIE
64100 Bayonne
Tél. 59 55 01 31 - Fax 59 55 11 17

525 AIROTEL DOMAINE DE CHAUSSY
07150 Vallon-Pont-d'Arc
Tél. 75 93 99 66 - Fax 75 93 96 54

526 AIROTEL RESIDENCE DES PINS
64210 Bidart
Tél. 59 23 00 29 - Fax 59 41 24 59

527 AIROTEL LES VIGNES
40170 LIT-ET-MIXE
Tél. 58 42 85 60 - Fax 58 42 74 36

528 AIROTEL ITSAS-MENDI
64500 Saint-Jean-de-Luz
Tél. 59 26 56 50 - Fax 59 54 88 40

529 AIROTEL LA ROSERAIE
44500 LA BAULE
Tél. 40 60 46 66 - Fax 40 60 11 84

530 AIROTEL LA RIPAILLE
74120 Megève
Tél. 50 21 47 24 - Fax 50 21 02 47

531 AIROTEL PYRENEES
65120 Esquieze-Sere
Tél. 62 92 89 18 - Fax 62 92 96 50

532 AIROTEL CHATEAU DE CHIGY
58170 Tazilly-Luzy
Tél. 86 30 10 80 - Fax 86 30 09 22

533 AIROTEL LA NOUZAREDE
07260 Joyeuse
Tél. 75 39 92 01 - Fax 75 39 43 27

534 AIROTEL LE BOIS MASSON
85160 Saint-Jean-de-Monts
Tél. 51 58 62 62 - Fax 51 58 29 97

535 AIROTEL LES FOUGERES
63790 Murol
Tél. 73 88 67 08 - Fax 73 88 64 63

536 AIROTEL LE BOURGEAT
74310 Les Houches
Tél. 50 54 42 14

537 AIROTEL LE RAGUENES-PLAGE
29139 Nevez
Tél. 98 06 80 69 - Fax 98 06 89 05

538 AIROTEL LE TRIANON
85340 Olonne-sur-Mer
Tél. 51 95 30 50 - Fax 51 90 77 70

539 AIROTEL LE BOIS DORMANT
85160 Saint-Jean-de-Monts
Tél. 51 58 01 30 - Fax 51 58 29 97

540 AIROTEL LA BOUTINARDIERE
44210 Pornic
Tél. 40 82 05 68 - Fax 40 82 49 01

541 AIROTEL THAR-COR
44730 Tharon-Plage
Tél. 40 64 97 94 ou 40 27 82 81

542 AIROTEL LES SALISSES
34450 Vias-Plage
Tél. 67 21 64 07 - Fax 67 21 76 51

544 AIROTEL LES MOUETTES
29660 Carantec
Tél. 98 67 02 46 - Fax 98 78 31 46

545 AIROTEL LA TORRE DEL SOL
43892 Miami Playa (Tarragona)
Tél. 34 77 81 04 86
Fax 34 77 81 13 06

SECRETARIAT DE LA CHAINE
DES AIROTELS
B.P. 21 - 58028 NEVERS CEDEX
FRANCE
(tél. 86 36 48 84 - fax 86 57 00 84)

 Gustosamente le haremos llegar nuestro folleto. Basta con que lo silicite. Si
lo que desea son datos mas detallados sobre los Airotel que ha
seleccionado, le aconsejamos que contacte directamente con ellos (las
direcciones estan arriba).

FRANCIA

ROCHEFORT-EN-TERRE F-56220 **C.M. MOULIN NEUF**

1 Ha. 90 ⛺ 🚐 Tel. 97433281 S.S.-30/9 PT

⊙ 🚽 🛁 🚰 🚾 🧺 🛒 🛗 📷 🎣 🏺 ⛽ 🔧 🏊 ✚

Terreno de camping con ambiente familiar situado en un bello paisaje a 20 minutos de la costa, junto al lago Moulin Neuf. Bares y restaurantes a 600 m. Dueños británicos. Acceso: D-774 (Roche-Bernard), a la derecha.

NEVEZ F-29920 **AIROTEL LE RAGUENES-PLAGE**

5 Ha. 214 ⛺ 🚐 0,30 Km Tel. 98068069 15/4-30/9 /MM/ RPT

⊙ 🚾 🧺 🛒 🛗 📷 🍴 ✗ 🏠 🎣 🏺 ⛽ 🔧 ✚ 🎾

Terreno ajardinado con árboles y setos junto al mar, bien cuidado. Acceso: al oeste de Pont-Aven salir de la D-783 y continuar en la D-77, señalizado.

TREGUNC 29910 **LA POMMERAIE**

5 Ha. 150 ⛺ 🚐 1,2 Tel. 98500273 1/4-30/9 1

⊙ 🚽 🚾 🧺 🛒 🛗 📷 🍴 ✗ 🏠 🎣 🏺 🔧 🏊 🚋 🚍 🚐 🛖 🎾

Acceso por la D-783, salida Kerampaou, dirección Tregunc, continuar en dirección Tevignon-St.Philibert, a 6 Km. El camping se encuentra en el cruce.VER ANUNCIO.

FOUESNANT F-29170 **L'ATLANTIQUE**

4 Ha. 120 ⛺ 🚐 0,4 Km Tel. 98561444 1/4-30/9 /MM/ RPT

⊙ 🚽 🛁 🚾 🧺 🛒 🛗 📷 🍴 ✗ 🏠 🎣 🏺 🔧 🏊 ✚ ⊘ 🛖 🚲

Terreno regular rodeado de árboles. Conciertos al aire libre. acceso: en la periferia este de la población desviarse de la D-145 en dirección sur.

PLONEVEZ-PORZAY F-29550 **INTERN.DE KERVEL**

7 Ha. 100 ⛺ 🚐 0,6 Tel. 98925154 29/4-16/9 /MM/ RT

⊙ 🚽 🛁 🚾 🧺 🛒 🛗 📷 🍴 🏠 🎣 🏺 🔧 ⛳ ⛺ 🛖

Acceso por la ctra. D-107. Terreno llano situado a 10 km de Douarnenez. Equitación a 5 Km. Guardería, tobogán acuático, sala de juegos.VER ANUNCIO.

BRETAGNE-29 | TELGRUC-SUR-MER F-29560 | LE PANORAMIC

3,5 Ha. 150 ☘ ▬▬ ⛏ 0,7 Km Tel. 98277841 15/5-15/9 ⛰ PT

Terreno divido en dos por el camino a la playa. Vistas a la bahía de Douarnenez. Acceso: por la D-887 (Chateaulin-Crozon) y en la población tomar la D-208 en dirección sur, 2 Km. Escuela de vela.

CAMARET-SUR-MER F-29570 | LAMBEZEN

2,8 Ha. 100 ♠ ▬▬ ⛏ 0,4 Km Tel. 98279141 1/4-30/9 ⛰ PT

Situado en una colina a 2 Km de la población en dirección a la Pointe des Espagnols. Vistas a la costa rocosa. Sala de pesas. Club de submarinismo.

PLOMEUR 29120 | KERALUIC

1 Ha. 25 ☘ ▬▬ Tel. 98821022 1/4-30/9 PT

Situado a 20 km. al sur de Quimper. Acceso por la ctra. Quimper-Pont-L'Abbé. Seguir dirección Plomeur y tomar el desvío a St.Jean Trolimon.

BRETAGNE-22 | PLEUMEUR BODOU F-22560 | LE PORT

2 Ha. 80 ☀ ▬▬ ⛏ Tel. 96238779 SS-15/9 ⛰ MPT

Terreno distribuido en grupos de parcelas, al pié de una colina. Acceso: a 1,5 Km de Trégastel salir de la D-788 (Trégastel-Trébeurden) en dirección Landrellec y seguir indcaciones. Esqui acuático, club de vela.

CAUREL F-22530 | NAUTIC INTERNACIONAL

2 Ha. 82 ☀ ▬▬ ⛏ 0,3 Km Tel. 96285794 1/4-30/9 ⛰ MPT

Terreno distribuido en terrazas y rodeado de bosque. Acceso: por la N-164 bis (Mur-de-Bretagne-Rostrenen) siguiendo en dirección sur en Caurel. Junto al lago de "Gerlédan".

BRETAGNE-35 | ST.THURIAL F-35310 | KER-LANDES

2 Ha. 60 ☘ ▬▬ Tel. 99613995 1/1-31/12 ⛰ PT

Situado cerca de un pequeño embalse, visible desde algunas zonas del camping. Acceso: por la N-24 (Rennes-Ploërmel) en Cossinade tomar desvío en dirección sur hacia St.Thurial. Bolos, pesca. Tenis a 200 m.

CANCALE F-35260 | NOTRE DAME DU VERGER

2 Ha. 90 ☀ ▬▬ ⛏ 0,5 Km Tel. 99897284 25/3-30/9 ⛰ PT

Terreno inclinado distribuido en terrazas con setos. Vista panóramica,desde algunas plazas, sobre la isla de Chausey. Acceso: Desde Cancale tomar la D-201 en dirección norte. Señalización a unos 8 Km.

DINARD F-35800 | VILLE DE MAUNY

4 Ha. 200 ☘ ▬▬ Tel. 99469473 SS-30/10 ⛰ T

Terreno con árboles frutales, rodeado de bosque. Acceso: salir de la D-168, al sur de Dinard y tomar la D-603 en dirección al polígono industrial. Señalizado. Sauna. Concietos al aire libre.

BASSE-NORMANDIE-50 | COURTILS F-50220 | SAINT MICHEL

3 Ha. 130 ☘ ▬▬ Tel. 33709690 25/3-31/10 ⛰ T

Terreno llano en un entorno rural. Acceso por la D-43. Supermercado y restauraurante a 200 m.

BASSE-NORMANDIE-14

ISIGNY-SUR-MER F-14230 **C.M.LE FANAL**

2 Ha. 80 🌲 ▭▭ Tel. 31213320 1/4-15/10 🏔 T

⊙ 🚻 🚻 ⌐ ⌐ WC 🔲 🍴 ♨ ⌂ ♿ 🔲 🍷 🏠 ⤵ ⤙ ⤜ ⟋ ✚ ⚲ 🏕

Terreno con vegetación jóven situado en la periferia norte de la población. Cerca de un lago. Supermercado y restaurante a 800 m. Acceso por la N-113. Señalizado.

LUC-SUR-MER F-14530 **LA CAPRICIEUSE**

30 Ha. 222 ▭▭ ⤢ 0,10 Km Tel. 31973443 1/4-30/9 MR

⊙ 🚻 🚻 ⌐ ⌐ WC 🔲 🍴 ♨ ⌂ 🏠 ⤵ ⟋ 🏕 ⌐⟋

Terreno de camping situado a 100 m de la playa. Petanca. Acceso por la carretera D-514. VER ANUNCIO.

CABOURG 14390 **PLAGE CABOURG**

5 Ha. 283 🌲 ▭▭ ⤢ Tel. 31910575 15/3-11/11 MT

⊙ 🚻 ⌐ WC 🔲 🍴 ♨ 🔲 🍷 ✗ ⤵ ⚲ GAS ⤜ ⟋ ⚲ 🏕 🚐

Acceso por la ctra. D-514

HOULGATE F-14510 **LA VALLEE**

8 Ha. 250 🌲 ▭ ▭▭ ⤢ 0,9 Km Tel. 31244069 1/4-30/9 🏔 RT

⊙ 🚻 ⌐ WC 🍴 ♨ 🔲 🍷 ✗ 🏠 ⤵ ⚓ ⤜ ⟋ ✚

Situado en Houlgate, 35 Km al noroeste de Lisieux. Alquiler de bicicletas a 80 m. Tenis y equitación a 500 m.

MOYAUX F-14590 **LE COLOMBIER**

8 Ha. 200 🌲 ▭▭ Tel. 31636308 1/5-15/9 🏔 RPT

⊙ 🚻 🚻 ⌐ WC 🔲 🍴 ♨ ♿ 🔲 🍷 ✗ 🏠 ⤵ ⚓ ⤜ ⟋ ✚ ⚲ 🏕 ⌐⟋ 🚲

Accesos: Por la N-13 o la D-510/D-143 desde Lisieux. Señalizado. Terreno bien cuidado y ajardinado. Varios parques infantiles bien equipados. Guardería. Bolos.

HAUTE-NORMANDIE-27

TOUTANVILLE+ F-27500 **RISLE-SEINE**

1,85 Ha. 64 🌲 ⤢ 1,5 Tel. 32424665 15/4-15/10 🏔 RPT

⊙ 🚻 🚻 ⌐ ⌐ WC 🔲 🍴 ♨ ⌂ 🍷 🏠 ⤵ ⚓ GAS ⤜ ⟋

Situado entre Rouen y Honfleur a 1,5 km de Pont-Audemer, a orillas del Risle.

FIQUEFLEUR F-27210 **DOMAINE CATINIERE**

16 Ha. 110 🌲 ▭▭ Tel. 32576351 SS-30/9 🏔 PT

⊙ 🚻 🚻 ⌐ ⌐ WC 🔲 🍴 ♨ 🔲 🍷 ✗ ⚓ ⤜ 🏕 ⌐⟋

Terreno bien cuidado y ajardinado situado entre dos arroyos. Acceso: por la D-580 y al este de Honfleur, tomar la D-180. Animación por las noches.

HAUTE-NORMANDIE-76

DEVILLE-LES-ROUEN F-76250 **C. MUNICIPAL**

1 Ha. 100 ☀ ▭▭ Tel. 35740759 1/1-31/12 🏔

⊙ 🚻 🚻 ⌐ ⌐ WC 🔲 🍴 ♨ ⚓ ⤜ ⟋ ✚

Terreno regular dentro de la población, a 4 Km del centro de Rouen. Camping de pernoctación. Acceso por la N-15 (no por la autopista), a 3 Km de Rouen en dirección noroeste. Tenis a 200 m. FEBRERO CERRADO.

| HAUTE-NORMANDIE-76 | ST.MARTIN CAMPAGNE 76470 | LES GOELANDS |

3,9 Ha. 154 ⛺ 🌲 ⚡ 0,2 Km Tel. 35828290 1/1-31/12 RPT

☺ 🚻 ⛲ WC 🛒 🚿 ♿ 📷 🏠 〜 🎣 🏓 🚐 ⚡

Acceso por la ctra. D-925, a 12 km al NE de Dieppe.

| | LE TREPORT F-76470 | PARC INT. DU GOLF |

5 Ha. 240 ⛺ 🌲 ⚡ 1 Km Tel. 35863380 1/4-15/9 △△△ PT

☺ 🚻 🚻 ⛲ WC 🛒 🚿 ♿ ⚓ ⛽ 🎣 ➕

Terreno bien situado en la parte sur de la población. Discoteca. Acceso: en el sur de la población tomar la D-940 en dirección Dieppe y seguir indicaciones.

| PICARDIE-80 | ST.VALERY-SUR-SOMME F-8023 | CHATEAU DE DRANCOURT |

5 Ha. 180 ⛺ 🌲 Tel. 22269345 1/4-15/9 △△△ RPT

☺ 🚻 🚻 ⛲ WC 🛒 🚿 ♿ 📷 🍽️ ✕ 🏠 〜 ⚓ 🎣 🏊 🏓 🚲

Terreno regular en su mayor parte, situado en los jardines de un castillo. Discoteca. Se accede por el desvío de la D-940, al sur de la población.

| | PERONNE F-80200 | PORT DE PLAISANCE |

2 Ha. 90 ⛺ 🌲 Tel. 22841931 1/1-31/12 △△△

☺ 🚻 ⛲ WC 🛒 🚿 ♿ 〜 🎣

Prado arbolado en una punta de tierra con un puerto deportivo por un lado y un canal por el otro. Acceso desde el sur de la ciudad por la N-17. Señalizado.

| NORD-62 | GUINES F-62340 | LA BIEN ASSISE |

12 Ha. 150 ⛺ Tel. 21352077 25/4-25/9 △△△ PT

☺ 🚻 ⛲ WC 🛒 🚿 ♿ 📷 🍽️ ✕ 🏠 〜 ⚓ ⛽ 🎣 🏊 ➕ 🏓 🚐

Acceso por la ctra.D-231.

| | CALAIS F-62100 | C. MUNICIPAL LE FANAL |

3 Ha. 250 ☀ ⚡ 0,2 Km Tel. 21347325 1/1-31/12 △△△

☺ 🚻 🚻 ⛲ WC 🚿 ♿ 🏠 ⚓ 🎣

Terreno ligeramente inclinado, situado en la parte este del puerto, cerca del muelle de los ferrys. Acceso: por la D-490 a Blériot-Plage en dirección Plage. Bolos. Minigolf a 500 m, tenis a 600 m, piscina a 800 m.

| MIDI-PYRENEES-09 | AUZAT F-09220 | CAMPING MUNICIPAL |

65 ☀ Tel. 61648446 1/1-31/12 △ PT

🚻 🚻 ⛲ WC 🛒 🚿 📷 🏠 〜 🏊 🏓 🚐

En el valle de Vicdessos, a 737 m de altitud. Tenis, minigolf y equitación a1 Km.

| | VICDESSOS F-09220 | LA BEXANELLE |

1 Ha. 120 ⛺ Tel. 61648825 1/1-31/12 △ RPT

☺ 🚻 🚻 ⛲ WC 🛒 🚿 🚽 📷 🏠 〜 ⚓ 🎣 🏊 ➕ 🚐

Acceso por la D-8, al lado del rio. Tenis a 800 m, minigolf a 1 Km, equitación.

| | TARASCON-SUR-ARIEGE F-09400 | LE PRE LOMBARD |

3,5 Ha. 180 ⛺ Tel. 61056194 15/1-15/11 RP

☺ 🚻 WC 🛒 🚿 🚽 📷 🍽️ ✕ 🏠 〜 🎣 🚗 🏓

Situado a orillas del rio, a 3 Km de la estación termal de Niaux. Telesqui náutico.

FRANCIA

MIDI-PYRENEES-65

LOURDES F-65100

RUISSEAU BLANC

2 Ha. 110 🌲 ▭ Tel. 62429483 1/1-31/12 ⛰ PT

Acceso por la salida de la D-937 en dirección Bagneres de Bigorre. Terreno con setos y ajardinado. Camping de pernoctación.

LOURDES F-65100

L'ARROUACH

4 Ha. 80 🌲 ▭ Tel. 62942575 1/1-31/12 ⛰ P

Acceso desde Lourdes por la D-940 en dirección Pau. Terreno en terrazas ubicado entre colinas. Próximo a granja y carretera. Restaurante a 500 m.

MIDI-PYRENEES-31

DEYME F-31450

LES VIOLETTES

3 Ha. 80 🌲 ▭ Tel. 61817207 1/1-31/12 ⛰ T

Terreno próximo a la ctra. con ruido amortiguado por edificios y setos. Acceso a 15 Km de Toulouse por la N-113 dirección Carcassonne. Se recomienda reservar en temp. alta.

TOULOUSE F-31000

PONT-DE-RUPE

3 Ha. 248 🌲 ▭ Tel. 61700735 1/1-31/12 ⛰

Terreno ajardinado ubicado en un bosque a 6 Km de la ciudad. Acceso por la N-20, dirección Montauban. Señalización a partir de la Av.des Etats Unis.

CASTRES F-81100

C.M.LA GOURJADE

4 Ha. 100 ☀ ▭ 🏊 0,80 Km Tel. 63595649 1/6-31/10 ⛰ T

En la ctra. de Roquecourbe. En un gran parque con instalaciones deportivas y recreativas.

ALBI F-81000

CAUSSELS

1,5 Ha. 100 🌲 ▭ Tel. 63603706 1/4-31/10 ⛰ T

Camping del Caravaning Club Languedoc. Acceso por la Ctra. N-99, en dirección Millau y girar a la izquierda hacia St.Juery. Terreno en terrazas próximo a zona deportiva con piscina cubierta.

MIDI-PYRENEES-32

LA ROMIEU F-32480

LE CAMP DE FLORENCE

6 Ha. 100 🌲 ▭ Tel. 62281558 1/1-31/12 ⛰ RPT

Situado a 300 m de la población. Acceso por la N-21, desvío en Astaffort o por la D-931, desvío en Ligardes.

MIDI-PYRENEES-82

SEPTFONDS F-82240

BOIS REDON

2 Ha. 50 🌲 ▭ Tel. 63649249 1/7-15/9 ⛰ PT

Acceso por la autopista A-62, seguir por la N-20 y, a partir de Caussade, por la D-926.

MIDI-PYRENEES-12

ST.AMANS DES COTS F-12460

LES TOURS

15 Ha. 250 🌲 🏊 Tel. 65448856 21/5-15/9 MRT

Situado junto al lago de La Selves. Acceso por la ctra. D-97 desde St. Amans y por la D-34 desde Entraygues.

MIDI-PYRENEES-46 CONDAT F-46110 **DOMAINE DE BOURZOLLES**

4 Ha. 50 Tel. 65321632 S.S.-30/9 PT

Acceso: Salida de la N-20 dirección Montplaisir por la D-20. Bolos, tenis y equitación a 2 km.

MIDI-PYRENNES-46 FIGEAC F-46100 **LES RIVES DU CELE**

3 Ha. 150 0,05 Km Tel. 65345900 1/4-30/9 R

En las entradas de Figeac están señalizadas las direcciones para llegar al Domaine de Surgié.

MIDI-PYRENEES-46 BEDUER F-46100 **PECH-IBERT**

1 Ha. 30 Tel. 65400585 1/1-31/12 PT

Situado junto a una granja. Acceso: Por la ctra. D-19 (Figeac-Cajarc) a 10 Km. desvío a la derecha dirección Cajarc.

ROCAMADUR F-46500 **LE RELAIS DU CAMPEUR**

1,7 Ha. 100 Tel. 65336328 1/4-5/10 T

Situado junto a la población, en el lugar denominado L'Hospitalet. Acceso por la N-36 o por la N-673.

ROCAMADUR F-46500 **LES CIGALES**

3 Ha. 100 Tel. 65336328 1/7-30/8 R

Situado junto a la D-36, 300 m antes de L'Hospitalet viniendo de Gramat. Prado para juegos y actividades recreativas.

VAYRAC F-46110 **LES GRANGES**

5 Ha. 100 Tel. 65324658 15/5-15/9 RPT

Prado con hayas situado junto al Dordogne. Acceso: En Suillac por la N-20, desvío dirección Martel por la D-703 hacia Bretenoux hasta Vayrac y seguir indicaciones. Trato familiar.

GOURDON F-46300 **ECOUTE S'IL PLEUT**

4 Ha. 150 Tel. 65410619 1/6-30/9 R

Situado junto a un área recreativa de acceso gratuito para los campistas con lago apto para baño y pesca. Acceso por la ctra. D-704, dirección Sarlat, a 1,5 Km de Gourdon.

CREYSSE F-46600 **DU PORT**

3,5 Ha. 100 Tel. 65322040 1/5-30/9 PT

Situado en la población de Creysse, junto al río Dordogne, cerca del castillo de Creysse.

CAHORS F-46000 **RIVIERE DE CABESSUT**

2 Ha. 102 Tel. 65300630 1/4-30/10 T

Situado en la orilla del Lot a 1,5 Km del centro de Cahors.

| MIDI-PYRENEES-12 | | RIVIERE-SUR-TARN F-12640 | **PEYRELADE** |

4 Ha. 190 🏕 ▦ Ⓩ Tel. 65626254 1/6-18/9 RPT

⊙ ⛺ ⛺ ⌐ ⌐ WC 🏠 🛒 🚿 👤 ♿ 🌀 ⓘ 🍴 ✕ 🏠 ⌐ ⛽ ⚓ ⟲ ⚲ △ 🏓 ⌐ /
🤽 🎏

Camping situado al pie de un castillo medieval a 15 Km de Millau. Dirección: Route des Gorges du Tarn. Pesca, canoa, VER ANUNCIO.

| | MILLAU F-12100 | **LES RIVAGES** |

7 Ha. 320 🏕 ▬ Ⓩ Tel. 65610107 1/5-30/9 ▨▨ RPT

⊙ ⛺ ⛺ ⌐ WC 🏠 🛒 🚿 ♿ 🌀 ⓘ 🍴 ✕ 🏠 ⌐ ⚓ ⛽ ⟲ ⚲ ✚ 🚗 ⚲
△

En el inicio de las gargantas del Tarn, a orillas del Dourbie, rio pesquero de aguas claras. Squash. Acceso por la ctra. de Nant, av.de l'Aigoual. Clases de tenis. Música en vivo.

| | NANT F-12230 | **VAL DE CANTOBRE** |

6,5 Ha. 120 🏕 Tel. 65622548 15/6-15/9 ▨▨ RPT

⊙ WC 🏠 🛒 🚿 ♿ 🌀 ⓘ 🍴 ✕ 🏠 ⌐ ⚓ ⛽ ⚲ ⟲ ✚ ⊗ ⌐

Situado junto a la ctra. D-991, entre Nant y Cantobre.

| LIMOUSIN-19 | | BORT LES ORGUES F-19110 | **LES AUBAZINES** |

7 Ha. 140 🏕 ▬ Ⓩ Tel. 55960838 15/6-15/9 ▨▨ RP

⊙ ⛺ ⛺ ⌐ ⌐ WC 🏠 🛒 🚿 ♿ 🌀 ⓘ 🍴 ✕ ⚓ ⛽ ⚲ ⟲ ✚ ⚲

Terreno inclinado situado en la orilla del pantano. Acceso: cruce de ctras. D-922 y D-979. Bolos, pesca, windsurfing.

| | MONCEAUX-S-DORDOGNE F-19400 | **AU SOLEIL D'OC** |

4 Ha. 70 🏕 ▦ Ⓩ Tel. 55280597 1/4-31/10 ▨▨ RP

⊙ ⛺ ⛺ ⌐ ⌐ ⌐ WC 🚿 ♿ 🌀 ⓘ ✕ 🏠 ⌐ ⚓ ⛽ ⚲ ⟲ ✚ ⌐ / 🚲

Terreno distribuido en terrazas, bien cuidado. Volleyball, ping-pong, sala de juegos, pesca, alquiler de canoas. Acceso: N-120 (Aurillac-Tulle) y D-12.

| LIMOUSIN-87 | | LIMOGES F-87100 | **C.M.LA VALLEE DE L'AURENCE** |

2,5 Ha. 200 🏕 ▬ Tel. 55384943 1/1-31/12 ▨▨ P

⊙ ⛺ ⌐ ⌐ WC 🏠 🛒 🚿 ♿ ⌐ ⚲ ✚

Terreno de pernoctación junto a la ctra. N-20. Situado junto a un centro de recreación. Ruidoso.

| LIMOUSIN-23 | | GUERET F-23000 | **C.M.DE POMMEIL** |

2 Ha. 100 🏕 ▦ Tel. 55520702 1/1-31/12 ▨

⊙ ⛺ ⛺ ⌐ ⌐ WC 🛒 🚿

Acceso: por la N-20 al norte de Limoges, tomar la N-145 en dirección este. Terreno inclinado. Equitación a 500 m.

AUVERGNE-15   NEUVEGLISE F-15260   **LE BELVEDERE**

5 Ha. 120 🌲 ⬛ 0,3 Tel. 71235050 29/5-6/9 ⛰ RPT

Acceso por la ctra. D-921, av. St.Flour-Rodez. Por la A-75 a St.Flour centro, salida 28

AUVERGNE-63   NEBOUZAT F-63210   **LES DOMES**

1 Ha. 70 🌲 ▬▬ Tel. 73871406 15/5-15/9 ⛰ RPT

Situado en un entorno volcánico a 14 Km de Clermont Ferrand en dirección oeste. Acceso: en la D-17, al sur del cruce de la D-941A, la D-216 y la N-89. Excursiones. Sesiones de cine.

AUVERGNE-03   BELLERIVE-SUR-ALLIER F-03700   **BEAU RIVAGE**

2 Ha. 100 🌲 ▬▬ Tel. 70322685 15/3-30/9 ⛰ T

Acceso: viniendo de Vichy girar a la izquierda directamente después del puente siguiendo el rio. Señalizado. Terreno ajardinado situado junto al rio Allier.

       VARENNES-SUR-ALLIER F-03150   **CHATEU DE CHAZEUIL**

1,5 Ha. 60 🌲 ▬▬ Tel. 70450010 15/4-15/10 ⛰ PT

Situado en el parque del castillo. Acceso por la N-7 en el cruce con la D-46, 2,5 km. antes de Varennes.

CENTRE-18   VIERZON F-18100   **C.M. DE BELLON**

1,8 Ha. 130 🌲 ▬▬ ⬛ 0,2 Km Tel. 48754910 1/5-15/9 ⛰ RPT

Situado en la orilla del Cher. Acceso por la N-20, a 1,5 Km de Bellon.

CENTRE-37   BALLAN-MIRE F-37510   **LA MIGNARDIERE**

3 Ha. 150 🌲 ▬▬ Tel. 47532649 23/4-30/9 RT

Alquiler de chalets. Acceso por la ctra. D-751 entre Joue-les-Tours y Ballan-Mire; al lado del hotel Campanile girar a la derecha. Seguir junto al lago y girar a la izquierda.VER ANUNCIO.

       LUYNES F-37230   **LES GRANGES**

1 Ha. 65 🌲 ▬▬ Tel. 47556085 15/5-15/9 ⛰ T

Terreno dividido por setos, con vistas al castillo. Acceso por la N-152,desvío a 11 Km de Tours. Supermercado y restaurante a 300 m.

       MONTLOUIS-SUR-LOIRE F-37270   **LES PEUPLIERS**

6 Ha. 260 🌲 ▬▬ Tel. 47508190 1/1-31/12 ⛰

Terreno parcialmente soleado, próximo a piscina y ffcc. Acceso por la carretera D-751.

CENTRE-37	STE.CATHERINE F-37800	PARC DE FIERBOIS

20 Ha. 160 馬 ﹏ 乃 0,10 Km Tel. 47654335 21/5-15/9 RT

⊙ ⛺ ⛺ ⌐ ⌐ WC 🏠 🛒 🚿 ♿ 🔲 ▽ ✕ 🏠 ⌐ ⚓ GAS ⟶ ➳ ➕ ⚕ ♣ 🏓 🏟

Terreno herboso y bien arbolado junto a un lago. Piscina climatizada. Acceso: por la autopista A-10, salida Paris-Bordeaux.VER ANUNCIO.

CENTRE-41	MESLAND F-41150	VAL DE LOIRE

12 Ha. 150 馬 ﹏ ﹏ Tel. 54702718 1/5-15/9 ⚠ RT

⊙ ⛺ ⛺ ⌐ WC 🏠 🛒 🚿 ♿ 🔲 ▽ ✕ 🏠 ⌐ ⚓ ⟶ ➳ ➕ ♣ △ 🏓 ⌐,/

Situado en el desvío a 16 Km de Blois en dirección Onzain. Acceso por la N-15 (Blois-Tours). Parcialmente soleado y rodeado de viñedos. Bolos, poneys.VER ANUNCIO.

	CANDE-SUR-BEUVRON F-41120	LA GRANDE TORTUE

5 Ha. 208 馬 ﹏ Tel. 54441520 15/4-15/9 ⚠ RPT

⊙ ⛺ ⛺ ⌐ ⌐ WC 🏠 🛒 🚿 ♿ 🔲 ▽ ✕ ⌐ ⚓ GAS ⟶ ➳ ➕ ♣ 🏓 🚲

Terreno de camping junto a un bosque. Parcelas de 150 m2, setos. Acceso: por la D-751, entre Blois y Amboise, orilla izquierda.

	VINEUIL F-41350	CHATEAUX

8 Ha. 430 馬 ﹏ ﹏ 乃 Tel. 54788205 SS-15/10 ⚠ P

⊙ ⛺ ⛺ ⌐ ⌐ WC 🏠 🚿 ♿ ▽ ✕ ⌐ ⚓ ⟶ ➳ ♣ △ 🏓 ⌐,/

Terreno llano junto al río Loire. Piscina abierta al público. Centro náutico. Acceso por la ctra. de Blois en dirección St.Dyé. Cursos de natación, vela y windsurfing.

	SUEVRES F-41500	CHATEAU DE LA GRENOUILLERE

6 Ha. 150 馬 ﹏ Tel. 54878037 15/5-15/9 ⚠ RP

⊙ ⛺ ⛺ ⌐ ⌐ WC 🚿 ♿ 🔲 ▽ ✕ 🏠 ⌐ ⚓ GAS ⟶ ➳ ➕ ♣ 🚲

Terreno regular y arbolado estilo parque, próximo a un pequeño castillo, situado a 3 Km de la población. Plazas soleadas con césped. Junto a ctra. y ffcc. Discoteca. Acceso por la N-152 (Orleans-Blois). Sauna.

CENTRE-41   CHEVERNY F-41700   **LES SAULES**

6 Ha. 160 🌲 ▭ ▭ Tel. 54799001 S.S.-30/9 △△△ RT

⊙ ♨ ♨ ⌐ ⌐ WC 🧺 ♨ 🚿 🚽 📺 ⊺ ✕ 🏹 🎣 ⛽ 🚤 🏊 ➕ 🎾 🚲

Acceso por la D-102; ctra. de Contres. Terreno llano situado a 18 Km de Blois. Equitación y tenis en la proximidad.VER ANUNCIO.

MUIDES-SUR-LOIRE F-41500   **CHATEAU DES MARAIS**

11 Ha. 200 🌳 ▭ ▭ Tel. 54870542 △△△ RPT

⊙ ♨ ♨ ⌐ WC 🧺 ♨ 🚿 🚽 📺 ⊺ ✕ 🏠 🏹 🎣 ⛽ 🚤 🏊 ➕ 🎾 🎾

Situado junto a la ctra. de Chambord. Acceso por la salida Ner de la autopista A-10, pasado el Loira.

PIERREFITTE F-41300   **SOLOGNE ALICOURTS**

21 Ha. 100 ⚡ Tel. 54886334 30/4-18/9 RPT

⊙ ♨ ♨ ⌐ WC 🧺 ♨ 🚿 🚽 🚽 🚿 📺 ⊺ ✕ 🏠 🏹 🎣 ⛽ 🚤 🏊 🎾 🎾 🚲

Terreno familiar situado junto a un lago. Dos piscinas, tobogán acuático. Golf. Acceso por la A-71, salida La Motte Beuvron.VER ANUNCIO.

CENTRE-45   OLIVET F-45160   **C.MUNICIPAL**

1 Ha. 80 🌲 ▭ Tel. 38635394 SS-15/10 △△△ T

⊙ ♨ ♨ ⌐ ⌐ WC 🧺 ♨ 🚿 🚽 📺 🏹 🚤 ➕

Ubicado en una pequeña península del rio Loire a pocos Km de Orleans. Acceso señalizado. Piscina y tenis a 2 km.

PARIS-95   NESLES-LA VALLEE F-95690   **L'ETANG**

6 Ha. 60 🌳 ▭ ▭ Tel. 1-34706289 1/3-30/10 △△△ T

⊙ ♨ ♨ ⌐ ⌐ WC 🧺 🚿 🚤

Accesos desde Paris por la N-14 o A-15 en dirección Pontoise. Tomar el desvío de la D-4 hasta L'Isle Adam y seguir la D-64 en dirección a la población. Terreno sombreado y regular. Próximo a un pequeño lago.

FRANCIA

MAISONS-LAFFITTE F-78600   **MAISONS-LAFFITTE**

6 Ha. 170 Tel. 1-39122191 1/1-31/12

Terreno ubicado a orillas del Sena, en el barrio de Maisons-Laffitte. Suelo muy cuidado. Bien comunicado por ffcc. con París. Carnet de camping obligatorio.

VERSAILLES F-78000   **C.MUNICIPAL**

4 Ha. 300 Tel. 1-39512361 SS-31/10

Acceso por el desvío de la A-12 de la A-13. Terreno desnivelado. Próximo a un castillo.

S.QUENTIN-EN-YVELINE F-78180 **CAMPASUN PARC ETANG**

12 Ha. 500 Tel. 30585620 1/1-31/12

Acceso por la salida a Bois d'Arcy de la A-12. Señalizado a partir de Etang St.Quentin. Terreno arbolado y herboso. Junto a un gran centro de ocio. Zona reservada para jóvenes.

RAMBOUILLET F-78120   **C.M.L'ETANG D'OR**

5 Ha. 229 Tel. 30410734 1/1-31/12 PT

Terreno herboso situado en un bosque junto a un lago. Supermercado en verano. Muchos lugares de interés turístico a proximidad. Acceso por la RN-10, a 1,5 Km de la ciudad.VER ANUNCIO.

SER CAMPISTA SIGNIFICA RESPETAR LA NATURALEZA

LES CAMPINGS D'ILE DE FRANCE

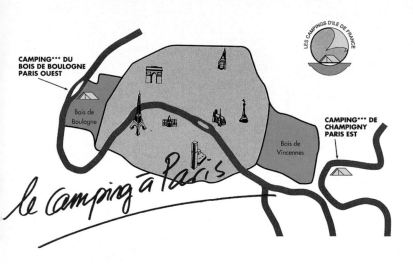

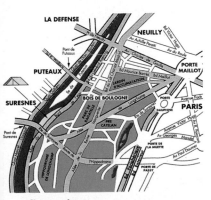

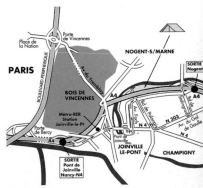

Camping
du Bois de Boulogne

Allée du bord de l'eau
F-75016 PARIS
Tel. (1) 45 24 30 00
Fax (1) 42 24 42 95

Nuestro camping está en el distrito 16 de Paris, a sólo 10 min. de Les Champs-Elysées, y está abierto todo el año.
En un terreno verde de 7ha. a lo largo del Sena, usted encontrará todo el confort de un camping moderno.
Duchas calientes, cuarto de lavar y secar ropa, supermercado, restaurante y entre abril y octubre servicio privado de autobús y cambio.

Camping
de Champigny/Marne

Touring Club Paris Est
Le Tremblay-Bd des Alliés
94507 Champigny-sur-Marne
Tel. (1) 43 97 43 97
Fax (1) 48 89 07 94

El camping Paris-Este Champigny/Marne está situado al borde del Marne y el bosque de Vincennes, a sólo unos minutos del Boulevard Périphérique y Paris-centro.
Rodeado de 9ha. de verdor en un lugar relajante y agradable, el camping ofrece a sus visitantes, instalaciones confortables: duchas calientes, cabinas individuales, lavandería, supermercado, restaurante, bar (cerca: baile, alquiler de barcas, mini-golf).
Durante la temporada: cambio, venta de camping-gas en el camping, visitas nocturnas a París.
EURODISNEY-LAND 25km. por la A4

10 Ha. 165 _____ ___ Tel. 1-48909230 1/1-31/12 ⚠

⊙ ♨ ⌐ ⌐ ⌐ WC ▤ ♨ ♨ ♨ ⌀ ▣ Ⅰ ✕ 🏠 ➤ ⚱ ✔ ✚

Situado a 14 Km de Paris. Acceso por el desvío a la D-38 de la N-186. Terreno regular y arbolado. Zona separada para tiendas y caravanas. Próximo a albergue juvenil y ferrocarril. Discoteca.VER ANUNCIO.

CHAMPIGNY-SUR-MARNE   F-94507   **LE TREMBLAY**

8 Ha. 300 _____ Tel. 1-43974397 1/1-31/12 ⚠

⊙ ♨ ♨ ⌐ ⌐ ⌐ WC ▤ ♨ ♨ ♨ ▣ Ⅰ ✕ ➤ ⚱ GAS ✔ 🔥

Accesos por el Pont de Joinville o por el Pont de Nogent, desde la A-4 de Paris. Señalizado. Terreno herboso, arbolado y regular. Surcado por caminos asfaltados. Zona reservada para jóvenes. Próximo a autopista. Ruidoso. VER ANUNCIO.

7 Ha. 500 _____ Tel. 1-45243000 1/1-31/12 ⚠

⊙ ♨ ⌐ WC ▤ ♨ ♨ ▣ ✕ ⚱ 🍴 GAS ✔

Muy cerca de Paris, al borde del Sena. Acceso: Por el boulevard Periphérique desde todas las direcciones salida Bois de Boulogne.VER ANUNCIO.

3,5 Ha. 196 _____ ⚑ 0,4 Km Tel. 1-64394812 1/4-15/12 PT

♨ ♨ ⌐ ⌐ WC ▤ ♨ ♨ ♨ ▣ GAS ✔ 🚐 🔥

Aceso por la N-6, entre Melun y Fontainebleau, girar hacia La Rochette frente al restaurante Buffalo Grill y seguir las indicaciones.

TORCY   F-77200   **LA COLLINE**

7 Ha. 200 _____ ⚑ 0,60 Km Tel. 60054232 1/1-31/12 ⚠

⊙ ♨ ♨ ⌐ ⌐ WC ▤ ♨ ♨ ▣ ✔

Terreno distribuido en terrazas, próximo a la ctra. y centro de ocio. Accesos por la salida a Lagny de la A-4 (Paris-Metz) y por la salida 9 de la A-104 dirección Centre de Loisirs.

POMMEUSE   F-77515   **LE CHENE GRIS**

5 Ha. 100 _____ Tel. 64042180 1/1-31/12 T

⊙ ♨ ⌐ WC ▤ ♨ ♨ ➤ ✔ 🔥

Acceso: autopista A-4, salida 34 dirección Coulomneurs, 5 Km de Crecy girar a la derecha, dirección Faremoultrers (2 Km) hasta Le Chêne Gris.VER ANUNCIO.

PARIS-77

CRECY-LA-CHAPELLE F-77580 **C.M. PRE SAINT JEAN**

4 Ha. 100 ☀ ▭ Tel. 64367875 1/1-31/12 ⛺ T

⊔ ⊔ ⌐ ⌐ WC ♨ ♿ ⤶

Terreno regular ubicado en un valle arbolado. Acceso por la N-34 y la D-235. A 2 Km al sur de Crécy. Señalizado. Ping-pong, petanca. Piscina a 500 m, tenis a 1 Km.

CRECY-LA CHAPELLE 77580 **LEON'S LODGE**

150 Ha. 250 🌲 ▭ ▭ Tel. 1-60435700 1/4-1/10 RPT

☉ ⊔ ⌐ WC ▣ ♨ ♿ 🔲 🍽 ✕ 🏠 ⤙ ⤶ ⤷ ⚐ 🚗 ⚙

Acceso por la A-4, dirección Metz, salida Crecy, dirección Coulommiers, después de la capilla, a la derecha. VER ANUNCIO.

LÉON'S LODGE®

CAMPING, CAMP HOTEL & GOLF PARC

Le Pré St. Jean, N-34, 77580 Crécy-la-Chapelle, FRANCE
Tel. (1) 60.43.57.00 — Fax (1) 60.43.57.01

A 10 min. DE EURODISNEY
A 25 min. DE PARIS

CHESSY F-77144 **DAVY CROCKETT**

56 Ha. 180 🌲 Tel. 1-60456904 1/1-31/12 ⛰

☉ ⊔ ⌐ WC ♨ ♿ 🔲 🍽 ✕ 🏠 ⤙ ⚱ GAS ⤶ ⤷ ➕ 🌀 ⚐ 🚲

Situado en el Parque Eurodisney, en un terreno boscoso de 56 Ha, con 181 parcelas de acampada y 500 bungalows. Circuitos para footing. Parcelas con agua, electricidad y barbacoa. Parque acuático. Transporte gratuito a Eurodisney.

VILLEVAUDE F-77410 **C.LE PARC**

10 Ha. 250 🌲 ⚑ 0,7 Km Tel. 60262079 1/1-31/12 PT

☉ ⊔ ⌐ WC ▣ ♨ ♿ 🔲 🍽 🏠 ⤙ ⤶

Camping situado a 28 Km de Paris-Este. Servicio de bar abierto durante los meses de julio y agosto. Acceso por la autopista A-4, Netz Nancy y por la A-104 Roissy-Ch.de Gaulle, salida nº 8 dirección Villevaude.VER ANUNCIO.

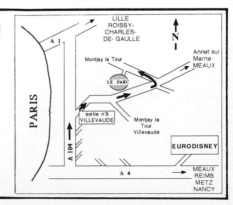

CAMPING LE PARC

Montjay La Tour
77410 Villevaude
Tel. (1) 60 26 20 79
Fax (1) 60 27 02 75

A 20 min. de EURODISNEY, 30 min.
de PARIS y a 45 min. del parque
de ASTERIX.

- Tranquilidad y relajamiento
- Sanitarios gran confort
- Abierto todo el año
- Reservas recomendadas.

FRANCIA

TOUQUIN 77131

LES ETANGS FLEURIS

5,5 Ha. 150 Tel. 1-64041636 1/3-31/10 T

Acceso por la autopista A-4, ctra. N-4 y la D-231.

LANGUEDOC-66

ENVEITG F-66760

ROBINSON

3 Ha. 146 Tel. 68048038 1/1-31/12 RPT

Situado junto a la población, a 400 m de la D-34. Ideal para esquiar tanto en las pistas francesas como las andorranas. Trato familiar.

ESTAVAR F-66800

L'ENCLAVE

3 Ha. 200 Tel. 68047227 1/1-31/12 RPT

Junto al enclave de Llivia. Acceso: por la A-9 (Francia), salida Perpignan-Nord, después por la N-116, dirección Prades.

UR 66760

C. DE LA GARE

1,2 Ha. 69 Tel. 68048095 1/11-30/9 PT

Situado en Ur, a 3 Km de Puigcerdà. Acceso por la N-20, dirección Toulouse o Font-Romeu.

S.JEAN-PLA-DE-CORTS F-66400

CASTEILLETS

5 Ha. 150 Tel. 68832683 1/1-31/12 RPT

Acceso: A-9 salida Le Boulou, continuar en dirección Ceret. Indicado. Prado llano con arbustos. Espectáculos musicales al aire libre.

MONTBOLO F-66110

LA BALMA

2,8 Ha. 100 Tel. 68390888 1/5-31/10 RPT

Acceso por la ctra. N-618, Amelie-les Bains, 3 km antes de llegar a Taulis, a la derecha. Camping naturista.

CERET F-66400

SAINT GEORGES

3 Ha. 100 Tel. 68870373 1/1-31/12 RPT

Acceso directo por la ctra. N-618, al este de Ceret.

ARGELES-SUR-MER F-66702

LE SOLEIL

15 Ha. 670 Tel. 68811448 15/5-30/9 MRPT

Acceso: Seguir señalizaciones en la periferia norte de la población. Terreno ajardinado con muchos árboles lindando con una pequeña duna. Discoteca.

ARGELES-SUR-MER F-66702

LA SIRENE

15 Ha. 250 1 Km Tel. 68810461 S.S.-30/9 RT

Terreno llano muy bien ajardinado. Discoteca. Acceso: seguir indicacion "Taxo" desde el norte de la población. En temporada alta, estancia mínima una semana.

LANGUEDOC-66 | ARGELES-SUR-MER 66700 | **LES JARDINS CATALANS**

2 Ha. 110 Tel. 68811168 1/6-30/9 MRPT

Terreno ajardinado.

CANET-PLAGE F-66140 | **BRASILIA**

15 Ha. 900 Tel. 68802382 8/4-5/10 MRT

Terreno con grupos de parcelas separadas por calles. Acceso: En la rotonda de la D-81, al norte de la población, pasado el puente sobre el Tet, tomar dirección Narbonne y después la primera calle en dirección al mar. Clases de vela, surf y natación. Discoteca.

CANET EN ROUSSILLON 66140 | **MA PRAIRIE**

4,5 Ha. 260 Tel. 68732617 1/5-30/9 RT

Acceso: Salir de la autopista por Perpignan-N y tomar la D-81 hasta Canet. En la rotonda tomar la D-617 y a unos 300 m doblar a la derecha y después a la izquierda, sobre el puente de la D-11.

LANGUEDOC-66 | LE BARCARES F-66423 | **LE FLORIDE ET L'EMBOUCHURE**

12 Ha. 630 0,10 Km Tel. 68861175 8/4-7/10 R

Terreno llano rodeado de setos con muchas parcelas y lindante con ctra. de mucho tránsito. Situado en la D-90 a 1 Km al sur de la localidad. Gran tobogán acuático. Cerca de aeropuerto deportivo. Discoteca insonorizada. Música en vivo.

LE BARCARES F-66423 | **CALIFORNIA**

5 Ha. 180 1 Km Tel. 68861608 17/4-25/9 RT

Terreno ajardinado y parcelado, al sur de Le Barcarès, en la D-90. Actividades. Música en vivo. Discoteca. Guardería. Excursiones.

LE BARCARES 66423 | **LAS BOUSIGUES**

3 Ha. Tel. 68861619 SS-1/11

Acceso por la autopista, salida 10 Lecaute.VER ANUNCIO.

LANGUEDOC-11 | VILLEMOUSTAUSSOU F-11620 | **DAS PINHIERS**

2 Ha. 49 Tel. 68478190 15/3-31/10 T

Terreno ligeramente inclinado situado al norte de la población. Zona especial para jovenes. Acceso: por la D-118, salida de la gasolinera al norte de la ciudad, seguir 1 Km más. Chemin du Pont Neuf. Tenis a 800 m.

LANGUEDOC-11   AXAT F-11140   **LA CREMADE**

3 Ha. 100 ⛺ ▭▭ Tel. 68205064 1/5-30/9 ⛰ PT

☉ ⛲ ⌐WC 🏠 🛒 🚻 🔲 🍽 ⚓ ⛽ 🚿 ✚

Acceso por la ctra.N-117, Perpignan-Foix, 2 km antes de Axat.

CARCASSONNE F-11000   **LA CITE**

7 Ha. 240 ☀ ▭▭ Tel. 68251177 1/3-30/10 ⛰ PT

☉ ⛲ ⌐WC 🏠 🛒 🚻 ♿ 🔲 🍽 🏠 ⚓ ⛽ 🚿 🏊 ✚ 🎾

Situado al pié de La Cité. Acceso: autopista A-61. En la ciudad,seguir las indicaciones. Espectáculos musicales al aire libre.

PREIXAN F-11250   **LE LAC DU BREIL D'AUDE**

5 Ha. 70 ⛺ ▭▭ ⚑ 0,3 Km Tel. 68268818 1/4-30/10 ⛰ PT

☉ ⛲ ⌐WC 🏠 🛒 🚻 ♿ 🔲 🍽 ✕ 🏠 ⚓ ⛽ 🚿 🚗 🎾 ⛺ 🏕

Situado en la ctra. D-118, route de Limoux,"le Breil d'Aude", a 7 Km de Carcasonne. Junto al lago.

NARBONNE F-11100   **LE LANGUEDOC**

2,5 Ha. 160 ⛺ ▭▭ Tel. 68652465 1/1-31/12 ⛰ T

☉ ⛲ ⛲ ⌐ ⌐WC 🛒 🚻 🔲 🍽 ✕ ⚓ 🚿 ✚

Acceso por la salida Narbonne-Sud de la E-15, seguir indicaciones. Camping de paso.

LANGUEDOC-34   VALRAS-PLAGE F-34350   **LA YOLE**

22 Ha. 730 ⛺ ▭▭ ⚑ 0,40 Km Tel. 67373387 7/5-24/9 ⛰ RT

☉ ⛲ ⛲ ⌐WC 🏠 🛒 🚻 ♿ 🔲 🍽 ✕ 🏠 ⚓ ⛽ 🚿 🏊 ✚ 🎾 🏕
⌐/ 🏕

Terreno llano estilo parque. Cursos de tenis y natación. Acceso: Desde Valras-Plage por la D-37, dirección Vendres. Señalizado.

SERIGNAN F-34410   **SERIGNAN-PLAGE**

9 Ha. 292 ⛺ ▭▭ ⚑ Tel. 67323533 1/5-30/9 MR

☉ ⛲ ⛲ ⌐WC 🏠 🛒 🚻 ⌐ ♿ 🔲 🍽 ✕ 🏠 ⚓ ⛽ 🚿 🏊 ✚ 🏕
🏕

Camping familiar situado junto al mar. Piscina cubierta climatizada en temp.ba. Acceso por la autopista A-9, salida Beziers Est, en dirección a Serignan les Plages.VER ANUNCIO.

PORTIRAGNES F-34420   **LES SABLONS**

12 Ha. 580 ⛺ ▭▭ ⚑ Tel. 67909055 1/4-30/9 ⛰ MR

☉ ⛲ ⌐WC 🏠 🛒 🚻 ♿ 🔲 🍽 ✕ 🏠 ⚓ ⛽ 🚿 🏊 ✚ 🏕 🏕

Terreno llano, entre lago y mar. Zona reservada para jóvenes. Playa ancha. Discoteca. Clases de surf. Acceso: Por la A-9 (Montpellier-Beziers), salida Beziers-Est, seguir por por la N-112 y la D-37 dirección mar. Reserva recomendada del 1/12 al 30/6.

VIAS-SUR-MER F-34450 **LA CARABASSE**

20 Ha. 550 0,50 Km Tel. 67216401 16/5-19/9 R

Terreno con olmos, olivos y setos. Sombra por techos de cañizo. Varios parques infantiles. Acceso: desde Vias por la D-137 a Vias-Plage. Clases de natación. Música en vivo.

VIAS PLAGE 34450 **L'AIR MARIN**

5 Ha. 300 0,6 Km Tel. 67216490 13/5-30/9 RPT

Situado cerca de la playa.

AGDE F-34300 **INT.DE L'HERAULT**

10 Ha. 470 Tel. 67941283 1/4-30/9 R

Situado a 1 Km de la población. Acceso por la N-112. Señalizado a partir de Herault. Terreno cuidado, arbolado y herboso. Sito entre el rio Herault y el cinturón. Cursos de vela y de natación. Conciertos.

MARSEILLAN-PLAGE F-34340 **LANGUEDOC CAMPING**

1,5 Ha. 130 Tel. 67219255 15/3-31/10 MPT

Terreno de camping bien arbolado situado junto al mar. Acceso por la autopista Agde, dirección: 117, Chemin du Rairollet.VER ANUNCIO.

LATTES F-34970 **OASIS PALAVASIENNE**

3 Ha. 160 Tel. 67689510 SS-15/10

Terreno plano y herboso muy sombreado. Discoteca. Hipica, 1 Km. Golf a 4 Km.Acceso: Por autopista A-9, salida Montpellier-Sud.

LATTES F-34970 **DOMAINE DE L'ESTANEL**

2 Ha. 136 4 Tel. 67657337 1/4-30/9

Situado junto a la ctra. D-172

PEROLS F-34470 **L'ESTELLE**

5,2 Ha. 500 Tel. 67500082 1/1-31/12

Acceso por la salida Montpellier-Est de la autopista A-9, seguir la ctra. D-9 hasta Perols. Desviar en la D-132, dirección Lattes.

LANGUEDOC-34

LA GRANDE MOTTE   F-34280

LOUS PIBOLS

3,1 Ha. 224 🌲 ⬛⬛ 🅱 0,3 Km Tel. 67565008   1/3-30/10

☺ 🚻 🚻 ⌂ ⌂ WC ▱ 🧺 🔥 ▣ 🍷 ✕ 🏠 ⌇ ⚓ ⤙ 🛟 ✚ 🚐

Terreno llano con mucha sombra.

LA GRANDE MOTTE   F-34280

LE GARDEN

3 Ha. 240 🌲 ⬛⬛ 🅱 0,30 Km Tel. 67565009   1/3-30/10

☺ 🚻 🚻 ⌂ ⌂ WC ▱ 🧺 🔥 ▣ 🍷 ✕ ⌇ ⚓ ⤙ ✚

Terreno llano, cercado por muros. La mitad bien sombreado. Parcelas de 100 m2. Poneys. Seguir indicaciones.

LANGUEDOC-30

LE GRAU DU ROI   F-30240

ELYSEE-RESIDENCE

16 Ha. 1100 🌲 ⬛⬛ 🅱 Tel. 66535400   SS-5/10   RT

☺ 🚻 🚻 ⌂ ⌂ WC ▱ 🧺 🔥 ♿ ▣ 🍷 ✕ 🏠 ⌇ ⚓ ⤙ 🛟 ✚ 🏸 🎾 🚴

Terreno llano con zona reservada para jóvenes. Lago con playa de 100 m de ancho. Acceso: Seguir indicaciones La Grande-Motte/Port-Camargue dirección faro de L'Espiguette. Discoteca insonorizada. Clases de tenis y de surf.

LE GRAU DU ROI   F-30240

L'EDEN

5 Ha. 350 🌲 ⬛⬛ 🅱 0,50 Km Tel. 66514981   SS-5/10   R

☺ 🚻 🚻 ⌂ ⌂ WC ▱ 🧺 🔥 ♿ ▣ 🍷 ✕ ⌇ ⚓ ⤙ 🛟 ⚠

Terreno dividido en dos por una calle particular. Zona reservada para jóvenes. Piscina con tobogán. Acceso: Seguir indicación La Grande-Motte/Port-Camargue, dirección faro de L'Espiguette. Música en vivo.

LE GRAU DU ROI F-30240 — **ABRI DE CAMARGUE**

4 Ha. 250 ⛺ _____ 📐 0,9 Km Tel. 66515483 1/4-31/10 ⚠ R

⊙ 🛏 🛏 ⌐ ⌐ WC 📠 🧺 🛁 🚿 📷 ▽ ✗ 🏠 ⤳ 🏛 ⤳ 🏊 ✚ ⚲

Por autopista A-9, salida Gallarges, dirección Grau du Roi. Antes del pueblo girar en dirección Rive Gauche y después del puente en dirección L'Espiguette. El camping está a la derecha. Tenis a 800 m.VER ANUNCIO.

AIGÜES MORTES F-30220 — **LA PETITE CAMARGUE**

10 Ha. 300 ⛺ _____ Tel. 66538477 10/4-18/9 ⚠ R

⊙ 🛏 🛏 ⌐ WC 📠 🧺 🛁 🚿 📷 ▽ ✗ 🏠 ⤳ 🏛 ⤳ 🏊 ✚ ⚲ 🎠 🤾
🚲

Terreno llano rodeado de viñedos situado junto a la ctra. D-62 con bastante tránsito. Zona reservada para jóvenes. Acceso: Por la D-62 (Aigües Mortes-La Grande-Motte). Música en vivo. Guardería.

BARJAC F-30430 — **LE RAN DU CHABRIER**

86 Ha. 400 ⛺ _____ 📐 Tel. 66245155 1/5-30/9 RPT

⊙ 🛏 ⌐ ⌐ WC 📠 🧺 🛁 🚿 ▽ ✗ ⤳ 🏛 ⤳ ✚

Situado en el valle de La Ceze, entre Cevennes y la Provence, a 100 m del mar a 4 Km E de Barjac. Río La Ceze a 2 Km (baño, kayak, pesca). Acceso por la carretera D-901, entre Barjac y Pont-St-Esprit. Bailes.VER ANUNCIO.

NIMES F-30000 — **DOMAINE DE LA BASTIDE**

5 Ha. 250 ☀ _____ _____ Tel. 66380921 1/1-31/12 ⚠ T

⊙ 🛏 🛏 ⌐ WC 📠 🧺 🛁 🚿 📷 ✗ ⤳ 🏛 ⤳ ✚ ⚲ 🎠

Terreno regular, adornado con plantas y flores con parcelas en grupos circulares. Acceso por la salida de la N-113 a la D-13 en dirección Générac. Señalizado.

VALLABREGUES F-30300 — **LOU VINCEN**

1,4 Ha. 79 ⛺ _____ _____ 📐 0,1 Tel. 66592129 1/3-31/10 ⚠ RPT

⊙ 🛏 ⌐ WC 📠 🧺 📷 ▽ ⤳ 🏛 ⤳ 🏊 ✚ ⚲

Acceso por la ctra. D-81 A, a 5 km de Tarascon.

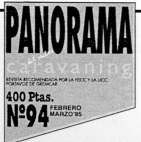
②

¿Desea información actualizada?

LANGUEDOC-30   VILLENEUVE LES AVIG. 30400   **L'ILLE DES PAPES**

500 ☀ RP

⊙ ⊌ ⊌ ⌐ ⌐ WC ▢ ⊿ ⊥ ⊾ ⊡ ▽ ✕ ⊿ ⟋ ⟿ ⛺ ⊞ ⇄

Terreno de camping nuevo. Apertura prevista junio 1995.VER ANUNCIO.

COTE D'AZUR-13   FOS-SUR-MER F-13270   **ESTAGNON**

2 Ha. 190 ⚡ ▱ ☒ 0,05 Km Tel. 42050119 1/5-30/9 △

⊙ ⊌ ⊌ ⌐ ⌐ WC ⊿ ⊥ ⊾ ⌐ ✕ ⌂ ⟿ ⊿ ⊡

Acceso por la ctra. N-568. Terreno regular y soleado, con algunos árboles. Surcado por caminos asfaltados. Junto a zona industrial. Próximo a Club de Vela.VER ANUNCIO.

AIX-EN-PROVENCE F-13100   **ARC EN CIEL**

3 Ha. 65 ⚘ ▱ Tel. 42261428 1/3-30/10 △ T

⊙ ⊌ ⊌ ⌐ ⌐ WC ⊿ ⊥ ⊾ ⌐ ⌂ ⟿ ⊿ ⟋ ⟿ ✚ ⊞

Terreno distribuido en terrazas, atravesado por el riachuelo Arc. A 3Km. al sr de la ciudad, cerca des Trois Sautets pasado el cruce de la autopista con la N-7, tomar dirección Nice. Salida Aix-Est.

GEMENOS F-13420   **LE CLOS**

2 Ha. 100 ⚘ ▱ ▱ Tel. 42321824 1/4-30/9 △ RT

⊙ ⊌ ⊌ ⌐ WC ▢ ⊿ ⊥ ⌐ ⊡ ✕ ⌂ ⟿ ⊿ ⟋ ⌖ ↺

Terreno regular y llano, enmarcado por plantaciones, colindante con la ctra. Situado a 24 Km de Marseille. Acceso por la N-96. Biblioteca.

COTE D'AZUR-13

LA CIOTAT F-13600 **SAINT-JEAN**

1 Ha. 100 Tel. 42831301 1/4-1/10 MPT

Terreno regular ubicado entre la ctra. y el mar, detrás de un motel. Plazas separadas para tiendas pequeñas. Se accede por el desvío a la derecha de la D-559 en dirección Toulon.

COTE D'AZUR-83

GRIMAUD F-83310 **LES MURES**

7 Ha. 680 Tel. 94561697 S.S.-30/9 MP

Situado entre ctra. y playa larga con tres rompeolas. Acceso por el desvío señalizado de la N-98. Bolos.

GRIMAUD F-83310 **PRAIRIE DE LA MER**

22 Ha. 900 Tel. 94562529 1/4-31/10 MP

Terreno regular junto a playa larga con dos rompeolas y carretera. Acceso indicado por la N-98.

LE MUY F-83490 **LES CIGALES**

4 Ha. 200 Tel. 94451208 1/5-15/9 R

Terreno familiar situado en un paisaje de colinas. Acceso: Salir de la A-8 (Aix-en-Provence-Nice) en Draguignan. Música en vivo.

AGAY F-83700 **ESTEREL CARAVANING**

12 Ha. 200 Tel. 94820328 1/4-30/9 RPT

Terreno regular adornado con plantas y distribuido en terrazas. Cursos de tenis y natación. Acceso desde Agay-Plage, 3 Km hacia el interior en dirección a Valescure. Discoteca insonorizada. Música en vivo.

COTE D'AZUR-06

OPIO F-06650 **CARAVAN'INN**

5 Ha. 120 Tel. 93773200 SS-30/9 11

Salida Antibes de la autopista, tomar dirección Valbonne-Opio.

ROQUETTE-SUR-SIAGNE F-06550 **SAINT LOUIS**

5 Ha. 100 Tel. 93422667 15/3-1/10 RT

Terreno distribuido en terrazas de acusada pendiente. Zona reservada para jóvenes. Discoteca. Ambiente familiar. Acceso indicado en la D-9 (Cannes-Pegomas). Espectáculos musicales al aire libre.

LE CANNET F-06110 **LE RANCH**

2 Ha. 140 Tel. 93460011 1/4-30/10 P

Terreno regular, ajardinado, con suave pendiente y distribuido en terrazas. Acceso por la salida en Cannes de la A-8 (Frejus-Nice) a la D-809.

VENCE F-06140 **DOMAINE DE LA BERGERIE**

14 Ha. 300 Tel. 93580936 15/3-31/10 PT

Terreno bien cuidado situado en un bello paisaje en el interior de la Cote D'Azur. Acceso: por la autopista A-8, salida "Cagnes"; por la carretera "Route Napoleón", en Grasse coger la D-2085 hasta Pré-du-Lac, después continuar en la D-2210, señalizado.

COTE D'AZUR-06

ST.PAUL DE VENCE F-06570 **SAINT PAUL**

1,7 Ha. 96 4,5 Tel. 93329371 1/3-30/10 RPT

Acceso por la autopista A-8, salida Cagnes-sur-Mer.

VILLENEUVE-LOUBET F-06270 **PARC DES MAURETTES**

2 Ha. 140 0,4 Km Tel. 93209191 10/1-15/11

Terreno ligeramente inclinado distribuido en terrazas. Situado en un bosque de pinos. Parte del terreno limita con la ctra. de acceso. Acceso: salir de la N-7 en la población y seguir unos 300m.VER ANUNCIO.

ST.LAURENT DU VAR F-06700 **MAGALI**

1,2 Ha. 75 6 Tel. 93315700 1/2-31/10 T

Acceso por la salida St.Laurent du Var de la autopista A-8 y atravesar la zona industrial.

MENTON F-06500 **FLEUR DE MAI**

3 Ha. 66 Tel. 93572236 1/4-1/10 PT

Situado en el valle de Gorbio. Plazas aptas para tiendas. Terrazas impracticables en coche. Acceso por el desvío indicado de la D-23.

COTE D'AZUR-05

SERRES F-05700 **DOMAINE DES DEUX SOLEILS**

26 Ha. 100 Tel. 92670133 1/5-30/9 RPT

Acceso por la autopista A-51 o por la N-75 hasta Sisteron.

COTE D'AZUR-84

ORANGE F-84100 **LE JONQUIER**

5 Ha. 130 Tel. 90341983 SS-30/10 RT

Terreno situado en la periferia norte de Orange. Parcelas separadas por arbustos. Acceso dejando la A-7 en la salida de Orange y siguiendo la N-7 hasta el centro después seguir indicaciones. Música en vivo. Bolos.

VAISON LA ROMAINE 84110 **CLUB INTERNACIONAL**

10 Ha. 160 0,1 Km Tel. 90360202 1/4 RPT

Situado en la ladera de una colina con vista panorámica. Acceso por la ctra. de Carpentrat en el cruce de la ctra. a St.Marcelin.

COTE D'AZUR-84

LE THOR F-84250 **LE JANTOU**

6 Ha. 100 🌲 ▭ Tel. 90339007 1/4-31/10 ⛰ PT

⊙ 😊 😊 ⌐ ⌐ WC 🏠 🧺 🛁 ♿ 📺 🍴 ✕ 🏠 ⚓ 🗿 (GAS) 🎣 ➰ 🎾 🏓

Prado llano y ajardinado situado en un entorno rural. Acceso por la ctra.N-100. (Avignon-Isle sur Sorgue), a 13 Km de Avignon.

AVIGNON F-84000 **PONT-SAINT-BENEZET**

8 Ha. 300 🌲 ▭ Tel. 90826350 1/3-31/10 ⛰ T

⊙ 😊 😊 ⌐ ⌐ WC 🏠 🧺 🛁 ♿ 📺 🍴 ✕ 🏠 ⚓ 🗿 (GAS) 🎣 ➕ 🎾 🏓

Situado en la isla de Barthelasse. Acceso siguiendo el curso del Rhone hacia el desvío a la dcha. del puente de Avignon.

RHONE-ALPES-26

MONTELIMAR F-26200 **INT.DEUX SAISONS**

1 Ha. 90 🌲 ▭ ▭ Tel. 75018899 1/3-30/11 ⛰

⊙ 😊 😊 ⌐ ⌐ WC 🏠 🧺 🛁 🍴 ✕ 🏠 🗿 ➕

Situado en la periferia sureste de la ciudad. Camping de paso. Acceso por la N-7 hasta el centro de Montelimar. Seguir indicaciones.

CHABEUIL F-26120 **LE GRAND LIERNE**

4 Ha. 100 🌲 ▭ Tel. 75598314 8/4-25/9 RPT

⊙ ⌐ WC 🏠 🧺 🛁 ♿ 📺 🍴 ✕ 🏠 ⚓ 🗿 (GAS) 🎣 ➰ 🎪 🎾 △ 🏓 🚐 ⌐ 🏓

Piscina cubierta y piscina al aire libre. Animación. Tobogán acuático. Acceso por la autopista A-7, salida Valence Sud, en dirección a Chabeuil. Seguir las indicaciones de Le Grand Lierne.VER ANUNCIO.

VALENCE F-26000 **C.M.L'EPERVIERE**

3 Ha. 140 🌲 ▭ ▭ Tel. 75423200 1/1-31/12 ⛰

⊙ 😊 😊 ⌐ ⌐ WC 🛁 ♿ 📺 ✕ 🏠 ➰

Camping de ruta en el que se ha conservado el medio natural, situado entre la autopista y el Rhone. Acceso: Salida Valence-Sud de la A-7, seguir hacia el norte por la N-7 hasta llegar al Casino, pasar sobre la autopista y girar a la izquierda.

RHONE-ALPES-07

VALLON PONT D'ARC F-07150 **L'ARDECHOIS**

5 Ha. 244 🌲 ▭ Tel. 75880663 1/4-1/10 ⛰ RPT

⊙ 😊 😊 ⌐ WC 🏠 🧺 🛁 ♿ 📺 🍴 ✕ 🏠 ⚓ 🗿 (GAS) 🎣 ➰ ➕ 🎾 🏓 🚲

Terreno herboso, bien arbolado en la orilla izquierda del rio Ardèche, al principio del cañon. Acceso: Desde Vallon por la D-290 dirección St.Martin, después de 1 Km seguir indicaciones. Alquiler de canoas.

LANGEAC F-43300 **LES GORGES D'ALLIER**

24 Ha. 255 ⛺ 🚃 Tel. 71770541 2/4-2/11 ⚠ RP

⊙ 🚻 🚻 ⌐ ⌐ ⌐ WC 🏠 🧺 🍴 ♿ 📷 🏠 🎣 ⚓ 🏕 🏓

Situado a orillas del Allier. Acceso por la ctra. N-585 y 590.

VERNIOZ F-38150 **CAMP DU BONTEMPS**

8 Ha. 80 ⛺ 🚃 ⛷ Tel. 74578352 1/4-30/9 ⚠ RPT

⊙ 🚻 🚻 ⌐ ⌐ ⌐ WC 🏠 🧺 🍴 ♿ 📷 🛏 🎣 🏊 ⛳ 🏓 🎾 🚲 ⚓

Terreno rodeado de bosque junto al arroyo Vareza, represado en esta zona. Acceso por el desvío en Reventin-Vaugis a la D-131 a D-97 desde la N-7. Clases de tenis.

ENTRE-DEUX-GUIERS F-38380 **L'ARC EN CIEL**

1,2 Ha. 80 ⛺ 🚃 Tel. 76660697 1/3-31/10 RPT

⊙ 🚻 ⌐ WC 🧺 🍴 ♿ 📷 🎣 ⛽ ⚓

Camping con ambiente familiar situado cerca del centro del pueblo. Bastantes árboles. Mucha tranquilidad. Acceso junto al viejo puente.

BOURG D'OISANS F-38520 **LE COLPORTEUR**

3,5 Ha. 140 Tel. 76791144 Abre:1/6/94 RPT

⊙ ⌐ WC 🏠 🧺 🍴 ♿ 📷 🍽 ✕ 🏠 🎣 ⚓ ⚽ 🏓 ⚽

Terreno situado a 150 m. del centro de la ciudad, en Le Mas du Plan. Acceso por la carretera RN-91. Supermercado a 150 m. Piscina a 200 m.VER ANUNCIO.

Camping LE COLPORTEUR

Le Mas du Plan, 38520 Bourg d'Oisans
Tel.: 76.79.11.44 — Fax: 76.79.11.49

El camping más tranquilo, a 150 m. del centro de la ciudad, 200 m. del estadio náutico, en el centro de l'Oisans aux 6 Vallées, a 13 km. del Alpe d'Huez.

SAINT JEAN DE COUZ F-73160 **LA BRUYERE**

1 Ha. 70 ☀ 🚃 Tel. 79657342 15/4-15/10 ⚠ PT

⊙ 🚻 🚻 ⌐ ⌐ WC 🧺 ♿ 🍴 ✕ 🛏 ⚓

Acceso: Por la N-6, de Chambery, desvío a 15 Km en dirección Les Echelles. Sala de juegos. Instalaciones deportivas.

NOVALAISE F-73470 **LES CHARMILLES**

2,3 Ha. 100 ⛺ ⛷ 0,1 Tel. 79360467 25/6-31/8 ⚠ RPT

⊙ 🚻 🚻 ⌐ WC 🏠 🧺 🍴 ♿ 📷 🏠 🎣 ⛽ ⚓

Situado cerca de lago de Aiguebelette, frente al macizo de L'Epine. Acceso por la autopista A-43, salida Aiguebelette-le-Lac: 1 km por la CD-921 dirección St.Alban de Montbel.

CHAMONIX-MONT-BLANC F-74400 **MER DE GLACE**

2 Ha. 150 ⛺ 🚃 🚃 Tel. 50530863 1/5-30/9 ⚠ PT

⊙ 🚻 ⌐ WC 🏠 🧺 🍴 🍽 🏠 🎣 ⚓ ✚

Situado en un bosque de pinos y ajardinado. Recomendable solo para tiendas. Acceso por el paso subterráneo del ferrocarril de la N-506 (Les Praz). Señalizado. Supermercado y restaurante a 500 m.

CHAMONIX-MONT-BLANC F-74400 **DEUX GLACIERS**

1 Ha. 140 ⛺ 🚃 Tel. 50531584 14/12-16/11 ⚠ PT

⊙ 🚻 🚻 ⌐ ⌐ WC 🏠 🧺 🍴 📷 🎣 ⚓ ✚

Situado al pié del Mont-Blanc. Acceso por la salida a Les Bossons/Taconnaz del cinturon N-205. Señalizado. Reserva recomendada en temporada alta.Largas estancias. Edificios de sanitarios con calefacción.

RHONE-ALPES-74   CHAMONIX-MONT-BLANC F-74400   **LES ROSIERES**

1,7 Ha. 120 1,2 Km Tel. 50531042 15/12-20/10 PT

Situado a 1,2 km al norte de Chamonix. Tomar dirección Hopital y seguir unos 800 m. Tenis a 100 m.

RHONE-ALPES-69   DARDILLY F-69570   **PORTE DE LYON**

6 Ha. 160 Tel. 78356455 1/3-31/10

Situado a 9 Km de Lyon. Accesos por la A-6 (Paris-Lyon) y por la N-6 con desvío en el "Centre Comercial". Terreno de pernoctación.

FRANCHE-COMPTE-39   OUNANS F-39700   **LA PLAGE BLANCHE**

4 Ha. 184 Tel. 84376963 1/4-30/10 T

Terreno regular situado a orillas del rio Loue. Acceso: A Dole por la N-5 hasta Mont Sous Vaudrey, después por la 0427 dirección Pomtalier.

PATORNAY F-39130   **LE MOULIN**

5 Ha. 180 Tel. 84483121 15/5-15/9 PT

Terreno con parcelas distribuidas en terrazas bordeadas de setos, a orillas del rio Ain.

FRANCHE-COMPTE-25   LES HOSPITAUX NEUFS F-25370   **C.M.LE MIROIR**

1 Ha. 65 Tel. 81491064 1/1-31/12 T

Terreno bien cuidado situado en un valle del Jura. Acceso: por la N-57 de Pontarlier en dirección Laussanne. Tomar la D-49 en el centro de la población. Sala de juegos. Mayo y del 15/9-15/10 cerrado.

BOURGOGNE-71   DOMPIERRE-LES-ORMES F-71520   **LE VIL. DES MEUNIERS**

80 Tel. 85502134

Situado a 5 Km. del rio y del lago.

BOURGOGNE-58   POUGUES-LES-EAUX 58320   **LS CHANTERNES**

43 Tel. 86688618 1/4-31/10 RT

Situado muy creca de Nevers.

BOURGOGNE-21   PREMEAUX F-21700   **SAULE GUILLAUME**

2 Ha. 130 0,10 Km Tel. 80623078 15/6-1/9 T

Situado en un paisaje rural con terreno regular, cerca de un lago. Acceso: En Premeaux dejar la N-74 siguiendo en dirección a Quincey 1,5 Km. Camping de pernoctación.

CHAMPAGNE-52   LANGRES F-52200   **C.M.NAVARRE**

3 Ha. 90 Tel. 25881493 1/4-30/9

Situado cerca de las murallas de la ciudad (siglo XVI). Junto a la N-74, entre la Torre de Navarra y el Blvd. L. de Tassigny. Terreno de pernoctación. Piscina y tenis a 1 Km.

CHAMPAGNE-51   REIMS F-51100   **AIROTEL DE CHAMPAGNE**

5 Ha. 340 ☀ ▦ Tel. 26854122 SS-30/9 ⚠ T

☉ ⛲ ⛲ ⌐ WC ▣ 🍴 🚿 Ⓣ ✕ 🍷 🏛 ⛽

En la periferia sureste de la ciudad. Dirección: Av.Hoche. Señalizado dentro de la ciudad. Reserva obligatoria en verano.

LORRAINE-57   METZ F-57000   **METZ-PLAGE**

2 Ha. 175 🌲 ▦ Tel. 87320558 1/5-7/9 ⚠ P

☉ ⛲ ⛲ ⌐ WC ▣ 🍴 🚿 ♿ 🖥 Ⓣ ✕ 🏠 🍷 🏛 ⛽ 🚣 ✚

Terreno ligeramente inclinado situado en la orilla del Mosela. Se accede siguiendo en dirección Luxemburgo desde el centro de la ciudad; antes de llegar al puente sobre el Mosela, girar a la izquierda y seguir indicaciones. Piscina a 200 m.

LORRAINE-88   LA BRESSE F-88250   **BELLE HUTTE**

3 Ha. 90 🌲 ▦ Tel. 29254975 1/1-31/12 ⚠ PT

☉ ⛲ ⛲ ⌐ ⌐ WC ▣ 🍴 🚿 🖥 🍷 🏛 🚣 ✚

Terreno ajardinado y parcialmente aterrazado a unos 9 Km al norte de La Bresse. Acceso por la D-34. Tenis a 200 m. Minigolf y equitación a 3 Km.

ALSACE-67   RHINAU F-67860   **FERME DES TUILERIES**

2 Ha. 200 🌲 ▦ Tel. 88746045 1/4-30/9 ⚠ T

☉ ⛲ ⛲ ⌐ WC ▣ 🍴 🚿 Ⓣ 🏠 🍷 🏛 ⛽ 🚣 🏊 ✚ 🎯 🎾 🚲

Terreno regular, proximo a una granja. Acceso por la autopista Karlsruhe-Basel en la salida de Ettenheim en dirección Kappel. Señalizado en el pueblo.

SAVERNE F-67700   **C.M. DE SAVERNE**

2 Ha. 150 🌲 ▦ Tel. 88913565 1/4-30/9 ⚠ PT

☉ ⛲ ⛲ ⌐ WC ▣ 🍴 🚿 ♿ Ⓣ 🏠 🍷 🏛 ⛽ 🚣 ✚

Terreno ajardinado, con ligera pendiente y vistas al castillo de Haut-Barr. Acceso por la ctra. de Saverne en dirección Haut-Barr.

STRASBOURG F-67200   **MONTAGNE VERTE**

3 Ha. 220 🌲 ▦ Tel. 88302546 1/3-31/10 ⚠

☉ ⛲ ⛲ ⌐ WC ▣ 🍴 🚿 🖥 Ⓣ ✕ 🍷 🏛 🚣 ✚ 🎾

Próximo al estadio Ch.Frey, con polideportivo y albergue juvenil. Acceso por la D-392 en dirección Nancy.

ALSACE-68   WATTWILLER F-68700   **LES SOURCES**

13 Ha. 225 🌲 ▦ Tel. 89754494 1/4-15/10 RPT

☉ ⛲ ⌐ ⌐ WC ▣ 🍴 🚿 ♿ 🖥 Ⓣ ✕ 🏠 🍷 🏛 ⛽ 🚣 🏊 🎾 🎪

Camping situado en un bosque entre Colmar y Mulhouse. Petanca, pimg-pong. Dirección: Route des Crêtes. VER ANUNCIO.

HAUTE-CORSE (CORCEGA)   LOZARI F-20226   **LE CLOS DES CHENES**

5,5 Ha. 180 🌲 ▦ Tel. 95601513 15/3-15/10 ⚠ PT

☉ ⛲ ⌐ WC ▣ 🍴 🚿 ⌐ 🖥 Ⓣ 🏠 🍷 🏛 🚣 🌊 ✚ 🎾 ⛰ 🎪 🚲

Acceso: En el cruce D-81/N-197, seguir en dirección al interior. Terreno con árboles y cactus en la pendiente este de un valle con vista panorámica hacia el mar.

HAUTE-CORSE (CORCEGA) FARINOLE F-20253 **A STELLA**

5 Ha. 140 Tel. 95371437 1/6-30/9 MPT

WC

Acceso: Desde Patrimonio en la D-80 hacia el norte y después de 5 Km girar en dirección al mar. Prado ligeramente inclinado situado junto al mar.

GHISONACCIA F-20240 **ERBA ROSSA**

11 Ha. 250 Tel. 95562514 15/5-15/10 MRP0

WC

Acceso: Ctra. N-198 hasta la población y a partir de esta, seguir indicaciones. Discoteca, música en vivo.

CORSE-SUD (CORCEGA) PORTO VECCHIO F-20137 **LA CHIAPPA**

65 Ha. 250 Tel. 95700031 1/5-25/10 MRPT

WC

Camping Club para naturistas y no naturistas situado en una extensa reserva natural. Playa propia de 2,5 Km de largo, con calas. Estancia min.temp. alta: 3 dias. Clases de surf y tennis. Acceso por la N-198 dirección Palombagia.

Moneda: Libra esterlina (pound) = 100 peniques (pence).

Horarios: CORREOS: de lunes a viernes de 9.30 a 15.30 (puede variar en Escocia). Algunas oficinas importantes abren también los sábados de 9.00 a 12.30.

Documentación: DNI o pasaporte.

Perros y gatos: Ver tabla "Documentos de fronteras para perros y gatos".

Teléfono: Prefijo de España desde Gran Bretaña: 010-34 (no marcar el 9 del prefijo provincial). Prefijo de Gran Bretaña desde España: 07-44 (no marcar el 0 del prefijo local).

Normas de circulación: Se circula por la izquierda y se adelanta por la derecha. Cinturón obligatorio. Tasa máxima de alcoholemia: 0,8. **Velocidades máximas:** Ver tabla "Límites de velocidad para coches con caravana y autocaravanas".

Normas de acampada: Prohibida la pernoctación fuera de los campings.

Teléfonos de socorro: Avería: (0800) 887766. Accidente: 999. Policía: 999.

Direcciones útiles: Oficina Nacional de Turismo Británico: Torre Madrid 6/7, Plaza España, 28008 Madrid. Tel. (91) 5411396. Embajada de España en Londres: 16th floor, Portland House, Stag Place, SW 1 X 5 SE London. Tel. (071) 2355555; fax: (071) 2359905. Consulado en Londres: 20, Draycott Place, London SW3 2RZ. Tel. (071) 5815921; fax: (071) 5895842. Consulado en Manchester: Suite 1 A Brookhouse, 70 Spring Gardens, Manchester M2 2BQ. Tel. (061) 2361233; fax: (061) 2287467.

Consulado en Edimburgo: 63, North Castle St., Edinburgh EH2 3LJ. Tel. (031) 2201843; fax: (031) 2264568. Embajada de Gran Bretaña en Madrid: (91) 319 02 00 / 08.

Los afiliados a la Seguridad Social española tienen derecho a la prestación de asistencia sanitaria de carácter urgente durante su estancia en Gran Bretaña. Infórmese en la oficina del organismo sanitario competente de su Autonomía.

2 Ha. 90 ☀ ▦ Tel. (0233) 620859 1/1-31/12 ⁄⁄⁄ T

☺ ⊌ ⊌ ⌐ ⌐WC ♨ ♨ 🖾 🏠 🔥 ⤳

Terreno llano situado en un entorno campestre. Acceso: Desde Ashford por la a-2070 hasta Kingsnorth, girar a la izquierda.

EXETER   **KENNFORD INTERNATIONAL**

35 Ha. 150 ☀ ▦ Tel. (0392) 833046 1/1-31/12 ⁄⁄⁄

☺ ⊌ ⌐ ⌐WC 🏠 ♨ ♨ 🖾 ⊺ 🏠 🔥 🛒 🚩 ⤳ ➕

Terreno herboso, rodeado de colinas, ambiente agradable, decorado con plantasy flores. Al lado de una ctra. Acceso: Al sur de Exeter, por la A-38.VER ANUNCIO.

¡Se recomienda!

Disfrute de unos días agradables en este camping de primera categoría, situado en el corazón del paisaje hermoso de Devon. Punto ideal para salidas a Torquay y Dartmoor. Parcelas delimitadas por setos, con conexión electricidad.

KENNFORD INTERNATIONAL CARAVAN PARK. EXETER GLORIOUS DEVON. TEL. (0392) 833046.

NEWTON ABBOT   **STOVER INTERNATIONAL**

7 Ha. 310 🌲 ▦ Tel. (0626) 821446 15/3-31/10 ⁄⁄⁄ P

☺ ⊌ ⊌ ⌐ ⌐WC ♨ ♨ 🏠 🖾 ⊺ ✗ 🏠 🔥 🚩 ⤳ 🏊 ➕

Terreno con ligera pendiente, suelo herboso, en terrazas, adornado con floresy plantas en la parte baja. Acceso: Por la A-38, salida Newton Abbot, en la A-382 en direccióna la población por la A-382.VER ANUNCIO.

STOVER **International Caravan Park**

Newton Abbot-Devon TQ 12 6JD – Tel. (0626) 82 14 46

Un terreno de camping y caravaning excelente en el sur-oeste de Inglaterra.
La nueva piscina climatizada, el bar y la Cafetería están a su disposición.
Recomendado del ANWB (NL), AA, RAC, Caravan Club-Tourist Board (GB)

Reservación recomendada para Julio y Agosto.   THE ULWELL COTTAGE

SWANAGE   **THE ULWELL COTTAGE CAR. PARK**

70 🌲 ▦ Tel. (0929) 422823 1/4-31/10 PT

☺ ⊌ ⊌ ⌐WC ♨ ♨ 🖾 ⊺ ✗ 🏠 🔥 🚩 🏊 ➕

Terreno rodeado por las colinas de Purbeck, muy apropiado para excursiones. Piscina cubierta. Se habla español. Acceso: A-351 (Wareham-Swanage), a la izquierda, dirección Studland.VER ANUNCIO.

CARAVAN PARK
Swanage, Dorset BH 19 3 DG
Teléfono: 0929 422823

AA

Swanage esta situado en la bonita isla de Purbeck, antaño era un puerto anglosajón donde se encontraba el mármol Purbeck. Ahora es un pequeño sitio de vacaciones rodeado por las montañas Purbeck, un paraje ideal para paseos, excursiones a lugares históricos, deporte náutico, golf y equitación. El parque está a 2,4 km. de la ciudad y situado en las montañas de Purbeck.
ALQUILER DE CARAVANAS GRANDES Y LUJOSAS. PARCELAS. PISCINA CUBIERTA CLIMATIZADA. BAR. RESTAURANTE. SUPERMERCADO. Se habla un poco de español.

SHANKLIN(ISLA WIGHT) **LOWER HYDE LEISURE PARK**

5 Ha. 160 ☀ ▦ ⚡ 1 Km Tel. (0983) 866131 1/4-31/10 ⟰ PT

☺ 🍽 🍽 ⌢ ⌢ WC ▦ 🚿 🛁 ♿ 📷 🍴 ✕ 🏠 🔌 🛢 GAS ⚓ ≋ ➕ 🎯 🏕

Terreno ondulado, rodeado de arbustos. Persona individual no aceptada. Acceso: En el centro de Shanklin desviarse de la A-3055. Discoteca insonorizada.

LANDRAKE-SALTASH **DOLBEARE**

3,6 Ha. ☀ ▦ Tel. (0752) 851332 1/1-31/12 ⟰ T

☺ 🍽 🍽 ⌢ ⌢ WC 🚿 🛁 📷 🔌 🛢 GAS ⚓ ➕

Terreno con ligera pendiente, rodeado de campos y prados. Acceso: Salir de la A-38 (Plymouth-Liskeard) en la población dirección Blunts.

BOSWINGER-MEVAGISSEY **SEE VIEW**

6,4 Ha. 165 ☀ ▦ ⚡ 1 Km Tel. (0726) 843425 SS-30/9 ⟰ PT

☺ 🍽 🍽 ⌢ ⌢ WC ▦ 🚿 🛁 ♿ 📷 🍴 🏠 🔌 🛢 GAS ⚓ ≋ ⚠ 🏕

Terreno llano y muy cuidado dividido por plantas y setos. Acceso: Desde St.Austell dirección Mevagissey, antes de llegar a la población desviarse en dirección Gorran Haven. Evitar el paso por la población.

NEWTON ST.LOE-BATH **NEWTON MILL**

17 Ha. 255 ☀ ▦ Tel. (0225) 333909 1/1-31/12 P

☺ 🍽 🍽 ⌢ ⌢ WC ▦ 🚿 🛁 ♿ 📷 ✕ 🔌 🛢 GAS ⚓

Instalaciones sanitarias climatizadas. Pesca. TV vía satélite. Acceso: auto Pista M-4, salida 17, entonces la A-220 hasta Chippenham. A-4 hasta Bath, A-36 dirección Bristol. En la indicación TRENTON girar hacia la izquierda. Después del pueblo.VER ANUNCIO.

BEKESBURNE **CLUB SITE**

6,2 Ha. 300 🌲 ▦ Tel. (0227) 463216 1/4-30/9 ⟰ T

☺ 🍽 🍽 ⌢ ⌢ WC ▦ 🚿 🛁 📷 🛢 GAS ⚓

Terreno agradable rodeado de árboles. Dirección: Bekesbourne Lane. Acceso por la A-257 (Canterbury-Sandwich).

CHERTSEY **INTERNATIONAL SITE**

4,5 Ha. 225 🌲 ▦ Tel. (0932) 562405 1/1-31/12 ⟰ P

☺ 🍽 🍽 ⌢ ⌢ WC ▦ 🚿 🛁 ♿ 📷 🔌 🛢 GAS ⚓

Situado en la orilla de un ramal del Támesis, próximo al Chertsey Bridge. Acceso por la B-375 de Chertsey a Shepperton.

LONDON-CRYSTAL PALAC **CRYSTAL PALACE**

3 Ha. 160 ☀ ▦ Tel. (081) 7787155 1/1-31/12 ⟰ P

☺ 🍽 🍽 ⌢ ⌢ WC 🚿 🛁 ♿ 📷 🏠 🔌 ⚓ ➕

Terreno situado en el Parque Crystal Palace al sur de Londres. Estancia máxima de 7 días, en invierno 14. Acceso por la A-205 (South Circular Road). Cerca de la torre de la televisión y del National Sports Center.

LONDON-LONDRES

LONDON-ABBEY WOOD — **CO-OPERATIVE WOODS**

3,6 Ha. 300 ⛺ ▭ ▭ Tel. (081) 3102233 1/1-31/12 ⛰ T

☺ ⛲ ⛲ ⌐ ⌐ WC 🚿 🍳 ♿ 🧺 ⚓ 📮 GAS ⚒

Situado al este de Londres. Estancia máxima de 2 semanas. Acceso por la M-25, saliendo a la A-2 en dirección London.

INGLATERRA-CENTRO

COLCHESTER — **COLCHESTER PARK**

5 Ha. 185 ⛺ ▭ Tel. (0206) 45551 1/1-31/12 ⛰

☺ ⛲ ⌐ WC 🏠 🍳 ♿ 🏠 ⚓ 🔥 GAS ⚒ ✚

Prado llano junto a una carretera transitada, situado al oeste de Colchester, en el cruce de la A 604 y la A 12.

FAKENHAM — **RACECOURSE CAMPSITE**

4,6 Ha. 140 ☀ ▭ Tel. (0328) 862388 1/4-30/9 ⛰ T

☺ ⛲ ⛲ ⌐ ⌐ WC 🏠 🍳 ♿ ⚫ 🧺 ⚓ 🔥 GAS ⚒

Terreno llano con plazas asfaltadas, junto al hipódromo. Abierto tambien en las fechas de las carreras. No se admiten tiendas. Acceso: Seguir las indicaciones Racecourse.

EDWINSTOWE — **SHERWOOD FOREST**

6 Ha. 140 ⛺ ▭ Tel. (0623) 823132 1/4-30/9 ⛰ PT

☺ ⛲ ⌐ ⌐ WC 🏠 🍳 ♿ 🧺 🏠 ⚓ 🔥 GAS ⚒ ✚

Acceso por la carretera de Ollerton a Mansfield. Situado a 4 Km al oeste de Edwinstowe. Terreno herboso con algunos árboles, entre un arroyo y un pequeño lago. Varios parques infantiles.

OXFORD — **OXFORD INTERNATIONAL**

2 Ha. 130 ☀ ▭ Tel. (0865) 246551 1/1-31/12 ⛰

☺ ⛲ ⛲ ⌐ ⌐ WC 🚿 ♿ 🧺 ⚓ 🔥 GAS ⚒

Terreno llano situado al suroste de Oxford, a 1,8 Km del centro. Dirección: 42 Abingdon Road. Acceso: Salir del cinturón A-34 a la A-423 y después cruzar la via del tren.

TIDDINGTON — **THE ELMS CAMP**

2,5 Ha. 180 ⛺ ▭ Tel. (0789) 292312 1/4-31/10 ⛰ T

☺ ⛲ ⛲ ⌐ ⌐ WC 🏠 🍳 ♿ ⚓ 🔥 GAS ⚒

Terreno rodeado de árboles y setos, situado cerca de Stratford-upon-Avon. Acceso: Por la B-4086.

CAMBRIDGE

COMBERTON — **HIGHFIELD FARM**

3 Ha. 120 ⛺ ▭ Tel. (0223) 262308 1/4-31/10 ⛰ T

☺ ⛲ ⛲ ⌐ ⌐ WC 🏠 🍳 ♿ ⚓ 🔥 GAS ⚒ 🚲

Terreno herboso con setos, cerca de una granja. Acceso: Salida 12 de la M-11 y seguir por la A-603 en dirección Sandy; después de 600 m por la 0-1046 hacia la población y seguir indicaciones.VER ANUNCIO.

CAMBRIDGE GREAT SHELFORD **CAMPING CLUB SITE**

6 Ha. 120 ☀ ▭ Tel. (0223) 841185 1/4-30/9 ⛰ T

⊙ 🛁 🛁 ⌐ ⌐ WC 🖼 🛒 🍴 ♿ 🖥 �’ ⚓ GAS ✚

Salida 11 de la M-11, dirección Cambridge y seguir por la A-130. Arboleda irregular. Zona separada para tiendas.

INGLATERRA-NORTE ORMSIDE **WILD ROSE**

45 Ha. 420 🌲 ▭ Tel. (07683) 51077 1/1-31/12 ⛰ PT

⊙ 🛁 ⌐ WC 🖼 🛒 🍴 ♿ 🖥 ✕ 🏠 �’ ⚓ GAS ⚓ ➳ ✚ △ 🚲

Acceso: Desde Appleby en la B 6260 y después de 2,5 Km, girar en dirección a Ormside. Terreno bien cuidado y ajardinado.

KESWICK **CASTLERIGG HALL**

8 Ha. 120 🌲 ▭ Tel. (07687) 72437 31/3-14/11 ⛰ PT

⊙ 🛁 🛁 ⌐ ⌐ WC 🛒 🍴 ♿ �’ ⚓ GAS

Situado en una colina con mágnificas vistas panorámicas al Distrito de los Lagos. A 4 Km al sur de Keswick. Acceso por la A-591 (Keswick-Ambleside).

MEALSGATE **THE LARCHES**

7,5 Ha. 250 🌲 ▭ Tel. (06973) 71379 1/3-31/10 ⛰ P

⊙ 🛁 ⌐ WC 🖼 🛒 🍴 ♿ 🖥 🏠 �’ ⚓ GAS ⚓ ➳ ✚

Terreno de suave pendiente dividido por franja de árboles, lindante con la ctra. Acceso: Por la A-595 (Carlisle-Cockermouth).

SILLOTH **STANWIX PARK**

6 Ha. 121 ☀ ▭ 🏂 1 Km Tel. (06973) 31671 1/4-31/10 ⛰ RT

⊙ 🛁 🛁 ⌐ ⌐ WC 🖼 🛒 🍴 🖥 ✕ �’ ⚓ GAS ⚓ ➳ ✚ ⚙ 🏓 🚲

Terreno llano, con setos y una urbanización de bungalows y mobilhomes. Discoteca. Piscina abierta al público. Acceso: A 700 m de Silloth en la B-5300. Indicado

NEWCASTLE-UPON-TYNE **GOSFORTH RACECOURSE**

1,5 Ha. 90 🌲 ▭ Tel. (091) 2363258 1/5-30/9 ⛰ T

⊙ 🛁 ⌐ WC 🛒 🍴 ✕ �’ ⚓ GAS ⚓

Acceso: Por la A 1 (Newcastle-Morpeth) hasta Gosfort. Indicado. Situado entre el hipodromo y un bosque. Abierto también los dias de carreras.

ROWLANDS GILL **DERWENT PARK**

1,5 Ha. 70 🌲 ▭ Tel. (0207) 543383 29/3-30/9 ⛰ PT

⊙ 🛁 🛁 ⌐ ⌐ WC 🛒 🖥 🍴 ✕ �’

Situado a 10 Km al suroeste de Newcastle-upon-Tyne. Desvío indicado en la A-694. Terreno regular, rodeado de colinas arboladas. Próximo al rio Derwent y a una área recreativa municipal.

WHITBY **WHITBY HOLIDAY PARK**

☀ ▭ 🏂 Tel. (0947) 602664 S.S.-31/10 ⛰ MPT

⊙ 🛁 🛁 ⌐ ⌐ WC 🛒 🍴 🏠 ⚓ GAS ⚓

Terreno amplio y sencillo con situación privilegiada junto al acantilado, magnífica vista al Mar del Norte. Instalaciones sanitarias bien cuidadas. Ping-pong. Pub. Acceso: desde York en la carretera nº 169 hasta Whitby y seguir las indicaciones "Whitby Abbey".

HARROGATE — RUDDING HOLIDAY PARK

9 Ha. 270 Tel. (0423) 870439 SS-31/10 PT

Prado accidentado dentro de un parque. Acceso: Al sudeste de Harrogate salirde la A 661 en dirección Follifoot.

WALES-GALES

LLANRHIDIAN — HOLIDAY PARK

16 Ha. 380 Tel. (0792) 391083 1/4-31/10 P

Terreno bien cuidado. Discoteca. Acceso por la B-4295 a 500 m al noreste de la población en dirección Swansea.

DINAS DINLLE — DINLLE PARK

4 Ha. 360 0,30 Km Tel. (0286) 830324 1/3-31/10 RT

Acceso: Desde Caernarfon en la A-499 en dirección sur. Terreno herboso con setos, sin sombra. Bailes.

BRYNSIENCYN — FRON PARK

2,2 Ha. 85 3 Km Tel. (0248) 430310 1/4-30/9 T

Terreno con setos dividido en dos partes situado en la A-4080, a 1 Km al oeste de Brynsiencyn, en la isla de Anglesey. Restaurante a 1 Km.

TALGARTH (BRECON) — RIVERSIDE

4,5 Ha. 85 Tel. (0874) 711320 1/4-31/10 PT

Situado en una cuesta, parcialmente aterrazado con preciosas vistas al castillo de Bronllys y a las Montañas Negras. Acceso por la A-479, a 1 Km al norte de Talgarth.

LLANGORSE — LAKESIDE PARK

40 Tel. (087484) 226 1/4-30/9 PT

Terreno herboso situado entre colinas junto a un pequeño río. Separado del lago de Llangorse por un prado muy adecuado para juegos. Excursiones en poney y a pie. Pesca, canoa. Acceso: desde Brecon, en la A-40 y la B-4560.

SCOTLAND-ESCOCIA

CROCKETFORD — BRANDEDLEYS

6 Ha. 100 Tel. (055669) 0250 SS-31/10 PT

Terreno herboso con árboles jóvenes y vista panorámica. Sauna, piscina cubierta. Acceso por la A-75 (Stranraer-Dumfries), señalizado desde la población.

BRIGHOUSE BAY BORGUE — BRIGHOUSE BAY

10 Ha. 220 0,20 Km Tel. (05577) 267 1/4-31/10 PT

Acceso señalizado al sudeste de Borgue. Situado junto a la bahía de Brighouse. Escuela de vela y de surf.

EDINBURGH — MORTONHALL CARAVAN PARK

7 Ha. 250 Tel. (031) 6641533 1/4-31/10 T

Acceso por la ctra. A-720 al sur de Edimburgo. Situado en el cruce de la A-701 con la A-702. Señalizado. Cercano a casa señorial. Zona reservada para jóvenes.

GRAN BRETAÑA

ARROCHAR

ARDGARTAN CAMP SITE

8,5 Ha. 200 🌲 ⛺ 🛶 Tel. (03012) 293 1/4-30/9 ⛰ MPT

⊙ 🚻 ⌐ WC 🍴 🛁 🍽 🏠 🔌 🏪 GAS

Prado llano situado dentro de un parque natural. Magníficas vistas. Playa pedregosa. Acceso: en Tarbet (Loch Lomond) coger la A 83 en dirección a Inverary y continuar hasta el sur de Arrochar.

CORPACH-FORT WILLIAM

LINNHE CARAVAN PARK

9 Ha. 100 🌲 ⛺ 🛶 Tel. (0397) 772376 1/3-31/10 ⛰ MPT

⊙ 🚻 ⌐ WC 🍴 🛁 🍽 🏠 🔌 🏪 GAS ➕ 🛏

Terreno extenso distribuido en terrazas, junto a un acantilado. Acceso: Al oeste de Corpach Village, en la A 830.

INVERNESS

BUGHT PARK

4,5 Ha. 175 🌲 ⛺ Tel. (0463) 236920 1/4-31/10 ⛰ T

⊙ 🚻 🚻 ⌐ ⌐ WC 🍴 🛁 🍽 🏠 🔌 🏪 GAS 🔫 ➕

Acceso por la A-82 a Fort Williamy desvío a la izquierda pasado el rio.Terreno regular y llano. Zona reservada para jóvenes. Camping municipal.

BLAIR ATHOLL

BLAIR CASTLE

12,8 Ha. 380 🌲 ⛺ Tel. (0796) 481263 1/4-31/10 ⛰ PT

⊙ 🚻 ⌐ WC 🍴 🛁 🍽 🏠 🔌 🏪 GAS 🔫 ➕ 🛏

Acceso por la A-9 (Dunkeld-Kingussie). En Blair Atholl, después de cruzar elTilt, girar a la derecha. Terreno ligeramente ondulado. Restaurante a 300 m.

GRECIA

Moneda: Drachma= 100 lepta.

Horarios: CORREOS: de lunes a viernes de 7.30 a 19.30. BANCOS: de lunes a sábado de 8.00 a 13.00/14.00. El Banco Nacional en la Plaza Syntagma de Atenas también sábados y domingos por la mañana entre semana de 15.30 a 20.00. COMERCIOS: de lunes a viernes de 8.00 a 20.00 (miércoles: 14.00); sábados de 8.00 a 15.00.

Documentación: DNI o pasaporte.

Perros y gatos: Ver tabla "Documentos de fronteras para perros y gatos".

Teléfono: Prefijo de España desde Grecia: 00-34 (no marcar el 9 del prefijo provincial). Prefijo de Grecia desde España: 07-30 (no marcar el 0 del prefijo local).

Normas de circulación: En Atenas, las lineas amarillas en el borde de las calles y las señales de preferencia significan también que aparcar está prohibido. Cinturón obligatorio. Tasa máxima de alcoholemia: 0,5. **Velocidades máximas:** Ver tabla "Límites de velocidad para coches con caravana y autocaravanas".

Normas para acampar: Prohibido pernoctar fuera de los campings.

Teléfonos de socorro: Avería: Atenas (01) 10; Thesaloniki (031) 104. Accidente: 166 (Atenas y cercanías). Policia 100 (en Atenas 171).

Direcciones útiles: Oficina Nacional Helénica de Turismo: Alberto Aguilera, 17-1º-izda., 28015 Madrid. Tel. (91) 5484889/90. Fax.(91) 5428138. Embajada de España en Atenas: Vassilissis Sofias 29, Athine 10674. Tel. (01) 7214885/7224242. Sección consular: Tel. (01) 7224925/26; fax: (01) 7216394. Embajada de Grecia en Madrid: Avda. Doctor Arce 24, 28002 Madrid. Tel. (91) 5644653

Los afiliados a la Seguridad Social española tienen derecho a la prestación de asistencia sanitaria de carácter urgente durante su estancia en Grecia. Infórmese en la oficina del organismo sanitario competente de su Autonomía. Asistencia médica: Presente el formulario E-111 y su pasaporte en la Oficina Local del IKA. Le entregarán una "cartilla sanitaria especial" y le remitirán a una clínica o médico del IKA, cuya asistencia es gratuita.

GRECIA

MAGNÍSSIAS

KATO GATZEA (VOLOS) GR-38001 · **SIKIA-FIG TREE**

3 Ha. 160 ﹏ ﹏ ☎ Tel. (0423) 22279 15/3-30/10 MPT

Situado a 18 Km al sureste de Volos en dirección Kalá Nerá. Directo al mar. Playa de arena. Sombreado por olivos y parras.

POTISTIKA GR-38001 · **EGEO**

1 Ha. 80 ﹏ ☎ 0,20 Km Tel. (0423) 54482 15/5-30/9 MPT

Terreno distribuido en terrazas junto a una bahía situado a 3 km de Xinovrisi en Potístika.

ATHINE (ATENAS)

RAFINA GR-19009 · **KOKKINO LIMANAKI**

1,5 Ha. 150 ﹏ ﹏ ☎ 0,15 Km Tel. (0294) 31603 1/4-30/10 PT

A 29 Km al este de Atenas, bien indicado. Centro de población a 1,3 Km. Pinos y oleandros distribuidos por algunas terrazas que compensan la pendiente.

VOULA GR-16673 · **EOT-CAMPING VOULA**

6 Ha. 350 ﹏ ﹏ ☎ Tel. 8952712 1/1-31/12 M

Desde Atenas seguir la ctra. de costa Kap Sounion hasta pasado el aeropuerto Glifada, a 22 Km al sur de Atenas. Altura máxima del acceso: 2,48 m. Terreno llano y ajardinad con oleandros.

FOKIDA

CHRISSO (DELFI) GR-33200 · **CHRISSA CAMPING**

2 Ha. 100 ﹏ ☎ Tel. (0265) 82050 1/1-31/12 PT

A 7 Km al oeste del Delfi. Construido sobre las terrazas de una colina. Vista panorámica a una bahía.

AGIOS NICOLAOS GR-33058 · **DORIC**

2 Ha. 100 ﹏ ﹏ ☎ 0,4 Km Tel. (0266) 31722 1/5-30/9 PT

Acceso por la ctra. de Itéa a Eratini, señalizado (Agios Nicolaos). Terreno distribuido en terrazas situado en una pendiente. Vista panorámica al golfo de Corinto.

THESPROTIA

IGOUMENITSA-SIVOTA GR-46100 · **SIVOTA**

1,5 Ha. 120 ﹏ ﹏ ☎ Tel. (0665) 93275 15/5-30/9 M

Terreno aterrazado situado en una bahía con playa arenosa y guijarrosa. Clases de vela y surf. Alquiler de canoas. A 20 Km al sur de Igoumenitsa.

| THESPROTIA | IGOUMENITSA-PLATERIA GR-46100 | **KALAMI BEACH** |

2,8 Ha. 150 🏕 ___ ___ ✒ Tel. (0665) 71211 1/4-15/10 ⛰ MP

😊 🍵 🍴 ⌂ ⌂ WC 🚿 🚰 🔌 📷 🍽 ✕ 🏠 ⚓ 🛒 🏪 🅖 ✚

Terreno aterrazado y muy arbolado con olivos y eucaliptos. Situado en una cala con playa guijarrosa. Vista preciosa. A 8 Km de Igoumenitsa en dirección Parga.

| TRIKALON | KALAMBAKA GR-42200 | **PHILOXENIA** |

1,6 Ha. 200 🌳 ___ ___ Tel. (0432) 24466 1/1-31/12 ⛰ P

😊 🍵 ⌂ WC 🚿 🚰 🔌 ✕ 🏠 ⚓ 🛒 🅖 〰

Prado llano con algunos árboles jóvenes y arbustos. Vista panorámica a las rocas de Meteora. Situado al sur de la localidad. Indicado.

| | KALAMBAKA-KASTRAKI GR-42200 | **METEORA GARDEN** |

1 Ha. 100 🏕 ___ ___ Tel. (0432) 22727 1/1-31/12 ⛰ P

😊 🍵 🍴 ⌂ ⌂ WC 🚿 🚰 🔌 ✕ 🏠 ⚓ 🛒 🅖 ⚓ 〰

Terreno llano ajardinado con vistas a las rocas de Meteora. Situado en la ctra. Trikala-Ioánnina, a 1 Km al noroeste de Kalámbaka.

| THESSALONIKIS | EPANOMI GR-57500 | **EOT-CAMPING EPANOMI** |

54 Ha. 730 🏕 ___ ___ ✒ Tel. (0392) 41378 1/1-31/12 ⛰ MPT

😊 🍵 🍴 ⌂ ⌂ WC 🚿 🚰 🔌 ✕ 🏠 ⚓ 🛒 🅖 🎾

A 32 Km del desvío de Thessaloniki al aeropuerto en dirección sur y a 4 Km de Epanomi. Próxima parada a 0,5 Km. Terreno llano. Larga playa arenosa.

| | ASPROVALTA GR-57021 | **EUROPE** |

1,3 Ha. 120 🏕 ___ ✒ 0,2 Km Tel. (0397) 22296 1/5-30/9 ⛰

😊 🍵 🍴 ⌂ WC 🚿 🚰 🔌 📷 🍽 ⚓ 🛒 🅖

Terreno herboso con mucha sombra situado junto a la carretera. Acceso por la carretera E 90 (Thessaloniki-Kavála). A unos 3 km al noreste de Asproválta.

| | KARIANI GR-64008 | **ALEXANDRA** |

3 Ha. 200 ☀ ___ ✒ Tel. (0594) 51541 1/3-30/11 ⛰ MPT

😊 🍵 🍴 ⌂ WC 🚿 🚰 🔌 📷 ✕ 🏠 ⚓ 🛒 🅖 ⚓ ✚ 🎾 🏓

Acceso: E 90 (Thessaloniki-Kavála). Antes de llegar a Kariani, girar en dirección al mar. Terreno llano con algunos olivos. Escuela de vela y surf.

| HALKIĐIKI | SANI GR-63077 | **SANI** |

10 Ha. 550 🏕 ___ ✒ Tel. (0374) 31224 15/4-30/9 ⛰ MT

😊 🍵 🍴 ⌂ ⌂ WC 🚿 🚰 🔌 🍷 ✕ 🏠 ⚓ 🛒 🅖 ⚓ 🏓

Terreno parcialmente inclinado en un valle rodeado por colinas. Situado en una cala con playa arenosa. Clases de vela. Discoteca cubierta y al aire libre. Acceso: Desde lactra. Moudania-Paliouri en dirección oeste.
VER ANUNCIO.

GRECIA

HALKIDIKI

NEOS MARMARAS GR-63081 — ARETI

2 Ha. 130 ⛺ ~~~ Tel. (0375) 71573 1/5-15/10 MPT

Acceso: Seguir las indicaciones al sur de Porto Carras. Terreno aislado junto a dos bahías.

KALAMITSI GR-63072 — KALAMITSI

15 Ha. 600 ⛺ ~~~ Tel. (0375) 41410 1/5-30/9 MPT

Situado al sur de la península de Sithonia, señalizado. Prado llano junto a una bahía rodeada de rocas. Algunas parcelas en la misma playa. Clases de tenis. Música en vivo.

METAMORFOSI GR-63100 — SITHON

3 Ha. ⛺ ___ Tel. (0375) 22414 1/5-30/9 T

Situado a 3 Km del mar en un paisaje montañoso. Posibilidad de practicar la vela y el surfing. Alquiler de canoas. Acceso saliendo de la ctra. a 3 Km al norte de Metamorfosi.

KAVALA

NEA IRAKLITSA GR-64100 — KAVALA

1,6 Ha. 100 ☀ ~~~ Tel. (0592) 71465 1/5-30/9 MPT

Situado junto a Nea Iraklitsa, a 14 Km al suroeste de Kavála. Prado llano rodeado de colinas, junto a un hotel. Playa arenosa. Música en vivo.

KAVALA GR-65001 — IRINI

2,4 Ha. 200 ⛺ ~~~ Tel. (051) 229785 1/1-31/12 MP

Terreno bien cuidado en un paisaje montañoso. En la parte nueva no hay mucha sombra, si la hay abundante en las otras zonas. Playa de 250 m de longitud. Situado a 300 m al este de Kavála, entre el mar y la ctra. Kavála-Xanthi.VER ANUNCIO.

"IRINI" CAMPING
KAVALA - Greece
KAVALA
Tel. (051) 229785
Drama — Xanthi — Kaval — Pondolivadon — Thasos

ACHAIAS-PELOPONESO

LAMBIRI GR-25100 — TSOLI'S CAMPING

1,7 Ha. 100 ☀ ~~~ Tel. (0691) 31469 1/1-31/12 MP

Situado junto a la playa en uno de los lugares más bonitos del golfo de Corinto, al este de Pátras y a 12 Km de Aigion. Terreno llano y parcialmente aterrazado. Discoteca.

ILIAS-PELOPONESO

OLYMPIA GR-27065 — DIANA

0,5 Ha. 60 ⛺ ~~~ Tel. (0624) 22314 1/1-31/12 T

Acceso indicado desde la población. Zonas de interés arqueológico a 0,7 Km. Situado sobre Olympia, en una montaña empinada, junto a estación de servicio. Restaurante a 200 m.

OLYMPIA GR-27065 — ALPHIOS

2,2 Ha. 100 ⛺ ~~~ Tel. (0624) 22950 1/3-31/10 PT

Terreno en situación alta, por esto tranquilo y fresco por la noche. Ambiente simpático y de cierto lujo. Situado a 1 Km al noroeste de Olimpia (a 20 Km al este de Pirgos).

ILIAS-PELOPONESO   GLIFA   GR-27050   **IONION BEACH**

4 Ha. 230   Tel. (0623) 96396   1/1-31/12   MPT

Acceso señalizado al sur de la población. Prado ligeramente inclinado con árboles, setos, ajardinado y bien cuidado.

KORINTHIAS (CORINTO)   LECHAION   GR-20100   **BLUE DOLPHIN**

2,4 Ha. 150   Tel. (0741) 25766   15/4-15/10   M

Terreno pedregoso pero muy bonito situado junto al golfo de Corinto. Playa larga. Discoteca. A 5 Km al oeste de Kórinthos.

ALMIRI   GR-20100   **BIARRITZ**

0,9 Ha. 50   0,10 Km Tel. (0741) 33441   1/1-31/12   MT

En la ctra. de Korinthos-Epidauros, en la población en dirección a la costa.Terreno dividido en dos partes.

ARGOLIDOS   PALEA EPIDAVROS   GR-21059   **BEKAS BEACH**

3,2 Ha. 265   Tel. (0753) 41524   1/3-31/10   MPT

Situado a 2 Km al sur de Palea Epidavros. Bien indicado pero con ctra. de acceso muy estrecha. Arbolado con pinos y naranjos. Junto a una cala.

PALEA EPIDAVROS   GR-21059   **NICOLAS II**

1,2 Ha. 100   Tel. (0753) 41445   1/4-15/10   MPT

Terreno en terrazas. Zona llana para caravanas y autocaravanas lindando con la playa. Acceso: Desde la población seguir las indicaciones hacia el sur. Bahía pintoresca con 100 m. de playa. Rodeado de altas montañas verdes.

NAFPLION-TOLON   GR-21056   **LIDO II**

3,2 Ha. 250   0,05 Km Tel. (0752) 59396   1/5-15/10   P

Acceso a través del desvío al este de la población. Centro de población a 0,4Km. Parada de autobús a 50 m. Terreno sombreado con árboles y techos de caña y adornado con flores y setos.

NAFPLION-DREPANON   GR-21100   **ALKYON BEACH**

2,4 Ha. 200   0,05 Km Tel. (0752) 92336   1/4-30/10   RPT

A 1 Km de Drepanon a través de un desvío indicado en la ctra. de Nafplio, dirección a Tolón y Drepanon. Cine, música en vivo, clases de surf.

NAFPL.-PALEA ASSINI   GR-21100   **KASTRAKI**

2,2 Ha. 160   Tel. (0752) 59386   1/4-31/10   MPT

Acceso indicado en la población. Terreno bien cuidado, parcialmente inclinado con eucaliptos y pinos. Clases de surf.

LAKONIAS   SPARTA-MISTRAS   GR-23100   **CASTLE VIEW**

1,2 Ha. 100   Tel. (0731) 93303   15/3-20/10   PT

Terreno con poca sombra. Desde una parte de él se goza de una buena vista a las ruinas de Mistras. Situado a 1,5 Km del centro de la población. Acceso señalizado.

GRECIA

KORFU (ISLA DE CORFU)   RODA (KERKYRAS) GR-49080 **RODA BEACH INTERNATIONAL**

2 Ha. 100 ▲ ▬▬ ⌇ 0,70 Km Tel. (0663) 63120 1/4-31/10 ◬ T

⊙ 🚻 ⌐ ⌐ WC 🍴 🍴 🍴 🍴 ✕ ⟋ 🏛 ⟋ 🏺 ⛽ 🏊

Terreno llano con algunos olivos y árboles frutales, rodeado de campos. Situado en la costa norte de la isla.

KRETA (ISLA DE CRETA)   AGIOS NICOLAOS GR-71001   **GOURNIA MOON**

0,9 Ha. 60 ☀ ▬▬ ▬▬ ⌇ Tel. (0842) 93243 1/4-31/10 ◬ MP

⊙ 🚻 ⌐ ⌐ WC 🍴 🍴 🍴 🖥 ▯ ✕ 🏛 ⟋ 🏺 ⛽ 🏊 ✚ ♿

Terreno aterrazado en una cala a unos 16 Km al este de la población. Magnífica vista panorámica.

KOS (ISLA DE KOS)   PSALIDI GR-85300   **KOS**

1 Ha. 150 ▲ ▬▬ ⌇ Tel. (0242) 23275 1/5-31/10 M

⊙ 🚻 🚻 ⌐ ⌐ WC 🍴 🍴 🍴 🖥 ✕ 🏛 ⟋ 🏺 ⛽ 🍴 ⛺ 🚲

Situado a unos 2 Km de la población y a 25 Km de la ciudad de Kos. Voleibol.

PANORAMA
del año
caravaning
REVISTA RECOMENDADA POR LA FECC Y LA UCC.
PORTAVOZ DE GREMCAR
400 Ptas.
Nº 94 FEBRERO
MARZO '95

7

¿Qué ventajas ofrece una Mobil-Home?

HOLANDA

Moneda: Florín (gulden)= 100 cent (la moneda más pequeña es la de 5 cent).

Horarios: CORREOS: de lunes a viernes de 8.30 a 17.00. Oficinas importantes hasta las 19.00 y los sábados hasta las 12.00. BANCOS: de lunes a viernes de 9.00 a 16.00 / 17.00. Oficinas de cambio abren también por la tarde y los fines de semana. COMERCIOS: Lunes, en general, de 13.00 a 17.30 / 18.00. De martes a viernes de 8.30 / 9.00 a 17.30 / 18.00. Sábados de 9.00 a 16.00 / 17.00.

Documentación: DNI o pasaporte. Se recomienda Carta Verde Internacional.

Perros y gatos: Ver tabla "Documentos de fronteras para perros y gatos".

Teléfono: Prefijo de España desde Holanda: 00-34 (no marcar el 9 del prefijo provincial). Prefijo de Holanda desde España: 07-31 (no marcar el 0 del prefijo local).

Normas de circulación: Las bicicletas tienen preferencia, cuidado con los cambios de dirección. Cinturón obligatorio. Tasa máxima de alcoholemia: 0,5.

Velocidades máximas: Ver tabla "Límites de velocidad para coches con caravana y autocaravanas".

Normas para acampar: Prohibido pernoctar fuera de los campings.

Teléfonos de socorro: Avería: (06) 0888. Accidente: (06) 011. Policia: (06) 011.

Direcciones útiles: Oficina de Turismo de los Países Bajos: Gran Vía 55 4º G, 28013 Madrid. Tel. (91) 5415828. Consulado de España en Amsterdam: Frederiksplein 34, 1071 XN Amsterdam. Tel. (020) 6203811; fax: (020) 6380836. Embajada de Holanda en Madrid: Pº de la Castellana 178, 28046 Madrid, Tel. (91) 3590914. Embajada en la Haya: Lange Voorhout 50, 2514 EG Den Haag. Tel. (070) 3643814 / 15 / 16; fax: (070) 3617959.

Los afiliados a la Seguridad Social española tienen derecho a la prestación de asistencia sanitaria de carácter urgente durante su estancia en Holanda. Infórmese en la oficina del organismo sanitario competente de su Autonomía.

AMSTERDAM

AMSTERDAM-ZUIDOEST NL-1108 **GAASPER CAMPING**

5,5 Ha. 410 ⛺ 🚐 Tel. (020) 967326 1/3-31/12 🏔

☺ 🍴 🍴 ⌐ ⌐ WC 🏪 🧺 🔧 🚿 📷 ✕ ⚓ 🏛 ⛽ 🚗 🚙

Terreno ubicado en el parque Gaasper, cercano al lago, con vegetación jóven y rodeado por una acequia, en el sureste de la capital holandesa. Acceso por la A-9,salida Gaasperplas.VER ANUNCIO.

AMSTERDAM-NOORD NL-1022 **VLIEGENBOS**

3 Ha. 300 ⛺ 🚐 Tel. (020) 6368855 1/4-30/9 🏔 T

☺ 🍴 🍴 ⌐ ⌐ WC 🏪 🧺 🔧 🚿 📷 ✕ ⚓ 🏛 ⛽ 📷 🏓 🚲

Acceso por el IJ-túnel desde el centro de Amsterdam, en dirección norte. FrecUentado por grupos de jóvenes. Poco apto para caravanas.

AMSTERDAM NL-1432 **HET AMSTERDAMSE BOS**

6,8 Ha. 540 ⛺ 🚐 Tel. (020) 6416868 1/4-31/10 🏔 P

☺ 🍴 🍴 ⌐ ⌐ WC 🧺 🔧 🍽 ✕ ⚓ 🏛 ⛽ 📷 🏓

Situado en un parque. Dirección: Kl.Noorddijk,1. Acceso: A-9 (Badhoevedorp-Ouderkerk), dirección aeropuerto Schiphol, salida Amstelveen en dirección sur.VER ANUNCIO.

CENTRO/LAGO IJSSEL

ALMERE NL-1309 **MARINA MUIDERZAND**

10 Ha. 170 ⛺ 🚐 ⚓ Tel. (036)5365151 1/4-1/10 MRT

☺ 🍴 🍴 ⌐ ⌐ WC 🧺 🔧 🚿 📷 🏠 ⚓ 🏛 ⛽ 🚗 🚙

Terreno herboso con arbustos, junto a un lago. Acceso: Por la A-6 (Muiden-Lelystad), salida Muiderzand. VER ANUNCIO.

PANORAMA
caravaning
REVISTA RECOMENDADA POR LA FECC Y LA UCC.
PORTAVOZ DE GREMCAR.

400 Ptas.
Nº 94 FEBRERO MARZO'95

❸

¿Sabe lo que és un tambucho de una caravana?

ACAMPAR CERCA DE LA CIUDAD

Stadscamping

Gaasper Camping Amsterdam
Loosdrechtdreef 7, 1108 AZ AMSTERDAM
Tel: 020-6967326, Fax: 020-6969369

Camping Vliegenbos
Meeuwenlaan 138, 1022 AM AMSTERDAM
Tel: 020-6368855, Fax: 020-6322723

Camping Het Amsterdamse Bos
Kleine Noorddijk 1, 1432 CC AALSMEER
Tel: 020-6416868, Fax: 020-6402378

Camping De Berekuil
Ariënslaan 5, 3537 PT UTRECHT
Tel: 030-713870, Fax: 030-721436

Camping Middelburg
Koninginnelaan 55, 4335 HA MIDDELBURG
Tel: 01180-25395

Recreatiecentrum Delftse Hout
Korftlaan 5, 2616 LJ DELFT
Tel: 015-130040, Fax: 015-131293

Camping Stadspark
Campinglaan 6
9727 KH GRONINGEN
Tel: 050-251624

Camping Rotterdam
Kanaalweg 84, 3041 JE ROTTERDAM
Tel: 010-4159772, Fax: 010-4373215

Camping de Bokkeduinen
B. Wuytierslaan 81
3819 AB AMERSFOORT
Tel: 033-619902

Camping "Klein Zandvoort"
Koppelerdijk 200
7534 PA ENSCHEDE
Tel: 053-611372

Camping Arnhem
Kemperbergerweg 771
6816 RW ARNHEM
Tel: 085-431600

Camping De Kwakkenberg
Luciaweg 10,
6523 NK NIJMEGEN
Tel: 080-232443

Camping de Bosweelde
Geersbroekseweg 3
4851 RD ULVENHOUT (BREDA)
Tel: 076-612525, Fax: 076-657565

HOLANDA

UITDAM NL-1154 **UITDAM**

18 Ha. 600 ☀ 〰 ✠ Tel. (02903) 1433 1/4-30/9 ⚠ MRT

☺ 🛁 🛁 ⌐ ⌐ WC 🧺 ⚓ ⛺ 📷 ☕ ✕ 🏠 ↘ ⚓ ⛽ ↙ ⋙ ⚲ 🏕

En la ctra. Amsterdam-Edam, desvío a Monnickendam en dirección Marken. Terreno herboso con arbustos.
VER ANUNCIO.

ANDIJK NL-1619 **HET GROOTSLAG**

5 Ha. 180 ☀ 〰 Tel. (02289)2944 1/4-31/10 ⚠ RPT

☺ 🛁 ⌐ WC 🧺 ⚓ ⛺ 📷 ☕ ✕ 🏠 ↘ ⚓ ⛽ ↙ ⋙ ✚ ⚲ 🏕 🚲

Acceso por la salida a Medemblik de la A-7/E-22 (Amsterdam-Den Oever)en dirección Andijk. Terreno ajardinado.
Plazas con sanitarios independientes. Discoteca. Amplio programa recreativo. Deportes náuticos. Cine, bolos, guardería.

MEDEMBLIK NL-1671 **ZUIDERZEE**

9 Ha. 236 🌲 〰 ✠ Tel. (02274)2345 1/4-1/10 ⚠ R

☺ 🛁 🛁 ⌐ ⌐ WC 🧺 ⛺ 📷 ☕ ✕ 🏠 ↘ ↙ ⋙ 🏕 🎾 🚲

Terreno bien equipado junto al lago. Dirección: Oosterdijk,1. Situado entre las poblaciones de Medemblik y Wervershoof.VER ANUNCIO.

ALKMAAR NL-1817 **ALKMAAR**

2,8 Ha. 150 🌲 〰 Tel. (072)116924 1/4-30/9 ⚠

☺ 🛁 🛁 ⌐ ⌐ WC 🧺 ⚓ ↘ ⚓ ⛽ ↙ 🚲

Acceso por la ctra. de Bargen al oeste de la ciudad. Terreno regular. Zona reservada para jóvenes.

NOROESTE

PETTEN NL-1755 — **DE WATERSNIP**

17 Ha. 480 🌲 ▭▭ 📐 1 Km Tel. (02268)1432 15/3-31/10 🏔 RPT

Acceso: En Burgervlotburg salir de la N 9 (Alkmaar-Den Helder) girando haciael oeste. Terreno extenso con arbustos y muchas flores. Discoteca insonorizada.

NOORD-SCHARWOUDE NL-1722 — **MOLENGROET**

11 Ha. 450 🌲 ▭▭ 📐 0,40 Km Tel. (02269)3444 1/1-31/12 🏔 RT

Terreno llano con árboles jóvenes situado cerca de un lago. Discoteca insonorizada. Programa de ocio organizado. Acceso: Ctra.Alkmaar-Schagen, desviarse dirección Recreatigebied Geestmerambacht a la altura de la población.VER ANUNCIO.

COSTA NOROESTE

ST.MAARTENSZEE NL-1753 — **ST.MAARTENSZEE**

7 Ha. 350 🌲 ▭▭ 📐 1 Km Tel. (02246)1401 1/4-25/10 🏔 RT

Terreno dividido por setos y árboles. En temporada alta no se aceptan estancias de fin de semana. Animación para niños y adultos. Acceso: N-9 (Alkmaar-Den Helder), salida St. Maartenszee, dirección oeste. Seguir 200 m a lo largo de las dunas.

DE COCKSDORP NL-1795 — **KRIM**

31 Ha. 680 🌲 ▭▭ ▭▭ Tel. (02220)16275 1/1-31/12 🏔 RPT

Situado entre la población y la playa. Señalizado. Extenso terreno con arbustos y setos. Cine.Discoteca. Clases de tenis. Tobogán acuático de 400 m.

FRISIA

WORKUM NL-8711 — **IT SOAL**

28 Ha. 650 🌲 ▭▭ 📐 Tel. (05151)1443 15/3-31/10 🏔 MRPT

Extenso terreno situado en la orilla del lago IJsselmeer con un sinfín de posibilidades de practicar deportes acuáticos. Clases de surf y vela. Puerto deportivo. Amplio programa recreativo y de animación. Discoteca. Parcelas grandes.

LEEUWARDEN/LJOUWERT NL-8926 — **DE KLEINE WIELEN**

16 Ha. 420 🌲 ▭▭ Tel. (05118) 31660 1/4-31/10 🏔 RPT

Terreno llano situado directamente en el borde de un lago, a 4 Km de la capital de Frisia. Acceso por la N-335 (Groningen-Leeuwarden).

HOLANDA

| COSTA/LA HAYA | WASSENAAR NL-2242 | **DUINRELL** |

30 Ha. 1800 ▲ ▬▬ ▬▬ Tel. (01751)55257 1/1-31/12 ⛰ RPT

☺ 🍽 🛖 ⌐ ⌐ WC 📱 🚿 ⚬ ♿ 🖨 🍴 ✗ 🏠 🔦 🛢 GAS ↙ ≋ ⛺

Acceso por la ctra. de Wassenaar a Katwijck, en dirección noroeste. Señalizado. Terreno arbolado. Parcialmente soleado y herboso. Zona reservada para jóvenes. Discoteca insonorizada. Parte de parque de atracciones. VER ANUNCIO.

| COSTA-LA HAYA | DEN HAAG | **KIJKDUINPARK** |

🏊 0,5 Km Tel. (70) 3252364 1/4-1/10 RPT

☺ 🍽 🍽 ⌐ ⌐ 🚿 ⚬ ♿ 🖨 🍴 ✗ 🛢 ↙

Acceso: seguir las indicaciones Den Haag Zuid-West y Kijkuduin.VER ANUNCIO.

CAMPING KIJKDUINPARK – DEN HAAG

A un paso de La Haya (Den Haag), 500 m. de la playa. Seguir las indicaciones DEN HAAG ZUID-WEST y KIJKDUIN. A partir de la temporada 1995 el camping será completamente renovado. Se respetarán las plantas variadas existentes y el carácter familiar del camping será reforzado. Los trabajos serán realizados con un mínimo de molestias para los campistas. Duchas gratuítas y agua caliente. Aseos y duchas para minusválidos, 220V. 6 Amp. conexiones eléctricas. Ya disponemos de todo lo que necesita un camping moderno y estamos ampliando nuestras instalaciones aún más. A 20 min. del centro de la ciudad en tranvía (3). Reservas posibles. Abierto de principios de Abril hasta principios de Octubre.

◆◆◆

**Info: Wijndaelerweg 25, 2554 BZ 's-Gravenhage
Tel. 0031-70-3252364 • Fax 0031-70-3232457**

| DRENTHE | WATEREN NL-8438 | **D'OLDE LANTSCHAP** |

25 Ha. 350 ▲ ▬▬ ▬▬ 🏊 2 Km Tel. (05212)7244 1/4-31/10 ⛰ R

☺ 🍽 🍽 ⌐ ⌐ WC 📱 🚿 ⚬ 🖨 ✗ 🏠 🔦 🛢 GAS ↙ ≋ ⛺ 🚲

Terreno llano y herboso. Situación tranquila. Posibilidad de pesca. Discoteca. Dirección: Schurerslaan 3 Wateren; entre Diever y Oosterwolde.

| | GASSELTE NL-9462 | **DE BERKEN** |

150 Tel. (05999)64255 1/4-31/10 ⛰ RP

☺ 🍽 🍽 ⌐ ⌐ WC 🚿 ⚬ ♿ 🖨 🍴 🏠 🔦 🛢 GAS ↙ ✚

Camping familiar situado en el Hondsrug, una de las zonas más bonitas del Drenthe. Terreno de juegos. Ping-Pong. Animación. Instalaciones sanitarias modernas. Dirección: Borgerweg 23.

| | PA ENSCHEDE NL-7534 | **KLEIN ZANDVOORT** |

10 Ha. 340 ▲ ▬▬ Tel. (053) 611372 1/1-31/12 P

☺ 🍽 🍽 ⌐ WC 🚿 ⚬ 🖨 🍴 ✗ 🏠 🛢 GAS ↙ ≋ ⛺ 🚗 🛵

Acceso : Por la N-92, en dirección Alemania.

HOLANDA

SER CAMPISTA SIGNIFICA
RESPETAR LA NATURALEZA

LA HAYA   DELFT NL-2616   **DELFTSE HOUT**

5,5 Ha. 250 ⚑ ▨ 0,4 Km Tel. (015)130040 1/3-31/10 R

⊙ ⛺ ⛺ 𝖿 𝖿 WC ⛺ ⛺ ⛺ ⛺ ⛺ ✕ ⛺ ⛺ ⛺ ⛺ ⛺ ⛺

Situado junto a un parque de recreo en las afueras de la histórica ciudad de Delft, en dirección Delfgaw/Pijnacker. Terreno herboso, bien cuidado.

ZELANDA   KAMPERLAND NL-4493   **DE ROOMPOT**

31 Ha. 1300 ⚑ ▨ 0,1 Km Tel. (01107)4000 1/1-31/12 ⁂ RPT

⊙ ⛺ ⛺ 𝖿 𝖿 WC ⛺ ⛺ ⛺ ⛺ ⛺ 𝖸 ✕ ⛺ ⛺ ⛺ ⛺ ⛺ ⛺ ⛺ ⊞ ⚲
△ ⌂

Situado a 2 Km de Kamperland. Acceso por el devío norte de la ctra. de Kamperland-Wissenkerke. Plazas ámplias y separadas. Discoteca. Actividades acuáticas. Sauna, bolos.

KAMPERLAND NL-4493   **DE MOLENHOEK**

9 Ha. 450 ⚑ ▨ 2,5 Km Tel. (01107)1202 15/4-15/10 ⁂ RT

⊙ ⛺ 𝖿 WC ⛺ ⛺ ⛺ ⛺ 𝖸 ✕ ⛺ ⛺ ⛺ ⛺ ⛺

Terreno herboso situado al este de la población con bus a la playa. Dirección Molenweg 69A. Guardería. Discoteca.VER ANUNCIO.

DOMBURG NL-4357   **HOF DOMBURG**

10 Ha. 560 ⚑ ▨ 0,40 Km Tel. (01188)3210 1/1-31/12 ⁂ RPT

⊙ ⛺ ⛺ 𝖿 WC ⛺ ⛺ ⛺ ⛺ ⛺ 𝖸 ✕ ⛺ ⛺ ⛺ ⛺ ⛺ ⛺ ⊞ ✿ ⚲
⌂

Situado a 1 Km de la población. Acceso por la ctra. a Westkapelle. Amplias plazas separadas de la ctra. del dique mediante filas de setos. Clases de natación. Cine. Bolos.

OOSTKAPELLE NL-4356   **DENNENBOS**

3 Ha. 150 ⚑ ▨ 1 Km Tel. (01188)1310 1/3-31/10 ⁂ RT

⊙ ⛺ 𝖿 WC ⛺ ⛺ ⛺ ⛺ 𝖸 ✕ ⛺ ⛺ ⛺ ⛺ ⛺ ⊞ ✿ ⌂

Acceso indicado en la localidad. Dirección: Duinweg,64. Terreno con algunos árboles y arbustos. Programa de animación infantil con animadores. Reserva necesaria en temporada alta.

BRESKENS NL-4511   **SCHONEVELD**

14 Ha. 445 ⚑ ▨ 0,50 Km Tel. (01172)1512 1/1-31/12 ⁂ RPT

⊙ ⛺ ⛺ 𝖿 WC ⛺ ⛺ ⛺ ⛺ 𝖸 ✕ ⛺ ⛺ ⛺ ⛺ ⛺ ⊞ ⚲ ⌂
🚲

Terreno llano, con setos. En parte es un parque de bungalows. Al este de Breskens. Piscina cubierta. Clases de tenis. Parcelas muy grandes.

HOLANDA

ZELANDA

NIEUWVLIET NL-4504 — PANNENSCHUUR

14 Ha. 630 Tel. (01171)1391 1/1-31/12 RPT

Terreno con setos situado al noroeste de la población. Animación para niños. Piscina pública.

HOEK NL-4542 — BRAAKMAN

82 Ha. 1080 Tel. (01152)1730 1/1-31/12 MRPT

Terreno llano, con setos, situado en la ctra. Hoek-Breskens, 4 Km al oeste de la población. Discoteca. Clases de tenis, vela y surfing. Parcelas de 100 a 150 m2.

NOORD-BRABANT

ST.OEDENRODE NL-5491 — DE KIENEHOEF

Tel. (04138)72877 1/5-30/9 PT

Terreno herboso bien arbolado con parcelas grandes. Piscina iluminada. Cerca de el "mundo maravilloso de De Efteling" y el safaripark. Situado en St.Oedenrode, Zwemdadweg, 35.

HILVARENBEEK NL-5880 — HILVARENBERG

40 Ha. 830 Tel. (013)360032 1/4-20/10 MRPT

Terreno boscoso situado en la orilla de un gran canal cerca de un safaripark. Playa, lago y puerto deportivo propios. Clases de vela y surf. Proyección de películas. Música en vivo.

BRABANTE

LAGE MIERDE NL-5094 — DE HERTENWEI

20 Ha. 450 Tel. (04259)1295 1/1-31/12 RT

Terreno llano, dividido por setos, situado en la ctra. Reusel-Tilburg, a 2 Km la población. Varios parques infantiles. Discoteca. Piscina con una hora diaria para nudistas.

LIMBURGO

VALKENBURG NL-6301 — EUROPACAMPING

14 Ha. 650 Tel. (04406)13097 1/4-31/10 RT

Terreno arbolado y herboso en la colina Cauberg, parcialmente aterrazado. Acceso por la ctra. Maastricht-Valkenburg.

TL ROERMOND NL-6041 — HATENBOER

15 Ha. 340 Tel. (04750) 36727 1/4-1/11 MP

Señalizado en la población.

MAASTRICHT NL-6216 — DOUSBERG

10 Ha. 290 Tel. (043)432171 1/3-1/11 T

Situado en el noroeste de la ciudad, en dirección a Hasselt (Bélgica) Discoteca.

PUNTA SUR

MAASBREE NL-5993 — RUIGE HOEK

10 Ha. 300 Tel. (04765)2360 1/4-30/9 RPT

Acceso: En la N 273 hasta Blerick. Desde aquí indicado. Discoteca insonorizada.

HUNGRIA

Moneda: Florint= 100 filler.
Horarios: CORREOS: de lunes a viernes de 8.00 a 18.00. BANCOS: de lunes a viernes de 9.00 a 13.00. Sábados de 9.00 a 11.00. COMERCIOS: de lunes a viernes de 10.00 a 18.00. Jueves hasta las 20.00. Sábados sólo por las mañanas.
Documentación: Pasaporte. Carta Verde Internacional.
Perros y gatos: Ver tabla "Documentos de fronteras para perros y gatos".
Teléfono: Prefijo de España desde Hungría: 00-34 (no marcar el 9 del prefijo provincial). Prefijo de Hungría desde España: 07-36 (no marcar el 0 del prefijo local).
Normas de circulación: Cinturón obligatorio. Tasa máxima de alcoholemia: 0,0. **Velocidades máximas:** Ver tabla "Límites de velocidad para coches con caravana y autocaravanas".
Normativas para acampar: Prohibido pernoctar fuera de los terrenos de camping.
Teléfonos de socorro: Avería: (1)1691831 o (1)2528000. Accidente: 04 o 004. Policia: 07 o 007.
Direcciones útiles: Oficina de Turismo de Hungría, Juan Alvarez Mendizábal, 1-3º-6ª, 28008 Madrid. Tel. (91) 5412544/5412545. Embajada de España en Budapest: Eötvös u. 11B, 1067 Budapest VI. Tel. (01) 3429992; fax: (01)1530411. Embajada de Hungría em Madrid: Pº de la Castellana 118, 28046 Madrid, Tel. (91) 561 82 00.

Los afiliados a la Seguridad Social española tienen derecho a la prestación de asistencia sanitaria de carácter urgente durante su estancia en Hungría. Infórmese en la oficina del organismo sanitario competente de su Autonomía.

BUDAPEST H-1085 **EXPO-CAMPING**

`BUDAPEST`

5 Ha. 500 ⛺ Tel. (1)1778134 15/6-5/9 ⛺ T

⊙ 😊 😊 😊 ⌐ WC 🍴 🛁 📷 🍷 ✕ 🔌 🗿 ⛽ 🚏

Parcelas llanas, con grava, en el terreno del campo de la feria. Acceso: Porla ctra.30 (kerepesi ut) seguir la indicación EXPO/BNV. Entrada por la puerta N.4.

BUDAPEST H-1162 **METRO TENNISCAMP**

0,4 Ha. 50 ☀ ___ Tel. (1)1635584 1/4-31/10 ⛺

⊙ 😊 😊 ⌐ WC 🍴 🛁 🍷 🎾 📞

Terreno llano situado al este de la ciudad, entre dos carreteras. Cursos de tenis. Acceso: En el este de Budapest, seguir las indicaciones.

BUDAPEST H-1021 **HARS-HEGY**

3,4 Ha. 200 ⛺ ___ Tel. (1)1151482 SS-20/10 ⛺ T

⊙ 😊 😊 ⌐ WC 🍴 🛁 📷 🍷 ✕ 🏠 📞 🗿 ⛽ 🎾 🚏

Ubicado en una colina boscosa, entre los hoteles Europa y Rege. Terreno en terrazas. Acceso: Salir de la M-1/E-60/E-75 (Budapest-Györ) por la salida Budakeszi y seguir en dirección Budapest. Discoteca.VER ANUNCIO.

BUDAPEST H-1121 **ZUGLIGETI NICHE**

2 Ha. 100 ⛺ ___ Tel. (1)1568641 1/3-31/10 ⛺ RPT

⊙ 😊 😊 ⌐ ⌐ WC 🍴 🛁 🍷 ✕ 📞 🗿 ⛽ 🗿 🏊

Terreno herboso con muchos arboles, situado junto a las telesillas que subenhasta la cima de la montaña JANOS, desde la que se puede disfrutar de unas vistas espectaculares. Acceso: M-1, salida Budakeszi. Seguir las indicaciones del camping (logotipo: ardilla).VER ANUNCIO.

`BUDAPEST-SUR`

AGARD H-2484 **AGARD**

8,5 Ha. 500 ☀ ___ 🏄 Tel. (36)598 1/5-31/10 ⛺ P

⊙ 😊 😊 ⌐ ⌐ WC 🍴 🛁 🍷 ✕ 🏠 📞 🗿 ⛽ 🗿 📞 ⛺ 🚏 🚲 🏊

Situado junto a la ctra. y ffcc. Playa larga. Bien equipado. Acceso: Salir de la ctra.70 (Budapest-Székesfehévár) siguiendo las indicaciones.

GYOR H-9024 **PIHENO**

⛺ ___ Tel. (36) 96315304

⊙ 😊 ⌐ WC 🍴 🛁 📷 🍷 ✕ 🏊 🚏

`BUDAPEST-NORTE`

ÜRÖM H-2096 **JUMBO**

1 Ha. 60 ⛺ ___ Tel. (60)310901 1/4-31/10 ⛺

⊙ 😊 😊 ⌐ WC 🍴 🛁 📷 📞 🗿 ⛽ 🏊

Entre las carreteras N-10 y N-11, al norte de Budapest.

Bienvenido a
ZUGLIGETI "NICHE"
El Camping más cercano al centro de Budapest

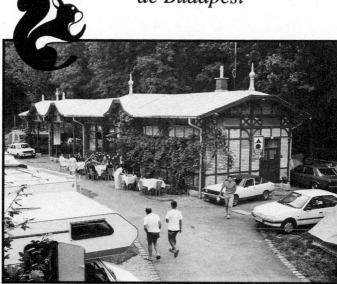

**H
U
N
G
R
I
A**

En este ídilico **"NICHE"** quedan garantizados el aire limpio y la tranquilidad.
Cerca de la entrada el **"LIBEGO"** **(funicular)** le lleva a la colina JÁNOS, que le ofrece un panorama espectacular.

El **autobus 158** le lleva a nuestro camping privado cada 10-15 minutos desde la Plaza de MOSZKVA, cerca del CASTILLO ROYAL.

Nuestros servicios especiales, una bienvenida amistosa y cordial por parte de nuestros recepcionistas multilingües, restaurante, desayunos, snacks, excursiones organizadas, programas para niños, pequeña piscina, etc... todo ésto y más a su servicio.

Si viene con **coche própio** desde la M-1 (E-60 y E-75), salga de la autovía en la salida a BUDAKESZI, o en el cruce de la M-1 y la M-7, conduzca directo atravês del nor-oeste de la ciudad via la **Plaza Moszkva**. Siga los indicadores con el logotipo de la ardilla hasta el Camping.
Si no viene con coche, coja el **metro** (M-2) desde la **Plaza Moszkva**, luego el **autobus 158** hasta el final del trayecto.

Precios aproximados para 1994, incl. agua caliente: dos personas con caravana, coche y electricidad 1300 FT/día; dos personas con tienda sólo 700 FT/día.

**Zugligeti "NICHE" CAMPING – 1121 Budapest – HUNGRÍA
Zugligeti út 101 – Tel. (36-1) 156 86 41**

HUNGRIA

     TÖRÖKBALINT H-2045   **FLORA**

3,8 Ha. 350 ☀   Tel. (361)1869704 1/5-31/10 BT

Acceso: M 1/E 60/E 75, salida Törökbálint; seguir las indicaciones. Terreno llano, aterrazado con vegetación jóven, situado junto al hotel Flora. Clases de tenis.

     ESZTERGOM H-2500   **GRAN**

3 Ha. 160 ☀   Tel. (33)311327 1/5-15/10 △ P

Situado en la isla Primas, entre el Danubio y un rio afluente. Vista preciosa del rio y de la basílica. Clases de tenis.

SOPRON H-9494   **CASTRUM SOPRON**

1 Ha. 75 ♣   Tel. (99)357024 1/1-31/12 △

Acceso por la ctra. 84; situado al sureste de Sopron (Balf). Terreno inclinado con algunos árboles y arbustos. Próximo a baños termales.VER ANUNCIO.

LENTI H-8960   **TERMAL C.CASTRUM LENTI**

2 Ha. 200 ♣   Tel. (92)351368 1/1-31/12 △ T

Acceso: A la izquierda de la ctra. hacia Redics. Prado llano con setos junto baños termales.VER ANUNCIO.

ZALAKAROS H-8749   **CASTRUM ZALAKAROS**

3 Ha. 200 ♣   Tel. (93)340157 1/1-31/12 T

Acceso: Ctra.7, km 196. Seguir dirección N. Situado a 2 Km del centro de cura con baños termales.VER ANUNCIO.

     BALATONEDERICS H-8613   **DELTA-CAMPING**

1,3 Ha. 100 ♣   0,40 Km Tel. (87)36020 1/5-30/9 △

Terreno bien nivelado en la orilla norte. Acceso: por la ctra.71 en su lado norte, salir en dirección al lago en el Km 91,5.

BALATONFURED H-8230   **27 RALLYE FICC**

24 Ha. 1300 ♣   Tel. (86) 343823 1/4-15/1o △ P

KESZTHELY H-8360   **CASTRUM KESZTHELY**

3,8 Ha. 360 ♣   0,70 Km Tel. (83)313120 1/4-31/10 △ R

Terreno bien nivelado situado cerca de una urbanización y de la carretera. Ac Acceso: salir de la ctra. 71 en la orilla norte en el Km 103,2 en la periferia este de la población, cerca de la gasolinera, dirección al lago.VER ANUNCIO.

HEVIZ H-8380   **CASTRUM HEVIZ**

2,6 Ha. 220 ♣   Tel. (83)343198 1/1-31/12 △ PT

Acceso: Ctra. Keszthely-Zalaegerszeg, Km 5. Prado con bastantes árboles y muchas flores. Piscina a 300 m. VER ANUNCIO.

LAGO BALATON BALATONALMADI H-8220 **KRISTOF**

1,4 Ha. 40 🏕️ ▭ 📕 0,20 Km Tel. (88)338902 15/5-30/9 🏔️ P

⊙ 🚻 🚽 🔥 WC 🧺 🍳 📷 🍴 🏠 ⚓ 🚶 ✚ 🔌 🎮

Acceso: Ctra. 71, Km 25, girar hacia el lago. Prado situado entre el lago y la carretera, junto a zona de baño.

NORESTE DEBRECEN-ERDOSPUSZTA H-4002 **47 FICC RALLYE**

7 Ha. 385 🏕️ ▭ Tel. (52)68900 1/5-30/9 🏔️ PT

⊙ 🚻 🚽 🔥 WC 🧺 🍳 📷 ✖️ ⚓ 🏖️ 🚶 🎮

Terreno llano cerca del lago Vekeri (Prohibido el baño). Discoteca insonorizada. Bolos. Acceso: Por la ctra.47 (Debrecen-Berettyóújfalu), en el Km 5,1, desviarse hacia el sudeste.

CENTRO KECSKEMET H-6000 **AUTOSKEMPING**

3,4 Ha. 300 🏕️ ▭ 📕 0,10 Km Tel. (76)329398 15/4-15/10 🏔️

⊙ 🚻 🚽 🔥 🔥 WC 🧺 🍳 📷 🍴 ⚓ 🏖️ 🏊 🎮 🎮

Terreno llano junto a una piscina y a un balneario de baños termales. Acceso: Por la ctra. 52 (Kecskemét-Dunaföldvár), Km 1,5: Sport Ut n.5.

SUR ORFÜ H-7677 **ORFÜ**

17 Ha. 1200 ☀️ ▭ 📕 0,40 Km Tel. (72)78070 15/4-15/10 🏔️ PT

⊙ 🚻 🚽 🔥 🔥 WC 🛁 🍳 🍸 ⚓ 🏖️ 🔌 🎮

Terreno aterrazado con vistas al lago de Pécs y a las montañas circundantes. Acceso por la ctra. 6 (Pécs-Barcs) desde la periferia este de Pécs (Km 200,8) en dirección norte hacia Orfü. Carretera con muchas curvas.

BAJA H-6500 **SUGOVICA**

3 Ha. 🏕️ ▭ 📕 Tel. (79)12988 1/5-30/9 🏔️ T

⊙ 🚻 🚽 🔥 🔥 WC 🍳 📷 🍴 ✖️ 🏠 ⚓ 🚶 🏊 🎮 🎮

Terreno llano y herboso con algunos árboles, bién cuidado. Alquiler de apartamentos. Acceso: carretera nº 55 (Bátaszek-Szeged) hasta Baja, señalizado.

5

¿Quiere conocer los campings de su comarca?

IRLANDA

Moneda: Libra Irlandesa:= 100 pence.

Horarios:
CORREOS: de lunes a viernes de 9.00 a 17.30. BANCOS: de lunes a viernes de 10.00 a 12.30 y de 13.30 a 15.00. Jueves hasta las 17.00 en Dublin. COMERCIOS: en general de lunes a sábado de 9.00/9.30 a 17.30/18.00.

Documentación: DNI o pasaporte.

Perros y gatos: Ver tabla "Documentos de fronteras para perros y gatos".

Teléfono:
Prefijo de España desde Irlanda: 16-34 (no marcar el 9 del prefijo provincial).
Prefijo de Irlanda desde España: 07-353 (no marcar el 0 del prefijo local).

Normas de circulación:
Se circula por la izquierda y de adelanta por la derecha. Cinturón obligatorio.
Tasa máxima de alcoholemia: 1,0. **Velocidades máximas:** Ver tabla "Límites de velocidad para coches con caravana y autocaravanas".

Normas para acampar:
Prohibido pernoctar fuera de los camping, aunque una noche se puede en una área de descanso.

Teléfonos de socorro:
Averías: (01) 779481. Accidente: 999. Policia: 999.

Direcciones útiles:
Embajada de Irlanda, delegación de turismo: Claudio Coello, 73, 1ª, 28001 Madrid. Tel. (91) 5771787. Embajada de España en Dublín: 17A Merlyn Park, Ballsbridge, Dublin 4. Tel. (01) 2691649; fax: (01) 2691854.

Los afiliados a la Seguridad Social española tienen derecho a la prestación de asistencia sanitaria de carácter durante su estancia en Irlanda. Infórmese en la oficina del organismo sanitario competente de su Autonomía.
Asistencia médica: Puede dirigirse directamente a un médico de medicina general adscrito al Servicio de Salud (Healt Board). En la oficina local del Servicio de Salud le facilitarán una relación de los médicos de medicina general adscritos a dicho Servicio. Presente su formulario E-111 y exponga claramente que desea recibir asistencia sanitaria de acuerdo con las disposiciones de la Comunidad Europea en materia de Seguridad Social. La asistencia sanitaria proporcionada por el médico de medicina general es gratuita.

| DUBLIN | SHANKILL | **SHANKILL** |

2,8 Ha. 66 🌲 ⬛ Tel. (01)2820011 1/1-31/12 ⚠

⊙ 🛁 🛁 ⌐ ⌐ WC 🍽 ♿ 🏠

Terreno de pernoctación cerca del puerto del ferry. Bastante ruidoso. Acceso por la N-11 desde Dublin en dirección Bray/Wicklow, justo pasado Shankill. Parada del autobús Dublín delante del camping.

| | ROUNDWOOD | **ROUNDWOOD** |

2 Ha. 100 🌲 ⬛ Tel. (01)2818163 16/4-20/9 ⚠ PT

⊙ 🛁 🛁 ⌐ ⌐ WC 🍽 ♿ 🔲 🏠 ➰ 🏛 ⛽ ⚓

Situado a 20 Km al sur de Bray y a 10 Km al norte de Glendalough. Terreno con setos y flores. Ligera pendiente. Próximo al lago. Ambiente agradable.

| ESTE/WICKLOW | REDCROSS VILLAGE | **RIVER VALLEY** |

6 Ha. 150 ☀ ⬛ Tel. (0404)41647 1/4-31/10 ⚠ T

⊙ 🛁 🛁 ⌐ ⌐ WC 🍽 ♿ 🔲 🍴 ✕ 🏛 ➰ 🏛 ⛽ ⚓ 🎾 ⛳ 🏠

Accesos por el desvío de la N-11 a 12 Km al sur de Rathnew o a 4 Km al norte de Arklow. Situado entre dos franjas detrás de una finca.

| SUROESTE/DINGLE | CASTLEGREGORY | **ANCHOR** |

2 Ha. 66 🌲 ⬛ ⚡0,20 Km Tel. (066)39157 SS-30/9 ⚠ PT

⊙ 🛁 🛁 ⌐ ⌐ WC 🍽 ♿ 🔲 ➰ ⚓ ➕ 🏠

Situado a 7 Km del desvío en dirección mar de la ctra. R-559 desde Tralee, en dirección oeste. Zona soleada en la entrada reservada a los turistas.

| SURESTE | WEXFORD | **FERRY BANK** |

5 Ha. 150 ☀ ⬛ Tel. (053)42611 1/5-30/9 ⚠ PT

⊙ 🛁 🛁 ⌐ ⌐ WC 🍽 ♿ 🔲 ➰ 🏛 ⛽ 🏊

Prado alargado en lo alto de un acantilado con bonitas vistas al mar y al pueblo. El camping está situado en el centro de la ciudad.

| SURESTE-WEXFORD | FETHARD-ON-SEA | **OCEAN ISLAND** |

1 Ha. 50 🌲 ⬛ Tel. (051)97148 SS-30/9 ⚠ T

⊙ 🛁 🛁 ⌐ ⌐ WC 🍽 ♿ ➰ 🏛 ⛽ ⚓ 🏠

Acceso por Wellington Bridge, en dirección sur, viniendo desde Wexford. Terreno regular.

| CORK | CROOKHAVEN | **BARLEY COVE** |

3,5 Ha. 105 ☀ ⬛ ⚡0,20 Km Tel. (028)35302 2/5-20/9 ⚠ PT

⊙ 🛁 ⌐ WC 🍽 ♿ 🔲 🍴 ✕ 🏛 ➰ 🏛 ⛽ ⚓ ➕ 🚲 🏠 ⌐

Acceso: Ctra. R 591, entre Goleen y Crookhaven. Situado junto a una bahía. Ping-pong.

| | BALLYLICKEY | **EAGLE POINT** |

8 Ha. 156 🌲 ⬛ ⚡Tel. (027)50630 1/5-30/9 ⚠ MPT

⊙ 🛁 🛁 ⌐ ⌐ WC 🍽 ♿ 🔲 🏛 ➰ 🏛 ⛽ ➕ 🚲

Situado entre Bantry y Glengarrif. Acceso por la N-71 con desvío a Ballylicke. Terreno llano, estilo parque, parcialmente escalonado.

| SUROESTE/KERRY | BALLYCASHEEN | **FLEMING'S WHITE BRIDGE** |

2,8 Ha. 60 🌲 ⬛ Tel. (064)31590 12/3-30/9 ⚠ T

⊙ 🛁 🛁 ⌐ ⌐ WC 🍽 ♿ 🔲 ➰ 🏛 ⛽ 🏠

Terreno llano situado entre la via del tren y el rio a 2 Km al este de Killarney. Acceso por la N-22 en dirección Cork.

IRLANDA

SUROESTE/KERRY
CAHERDANIEL · **WAVE CREST**

1,5 Ha. 32 ☀ ___ ___ ☒ Tel. (066)75188 1/4-30/9 ⛰ MPT

⊙ 🛁 🛁 ⌐ ⌐ WC 🧺 ♨ 🏠 ↘ 🛢 ⚡ ↙

Situado a 13 Km al sureste de Waterville. Acceso por la ctra. N 70. Terreno accidentado con rocas, junto a una bahía. Preciosa vista de las montañas.

KILLARNEY · **WHITE VILLA FARM**

40 🌲 ___ Tel. (064)32456 1/6-30/9 PT

⊙ 🛁 🛁 ⌐ ⌐ WC 🧺 ♨ ↘ 🏠

Terreno de camping sencillo situado al este de la población. Acceso por la carretera N-22, Cork Road. Alquiler de apartamentos.

CASTLEGREGORY · **ANCHOR**

2 Ha. 70 🌲 ___ ☒ 0,30 Km Tel. (066)39157 SS-30/9 ⛰ PT

⊙ 🛁 ⌐ WC 🧺 ♨ ♿ 🖳 🏠 ↘ ↙ ➕ 🏠

Acceso: Desde Tralee en la ctra. R 559 unos 15 km hacia el oeste y después girar en dirección al mar.

SUR/TIPPERARY
CAHIR · **THE APPLE**

1 Ha. ☀ ___ Tel. (0524)1459 1/5-15/9 ⛰ T

⊙ ↘ 🎾 🏓

Terreno llano junto a un campo de manzanos. Acceso por la N-24 (Cahir-Waterford) a 6 Km de Cahir en dirección Clonmel.

LAGO DERG(CENTRO)
KILLALOE · **LOUGH DERG**

2 Ha. 70 🌲 ___ ☒ Tel. (061)376329 26/4-29/9 ⛰ MPT

⊙ 🛁 ⌐ WC 🧺 ♨ 🖳 🍸 ✕ 🏠 ↘ 🛢 ⚡ ↙ ➕ 🎾 🏠

Terreno rodeado de árboles con playa de guijarros, situado a 5 Km al norte de Killaloe en la R-463.

OESTE/BURREN
LAHINCH · **LAHINCH**

2 Ha. ☀ ___ Tel. (065)81424 1/5-30/9 ⛰ T

⊙ 🛁 🛁 ⌐ ⌐ WC 🧺 ♨ 🖳 ↘ ↙ 🏊 🚲

Situado al sur de la población.

OESTE/GALWAY
CARRAROE · **CARRAROE**

1,4 Ha. 60 ☀ ___ Tel. (091)95189 1/4-30/9 ⛰ T

⊙ 🛁 🛁 ⌐ ⌐ WC 🧺 ♨ 🏠 ↘ 🛢 🎾

Acceso por el desvío en Lattermore de la ctra. de Galway a Maam Cross, en el tramo Costelloe a Carraroe. Terreno regular, con ligera pendiente y rodeado de muros de piedra.

OESTE/CONNEMARA
LETTERSGESH · **CONNEMARA PARK**

3 Ha. 70 ___ ___ ☒ Tel. (095)43406 15/5-15/9 ⛰ MPT

⊙ 🛁 🛁 ⌐ ⌐ WC 🧺 ♨ 🏠 ↘ 🎾

Terreno en un bonito paisaje con vista sobre el mar. Acceso por la N-59 (Clifden-Westport) hasta Letterfrack. Seguir en dirección norte hasta Tully Cross. Continuar en dirección oeste unos 4 Km.

OESTE/MAYO
KEEL/ISLA ACHILL · **KEEL**

7 Ha. 90 ☀ ___ ☒ Tel. (098)43211 23/5-5/9 ⛰ MPT

⊙ 🛁 ⌐ WC 🧺 ♨ ♿ 🖳 🏠 ↘ 🛢 ⚡ ↙ ➕ 🏠

Acceso por la ctra. L 141. Terreno extenso con parcelas asfaltadas. Vistas panorámicas.

SER CAMPISTA SIGNIFICA
RESPETAR LA NATURALEZA

| OESTE/MAYO | KEEL/ISLA ACHILL | **KEEL** |

7 Ha. 90 ☀ ⛺ 🏕 Tel. (098)43211 23/5-5/9 ⛰ MPT

⊙ 🛁 ⌐ ⌐ WC 🧺 🛁 ♿ 📷 🏠 ⤵ ⚓ GAS ⤳ ✚ 🏤

Acceso por la ctra. L 141. Terreno extenso con parcelas asfaltadas. Vistas panorámicas.

| NOROESTE/SLIGO | STRANDHILL | **STRANDHILL** |

6 Ha. 100 ☀ ⛺ 🏕 Tel. (071)68120 1/5-30/9 ⛰ MPT

🛁 🛁 ⌐ WC 🧺 🛁 📷 ⤳

Acceso por el desvío al oeste, antes de Sligo, de la ctra. de Collooneya Sligo. Terreno ubicado entre dunas con vistas a las montañas.

| NOROESTE/DONEGAL | ROSBEG | **TRAMORE BEACH** |

2 Ha. 90 ☀ ⛺ 🏕 Tel. (075)45274 1/4-30/9 ⛰ MPT

⊙ 🛁 🛁 ⌐ ⌐ WC 🧺 🛁 🏠 ⤵ ⚓ GAS 🏐

Acceso por ctra. estrecha y con muchas curvas en dirección a la playa. Señalizado. Desde Ardara, se encuentra dicha ctra. a 6 Km en dirección Portnoo.

| LAGO KEY/NORTE | BOYLE | **LOUGH KEY FOREST** |

5,5 Ha. 80 🌲 ⛺ 0,20 Km Tel. (079)62212 SS-31/8 ⛰ PT

⊙ 🛁 🛁 ⌐ ⌐ WC 🧺 🛁 ♿ 📷 ✗ 🏠 ⤵ ⤳ 🏐

Acceso por la N-4 (Boyle-Dublin) a 3 Km al este de la población, a la altura de la gasolinera Maxol. Terreno bien cuidado.

| NOROESTE/DONEGAL | PORTSALON | **KNOCKALLA HOLIDAY CENTRE** |

5,6 Ha. 130 🌲 ⛺ 0,50 Km Tel. (074)59108 1/4-15/9 ⛰ PT

⊙ 🛁 🛁 ⌐ ⌐ WC 🧺 🛁 📷 ✗ 🏠 ⤵ ⚓ GAS ⤳ 🏤

Acceso por el desvío frente a la gasolinera Esso, a 2 Km al sur de Milford y 5 Km al sur de Portsalon, pasando por Kerrykeel en dirección al pueblo. Terreno ondulado y herboso. VER ANUNCIO.

| LAGO REE CENTRO | BALLYKEERAN | **LOUGH REE** |

2 Ha. 50 🌲 ⛺ Tel. (0902)78561 1/5-30/9 ⛰ MPT

⊙ 🛁 🛁 ⌐ ⌐ WC 🧺 🛁 🏠 ⤵ ⚓ GAS ⤳

Situado a 5 Km al norte de Athlone. Acceso por la ctra. N-55 en dirección Caván. Terreno irregular rodeado de vegetación, ubicado junto al lago Loug Ree. Playa estrecha con cesped y cañas en algunos puntos.

ISLANDIA

Moneda: Corona (Króna) = 100 aurar

Horarios: CORREOS: de lunes a viernes de 8:30 a 16:30, sábados cerrado salvo el de Austurstraeti que de junio a septiembre abre de 10.00 a 14.00. BANCOS: de lunes a viernes de 9.15 a 16.00. COMERCIOS: de lunes a viernes de 9.00 a 18.00 y sábados de 10.00 a 13.00, 14.00, 15.00 o 16.00 (depende de cada comercio: también los hay que cierran los sábados durante los meses de verano).

Documentación: Pasaporte

Teléfonos: Prefijo de España desde Islandia: 90-34 (no marcar el 9 del prefijo provincial). Prefijo de Islandia desde España: 07-354 (no marcar el 9 del prefijo del distrito).

Normas de acampar: Se puede pernoctar fuera de los campings salvo en los Parques Nacionales donde está prohibido.

Direcciones útiles: Consulado General de Islandia en Barcelona: Sardenya, 229-237, tel. (93) 2325810. En Madrid: C/ Juan Ramón Gimenez, 8, 28036 Madrid. Tel. (91) 3452059. Embajada de España en Islandia: Se ocupa la Embajada de España en Oslo/Noruega (Oscarsgate, 35, 0258 Oslo 2. Tel. (02) 447122 y 552015/16; fax: (02) 559822. Centro de información Turística (Upplysingamidstöd ferdamála): Bankastraeti 2, IS-101 Reykjavik. Tel. (01) 623045; fax (01) 624749.

❑ En verano, las noches son claras en toda Islandia. Durante el mes de junio no oscurece nunca del todo en el norte. Existen incluso unas excursiones especiales a la isla de Grimsey (Círculo Artico) donde se puede admirar el "sol de medianoche". El tiempo suele ser bastante variable y la temperatura media veraniega no suele superar los 12 grados. Pero esto se olvida al descubrir la grandiosa naturaleza del país, sus gigantescas cataratas, sus enormes glaciares, sus campos de lava y sus cristalinos e impetuosos ríos.

Asistencia médica: Acuda a un centro de Asistencia sanitaria o al consultorio de un médico concertado. En caso de extrema urgencia, puede acudir a la Unidad de Urgencias de los hospitales. Presente su formulario E-111. Debe abonar una tarifa establecida por consulta y asistencia recibida. De no presentar el formulario, tendrá que abonar el coste total de la consulta y servicios recibidos.

ESTE · NESKAUPSTADUR

Tel. 97-71329 1/6-31/8

EGILSSTADIR

Tel. 97-12001 1/6-31/8

SKIPALAEKUR-FELLABAE

Tel. 97-11324 15/5-15/9

FASKRUDSFJÖRDUR

Tel. 97-51298 15/6-31/8

SURESTE · HÖVN I HORNAFIRDI · HÖFN TJAELDVAEDI

3,5 Ha. Tel. 97-81701 15/6-20/8

CENTRO · VOGAR,MYVATNSSVEIT

Tel. 95-44399 1/6-31/8

ELDA I REIKJHALID

Tel. 96-44220 1/5-30/9

CENTRO · REYKJALIDH · REYKJALIDAR TJAELDVAEDI

3 Ha. Tel. 96-44103 1/6-10/9

Situado al norte de Reykjalidh

NORESTE · RAUFARHÖFN

Tel. 96-51151 1/6-31/8

 **NORTE** · **HUSAVIK**

Tel. 96-42100 1/6-31/8

AKUREYRI/PÖRUNNARSTRAETI

Tel. 96-23379 10/6-31/8

SAUDARKROKUR **SAUDARKROKUR**

1 Ha. 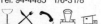 ___ Tel. 95-36180 1/6-31/8

NOROESTE · **ISAFJÖRDUR V/MENNTASKOLANN**

Tel. 94-4485 1/6-31/8

BOLUNGARVIK

Tel. 94-7381 1/6-31/8

TALKNAFJÖRDUR

15/6-15/8

OESTE · **STYKKISHÖLMUR**

Tel. 93-81450 15/5-30/9

SUROESTE · **AKRANES**

Tel. 93-12634 1/6-31/8

REYKJAVIK **REYKJAVIK TJALSTAED**

0,3 Ha. Tel. 91-686944 1/6-31/8

 WC

GRINDAVIK V/AUSTURVEG

Tel. 92-67111 1/6-31/8

ITALIA

Moneda: Lira.

Horarios: CORREOS: de lunes a sábado de 8.00 a 13.00/14.00. BANCOS: en general, de lunes a viernes de 8.30 a 13.30. Algunos abren por la tarde. COMERCIOS: aproximadamente de lunes a sábado de 8.30 a 12.45 y de 15.00 a 18.30.

Documentación: DNI o pasaporte. Carta Verde Internacional.

Perros y gatos: Ver tabla "Documentos de fronteras para perros y gatos".

Teléfono: Prefijo de España desde Italia: 00-34 (no marcar el 9 del prefijo provincial). Prefijo de Italia desde España: 07-39 (no marcar el 0 de prefijo local).

Normas de circulación: Cinturón obligatorio. Tasa máxima de alcoholemia: 0,8.

Velocidades máximas: Ver tabla "Límites de velocidad para coches con caravana y autocaravanas".

Normas para acampar: Prohibido pernoctar fuera de los campings. Se tolera una noche en área de descanso.

Teléfonos de socorro: Avería: 116. Accidente: 113. Policía: 113.

Direcciones útiles: Oficina de Turismo de Italia: Alcalá 63, 28014 Madrid. Tel. (91) 5768008 y Aribau 212, Barcelona. Tel. (93) 2007776/2007944. Embajada de España en Roma: Palacio Borghese, Largo Fontanella di Borghese, 19, 00186 Roma. Tel.(06) 6878264; fax: (06) 6876258. Consulado en Roma: Via Campo Marzio, 34, 00186 Roma. Tel. (06) 6871401; fax: (06) 6872256. Consulado en Genova: Via Brigata Liguria, 3, dirección telegráfica: CONSPAGNA. Tel. (010) 562669; fax: (010) 586448. Consulado en Milan: Via Monte Napoleone, 10, 20121 Milano. Tel. (02) 76013303; fax: (02) 76013373. Consulado en Nápoles: Via del Parco Margherita, 23, 3º, 80121 Napoli. Tel. (081) 411157; fax: (081) 401643. Embajada de Italia en Madrid: Mayor, 86. Tel. (91) 547 86 02.

Los afiliados a la Seguridad Social española tienen derecho a la prestación de asistencia sanitaria de carácter urgente durante su estancia en Italia. Infórmese en la oficina del organismo sanitario competente de su Autonomía.

Asistencia médica: Presente su formulario E-111 en la Unidad Sanitaria Local. Le facilitarán un "talonario de asistencia sanitaria" (lea atentamente las instrucciones) y una relación de lso médicos pertenecientes al sistema. Acuda a cualquiera de ellos presentando el talonario. En las visitas médicas especializadas ambulatorias y en los exámenes y diagnósticos (análisis, radiografías, etc.) hay que abonar una cantidad.

ITALIA

TIROL • PRAD AM STILFSERJOCH I-39026 • **SÄGEMÜHLE**

1,2 Ha. 110 🌲 ▬ Tel. (0473)616078 1/1-31/12 RP

⊙ 🛁 🛁 ⌐ ⌐ ⌐ WC 🍴 🛒 🚿 📺 🍽 ✕ 🔌 ⚓ GAS 〜 🏓

Terreno herboso situado en un frutal junto a un arroyo. Pista de fondo. Sauna. Acceso por la SS38, a 300 m de la población, señalizado.VER ANUNCIO.

CAMPING Sägemühle

Dornweg 12
I - 39026 Prad am Stilfserjoch
Tel / Fax.: 0473 - 616078

El camping está cerca de la población de Prad, en el parque nacional Stilfserjoch. Esquí hasta mediados de mayo en Sulden (a 17 km). Esquí de verano en el Stilfserjoch (a 25 km). Excursiones a los glaciares. Un paraíso de ciclistas. En la población: pistas de tenis, mini-golf, piscina cubierta, programas de noche. Caminatas por el bosque en otoño. Törgelen, disfrutar del pastel de manzana (Apfelstrudel) en un ambiente familiar. Bonita región de esquí de invierno en medio de Ortler-Skiarena (principio de la temporada 16/11). Pista de esquí de fondo desde el camping. NUEVO! Sauna y Whirlpool.

RASEN I-39030 • **CORONES**

3 Ha. 120 ☀ ▬ Tel. (0474)46490 1/1-31/12 ⚙ RPT

⊙ 🛁 🛁 ⌐ ⌐ WC 🛒 🚿 📺 ✕ 🏠 ⚓ GAS 〜 ➕ 🏓 🚴

Situado a lo largo del arroyo Antholzer Bach y rodeado de montañas arboladas. Suelo guijarroso. Acceso por el desvío al este de Bruneck Arasen-Antholz, por la SS-49. Mayo y noviembre, cerrado.

TARTSCH I-39020 • **ZUM LÖWEN**

0,4 Ha. 44 🌲 ▬ Tel. (0473)81598 1/1-31/12 ⚙ P

⊙ 🛁 🛁 ⌐ ⌐ WC 🛒 📺 🍽 ✕ 🏠 ⚓ GAS ➕

Acceso por el desvío en el Km 7 de la SS-40. Terreno cercado.

CORTINA D'AMPEZZO I-32043 • **ROCCHETTA**

2,5 Ha. 200 🌲 ▬ Tel. (0436)5063 1/6-20/9 ⚙ PT

⊙ 🛁 ⌐ ⌐ WC 🛒 📺 🏠 ⚓ GAS ➕

Acceso por la ctra. SS 51 hasta el sur de la población. Prado rodeado de montañas. Una zona de parcelas situadas en un bosque.VER ANUNCIO.

 EL CARNET DE CAMPIG INTERNACIONAL CONSTITUYE UN AUTENTICO PASAPORTE FAMILIAR PARA EL CAMPISTA

| TIROL | CORTINA D'AMPEZZO I-32043 | **DOLOMITI** |

5 Ha. 400 Tel. (0436)2485 15/5-25/9 PT

Camping familiar situado en la orilla del rio Boite y distribuido en dos niveles. Acceso: Por la SS-51 hasta el sur de Cortina y seguir las indicaciones.VER ANUNCIO.

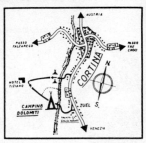
| | CORTINA D'AMPEZZO I-32043 | **OLYMPIA** |

4 Ha. 320 Tel. (0436)5057 1/1-31/12 PT

Situado a lo largo del arroyo de Boite, al norte de Cortina d' Ampezzo, contorneando los montes Dolomitas. Bellas vistas. Acceso por la salida de la SS-51 en el Km 2,5. Esquí de fondo.

| | SEXTEN I-39030 | **SEXTEN** |

3 Ha. 200 Tel. (0474)70444 1/1-31/12 RP

Terreno herboso parcialmente distribuido en terrazas, situado junto a un arroyo. Bellas vistas panorámicas. Instalaciones sanitarias modernas. Guardería. Acceso por la SS-52, a 3 Km al sur de la población. Cerrado del 1/4 al 14/5 y del 1/11 al 4/12.

| | LEIFERS I-39055 | **STEINER** |

2,5 Ha. 200 Tel. (0471)950105 1/4-31/10

Situado a 0,6 Km de la ciudad. Acceso por la salida Bozen-Sud, de la A-22, dirección Trento o por la salida a Auer en dirección a Bozen.

| | MERAN I-39012 | **MERAN** |

1,5 Ha. 150 Tel. (0473)231249 1/4-31/10

Acceso por la SS-38 en dirección Bozen detrás del restaurante "Sportplatz". Terreno llano, herboso y con guijarros. Ruidoso. Junto a restaurante y a tenis público.

| LAGO DI GARDA | LIMONE I-25010 | **GARDA** |

2,2 Ha. 200 Tel. (0365)954550 23/3-26/10 PT

Acceso en el pueblo, en el Km 101,5 de la SS-45 bis, junto a la gasolinera. Terreno aterrazado, entre la ctra. y el lago. Vista panorámica.

Lago di Garda

camping San Francesco

I-25010 RIVOLTELLA DEL GARDA (BS)
Tel.: 030/9110245 Fax: 030/9119464

Bar - restaurante - autoservicio - playa - tenis - petanca - baloncesto - volieibol - animación - perros admitidos

Piscina - asistencia médica- embarcadero - playa - bar - supermercado - restaurante - restaurante autoservicio. Golf - voleibol - ping-pong - esquí acuático - tenis - vela - windsurf.

Alquiler de bungalows: 2 habitaciones para máx. 4 per. Televisión, teléfono, calefacción.Perros admitidos

the Garda Village

Via Corti Romane
I-25019 SIRMIONE (BS)
Tel.: 030/9904552
Fax: 030/9904560

ITALIA

LAGO DI GARDA

RIVOLTELLA I-25010   **SAN FRANCESCO**

8,5 Ha. 524 🌲🌲 ▭▭ __ ▬ Tel. (030)9110245 1/4-30/9 ⛰ RT

⊙ ⛺ ⛺ ⌐ ⌐ WC 🧺 ⛲ ♿ 🍽 ✕ 🏠 ⌇ ⚖ GAS ⚓ ➳ ✛ 🎾 🏠

Terreno herboso con árboles, cerca de una granja, tocando al Lago Garda. Playa de 400 m. Cerca de los baños termales de Sirmione. Acceso: por la SS-11, entrada en el Km 268. Clases de vela, surf y natación. VER ANUNCIO.

PESCHIERA I-37019   **BELLA ITALIA**

15 Ha. 1000 🌲🌲 ▭▭ __ ▬ Tel. (045)6400688 SS-30/9 ⛰ RPT

⊙ ⛺ ⛺ ⌐ ⌐ WC 🧺 ⛲ ♿ 🍽 🔲 ✕ 🏠 ⌇ ⚖ GAS ⚓ ➳ ✛ 🎾 🏠

Acceso por el desvío en el Km 275 dirección Peschiera, seguir por el camino hacia el lago. Terreno amplio, playa con solarium y pasarela. Música en vivo.

LAGO DI GARDA I-25080   **VALTENESI**

7,2 Ha. 400 🌲🌲 ▭▭ __ ▬ Tel. (030)9907023 1/4-30/9 ⛰ PT

⊙ ⛺ ⌐ WC 🧺 ♿ 🍽 ✕ 🏠 ⌇ ⚖ GAS ⚓ ➳ ✛

Acceso: Salir de la SS 572 a 1,5 Km al norte de la desviación "Padenghe", girando en dirección al lago. Terreno aterrazado situado en la orilla del lago Garda. Discoteca. Música en vivo.

MANERBA I-25080   **ZOCCO**

5 Ha. 280 🌲🌲 __ ▬▬ ▬ Tel. (0365)551605 SS-30/9 ⛰ RPT

⊙ ⛺ ⛺ ⌐ ⌐ WC 🧺 ⛲ ♿ 🍽 🏠 ⌇ ⚖ GAS ⚓ ✛ 🎾

Acceso por la ctra. SS 572, bien indicado. Terreno ligeramente inclinado y distribuido en terrazas. Clases de tenis.

SAN FELICE DE BENACO I-25010   **EUROPA-SILVELLA**

7 Ha. 300 🌲🌲 ▭▭ ▬ Tel. (0365)651095 1/4-30/9 ⛰ RPT

⊙ ⛺ ⛺ ⌐ ⌐ WC 🧺 ⛲ ♿ 🍽 🔲 🍽 ✕ 🏠 ⌇ ⚖ GAS ⚓ ➳ ✛ 🎾
🚲

Acceso indicado en la localidad. Prado ligeramente inclinado y con grandes terrazas. Conciertos al aire libre. Clases de natación, tenis y surf.

VERONA

VERONA I-37139   **ROMEO E GIULIETTA**

3,5 Ha. 300 🌲🌲 ▬▬ Tel. (045)8510243 1/1-31/12 ⛰

⊙ ⛺ ⛺ ⌐ ⌐ WC 🧺 ⛲ ♿ 🏠 ⌇ ⚖ GAS ⚓ ➳ ✛

Acceso por la autopista A-22, salida Verona-Norte, seguir la SS-11 en dirección Verona. Situado al lado de la ctra., rodeado de viñedos, campos y prados.

PADUA

MONTEGROTTO TERME I-35036   **SPORTING CENTER**

6,5 Ha. 190 🌲🌲 __ __ Tel. (049)793400 1/3-31/10 ⛰ R

⊙ ⛺ ⛺ ⌐ ⌐ WC 🧺 ⛲ ♿ 🔲 🍽 ✕ 🏠 ⌇ ⚓ ➳ ✛ 🎾

Terreno llano con sombra. Horas de silencio: 13.00-15.00. Situación al norte de la población. Señalizado. Estación termal. Discoteca. Clases de tenis.

LAGO MAGGIORE

CANNOBIO I-28052   **CAMPAGNA**

1 Ha. 100 🌲🌲 ▬▬ ▬ Tel. (0323)70100 1/4-30/9 ⛰ P

⊙ ⛺ ⛺ ⌐ ⌐ WC 🧺 ♿ 🔲 🍽 ✕ 🏠 ⌇ ⚖ GAS ✛ 🏠 🚲

Acceso por un desvío en el Km 35/IV (frente al Hotel Campagna) de la SS-64 en dirección al lago. Terreno llano situado entre la ctra. y el lago.

EL CARNET DE CAMPIG INTERNACIONAL CONSTITUYE UN AUTENTICO PASAPORTE FAMILIAR PARA EL CAMPISTA

LAGO MAGGIORE — CANNOBIO I-28052 — RIVIERA

2,8 Ha. 270 🌲 ▭▭ 📐 Tel. (0323)71360 23/3-30/9 ⛰ P

⊙ 🍽 🍽 ⌐ ⌐ WC 🏠 🧺 🚿 🚽 📷 🍴 ✕ 🏨 ⚓ 🗿 GAS 🛶 ➕ 🏪

Acceso por el desvío en el Km 35/II de la SS-34. Terreno cuidado y regular ubicado en la desembocadura del rio Cannobino, entre ctra. y lago. Playa de grava rodeado de árboles. Clases de surf.

LAGO DI LUGANO — PORLEZZA I-22018 — DARNA

5,6 Ha. 400 🌲 ▭▭ 📐 Tel. (0344)61597 1/4-31/10 ⛰ RPT

⊙ 🍽 🍽 ⌐ ⌐ WC 🧺 🚿 🍴 ✕ 🏨 ⚓ 🗿 GAS 🛶 🎾 🏪

Acceso por la SS-340 desviándose en el semáforo del pueblo hacia el valle de Intelvi. Terreno aterrazado con ligera pendiente. Playa a ambos lados del embarcadero y ámplia bahía.

LAGO DI COMO — DOMASO I-22018 — GARDENIA

2 Ha. 180 🌲 ▭▭ 📐 Tel. (0344)96262 1/4-30/9 ⛰ PT

⊙ 🍽 🍽 ⌐ ⌐ WC 🧺 🚿 📷 🍴 ✕ 🏨 ⚓ 🗿 GAS ✡ 🏪

Situado a 0,3 Km de la ciudad. Acceso por el desvío en el Km 20/IV de la ctra. SS-340. Señalizado. Terreno regular, soleado. Dividido por setos y muros.

LAGO D'ISEO — ISEO I-25049 — DEL SOLE

6 Ha. 400 🌲 ▭▭ 📐 Tel. (030)980288 1/5-30/9 ⛰ RPT

⊙ 🍽 🍽 ⌐ ⌐ WC 🧺 🚿 📷 ✕ 🏨 ⚓ 🗿 GAS 🛶 🏊 ✡ 🎾 🏪 🚲

Situado al oeste del pueblo en la ctra. Iseo-Rovato, junto al lago. Conciertos al aire libre. Discoteca.

MILANO — MONZA I-20052 — AUTODROMO

3 Ha. 200 🌲 ▭▭ Tel. (039)387771 1/4-30/9 ⛰ T

⊙ 🍽 🍽 ⌐ ⌐ WC 🧺 🍴 ⚓ 🗿 GAS 🛶 🏊 ✡

Acceso desde Monza por Viale Brianza. en el desvío de la gasolinera IP. Terreno regular, de pernoctación.

CREMONA — CREMONA I-26100 — PARCO AL PO

0,8 Ha. 100 🌲 ▭▭ ▭▭ Tel. (0372)27137 1/5-30/9 ⛰ T

⊙ 🍽 🍽 ⌐ ⌐ WC 🧺 🚿 🍴 ✕ ⚓ 🗿 GAS 🛶

Acceso por la ctra. SS-10 (Cremona-Piaceza) con desvío señalizado al suroeste de la ciudad. Terreno regular rodeado de altos árboles, adecuado para pernoctación.

VALLE DE AOSTA — PONT I-11010 — PONT-BREUIL

5 Ha. 170 ☀ ▭▭ Tel. (0165)95458 1/6-30/9 ⛰ PT

⊙ 🍽 🍽 ⌐ ⌐ WC 🧺 🚿 ✕ ⚓ 🗿 GAS 🛶 ✡

Acceso por la SS-26, desviar en el Km 113, al oeste de Villeneuve, en dirección del Val Savarenche, 27 Km valle arriba. Terreno montañoso con vista panorámica sobre los Alpes.

LA SALLE I-11015 — GREEN PARK

4,5 Ha. 300 🌲 ▭▭ ▭▭ Tel. (0165)861300 1/1-31/12 ⛰ PT

⊙ 🍽 🍽 ⌐ ⌐ WC 🧺 🚿 📷 🍴 ✕ 🏨 ⚓ 🗿 GAS 🛶 🏊 ➕ 🚗 🎾

Terreno distribuido en terrazas con una magnifica vista sobre el Mont Blanc, situado a 15 Km de la boca del tunel. Acceso: después de pasar Morguex girar a la izquierda en la gasolinera de la población de La Salle.

TORINO I-10131 — VILLA REY

2 Ha. 150 🌲 ▭▭ Tel. (011)8190117 1/3-31/10 ⛰ T

⊙ 🍽 🍽 ⌐ ⌐ WC 🧺 🚿 🍴 ✕ 🏨 ⚓ 🗿 GAS 🛶

Acceso: Desde la estación, seguir el Corso Vittorio Emanuele hasta el puente del Po, desviar en el Corso Cassale, seguir indicaciones. Los últimos 500 m con muchas curvas (pendiente del 10%). Terreno llano en un viejo parque. Instalaciones sanitarias renovadas.

GENOVA

BOGLIASCO I-16031 · GENOVA EST

1 Ha. 70 ⊙ ⊖ ⊖ ⌐ ⌐ ⌐ WC 🧺 ♨ ▢ ⵌ ✕ 🏠 ⟍ ⵥ ⛽ ⤳   0,80 Km Tel. (010)3472053 1/1-31/12 T

Situado a la izquierda de la ctra. a Rapallo (Via Marconi). A 10 minutos andando de la playa.

FIRENZE-FLORENCIA

MONTE DI FIO I-50030 · SERGENTE

1 Ha. 100 Tel. (055)8423018 1/1-31/12 ⛰ T

⊙ ⊖ ⊖ ⌐ ⌐ ⌐ WC 🧺 ♨ ♿ ✕ 🏠 ⟍ ⵥ ⛽ ⤳ ⵌ

Situado a 3 Km el sur del paso Futa. Acceso por la salida del Km 42/IV de la ctra. SS-65. Terreno semicircular distribuido en terrazas desniveladas y de acusada pendiente. Discoteca.

MARCIALLA-CERTALDO I-50020 · TOSCANA-COLLIVERDI

2,1 Ha. 45 Tel. (571) 669334 20/3-15/10 P

⊙ ⊖ ⌐ WC 🧺 ♨ ⌐ ⛽ ⤳ 🚐 🏕 🚲

Acceso: Por la autopista A1 (Autostrada del Sole), salida Firenze-Ortosa.

CALENZANO I-50041 · AUTOSOLE

2 Ha. 100 Tel. (055)8825576 1/1-31/12 ⛰

⊙ ⊖ ⊖ ⌐ ⌐ ⌐ WC 🧺 ♨ ▢ 🏠 ⟍ ⵥ ⛽ ⤳ ⵌ

Situado a 2 Km de la ciudad. junto a la autopista. Parcialmente arbolado con álamos. Buena situación para pernoctar una noche.

SAN BARONTO I-51030 · BARCO REALE

6,5 Ha. 100 Tel. (0573)88332 1/4-10/10 ⛰ RT

⊙ ⊖ ⊖ ⌐ WC 🗄 🧺 ♨ ▢ ⵌ ✕ 🏠 ⟍ ⵥ ⛽ ⤳ ⵌ △

Terreno en terrazas limitado al N por un arroyo. Vista panorámica. Gran oferta en deportes. Acceso: Desde la autopista Florencia-Pisa, salidas Montecatini o Pistoia. Desde la primera, indicado por Lamporeccio y S .Baronto. Desde la segunda, por S.Baronto y Vinci.VER ANUNCIO.

FIESOLE I-50014 · PANORAMICO

5,5 Ha. 200 Tel. (055)599069 1/1-31/12 ⛰ PT

⊙ ⊖ ⊖ ⌐ ⌐ WC 🧺 ♨ ♿ ▢ ✕ 🏠 ⟍ ⵥ ⛽ ⤳ ✚ 🏠 🚲

Situado a 1 Km al norte de Fiésole. Señalizado. Accesos desde la ciudad por caminos de acusada pendiente. Servicio de remolque. Vistas a Firenze.

BOTTAI I-50029 · INTERNAZIONALE FIRENZE

6 Ha. 300 Tel. (055)2374704 1/4-31/10 ⛰

⊙ ⊖ ⊖ ⌐ ⌐ WC 🧺 ♨ ✕ ⟍ ⵥ ⛽ ⤳ 🏠

Acceso por la salida de la A-1 (Firenze-Roma) en Certosa a la ctra. SS-2 en dirección Firenze. Señalizado en el Km 292.

FIRENZE-FLORENCIA   FIGLINE VALDARNO I-50063   **NORCENNI GIRASOLE**

11 Ha. 295 ⚹ ▦ Tel. (055)959666 1/1-31/12 ⚶ RPT

⊙ ⛺ ⛺ ⌒ ⌒ WC 🚿 🚽 ⚓ 📷 ⛉ ✕ 🏠 🔌 ⚡ ⛽ ⚓ 🏊 ➕ 🎾 △ 🚂

Acceso por la salida de la A-1 (Firenze-Roma) a Incisa con desvío a la SS-69 dirección a la población. Terreno con entorno campestre dividido en terrazas. Zona para jóvenes. Programa de animación con bailes, excursiones y deportes. Autobus a Firenze.VER ANUNCIO.

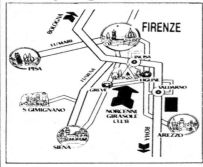
BARBERINO VAL D'ELSA I-50021   **SEMIFONTE**

2 Ha. 100 ⚹ ▦ Tel. (055)8075454 15/3-30/10 ⚶ PT

⊙ ⛺ ⛺ ⌒ ⌒ WC 🚿 🚽 ✕ 🏠 🔌 ⚡ ⛽ ➕ 🎾

Acceso por la salida en Tavernelle de la autopista Firenze-Siena a la ctra. SS-2 dirección sur. Terreno dispuesto en terrazas desiguales con acusada pendiente. Vistas a las colinas de la Toscana.

TOSCANA   TRACHI/CELLAI I-50010   **IL POGGETTO**

4,5 Ha. 90 ⚹ ▦ Tel. (055) 8307323 PT

⊙ ⛺ ⛺ ⌒ ⌒ WC 🚿 🚽 ⚓ 📷 ⛉ ✕ ⚡ 🏊 🚂 ⛳

Acceso: por la salida Firenze-Sud de la autopista A1.

CARBONIFERA I-57020   **PAPPASOLE**

14 Ha. 431 ⚹ ▦ 🏄 Tel. (0565)20414/20 31/3-15/10 ⚶ MRT

⊙ ⛺ ⛺ ⌒ ⌒ WC 🚿 🚽 ⚓ ⚓ 📷 ⛉ ✕ ⚡ ⚓ 🏊 ➕ 🚗 🎾 🚂

Terreno herboso con vegetación joven situado junto al mar, frente a la isla de Elba. Discoteca. Conciertos al aire libre. Acceso por la Strada Statale nº 1. En el km 235/3 girar hacia la población.VER ANUNCIO.

SIENA

VOLTERRA I-56048 **LE BALZE**

3 Ha. 100 Tel. (0588)87880 11/4-30/9 T

WC

Situado en la periferia norte del pueblo. Acceso por la ctra. a Pisa. Terreno distribuido en terrazas de pendiente moderada. Vistas al pueblo.

GROSSETO

TALAMONE I-58010 **TALAMONE**

5 Ha. 360 0,40 Km Tel. (0564)887026 S.S-30/9 RP

WC

Terreno herboso llano con algunos árboles, distribuido en terrazas. Música en vivo. Guardería. Clases de natación, vela y surf. Acceso por la SS-1, señalizado.

ALBINIA I-58010 **IL GABBIANO**

3 Ha. 180 0,10 Km Tel. (0564)870202 S.S.-30/9 R

WC

Terreno arenoso situado en una pineda a 3 Km de la población. Clases de natación, vela y surf. Conciertos al aire libre. Cine. Acceso por la SS-1, km 155, en dirección mar.

ALBINIA I-58010 **INT.ARGENTARIO**

10 Ha. 450 Tel. (0564)870302 S.S.-30/9 MR

WC

Terreno bien sombreado situado cerca de la carretera. Buenas instalaciones sanitarias. Música en vivo. Acceso: SS-1, Km 150/7, a 1 Km de la localidad.

CENTRO/L.TRASIMENO

BORGHETTO I-06061 **BADIACCIA**

5,5 Ha. 115 Tel. (075)954147 1/4-30/9 RR

WC

Situado cerca de la linea ferroviaria. Pequeño puerto particular. Acceso: Dejando la ctra. de Val di Chana-Perugia (salida Castiglione del Lago) siguiendo por la SS-71 en dirección sur. Seguir indicaciones.

CENTRO/PERUGIA

ASSISI I-06081 **INTERNAZIONALE ASSISI**

3 Ha. 200 Tel. (075)813710 1/3-31/10 PT

WC

Situado al oeste de Assisi, en la ctra. 147 SS-147. Señalizado. Magnífica vista sobre la ciudad. Ajardinado con árboles y flores.

VENECIA

BIBIONE I-30020 **V.T.INTERNAZIONALE**

4,6 Ha. 300 Tel. (0431)43231 30/4-21/9 MRPT

WC

Situado a 1 Km de Bibione. Terreno bien cuidado con una ámplia playa de arena. Sanitarios bien equipados. Discoteca. Estancia mínima de 7 dias en temporada alta.

PUNTA SABBIONI I-30010 **MIRAMARE**

2 Ha. 150 1,5 Tel. (041)966150 1/4-30/9 T

WC

Situado a 700 m del embarcadero. Terreno regular con setos y álamos.

BIBIONE PINEDA I-30020 **CAPALONGA**

18 Ha. 1250 Tel. (0431)438351 1/5-30/9 MRPT

WC

Terreno ajardinado ubicado en la franja de tierra entre una laguna y el mar. Amplia playa con instalaciones infantiles. Acceso señalizado.Clases de tenis, natación y surf.

VENECIA

CAVALLINO I-30013 — **UNION LIDO**

60 Ha. 3000 ⛺ ___ ___ Tel. (041)968080 1/5-30/9 MRPT

⊙ 🛁 🛁 ⌐ WC 🏪 🧺 🚰 ⌂ ♿ ⌸ 🍽 🏢 ⤵ ⛲ GAS ⚓ ⌇ ➕ ✚ 🏥 🏓

🛖 🚗

Terreno ordenado y bien organizado junto a un parque. Muchos pinos y álamos, ajardinado. Calle comercial, varias cafeterias. Estancia min. temp. alta: 1 semana. Playa de 1 Km. Piscina de aventuras. Acceso por la ctra. a Punta Sabioni.

PUNTA SABIONI I-30010 — **MARINA DI VENEZIA**

80 Ha. 3200 ⛺ ___ ___ Tel. (041)5300955 1/1-31/12 MRPT

⊙ 🛁 🛁 ⌐ ⌐ ⌐ WC 🏪 🧺 🚰 ⌂ ♿ ⌸ 🍽 🏢 ⤵ ⛲ GAS ⚓ ⌇ ➕ ✚ 🏓

⛰ 🛖 🚲

Acceso por la ctra. de Cavallino-Punta Sabbioni. Buena señalización. Zona periférica soleada. Playa de arena fina con parque infantil.

ORIAGO-VENEZIA I-30030 — **DELLA SERENISSIMA**

2 Ha. 150 ⛺ ___ Tel. (41) 921850 PT

⊙ 🛁 🛁 ⌐ WC 🚰 ♿ 🍽 ✗ ⚓ ⌇ 🚲

VER ANUNCIO.

CA'NOGHUERA I-30030 — **ALBA D'ORO**

7 Ha. 600 ⛺ ___ Tel. (041)5415102 1/4-30/9

⊙ 🛁 🛁 ⌐ ⌐ WC 🚰 ♿ 🍽 ✗ 🏢 ⚓ ⌇ 🏊

Acceso por el desvío del Km 10,2 de la ctra. SS-14. Terreno ubicado entre la ctra. y el canal d'Oselino, a 2 Km del aeropuerto Marco Polo.

⑩

¿Qué ventajas tiene un remolque-tienda?

| VENECIA | FUSINA I-30030 | **FUSINA** |

6 Ha. 290 🌲 ▬▬ ▬▬ Tel. (041)5470055 1/1-31/12 ⛰

☺ 🛁 🛁 ⌐ ⌐ WC 🏠 🧺 🚿 🛒 📷 ✕ 🔌 ⚓ (GAS) 🔫 △ 🏕 🚲

Acceso por Malcontenta. A través del desvío de la autopista de la SS-309 en dirección a Chioggia. Terreno regular, arbolado y herboso. Junto a la laguna de Venezia.VER ANUNCIO.

| | CHIOGGIA SOTTOMARINA I-30019 | **MIRAMARE** |

4 Ha. 320 🌲 ▬▬ 🏄 Tel. (041)490610 1/5-31/10 ⛰ MPT

☺ 🛁 🛁 ⌐ ⌐ WC 🚿 🚿 🛒 ♿ 🍸 ✕ 🏠 ⚓ (GAS) 🏊 ✚ 🎯

Acceso por el desvío a la playa de la SS-309 en dirección a Chioggia Sottomarina. Terreno regular cruzado por la ctra. Amplia playa.

| | LIDO DEGLI ESTENSI I-44024 | **MARE PINETA** |

16 Ha. 1300 🌲 ▬▬ ▬▬ 🏄 Tel. (0533)330194 1/5-20/9 ⛰ MRPT

☺ 🛁 🛁 ⌐ ⌐ WC 🏠 🧺 🚿 🛒 ♿ 🍸 ✕ 🏠 ⚓ (GAS) 🏊 ✚ 🏕

Terreno llano, muy extenso, mitad estilo parque y mitad pinar natural. Ancha franja de dunas, hacia el mar. Amplia playa. Acceso: Por la SS-309 y seguir indicaciones. Conciertos al aire libre. Clases de vela y de surf . Guardería. Invierno tel.(0544)971753,fax (0544)30388.VER ANUNCIO.

| COSTA ADRIATICA | TORRETE DI FANO I-61032 | **STELLA MARIS** |

2,7 Ha. 210 🌲 ▬▬ ▬▬ 🏄 Tel. (0721)884231 21/4-30/9 ⛰ MRP

☺ 🛁 🛁 ⌐ ⌐ WC 🚿 🚿 🛒 📷 ✕ 🏠 ⚓ (GAS) ✚ 🎯

Acceso: Desde la salida Fano de la A-15 (Bologna-Ancona), seguir la SS-16 en dirección sur hácia el Km 258,4, coger camino en dirección mar. Terreno llano con álamos, bien cuidado, situado entre el mar y la linea ferroviaria. Animación organizada.

| | MARINA PALMENSE I-63010 | **VERDE MARE** |

13 Ha. 650 🌲 ▬▬ ▬▬ 🏄 Tel. (0734)53167 1/5-30/9 ⛰ MRP

☺ 🛁 🛁 ⌐ ⌐ WC 🚿 🛒 📷 🍸 ✕ 🏠 ⚓ (GAS) 🏊 🏓 🏕

Acceso desde la salida Fermo-Porto San Giorgio de la A-14 (Ancona-Pescara) seguir la SS-16 en dirección sur hasta el Km 363, coger el camino hacia el mar. Terreno llano, con álamos. Situado entre la playa y la linea ferroviaria.

| | BAIA DI PESCHICI I-71010 | **PARCO DEGLI ULIVI** |

14 Ha. 500 🌲 ▬▬ 🏄 Tel. (884)963404 16/5-22/9 ⛰ RT

☺ 🛁 🛁 ⌐ ⌐ WC 🚿 🛒 🍸 ✕ 🏠 ⚓ (GAS) 🏊 🎯 🏓 🏕 🚲

Situado en la ctra. SS-89 (Rodi Gargánico-Péschici), antes de llegar al pueblo. En temporada alta, estancia mínima una semana. Discoteca.

BRINDISI   MARINA DI OSTUNI I-72017   **COSTA MERLATA**

4 Ha. 250 🌲 ___ ⛵ Tel. (0831)973064 1/5-30/9 〽 MRT

⊙ 🛏 🛁 ⌐ ⌐ WC 🧺 🚿 🛒 🍸 🏠 ➤ 🏪 ⛽ ✆

Acceso por el desvío de la SS (Bari-Brindisi) en el Km 22,2, seguir indicaciones. Costa rocosa con pequeña bahía arenosa. Clases de natación y de surf.

SUR   SIBARI I-87070   **SIBARI**

20 Ha. 800 🌲 ___ ⛵ Tel. (0981)74088 30/5-10/9 〽 MRT

⊙ 🛏 🛁 ⌐ ⌐ WC 🧺 🚿 🛒 🍸 ✕ ➤ 🏪 ⛽ 🏊 🎾 🏛

Acceso por el desvío en el Km 26,7 de la SS-106, seguir indicaciones. Terreno extenso en una pineda junto al mar. Discoteca

SCHIAVONEA I-87060   **THURIUM**

🌲 Tel. (0983) 851092 RPT

⊙ 🛏 ⌐ WC 🧺 🚿 🛒 ♿ 🧺 🍸 ✕ ➤ 🏪 🏊 🖐

Se accede por el Km 21 de la SS-106 bis.

MARINELLA I-88076   **MARINELLA**

2 Ha. 🌲 ___ ⛵ Tel. (0962)791530 1/6-30/9 〽 MRPT

⊙ 🛏 🛁 ⌐ ⌐ WC 🧺 🚿 🛒 ✕ 🏪 🏊 🏛

Acceso: En el Km 237,5 de la SS-106 (Crotone-Canzaro Lido). Llegando al aeropuerto, seguir la ctra. de Capo Colonna. Después de 4 Km desvío a mano izquierda. Terreno aterrazado, con eucaliptos y acacias. Sombrajos de techos de caña. Pequeñas calas de arena y roca.

PUNTA SUR · CAPO VATICANO RICADI I-88030 · **QUATTRO SCOGLI**

1,2 Ha. 100 ⚎ ___ Tel. (0963)663126 1/4-31/10 MPT

Desde S.Nicoló di Ricardi seguir ctra. en dirección Capo Vaticano. Terreno aterrazado con olivos y eucaliptos en una bahía rocosa. Discoteca.

COSTA SUROESTE · MARINA DI CAMEROTA I-84059 · **PINETA**

3 Ha. 180 ⚎ ___ Tel. (0974)931771 1/6-30/9 MRPT

Situado a 5 Km al oeste de la población. Vista panorámica sobre el mar. Discoteca al aire libre. Clases de windsurfing.

COSTA SURESTE · PALINURO I-84064 · **MARBELLA CLUB**

5 Ha. 300 ⚎ ___ 0,20 Km Tel. (0974)931003 15/6-15/9 RPT

Terreno llano rodeado de colinas. Sombra adicional por sombrillas. Acceso: Salida de la SS-562 (Palinuro-Marina de Camerota) hacia el mar. Seguir indicaciones. Animación para niños. Discoteca al aire libre. En temporada alta estancia mínima 2 semanas.

NAPOLES · SORRENTO I-80067 · **NUBE D`ARGENTO**

1,5 Ha. 200 ⚎ ___ 0,30 Km Tel. (081)8781344 1/1-31/12 P

Acceso por Sorrento en dirección Massa Lubrense y a la playa. Plazas estrechas y caminos asfaltados de acusada pendiente. Aceso difícil para caravanas. Situado en una bahía con vista panorámica.

POZZUOLI I-80078 · **SOLFATARA**

8 Ha. 180 ⚎ ___ Tel. (081)5267413 1/4-15/10 PT

Accesos desde Puzzoli, por la SS-7 Quarter dirección Solfatara y por la A-2/A3 desde Tangenziale por la salida a Agnano en dirección Pozzuoli. Terreno regular próximo al cráter del volcán.VER ANUNCIO.

POMPEI · POMPEI I-80045 · **ZEUS**

2,2 Ha. 100 ⚎ ___ Tel. (081)8615320 1/1-31/12 P

Junto a un parking. Señalizado en el pueblo.

ISOLA D'ISCHIA · ISCHIA I-80070 · **INTERNAZIONALE**

1,2 Ha. 160 ⚎ ___ 0,70 Km Tel. (081)991449 20/4-15/10

Acceso por la ctra. desde el puerto en dirección Ischia Ponte. Señalizado. Terreno escalonado y rodeado de muros. Ajardinado. Ubicado en una colina. Cerca del pueblo.

ROMA   PRIMA PORTA I-00188   **TIBER**

5 Ha. 300 ⛺ ▭▭ ▭▭ Tel. (06)33610733 1/3-10/11 ⚠

⊙ ⊖ ⊖ ⌒ ⌒ WC 🚰 🧺 🔥 ▣ ✕ ⌇ ⚓ 🍴 ⛽ ≋ 🏓

Terreno regular ubicado en la ribera del Tíber, a 12 Km al norte de la capital. Acceso por la ctra. SS-3 de Via Flaminia en dirección Terni. Desvío en la Via Tiberiana. Servicio de transporte hasta la estación de metro Prima Porta.VER ANUNCIO.

ROMA I-00123   **HAPPY CAMPING**

4 Ha. 130 ⛺ ▭▭ ▭▭ Tel. (06)33626401 15/3-31/10 ⚠ T

⊖ ⌒ WC 🚰 🔥 ▣ Y ✕ 🏠 ⌇ 🍴 ⚓ ↙ ≋ ⛺

Situado a 9 Km de la ciudad. Acceso por la salida del cinturón (Grande Raccordo Anulare) a la SS-2 bis en dirección Via Cássia hasta Veientana. Sendero al camping con inclinación del 10%.VER ANUNCIO.

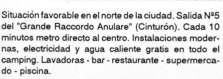

ROMA	ROMA I-00191	SEVEN HILLS

5 Ha. 220 🏕 ▭▭ Tel. (06)30310826 1/1-31/12 ⛰ RT

☺ 🛁 🍴 WC 🚿 🔥 🖥 🍽 ✕ 🏠 ❓ ⛲ 🏊 ➕ △ 🏓 🤸

Terreno en terrazas en un pequeño valle entre las colinas. Situación: En el norte de la ciudad. Acceso: Por el Grande Racordo Anulare, desvío señalado, seguir por la Via Cásia SS-29.VER ANUNCIO.

ROMA	ROMA I-00165	ROMA CAMPING

3 Ha. 250 🏕 ▭▭ Tel. (06)6623018 1/1-31/12 ⛰

☺ 🛁 🛁 🍴 WC 🚿 🔥 🖥 🍴 ✕ ⛲

Situado a 8,2 Km de la ciudad. Acceso por el cinturón (Grande Raccordo Anulare) con salida a la SS-1 en dirección Via Aurelia. Ubicado junto a un centro de juventud.VER ANUNCIO.

	ROMA I-00138	SALARIA CAMPING

17 Ha. 300 🏕 ▭▭ Tel. (06)8887642 1/5-31/10 ⛰

☺ 🛁 🛁 🍴 WC 🚿 🔥 🖥 🍴 ✕ 🏠 ❓ ⛲ 🛒 △ 🏓

Situado al norte de la ciudad. Acceso por la salida A-1 en Settebagni a la Via Salaria (SS-4) hasta el Km 15,6. Terreno arbolado, herboso y próximo a carretera. Junto a estción de servicio.VER ANUNCIO.

COSTA OESTE	ALBINIA I-58010	INT.ARGENTARIO

10 Ha. 450 🏕 ▭▭ 🏖 Tel. (0564)870302 SS-30/9 ⛰ MRR

☺ 🛁 🛁 🍴 WC 🚿 🔥 🖥 🍴 ✕ ❓ ⛲ 🚤 ⊘ 🏓

Acceso por el desvío de la SS-1 en el Km 150,8 en dirección Porto San Stefano-Torre Saline. Situado en una pineda, separado en dos zonas por una carretera, playa arenosa. Clases de tenis, vela y surf.

Via Salaria, 2141
00138 ROMA
Tel. y fax:06/888 76 42
Fax invierno:
06/47 41 307

Snack-bar - TV - video - discoteca - fiestas - minimarket y parque infantil - campo de voleibol y de fútbol - camping gas - alquiler de caravanas.

Agua caliente y corriente gratis.Vertedero para WC químicos.

Situación ideal para visitas a la ciudad.10 kms. hasta el centro.

Autobuses cada 15 minutos.

Acceso: Autopista A1 Firenze/Roma, salida Roma/Settebagni.

Viniendo de otras direcciones: por el G.R.A.(Cinturón) en dirección **Firenze, salida Settebagni.**

COSTA OESTE   CASTIGLIONE DEL LAGO I-06061   **LISTRO**

0,0 kM Tel. (075) 951193   1/4-30/9 P

S.PIETRO IN PALAZZI I-57010   **BOCCA DI CECINA**

8,6 Ha. 550   Tel. (0586)620509   1/1-31/12   MRP

Acceso por el desvío de la ctra. SS-1 al norte de Cécina en dirección de Cécina Mare. Señalizado. Terreno llano. Discoteca. Música en vivo. Clases de surf.

RIVIERA-LIGURE   CERIALE I-17023   **BACICCIA**

1,2 Ha. 140   0,5 Km Tel. (0182)990743   1/1-31/12   RPT

Terreno herboso con bastantes árboles y arbustos situado a 500 m del mar en una zona verde y muy tranquila. Acceso: SS-1 (Savona-Albenga), Km 613/5.VER ANUNCIO.

---

bungalow camping *baciccia*

Via Torino, 19
17023 CERIALE (Savona)
Riviera dei Fiori - Italia
Tel. 0182-990743 - Fax. 0182-990743

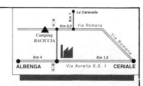

A 500 m. del mar, en medio de la naturaleza y absolutamente tranquilo. **2 piscinas,** tenis, petanca, parque infantil, programa de ocio, barbacoa, bar, tienda y limpieza. Modernas instalaciones sanitarias con agua caliente (duchas y lavabos). Bungalows confortables para 2, 4 o 6 personas con cocina americana, baño, uno o dos dormitorios, ropa de cama, calefacción. 20% de descuento por una estancia de 1 semana como mínimo, no en julio o agosto.

PIETRA LIGURE I-17027   **PIAN DEI BOSCHI**

3,5 Ha. 280   0,6 Km Tel. (019)625425   SS-30/9   RT

Acceso por la salida Pietra Ligure de la A-10. Señalizado. Terreno aterrazado. Algunos sombrajos de caña. Animación infantil.

RIVIERA ITALIANA   SAN REMO   I-18038   **C.DEI FIORI**

2 Ha. 230   Tel. (0184)60635   1/1-31/12   MRP

Terreno llano, sombreado por árboles y arbustos. Directamente tocando el mar. Playa propia. Deportes naúticos. Acceso . Por la SS-1 (imperia-Ventimiglia), desde la población seguir indicaciones hacia el mar.VER ANUNCIO.

CERDEÑA   PORTICCIOLO   I-07014   **TORRE DEL PORTICCIOLO**

10 Ha. 333   Tel. (079)919007   1/5-10/10   MPT

Situado a 17 Km al noroeste de Alghero. Acceso por la ctra. SS-127 bis o SS-291. Terreno ondulado en una pineda, sobre una pequeña bahía. Estancia mínima en julio y agosto, 3 días. Música en vivo. Clases de tenis y de natación

---

LOTZORAI   I-08040   **LA CERNIE**

2 Ha. 110   Tel. (0782)669472   15/5-30/9   MPT

Acceso al este de la población, señalizado. Terreno llano en un pinar. Cine, música en vivo.

AGLIENTU VIGNO.MARE   I-07020   **BAIA BLU LA TORTUGA**

17 Ha. 700   Tel. (079)602060   1/5-30/9   MRPT

Torcer hacia el mar en el Km. 52/VII de la ctra. del litoral. Terreno llano en un bosque de pinos y eucaliptos. Playa de arena fina, ideal para niños. Discoteca. En temporada alta estancia mínima una semana. Oxígeno para submarinistas.

El símbolo FECC indica que se hacen descuentos a los socios de los Clubs federados sin ningún condicionamiento aparte de la correspondiente identificación.

F E C C

ISLA DE ELBA — LACONA I-57037 — **LACONA PINETA**

3,8 Ha. 200 ⁂ ▭ ▭ ⛳ 0,10 Km Tel. (0565)964322 1/4-31/10 ⛰ RPT

☉ 🛁 🛁 ⌐ ⌐ ⌐ WC 🧺 ⚗ 🧺 ▯ ✕ 🏠 🔦 🗿 ⛽ 🪝 🎯 🏛

Acceso por el desvío de la ctra. Portoferráio-Porto Azzurro. en dirección Lacona. Seguir indicaciones. Terreno aterrazado situado en una pendiente entre los golfos de Stell y Lacona. Discoteca al aire libre.

SICILIA — BRUCOLI I-96010 — **BAIA DEL SILENZIO**

15 Ha. 300 ☀ ▭ ▭ ⛳ Tel. (0931)981881 1/6-30/9 ⛰ MRPT

☉ 🛁 🛁 ⌐ ⌐ ⌐ WC 🧺 ⚗ ⌂ ▯ ✕ 🏠 🗿 ⚓ 🏛

Acceso por el desvío de la SS-114 en dirección a Brúcoli. Seguir indicaciones. Terreno inclinado con arbustos y flores. Pequeños àrboles. Sombrajos por techos de caña. Dos calas con costa rocosa, escaleras al mar. Discoteca.

SAN VITO I-91010 — **EL-BAHIRA**

8 Ha. 500 ⁂ ▭ ▭ ⛳ 0,35 Km Tel. (0923)972577 1/4-30/9 ⛰ MRPT

☉ 🛁 🛁 ⌐ ⌐ ⌐ WC 🧺 ⚗ 🧺 ▯ ✕ 🏠 🗿 ⚓ 🪝 🌊 🎯 🎿 ⛺ 🏛

Situado a 7 Km del pueblo. Terreno aterrazado. Algunos sombrajos de caña. Vista panorámica. Costa rocosa. Discoteca.

REP. SAN MARINO — CAILUNGO I-47031 — **C.TUR. SAN MARINO**

11 Ha. 160 ⁂ ▭ Tel. (0549)303364 1/1-31/12 RPT

☉ 🛁 ⌐ WC 🧺 ⚗ 🛁 ⌐ ♿ 🧺 ▯ ✕ 🏠 🔦 🗿 ⚓ 🪝 🌊 ➕ 🏠 🎯 ⛺ 🏛 🚐 🚍 ⛽ 🔌

Acceso por la autopista A-14, salida Rimimi Sud, seguir por la SS San Marino en dirección San Marino.

LIECHTENSTEIN

**PARA EL PRINCIPADO DE LIECHTENSTEIN, TIENE VALIDEZ
LAS MISMAS NORMAS QUE EN SUIZA**

Direcciones útiles: La Embajada de España en Berna, se ocupa también de
Principado Liechtenstein: c/ Kalcheggweg 24, 3006 Bern. Tel. (031) 352 04 12/13,
Fax: (031) 3515229.

LIECHTENSTEIN

LIECHTENSTEIN   TRIESEN FL-9495   **MITTAGSSPITZE**

4 Ha. 150   Tel. (075)3923677 1/1-31/12 PT

Terreno herboso distribuido en terrazas, bien arreglado y con bellas vistas. Restaurante a 200 m.VER ANUNCIO.

SER CAMPISTA SIGNIFICA
RESPETAR LA NATURALEZA

LITUANIA

Moneda: Litas (LTL) = 100 Centas.

Horarios: Supermercados: de lunes a sábado de 8 a 14 y de 15 a 20 horas. Domingos hasta las 14 h. Tiendas: de martes a viernes de 10 a 14 h. y de 15 a 19 horas. Sábados de 10 a 16 horas. Domingos y Lunes cerradas.

Documentación: Pasaporte con visado.

Teléfonos: Prefijo de España desde Lituania: 810-34 (no marcar el 9 del prefijo provincial) o a través de un operador. Prefijo de Lituania desde España: 07-370.

Normas de circulación: Cinturón obligatorio. Tasa máxima de alcoholemia: 0,0.

Velocidades máximas: Ver tabla "Límites de velocidad para coches con caravana y autocaravanas".

Teléfonos de socorro: Averías: 03. Polocia: 02.

Direcciones útiles: Embajada de España: Actualmente, la Embajada de España en Copenhague se ocupa también de Lituania: Upsalagade 26, 2100 Copenhague, Tel. (+45) 31424700/31263099, Fax: 35263099.

TRAKAI 4050 **SIENIS**

7,3 Ha. 50 ▬ 1/5-30/10

Prado en una península en el lago Galve, al oeste de Vilnius. Acceso por la A-226, Vilnius-Marijampole. Sanitarios nuevos.

RUKAINIAI 4020 **COUNTRY CAMPING VILNIUS**

3 ha Ha. 50 ▬ 1/5-30/9

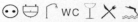

Situado al SE de Vilnius, a 1 km de la ctra. M-12, Vilnius-Minsk. Reserva obligada.

Cerca de Vilnius, en un hermoso bosque, al lado de un riachuelo y el Montecastillo, al lado de la autopista Minsk-Riga-Tallinn se encuentra nuestro Camping **"Rytu kempingas"**. La distancia del centro de Vilnius es de 24,8 km. (20-25 min. en coche). Parcelas para coches con caravana y tienda. 132 camas en casitas de temporada: habitaciones para dos y tres personas, con calefacción, cocina y ducha. Cafetería, bar, sauna y sala de banquetes abiertos durante todo el año. Billar, ping-pong, campo de deportes. Cerca de un lago con bonita playa de baño.

4020 RUJAINIAI

VILNIAUS RAJ. / LITUANIA
Tel. + 370 - 2 - 65 11 95
Fax + 370 - 2 - 26 92 93

Precios 1994: P/N 10 DM; K/N (3-14 años) 4 DM; A+T/N 6 DM; M+TN 7,50 DM; perro/N 3 DM; habitación doble por noche 20 DM; habitación triple por noche 25 DM; noche en bloque habitación doble 44 DM; sauna (1 hora) 20 DM; sauna (1 tarde) 100 DM; Parking vigilado 3 DM.

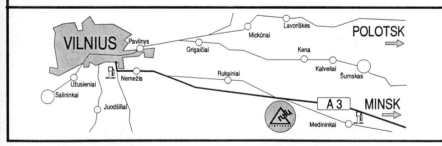

LUXEMBURGO

Moneda: Franco luxemburgués o Franco belga = 100 centimes

Horarios: CORREOS: de lunes a viernes de 8.00 a 12.00 y de 14.00 a 17.00. Sábados cerrado. En la estación Central de la ciudad de Luxemburgo de 6.00 a 20.00 cada día. BANCOS: de lunes a viernes de 8.30 a 12.00 y de 13.00 a 17.00. Sábados cerrados. COMERCIOS: de martes a sábado de 8.00/8.30 a 12.00 y de 14.00 a 18.00/18.30. Lunes por la mañana en general cerrados.

Documentación: DNI o pasaporte. Se recomienda Carta Verde Internacional.

Perros y gatos: Ver tabla "Documentos de fronteras para perros y gatos".
Teléfono: Prefijo de España desde Luxemburgo: 00-34 (no marcar el 9 del prefijo provincial). Prefijo de Luxemburgo desde España: 07-352. Dentro de Luxemburgo no hay prefijos.

Normas de circulación: Cinturón obligatorio. Tasa máxima de alcoholemia: 0,8. **Velocidades máximas:** Ver tabla "Límites de velocidad para coches con caravana y autocaravanas".

Normas para acampar: La normativa para caravanas prevé una anchura máxima de 2,5 m. y una longitud coche-caravana de 25 m. Prohibida la pernoctación fuera del camping.

Teléfonos de socorro: Avería: 450045. Accidente: 012. Policia: 012.

Direcciones útiles: Embajada de Luxemburgo, Claudio Coello 78, 28001 Madrid. Tel. (91) 435 91 64. Embajada de España en la ciudad de Luxemburgo: 4, Boulevard Emmanuel Servais, 2535 Luxembourg. Tel. 460255; fax: 474850.

Los afiliados a la Seguridad Social española tienen derecho a la prestación de asistencia sanitaria de carácter urgente durante su estancia en Luxemburgo. Infórmese en la oficina del organismo sanitario competente de su Autonomía.

KOCKELSCHEUER L-1899 — KOCKELSCHEUER

3,8 Ha. 190 ⛺ ▭▭ Tel. 471815 SS-31/10 ⛰ PT

Terreno aterrazado y adornado con plantas y árboles, a 4 Km del centro de la capital. Junto a centro deportivo. Acceso por la N-6, a unos 4 Km al sur de Luxemburg, en dirección a Bettembourg.

ESCH-SUR-ALZETTE L-4001 — GAALGEBIERG

2,5 Ha. 140 ⛺ ▭▭ Tel. 541069 1/1-31/12 ⛰ RP

Terreno aterrazado rodeado de bosques. Acceso libre al zoo adyacente. Musica en vivo. Acceso por la N-6 desde el centro de la población en dirección Dudelange. Después del subterráneo bajo la via del tren hacia la izquierda.

MONDORF-LES-BAINS L-5659 — BAD MONDORF

5 Ha. 160 ⛺ ▭▭ Tel. 660746 1/1-31/12 ⛰ PT

Acceso por la ctra. CR-152 (Mondorf-Schengen) en dirección Saarbrucken. Terreno con pendiente moderada. Area para autocaravanas contigua a una zona ajardinada.

CLERVAUX L-9714 — OFFICIEL

3 Ha. 135 ⛺ ▭▭ Tel. 92042 1/3-31/10 ⛰ T

Terreno llano y ajardinado situado en un valle. Sesiones de cine. Acceso: seguir las indicaciones desde el centro de la población.

LAROCHETTE L-7633 — AUF KENGERT

3,7 Ha. 190 ⛺ ▭▭ Tel. 87186 15/2-7/11 ⛰ PT

Camping muy bien cuidado con parcelas grandes. Instalaciones sanitarias modernas, sauna, solario. Zona para estancias cortas. Acceso en la ctra. N-8, dirección Mersch.

ECHTERNACH L-6412 — ALFERWEIHER

4 Ha. 230 ⛺ ▭▭ ⚡ 0,6 Km Tel. 72271 1/5-15/9 ⛰ T

Acceso por la N-10 desde el puesto fronterizo de Echternach en dirección Wasserbillig. Seguir indicaciones.

DIEKIRCH L-9201 — OP DER SAUER

5 Ha. 330 ⛺ ▭▭ Tel. 808590 1/1-31/1 ⛰ T

Terreno ajardinado en la orilla del rio Sauer/Sure. Ecursiones en canoa. Riesgo de inundación en parte del camping. Acceso por la N-7 o la N-19 atravesando el puente sobre el Sauer/Sure en dirección Gilsdorf.

WALSDORF L-9465 — ROMANTIQUE

6 Ha. 200 ⛺ ▭▭ Tel. 84464 1/3-31/10 ⛰ PT

Terreno distribuido en terrazas y atravesado por un arroyo, situado al oeste de la ctra. Dierkirch-Vianden. Acceso a la N-17 por la ctra. 354.

SER CAMPISTA SIGNIFICA RESPETAR LA NATURALEZA

MARRUECOS

Moneda:
Dirham = 100 centimes.

Horarios:
CORREOS: de lunes a viernes de 8.30 a 12.30. BANCOS: de lunes a viernes de 9.00 a 13.00 y de 16.00 a 18.00. COMERCIOS: variables. En las ciudades grandes en general de 8.00 a 13.30 y de 16.00 a 20.00.

Documentación:
Pasaporte.

Teléfono:
Prefijo de España desde Marruecos: 00-34 (no marcar el 9 del prefijo provincial). Prefijo de Marruecos desde España: 07-212 (no marcar el 0 del prefijo local/ Casablanca no tiene prefijo).

Normas de circulación:
Velocidades máximas: vías urbanas: entre 20 Km/h y 40 Km/h; vías interurbanas: 100 Km/h.
Teléfonos de socorro: Avería: Real Automóvil Club de Marruecos en Casablanca: 61311.

Direcciones útiles:
Oficina de Turismo de Marruecos: Quintana 2º 2ª, 28008, Madrid. Tel. (91) 5412995. Fax: (91) 5470466. Embajada de España en Rabat: 105, Allal ben Abdellah, 3, Zankat Madnine, Rabat. Tel. (07) 707600; fax: (07) 707563. Consulado en Rabat: 57, Av. du Chellah, Rabat. Tel. (07) 704147/48; fax: (07) 704694. Consulado General en Casablanca: 31, rue d'Alger, Casablanca. Tel (02) 220752; fax: (02) 205049. Consulado General en Tanger: Av. Président Habib Bourghiba, 85, Tanger. Tel. (09) 935625; fax: (09) 932381. Consulado en Agadir: 49, rue Ibn Batouta, Agadir. Tel. (08) 845681/845710; fax: (08) 845843. También hay consulados en Nador, Larache y Fez. Embajada de Marruecos en Madrid: c/ Serrano 179, Tel. (91) 563 10 90.

MARRUECOS

| TANGER | TANGER | **TINJIS** |

6 Ha. 350 ⚓ Tel. (09)40212/40191 1/1-31/12 0,4 Km

Amplio terreno municipal situado en un parque. Parcialmente aterrazado. Deportes naúticos. En la bahía de Tanger, en dirección Sebta (Ceuta).

| TETUAN | MARTIL | **MARTIL** |

4 Ha. 80 Tel. 7339 1/1-31/12 M

Situado a 10 Km del aeropuerto de Martil, a 12 Km al este de Tetuan. Se accede tomando el desvío de la P-28. Terreno llano. Amplia playa de arena.

| FES | SEFROU | **SEFROU** |

4 Ha. Tel. 660001 1/1-31/12

Terreno de pernoctación en Sefrou, al sur de Fes.

| MEKNES | MEKNES | **INTERNATIONAL AGDAL** |

5 Ha. Tel. (05)538914 1/1-31/12

Uno de los mejores campings del país. Terreno llano con flores, situado en un antiguo parque detrás del palacio del Sultan. Caminos asfaltados. Acceso bien indicado.

| RABAT | SALE | **LA PLAGE** |

3 Ha. Tel. (07)82368 1/1-31/12 P

Se accede por la ctra. Salé-Rabat. Indicaciones. Terreno llano, rodeado de muros. Vistas a Madina y a la Kasbah. En Medina de Salé. Cerca de la playa.

| CASABLANCA | CASABLANCA | **L`OASIS** |

1,5 Ha. 60 Tel. 253367 1/1-31/12 M

Terreno situado en el suroeste de la ciudad, en dirección a El Jadida, en el cruce Route d`El Jadida/Bvld. Brahim Roudani con el Bvld. Ghan. Restaurante a 800 m.

| MARRAKECH | MARRAKECH | **MUNICIPAL MARRAKECH** |

3 Ha. 200 Tel. (04)31707 1/1-31/12

En la ciudad, Av. de France. Arbolado de eucaliptos en hileras. Instalaciones sanitarias en estado deplorable, muy sencillas.

| AGADIR | AGADIR | **INTERNATIONAL AGADIR** |

3 Ha. 200 Tel. (08)840374 1/1-31/12 0,20 Km

Terreno llano situado al este de Agadir junto a la ctra. de la costa. Acceso por la P-8 de Essaquira hasta indicaciones del camping. Ubicado a 100 m de la ctra, en el Blvd. Mohamed V. Parcelas pequeñas.

SER CAMPISTA SIGNIFICA
RESPETAR LA NATURALEZA

Moneda: Corona noruega = 100 Ore.
Horarios: CORREOS: de lunes a viernes de 8.00 a 17.00. Sábados hasta las 13.00. BANCOS: de lunes a viernes de 8.00 a 17.00. Sábados cerrados. COMERCIOS: en general, de 9.00/10.00 a 17.00 (en verano 16.00). Sábados hasta las 13.00/14.00.
Documentación: Pasaporte.
Perros y gatos: Ver tabla "Documentos de fronteras para perros y gatos".
Teléfono: Prefijo de España desde Noruega: 095-34 (no marcar el 9 del prefijo provincial). Prefijo de Noruega desde España: 07-47 (no marcar el 0 del prefijo local).
Normas de circulación: Cinturón obligatorio. Tasa máxima de alcoholemia: 0,5.
Velocidades máximas: Ver tabla "Límites de velocidad para coches con caravana y autocaravanas".
Normas para acampar: Prohibido pernoctar fuera de los campings.
Teléfonos de socorro: Avería: 02-341600. Accidente: (02)003. Policia: (02)002.
Direcciones útiles: Embajada de Noruega, Pº de la Castellana 31, 28046 Madrid. (Apartado). Tel. (91) 310 31 16 Fax. (91) 3190969. Embajada de España en Oslo: Oscarsgate 35, 0258 Oslo 2. Tel. (02) 2552015; fax: (02)559822.

Asistencia médica: Diríjase a cualquier médico o centro que tenga suscrito un "Convenio de reembolso" con la Administración Nacional del Seguro. La mayoría de los médicos, centros sanitarios, las policlínicas y hospitales lo tienen. La Oficina local del Seguro la facilitará una relación. Tendrá que abonar una cantidad en concepto de participación en los gastos.

NORUEGA

OSLO

OSLO N-0757 — **EKEBERG**

7 Ha. 700 ☀ ⚡ 2 Km Tel. (022)198568 1/6-31/8 P

Situado en una colina con vista panorámica de Oslo al sur de la ciudad, saliendo de la E-47, después de Ryen, dirección Hamar. Restaurante a 500 m.

OSLO N-0757 — **BOGSTADT**

18 Ha. 1130 ⚡ Tel. (022)507680 1/1-31/12 P

Terreno herboso situado muy cerca del centro de Oslo en el bosque de Nordmark a, cerca del lago "Bogstadvatnet". Las parcelas más grandes y más bonitas no tienen conexión eléctrica. Acceso señalizado en el norte de la ciudad.

SUR

AMLI N-4850 — **SIGRIDNES C.OG HYTTETUN**

⚡ Tel. (041)81500 1/4-30/9 PT

Camping con ambiente familiar situado junto al río Nidelv. Instalaciones sanitarias sencillas pero bien cuidadas. Mucha tranquilidad. Alquiler de botes. Acceso: en Fiane salir de la E-18 y continuar en la carretera nº 415.

AMOT N-3890 — **GROVEN**

8 Ha. 70 ⚡ Tel. 35071421 20/5-1/10 PT

Terreno aterrazado en el margen de un torrente. Estilo arquitectónico regional. Alrededores muy arbolados. Jardin infantil bien equipado. Acceso: en Amot, salir de la E-132 a la 37. Señalizado.

RANDESUND N-4639 — **DVERGSNESTANGEN**

9 Ha. 300 ⚡ Tel. 38047155 1/1-31/12 MRPT

Situado en una franja de tierra dentro de un paisaje rocoso intacto. Zona de baño abierto. Acceso: salir de la E-18 y continuar en la carretera nº 401 en dirección a Hovag.

BERGEN

HAUKELAND N-5233 — **LONE**

4,5 Ha. 235 Tel. 55240820 1/1-31/12 PT

Situado a 1,5 Km al norte de la población. Acceso por la E-68, al lado de la gasolinera. Prado con árboles y arbustos junto al lago Haukeland.

SOGN OG FJORDANE

GAUPNE N-5820 — **SANDVIK**

1 Ha. 60 ⚡ 0,50 Km Tel. 57681153 15/5-15/9 PT

Terreno llano con una bonita vista sobre el glaciar Jostedalsbre, situado en la ctra. 55, dentro de la población. Restaurante a 500 m.

HEDMARK

BROTTUM N-2372 — **SAMUELSTUEN**

2 Ha. 70 ⚡ Tel. (065)60390 1/1-31/12 M

Terreno aterrazado situado a 11 Km al norte de Moelv, en la orilla del lago Mjosa, con playa propia de arena y guijarros. Acceso por la carretera nº 213 (Moelv-Lillehammer).

TRONDELAG

TRONDHEIM N-7080 — **SANDMOEN**

6 Ha. 350 Tel. 72886135 1/1-31/12

Situado en un bosque a 10 Km al sur de Trondheim. Acceso por la E-47; viniendo de Oslo a la derecha.

| AUST-AGDER | RISOR N-4950 | SORLANDET |

6,5 Ha. 190 ⚑ ▭ ☒ Tel. 37154080 1/5-15/10 ⛰ PT

⊙ ⛲ ☕ WC ▤ 🛒 🧺 ▣ 🍽 ✕ ⚖ ⚓ 🏠

Alquiler de barcos.

| BUSKERUD | GOL N-3550 | FOSSHEIM |

2,5 Ha. 60 ⚑ ▭ Tel. 32077316 1/1-31/12 ⛰ P

⊙ ⛲ ☕ WC ▤ 🛒 🧺 ♿ ▣ 🏠 🎣 ⚖ ⛽ ⚓ ✚ 🏠

Acceso: Ctra. 7 (Gol-Geilo). Indicado a 5 Km al oeste de la población. Terreno próximo a la ctra. Sauna.
VER ANUNCIO.

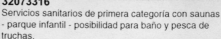

El símbolo FECC indica que se hacen descuentos a los socios de los Clubs federados sin ningún condicionamiento aparte de la correspondiente identificación.

NORTE   BOGNELV N-9545   ALTAFJORD

3 Ha. 60 ☀ ▦ ⚐ 0,20 Km Tel. 78432824 15/5-15/9 ⛰ PT

⊙⊙ ♨ ⌐ WC ⌂ ⚒ ♒ △ ⌂ ⟍ ⚲ 🏠

Prado situado junto a un bosque. Bellas vistas. Instalaciones sanitarias modernas. Alquiler de botes, pesca, sauna. Restaurante a 1 Km. Acceso por la E-6, señalizado.

NARVIK N-8501   NARVIK

2 Ha. 100 ☀ ▦ ⚐ 0,5 Km Tel. 76945810 1/1-31/12 ⛰ PT

⊙⊙ ♨ ⌐ WC ⚒ ♒ △ ⛁ ▽ ✕ ⌂ ⟍ ⚲ 🏠 ⟿ 🏠

Acceso por la E 6, a 1,5 Km al norte de la población. Terreno distribuido en terrazas, en una pendiente. Vista panorámica al fiordo de Ofot y a las montañas.VER ANUNCIO.

POLONIA

Moneda: Antiguos y nuevos Zlotys. 1 Zloty nuevo=10.000 antiguos Zlotys.

Horarios: CORREOS: de lunes a viernes de 8.00 a 20.00. Sábados de 8.00 a 14.00. En las capitales las 24 horas. BANCOS: de lunes a viernes de 8.00 a 11.30. Sábados de 8.00 a 10.00. COMERCIOS: de lunes a viernes de 6.00-11.00 a 19.00/20.00. Algunos (alimentación) los sábados de 7.00 a 13.00.

Documentación: Pasaporte cuya validez dure más de 6 meses y Carta Verde, que se puede obtener en la frontera —pero exige mucho tiempo—. Posible sanción elevada (+/- 60.000 ptas) en caso de no llevarla.

Perros y gatos: Ver tabla "Documentos de fronteras para perros y gatos".

Teléfono: Prefijo de España desde Polonia: 0-034 (no marcar el 9 del prefijo provincial). Prefijo de Polonia desde España: 07-48 (no marcar el 0 del prefijo local).

Normas de circulación: Cinturón obligatorio. Tasa máxima de alcoholemia: 0,2.

Velocidades máximas: Ver tabla "Límites de velocidad para coches con caravana y autocaravanas".

Normas para acampar: Prohibido pernoctar fuera de los campings.

Teléfonos de socorro: Avería: 981. Accidente: 999. Policia: 997.

Direcciones útiles: Oficina de Turismo polaco ORBIS: Torre Madrid, pl. 30, of. 1. Plaza de España, 18. 28008 Madrid. Tel. (02) 5417920. Fax. (91) 5417921. Embajada de Polonia: C7 Guisando 23 bis. 28035 Madrid. Tel. (91) 3736605. Embajada española en Varsovia: Staróscinka, 1B., Warsaw. Tel. (02) 6224250; fax: (02) 6225408.

Los afiliados a la Seguridad Social española tienen derecho a la prestación de asistencia sanitaria de carácter urgente durante su estancia en Polonia. Infórmese en la oficina del organismo sanitario competente de su Autonomía.

POLONIA

BALTICO SZCZECIN-DABIE PL-70800 **Num.25**

5 Ha. 280 Tel. (091) 613264 1/5-30/9

Situado en la orilla de un lago a 8 Km del centro de la ciudad (Marina Dabie). Posibilidades para pesca, vela y windsurfing. Alquiler de botes.

ELBLAG **ELBLAG Nº 61**

72 Tel. (050) 324307 1/1-31/12 PT

Al sur de la ciudad, terreno llano junto al rio Elblaski. Alquiler de canoas.

LEBA PL-84360 **Num.84**

12 Ha. 800 0,40 Km Tel. (0591)661206 1/5-15/9

Situado en la ctra. de Slupsk a Gdansk, ul. Turystyczna,3 (seguir indicaciones "Intercamping-84"). Junto al parque nacional. Adecuado para surf, vela y pesca. Parada de autobús a 200 m.

PUCK PL-84210 **Num.66**

1,6 Ha. 0,10 Km Tel. (058)732980 1/5-30/9

Terreno situado a 100 metros del mar. Pesca, vela, windsurfing. Buenas instalciones sanitarias. Parada de autobús a 800 m. Acceso por la carretera nº 27 (Gdynia-Puck).

SUROESTE WROCLAW PL-51612 **Num.117**

0,5 Ha. 0,20 Km Tel. 484651 15/5-15/10

Situado en el terreno del Olimpijski Stadium, al norte de la ciudad. Acceso por la E-67 en dirección Sieradz y Lodz. Piscina a 300 m.

JELENIA GORA PL-58500 **Num.130**

1,8 Ha. 100 Tel. 26942 1/5-30/9

Situado en la periferia sur de la ciudad, en dirección Karpacz y Kowary. Dirección: Ul.Swierczewskiego, 42. Terreno aterrazado. Restaurante y piscina cerca. Estación de ferrocarril a 1 Km. Alquiler de habitaciones.

POLANICA PL-57320 **Num.169**

Tel. 210 1/1-31/12

Camping situado en un bonito paisaje. Instalaciones sanitarias modernas. Ideal para excursiones. Acceso por la carretera de Polanica a Zdrój.

NORESTE OLSZTYN PL-10806 **Num.95**

14 Ha. 420 Tel. 271253 1/5-30/9 P

Situado a 3 Km al oeste de la ciudad, a la orilla de un lago con posibilidad practicar la pesca, surf, vela. Alquiler de botes. Acceso por la ctra 170 en dirección al lago Krzywe y a Ostroda.

KOSEWO PL-11732 **Num.100**

2 Ha. Tel. 8521 1/4-30/10 P

Terreno limpio situado junto a un lago. Posibilidad deportes naúticos. Alquiler de botes. Restaurante y supermercado a 200 m. Acceso por la carretera nº 16, Mragowo-Mikotajki.

| VARSOVIA | WARSZAWA PL-02092 | **Num.34** |

2,5 Ha. 100 ⛟ ▭▭ Tel. 254391 1/5-20/10 △

☉ ⛻ ⛻ ⌐ ⌐ WC ⚱ ⛾ 🍴 ✕ 🏠 ⌐ ⛲ ⤙ 🏠

Terreno accidentado a 1 Km al sur de la estación central. Acceso: Desde la estación (Warsawa centralna) por la calle Al. Jerozolimskie hasta la primera placita (dirección Kielce) seguir por la calle Raszynskk.

| | WARSZAWA | **Num.120** |

1 Ha. ⛟ ▭▭ Tel. 344213 15/6-30/9 △

☉ ⛲ ⤙ △

Dirección: Ul. Balaton, 5 Warzawa.

| SUR | KATOWICE PL-40266 | **Num.215** |

3 Ha. 205 ⛟ ▭ ⚑ Tel. 1555388 1/5-30/9

☉ ⛻ ⛻ ⌐ ⌐ WC ⚱ 🍴 ⌐ ⛲ ⤙ 🏠 ⛵

Camping bien cuidado situado junto a un río al norte de Katowice, ul. Murckowska. Señalizado a partir de Bielsko-Biala. Pesca, surf. Parada de autobús a 500 m.

| | KRAKOW PL-30252 | **Num.46** |

0,7 Ha. ⛟ ▭▭ Tel. 210255 1/4-31/10 T

☉ ⛻ ⛻ ⌐ ⌐ WC ⚱ ⛾ ▣ 🍴 🏠 ⌐ ⤙

Terreno de camping pequeño, bien cuidado. Parada de autobús a 200 m. Situado a 4 Km de la población, ul. Kamedulska 18.

| | BIELSKO-BIALA PL-43309 | . **Num.99** |

1,6 Ha. ⛟ ▭▭ Tel. 46080 1/1-31/12

☉ ⛻ ⛻ ⌐ ⌐ WC ⚱ ⛾ ▣ 🍴 ✕ 🏠 ⛲ ⤙ ▦

Autobuses al centro cada 15 minutos (parada a 200 m.). Pista de fondo. Acceso: Bielsko-Biala - Szczyrk/Wisla. Pod Debowcem.

| | ZAKOPANE PL-34500 | **Num.97** |

4 Ha. ⛟ ▭▭ Tel. (0165)2256 1/1-31/12 PT

☉ ⛻ ⛻ ⌐ ⌐ WC ⚱ ⛾ ▣ ✕ 🏠 ⌐ ⛲ ⊘ ⤙ ⟋ 🎾 △ ▦ 🚲

Terreno muy accidentado situado junto al parque natural de Tatrzanski. Dirección: Ul. Zeromskiego. Indicado desde el centro. En invierno escuela de esquí y alquiler de esquís. Sauna. Piscina a 200 m.

| SURESTE | USTRZYKI-GORNE PL-38714 | **Num.150** |

2 Ha. ⛟ ▬ ⚑ 0,20 Km 1/5-30/9

☉ ⛻ ⛻ ⌐ ⌐ WC ⚱ ⛾ 🍴 ⌐ ⤙ 🏠 ▦

Terreno situado en el parque nacional de Bieszczady, en la punta sureste del país. Pesca. Alquiler de apartamentos.

El símbolo FECC indica que se hacen descuentos a los socios de los Clubs federados sin ningún condicionamiento aparte de la correspondiente identificación.

REPUBLICA CHECA

Moneda: Corona Checa = 100 haléru.

Documentación: Pasaporte, DNI. Carta Verde Internacional.

Perros y gatos: Ver tabla "Documentos de fronteras para perros y gatos".

Horarios: CORREOS: de lunes a viernes de 8.00 a 18.00. Sábados de 8 a 12 h. COMERCIOS: la mayoría de las tiendas están abiertas de lunes a viernes de 9.00 a 18.00. Los sábados de 9.00 a 12.00, aunque hay algunas en las que se puede comprar durante todo el día e incluso los domingos. Los MUSEOS cierran los lunes y el día siguiente a un festivo.

Teléfono: Prefijo de España desde la República Checa: 00-34 (no marcar el 9 del prefijo provincial). Prefijo de la República Checa desde España: 07-42 (no marcar el 0 del prefijo local)

Normas de circulación: Cinturón obligatorio. Tasa máxima de alcoholemia: 0,0.

Velocidades máximas: Ver tabla "Límites de velocidad para coches con caravana y autocaravanas".

Normas para acampar: Prohibida la pernoctación fuera del camping.

Teléfonos de socorro: Primeros auxilios: 155. Avería: 154 Policía: 158.

Direcciones útiles: Embajada de España: Pevnostní, 9 16200 Praha 6. Tel. (02) 24311441/42; fax: (02)323573.
Embajada de la República Checa en Madrid: C/Caídos de la División Azul, 22 A, 28016 Madrid. Tel. (91) 3503607; fax: (91) 3591146.

* En la República Checa, las autopistas y autovías son de peaje desde el 1-1-95. El distintivo de peaje (válido por un año) se puede comprar en las gasolineras, oficinas de correos y en la frontera. Para turismos 400 Coronas (± 2.000 ptas.), para camiones hasta 12 t. 1.000 Coronas (± 4.800 ptas).

PRAHA-PRAGA   VELTRUSY CS-27746   **OBORA**

3 Ha. 300 ⚑ ⸺ ☒ Tel. (0205) 81358 1/4-31/10 ⛰

⊙ ⛲ ⌐ WC ▱ 🧺 ♨ ⎙ 🍷 ✗ 🏠 ⛲ GAS ⚓ 🏓 🚲

Situado en la cuenca del río Moldau. Acceso: desde Praha 25 Km en dirección Teplice por la ctra. 8. Al final de esta población seguir 1 Km hacia la izquierda. Ping-pong.

PRAHA-KBELY CS-19700   **CARAVAN**

⚑ ⸺ Tel. (02)892532 1/5-31/10 ⛰

⊙ ⛲ ⛲ ⌐ ⌐ WC 🧺 ♨ 🍷 ⛲ GAS

Situado en Mladoboleslavska 72. Instalaciones sencillas, bastante bien cuidadas. Muchas posibilidades para excursiones.

CHRUSTENICE CS-26712   **VALEK**

1,3 Ha. 80 ☀ ⸺ Tel. (0311)962147 1/6-30/9 ⛰

⊙ ⛲ ⛲ ⌐ ⌐ WC 🧺 ♨ ⎙ ✗ 🏠 🏓 🏓 🏓 ⛲

Terreno regular herboso situado junto a un arroyo, al norte de la población. Señalizado. Instalaciones sanitarias nuevas. Supermercado a 1 Km.

PRAHA-BRANIK CS-14700   **INTERCAMP KOTVA BRANIK**

1,2 Ha. 125 ⚑ ⸺ Tel. (02)461712 15/4-30/10 ⛰

⊙ ⛲ ⌐ WC ▱ 🧺 ♨ ⎙ 🍷 ✗ 🏠 🏓 🏓 △ ⛲

Situado en la orilla del río Moldau. Acceso: Desde el centro en dirección Modrany. Seguir indicaciones. Ping-pong. Se habla español. Supermercado a 300 m.VER ANUNCIO.

PRAHA-PRAGA

PRAHA-MOTOL CS-15000 **SPORTCAMP MOTOL**

4,5 Ha. 200 Tel. (02)521802 1/4-31/10

Terreno situado en una colina, ruidoso debido al tráfico. Acceso desde Praga por la 8/E50 en dirección oeste (Plzen) hasta la salida de la ciudad, continuar hacia la izquierda ascendiendo la montaña.

BOHEMIA

HABR-VOLDUCHY CS-33822 **INTERAUTOCAMP HABR**

2 Ha. 110 Tel. (0181)8348 15/5-15/9 T

Terreno situado en un bosque junto a un pequeño lago. Acceso: Por la ctra.5/E-12 Pilzen-Praha. Desvío en el Km 68,6 en dirección Volduchy. Girar a la derecha y despues de 2 Km. girar otra vez a la derecha, continuando 500 m hacia el bosque. Música en vivo.

SPINDLERUV MLYN CS-54351 **AUTOCAMPING**

2,5 Ha. 300 Tel. (0438)93534 1/5-31/10

Terreno lindante con el balneario climatológico, cercano a la frontera polaca. Rodeado de bosques. Acceso por la ctra. nº 295 (Vrchlabi-Spindlerovka).

SUDETES

TRUTNOV-DOLCE CS-54101 **DOLCE**

10 Ha. 220 Tel. (0439) 2763 1/1-31/12 RPT

Prado inclinado bien cuidado, rodeado de bosques, junto a un lago. A 6 Km de la población. Acceso señalizado desde la misma. Discoteca insonorizada. Conciertos al aire libre.

MORAVIA

STERNBERK CS-78501 **AUTOCAMPING DOLNI ZLEB**

2 Ha. 100 Tel. (0643)2300 1/5-15/9

Terreno rodeado de bosque. Acceso por la ctra. 46 (Olomouc-Sternberk), 3 Km al otro lado de la población. Supermercado y restaurante a 500 m.

OESTE

BOJKOVICE CS-68771 **BOJKOVICE**

2,5 Ha. 34 Tel. (0633)921526 1/5-30/9 RT

Terreno de camping herboso distribuido en terrazas con bastantes árboles. A 500 m de la población, acceso señalizado. Animación infantil. Conciertos al aire libre.

ROZNOV POD RADHOSTEM CS-75661 **SPORTCAMPING**

8 Ha. 300 Tel. (0651)55540 1/6-31/10

A 1 Km al este del centro de la población, acceso señalizado. Situado junto a una piscina pública, al río Becva y a la carretera (ruidoso).

REPUBLICA DE ESLOVAQUIA

Moneda: Corona Eslovaca.

Horarios:Correos: de lunes a viernes de 8.00 a 18.00 horas. Sábados de 8.00 a 12.00.

Comercios: de lunes a viernes de 9.00 a 18.00. Sábados de 9.00 a 12.00 horas.

Documentación: Pasaporte, DNI. Carta Verde Internacional.

Teléfono: Prefijo de España desde Eslovaquia: 00-34 (no marcar el 9 del prefijo local). Prefijo de la Rep. de Eslovaquia desde España: 07-42.

Perros y gatos: Ver tabla "Documentos de fronteras para perros y gatos".

Normas de circulación: Cinturón obligatorio. Tasa mínima de alcoholemia: 0,0.

Velocidades máximas: Ver tabla "Límites de velocidad para coches con caravana y autocaravanas".

Teléfonos de socorro: Primeros auxilios: 155. Avería: 154. Policía: 158.

Normas de acampada: Prohibida la pernoctación fuera del camping.

Direcciones útiles: Embajada de España: Actualmente, la embajada de España en Praga se ocupa también de Eslovaquia: Pevnostní, 9, 16200 Praha 6. Tel. (02) 24311441/42; fax: (02) 323573. Embajada de la República de Eslovaquia en Madrid: C/Pinar 20, 28006 Madrid. Tel. (91) 411 16 21 Fax: (91)5636467.

REPUBLICA DE ESLOVAQUIA

BRATISLAVA SK-82104 — ZLATÉ PIESKY

20 Ha. 300 ☀ ▬ ⌧ Tel. (07)66028 15/4-15/10 ⌂

⊙ ☺ ☺ ⌐ WC ♨ ☷ ☵ Ⓣ ✕ 🗑 ⛽ ↙ ➕ ⚲ ⛺ ⌐

Terreno vallado junto a un lago, ubicado en la periferia noroeste de Bratislava. Acceso: De Bratislava en dirección Senec, desvío después de la gasolinera. Discoteca.

JELENEC SK-95173 — JELENEC

1 Ha. 80 🌲 ▬ Tel. (0814)93232 1/5-30/9 ⌂

⊙ ☺ ☺ ⌐ ⌐ WC ♨ ☵ Ⓣ ✕ ↙ ⛺

Terreno herboso e inclinado situado junto a un bosque y cerca del lago Jelenec (prohibido bañarse). Acceso al noroeste de la población, señalizado. Discoteca insonorizada. Supermercado a unos 3 Km.

TURANY SK-03853 — TRUSALOVA

4,5 Ha. 200 🌲 ▬ Tel. (0842)92636 1/6-20/9 ⌂ T

⊙ ☺ ☺ ⌐ WC ♨ ☷ ☐ Ⓣ 🏠 ☵ ⛽ ↙ ⛺ 🚲

Prado dividido por un riachuelo. Bolos. Ping-pong. Acceso por la E 50. Junto al motel "Fatra", girar a la izquierda, señalizado. A 6 Km de la población.

BLATNICA SK-03815 — AWA-POD ZAHORIM

🌲 ▬ Tel. (0841)94207 1/1-31/12 ⌂ PT

⊙ ☺ ☺ ⌐ ⌐ WC ♨ ☷ ☐ Ⓣ ✕ ➰ 🗑 ↙ ➕ ⚲ ⛺ ⌐

Acceso por la carretera nº 65 (Martin-Blatnica). Alquiler de apartamentos. Muy apropiado para excursiones.

ZVOLEN SK-96001 — NERESNICA

2,5 Ha. 70 🌲 ▬ ⌧ 0,10 Km Tel. (0855)22651 1/5-30/9 ⌂

⊙ ☺ ☺ ⌐ ⌐ WC ☐ ♨ ☷ Ⓣ ✕ 🗑 ↙ ≈ ⛺

Terreno de pernoctación herboso con algunos árboles y arbustos situado junto a un bosque, a unos 2 kilómetros al sur de la población. Supermercado a 300 m.

TATRANSKA LOMNICA SK-05960 — EUROCAMP FICC

30 Ha. 1680 🌲 ▬ Tel. (0969)967741 1/1-31/12 ⌂ PT

⊙ ☺ ⌐ WC ♨ ☵ Ⓣ ✕ 🏠 🗑 ⛽ ↙ ≈ ⚲ ⛺

Situado en la reserva natural del Parque Nacional de Tatra. Acceso por la ctra. 67, a 3 Km de la población. Buenas instalaciones sanitarias. Bolos, ping-pong, discoteca.

LEVOCA SK-05401 — LEVOCSKA DOLINA

0,6 Ha. 100 🌲 ▬ ⌧ Tel. (0966)2701/2705 1/1-31/12 ⌂ T

⊙ ☺ ⌐ WC ♨ ☵ Ⓣ ✕ 🏠 ↙ ⛺

Situado en un entorno de plena naturaleza al lado de un pantano. Terreno inclinado. Acceso por la ctra. 18/E50, a la salida de la población, seguir unos 3 Km. Supermercado a 3 Km. Parada de autobús a 100 m.

KOSICKE HAMRE SK-04465 — TJ TURIST

🌲 ▬ ⌧ Tel. (095)961144 1/1-31/12 ⌂

⊙ ☺ ☺ ⌐ ⌐ WC ♨ ☵ Ⓣ ✕ 🏠 ➰ ↙ ⛺

Acceso: carretera nº 50 (Poprad-Presov), a 20 Km antes de Presov girar en dirección a Jaclovce, señalizado. Parada de autobús a 100 m. Ideal para excursiones y pesca.

EL CARNET DE CAMPIG INTERNACIONAL CONSTITUYE UN AUTENTICO PASAPORTE FAMILIAR PARA EL CAMPISTA

Moneda: Leu (plural: lei) = 100 bani.

Horarios: CORREOS: de 8.00 a 21.00 horas. BANCOS: de lunes a viernes de 9.00 a 12.00 y de 13.00 a 15.00. Sábados de 9.00 a 12.30. COMERCIOS: de 8.00 a 21.00 (algunos cierran al mediodía). Para cambio, sellos, llamadas internacionales, buzones, etc. pueden dirigirse también a hoteles y agencias de turismo.

Documentación: Pasaporte con visado. Carta Verde Internacional.

Perros y gatos: Ver tabla "Documentos de frontera para perros y gatos".

Teléfono: Llamadas internacionales en Rumanía sólo desde operador(a). Prefijo de Rumanía desde España: 07-40 (no marcar el 9 del prefijo provincial).

Normas de circulación: Tasa máxima de alcoholemia: 0,0. Casco obligatorio en motocicletas. Prohibido el claxon en Bucarest y algunas otras ciudades.

Velocidades máximas: Ver tabla "Límites de velocidad para coches con caravana y autocaravanas".

Normas para acampar: Prohibido pernoctar fuera de los campings.

Teléfonos de socorro: Avería: Bucarest: (90)027, resto del país: 12345. Accidente: Bucarest: (90)061, resto del país: 06. Policia: 055.

Direcciones útiles: Oficina de Turismo de Rumanía: General Pardiña, 108, 1º G, 28006 Madrid. Tel. (91) 5641883/5640333. Fax. (91) 5641901. Télex. 41196. Embajada española en Bucarest: Strada Tirana, 1, 71249 Bucarest. Tel. (1) 2121730. Embajada de Rumanía en Madrid: Avda. de Alfonso XIII, 157. 28016 Madrid, Tel. (91) 350 44 36.

RUMANIA

| BUCAREST | BUCURESTI-BANEASA RO-7000 | **POPAS BANEASA** |

3 Ha. 200 🌲 ▭ ▬ Tel. 794525 1/5-30/9 P

☺ 🍽 🍽 ⌐ ⌐ WC 🧺 ♨ ♟ 🍴 🏠 ⌐ ⟋ 🏚

Terreno muy arbolado (excepto para las caravanas) en el bosque de Baneasa a 10 Km de Bucarest. Acceso por la DN 1/E 6O (Bucuresti-Ploiesti). Alquiler de habitaciones.

| OESTE | TIMISOARA RO-1900 | **PADUREA VERDE** |

2,5 Ha. 200 ☀ ▬ ☲ 0,20 Km Tel. 14291 1/5-15/10 T

☺ 🍽 🍽 ⌐ ⌐ WC 🧺 ♨ ♟ 🍴 ⟋ 🏚

Situado en el parque municipal. Acceso: DN 6/E 70 en dirección Lugoj, Km 552,5, torcer a la izquierda. Ping-pong. Alquiler de habitaciones.

| NOROESTE | SOMCUTA MARE RO-4866 | **STEJARUL-FINTEUS** |

0.4 Ha. 🌲 ▬ 1/6-15/9

☺ 🍽 🍽 ⌐ ⌐ WC 🧺 ♨ 🍴 ⟋ 🏚

Situado en el bosque de Finteus. Acceso por la DN 1C (Dej-Baia Mare), Km 131,5. A 3 Km al norte de Somcuta Mare, detrás del restaurante-castillo Stejarul. Alquiler de habitaciones.

| TRANSILVANIA | CLUJ-NAPOCA RO-3400 | **FAGET** |

0,6 Ha. 160 🌲 ▬ ▬ Tel. 13602 15/5-30/9 PT

☺ 🍽 🍽 ⌐ ⌐ WC 🧺 ♨ 🍴 🍴 ⌐ ⟋ 🏚

Terreno herboso ligeramente inclinado. Posibilidad de pesca. Acceso: DN 1/E60 (Cluj-Bucuresti), Km 472; a 5 Km de Cluj. Alquiler de habitaciones.

| | SIBIU RO-2400 | **POPAS DUMBRAVA** |

6 Ha. 110 🌲 ▬ ☲ 0,50 Km Tel. (924) 11647 15/5-30/9 PO

☺ 🍽 🍽 ⌐ ⌐ WC 🧺 ♨ 🍴 🏠 ⌐ 🏛 🖨 ⟋ 🏚

Terreno aterrazado situado en un bosque de viejos robles. Acceso: DN 1, Km 31. (3,5 Km desde la ciudad en dirección Paltnis). Detrás del restaurante Dumbrava.

| MAR NEGRO | MANGALIA-SATURN RO-8726 | **SATURN** |

3 Ha. 320 🌲 ▬ ☲ 0,30 Km Tel. (917)51380 15/5-30/9 MP

☺ 🍽 🍽 ⌐ ⌐ WC 🧺 ♨ 🍴 🍴 🏛 🖨 ⟋ 🏚

Camping y hotel situados en un bosque junto al Mar Negro. Acceso por la ctra. nº 39. En el km 39 girar hacia el mar.

| | NAVODARI RO-8735 | **NAVODARI** |

10 Ha. 3000 🌲 ▬ ☲ Tel. 48 15/5-30/9 MP

☺ 🍽 🍽 ⌐ ⌐ WC 🧺 ♨ 🍴 🏠 ⌐ 🏛 ⟋

Situado entre el mar y el lago Siut Ghiol, al norte de Constanta. Muchas posibilidades para practicar deportes acuáticos. Acceso por la DN 2 A, Km 205.

| DELTA DEL DANUBIO | INDEPENDENTA RO-2816 | **PELICANUL** |

2 Ha. 90 ☀ Tel. 17 15/5-30/9 PT

☺ 🍽 🍽 ⌐ ⌐ WC 🧺 ♨ 🍴 🏠 🏛 🖨 ⟋

Terreno herboso y rocoso, ligeramente inclinado, situado a 4 Km de la población, junto al Delta del Danubio. Bonita vista del delta. Acceso: ctra. DJ 222, Km 38.

EL CARNET DE CAMPIG INTERNACIONAL CONSTITUYE UN AUTENTICO PASAPORTE FAMILIAR PARA EL CAMPISTA

SUECIA

Moneda: Corona sueca = 100 öre.

Horarios: CORREOS: de lunes a viernes de 9.00 a 18.00. Sábados de 10.00 a 13.00. BANCOS: de lunes a viernes de 9.30 a 15.00 (jueves además de 16.00 a 17.30). Algunos bancos en ciudades grandes cierran a las 18.00. COMERCIOS: de lunes a viernes de 9.00 a 18.00. Sábados cierre entre 13.00 y 16.00. Ciertos comercios permanecen abiertos inc. festivos.

Documentación: Pasaporte. Carta Verde.

Perros y gatos: Ver tabla "Documentos de fronteras para perros y gatos".

Teléfono: Prefijo de España desde Suecia: 009-34 (no marcar el 9 del prefijo provincial). Prefijo de Suecia desde España: 07-46 (no marcar el 0 del prefijo local).

Normas de circulación: Cinturón obligatorio. Tasa máxima de alcoholemia: 0,2. No adelantar cerca de cruces. Luz de cruce obligatoria. Prohibido el uso de la luz de niebla.

Velocidades máximas: Ver tabla "Límites de velocidad para coches con caravana y autocaravanas".

Normas para acampar: Permitido pernoctar fuera de los campings (1 noche).

Teléfonos de socorro: Avería: (020) 910040. Accidente: 90000. Policia: 90000.

Direcciones útiles: Embajada de Suecia: Caracas, 25, 28010 Madrid. Tel. (91) 3081535. Consulado en Barcelona: Mallorca 279, 4º 3ª. 08037 Barcelona. Tel. (93) 488 35 05 - (93) 488 25 01. Embajada de España en Estocolmo: Hazeliusbacken, 14. Djurgarden, 115, 21 Stockholm. Tel. (08) 6679430; fax: (08) 6637965.

PUNTA SUR   MALMÖ   S-21611   **SIBBARP**

7 Ha. 750 ▲ ▬ ▱ ₀,₄₀ Km Tel. (040)155165 1/1-31/12 ◭ PT

☺ ♨ ♨ ⌐ ⌐ WC 🧺 🚿 ♿ 📺 🍸 ✕ 🏛 🅿 ↝

Situado junto a un parque de atracciones, a 7 Km al suroeste de la ciudad. Acceso desde Malmö por la E-22 dirección Limhamn y después la ctra. 100. Antes de llegar a Skanör girar a la izqda. y seguir unos 400 m. Sauna. Música en vivo.

MÖLLE   S-26042   **MÖLLEHÄSSLE**

6 Ha. 300 ☀ ▬ ▱ 2 Km Tel. (042)347384 1/1-31/12 ◭ R

☺ ♨ ⌐ WC 🏠 🚿 ♿ 📺 🍸 🏠 ↰ 🏛 🅿 ↝ ➕ 🏬 🚲

Terreno herboso con vegetación joven situado junto a la carretera. Sauna. Acceso por la carretera nº 111, en Mölle.

VÄSTERVIK   S-59300   **LYSINGSBADET**

80 Ha. 1050 ▲ __ __ ▱ Tel. (0490) 36795 1/1-31/12 ◭ PT

☺ ♨ ♨ ⌐ WC 🚿 ♿ 📺 🍸 ✕ 🏛 ↝ 🏊 🏬 🚐 ♿

ESTOCOLMO   VAXHOLM   S-18593   **ELLBODA**

3 Ha. 100 ☀ ▬ ▱ ₀,₃₀ Km Tel. (08) 54131530 1/6-31/8 ◭ T

☺ ♨ ♨ ⌐ ⌐ WC 🏠 🚿 ♿ 📺 🍸 ✕ 🏛 🅿 🏬

Situado a 18 Km de Estocolmo. Albergue para participantes en cursos de vela. Acceso por la salida de Vaxholm de la ctra. E-3 a la 274 en dirección a Ellboda. Sauna. Escuela de vela.

BIENVENIDOS A SWECAMP

CAMPINGS, ABIERTOS TODO EL AÑO

El Grupo SWECAMP es una asociación de campings, abiertos todo el año- para turistas en la temporada baja y para los que, durante un viaje de negocios quieren alojarse bien sin pagar los altos precios de hoteles-.

El Grupo SWECAMP tiene:
Bungalows, abiertos todo el año, equipados con cocina, WC, ducha y muchas veces también con televisor.
· Horarios mínimos de recepción: 8-10 h., 17-19 h.
· Campings de 3 estrellas
· Pequeño Supermercado
· Reservas por teléfono. · Abierto todo el año

El Grupo SWECAMP ofrece:
· Desayuno / Cena · Servicio de fotocopiadora
· Teléfono · Posibilidades para conferencias
· Telefax · Pago con Tarjeta de Crédito

Lantmäteriet/Liber Kartor Stockholm 1990

JOKKMOKK
Jokkmokks Turiscenter, tel 0971-123 70, fax 0971-124 76
80 bungalows, 26 habitaciones (2-4 camas), 159 parcelas con toma de corriente (10 con teléfono).

LULEÅ
Arcus Fritid, tel 0920-500 60, fax 0920-504 80
74 bungalows, 250 parcelas con toma de corriente.

SKELLEFTEÅ
Skellefteå Camping, tel 0910-188 55, fax 0910-118 90
65 bungalows, 24 habitaciones, 242 parcelas con toma corriente.

UMEÅ
Umeå Camping, tel 090-16 16 60, fax 090-16 16 64
54 bungalows, 32 habitaciones, 19 casitas sencillas, 320 parcelas con toma de corriente (120 con agua y desagüe).

ÖSTERSUND
Ostersunds Camping, tel 063-14 46 15, telfax 063-14 43 23
10 bungalows, 9 apartamentos, 11 habitaciones, 120 parcelas con toma de corriente.

IDRE
Idre Fjäll, tel 0253-410 00, fax 0253-401 58
550 bungalows y habitaciones, 130 parcelas con toma de corriente y T.V.

MORA
Mora Camping, tel 0250-265 95, fax 0250-153 52
30 bungalows, 5 habitaciones, 109 parcelas con toma de corriente.

ÅRJÄNG
Sommarvik Fritidscenter, tel 0573-120 60, fax 0573-120 48
45 bungalows, 10 habitaciones, 150 parcelas con toma de corriente (30 con agua y desagüe)

KARLSTAD
Skutbergets Camping, tel 054-535 139, fax 054-535 170
45 bungalows, 222 parcelas con toma de corriente.

GARPHYTTAN
Annaboda Camping, tel 019-986 60, fax 019-987 28
18 bungalows, 24 habitaciones, 420 parcelas con toma de corriente.

MELLERUD
Vita Sandars Camping, tel 0530-122 60 / 122 50, fax 0530-129 34
28 bungalows, 228 parcelas con toma de corriente (31 con desagüe), 21 parcelas para autocaravanas.

SKÖVDE
Billigens Stugby och Camping, tel 0500-471 633, fax 0500-471 044
30 bungalows, 189 parcelas con toma de corriente (27 con agua y desagüe)

GÖTEBORG/ÅBY
KronoCamping Göteborg/Åby, tel 031-87 89 84, fax 031-776 02 40
45 bungalows, 40 con ducha y WC, 450 parcelas con toma de corriente, 48 con agua y desagüe.

VÄSTERVICK
Lysingsbadets Semesteranläggning, tel 0490-367 95, fax 0490-361 75
34 bungalows, 25 caravanas, 7 habitaciones, 350 parcelas con toma de corriente, 15 con agua y desagüe.

MÖLLE
Möllehässle Camping, tel 042-34 73 84, fax 042-34 77 29
10 bungalows, 22 habitaciones, 276 parcelas con toma de corriente. Estación de servicio para autocaravanas.

SUECIA

ESTOCOLMO
STOCKHOLM-BROMMA S-16155   **ÄNGBY**

6 Ha. 360   ⚲   ___ ___   ⛱ 0,10 Km Tel. (08)370420   1/1-31/12 ⛰

⊙ 🛏 ⌂ 🚻 ♨ 🍴 🚰 📷 🍸 🏠 ⚓ 🚣 🚂

Situado a 10 Km del centro de la ciudad. Bien comunicado por metro. Parte llano y parte inclinado. Playa y ctra.cercanas. Clases de vela. Acceso por la E-20/E-55 dirección N o Göteborg-SO, después por la 275 en dirección Vällingby, hasta la salida Södra Ängby.

STOCKHOLM-BREDÄNG S-12731   **BREDÄNGS**

12 Ha. 420 ☀ ⛱ 0,6 Km Tel. (08)977071   1/1-31/12 ⛰

⊙ 🛏 ⌂ 🚻 ♨ 🍴 🚰 ♿ 📷 🍸 🏠 ⚓ ♨ GAS 🚣

Terreno llano parcialmente herboso y duro, situado a 10 Km suroeste de Estocolmo. Bien comunicado (metro). Sauna. Restaurante a 800 m. Acceso: E-20/E-55 (Stockholm-Södertälje), salida Bredäng, señalizado.

SÖDERMANLAND
JULITA S-64025   **FISKEBODA**

3 Ha. 100 ⚲ ___ ___ ⛱ Tel. (0150)92300   1/1-31/12 ⛰   MPT

⊙ 🛏 🛏 ⌂ ⌂ 🚻 ♨ 🚰 📷 🍸 ♨ GAS 🚴

Terreno llano, en estado natural. Zona para tiendas junto al lago Hjälmar. Paso para el público a la playa por el camping. Acceso: Saliendo de la ctra. 56 (Norrköping-Kungsör) por la 214 al oeste de la población.

SURESTE
LINKÖPING S-58249   **GLYTTINGE CAMPING**

7 Ha. 300 ⚲ ___ ⛱ 0,20 Km Tel. (013)174928   1/5-30/9 ⛰   T

⊙ 🛏 🛏 ⌂ ⌂ 🚻 ♨ 🚰 ♿ 📷 🍴 🏠 ⚓ ♨ GAS 🚣 ✚ 🚂 🚲

Terreno herboso, ajardinado, lindando con un bosque. Restaurante a 2 Km. Piscina a 200 m. Acceso: Por la E55-E63 saliendo de Linköping N, seguir en dirección centro. Durante 5 Km. seguir indicaciones.VER ANUNCIO.

SUR (SMALAND)
VÄXJÖ S-35590   **EVEDALS**

3 Ha. 170 ⚲ ___ ___ ⛱ 0,05 Km Tel. (0470)63034   1/1-31/12 ⛰   PT

⊙ 🛏 🛏 ⌂ ⌂ 🚻 ♨ 🚰 ♿ 📷 🍴 ✗ 🏠 ⚓ ♨ GAS 🚣 🎣 🚲

Terreno parcelado, con playa, cerca de un puerto deportivo. Acceso por la ctra, 23 en dirección Oskarshamm. Señalizado.

SUROESTE
HALMSTAD S-30260   **HAGÖNS**

10 Ha. 525 ☀ ___ ⛱ 0,25 Km Tel. (035)125363   1/5-1/9 ⛰   RP

⊙ 🛏 🛏 ⌂ 🚻 ♨ 🚰 ♿ 📷 🍴 🏠 ⚓ ♨ GAS 🚣 ✚ 🚂

Terreno bien cuidado y separado de la ctra. con plantas. Acceso: en la E20/E4 (Helsinborg-Halmstad) a 6 Km al sud-este de Halmstad. Música en vivo.

| GÖTEBORG | GÖTEBORG S-41655 | KÄRRALUNDS |

4 Ha. 300 ☀ ___ Tel. (031)252761 1/1-31/12 ⚠ T

☺ 🛁 🚻 ⌐ ⌐ WC 🧺 🚿 ♿ 📷 🍴 🏠 ⤳ 🎏 GAS ⤳ 🚂

Terreno distribuido en terrazas y rodeado de bosques situado al este de la población. Acceso por la E-6 en dirección norte. Señalizado.

| VÄRMLAND | ARVIKA S-67191 | INGESTRAND |

12 Ha. 440 ☀ ___ ⚡ Tel. (0570)14840 1/1-31/12 ⚠ MPT

🛁 🚻 ⌐ ⌐ WC 🧺 🚿 ⤳ 🚂

Camping municipal. Terreno ondulado, con árboles, en la orilla del lago Ingesund. Playa pedrosa lindando una área de cesped. Paso para el público a través del camping. Acceso: Desde la ciudad por ctra. 175, unos 5 Km al sur.

| ARJÄNG S-67200 | SOMMARVIK |

12 Ha. 200 ✚ ___ ⚡ Tel. (0573)12060 1/1-31/12 PT

☺ 🛁 🚻 ⌐ ⌐ WC 🧺 🚿 📷 🍴 ✖ 🏠 ⤳ 🎏 GAS ⤳ 🏸 ⚫ ⛺ 🚂 ⌐ / 🚲

Acceso por la E 18, al sur de la población. Señalizado. Prado ligeramente inclinado situado en la orilla este del lago Västra. Ping-pong. Deportes acuáticos.

| LYSVIK S-68605 | LYSVIKS |

🌲 ___ ⚡ Tel. (0565)80147 1/6-30/9 ⚠ PT

☺ 🛁 🚻 ⌐ ⌐ WC 🧺 🚿 🍴 ⤳

Terreno de camping pequeño situado en la orilla del lago, en un bosque. Instalaciones sanitarias sencillas. Alquiler de botes. Pesca. Acceso por la ctra.nº62 en dirección N, siempre a lo largo de la orilla este de los lagos de Fryken hasta llegar a Lysvik.

| MELLERUD S-46401 | VITA SANNARS |

14 Ha. 290 ✚ ___ ⚡ 0,0 km Tel. (0530) 12260 1/1-31/12 ⚠ RPT

☺ 🛁 ⌐ WC 🏠 🧺 🚿 ♿ 📷 🍴 ✖ 🎏 ⤳ 🏸 🚂 ⚫ 🚲

| ISLA DE GOTLAND | VISBY S-62100 | SNÄCKS |

10 Ha. 500 ✚ ___ ___ ⚡ Tel. (0498)11750 1/1-31/12 ⚠ MPT

☺ 🛁 🚻 ⌐ ⌐ WC 🧺 🚿 ♿ 📷 🍴 🎏 GAS ⚡

Terreno aterrazado en una naturaleza intacta. Parte está situado en un bosque y parte en un campo sin sombra. Algunas plazas al borde del agua. Situación bonita. Muy frecuentado por jóvenes. Acceso por la ctra. 149. A 4 Km al norte de Visby.

| NORTE | ÄLVKARLEBY S-81070 | ÄLVKARLEBY FISKECAMP |

5 Ha. 200 🌲 ___ ___ Tel. (026)72792 1/1-31/12 ⚠ PT

☺ 🛁 🚻 ⌐ ⌐ WC 🧺 🚿 📷 🍴 ✖ 🎏 GAS ⤳ 🚂 🚲

Situado en la orilla del rio Dalälven. Area de entrada ajardinada. Paso al baño, para el público, a través del camping. Acceso: Desviarse de la ctra.76 hacia la población. Seguir indicaciones.

| SKELLEFTEA S-93140 | SKELLEFTEA |

5 Ha. 475 ☀ ___ Tel. (0910)18855 1/1-31/12 ⚠ T

☺ 🛁 ⌐ WC 🧺 🚿 ♿ 📷 🍴 🏠 ⤳ 🎏 GAS ⤳ 🏊 ➕ 🚂 🚲

Acceso por la E 55 (E 4), al norte de la población. Terreno bien cuidado. Sauna. Piscina a 0,05 Km.

| LULEA S-97594 | ARCUS |

5 Ha. 510 ✚ ___ ⚡ Tel. (0920) 50060 RP

☺ 🛁 ⌐ WC 🧺 🚿 ♿ 📷 🍴 ⤳ 🏊 🚂 🚐 ⚫ 🏸

Acceso poe la E-55/E-4. Señalizado

SUECIA

MORA S-79201 **MORA**

12 Ha. 610 ⛺ ▭ ☒ Tel. (0250) 26595 PT

☉ 🛁 🛁 ⌐ WC 🧺 ♨ ♿ ▣ 🍷 ⚓ ⚒ 🏊 🎾 🏂 ‖× ◦ 🚲

Pista de esquí de fondo en el camping.

STRÖMSUND S-83300 **STRÖMSUNDS**

4 Ha. 200 ⛺ ▭ ☒ Tel. (0670)16410 1/1-31/12 △ MP

☉ 🛁 🛁 ⌐ ⌐ WC 🧺 ♨ ♿ ▣ 🍷 ⚓ ☺ 🏊 ⛴

Terreno ligeramente ondulado situado entre ctra. y estrecho. Plazas para caravanas. Acceso: A 1,5 Km de la población en la ctra.88, hacia el sur.

ARVIDSJAUR S-93300 **GIELAS**

10 Ha. 150 ☀ ▭ Tel. (0960)13420 1/1-31/12 △ PT

☉ 🛁 🛁 ⌐ ⌐ WC 🧺 ♨ ♿ ▣ 🍷 🏠 ⚓ ⛽ ⚒ ➕ 🎾 ⛴ ‖× ◦

Camping municipal en la orilla de un pequeño lago. Bahía para baño con playa arenosa. Múltiples posibilidades de deporte y ocio. Pista de esqui en el camping. Telesquí a 3 Km. Servicio de autocar a las pistas. Acceso: En la ctra.95 dirección Skelleftea.

JOKKMOKK S-96040 **JOKKMOKKS TURISTCENTER**

7,5 Ha. 430 ⛺ ▭ ☒ Tel. (0971) 12370 PT

☉ 🛁 🛁 ⌐ WC ▤ 🧺 ♨ ♿ ▣ 🍷 ✕ ⚓ ⚒ 🏊 🎾 ⛴ 🏂 🚲

KIRUNA S-98101 **KIRUNA**

10 Ha. 150 ⛺ ▭ ☒ Tel. (0980) 13100 1/1-31/12 △ RT

☉ 🛁 🛁 ⌐ ⌐ WC 🧺 ♨ ♿ ▣ ✕ 🏠 🏠 ⚓ ⚓ ⛽ ⚒ 🏊 ➕ ⛴ 🚲

Situado junto a una zona resindencial, en dos hondonadas rodeadas de árboles. Sauna. Señalizado una vez pasado el Ayuntamiento de Kiruna. Sauna.

Moneda: Franco Suizo = 100 rappen.

Horarios: CORREOS: de lunes a viernes de 7.30 a 12.00 y de 13.45 a 18.30. Sábados hasta las 11.00. BANCOS: de lunes a viernes de 8.30 a 16.30. Sábados cerrados. COMERCIOS: de lunes a viernes de 8.30 a 18.30 (cierre al mediodía). Sábados de 8.00 a 16.00. Los lunes por la mañana en general cerrados.

Documentación: Pasaporte o DNI.

Perros y gatos: Ver tabla "Documentos de fronteras para perros y gatos".

Teléfono: Prefijo de España desde Suiza: 00-34 (no marcar el 9 del prefijo provincial). Prefijo de Suiza desde España: 07-41 (no marcar el 0 del prefijo local).

Normas de circulación: Cinturón obligatorio. Tasa máxima de alcoholemia: 0,8. Para poder circular por las autopistas se necesita una viñeta que se puede adquirir en la frontera, en España en las oficinas del automóvil-club.

Velocidades máximas: Ver tabla "Límites de velocidad para coches con caravana y autocaravanas".

Normas para acampar: Prohibido pernoctar fuera de los campings. La normativa para caravanas prevé una anchura máxima de 2,5 m. y una longitud coche-caravana de 18 m.

Teléfonos de socorro: Avería: 140. Accidente: 144 (ambulancia). Policia: 117 (sólo urgencias).

Direcciones útiles: Oficina Nacional Suíza del Turismo, Gran Vía 84, 1º, Edificio España, 28013 Madrid. Tel. (91) 5594112. Embajada de España en Berna: Kalcheggweg 24, 3006 Bern. Tel. (031) 3520412/13. Fax: (031) 3515229. Consulado General de España en Berna: Marieenstrasse 12. 3005 Bern. Consulado de España en Zürich: Hotzenstrasse 23, 8042 Zürich. Tel. (01) 363 0644/45/46. Fax: (01) 361 41 37. Consulado en Ginebra: 7, rue Pestalozzi, 1202 Genéve. Tel. (022) 7344604/05/06; fax: (022) 7343869. Embajada de Suiza en Madrid: Núñez de Balboa, 35. Tel. (91) 431 34 00.

LAGO DE GINEBRA   VESENAZ CH-1222   **POINTE A LA BISE**

3,2 Ha. 350 🌲 ▭ ✂ Tel. (022)7521296 SS-31/10 ⛰ PT

☉ 😊 😊 ⌐ ⌐ WC 🍴 ♨ 🛁 🍸 🏺 ⚓

Situado a 5 Km al norte de Ginebra. Indicaciones. Próximo al lago con 150 m de playa. Rest. a 300 m.

ROLLE CH-1180   **TCS-AUX VERNES**

1,5 Ha. 150 🌲 ▭ ✂ Tel. (021)8251239 SS-30/9 ⛰ P

☉ 😊 😊 ⌐ ⌐ WC 🍴 ♨ 🛁 🍸 🏺 ⚓

Al salir de la población, seguir en dirección a Lausanne. Situado entre el lago y la ctra.

MORGES CH-1110   **TCS-LE PETIT BOIS**

3,5 Ha. 300 🌲 ▭ ✂ 0,15 Km Tel. (021)8011270 SS-6/10 ⛰ P

☉ 😊 😊 ⌐ WC 🏠 🍴 ♨ 🛁 🧺 🍸 ✕ 🏠 ⚓ 🏺 ⚓ 🏊 ➕ 🚲

Situado a 400 m del pueblo, en dirección Ginebra. Terreno llano entre la ctra. y el puerto. Instalaciones deportivas.

CHATEAU D'OEX CH-1837   **LE BERCEAU**

1 Ha. 77 ✂ 0,01 Tel. 029-46234 1/1-31/12 P

☉ 😊 😊 ⌐ WC 🍴 🛁 🧺 🍸 ✕ 🏠 ⚓ 🏺 GAS 🏊 ➕ 🎾

Situado en las orillas del Sarine. Acceso por la ctra. cantonal Bulle-Saanen. Señalizado en la dirección del paso de Les Mosses.VER ANUNCIO.

LAGO DE GINEBRA LE BOUVERET CH-1897 **RIVE BLEU**

3 Ha. 230 ⚑ ▭ ▭ ⬛ 0,20 Km Tel. (025)812111 1/4-30/9 ⛰ T

☺ ⛲ ⌐ WC 🍴 🚿 ⚙ 🖥 🍸 ✕ 🏠 ⚓ ⛵ 🏊 🎾 🚐

A 1,5 Km del pueblo. Acceso por la ctra. 21. Terreno llano, herboso y con vegetación jóven. Playa y piscina gratuitas. Nuevo: espaciosa sala de estancia cubierta. Tobogan.VER ANUNCIO.

LAUSANNE CH-1007 **VIDY**

4,5 Ha. 320 ⚑ ▭ ⬛ 0,30 Km Tel. (021)6242031 1/1-31/12 ⛰ PT

☺ ⛲ ⌐ ⌐ WC 🍴 🚿 🖥 ✕ 🛏 ⛱

Situado a 1 Km de Lausanne, en dirección Ginebra. Terreno ajardinado con vegetación jóven y próximo al lago. Instalaciones sanitarias nuevas.VER ANUNCIO.

SATIGNY CH-1282 **VAL DE L'ALLONDON**

4 Ha. 220 ⚑ ▭ Tel. (022)531515 1/4-31/10 ⛰ T

☺ ⛲ ⛲ ⌐ WC 🍴 🚿 ⛱ ⚓

Acceso por la ctra. de Satigny-Daradgny en dirección Preissy. Indicaciones. Distribuido en terrazas. Rodeado de bosques y junto al rio Allodon. Numerosos sanitarios.

VILLENEUVE CH-1844 **LES HORIZONS BLEUS**

0,6 Ha. 110 ⚑ ⬛ 0,10 Km Tel. (021)601547 1/1-31/12 ⛰ P

☺ ⛲ ⌐ WC 🍴 🚿 🍸 ⚓ ⛱

Situado junto al pueblo. Acceso por la ctra. del lago. Terreno llano con árboles. Nuevo bloque sanitario.

SUIZA

LAGO NEUCHATEL

AVENCHES CH-1580   **D'AVENCHES-PLAGE**

8,6 Ha. 700 🌲 ▭ ⛺ Tel. (037)751750 1/4-30/9 ⛰ RPT

☉ 🛁 🛁 ⌐ WC 🚿 🧺 ♿ 📷 🍽 ✕ 🏠 🔌 ⚓ ↙

Terreno llano, herboso. Algunos árboles. Lindando con el lago de Morat. Acceso por la 1/E-4 (Bern-Laussane), desviarse en dirección al lago al norte de Avenches.

YVERDON-LES-BAINS CH-1400   **IRIS**

2,5 Ha. ⛺ ▭ ⛺ 0,20 Km Tel. (024)211089 1/4-30/9 ⛰

☉ 🛁 🛁 ⌐ ⌐ WC 🚿 🧺 📷 ✕ ⚓ ↙ ⛁

Situado entre casitas de madera, la ctra. y el lago. Próximo al pueblo. Señalizado. Ampliación de las instalaciones sanitarias.

COLOMBIER CH-2013   **PARADIS-PLAGE**

4 Ha. 360 ⛺ ▭ ⛺ 0,20 Km Tel. (038)412446 1/3-31/10 ⛰

☉ 🛁 🛁 ⌐ ⌐ WC 🚿 🧺 ♿ 📷 🍽 ✕ ⚓ ↙ ➕

Accesible por la ctra. Neuchâtel-Yverdon, al norte del pueblo. Cercano al lago y a la autopista. Zona para jóvenes. Música en vivo. Nuevo bloque sanitario.

GAMPELEN CH-3236   **FANEL-STRAND**

11 Ha. 900 🌲 ▭ ⛺ Tel. (032)832333 1/4-30/9 ⛰ RPT

☉ 🛁 🛁 ⌐ WC 🚿 🧺 ♿ 📷 🍽 🏠 🔌 ⚓ ↙

Acceso por la ctra.10 (Bern-Neuchatel) en dirección a la estación. Indicaciones. Situado en parque nacional. Separado de la playa por árboles y puerto deportivo.

BERN

MURTEN-MUNTELIER CH-3286   **LÖWENBERG**

2,5 Ha. 180 ⛺ ▭ ▭ ⛺ Tel. (037)713730 SS-31/10 ⛰ PT

☉ 🛁 ⌐ WC 🚿 🧺 📷 🏠 🔌 ⚓ ↙

Situado a 2 Km de Murten. Accesible por la ctra. 1/E-4 en dirección a Muntelier. Separado del lago por un embarcadero.

BRIENZ CH-3855   **AAREGG**

3 Ha. 280 🌲 ▭ ⛺ Tel. (036)511843 1/4-31/10 ⛰ PT

☉ 🛁 🛁 ⌐ ⌐ WC 🏠 🚿 🧺 ♿ 📷 🍽 🏠 🔌 ⚓ GAS ↙

Terreno con algunos frutales situado junto a una granja y a orillas del lago Brienzer See. Rest.a 300 m. Acceso indicado desde la localidad. Nuevas duchas adicionales.VER ANUNCIO.

BERN | BERN-HINTERKAPPELEN CH-3032 | **KAPPELENBRÜCKE**

3,5 Ha. 300 ☀ ▬ Tel. (031)9011007 1/1-31/12 ⚠

⊙ 🗑 🗑 ⌐⌐ WC 🗄 🧺 🛁 🚿 🎦 🍸 🏠 ⚓ ⟍ 🛶 ✚

Acceso por la N-1/E-4 (Bern-Murten), salida Bern-Bethlehem, dirección Wohlen. Indicaciones. Terreno rodeado de bosques. Ruidoso.

THÖRISHAUS CH-3174 | **THÖRISHAUS**

2,5 Ha. 250 ♣ ▬ Tel. (031)8890296 1/4-31/10 ⚠

⊙ 🗑 🗑 ⌐⌐ WC 🗄 🧺 🛁 🚿 🎦 🍸 ✗ 🏠 ⚓ ⟍ ✚

Accesible por la N-12 (Bern-Friburg), salida Flamatt en dirección a Thörishaus. Terreno herboso y llano en zona de entrada, adecuado para pernoctar.

LAGO DE CONSTANZA | ARBON CH-9320 | **BUCHHORN**

1,3 Ha. 130 ♣ ▬ ☒ 0,10 Km Tel. (071)466545 S.S.-24/10 ⚠ P

🗑 ⌐ WC 🧺 🛁 🚿 🎦 🏠 ⚓ ⟍ ✪

Situado entre la ctra. y el ferrocarril, a 1 Km de Arbon, junto al lago (baño gratuito para los campistas).

WAGENHAUSEN CH-8258 | **WAGENHAUSEN**

5 Ha. ♣ ▬ Tel. (054)414271 1/4-1/11 ⚠

⊙ 🗑 🗑 ⌐⌐ WC 🧺 🛁 🚿 🍸 ✗ 🏠 ⚓ ⟍ 🛶 ✚

Acceso por la ctra. principal de Steirnamrhein en dirección Schaffausen. Distribuido en terrazas entre la ctra. y el Rhin. A 20 Km de la Rheinfall. 85% de residentes.VER ANUNCIO.

KREUZLINGEN CH-8280 | **FISCHERHAUS**

2,5 Ha. 205 ♣ ▬ ☒ 0,05 Km Tel. (072)754903 S.S.-31/10 ⚠ PT

⊙ 🗑 🗑 ⌐⌐ WC 🧺 🛁 🎦 ✗ ⚓ ⟍ ✪ 🚐 ⚐

Acceso por la RomanshornerStrasse, desviarse a Bleicherstrasse y seguir por Fischerhausstrasse a la altura del número 72. Situado entre la ctra. y la piscina. Bloque sanitario reformado.

ZÜRICH

WINTERTHUR CH-8411

WINTERTHUR

0,8 Ha. 60 🌲 ▭ Tel. 052-2125260 1/1-31/12 ⚠ T

⊙ 🛁 🛁 ⌐ ⌐ WC 🧺 🧴 📷 ✕ ⊗

Desde la salida Winterthur-Ohringen de la ctra. N-1/E-60 (S.Gallen-Zürich) seguir en dirección Winterthur, después de 500 m girar a la derecha. Camping de pernoctación. Terreno herboso, con árboles. Supermercado a 400 m. Nuevo bloque sanitario.VER ANUNCIO.

STÄFA CH-8712

KEHLHOF

0,6 Ha. 60 🌲 ▭ 🏊 Tel. 01-9264334 1/5-30/9 ⚠ P

⊙ 🛁 🛁 ⌐ ⌐ WC 🧺 🧴 🍷 🏠 ⚓ 🗼 ➕

Acceso por la gasolinera Shell, en dirección Rapperswil, con salida a la ctra. del lago. Terreno herboso, próximo a playa estrecha y rocosa, arroyo. Ping-pong, pesca.

SALAND CH-8493

SALAND

2 Ha. 130 🌲 ▭ Tel. (052)462118 1/1-31/12 ⚠ T

⊙ 🛁 🛁 ⌐ ⌐ WC 🧺 🧴 📷 🏠 🗼 ⚓ ⊗

Situado al sureste de Winterthur. Desviarse a la ctra. 15 a 1 Km de Saland en dirección Rapperswil pasando por el puente de Töss hasta la fonda Löwe.

ZÜRICH WOLLISHOFEN CH-8038

SEEBUCHT

2 Ha. 300 🌲 ▭ ▭ 🏊 Tel. (01)4821612 1/5-30/9 ⚠ P

⊙ 🛁 🛁 ⌐ WC 🧺 🧴 🍷 ✕ 🗼 ⛽ ⚓

Terreno ajardinado próximo a la ctra. Zürichsee y al ferrocarril con playa de 100 m. x 20 m. Zona para jóvenes. Situado al suroeste de la ciudad en dirección Chur. Indicado.

MAUR CH-8124

MAURHOLZ

1 Ha. 🌲 ▭ 🏊 Tel. (01)9800266 8/4-9/10 PT

⊙ 🛁 🛁 ⌐ ⌐ WC 🧺 🧴 📷 🍷 🏠 ⚓ 🗼 ⛽ ➕ 🚲

Terreno herboso situado en un parque natural junto al lago Greifensee, rodeado de prados y bosques. Acceso por la autopista Zurich-Winterthur, en dirección de Uster. Salida Hegnau y continuar hacia Schwerzenbach, Fällanden y Maur. Aquí bien indicado. Aparcar coches en zona separada (obligat.). Ping-pong, pesca.

BASILEA

REINACH CH-4153

WALDHORT

3,1 Ha. 270 🌲 ▭ Tel. (061)7116429 12/3-16/10 ⚠

⊙ 🛁 🛁 ⌐ ⌐ WC 🧺 🧴 ♿ 🍷 🏠 ⚓ 🗼 🏊

Situado a 1,5 Km de la salida Reinach-Nord de la autopista Basel-Aesch. Separado de la autopista por terraplén de insonorización. Duchas nuevas. 140 parcelas para turistas.

RIN/SCHAFFHAUSEN   LANGWIESEN CH-8246   **STRANDBAD**

1,2 Ha. 100 ⛺ ▭▭ Tel. (053)293300 1/5-30/9 ⛰ PT

⊙ 🛁 🚻 ⌐ WC 🍽 🪣 ♿ 📷 ⏁ ✕ 🏠 ⤵ ⛲ ⚓ ➕ ✈

Terreno muy cuidado situado a 3 Km de la ciudad. Acceso por la ctra.de Konstanz a Langwiesen. Cerca del Rhin y de la piscina municipal.

LAGOS CENTRO   ZUG CH-6300   **INNERE LORZENALLMEND**

1,1 Ha. 110 ⛺ ▭▭ ▭ 🏊 Tel. (042)418422 13/4-29/9 ⛰ P

⊙ 🛁 🚻 ⌐ ⌐ WC 🍽 🪣 📷 ⏁ 🏠 ⤵ ⚓ 🚲

Ctra.de Zug en dirección Luzern. Terreno herboso entre la ctra, el ferrocarril y el lago. Playa gratuita para los campistas.

LUZERN CH-6006   **LIDO**

2,7 Ha. 320 ⛺ ▭▭ ▭ 🏊 0,20 Km Tel. (041)312146 15/3-31/10 ⛰ T

⊙ 🛁 🚻 ⌐ ⌐ WC 🍽 🪣 ♿ 📷 ⏁ ✕ 🏠 ⤵ ⚓ ➕ 🎾

Acceso por la N-2 (Basel-Gotthard), salida Luzern-Zentrum. Indicado.Terreno llano, herboso y arbolado. Bloque sanitario nuevo, amplio, con WC para minusválidos. Sala de estar con cocina, agua caliente en todos los grifos. Nuevas plazas para auto-caravanas largas.VER ANUNCIO.

CAMPING «LIDO» LUZERN

Situación de primera categoría, en el centro turístico de Suiza. Servicio de autobuses para la ciudad. Terreno de Camping parecido a un parque, cercado, vigilado y cerrado por las noches. Magníficamente arbolado. Duchas frías y calientes. Agua caliente. Sala de estar. Tienda de comestibles. Guardia del Camping de día y de noche (no se aceptan inscripciones después de las 22,00 horas).
Situado junto al «Verkehrshaus».
Abierto del 15-3 al 31-10.
Bajo la misma dirección: Camps-Sanersee-Giswil, Schüpfheim. Se recomienda reserva

Información:
Camping-Caravaning-Club Luzern,
CH-6006 Luzern (Suiza)

HORW CH-6048   **STEINIBACHRIED**

2 Ha. 150 ⛺ ▭▭ ▭ 🏊 0,10 Km Tel. (041)473558 1/4-15/10 ⛰

⊙ 🛁 🚻 ⌐ WC 🍽 🪣 ♿ 📷 ⏁ 🏠 ⤵ ⚓ ➕ 🚲

Accesible por la N-2, (Luzern-Gotthard) salida Horw. Situado entre campos de deportes, zonas edificadas, playa y cañaveral.

LAUERZ CH-6424   **BUOSINGEN**

1,5 Ha. ⛺ ▭▭ Tel. (041)823898 1/1-31/12

⊙ 🛁 🚻 ⌐ WC 🍽 🪣 ♿ 📷 ⏁ ✕ ⤵ ⚓ 🎾 🏕

Acceso: desde la salida de la autopista N4 (Zug-Schwiz) salida Goldauy continuar hasta Lauerz, siguiendo las indicaciones.

BUOCHS CH-6374   **SPORTZENTRUM**

2,2 Ha. 210 ⛺ ▭▭ 🏊 0,20 Km Tel. 041-643474 1/4-10/10 ⛰

⊙ 🛁 🚻 ⌐ WC 🍽 🪣 📷 ✕ ⤵ ⚓ 🅖🅐🅝 ✈ 🚲

Situado junto al lago Cuatro Cantones, entre la ctra. y campos deportivos. Salida a Buochs de la autopista Luzern-St.Gottard.

LAGOS CENTRO   ENGELBERG CH-6390   **EIENWÄLDLI**

4 Ha. 300 ☀ ___ ▦ Tel. (041)941949 1/1-31/12 ⋀ RPT

⊙ ⊟ ⊟ ⌐ ⌐ WC 🧺 ♨ 🎞 🍷 ✕ 🏠 🎣 ⚓ ⛽ 🚣 ⛲ ➕

Acceso: a partir de la salida Stans-Süd de la N2 (Luzern-Gotthard), continuar dirección Engelberg, a la altura del monasterio desviarse en dirección a la cascada. Discoteca. Piscina cubierta. Reservas necesarias: Navidad, Semana Santa y primeros de febrero.

SARNEN CH-6060   **LIDO**

3 Ha. 220 🌲 ▦ ___ Tel. (041)661866 1/1-31/12 ⋀ PT

⊙ ⊟ ⊟ ⌐ ⌐ WC 🧺 ♨ 🎞 ✕ 🏠 🎣 ⚓

Acceso por la N-8 hasta el pueblo. Señalizaciones a partir de Sarnen. Terreno llano y herboso. Bien cuidado. Con playa estrecha y próximo a piscina con césped, gratuita para los campistas.VER ANUNCIO.

BERNER OBERLAND · GRINDELWALD CH-3818 · ZUM GLETSCHERDORF

1 Ha. 120 ⛺ Tel. (036)531429 1/5-20/10 PT

Terreno bien cuidado junto a un arroyo y al Eigernordwand. Atravesado por un camino vecinal. Mucha tranquilidad. Ideal para paseos y excursiones. Acceso: después de la población, girar a la derecha y seguir las indicaciones. VER ANUNCIO.

LÜTSCHENTAL CH-3801 · DANY'S CAMP

0,4 Ha. ⛺ Tel. (036)531824 1/5-30/9 PT

Situado a 6 Km de la ciudad. Accesible por Interlaken, dirección Grindelwald. Distribuido en terrazas, con árboles frutales. Próximo a la ctra. y al ferrocarril. Vista panorámica. Ping-pong.

Los precios indicados son meramente orientativos y **EL IVA NO ESTÁ INCLUIDO**.
Están basados en las informaciones recibidas hasta el cierre de la edición de esta GUIA.
Los reales son los que figuran en la declaración expuesta en la recepción del camping con el sello del organismo de la correspondiente Comunidad Autónoma.

| BERNER OBERLAND | INTERLAKEN CH-3800 | **MANOR FARM 1** |

7 Ha. 400 ♠ ▭▭▭ ▭ ⚡ 0,10 Km Tel. (036)222264 1/1-31/12 ⚠ RPT

⊙ ⊝ ⊝ ⌐ ⌐ WC ▭ ⚐ ⚒ ⚑ ◉ ▽ ✕ ⌂ ⤳ ⚑ ⚑ GAS ➕ △ ⌂ 🚐

Acceso por la N-8 (Spiez-Interlaken) en dirección Gunten-Beatenberg.Indicaciones: Pendiente moderada. Situado a orillas del lago.VER ANUNCIO.

| | INTERLAKEN CH-3800 | **ALPENBLICK 2** |

2 Ha. 130 ♠ ▭▭▭ ⚡ 0,10 Km Tel. (036)227757 1/1-31/12 ⚠ P

⊙ ⊝ ⊝ ⌐ ⌐ WC ⚒ ⚑ ◉ ⚑ ⤳ ⚑ ⌐/

Situado a 2 Km de la ciudad. Acceso por la ctra. al lago Thun. Camping familiar cercano al rio Lombach y al lago Thun.VER ANUNCIO.

| | INTERLAKEN CH-3800 | **HOBBY 3** |

1,2 Ha. 85 ♠ ▭▭▭ ⚡ 1,5 Km Tel. (036)229652 1/4-15/10 ⚠ PT

⊙ ⊝ ⊝ ⌐ ⌐ WC ⚒ ⚑ ⚑ ◉ ⌂ ⚑ ⤳ ➕ ⚑

Acceso por la N-8 (Spiez-Interlaken) en dirección Gunten/Beatenberg. Seguir señal a Camp 3. Terreno arbolado, herboso. Sala de estar y parque infantil. Squash, ping-pong.VER ANUNCIO.

| | INTERLAKEN CH-3800 | **LAZY RANCHO 4** |

1,6 Ha. 155 ♠ ▭▭▭ ⚡ 1 Km Tel. (036)228716 1/4-31/10 ⚠ PT

⊙ ⊝ ⊝ ⌐ ⌐ WC ⚒ ⚑ ◉ ▽ ⌂ ⤳ ⚑ ⚑ ➕ ⚑ ⌐/

Acceso por la N-8 (Spiez-Interlaken) dirección Gunten/Beatenberg. Terreno herboso. Junto a motel. Camping familiar en las montañas. Magníficas vistas.VER ANUNCIO.

| | INTERLAKEN CH-3800 | **JUNGFRAU 5** |

2,2 Ha. 170 ♠ ▭▭▭ ⚡ 1,5 Km Tel. 036-225730 25/4-30/9 ⚠ PT

⊙ ⊝ ⊝ ⌐ ⌐ WC ▭ ⚒ ⚑ ◉ ✕ ⌂ ⚑ ⚑ GAS ⤳ ⚑ ➕ ⌂

Situado a 1 Km del centro. En la N-8 (Spiez-Interlaken), dirección Gunten-Beatenberg. Señalizado. Muy cuidado. Vistas al Eiger, Mönch y Jungfrau.Zona reservada para jóvenes.VER ANUNCIO.

| | INTERLAKEN CH-3800 | **SACKGUT 6** |

1,2 Ha. 110 ♠ ▭▭▭ Tel. (036)224434 1/5-30/9 ⚠

⊙ ⊝ ⊝ ⌐ ⌐ WC ⚒ ⚑ ◉ ✕ ⚑

Acceso por la autopista N-8 (Spiez-Interlaken), desviándose a la altura del hotel Marti. Señalizado. Terreno llano. Ubicado entre la ctra. ribereña y el rio Aare. A 1,5 Km. del lago Brienz.VER ANUNCIO.

| | INTERLAKEN CH-3800 | **JUNGFRAUBLICK 7** |

1,3 Ha. 132 ☀ ▭▭▭ Tel. (036)224414 25/4-30/9 ⚠ P

⊙ ⊝ ⊝ ⌐ ⌐ WC ▭ ⚒ ⚑ ⚑ ◉ ⌂ ⚑ ⚑ GAS ⤳ ⚑

Acceso por la N-8 (Spiez-Interlaken), dirección Interlaken-Matten. Vegetación jóven. Camino de losas. Cercano a ferrocarriles y autopistas.VER ANUNCIO.

interlaken
jungfrau

Schweiz
Suisse
Switzerland

Un maravilloso paisaje de alta montaña,
lagos limpios, deporte, diversión

Hospitalidad en siete campings

Nombre	No.	Parcelas	Tel.(036)	Fax (036)
Manor Farm	1	400	222264	232991
Alpenblick	2	130	227757	
Hobby	3	85	229652	231920
Lazy Rancho	4	110	228716	231920
Jungfrau	5	110	225730	225730
Sackgut	6	110	224434	
Jungfraublick	7	95	224414	221619

CH-3800 INTERLAKEN

berner oberland

BERNER OBERLAND — GRINDELWALD CH-3818 — **EIGERNORDWAND**

1,1 Ha. 150 ⛺ ▭ Tel. (036)534227 1/1-31/12 ⚠ PT

☺ 🍽 🚿 🚽 WC ▦ 🧺 ⚷ ♿ 📷 ✕ 🏠 ⚓ ⛽ ☕

Terreno herboso, ligeramente inclinado, arbolado, situado al pié del Eigernordwand. Acceso: seguir indicaciones. Antes de llegar al pueblo, desviarse en dirección Grund. Salón social para 10-20 personas. Casita de barbacoa. Lavadora y secadora.VER ANUNCIO.

LAUTERBRUNNEN CH-3822 — **JUNGFRAU**

5,5 Ha. 350 ⛺ ▭ Tel. (036)552010 1/1-31/12 ⚠ PT

☺ 🍽 🚿 🚽 WC ▦ 🧺 ⚷ ♿ 📷 🍽 ✕ 🏠 ⚓ ⛽ ☕ ➕ ⛺ 🚲

A 0,5 Km de la iglesia. Acceso por desvio a 100 m de la misma. Terreno herboso, parcelado y cuidado. Delante de la cascada Staubbach. Anfiteatro de 280 plazas. Alquiler de bungalows con sanitario. Parcelas de invierno. VER ANUNCIO.

OESTE — LEYSIN CH-1854 — **SEMIRAMIS**

1,1 Ha. 130 ⛺ ▭ Tel. (025)341148 1/1-31/12 ⚠ PT

☺ 🍽 🍽 🚿 🚿 WC 🧺 ⚷ ♿ 📷 🍽 ✕ 🏠 ⚓ ⛽ ☕ 🏊 🎾 🚐 ⛺

Terreno herboso, en parte ondulado, algunos árboles. Lindando con centro deportivo y pista de hielo (verano/invierno). Acceso: desde la población en dirección al centro deportivo.VER ANUNCIO.

VALAIS (SUROESTE) — LA FOULY CH-1944 — **DES GLACIERS**

7 Ha. 185 ⛺ ▭ ▭ Tel. (026)831735 1/6-30/9 ⚠ PT

☺ 🍽 🍽 🚿 🚿 WC 🧺 ⚷ 📷 🏠 ⚓ ⛽ ☕ ➕

Terreno herboso, rodeado de bosque. Parte distribuido en terrazas con suelo pedroso. Acceso fácil para caravanas. Acceso: Desde Orsière hacia el final del Val Ferre, pasar la población y seguir hasta el camping, pasando por el puente.

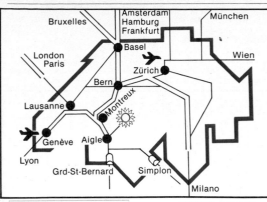

Leysin
Waadtländer Alpen

Camping Semiramis ★ ★ ★ ★

Uno de los más altos campings europeos para verano e invierno.
Estación climática.
Ideal para vacaciones deportivas y en familia.
Nuevo: restaurante acogedor.
Esquí alpino y a fondo, excursiones magníficas.
Uso de la pista de hielo, pistas de tenis, minigolf y piscina: Precios especiales para nuestros clientes.
Georges Gross, CH-1854 Leysin.
Tel. 025-34 11 48.

VALAIS (SUROESTE)

VETROZ CH-1963   **BOTZA**

3 Ha. 170 Tel. (027)361940 1/1-31/12 RT

Terreno llano, bien cuidado, con grupos de árboles, setos y flores, lindando con un bosque. Piscina abierta al público, tobogán acuático. Acceso: saliendo de la N-9 por Coonthey, seguir indicación.

SION-APROZ CH-1950   **SEDUNUM**

3 Ha. Tel. (027)364268 SS-31/10 PT

Acceso por la autopista N-9, salida Sion-Ouest, seguir indicacion "Iles". Situado a la derecha de la ctra. a Aproz, en un bosque con claros. Piscina propia. Minigolf,tenis y squash a 500 m.VER ANUNCIO.

SION - APROZ, Camping Sedunum, 1ª clase

Situado en la orilla del RHONE, en un bonito pinar, con duchas de agua caliente, supermercado, snack-bar, piscina.
Se habla español.

Fam. Mazza-Sánchez
CH - 1950 Sion - les - Iles
Tel. 027/36.42.68 - Fax. 027/36.42.57

SION CH-1950   **LES ILES**

5 Ha. 450 Tel. 027-364347 1/1-31/12 RPT

Salida Sion-Ouest de la autopista N-9. Señalizado. Situado a 4 Km al suroeste de Sion. Junto a un campo de deportes y un pequeño lago. Del 1 de noviembre hasta mediados de diciembre, cerrado.

AGARN CH-3952   **GEMMI**

1 Ha. 75 Tel. (027)631154 25/4-15/10 PT

Prado llano con algunos árboles. Hermosa vista panorámica. Acceso por la ctra. 9/E 62, señalizado (Agarn). Alquiler de cabinas sanitarias. Solarium.

VALAIS (SUROESTE) — SALGESCH CH-3970 — **SWISS PLAGE**

11 Ha. 500 Tel. (027)556608 S.S.-31/10 RP

Terreno llano, una zona con muchos árboles, situado junto a un pequeño lago natural, en un bello paisaje. Ping-pong, pesca. Parcelas de 79 m2. Posibilidad de reserva. 20% dto. en temporada baja.VER ANUNCIO.

SWISS PLAGE • CH-3970 SALGESCH

Excelente camping en Wallis, con un pequeño lago natural. con zona de baño gratuita para campistas. Temperatura del agua alrededor de los 18 °C.

Parcelas parcialmente soleadas, y otras con sombra en el bosque.

Instalaciones sanitarias modernas y bien cuidadas. Restaurante y tienda de autoservicio. Piscina para niños y parque infantil. Excursiones.

Parcelas para caravanas, para la temporada o todo el año.

RANDA CH-3928 — **ATTERMENZEN**

2,4 Ha. 180 Tel. (028)672555 SS-31/10 PT

Situado al sur de Randa en dirección a Tasch. Terreno herboso, soleado sito en una pendiente arbolada. Posible práctica de camping de invierno.VER ANUNCIO.

CAMPING «ATTERMENZEN» RANDA
(Valle Zermatt)

Situado entre Randa y Täsch (al final de la carretera sale un tren cada 30 minutos, hacia Zermatt, con un trayecto que dura 11 minutos). Un camping de vacaciones encantador que invita a permanecer en él. Fácil acceso para las caravanas. Es un punto de partida para viajar y visitar las más altas e importantes montañas de 4.000 metros de Suiza, como Dom, Wesshorn y otras.
- Modernas instalaciones sanitarias con agua caliente gratis, para lavabos, duchas y fregaderos.
- Lavadoras, conexión eléctrica para caravanas.
- Self-Service, sala de estar, parque infantil, etc.
- En temporada alta servicio de autobús a Zermatt.

Información: Hnos. Brantschen, CH-3928, Randa.
Tel. 028-67 25 55 / 67 26 42.

En la temporada baja precios especiales para grupos.

RARON CH-3942 — **SIMPLONBLICK**

5,5 Ha. 460 Tel. (028)441274 SS-31/10 R

Prado con árboles y setos bien cuidado, situado entre montaña y ctra. Acceso: Ctra. 9/E 62, junto a la gasolinera.VER ANUNCIO.

El símbolo FECC indica que se hacen descuentos a los socios de los Clubs federados sin ningún condicionamiento aparte de la correspondiente identificación.

VALAIS (SUROESTE)   TÄSCH CH-3929   **ALPHUBEL**

1,2 Ha. 100  Tel. (028)672523 1/5-15/10

Acceso por puente a 100 m estación. Terreno llano, entre la via del ferrocaril, la ribera del Visp y colina. No se admiten reservas. Trenes a Zermatt cada 20 min. (de 07.30 a 20.30)VER ANUNCIO.

SUSTEN CH-3952   **BELLA TOLA**

3,6 Ha. 300  Tel. 027-631491 20/5-30/9   RPT

Acceso: desde la ctra. 9/E-62 al oeste del pueblo seguir camino en dirección sur, subir 2 Km. Terreno con vista panorámica. Piscina pública.VER ANUNCIO.

VALAIS (SUROESTE)   BINN CH-3996   GIESSEN

3 Ha. 184 ⛺ Tel. (028)714619 1/5-15/10 PT

☉ ⌐ WC 🛁 🚿 ✗ 🔌 🚐 ⚓

TICINO   CLARO CH-6702   AL CENSO

2 Ha. 100 ⛺ ▬ Tel. 092-661753 SS-30/9 ⛰ PT

☉ 🚻 🚻 ⌐ WC 🛁 🚿 ♿ 🔌 📷 🏠 🔌 ⚓ ≈ ➕

Situado a 1,5 Km al norte del pueblo. Se accede por el desvío de la N-2 o N-1 en dirección del S.Gotardo. Indicado. Terreno inclinado dispuesto en dos niveles. Ajardinado.Jacuzi (37º) al aire libre para adultos (temp.baja). Cerrado de 12.00 a 14.00 horas. Restaurante a 500 m.

TENERO CH-6598   LIDO MAPPO

6,5 Ha. 500 ⛺ ▬ ▬ 🏖 Tel. (093)671437 18/3-23/10 ⛰ PT

☉ 🚻 🚻 ⌐ WC 🛁 🚿 ♿ 📷 🍷 ✗ 🏠 🔌 ⚓ ≈ ➕ 🏍

Situado a 1 Km de la ciudad. Acceso indicado. Zonas con pendiente. Sala de cine/teatro para 50/60 personas. Cercano a playa de 350 m de longitud, de arena y roca. Estancia mínima en temporada alta, 1 semana.

TENERO CH-6598   CAMPOFELICE

15 Ha. 1000 ⛺ ▬ ▬ 🏖 Tel. (093)671417 1/4-31/10 ⛰ RP

☉ 🚻 🚻 ⌐ WC 🛁 🚿 ♿ 📷 🍷 ✗ 🔌 ⚓ GAS ➕ 🏍 🎾 🚲

Amplio terreno herboso con arboles y arbustos, situado junto al famoso Lago Maggiore. Ping-pong. Modernas instalaciones sanitarias. Acceso: N2, salida Bellin, zona sur, dirección Locarno. Bien indicado.

MUZZANO CH-6933   TCS-LA PIODELLA

3,2 Ha. 275 ⛺ ▬ 🏖 0,0 KM Tel. (091)547788 1/1-31/12 P

☉ 🚻 🚻 ⌐ WC 🛁 🚿 ♿ 📷 🍷 ✗ 🔌 GAS 🎾 🏍 🏊 🚲

Cerrado en noviembre.

MELANO CH-6818   PEDEMONTE

2 Ha. ⛺ ▬ ▬ Tel. (091)688333 1/4-1/10 ⛰ P

☉ 🚻 🚻 ⌐ ⌐ WC 🚿 ♿ 📷 🏠 🔌 ⚓

Acceso por la salida de la N-2 (Lugano-Chiasso), seguir en dirección Chiasso. Señalizado. Terreno con pendiente moderada. Playa de grava. Situado entre el lago y el ferrocarril. Estancia mínima en temporada alta, 3 días.

LOCARNO CH-6600   DELTA LOCARNO

6 Ha. 320 ⛺ ▬ ▬ 🏖 Tel. (093)316081 1/3-31/10 ⛰ PT

☉ 🚻 🚻 ⌐ WC 🚿 ♿ 📷 ✗ 🏠 🔌 ⚓ 🏍

Situado en la desembocadura del río Mággia. Terreno muy cuidado, con algunas palmeras. Lindante con puerto deportivo. Acceso: Seguir las indicaciones.VER ANUNCIO.

DAVOS-DORF CH-7260 **FÄRICH**

1,3 Ha. 100 15/5-30/9 Tel. (081)461043 R

Terreno atravesado por un arroyo, adecuado para campistas con tienda. Arboles altos, arroyo. Acceso por la ctra.28, dirección Fluela-Pass.

SUR EN CH-7454 **SUR EN**

3 Ha. 185 Tel. (081)8663544 1/1-31/12 P

CHURWALDEN CH-7075 **PRADAFENZ**

1,3 Ha. 80 Tel. (081)351921 1/1-31/12 P

Pista de esqui de fondo a 3 Km. Muy buenas instalaciones sanitarias.

AROSA CH-7050 **AROSA**

0,6 Ha. 60 Tel. (081)311745 1/1-31/12 PT

Situado en un valle y atravesado por un arroyo. Acceso por la ctra. de Chur a Arosa a 30 Km de la ctra. de alta montaña, con muchas curvas. Rest. a 800 m.

(082)41616 CH-7606 **BONDO**

0,9 Ha. 65 1/5-31/12 PT

Situado en la orilla del rio Bondasca.

PONTRESINA CH-7504 **PLAUNS**

4 Ha. 300 Tel. (082)66285 1/6-15/10 P

ST.MORITZ CH-7500 **OLYMPIASCHANZE**

1,6 Ha. 165 Tel. (082)34090 1/6-30/9 PT

Terreno limitado por bosques y dividido por caminos públicos, situado a 1,5 Km al oeste de St.Moritz-Bad. Señalizado. Acceso por la ctra.28. Cables de alta tensión por encima de las plazas. Rest. a 600 m.

PANORAMA
caravaning
REVISTA RECOMENDADA POR LA FECC Y LA UCC
PORTAVOZ DE GREMCAR.
400 Ptas.
Nº94 FEBRERO MARZO'95

16

¿Sabe cómo se coloca un avancé?

TURQUIA

Moneda: Lira.

Horarios: CORREOS: de lunes a viernes de 8.30 a 12.30 y de 13.30 a 17.30. BANCOS: de lunes a viernes de 8.30 a 12.00 y de 13.30 a 17.00. COMERCIOS: de lunes a viernes de 9.00 a 13.30 y de 14.00 a 19.00. Sábados de 8.30 a 12.00 y de 13.00 a 19.30.

Documentación: Pasaporte con visado: se obtiene en la frontera turca por 10 dólares. Carta verde.

Perros y gatos: Ver tabla "Documentos de fronteras para perros y gatos".

Teléfono: Prefijo de España desde Turquía: 99-34 (no marcar el 9 del prefijo provincial). Prefijo de Turquía desde España: 07-90 (no marcar el 0 del prefijo local).

Normas de circulación: Cinturón obligatorio. Tasa máxima de alcoholemia: 0,0.

Velocidades máximas: Ver tabla "Límites de velocidad para coches con caravana y autocaravanas".

Normas para acampar: No se recomienda pernoctar fuera de los campings.

Teléfonos de socorro: Avería: Estambul: (0212) 146 70 90; Ankara: (04) 131 76 48; Izmir: (051) 217 149. Accidente: 077. Policia: 055.

Direcciones útiles: Consejo de cultura e información de la embajada de Turquía: Plaza de España, Torre Madrid, planta 13-3ª, 28008 Madrid. Tel. (91) 559 71 14 / 559 70 14. Embajada de España en Estambul: Cayirbasi Caddesi, 393, Buyukdere, Istanbul. Tel. (0212) 242 04 72. (Residencia de verano) Consulado en Estambul: Basaran Apt. Valikonagui Caddesi, 33/3, Sisli-Istanbul. Tel. (0212) 225 20 99; fax: (01) 2252088. Embajada en Ankara: Vali Dr. Reçit Sokak, 6, 06680 Çankaya. Tel. (04) 438 03 92/94; fax: (04) 439 51 70.

| EDIRNE | EDIRNE TR-22000 | FIFI TOURIST |

1,5 Ha. 110 ☀ ▬▬ ▬▬ Tel. (0284) 2357908 1/4-31/10 △

Terreno de pernoctación bien cuidado con vegetación joven situado junto a la carretera 100/E80, a unos 6 Km al sureste de la población. Parada de autobús a 100 m.

| ESTAMBUL | ISTANBUL-FLORYA TR-34811 | FLORYA |

3 Ha. 300 🌲 ▬▬ ✂ Tel. (0212)6631097 1/4-30/10 △ MP

Terreno ligeramente inclinado cerca de la vía del tren. Playa de 80 m de longitud. Acceso por la ctra. 100/E80 al oeste de Estambul en dirección Florya. (Pasar por debajo de la vía del tren y seguir, 5 Km.) Ping-pong.

| COSTA OESTE | EDREMIT-BURHANIYE TR-10700 | ALTIN-CAMP |

4 Ha. 220 🌲 ▬▬ ✂ Tel. (0212)4222432 1/1-31/12 △△ MPT

Terreno muy bien cuidado y ajardinado en un paisaje rural. Playa de arena. Surf. Música en vivo. Acceso por la 550/E87 en dirección Ören. A unos 8 Km al sur de Edremir.

| | GÜMÜLDÜR TR-35480 | MOCAMP DENIZATI |

8 Ha. 440 🌲 ▬▬ ▬▬ ✂ 0,05 Km Tel. 0232)7931019 1/5-30/9 △△ MRPT

Terreno ondulado rodeado de campos. Buena sombra en la zona próxima a la playa de 400 m de longitud. No hay agua potable. Discoteca. Acceso por la 550/E87; a 16 Km al sur de Izmir, seguir en dirección a Gümüldür.

| | SELCUK-PAMUCAK TR-35920 | DERELI |

9 Ha. ☀ ▬▬ ✂ Tel. 0232)8923636 1/3-31/10 △ MPT

Camping bien cuidado situado junto al mar. Playa de arena. Mucha tranquilidad. Acceso: ctra. E-87 hasta Selcuk y continuar en dirección a Kusadasi.

| | BONCUK TR-48700 | NATURCAMP BONCUK |

1 Ha. 80 🌲 ▬▬ ✂ Tel. (0252)4958114 1/4-31/10 △△ MRPT

Situado en una bahía con playa de 300 m. Situación excepcionalmente bonita. Terreno ajardinado. Estancia mín. temp. alta: 3 días. Al norte de Marmaris. Viniendo desde Mugla, 5 km después de Cetibeli girar a la derecha (justo después del puente). Acceso difícil para caravanas.

| OESTE | PAMUKKALE TR-20210 | MOCAMP MISTUR |

1 Ha. 50 🌲 ▬▬ ▬▬ Tel. (6218)1422/1423 1/1-31/12 PT

Terreno muy frecuentado al lado de la Necrópolis. Se pueden utilizar algunas instalaciones del motel vecino. Supermercado a 600 m. Alquiler de apartamentos. Situado a unos 500. m de Pamukkale en dirección a Karahayit.

| CAPADOCIA | ORTAHISAR TR-50560 | KAYA |

1 Ha. 120 ☀ ▬▬ ▬▬ Tel. (4869)1100 1/1-31/12 △△ PT

Terreno con arbolado jóven. Mágnificas vistas panorámicas a Göreme y a las colinas tobáceas. Restaurante subterráneo en una cueva. Acceso por la ctra. 300. Coger dirección Göreme a unos 14 Km. de Navsehir en dirección Ürgüp.

| | AKSARAY 68190 | KERVAN PANSION |

2 HA Ha. 40 🌲 ▬▬ Tel. 0382-2422325 1/1-31/12 △ RT

Terreno llano, con zona arbolada con chopos. Acceso por la crta. de Konya-Aksaray, en la población. Señalizado. Ambiente muy familiar. Se habla francés. Alquiler de apartamentos.

REGULACIONES DE TRAFICO EN EUROPA

País	Iniciales	Documentación	Documentación del coche		Casco obligatorio	
			Velocidad máxima		Grado máx. de alcohol	
ALEMANIA	D	●	50/100/130(1)		0.8	SI
ANDORRA	AND	●	60/90/—		0.8	SI
BELGICA	B	●	50/90/120		0.8	SI
BIELORRUSIA		▼	60/90/90		0.0	NO
BOSNIA-HERCEGOVINA *		●	60/80/120		0.5	SI
BULGARIA	BG	■	50/80/120	○	0.0	SI
REP. CHECA	CS	■	60/90/110		0.0	SI
CROACIA	HR	●	60/80/120		0.5	SI
DINAMARCA	DK	◆	50/80/110		0.8	SI
REP. ESLOVACA	SK	■	60/90/110		0.0	SI
ESLOVENIA	SLO	●	60/80/120		0.5	SI
ESPAÑA	E	●	50/90/120		0.8	SI
ESTONIA		▼	60/90/90		0.0	NO
FINLANDIA	SF	▲	50/80/120		0.5	SI
FRANCIA	F	●	50/90/130		0.8	SI
GEORGIA *		▼	60/90/90		0.0	NO
GRAN BRETAÑA	GB	✳	48/96/112		0.8	SI
GRECIA	GR	●	50/80/100		0.5	SI
HOLANDA	NL	●	50/80/120		0.5	SI
HUNGRIA	H	❑	50/80/120		0.0	SI
IRLANDA	IRL	■	48/80/—		1.0	SI
ISLANDIA	IS	◆	50/80/—	○	0.5	SI
ITALIA	I	●	50/90/110-130(2)		0.8	SI
LETONIA	LV	▼	60/90/90		0.0	NO
LIECHTEINSTEIN	FL	●	50/80/120		0.8	SI
LITUANIA	LT	▼	60/90/90		0.0	NO
LUXEMBURGO	L	●	50/90/120		0.8	SI
MACEDONIA *		●	60/80/120		0.5	SI
MALTA	M	■	40/60/—	○	0.0	NO
MOLDAVIA *		▼	60/90/90		0.0	NO
MONACO	MC	●	45/—/—		0.8	SI
NORUEGA	N	▲	50/80/90		0.5	SI
POLONIA	PL	■	60/90/110	○	0.2	SI
PORTUGAL	P	●	60/90/120		0.5	SI
RUMANIA	R	●	60/90/90/80-90(2)		0.0	SI
RUSIA		▼	60/80-90/—	○	0.0	NO
SAN MARINO	RSM	●	50/90/110/—		0.8	SI
SUECIA	S	▲	50/70-110/90-110(3)		0.2	SI
SUIZA	CH	●	50/80/120		0.8	SI
TURQUIA	TR	▼	50/90/120	○Ⓐ	0.0	SI
UCRANIA	UR	▼	60/90/90		0.0	NO
YUGOSLAVIA (SERBIA) *	YU	▼	60/80/120		0.5	SI

* No recomendado para viajar solo

▼ Pasaporte válido con visado
■ Pasaporte válido
◆ Pasaporte válido o D.N.I.
● Pasaporte válido o Pasaporte caducado no más de 5 años, o D.N.I.
▲ Pasaporte válido (o D.N.I aunque no exista un acuerdo oficial)
❑ Pasaporte (si caducado, no más de 5 años)

✳ Pasaporte o D.N.I junto con la tarjeta de visitante (Visitors Card)
○ Tarjeta verde del seguro del coche
Ⓐ En el pasaporte de la persona que conduce el vehículo al entrar en el país se hará una nota; la misma persona tiene que conducir el vehículo al salir del país.
(1) Recomendada – (2) Según cc
(3) Indicado en señales

LIMITES DE VELOCIDAD PARA COCHES CON CARAVANAS Y AUTOCARAVANAS

| COCHES CON CARAVANA | | | PAIS | AUTOCARAVANAS | | | |
INTER. URBANA	CTRA. NACIONAL	AUTOPISTA		PESO	INTER. URBANA	CTRA. NACIONAL	AUTOPISTA
50	80	80	ALEMANIA	hasta 2,8 t	50	100	sin límite
				más de 2,8 t	50	80	80
50	60-100[3]	70-100[3]	AUSTRIA	hasta 3,5 t	50	100[5]	130
				más de 3,5 t	50	70	80
50	90-120[1]	120	BELGICA	hasta 7,5 t	50	90-120[1]	120
				más de 7,5 t	60	60-90[1]	90
50	70	100	BULGARIA		50	70	100
60	80	80	CROACIA	hasta 3,5 t	60	80-100[1]	100
				hasta 7,5 t	60	80	80
				más de 7,5 t	60	70	70
50	70	70	DINAMARCA	hasta 3,5 t	50	80	110
				más de 3,5 t	50	70	70
60	80	80	ESLOVENIA	hasta 3,5 t	60	80-100[1]	100
				hasta 7,5 t	60	80	80
				más de 7,5 t	60	70	70
50	70-80[1]	80	ESPAÑA	hasta 3,5 t	50	90-100[1]	120
				más de 3,5 t	50	80-90[1]	100
60	90	90	ESTONIA	hasta 3,5 t	60	90	90
				más de 3,5 t	60	70	70
50	50[7]-80	50[7]-80	FINLANDIA	hasta 3,5 t	50	80	120
				más de 3,5 t	50	80	80
50	90[2c]-110[1][2b]	130[2a]	FRANCIA	hasta 10 t	50	90[2c]-110[1][2b]	130[2a]
48	80-96[1]	96	GRAN BRETAÑA		48	96-112[6]	112
50	80-100[6]	–	GRECIA	hasta 3,5 t	50	80-100[1]	–
				más de 3,5 t	40	70	–
60	90	90	C.E.I.	hasta 3,5 t	60	90	90
				más de 3,5 t	60	70	70
50	80	80	HOLANDA	hasta 3,5 t	50	80	120
				más de 3,5 t	50	80	80
50	70	80	HUNGRIA	hasta 3,5 t	50	80-100[6]	120
				más de 3,5 t	50	70	80
48	56	56	IRLANDA		48	88	88
50	70	80	ITALIA	hasta 3,5 t	50	90	130
				más de 3,5 t	50	80	100
60	90	90	LETONIA	hasta 3,5 t	60	90	90
				más de 3,5 t	60	70	70
60	90	90	LITUANIA	hasta 3,5 t	60	90	90
				más de 3,5 t	60	70	70
50	75	90	LUXEMBURGO	hasta 3,5 t	50	90-120[1]	120
				más de 3,5 t	50	75-90[1]	90
50	60[7]-80	60[7]-80	NORUEGA	hasta 3,5 t	50	80	90
				hasta 7,5 t	50	80	80
				más de 7,5 t	50	70	70
60	70	70	POLONIA	hasta 3,5 t	60	90	110
				más de 3,5 t	60	70	70
50	70	90	PORTUGAL	hasta 3,5 t	60	90	120
				más de 3,5 t	60	80	100
60	80	80	REP. CHECA	hasta 3,5 t	60	90	110
				hasta 6 t	60	80	80
				más de 6 t	60	70	70
60	80	80	REP. ESLOVACA	hasta 3,5 t	60	90	110
				hasta 6 t	60	80	80
				más de 6 t	60	70	70
60	70-90[4]	70-90[4]	RUMANIA	hasta 3,5 t	60	70-90[4]	70-90[4]
				más de 3,5 t	40	60	60
60	80	80	SERVIA MONTENEGRO	hasta 3,5 t	60	80-100[1]	100
				hasta 7,5 t	60	80	80
				más de 7,5 t	60	70	70
50	70	70	SUECIA	hasta 3,5 t	50	70-90[8]	90-110[8]
				más de 3,5 t	50	70	90
50	60	80	SUIZA	hasta 3,5 t	50	80	120
				más de 3,5 t	50	80	80
40	70	70	TURQUIA		50	80	80

1) Carreteras con 4 vías
2a) Con humedad 110
2b) Con humedad 100
2c) Con humedad 80
3) Remolque hasta 750 kg.
4) Hasta 1.100 cm³ cilindrada = 70 km/h
   Hasta 1.800 cm³ cilindrada = 80 km/h
   Más de 1.800 cm³ cilindrada = 90 km/h
5) En los países federales Tirol y Voralberg = 80 km/h
6) En autovías
7) Remolques sin freno
8) Según señales

DOCUMENTOS DE FRONTERAS PARA PERROS Y GATOS

¿ Viajar con animales ? Antes del viaje, muchos tendrán que plantearse qué hacer con sus animales de compañía. Muchos campings admiten animales, otros los prohiben o no los admiten en determinadas fechas. La fundación Purina ha editado una completa guía de residencias para los animales de todo el territorio español. En ella se detalla el tipo de servicios que ofrece cada una (veterinario, peluquería, personal adiestramiento, etc.), si existen criaderos de razas específicas, el precio, el teléfono y la dirección. **Para más información: Tel. (93) 284 24 60**

País	Certificado de vacuna contra la rabia			certificado veterinario que no exceda	
	necesario	vacuna anterior a			
		mín.días	máx.meses		
Austria (5)	♦	30	12	—	
Bélgica	♦	30	12(1)	—	
Bulgaria ✱	♦	30	12(4)	+	14 días
CEI	—	—	—	+	10 días
Croacia ✱	♦	15	6	—	
Dinamarca ✱	♦	30	12	—	
Eslovenia	♦	30	6	+	10 días
España	♦ (3)	21	12	♦	14 días
Finlandia	♦	30	12	—	
Francia (2)	♦	30	12	—	
Gran Bretaña	—	—	—	¤	
Grecia ✱	♦	15	12	+✱	
Holanda	♦	30	12	—	
Hungría ✱	♦	30	(5-6)	+	8 días
Irlanda	♦	—	—	¤	
Italia (5)	—	20	11	♦	30 días
Luxemburgo	♦	30	12(1)	—	
Noruega	—	—	—	¤	
Polonia ✱	♦	21	12	+✱	
Portugal	♦	30	12	+	1-2 días
Rumanía	♦	30	12(4)	+	10 días
Suecia	—	—	—	¤	
Suiza	♦	30	12	—	
Rep. Checa ✱	♦	—	12	+	3 días (7)
Rep.Eslovaca ✱	♦	30	6	+	3 días (7)
Turquía ✱	♦	14	6	+	2 días ✱
Yugos. (Serbia)✱	♦	15	6	—	

✱ Inscripción en el Certificado Internacional de Vacunación

♦ del veterinario

+ del veterinario oficial

(1) según vacuna 6-12 meses

(2) prohibición de la entrada de animales menores de 3 meses

(3) con traducción si no está en castellano

(4) para gatos 6 meses

(5) bozal y cuerda

(6) perrros con vacuna contra el moquillo

(7) para estancia superior a 1 mes permiso de importación

¤ 4-6 meses cuarentena y permiso de importación

LAS MEJORES RUTAS
POR LOS ALPES

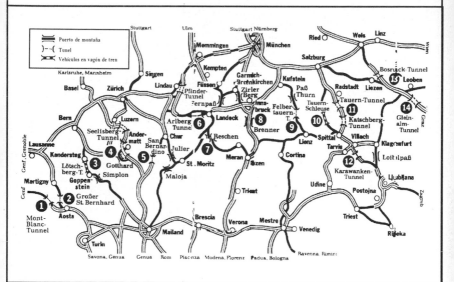

Tarifas de peaje para trayecto simple
en coche de clase intermedia

1 MONT BLANC _____ 3.510 Pts.

2 GROSSER ST. BERNHARD _____ 2.770 Pts.

3 LÖTSCHBERG / GOPPENSTEIN _____ 2.400 Pts.

4 GOTTHARD _____ con distintivo peaje de autopistas suizas

5 SAN BERNADINO ____ con distintivo peaje de autopistas suizas

6 TUNEL ALBERG _____ 2.030 Pts.

7 RESCHEN _____ Gratis

8 BRENNER (AUSTRIA) _____ 1.760 Pts.

     BRENNER - BOZEN _____ 740 Pts.

9 FELBERTAUERN _____ 2.590 Pts.

10 TAUERNSCHLEUSE _____ 2.400 Pts.

11 AUTOPISTA TAUERN _____ 2.590 Pts.

12 TUNEL KARAWANKEN _____ 1.200 Pts.

13 BOSRUCK _____ 920 Pts.

14 GLEINALM _____ 1.760 Pts.

(PRECIOS ORIENTATIVOS EN PESETAS)

PARA TELEFONEAR
A ESPAÑA

La siguiente relación indica los números de prefijos por llamadas del país de vacaciones hacia España y las diferentes "reglas de juego" del teléfono.

A	0034

B	00♪34

Directo solamente desde cabinas telefónicas que llevan las banderas europeas

BG	0034

CH	0034

Desde algunas zonas fronterizas otro número de prefijo

CRO	9934

Directo solamente desde estafetas de correos, hoteles o conexiones telefónicas privadas

CS	0034

DK	00934

E	07♪34

Directo solamente desde cabinas telefónicas con etiqueta verde "Internacional"

F	19♪34

Directo solamente desde cabinas telefónicas con etiqueta verde "Internacional"

GB	01034

Después de la señal acústica marcar en seguida el número. Introducir la moneda cuando el destinatario responde. Introducir más monedas cuando suenen señales acústicas cortas.

GR	0034

Directo solamente desde cabinas telefónicas con etiqueta de color naranja.

I	0034

Directo solamente desde cabinas telefónicas con símbolo de disco amarillo. Monedas para telefonear (Gettoni) se venden en tiendas y distribuidores automáticos.

IRL	0034

Directo solamente desde ciudades grandes, sino por mediación del "10".

L	0034

N	09534

NL	00♪34

P	0034

Desde lugares de vacaciones, sino por mediación "17".

PL	0♪034

Directo solamente desde ciudades grandes.

S	00934

SF	99034

SLO	9934

Directo solamente desde estafetas de correos, hoteles o conexiones telefónicas privadas.

TR	9♪934

Directo solamente desde ciudades grandes.

YU	9934

Directo solamente desde estafetas de correos, hoteles o conexiones telefónicas privadas.

♪ Significa que hay esperar un nuevo tono antes de marcar el resto del número.

Nota: Llamadas desde el extranjero hacia España, el 9 del prefijo de las ciudades españolas tiene que ser suprimido siempre.

KNAUS

AUTOSUMINISTROS VIC, S.A.
Ctra. Barcelona-Puigcerda Km. 66,3
Telf. (93) 883.29.27/883.38.64
08500 VIC

CARAVANING PENEDÉS S.A.
Ctra. N-340 Km. 1213
Telf. (93) 892.19.48/815.53.92
08720 VILAFRANCA DEL PENEDES

CARAVANING PENEDÉS S.A.
Ctra. Vilanova-Tarragona Km. 45,3
Telf. (93) 815.53.92/892.19.48
VILANOVA Y LA GELTRÚ

TURISCO S.A.
Autovía Castelldefels Km. 12,200
Telf. (93) 573.36.79
46012 PINEDO (Valencia)

CARAVANAS JOSE Mª ORTIZ
Camino Nuevo 65
Telf. (96) 378.36.10
46014 PICAÑA (Valencia)

CARAVANAS TECAR S.A.
Ctra. Alicante-Valencia Km. 113
Telf. (96) 589.03.00
03570 VILLAJOYOSA (Alicante)

CARAVANAS MURCIA
Ctra. N-344 Km.7
Telf. (968) 62.34.34
LAS TORRES DE COTILLAS (Murcia)

BRAU LAGUNA S.A.
Ctra. Huesca Km. 9,100
Telf. (976) 18.59.96
50830 VILLANUEVA DE GALLEGO (Zaragoza)

ITSAS-MENDI
Barrio Soravilla s/n
Telf. (943) 59.32.90
20140 ANDOAIN (Guipuzcoa)

DISCAR S.A.
Ctra. Gijón-Oviedo Km. 1,500
Cruces de Roces
Telf. (985) 14.46.53
33211 GIJON

TODO CAMPING MATA ALVAREZ S.A.
Avda. Andalucía s/n
Telf. (958) 28.59.94
18014 GRANADA

CONCESIONARIOS EN ESPAÑA

A CORUÑA
CAR Y MOV. REPRESAS
AVD. ALFONSO MOLINA S/N
15192 A CORUÑA
Tel. (981)101054 Fax (981)665503

ALACANT
CARAVANAS FERRERO S.L.
CTRA. VALENCIA 322 Km. 112.5
03559 SAN FAZ
Tel. (96)5262456 Fax (96)5151337

ALMERÍA
CARAVANAS DEL SUR
CTRA. DEL NINJAR Km. 5 (nº 150)
04120 LA CAÑADA
Tel. (950)291219 Fax (950)292308

ARABA
REMOLQUES SANGO S.L.
VILLODAS - 01080 VITORIA
Tel. (945)364045 Fax (945)364060

ASTURIAS
COSTA VERDE S.L.
AUTOPISTA "Y" GIJÓN-OVIEDO
KM 4 - 33211 LAFANA-TREMAÑES
Tel. (98)5153900 Fax (98)5142577

BARCELONA
CARAVANAS TURMO
CTRA. CASTELLAR 290 — 08226 TERRASA
Tel. (93)7859193 Fax (93)7859193

TIPLAY S.C.C.L.
CTRA. DE L'ARBOÇ KM1
08800 VILANOVA Y LA GELTRU
Tel. (93)8141370 Fax (93)8153353

AUTOSUMINISTROS VIC S.A.
CTRA N-152 KM. 66.3 — 08500 VIC
Tel. (93)8832927 Fax (93)8894882

CENTRAL
DEL CARAVANING S.A.
CTRA. DE BARCELONA 444
08204 SABADELL
Tel. (93)7119401 Fax (93)7119401

CARAVANAS L'ALBA S.A.
CTRA. GRANOLLERS-CARDADEU KM. 3.5
08520 LES FRANQUESES
Tel. (93)8496060 Fax (93)8401113

ESPLAI CARAV. MANRESA S.A.
CTRA. MANRESA-BERGA KM.5
08650 SALLENT
Tel. (93)8371818 Fax (93)8371818

SPORT CARAVANING CANET S.A.
CTRA. N-II KM. 660 — 08360 CANET DE MAR
Tel. (93)7940400 Fax (93)7942160

CARGOL-CASTELLDEFELS
AUTOVÍA DE CASTELLDEFELS KM. 11.2
08880 VILADECANS
Tel. (93)6373606 Fax (93)6370678

CARAVANAS VILAFRANCA S.L.
CTRA.N-340 KM.1213.7
08720 VILAFRANCA DEL PENEDÉS
Tel. (93)8181199 Fax (93)8181734

SPORT CARAVANING CANET
CTRA. N-2 KM. 645 — 08225 MATARO
Tel. (93)7574614 Fax (93)7574614

CARAVANAS CUATRO-CAMINO
CTRA. NII MAD.BARNA, KM. 607,2
08750 MOLINS DE REI
Tel. (93)6561281 Fax (93)6566450

BIZKAIA
CARAVANAS LEIOA
CTRA. LA AVANZADA KM. 10.2
48940 LEJONA
Tel. (94)4642895 Fax (94)4633663

CADIZ
CARAVANAS SAN ROQUE S.L.
CTRA. N-340 KM. 117 (MIRAFLORES)
11360 SAN ROQUE
Tel. (956)612186 Fax (956)612186

CARAVANAS DEL PUERTO S.A.
CTRA. N-IV KM. 655
11500 EL PUERTO DE STA. MARÍA
Tel. (956)561840 Fax (956)561841

CANARIAS
CARAVANAS SARMIENTO
PEDRO DE VERA 47
35003 LAS PALMAS DE G.C.
Tel. (928)372395 Fax (928)362350

MANUEL ROSA
LEON CASTILLO 194
35500 ARRECIFE
Tel. (928)812917 Fax (928)816100

CANTABRIA
LA BUENA FE
AVD. DE SOLVAY S/N — 39300 BARREDA
942-897862 942-801873

CASTELLO
CARAVANAS TAURO
GRAN AVENIDA S/N
12560 BENICASIM
964-392967 964-300384

CORDOBA
HNOS. LOSADA CABEZAS S.L.
LIBERTADORA A. DE STA. CRUZ S/N
14013 CORDOBA
Tel. (957)297580 Fax (957)290129

GIPUZKOA
ITSAS MENDI S.L.
BARRIO SORRAVILLA S/N
20140 ANDOAIN
Tel. (943)593290 Fax (943)594173

GIRONA
LUIS GUILLEUMES GARITG
AVDA. MALATOSQUER S/N — 17800 OLOT
Tel. (972)265833

EXPO CAMPING
CTRA. DE GIRONA-ST. FELIU KM.7
17242 QUART
Tel. (972)469087 Fax (972)469087

GRANADA
AUTOMÓVILES CARDONA
CALLEJON DEL ANGEL 9
18006 GRANADA
Tel (958)819555 Fax (958)131760

JAEN
CAMPINGMANIA
ADARVES BAJOS, 38 — 23001 JAEN
Tel. (953)258742 Fax (953)258742

LEON
J.L.N. HNOS GARCIA S.L.
AVD. DE MADRID 108 — 24005 LEÓN
987-201016 987-262820

LUGO
BOURIO CARAVANAS
RONDA DEL CARMEN 3-5 — 27004 LUGO
982-224114

LLEIDA
RIBES CAMPING S.L.
CTRA. N II KM 456 — 25002 LLEIDA
Tel. (973)271022 Fax (973)271190

MADRID
CARAVANING MADRID S.A.
CTRA. N I KM. 20.8
28709 S. SEBASTIAN DE LOS REYES
Tel. (91)6516521 Fax (91)6510254

COMERCIAL CARAVANING
CTRA. S.M. VALDEIGLESIA KM.0
28925 ALCORCON
Tel. (91)6109771 Fax (91)6109771

CARAVANING MULTIOCIO
CTRA. DE DAGANZO KM. 2
28806 ALCALA DE HENARES
Tel. (91)8824077Fax (91)8884312

ROULOT S.A.
GENERAL PALANCA 14 — 28045 MADRID
Tel. (91)4745782 Fax (91)4736326

MALAGA
HNOS. SANCHEZ LAFUENTE S.A.
POL.IND. VILLAROSA NAVE 5
29006 MALAGA
Tel. (95)2235579 Fax (95)2433473

MURCIA
AUTOCARAVAS NAVARRA
CTRA. DE LA ALBERCA KM 1 — 30012 MURCIA
968-254554 968-266353

NAVARRA
DEPORTES IRABIA
CTRA. DE ZARAGOZA S/N
31191 CORDOVILLA
948-150911 948-151175

OURENSE
HERMANOS ABAD
AVD. LAS CALDAS 5
32004 OURENSE
988-211616 988-211616

PALENCIA
CARAVANING PALENCIA S.A.
MARIA DE PADILLA 9 — 34003 PALENCIA
979-713396 979-746489

PONTEVEDRA
GONZAUTO S.A.
AVD. EUROPA S/N — 36212 SAMIL VIGO
986-241224 986-241317

SALAMANCA
CAMPING SPORT
37439 CASTILLANO DE MORISCOS
Tel. (923)361614

SEVILLA
AUTOCARAVANAS MONTAÑO
CTRA. N-4 KM.659 — 41009 SEVILLA
Tel. (95)5666040 Fax (95)5666040

TARRAGONA
CARVISA S.A.
CTRA.N 340 KM. 1148.5 — 43480 VILASECA
Tel. (977)390013 Fax (977)390013

VALENCIA
CARAVANAS K-9
CTRA.DE ADEMUZ KM. 8.
46008 PATERNA
Tel. (96)2110206 Fax (96)1830100

MERCACARAVANING PINEDO
CTRA. DEL RIU 265 — 46012 PINEDO
Tel. (96)3678456 Fax (96)3671041

ZARAGOZA
BRAU LAGUNA S.L.
CTRA. DE HUESCA KM. 9.1
50830 VILLANUEVA DE GALLEGO
Tel. (976)185996 Fax (976)185996

CONCESIONARIOS  EN EUROPA

CONCESIONARIO HOLANDA

TWENTSE ROS CARAVANS B.V.
Postbus 417
Telf. 31546814751
Fax. 31546814751
7600 AK ALMELO

BLANKE EN ZIJLSTRA RECREATIE
Rijksstraatweg 14
Telf. 31511072609
9257 DT NOORDBERGUM

CARAVAN RECREATIE GLAS
Overspoor 15
Telf. 3122973456
Fax. 3122972125
1688 JG WOGNUM

OSWI CAMPINGSPORT
Amarillstraat 40
Telf. 3174919305
Fax. 3174439655
7554 TV HELGELO

JOS VAANHOLT CARAVANS
Varsseveldsestraatweg 49
Telf. y fax. 31543772479
7122 CB AALTEN

VAKANTIE EN SPORT B.V.
Molenstraat 10
Telf. 31165051986
4735 SN ZEGGE (N. BR.)

COR OLIE RECREATIE
Weg en Land 23
Telf. 3118921718
Fax. 31189219307
2661 DC Bergschenhoek

CORSTJENS CAMPERS
Industrieweg 10
Telf. y fax. 3144094359
6245 HW EIJSDEN

CONCESIONARIOS PORTUGAL

J.S.M. (SOUSA MESQUITA)
Marechal Saldanha 10 a 24
Telf. 35126182359
Fax. 35126182368
4100 Porto

Avd. do Brasil 114 C
Telf. 3518497479
Fax. 3518498461
1700 Lisboa

Rua do Faial 40
Telf. 35126186048

CONCESIONARIOS ITALIA

PIEMONTE
Grosso Vacanze 2
Via Divisione Alpina
Cuneense 2
Telf. 0172/68288
Fax.. 0172/68781
Genola (CN)

LADY CARAVAN
Bellacomba 266 A
Telf. 7813001
T0156 TORINO

LOMBARDIA
Vacanze 2000
Viale Lombardia 51
Telf./ Fax 039/746089
Monza (MI)
San Rocco
Via per Lozza 9 Varese
Telf. /fax. 0332/261223

ALTO EDIGE
A.T.E. Auto/Import
Appiano-Eppan (BZ)
Telf. 0471/663153
Fax. 0471/662320

VENETO
Giessecaravan
Via Noalese 95 - Zero Branco
(TV) Telf. 0422/485485
Fax. 0422/485028

Centro Vacanze Trevisan
Telf. 049/9002266
Fax. 049/9002570

EMILIA ROMAGNA
Ropa Center
Via Galeazza 71
Bologna
Telf. 051/561554
Fax. 051/569754
S.S. 11 Via Marco Polo 4/A
Mestrino (PD)

Centro Vacanze Meglioli
Via S. Giovanni Evangelista 32
Spezzano di Fiorano (MO)
Telf. 0536/843836

T. F. Caravan
Via Emilia 8 / D -
Forlimpopoli (FO)
Telf. 0543/745065
Fax. 0543/745205

MARCHE
Fil Caravan
Via D. Concordia 12/14
Telf. /Fax. 0733/292467
Piediripa di Macerata

LAZIO
Central Caravan Furlanetto
Via Pontina 587-Roma
Telf. 06/5071633 - 5084296

CAMPANIA
Centro Caravan Romaniello
Uscita Autosole Caserta Nord
Telf./fax. 0823/468742
Casagiove (CE)

SICILIA
Medicamp
Via Marco Polo - Catania
Telf./fax. 095/336683-222197

LIGURIA
Caravans City
Via Isonzo 16/R
Telf. 010 391356/3992805
Fax. 010 383548
16100 Genova

CONCESIONARIOS FRANCIA

CARAVANING SERVICE
RN 20 Route de Paris
Telf. 63201440
Fax. 63202712
82000 Montauban

CHARNEAU CARAVANES
La Landette Route des Sables
Telf. 51 40 30 31
Fax. 51 40 38 61
85430 Les Clouzeaux

EVASION
Route de Margiguas
Telf. 56476234
Fax. 56343433
33700 Merignac

CENTRE INTER SPORT
Sortie Autoroute Beziers-E
Telf. 67393760
Fax. 67394461
34420 Villeneuve les Beziers

FRAMCE MOBIL
Domaine Du Pin De La
Lègue
Telf. 94408764
Fax. 94407512
83603 Frejus Cedex

LOISIRS HARDY
Les Pavillons Route de
Nantes
Telf. 40635840
Fax. 40636816
44700 Orvault

LEBRUN ET FILLS
RN 46
Telf. 21764258
Fax. 21491565
62950 Noyelles Godault

ATLANTIQUE MOBIL
Zac de Belle Aire-Rue
Léonard de Vinci
Telf. 46449192
Fax. 46446575
17440 Aytre

EXPO LOISIRS 77
ZI Coulommiers
Telf. (1) 64031897
Fax. (1) 64030800
77120 Coulommiers

**AU DOMAINE DU
CARAVANIER**
17 Avenue De La
République
Telf. 23522396
02300 Chauny

**CARAVANING DU GRAND
CLOS**
Avenue De Royaumont
Telf. (1) 30354043
Fax. (1) 34680889
95270 Viarmes

CHABLAIS CARAVANES
Route De Genève RN5
Telf. 50726554
Fax. 50725897
74200 Margencel-Thonon

VIKINGS ET MOERS
4772 Route De Neufchatel
Telf. 35600477
Fax. 35600980
76230 Bois Guillaume

CASTEL CARAVANES
Route De Paris
Telf. 61703317
Fax. 61704613
31140 Saint Alban

AVENIR CARAVANES
Route De Nimes
Telf. 90253704
Fax. 90259660
30133 Les Angles

ESPACE DETENTE
Centre Comerç. Plan de
Campagne
Telf. 42028681
Fax. 42028117
13170 Les Pennes Mirabeau

ANTOINE CARAVANES
55 Avenue De Paris
Telf. 49855079
86490 La Tricherie

SARL CARALOISIRS
Route De Doble
Telf. 81585161
Fax. 81586065
25410 Dannemarie-Sur-
Creste

en Europa

ETS AGEST
Route De Tarbes
Telf. 59024815
Fax. 59303462
64320 Bizanos

CARAVANING ET PLEIN
113 Route Nationale
Telf. 53875130
Fax. 81586065

ADS LOISIRS SARL
Montifaut/Montreuil Le Gast
Telf. 99664532
Fax. 99664530
35520 Melesse

PRESTIGE CARAVANES
4 Rue Romani Z.A.
Telf. 68385228
66600 Rivesaltes

SARL SPORT LOISIRS
RN 437 Trevenans
Telf. 84294293
Fax. 84297197
90400 Danjoutin

ETS JACQUELINE S.A.
12 Rue General Leclerc
Telf. 31268314
Fax. 31266513
14790 Verson

SRL COLLARD SPORT
RN 82 La Bruyère
Telf. 77746608
Fax. 77925024
42580 L'Etrat

KLEIN CARAVANES
Route nationale 4
Telf. 77746608
Fax. 77925024
54840 Gondreville

EUROCAR
206 Route De Grenoble
Fax. 78900743
69800 St. Priest

SA GEMAC
Les Soubredioux
26300 Alixan

CARAVANES LEBRAT
Les Soubredioux
26300 Alixan

I N D I C E S

ÍNDICE POBLACIONES ESPAÑOLAS

C A M P I N G S   E S P A Ñ O L E S

580 GUIA FECC

CAMPINGS CON BUNGALOWS Y / O CABAÑAS

NB : Nº de bungalows
NC : Nº de cabañas

CLAVE CAMPING	N.B	N.C
ALICANTE		
A-05 LOS LLANOS	19	
A-25 CAP BLANCH	12	
A-28 MIAMI	2	
A-34 BENISOL	5	
A-36 BENIDORM	12	
A-42 LA CALA	54	
A-43 HERCULES	13	
A-49 COSTA BLANCA		2
ALBACETE		
AB-10 LA FUENTE	14	
ALMERIA		
AL-17 MAR AZUL	30	
AVILA		
AV-12 NAVAGREDOS	4	
BARCELONA		
B-003 LAS NAC. EUROP	1	
B-016 BON REPOS	9	
B-020 BELLSOL	12	
B-021 CABALLO DE MAR	10	
B-029 EL FAR	4	
B-042 VICTORIA	6	
B-045 EL CARLITOS	5	
B-046 EL TORO AZUL	35	
B-057 MASNOU	9	
B-068 EL TORO BRAVO	10	
B-070 LA BALLENA ALEGRE	73	53
B-072 TRES ESTRELLAS	16	
B-086 SITGES	58	
B-090 VILANOVA PARK	14	49
B-091 PLATJA VILANOVA	37	
B-093 LA RUEDA	38	
B-094 CLUB LAS SALINAS	5	
B-100 REPOS DEL PEDRAFORCA	7	8
B-107 PISCINES DEL MONTSENY	7	
B-112 EL VEDADO	7	
B-138 LA VALL	10	
BURGOS		
BU-06 PICON DEL CONDE	6	
CURUÑA		
C-01 VALDOVIÑO	10	
C-09 PERBES	5	
C-21 SANTA CRUZ	15	
C-34 SANTA MARTA	6	
C-44 AS NEVEDAS	3	
C-45 SISARGAS	5	
C-54 PUNTA BATUDA	2	
C-60 MONTE DO GOZO C.V.	14	
C-64 COROSO	7	
CADIZ		
CA-01 SAN ROQUE	37	
CA-04 COSTASOL	16	
CA-05 BAHIA	12	
CA-11 TORRE DE LA PEÑA I	2	
CA-12 TORRE DE LA PEÑA II	10	
CA-19 FARO DE TRAFALGAR	14	
CA-26 CALA DEL ACEITE	1	
CA-27 PINAR TULA	1	
CA-44 LA VICTORIA	5	
CA-53 LA TORRECILLA	5	
CACERES		
CC-07 PARQUE NATURAL MONFRAGUE	6	
CC-23 VALLE DEL JERTE	10	
CC-27 EL PINAJARRO	6	4
CC-29 LAS CAÑADAS	8	
CC-39 SIERRA DE GATA	6	
CORDOBA		
CO-05 LA CAMPIÑA	2	
CO-06 CARLOS III	15	
CO-13 POZO CANITO	16	
CASTELLON		
CS-09 EL EDEN	15	
CS-14 FERRER	12	
CS-23 BELLAVISTA	15	
CS-25 LOS PINOS	0	
CS-36 TORRE LA SAL	33	
CS-38 ALONDRA	5	
CS-59 FLORIDA	4	
CS-63 LAS HUERTAS	8	
CUENCA		
CU-06 PANTAPINO	15	
GIRONA		
GI-006 VELL EMPORDA	4	
GI-013 L'OMBRA	7	
GI-021 CADAQUÉS	14	
GI-024 JONCAR MAR	5	
GI-029 INTERNACIONAL AMBERES	5	
GI-031 CASTELL-MAR	60	
GI-033 MAS NOU	15	
GI-034 NAUTIC ALMATA	12	
GI-041 LA BALLENA ALEGRE-2	37	
GI-044 LAS PALMERAS	5	
GI-047 L'AMFORA	17	
GI-048 CAN CULE	1	
GI-052 CALA MONTGO	85	
GI-056 PARADIS	4	
GI-058 LES MEDES	8	
GI-059 TER	20	
GI-060 ESTARTIT	4	
GI-063 LA SIRENA	17	
GI-065 RIFORT	4	
GI-066 CASTELL MONTGRI	22	
GI-069 EL DELFIN VERDE	37	
GI-074 MAS PATOTXAS	4	
GI-079 EL MASET	8	
GI-084 KIM'S	10	
GI-087 LA SIESTA	88	
GI-091 RELAX-NAT (Naturista)	18	
GI-092 RELAX-GE	34	
GI-093 CASTELL PARK	5	
GI-095 INTERNACIONAL PALAMOS	12	
GI-098 KING'S	3	
GI-099 VILARROMA	4	
GI-100 LA COMA	14	
GI-102 PALAMOS	16	
GI-106 INTERNACIONAL DE CALONGE	50	
GI-108 CALA GOGO	4	
GI-110 TREUMAL	32	
GI-117 PINELL	4	
GI-119 RIEMBAU	96	
GI-120 VALLDARO	11	
GI-139 CANYELLES	20	
GI-142 STA.ELENA CIUTAT	10	
GI-147 BELLA TERRA	17	
GI-149 LA MASIA	36	
GI-150 VORA MAR	32	
GI-163 STEL	19	
GI-167 LA FAGEDA	2	
GI-168 LAVA	10	
GI-171 MAJOKAL	2	
GI-172 ESPONELLA	5	
GI-176 ELS ROURES	8	
GI-187 VIDRA	10	
GI-195 LA VALL DE BIANYA	6	
GRANADA		
GR-04 LOS ALAMOS	6	
GR-05 MARIA EUGENIA	10	
GR-07 REINA ISABEL	2	
GR-11 SUSPIRO DEL MORO	4	
GR-22 EL PEÑON	13	
GR-32 HUERTA ROMERO	6	
HUELVA		
H-03 ROCIO PLAYA	36	
H-05 DOÑANA PLAYA	80	
H-13 PLAYA TARAY	3	
H-18 LA ANTILLA	3	
H-30 EL BARRIAL	8	
HUESCA		
HU-02 LAGO DE BARASONA	6	
HU-03 BELLAVISTA	6	
HU-09 MASCUN	10	
HU-17 BALIERA	8	
HU-26 AINSA	12	
HU-27 LIGÜERRE DE CINCA	20	
HU-29 PEÑA MONTAÑESA	21	
HU-35 BOLTAÑA	7	
HU-38 EL JABALI BLANCO	6	
HU-44 VALLE DE BUJARUELO	5	
HU-46 SAN ANTON	2	
JAEN		
J-08 PUENTE DE LAS HERRERIAS	12	
J-09 HOYO DE LOS PINOS	11	
LLEIDA		
L-07 EL SOLSONES	5	
L-14 VALL D'AGER	10	
L-16 GASET	18	
L-34 LA CERDANYA	25	
L-36 SOLANA DEL SEGRE	4	
L-41 VALL-FERRERA	3	
L-55 LA MOLA	6	
L-63 TAÜLL	4	
L-72 ARTIGANE	3	
L-76 BEDURA PARK	3	
L-80 ESPALIAS	5	
L-82 ERA LANA	3	
LEON		
LE-10 EL CARES	4	
LE-18 MIRANTES DE LUNA	1	
MADRID		
M-02 OSUNA	17	
M-14 PISCIS	2	
M-31 ARCO IRIS	16	
M-33 ALPHA	83	
M-36 SOTO DEL CASTILLO	20	
MALAGA		
MA-03 LAGUNA PLAYA	1	
MA-11 TORREMOLINOS	12	
MA-13 CALAZUL	2	
MA-20 MARBELLA 191 PLAYA	15	
MA-38 EL SUR	3	4
MURCIA		
MU-04 ANDROMEDA	18	
MU-17 LOS MADRILES	5	
MU-25 EL PORTUS	33	
MU-26 LA PUERTA	16	
MU-28 SIERRA ESPUÑA	2	
NAVARRA		
NA-04 ASOLAZE	1	
NA-11 RIEZU	9	
NA-14 EL MOLINO	12	
NA-24 CINTRUENIGO	10	
OVIEDO		
O-003 PLAYA DE LA FRANCA	4	
O-009 LAS BARCENAS	8	
O-010 EL BRAO	1	
O-012 PALACIO DE GARAÑA	4	
O-021 LOS SAUCES	8	
O-052 EL MOLINO	16	
O-062 CUDILLERO	4	
O-073 PLAYA DE TAURAN	5	
O-087 PLAYA DE PEÑARRONDA	1	
O-103 NARANJO DE BULNES	1	
ORENSE		
OR-01 LEIRO	6	
OR-07 OS INVERNADEIROS	10	
PALMA de MALLORCA		
PM-01 PLATJA BLAVA	75	
PM-02 C.C.SAN PEDRO	126	
PM-05 SAN ANTONIO	34	
PM-09 VACACIONES ES CANAR	30	
PONTEVEDRA		
PO-30 ALMAR	10	
PO-38 TIRAN	12	
PO-41 PLAYA SAYANES	7	
PO-44 PLAYA AMERICA	14	
PO-45 PLAYA DE PATOS	17	
PO-49 PEDRA RUBIA	6	
SANTANDER		
S-29 DERBY DE LOREDO	10	
S-32 VIRGEN DEL MAR	8	
S-34 BELLAVISTA	6	
S-42 LA PICOTA	4	
S-46 SANTILLANA	27	
S-48 COBRECES	4	

CAMPINGS CON BUNGALOWS Y / O CABAÑAS
NB: Nº de bungalows
NC: Nº de cabañas

CLAVE CAMPING	N.B	N.C
S-54 EL HELGUERO	5	
SEVILLA		
SE-01 SEVILLA	16	
SE-02 LOS NARANJOS	100	
SE-03 C.V.ARCO IRIS	41	
SE-11 MAIRENA	20	
SE-17 RESERV. VERDE DEL HUEZNAR	5	
SE-20 SIERRA BRAVA	20	
SEGOVIA		
SG-05 AERONAUTICA GUADARRAMA	8	
TARRAGONA		
T-001 MAR DE CUNIT	20	
T-009 SAN SALVADOR	1	
T-013 PARK-PLATJA BARA	90	
T-014 ARC DE BARA	2	
T-018 GAVINA	2	

CLAVE CAMPING	N.B	N.C
T-019 L'ALBA	10	
T-022 SIRENA DORADA	42	
T-036 CALEDONIA	16	
T-037 TAMARIT	5	17
T-041 TORRE DE LA MORA	12	
T-047 LA PINEDA DE SALOU	26	
T-050 LA UNION	14	
T-055 SANGULI	40	
T-056 AMFORA D'ARCS	6	
T-058 DON CAMILO	70	
T-060 JOAN	5	
T-069 TAMOURE	12	
T-074 LA TORRE DEL SOL	60	
T-075 PLAYA MONTROIG	16	
T-076 OASIS MAR	4	
T-077 PLAYA Y FIESTA	41	
T-078 MIRAMAR	3	
T-083 LA MASIA	11	
T-086 NAUTIC	21	
T-102 ELS ALFACS	3	

CLAVE CAMPING	N.B	N.C
TERUEL		
TE-03 LOS IGLUS	4	
TENERIFE		
TF-02 NAUTA	40	
VALENCIA		
V-31 SAN VICENTE	19	
V-38 L'AVENTURA	2	
V-39 COELIUS	1	
V-42 AZUL	7	
V-44 KIKO	11	
V-46 EL RANCHO	10	
V-48 OLE	30	
V-49 RIO MAR	9	
VALLADOLID		
VA-05 EL ASTRAL	2	
ZARAGOZA		
Z-14 LAGO PARK	4	

CAMPINGS CON MOBIL-HOMES
NM: Nº de Mobil-Homes

CLAVE CAMPING	N.M
ALICANTE	
A-41 VILLASOL	10
BARCELONA	
B-040 LA LLAVE	33
B-065 CALA GO-GO	10
B-068 EL TORO BRAVO	8
B-072 TRES ESTRELLAS	33
B-074 ALBATROS	18
B-090 VILANOVA PARK	45
B-100 REPOS DEL PEDRAFORCA	1
B-122 RUPIT	7
CADIZ	
CA-42 PINAR DE CHIPIONA	5
CASTELLON	
CS-31 RIBAMAR	1
CS-36 TORRE LA SAL	1
CS-63 LAS HUERTAS	12
GIRONA	
GI-023 BAHIA DE ROSES	10
GI-029 INTERNACIONAL AMBERES	8
GI-031 CASTELL-MAR	18

CLAVE CAMPING	N.M
GI-032 LAGUNA	6
GI-033 MAS NOU	3
GI-047 L'AMFORA	1
GI-048 CAN CULE	1
GI-052 CALA MONTGO	8
GI-066 CASTELL MONTGRI	300
GI-074 MAS PATOTXAS	10
GI-084 KIM'S	7
GI-102 PALAMOS	22
GI-108 CALA GOGO	160
GI-120 VALLDARO	60
GI-126 MAS SANT JOSEP	2
GI-143 TUCAN	11
GI-149 LA MASIA	46
GI-154 SOLMAR	20
HUESCA	
HU-29 PEÑA MONTAÑESA	29
LLEIDA	
L-14 VALL D'AGER	9
L-39 LES CONTIOLES	7
L-60 SENTERADA	4
L-74 VERNEDA	1
L-80 ESPALIAS	1

CLAVE CAMPING	N.M
MADRID	
M-31 ARCO IRIS	4
MURCIA	
MU-17 LOS MADRILES	5
PONTEVEDRA	
PO-47 BAIONA PLAYA	19
PO-50 O MUIÑO	4
PO-54 ESTANQUE DORADO	60
SALAMANCA	
SA-17 EL PORTAL DE LA SIERRA	2
TARRAGONA	
T-009 SAN SALVADOR	2
T-036 CALEDONIA	8
T-047 LA PINEDA DE SALOU	2
T-051 LA SIESTA	12
T-055 SANGULI	66
T-075 PLAYA MONTROIG	15
VALENCIA	
V-39 COELIUS	15

CAMPINGS CON TIENDAS
NT: Nº de Tiendas

CLAVE CAMPING	N.T
ALICANTE	
A-18 MORAIRA	4
A-34 BENISOL	6
A-49 COSTA BLANCA	2
ALBACETE	
AB-07 SIERRA DE PEÑASCOSA	2
ALMERIA	
AL-10 LOS ESCULLOS	10
AL-13 ECOCAMPING CABO DE GATA	35
AVILA	
AV-07 PEGUERINOS	1
AV-13 EL HERMOSILLO	1
AV-24 GARGANTA LA ELIZA	1
BARCELONA	
B-004 MALGRAT DE MAR	3
B-100 REPOS DEL PEDRAFORCA	3
B-124 CAMPALANS	3
BILBAO	
BI-02 LEAGI	1

CLAVE CAMPING	N.T
BI-07 ARRIEN	14
BURGOS	
BU-12 CAMINO DE SANTIAGO	4
CORUÑA	
C-34 SANTA MARTA	10
C-54 PUNTA BATUDA	5
CADIZ	
CA-15 EL JARDIN DE LAS DUNAS	4
CA-25 FUENTE DEL GALLO	20
CA-29 ROCHE	5
CA-30 LOS EUCALIPTOS	1
CA-37 PLAYA LAS DUNAS	20
CA-53 LA TORRECILLA	20
CACERES	
CC-11 YUSTE	10
CC-39 SIERRA DE GATA	6
CASTELLON	
CS-41 OASIS	1

CLAVE CAMPING	N.T
CUENCA	
CU-03 PINAR DE JABAGA	6
GIRONA	
GI-031 CASTELL-MAR	80
GI-034 NAUTIC ALMATA	5
GI-066 CASTELL MONTGRI	200
GI-095 INTERNACIONAL PALAMOS	20
GI-106 INTERNACIONAL DE CALONGE	20
GI-132 POLA	62
GI-133 CALA LLEVADO	6
GI-164 MASIA SADERNES	3
GI-168 LAVA	10
GI-201 MONTAGUT	4
GRANADA	
GR-08 CORTIJO BALDERAS	10
GR-32 HUERTA ROMERO	5
HUELVA	
H-12 DERENA-MAR	20
HUESCA	
HU-09 MASCUN	10

CLAVE CAMPING	N.T	CLAVE CAMPING	N.T	CLAVE CAMPING	N.T
HU-10 EL PUENTE	3	NA-13 MURKUZURIA	12	S-74 LA ISLA-PICOS DE EUROPA	1
HU-13 ALTO ESERA	6	NA-14 EL MOLINO	10		
		NA-15 LIZARRA	40	**SALAMANCA**	
LLEIDA				SA-02 LA CAPEA	4
L-07 EL SOLSONES	40	**OVIEDO**			
L-08 RECTORIA DE LA SELVA	8	O-003 PLAYA DE LA FRANCA	1	**SEVILLA**	
L-11 RIBERA SALADA	1	O-061 L'AMURAVELA	6	SE-11 MAIRENA	200
L-13 BADIA	3	O-069 LA REGALINA	10	SE-17 RESERVA VERDE	
L-21 BORDA DE FARRERO	7	O-073 PLAYA DE TAURAN	2	DEL HUEZNAR	30
L-22 BORDA SIMON	4	O-074 PLAYA DE OTUR	3	SE-20 SIERRA BRAVA	20
L-46 LA BORDA DEL PUBILL	4	O-087 PLAYA DE PEÑARRONDA	4		
		O-091 AMAIDO	4	**SEGOVIA**	
LEON		O-110 LAGOS DE SOMIEDO	3	SG-08 ROYOSAN	10
LE-18 MIRANTES DE LUNA	1				
LE-33 VALLE DO SEO	10	**PALMA de MALLORCA**		**SAN SEBASTIAN**	
		PM-08 CALALLONGA	1	SS-09 GRAN CAMPING ZARAUTZ	20
LOGROÑO		PM-09 VACACIONES ES CANAR	22		
LO-10 LOS CAMEROS	1	PM-12 CALA NOVA PLAYA	20	**TARRAGONA**	
		PM-14 S'ATALAYA	6	T-050 LA UNION	50
LUGO				T-074 LA TORRE DEL SOL	69
LU-06 SAN RAFAEL	1	**PONTEVEDRA**			
		PO-10 MUIÑEIRA	3	**VALENCIA**	
MALAGA		PO-20 MONTALVO PLAYA	2	V-43 EURO-CAMPING	3
MA-23 PARQUE TROPICAL	2	PO-21 PREGUNTOIRO	8		
MA-38 EL SUR	3	PO-28 RIAS BAIXAS	2	**VALLADOLID**	
		PO-34 LIMENS	2	VA-01 CUBILLAS	10
MURCIA		PO-40 ISLAS CIES	6	VA-03 EL PLANTIO	4
MU-30 LA RAFA	1	PO-50 O MUIÑO	10	VA-05 EL ASTRAL	3
NAVARRA		**SANTANDER**			
NA-11 RIEZU	10	S-32 VIRGEN DEL MAR	10		

POBLACIONES PORTUGUESAS

CAMPINGS PORTUGUESES

INDICE PAISES EXTRANJEROS

INDICE REGIONES EXTRANJERAS

INDICE CAMPINGS EXTRANJEROS

INDICE CAMPINGS EXTRANJEROS

¡ESTA GUIA TIENE REGALOS!

GANE UNA ESTANCIA DE SIETE DIAS EN SU CAMPING PREFERIDO

Y SUSCRIBASE TOTALMENTE GRATIS A PANORAMA DEL SECTOR CARAVANING

**Entre todos los boletines
que se reciban en nuestra redacción,
hasta el día 30 de noviembre,
SE SORTEARAN
tres estancias de siete días consecutivos
para dos adultos, dos niños, coche,
elemento de acampada
(tienda, remolque-tienda, caravana)
o autocaravana,
en la fecha que deseen los agraciados
y en el camping que elijan
de los que aparecen
en la Guía (españoles o extranjeros) y
10 suscripciones por un año
a la revista
PANORAMA DEL SECTOR CARAVANING.
EL SORTEO SE REALIZARÁ
ANTES DEL 31-12-1995**

Editada por Ediciones JD, S.L.
Josep Tarradellas, 19-21, entl. 1º
Tel. (93) 439 41 04 - 08029 Barcelona

Realización: Arts Gràfiques GRINVER, S.A.
ISBN: 84-920-463-0-9
D.L.: B-4263-95

TEST ▲ GUIA OFICIAL DE LA FECC 1995

CAMPING: [　　　　　　　　　　　　　]

CLAVE (es la que aparece en la Guía): [　　　]

/▲▲▲\ calificación más alta　　　/▲\ calificación más baja

marcar con una cruz

	/▲▲▲\	/▲▲\	/▲▲\	/▲\	/▲\
Equipamiento	☐	☐	☐	☐	☐
Instalaciones Sanitarias	☐	☐	☐	☐	☐
Limpieza	☐	☐	☐	☐	☐
Atención al Campista	☐	☐	☐	☐	☐

Actividades recreativas [R]　**Bonita situación** [P]　**Tranquilidad** [T]

OBSERVACIONES

....

....

....

....

TEST ▲ GUIA OFICIAL DE LA FECC 1995

CAMPING: [　　　　　　　　　　　　　]

CLAVE (es la que aparece en la Guía): [　　　]

/▲▲▲\ calificación más alta　　　/▲\ calificación más baja

marcar con una cruz

	/▲▲▲\	/▲▲\	/▲▲\	/▲\	/▲\
Equipamiento	☐	☐	☐	☐	☐
Instalaciones Sanitarias	☐	☐	☐	☐	☐
Limpieza	☐	☐	☐	☐	☐
Atención al Campista	☐	☐	☐	☐	☐

Actividades recreativas [R]　**Bonita situación** [P]　**Tranquilidad** [T]

OBSERVACIONES

....

....

....

TEST GUIA OFICIAL DE LA FECC 1995

Nombre: ....

Dirección: ....

Provincia: .... **C.P.** ....

Teléfono: (.....) ....

Fecha y duración de su estancia: ....

Equipo de acampada:

SELLO DEL CAMPING

Tienda	☐
Tienda + moto	☐
Tienda + coche	☐
Caravana + coche	☐
Remolque tienda + coche	☐
Autocaravana	☐
ALQUILER Mobil-Home	☐
Bungalow	☐
Caravana	☐
Tienda	☐
Cabaña	☐
Apartamento	☐

marcar con una cruz ▨

-- ✂ --

TEST GUIA OFICIAL DE LA FECC 1995

Nombre: ....

Dirección: ....

Provincia: .... **C.P.** ....

Teléfono: (.....) ....

Fecha y duración de su estancia: ....

Equipo de acampada:

SELLO DEL CAMPING

Tienda	☐
Tienda + moto	☐
Tienda + coche	☐
Caravana + coche	☐
Remolque tienda + coche	☐
Autocaravana	☐
ALQUILER Mobil-Home	☐
Bungalow	☐
Caravana	☐
Tienda	☐
Cabaña	☐
Apartamento	☐

marcar con una cruz ▨

TEST ⛺ GUIA OFICIAL DE LA FECC 1995

Nombre: ....
Dirección: ....
Provincia: .... C.P. ....
Teléfono: (.......) ....
Fecha y duración de su estancia: ....

Equipo de acampada:

SELLO DEL CAMPING

Tienda	☐
Tienda + moto	☐
Tienda + coche	☐
Caravana + coche	☐
Remolque tienda + coche	☐
Autocaravana	☐
ALQUILER Mobil-Home	☐
Bungalow	☐
Caravana	☐
Tienda	☐
Cabaña	☐
Apartamento	☐

marcar con una cruz ⊠

✂ -

TEST ⛺ GUIA OFICIAL DE LA FECC 1995

Nombre: ....
Dirección: ....
Provincia: .... C.P. ....
Teléfono: (.......) ....
Fecha y duración de su estancia: ....

Equipo de acampada:

SELLO DEL CAMPING

Tienda	☐
Tienda + moto	☐
Tienda + coche	☐
Caravana + coche	☐
Remolque tienda + coche	☐
Autocaravana	☐
ALQUILER Mobil-Home	☐
Bungalow	☐
Caravana	☐
Tienda	☐
Cabaña	☐
Apartamento	☐

marcar con una cruz ⊠

TEST 🏕 GUIA OFICIAL DE LA FECC 1995

CAMPING: [   ]

CLAVE (es la que aparece en la Guía): [   ]

🔺🔺🔺 calificación más alta   🔺 calificación más baja

marcar con una cruz

Equipamiento	⛰	⛰	⛰	⛰	⛰
Instalaciones Sanitarias	⛰	⛰	⛰	⛰	⛰
Limpieza	⛰	⛰	⛰	⛰	⛰
Atención al Campista	⛰	⛰	⛰	⛰	⛰

Actividades recreativas [R]   **Bonita situación** [P]   **Tranquilidad** [T]

OBSERVACIONES ....
....
....
....
....

TEST 🏕 GUIA OFICIAL DE LA FECC 1995

CAMPING: [   ]

CLAVE (es la que aparece en la Guía): [   ]

🔺🔺🔺 calificación más alta   🔺 calificación más baja

marcar con una cruz

Equipamiento	⛰	⛰	⛰	⛰	⛰
Instalaciones Sanitarias	⛰	⛰	⛰	⛰	⛰
Limpieza	⛰	⛰	⛰	⛰	⛰
Atención al Campista	⛰	⛰	⛰	⛰	⛰

Actividades recreativas [R]   **Bonita situación** [P]   **Tranquilidad** [T]

OBSERVACIONES ....
....
....
....